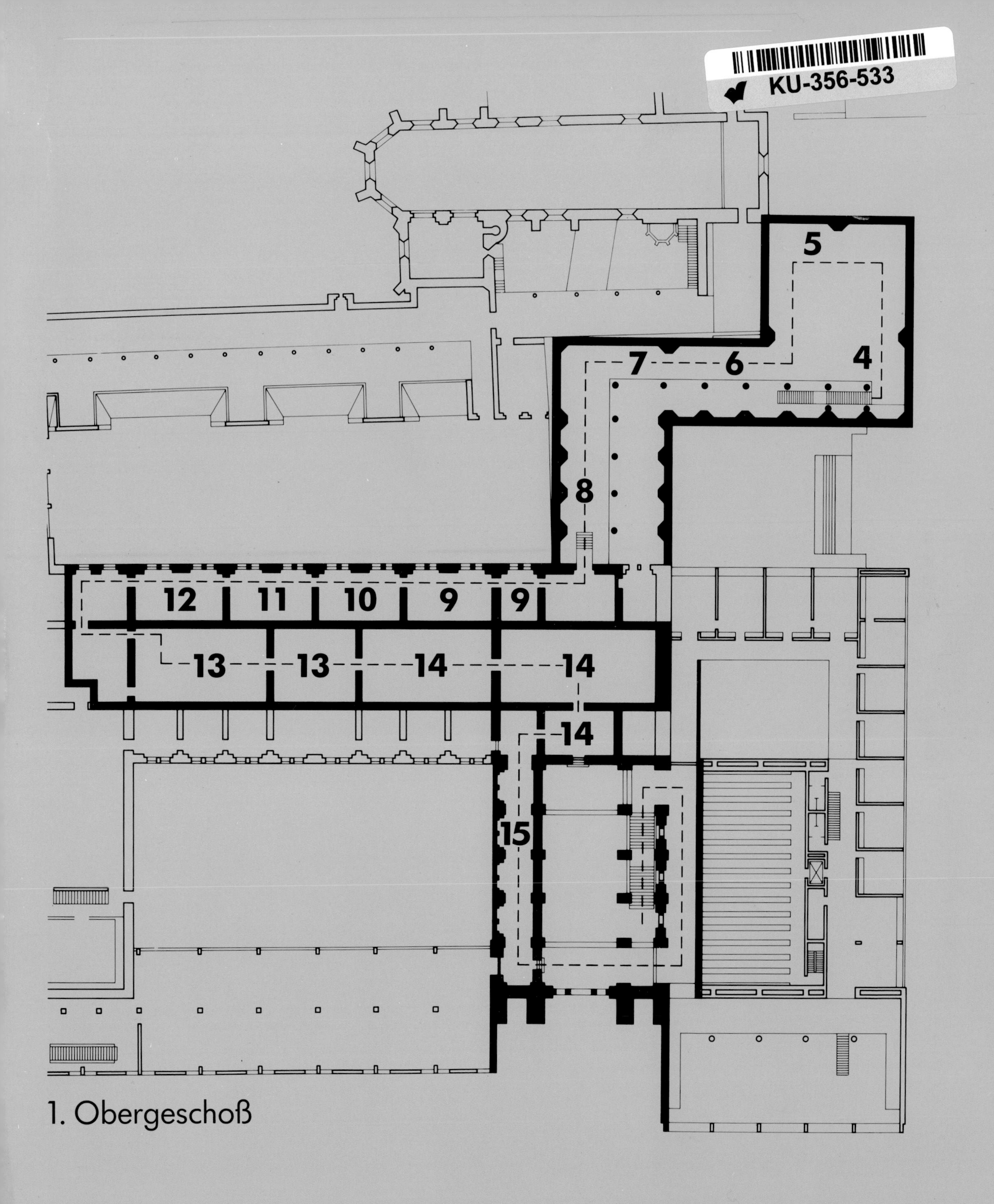

1. Obergeschoß

GERMANISCHES
NATIONAL
MUSEUM

Martin Luther und die Reformation in Deutschland

Ausstellung zum 500. Geburtstag Martin Luthers
Veranstaltet vom Germanischen Nationalmuseum Nürnberg
in Zusammenarbeit mit dem Verein für Reformationsgeschichte

Insel Verlag

Kataloge des Germanischen Nationalmuseums
Herausgeber: Gerhard Bott

Ausstellung im Germanischen
Nationalmuseum
Nürnberg, Kornmarkt 1
vom 25. Juni bis 25. September 1983
Geöffnet täglich von 9.00 bis 19.00 Uhr,
dienstags und donnerstags durchgehend
bis 21.00 Uhr

Umschlagbild Kat. Nr. 363, Lukas Cranach
d. Ä., Bildnis Martin Luthers als
Augustinermönch, um 1522/24,
Nürnberg, Germanisches
Nationalmuseum. Leihgabe Paul Wolfgang
Merkelsche Familienstiftung.

Insel Verlag Frankfurt am Main
Erste Auflage 1983

Für die Anzeigen verantwortlich:
Jürgen Schmidkowski
Druck: Georg Appl, Wemding
Printed in Germany

Der Bundespräsident

Mit der historischen Ausstellung »Martin Luther und die Reformation in Deutschland« leistet das Germanische Nationalmuseum in Nürnberg einen wesentlichen Beitrag zum »Lutherjahr 1983«, in dem Deutschland und die evangelische Christenheit in aller Welt des 500. Geburtstages Martin Luthers gedenken.
Mit der Ausstellung soll eine breite Öffentlichkeit anhand von Bildern und Dokumenten die wichtigsten Lebensstationen Luthers nacherleben und zugleich mit den Voraussetzungen, dem Verlauf und den Wirkungen der Reformation vertraut gemacht werden. Die reformatorische Tat Luthers ist in ihrer Tiefe und Breite nur zu verstehen, wenn das Leben und Wirken des Reformators und die Umwelt, in der er lebte, d.h. die zeitgeschichtlichen, geistigen, kulturellen und sozialen Gegebenheiten zusammen gesehen und in ihrer Wechselwirkung begriffen werden.
Daß die Kirche dringend der »reformatio«, der Erneuerung, bedürfe, war schon vor Luther eine bei Theologen und Priestern, aber auch bei den Laien – bei Fürsten, Philosophen, Bürgern und Bauern – weit verbreitete Meinung. Anlaß zu Kritik und Unbehagen waren vor allem äußere Erscheinungen des kirchlichen Lebens.
Martin Luther setzte tiefer an. In einem durch Jahre währenden Glaubenskampf und im geduldigen Studium der Heiligen Schrift hatte er die Gewißheit erlangt, daß Reformation der Kirche nicht Werk und Tat eines Menschen, und sei es des frömmsten, klügsten und gebildetsten, sein könne.
Nur durch Gottes eigenes Handeln, d.h. durch gläubiges Vertrauen auf die Macht und die Wirkung seines im Alten und Neuen Testament geoffenbarten Wortes konnte nach Luthers Meinung der Gläubige die Kraft und die Autorität gewinnen, die Kirche und die Welt zur Buße zu rufen und allen, die glauben, Gottes Erbarmen, Rettung und Heil zu verkündigen.
Die Reformation Martin Luthers verstand sich als das Angebot Gottes, der jedem, der an die Erlösung durch das Leiden und Sterben Jesu Christi glaubt, ohn' all sein Verdienst und Würdigkeit, die Schuld vergibt und ihn aus lauter Gnade teilnehmen läßt an der Freiheit der Kinder Gottes. Der so Beschenkte wird, von Selbstliebe befreit, fähig, Gott mit ganzer Kraft zu lieben, seinen Geboten zu folgen und dem Nächsten ohne Vorbehalt zu dienen.
Luther selbst, alles, was er bewirkt und geleistet hat, sind ein eindringliches Zeugnis dafür, was ein Mensch vermag, der aus der Freiheit Gottes handelt. Seine Predigten, seine Schriften und Traktate, vor allem aber seine Bibelübersetzung sind in erster Linie nicht Ausdruck seiner Genialität, Begabung und Sprachgewalt. Die Kraft, die ihn befähigte, sich Papst, Kaiser und Fürsten zu widersetzen, erklärt sich aus dem Gehorsam gegenüber dem Wort Gottes, wie er es verstand und in seinem Gewissen erfaßte.
Von daher gesehen ist das Gedächtnis an seinen 500. Geburtstag nicht zum Lob und Preis des Menschen Martin Luther geeignet, der, und das hat er selbst gewußt und bekannt, nicht frei von Schwächen, Fehlern und Irrtümern war. Wir lassen Luther zu seinem Recht kommen, wenn wir an seinem Beispiel lernen, nicht auf uns und unsere Kraft, sondern auf Gott zu vertrauen.

Karl Carstens

Zum Geleit

1983 wird weltweit zweier großer Deutscher gedacht, die – wenn auch auf sehr unterschiedliche Weise – entscheidend die Weltgeschichte beeinflußt haben: Martin Luther und Karl Marx. Von beiden ging eine Teilung der Welt aus: die eine Teilung betraf die christliche Welt, die andere spaltete die politische Welt in zwei große ideologische Blöcke. Gerade Deutschland wurde davon besonders getroffen, wobei heute die politische Grenze quer durch Deutschland das Schmerzliche ist.
Die beiden Kirchen haben in den letzten Jahren verstärkt das Gespräch gesucht und mehr die gemeinsamen Grundlagen beider Konfessionen betont. Man kann sagen: sie sind aufeinander zugegangen. Martin Luthers heute zu gedenken, bedeutet mehr als nur die Persönlichkeit in den Mittelpunkt rücken. Mindestens so wichtig, wie Martin Luther in seiner Zeit zu sehen, ist es, sein Wirken und dessen Folgen bis in die Gegenwart hinein zu verstehen und damit aus der Geschichte zu lernen.
Die Ausstellung »Martin Luther und die Reformation in Deutschland« will die historischen Voraussetzungen der Reformation, ihre Antriebe, den Verlauf und die Ergebnisse aufzeigen und so zu ihrem Verständnis beitragen. Das Germanische Nationalmuseum hat zusammen mit dem Verein für Reformationsgeschichte diese Aufklärungsarbeit übernommen. Ausstellung und Katalog sind das Werk kooperativer Leistung zahlreicher Gelehrter und von Vertretern beider Konfessionen. Sie verdienen unseren Dank und unsere besondere Aufmerksamkeit.

Walter Scheel

Vorsitzender des Verwaltungsrates des Germanischen Nationalmuseums, Bundespräsident a. D. Walter Scheel

Der Schirmherr der Ausstellung

Bundespräsident Prof. Dr. Karl Carstens

Das Ehrenkomitee

Bundeskanzler Dr. Helmut Kohl
Ministerpräsident Dr. h.c. Franz-Josef Strauß
Landesbischof Prof. D. Eduard Lohse, Vorsitzender des Rates der Evangelischen Kirche in Deutschland
Erzbischof Prof. Dr. Joseph Kardinal Höffner, Vorsitzender der Deutschen Bischofskonferenz
Landesbischof D. Dr. Johannes Hanselmann, Landesbischof der Evangelisch-Lutherischen Kirche in Bayern
Oberbürgermeister Dr. Andreas Urschlechter

Das wissenschaftliche Komitee

Prof. Dr. Hartmut Boockmann, Universität Göttingen (Geschichte)
Prof. Dr. Gerhard Bott, Generaldirektor des Germanischen Nationalmuseums
Prof. Hermann Harrassowitz, Kirchenmusikdirektor, Nürnberg
Prof. Dr. Konrad Hoffmann, Universität Tübingen (Kunstgeschichte)
Prof. Dr. Herbert Immenkötter, Universität Augsburg (Katholische Theologie: Kirchengeschichte)
Prof. Dr. Franz Irsigler, Universität Trier (Geschichte)
Prof. Dr. Markus Jenny, Universität Zürich (Evangelische Theologie: Praktische Theologie)
Dr. Dieter Koepplin, Vorsteher des Kupferstichkabinetts, Öffentliche Kunstsammlung Basel
Dr. Kurt Löcher, Ltd. Museumsdirektor, Germanisches Nationalmuseum
Prof. Dr. Bernhard Lohse, Universität Hamburg (Evangelische Theologie: Kirchengeschichte)
Dr. Franz Machilek, Archivdirektor, Staatsarchiv Bamberg
Prof. Dr. Bernd Moeller, Universität Göttingen (Evangelische Theologie: Kirchengeschichte)
Prof. Dr. Volker Press, Universität Tübingen (Geschichte)
Prof. Dr. Dr. Horst Rabe, Universität Konstanz (Geschichte)
Dr. Elisabeth Rücker, Bibliotheksdirektorin, Germanisches Nationalmuseum
Dr. Johannes Schilling, Hochschulassistent, Universität Göttingen (Evangelische Theologie: Kirchengeschichte)
Prof. Dr. Gottfried Seebaß, Universität Heidelberg (Evangelische Theologie: Kirchengeschichte)
Prof. Dr. Dr. h.c. Karl Stackmann, Universität Göttingen (Deutsche Philologie)
Prof. Dr. Ernst Walter Zeeden, Universität Tübingen (Geschichte)

unter Mitarbeit von:
Dr. Eduard Isphording, Bibliotheksoberrat, Germanisches Nationalmuseum
Dr. Peter Strieder, Ltd. Museumsdirektor i. R., Germanisches Nationalmuseum
Dr. John Henry van der Meer, Landeskonservator, Germanisches Nationalmuseum

Die Ausstellung

Gesamtleitung: Prof. Dr. Gerhard Bott
Konzept: Das wissenschaftliche Komitee zur Vorbereitung der Ausstellung unter Leitung von Prof. Dr. Bernd Moeller
Organisation und wissenschaftliches Sekretariat: Dr. Kurt Löcher, Dr. Jutta Zander-Seidel
Katalogredaktion: Dr. Kurt Löcher, Prof. Dr. Bernd Moeller, Dr. Jutta Zander-Seidel unter Mitarbeit von Dr. Klaus J. Dorsch M. A.
Ausstellungsarchitektur und -einrichtung: Heinz Micheel
Graphische Gestaltung: Fritz Fischer
Technische Leitung: Klaus Silomon-Pflug
Restauratorische Betreuung: Dr. Thomas Brachert
Mitarbeit an der Ausstellungsdidaktik: Dr. Gesine Stalling
Übersetzungen ins Englische: Corine Schleif
Presse und Werbung: Dr. Claus Pese
Sekretariat: Liane Ruder, Ilse Müller

Dia-Schau
Text: Dr. Gerhard Schröttel
Technische Realisierung: Gertrud Glasow
Originalaufnahmen: Hermann Michels

Die Ausstellung wurde durch das freundliche Entgegenkommen der folgenden Leihgeber ermöglicht:

Ansbach, Evang.-Luth. Kirchengemeinde St. Gumbertus
Pfarrer K. Kreßel
Arnsberg, Schloß Herdringen
Freiherr von Fürstenberg-Herdringen
Aschaffenburg, Kath. Stiftskirchenverwaltung St. Peter und Alexander
Dekan Edgar Röhrig
Augsburg, Archiv des Bistums Augsburg
Dr. Hilda Thummerer
Augsburg, Evang.-Luth. Kirchenstiftung St. Anna
Dekan Klaus Schmidt
Augsburg, Schloß Wellenburg
S. D. Hubertus Fürst Fugger-Babenhausen
Augsburg, Staats- und Stadtbibliothek
Direktor Dr. Josef Bellot
Augsburg, Stadtarchiv
Direktor Dr. Wolfram Baer
Augsburg, Städtische Kunstsammlungen
Direktor Dr. Tilman Falk
Direktor i. R. Prof. Dr. Bruno Bushart
Bamberg, Staatsarchiv
Direktor Dr. Franz Machilek
Bamberg, Staatsbibliothek
Direktor Dr. Wilhelm Schleicher
Basel, Öffentliche Bibliothek der Universität
Direktor Dr. Fredy Gröbli
Basel, Öffentliche Kunstsammlung, Kunstmuseum
Direktor Dr. Christian Geelhaar
Basel, Öffentliche Kunstsammlung, Kupferstichkabinett
Dr. Dieter Koepplin
Berlin, Geheimes Staatsarchiv Preußischer Kulturbesitz
Direktor Dr. Friedrich Benninghoven
Dr. Bernhart Jähnig
Berlin, Staatliche Museen Preußischer Kulturbesitz
Generaldirektor Prof. Dr. Wolf-Dieter Dube
Generaldirektor i. R. Prof. Dr. Stephan Waetzoldt
Berlin, Staatliche Museen Preußischer Kulturbesitz, Gemäldegalerie
Direktor Prof. Dr. Henning Bock
Dr. Wilhelm H. Köhler
Berlin, Staatliche Museen Preußischer Kulturbesitz, Kunstgewerbemuseum
Direktor Prof. Dr. Franz-Adrian Dreier
Berlin, Staatliche Museen Preußischer Kulturbesitz, Kupferstichkabinett
Direktor Prof. Dr. Fedja Anzelewski
Berlin, Staatliche Museen Preußischer Kulturbesitz, Skulpturengalerie
Direktor Prof. Dr. Peter Bloch
Dr. Christian Theuerkauff
Berlin, Staatsbibliothek Preußischer Kulturbesitz
Generaldirektor Dr. Ekkehart Vesper
Direktor Dr. Tilo Brandis
Berlin, Verwaltung der Staatlichen Schlösser und Gärten
Direktor Prof. Dr. Martin Sperlich
Prof. Dr. Helmut Börsch-Supan
Berlin, Evangelische Kirche der Union
Präsident Peter Kraske
Bern, Bernisches Historisches Museum
Direktor Dr. Robert L. Wyss
Dr. Heinz Matile
Besançon, Musée des Beaux-Arts et d'Archéologie
Konservator Mme. Catherine Legrand
Birmingham, The Barber Institute of Fine Arts, The University
Direktor Prof. H. A. D. Miles
Bonn, Rheinisches Landesmuseum
Dr. Heinz Günter Horn
Dr. Ingeborg Krueger
Braunschweig, Herzog Anton Ulrich-Museum
Direktor Dr. Rüdiger Klessmann
Dr. Christian von Heusinger
Braunschweig, Predigerseminar der Evang.-Luth. Landeskirche
Direktor Peter Gennrich
Braunschweig, Stadtarchiv
Direktor Dr. Manfred Garzmann
Braunschweig, Städtische Bibliotheken, Stadtbibliothek
Dr. Luitgard Camerer
Braunschweig, Städtisches Museum
Direktor Dr. Gerd Spies
Dr. F.-J. Christiani
Bremen, Staatsarchiv
Direktor Dr. Hartmut Müller
Dr. Andreas Röpcke
Bretten, Melanchthon-Museum
Direktor D. Dr. Otto Beuttenmüller
Brüssel, Mme. Michèle Asselberghs-Feneau
Brüssel, Bibliothèque Royale Albert Ier
Chefkonservator Martin Wittek
T. Verschaffel
Budapest, Evangelisch-Lutherische Kirche in Ungarn, Evangelisches Landesarchiv
Prof. Dr. Tibor Fabiny
Budapest, Szépmüvészeti Múzeum
Generaldirektor Dr. Klara Garas
Chatsworth, The Trustees of the Chatsworth Settlement
The Duke of Devonshire
Peter Day M. A., Keeper

Coburg, Kunstsammlungen der Veste Coburg
Direktor Dr. Joachim Kruse
Dr. Minni Maedebach
Coburg, Landesbibliothek
Direktor Dr. Jürgen Erdmann
Coburg, Staatsarchiv
Dr. Rainer Hambrecht
Darmstadt, Hessisches Landesmuseum
Direktor Dr. Wolfgang Beeh
Detmold, Nordrhein-Westfälisches Staatsarchiv
Direktor Dr. Günther Engelbert
Dr. Hans-Peter Wehlt
Dinkelsbühl, Evang.-Luth. Kirchengemeinde
Dekan G. Humbser
Donaueschingen, Fürstlich Fürstenbergisches Archiv
S. D. Joachim Egon Fürst und Landgraf zu Fürstenberg
Georg Goerlipp
Donaueschingen, Fürstlich Fürstenbergische Hofbibliothek
S. D. Joachim Egon Fürst und Landgraf zu Fürstenberg
Hildegret Sattler
Dortmund, Institut für Zeitungsforschung
Dr. Hans Bohrmann
Dr. Margot Lindemann
Düsseldorf, Nordrhein-Westfälisches Hauptstaatsarchiv
Direktor Prof. Dr. Wilhelm Janssen
Dr. Heike Preuß
Eichstätt, Diözesanarchiv
Brun Appel
Eichstätt, Staats- und Seminarbibliothek
Direktor Dr. Hermann Holzbauer
Dr. Hrvoje Jurcic
Erlangen, Universitätsbibliothek
Direktor Dr. Dr. Bernhard Sinogowitz
Dr. Alice Rössler
Ermatingen, Ausbildungszentrum Wolfsberg der Schweizerischen Bankgesellschaft
Direktor Ernst Mühlemann
Eßlingen am Neckar, Stadtarchiv
Direktor Dr. Walter Bernhardt
Frankfurt am Main, Evang.-Luth. Dreikönigsgemeinde
Pfarrer W. Gegenwart
Frankfurt am Main, Stadt- und Universitätsbibliothek
Direktor Klaus-Dieter Lehmann
Dr. Werner Wenzel
Freiburg i. Br., Albert-Ludwigs-Universität
Rektor Prof. Dr. Bernhard Stoeckle
Freiburg i. Br., Erzbischöfliches Ordinariat
Domkapitular Dr. Bechtold
Freiburg i. Br., Städtische Museen Freiburg, Augustinermuseum
Direktor Dr. Hans H. Hofstätter
Freiburg i. Br., Universitätsbibliothek
Direktor Prof. Dr. Wolfgang Kehr
Vera Sack
Fribourg, Musée d'Art et d'Histoire
Direktor Michel Terrapon
Dr. Yvonne Lehnherr
Friedberg, Wetterau-Museum
Michael Keller
Fritzlar, Domschatz und Museum des St. Petri-Domes
Msgr. Dechant Ludwig Vogel
Fulda, Hessische Landesbibliothek
Direktor Dr. Artur Brall
Gaasbeek, Kasteel-Museum en Archief
Konservator Alfons Van Impe
Gdańsk/Danzig, Centralne Muzeum Morskie
Direktor Dr. hab. Przemysław Smolarek
Gießen, Justus-Liebig-Universität
Prof. Dr. Karl Alewell, Präsident
Göttingen, Archiv der Stadt Göttingen
Direktor Dr. Helga-Maria Kühn
Göttingen, Evang.-Luth. Stadtkirchenarchiv
Karl Heinz Bielefeld
Göttingen, Niedersächsische Staats- und Universitätsbibliothek
Direktor Helmut Vogt
Dr. Klaus Haenel
Goslar, Evang.-Luth. Gemeinde St. Peter und Paul auf dem Frankenberge
Pastor Lic. Dr. theol. Hans C. Deppe
Goslar, Marktkirchenbibliothek
Pfarrer i. R. Werner Kleinschroth
Graz, Alte Galerie am Landesmuseum Joanneum
Hon.-Prof. Dr. Kurt Woisetschläger
Den Haag, Koninklijk Kabinet von Schilderijen »Mauritshuis«
Direktor Hendrik Richard Hoetink
Den Haag, Koninklijke Bibliotheek
Direktor Dr. C. Reedijk
Hamburg, Hamburger Kunsthalle
Direktor Prof. Dr. Werner Hofmann
Dr. Eckhard Schaar
Hamburg, Kirchenkreis Alt-Hamburg
Oberkirchenrat Rötting
Reinhard Wagner, Vorsitzender des Kirchenvorstandes der Hauptkirche St. Nikolai
Hamburg, Museum für Kunst und Gewerbe
Direktor Prof. Dr. Axel von Saldern
Dr. Bernhard Heitmann
Hamburg, Staatsarchiv
Direktor Prof. Dr. Hans-Dieter Loose
Hannover, Kestner-Museum
Dr. Helga Hilschenz
Hannover, Niedersächsische Landesbibliothek
Direktor Dr. Wilhelm Totok
Dr. Hans-Peter Schramm
Hannover, Niedersächsisches Hauptstaatsarchiv
Direktor Dr. Manfred Hamann
Dr. Klaus Dettmer
Hannover, Niedersächsisches Landesmuseum
Direktor Dr. Hans Werner Grohn
Heidelberg, Frau Dr. Erika Dinkler – von Schubert
Heidelberg, Kurpfälzisches Museum
Direktor Dr. Jörn Bahns
Heidelberg, Universitätsbibliothek
Direktor Dr. Elmar Mittler
Direktor Dr. Wilfried Werner
Heilbronn, Stadtarchiv
Direktor Dr. Helmut Schmolz
Heilsbronn, Evang.-Luth. Kirchengemeinde
Pfarrer Paul Geißendörfer
Innsbruck, Tiroler Landesmuseum Ferdinandeum
Direktor Hofrat Dr. Erich Egg
Karlsruhe, Badische Landesbibliothek
Direktor Dr. Gerhard Römer
Dr. Gerhard Stamm
Karlsruhe, Staatliche Kunsthalle
Direktor Prof. Dr. Horst Vey
Kassel, Gesamthochschul-Bibliothek
Direktor Dr. Hans-Jürgen Kahlfuß
Dr. Hartmut Broszinski
Kassel, Evangelische Kirche von Kurhessen-Waldeck
Oberlandeskirchenrat Günter Nebe
Kassel, Staatliche Kunstsammlungen
Direktor Dr. Ulrich Schmidt
Kiel, Schleswig-Holsteinische Ritterschaft
Dr. H. von Rumohr
Klosterneuburg, Chorherrenstift, Stiftsbibliothek
Prof. DDr. Floridus Röhrig, Can. Reg.
Köln, Historisches Archiv der Stadt Köln
Direktor Dr. Hugo Stehkämper
Dr. Joachim Deeters
Dr. Manfred Groten
Köln, Museen der Stadt Köln
Generaldirektor Prof. Dr. Hugo Borger
Köln, Kölnisches Stadtmuseum
Direktor Dr. Heiko Steuer
Dr. Liesel Franzheim
Köln, Schnütgen-Museum
Direktor Prof. Dr. Anton Legner
Köln, Wallraf-Richartz-Museum
Direktor Dr. Rainer Budde
Dr. Frank Günter Zehnder

Konstanz, Rosgarten Museum
Sigrid von Blanckenhagen
Konstanz, Stadtarchiv
Direktor Prof. Dr. Helmut Maurer
Kopenhagen, Det Kongelige Bibliotek
Direktor Palle Birkelund
Michael Cotta-Schønberg
Lauenburg/Elbe, Evang.-Luth. Kirchengemeinde
Pastor Heinz-Erik Iversen
Leutkirch, Fürstlich Waldburg-Zeil'sches Gesamtarchiv Schloß Zeil
S. D. Georg Fürst von Waldburg-Zeil
Rudolf Beck
Lindau, Stadtarchiv/Stadtbibliothek
Rainer Burbach M. A., Leiter des Kulturamts der Stadt
London, The British Library, Department of Printed Books
R. J. Fulford, Keeper
John R. Barr, Exhibition Officer
London, The British Museum, Department of Prints and Drawings
John Rowlands, Keeper
Ludwigsburg, Staatsarchiv
Direktor Dr. Alois Seiler
Lübeck, Museum für Kunst und Kulturgeschichte der Hansestadt Lübeck
Direktor Dr. Wulf Schadendorf
Lübeck, St. Marien-Kirchengemeinde
Werner Bald, Vorsitzender
Lüneburg, Museumsverein für das Fürstentum Lüneburg
Direktor i. R. Dr. Gerhard Körner
Dr. des. Eckhard Michael
Mainz, Mittelrheinisches Landesmuseum
Direktor Prof. Wilhelm Weber
Mainz, Stadtbibliothek
Direktor Dr. Geesche Wellmer-Brennecke
Marburg, Hessisches Staatsarchiv
Direktor Dr. Wilhelm Alfred Eckhardt
Dr. Fritz Wolff
Marburg, Marburger Universitätsmuseum für Kunst und Kulturgeschichte
Direktor Dr. Carl Graepler
Memmingen, Stadtarchiv
Christl Zepp M. A., Leiterin des Städt. Kulturamts
München, Generaldirektion der Staatlichen Archive Bayerns
Generaldirektor Dr. Walter Jaroschka
München, Bayerisches Hauptstaatsarchiv
Direktor Dr. Hildebrand Troll
München, Bayerische Staatsbibliothek
Generaldirektor Prof. Dr. Fridolin Dreßler
Direktor Dr. Franz Georg Kaltwasser
Dr. Karl Dachs
Dr. Erwin Arnold
München, Bayerische Staatsgemäldesammlungen
Generaldirektor Prof. Dr. Erich Steingräber
Dr. Johann Georg Prinz von Hohenzollern
München, Bayerisches Nationalmuseum
Generaldirektor Dr. Lenz Kriss-Rettenbeck
Dr. Peter Volk
München, Magdalene Haberstock
München, Staatliche Graphische Sammlung
Direktor Dr. Dieter Kuhrmann
Dr. Gisela Scheffler
München, Staatliche Münzsammlung
Direktor Dr. Harald Küthmann
München, Hans Veit Graf zu Toerring-Jettenbach
München, Universitätsbibliothek
Direktor Dr. Gerhard Schott
Münster, Diözesan-Bibliothek
Lic.Dr. Erwin Gotenburg
Münster, Universitätsbibliothek
Direktor Dr. Robert Reichelt
Münster, Westfälisches Landesmuseum für Kunst und Kulturgeschichte
Direktor Prof. Dr. Peter Berghaus
Dr. Géza Jászai
Neuburg/Donau, Staatliche Bibliothek
Direktor Dr. Ernst R. Hauschka
Neunkirchen a. Br., Kath. Pfarramt St. Michael
Pfarrer Veit Dennert
Nördlingen, Stadtarchiv/Stadtmuseum
Dr. Dietmar Voges
Johanna Genck
Nürnberg, Evang.-Luth. Kirchengemeinde St. Lorenz
Prodekan Herbert Bauer
Georg Stolz, Architekt BDA
Nürnberg, Evang.-Luth. Kirchengemeinde St. Sebald
Pfarrer Eberhard Bibelriether
Nürnberg, Freiherrlich von Harsdorf'sche Familienstiftung
Georg Freiherr von Harsdorf
Prof. Jobst Freiherr von Harsdorf
Nürnberg, Landeskirchliches Archiv
Direktor Dr. Helmut Baier
Dr. Svetozar Sprusansky
Nürnberg, Paul Wolfgang Merkelsche Familienstiftung
Nürnberg, Scheurl-Bibliothek
Siegfried Freiherr von Scheurl
Nürnberg, Staatsarchiv
Direktor Dr. Günther Schuhmann
Nürnberg, Stadtarchiv
Direktor Dr. Gerhard Hirschmann
Nürnberg, Stadtbibliothek
Direktor Dr. Robert Fritzsch
Dr. Günther Thomann
Paris, Bibliothèque Nationale, Département des Imprimés
Mme Jeanne Veyrin-Forrer
Pommersfelden, Graf von Schönborn'sche Schloßbibliothek
Dr. Karl Graf von Schönborn-Wiesentheid
M. Ellen Thelen
Porrentruy, Bibliothèque du Lycée Cantonal
Direktor Roger Flückiger
Regensburg, Historischer Verein für Oberpfalz und Regensburg
Msgr. Dr. Paul Mai
Guido Hable
Regensburg, Museen der Stadt Regensburg
Direktor Dr. Wolfgang Pfeiffer
Regensburg, Staatliche Bibliothek
Dr. Gisela Urbanek
Rendsburg, Heimatmuseum
Knut Mahrt, Museumsleiter
Rom, Biblioteca Casanatense
Prof. Alfredo Serrai
Salzburg, Erzabtei St. Peter
H. H. Erzabt Franz Bachler OSB
Salzburg, Salzburger Museum Carolino Augusteum
Direktor Dr. Albin Rohrmoser
Schleswig, Schleswig-Holsteinisches Landesmuseum
Direktor Prof. Dr. Gerhard Wietek
Dr. Paul Zubeck
Schlettstadt/Sélestat, Bibliothèque Humaniste
Konservator Hubert Meyer
Schwäbisch Gmünd, Kath. Münsterpfarramt
Münsterpfarrer Alfons Wenger
Schwäbisch Hall, Evangelisches Dekanatsamt
Dekan Ernst Brennberger
Schwäbisch Hall, Stadtarchiv
Direktor Dr. Kuno Ulshöfer
Schweinfurt, Bibliothek Otto Schäfer
Otto Schäfer
Manfred von Arnim
Schweinfurt, Sammlung Georg Schäfer
Fritz Schäfer
Starnberg, Dr. Robert Purrmann
St. Gallen, Kantonsbibliothek Vadiana
Prof. Dr. Peter Wegelin
Stockholm, Nationalmuseum
Direktor Per Bjurström
Stockholm, Riksarkivet
Sven Lundkvist
Straßburg/Strasbourg, Archives Municipales
F. J. Fuchs
G. Foessel

Straßburg/Strasbourg, Bibliothèque Nationale et Universitaire
Mlle l'Administrateur L. Greiner
Stuttgart, Hauptstaatsarchiv
Direktor Dr. Hans-Martin Maurer
Dr. Joachim Fischer
Stuttgart, Staatsgalerie
Direktor Prof. Dr. Peter Beye
Dr. Gunther Thiem
Dr. Heinrich Geissler
Stuttgart, Stadtarchiv
Direktor Dr. Kurt Leipner
Stuttgart, Württembergische Landesbibliothek
Direktor Dr. Hans-Peter Geh
Dr. Eberhard Zwink
Stuttgart, Württembergisches Landesmuseum
Direktor Prof. Dr. Claus Zoege von Manteuffel
Sünching, Schloß
Zdenko Freiherr von Hoenning-o'Carroll
Toledo/Ohio, The Toledo Museum of Art
Direktor Roger Mandle
Trier, Rheinisches Landesmuseum
Direktor Dr. Heinz Cüppers
Dr. Karl-Josef Gilles
Tübingen, Eberhard-Karls-Universität, Universitätsarchiv
Dr. Volker Schäfer
Tübingen, Konviktsbibliothek Wilhelmsstift
Direktor Josef Schupp
Eugen Fesseler
Tübingen, Universitätsbibliothek
Direktor Dr. Richard Landwehrmeyer
Dr. Gerd Brinkhus
Ulm, Evangelische Gesamtkirchengemeinde
Dekan Erhard John
Münsterbaumeister Gerhard Lorenz
Ulm, Stadtarchiv
Direktor Prof. Dr. Hans Eugen Specker
Ulm, Stadtbibliothek
Direktor Dr. Hans Krauss
Uppsala, Universitetsbiblioteket
Direktor Thomas Tottie
Carl-Otto von Sydow
Vatikanstadt/Città del Vaticano, Biblioteca Apostolica Vaticana
Seine Heiligkeit Papst Johannes Paul II.
H.H. P. Präfekt Prof. Dr. Alfons M. Stickler SDB
Wemding, Kath. Kirchengemeinde
Pfarrer Gärtner
Wesel, Städtisches Museum
Bürgermeister Wilhelm Schneider
Werner Arand, Städt. Kulturreferent
Wien, Erzbischöfliches Dom- und Diözesanmuseum
Direktor Univ.Prof. Dr. Rupert Feuchtmüller
Dr. Eleonore Nischer-Falkenhof
Wien, Graphische Sammlung Albertina
Direktor Hofrat Prof. Dr. Walter Koschatzky
Wien, Kunsthistorisches Museum
Erster Direktor Univ. Prof. Dr. Hermann Fillitz
Erster Direktor i.R. Hofrat Dr. Friderike Klauner
Wien, Kunsthistorisches Museum, Gemäldegalerie
Dr. Klaus Demus
Dr. Karl Schütz
Wien, Kunsthistorisches Museum, Sammlung für Plastik und Kunstgewerbe
Direktor Dr. Manfred Leithe-Jasper
Wien, Österreichische Nationalbibliothek
Generaldirektor Dr. Josef Zeßner-Spitzenberg
Direktor Hofrat Prof. Dr. Otto Mazal
Wien, Österreichisches Staatsarchiv, Haus-, Hof- und Staatsarchiv
Generaldirektor Hofrat Dr. Rudolf Neck
Direktor Hofrat Dr. Anna Benna
Wien, Schatzkammer des Deutschen Ordens
H.H. Hochmeister P. Ildefons Pauler O.T.
H.H. P. Dr. Bernhard Demel O.T.
Wien, Universität, Universitätsarchiv
Univ.Direktor Dipl.Ing. Dr. Franz Skacel
Prof. Dr. Franz Gall (†)
Winterthur, Kunstmuseum
Dr. Rudolf Koella
Wolfegg, S.E. Max Willibald Erbgraf zu Waldburg-Wolfegg
Wolfenbüttel, Herzog August Bibliothek
Direktor Prof. Dr. Paul Raabe
Direktor Dr. Wolfgang Dittrich
Dr. Wolfgang Milde
Worms, Stadtarchiv
Direktor Fritz Reuter
Wrocław/Breslau, Biblioteka Uniwersytecka
Dr. Josef Budzynski
Würzburg, Martin von Wagner Museum der Universität Würzburg
Direktor Prof. Dr. Erich Hubala
Würzburg, Staatsarchiv
Direktor Dr. Hatto Kallfelz
Würzburg, Universitätsbibliothek
Direktor Dr. G. Mälzer
Dr. Hans Thurn
Wuppertal, Dr. Horst von Rabenau
Zürich, Staatsarchiv des Kantons Zürich
Direktor Dr. Ulrich Helfenstein
Zürich, Zentralbibliothek
Direktor Hans Baer
Dr. Bruno Weber
VDM Georg Bührer

und durch weitere private Leihgeber, die ungenannt bleiben möchten.

Um das Zustandekommen der Ausstellung und durch wissenschaftliche Auskünfte haben sich verdient gemacht:

Das Auswärtige Amt (Kulturabteilung), Bonn
Die Belgische Botschaft in Köln
Die Französische Botschaft in Bonn
Die Italienische Botschaft in Bonn
Die Botschaft der Volksrepublik Polen in Köln
Die Botschaft der Bundesrepublik Deutschland in Warschau

Prof. Dr. Cornelis Augustijn, Amsterdam
Dr. Wolfram Baer, Augsburg
Werner Batschelet, Basel
Elisabeth Bauer, Bamberg
Prodekan Herbert Bauer, Nürnberg
Dr. Josef Bellot, Augsburg
Dr. Walter Bernhardt, Eßlingen
Peter Bohl, Konstanz
Dr. Ulrich Bredehorn, Marburg
Prof. Dr. Horst Brunner, Würzburg
Dr. Adelin De Buck, Köln
Prof. Dr. Axel Freiherr von Campenhausen, Hannover
S. E. Kardinalstaatssekretär Agostino Casaroli, Vatikan
Dr. F.-J. Christiani, Braunschweig
Irene Dingel, Heidelberg
Dr. Wilfried Ehbrecht, Münster
Dr. Peter Michael Ehrle, Tübingen
Dr. Tilman Falk, Augsburg
Cornelia Feuereissen-Hirunyattiti, Konstanz
Georg Goerlipp, Donaueschingen
Dr. Carl Graepler, Marburg
Dr. Jutta Grützner, Warschau
Dr. Hermann Hauke, München
Dr. Frank Hieronymus, Basel
Hofrat Dr. Hans Hochenegg, Hall i. Tirol
Dr. Laurids Hölscher, Warschau
Dr. Manfred Huiskes, Köln
Dr. Berthold Jäger, Marburg
Dr. Axel Janeck, Nürnberg
Michael Keller, Friedberg/Hessen
Dr. Hansjürgen Kiepe, Göttingen
Klaus Joachim E. Klein, Würzburg
Prof. Dr. Karl-Adolf Knappe, Erlangen
Karen Kuehl, Nürnberg
Dr. Peter Th. Lang, Tübingen
Arnold Lassotta, Köln
Prof. Dr. Hans-Günter Leder, Greifswald
Prof. Dr. Gottfried W. Locher, Bern
Vizepräsident Dr. Hartmut Löwe, Hannover
Martin Lunitz, Konstanz
Dr. Gerhard Menk, Marburg
Walter E. Meyer, Biel/Schweiz
Dr. Karl-Heinz Mistele, Bamberg
Dr. Walter Nef, Basel
Oberkirchenrat Hans-Georg Nordmann, Hannover
Eike Oellermann, Restaurator, Heroldsberg bei Nürnberg
Luciano Perselli, Bonn
Dr. Ernst Petritsch, Wien
Dr. Franz Pointner, München
Dr. Rainer Postel, Hamburg
Claude Quiguer, Bonn
Petra Reif, Nürnberg
Christa Reinhardt, Tübingen
Prof. Dr. Hans Reinhardt, Basel
Christian Reinicke, Trier
Prof. Dr. Monika Rössing-Hager, Marburg
Dr. Jean Rott, Straßburg
Prof. Dr. Hans-Christoph Rublack, Tübingen
Heinz Ruder, Nürnberg
Manfred Rudersdorf M. A., Tübingen
Dr. Jörn Sieglerschmidt, Konstanz
Prof. Dr. Robert Suckale, Bamberg
Janusz Szmyt, Köln
Dr. Heinz Scheible, Heidelberg
Prof. Dr. Heinz Schilling, Gießen
Dr. Georg Schmidt, Gießen
Helga Schnabel-Schüle, Tübingen
Bernd Schneider, Nürnberg
Klaus-D. Schreiber, Münster
Dr. Gerd Schulten, Tübingen
Dr. Elfriede Starke, Wittenberg
Anton Stern, Litzendorf bei Bamberg
Dr. Heide Stratenwerth, Konstanz
Christoph Strohm, Heidelberg
Prof. Dr. Dr. Wolfgang Freiherr Stromer von Reichenbach, Schloß Grünsberg
Dr. Hans Christoph von Tavel, Bern
Dr. Christiane Thomas, Wien
Dr. Siegfried Unseld, Frankfurt/M.
Dr. Ludwig Veit, Nürnberg
Dr. Christoph Weismann, Tübingen
Dr. Matthias Werner, Marburg
Dr. Leonie von Wilckens, Nürnberg
Dr. Johannes Willers, Nürnberg
Bischof D. Dr. Hans-Otto Wölber, Hamburg
Prof. Dr. Dieter Wuttke, Bamberg
Dr. Paul Zubeck, Schleswig

Die Ausstellung wurde ermöglicht durch Unterstützung des Bundesministeriums des Innern, des Freistaates Bayern, der Stadt Nürnberg und der Stadtsparkasse Nürnberg und durch Spenden der Mitglieder des Germanischen Nationalmuseums.

Herr Generalkonservator Dr. Michael Petzet, Bayerisches Landesamt für Denkmalpflege, unterstützte unsere Leihgabenwünsche bei den Kirchengemeinden.

Gedankt wird Herrn Dr. Arno Schönberger, Generaldirektor des Germanischen Nationalmuseums i. R., der das Museum der Luther-Ausstellung öffnete, und allen an Vorbereitung und Aufbau der Ausstellung beteiligten Mitarbeitern des Germanischen Nationalmuseums.

Autoren und Mitarbeiter am Katalog

Hartmut Boockmann (H. B.)
Norbert Götz (N. G.)
Konrad Hoffmann (K. H.)
Herbert Immenkötter (H. I.)
Franz Irsigler (F. I.)
Markus Jenny (M. J.)
Dieter Koepplin (D. K.)
Kurt Löcher (K. L.)
Bernhard Lohse (B. L.)
Franz Machilek (F. M.)
Bernd Moeller (B. M.)
Klaus Pechstein (K. P.)
Volker Press (V. P.)
Horst Rabe (H. R.)
Elisabeth Rücker (E. R.)
Johannes Schilling (J. Sch.)
Gottfried Seebaß (G. S.)
Karl Stackmann (K. St.)
Leonie von Wilckens (L. v. W.)
Johannes Willers (J. W.)
Jutta Zander-Seidel (J. Z-S.)
Ernst Walter Zeeden (E. W. Z.)

Folgende Leihgaben werden nur für einen begrenzten Zeitraum zur Verfügung gestellt:
Kat. Nr. 2 bis 19. August
Kat. Nr. 152 bis 11. September
Kat. Nr. 156 bis 19. August
Kat. Nr. 598 bis 24. Juli

Nicht zur Verfügung gestellt wurde:
Kat. Nr. 447

Inhalt

15 Vorwort

17 I. Luthers Herkunft und Umwelt – Wirtschaft und Gesellschaft der Zeit (F. Irsigler)

41 II. Kirche und Frömmigkeit vor der Reformation (H. Boockmann)

73 Farbtafeln

89 III. Schulen und gelehrte Bildung (F. Machilek)

117 IV. Luther in Wittenberg 1511-1517: Die Ausbildung der reformatorischen Theologie (B. Lohse)

131 V. Fürstliche Landesherrschaft und städtisches Regiment vor der Reformation (H. Rabe, B. Moeller)

161 VI. Zeit der Entscheidungen: Luther 1517-1520 (H. Immenkötter)

185 VII. Kaiser, Reich und Reformation bis 1531 (V. Press)

219 VIII. Die reformatorische Volksbewegung im Bilderkampf (K. Hoffmann)

255 IX. Bauernkrieg und radikale Reformation (V. Press, G. Seebaß)

275 X. Die Bibel (K. Stackmann, J. Schilling)

293 XI. Kirchenlied, Gesangbuch und Kirchenmusik (M. Jenny)

323 XII. Reformatoren neben Luther (B. Moeller)

333 XIII. Reformation der Glaubensbilder: Das Erlösungswerk Christi auf Bildern des Spätmittelalters und der Reformationszeit (D. Koepplin)

379 XIV. Von der reformatorischen Bewegung zur evangelischen Kirche: Der frühe Protestantismus (G. Seebaß, B. Moeller)

441 XV. Der Kampf um den Bestand des Protestantismus und die Formierung der Konfessionen bis 1555 (E. W. Zeeden)

469 Anhang
471 Verzeichnis der bildenden Künstler (K. Löcher, K. J. Dorsch)
476 Glossar
481 Abgekürzt zitierte Literatur
482 Allgemeine Abkürzungen
483 Ortsregister
485 Personenregister
491 Bildnachweise

Vorwort

Kaum ein Zeitalter der deutschen Geschichte, so ist immer wieder – in mannigfachen Varianten und von sehr verschiedenen Voraussetzungen her – geurteilt worden, war in sich bedeutender, brachte tiefergehende Umstürze mit sich und hatte weiterreichende Folgen und Auswirkungen als das Zeitalter der Reformation. Die Ausstellung »Martin Luther und die Reformation in Deutschland«, veranstaltet aus Anlaß der 500. Wiederkehr von Luthers Geburtsjahr, will in einer für die geschichtliche Besinnung aufgeschlossenen, ihr zugleich jedoch weithin entwöhnten Zeit sowohl zur Wiedererweckung als auch zur Überprüfung solcher Urteile einladen.

Nicht zufällig findet die Ausstellung im Germanischen Nationalmuseum in Nürnberg statt, das nach seiner Satzung »dem gesamten deutschen Volk gewidmet ist« und die Aufgabe hat, »Zeugnisse der Geschichte und Kultur, Kunst und Literatur aus dem deutschen Sprachraum wissenschaftlich zu erforschen, zu sammeln, zu bewahren und der Öffentlichkeit zu erschließen«. Einen besser geeigneten Ort als dieses Museum gibt es nicht.

Die Veranstalter versuchen, hohen Ansprüchen zu genügen. Sie sind dabei auf Grenzen gestoßen, doch haben sie sich auch Grenzen gesetzt. Beabsichtigt ist eine im strengen Sinn »historische« Ausstellung, das heißt die Sammlung und Darbietung von Dokumenten, Kunstwerken und sonstigen Gegenständen aus der Lebenszeit Luthers, die geeignet erscheinen, Einsichten in die wichtigsten Ereignisse und Probleme der Zeit zu öffnen und Strukturen der Welt erkennen zu lassen, in die Luther hineingeboren wurde und die durch ihn und die von ihm in Gang gebrachten Entwicklungen in so nachhaltiger Weise verändert worden ist.

Die Veranstalter sind von zahlreichen Museen, Bibliotheken und Archiven, kirchlichen Behörden und Gemeinden sowie privaten Leihgebern in der großzügigsten Weise unterstützt worden. Doch mußte auf manche Stücke, deren Präsentation in der Ausstellung wünschenswert gewesen wäre, Verzicht geleistet werden, da sie nicht ausgeliehen werden konnten, nicht zuletzt auf Leihgaben aus der DDR.

Das Konzept der Ausstellung beruht auf der Absicht, die Hinterlassenschaften der Zeit selber zur Anschauung zu bringen. Eine allseitig abgerundete Darstellung der Reformationszeit in der Art eines Handbuches darf der Besucher der Ausstellung und Leser des Kataloges daher nicht erwarten.

Daß die ausgestellten Objekte nicht einfach für sich selbst sprechen, wissen wir. So haben wir uns bemüht, sie dem Verständnis der Besucher zu erschließen, jedoch so, daß sie dadurch nicht in den Hintergrund gedrängt werden. Nur in wenigen Ausnahmefällen haben wir uns weiterer Mittel der Veranschaulichung, wie sie heute in Ausstellungen und Museen mancherorts üblich sind, bedient. Auch halten wir uns bei unseren Erläuterungen in Urteil und Wertung zurück. Die Objekte werden nicht als bloße Belege für historische Aussagen gezeigt, sondern sollen den Besuchern Gelegenheit geben, ein möglichst weites, vielschichtiges und farbenreiches Bild der Reformationszeit zu gewinnen.

Wichtige Akzente werden in der Ausstellung durch Kunstwerke gesetzt. Das Reformationszeitalter war eine der großen Perioden der Kunstgeschichte, nicht zuletzt in Deutschland, und die »altdeutsche Kunst« ist in ebenso nachhaltiger wie disparater Weise von der Reformation berührt und bestimmt worden. So werden die Kunstwerke hier auch als Dokumente und Faktoren geschichtlicher Prozesse gezeigt. Sie sollen so weit wie möglich in den Zusammenhang ihrer Entstehung und ursprünglichen Zweckbestimmung zurückversetzt erscheinen, als verdichtete Wiedergabe des Lebens ihrer Zeit, als Darstellung sozialer Wirklichkeit und insbesondere als Ausdrucks- und Gestaltungsmittel der Frömmigkeit und der kirchlich-religiösen Welt.

Daß Martin Luther aus Anlaß seines 500. Geburtstages, merkwürdig genug, so etwas wie eine Hauptperson der deutschen Politik zu werden scheint, hat die Planung und Vorbereitung der Ausstellung nicht beeinflußt, zumal deren Konzeption schon im Sommer 1979 und damit zu einer Zeit erarbeitet worden ist, als die Dimensionen dieses Luther-Jubiläums noch nicht zu erahnen waren.

Desgleichen wurden kirchliche und konfessionelle Zwecke von vornherein ausgeschlossen. In dem wissenschaftlichen Komitee, das die Ausstellung vorbereitet und erarbeitet hat, haben von Anfang an evangelische und katholische Gelehrte zusammengewirkt. Das Bemühen der Veranstalter war dahin gerichtet, die Realität des Reformationszeitalters weder aufzuhellen noch zu verdunkeln und Luthers Größe und geschichtliche Wirksamkeit so wenig zu leugnen wie zu heroisieren oder zu simplifizieren.

Die Ausstellung ist in 15 Abteilungen gegliedert, die sich thematisch in lockerer Weise an die Stationen der Biographie Luthers anschließen. Ihr Umfang wurde bewußt begrenzt, sowohl im Hinblick auf die Zahl der Ausstellungsstücke als auch in der Anlage des Kataloges. Vor allem haben wir nach gewichtigen, »mehrdimensionalen« Objekten Ausschau gehalten und Überfüllung und Opulenz zu vermeiden gesucht. Wir glaubten, damit auch dem Gegenstand, um den es geht, der Reformation, gerecht zu werden. Denn in dieser stand eher das Wort als das Bild im Vordergrund, sie war eher ein nach innen gerichteter, unbildlicher, ja in gewisser Hinsicht antibildlicher Vorgang. Es bedarf, so schien es uns, der Konzentration, wenn man das, ohne an der Peripherie zu bleiben oder durch Häufung von »Papier« unanschaulich zu werden, ausstellen will.

Die Ausstellung geht auf eine Anregung des Vereins für Reformationsgeschichte zurück, der gemeinsam mit dem Germanischen Nationalmuseum das für ihre Vorbereitung verantwortliche wissenschaftliche Komitee berufen hat. Das Projekt fand beim Bund und bei den Ländern, die Zuschußgeber des Museums sind, sowie bei einer Reihe weiterer Institutionen bereitwillige und großzügige Förderung, für die wir dankbar sind. Die Konzeption der Ausstellung, die Auswahl der Objekte und die Texte des Katalogs wurden von den insgesamt 19 Mitgliedern des wissenschaftlichen Komitees, Museumsfachleuten und Gelehrten aus verschiedenen Disziplinen, in intensivem Zusammenwirken erarbeitet. Wir nehmen von der gemeinsamen Tätigkeit, die von gegenseitigem Vertrauen, freundschaftlicher Gesinnung und der Bereitschaft zu Hilfe und Opfer getragen war, nur ungern Abschied.

Für das Germanische Nationalmuseum:
Gerhard Bott

Für den Verein für Reformationsgeschichte:
Bernd Moeller

I. Luthers Herkunft und Umwelt – Wirtschaft und Gesellschaft der Zeit

Franz Irsigler

Martin Luther wurde am 10. November 1483 in der thüringischen Stadt Eisleben geboren, einem der Zentren des Mansfelder Kupferbergbaus. Sein Vater, Hans Luder, aus einer Bauernfamilie des Dorfes Möhra bei Eisenach stammend, nutzte die wirtschaftlichen und sozialen Aufstiegsmöglichkeiten, die Bergbau und Erzverhüttung seit 1460/70 boten: Durch harte Arbeit, sparsame Lebensführung und eine gewisse Risikobereitschaft beim Einsatz vorhandener Mittel und Kredite stieg er um 1500 vom einfachen Bergmann zum Hüttenmeister auf. Im Kreis der Pächter und Betreiber von Kupferschmelzhütten, die gleichzeitig auch Betriebsführer im Kupferbergbau waren, verblieb er bis 1527/29. Trotz der drückenden Verlagsabhängigkeit von den mächtigen Saigerhandels- und Saigerhüttengesellschaften, der Belastung durch Pachtzins- und Zehntabgaben an die Grafen von Mansfeld und trotz der schweren Krisenerscheinungen auf dem europäischen Kupfermarkt hinterließ Hans Luder ein ansehnliches Vermögen. Seinen sozialen Aufstieg dokumentiert die Verwaltung angesehener Ämter: Schauherr auf dem Mansfelder Berg, Mitglied im Gremium der Mansfelder Vierherren.

Die doppelte Abhängigkeit seines Vaters, Bruders und weiterer Verwandter als Hüttenmeister hat Luthers kritische Haltung gegenüber den frühkapitalistischen Praktiken der großen Handels- und Unternehmergesellschaften, der engen Verflechtung von wirtschaftlicher und politischer Macht und der gängigen Praxis der gewinnorientierten Vergabe von Krediten mit beeinflußt. Andererseits entsprach seine enge Wucherdefinition und die Ablehnung allen Zinsnehmens mit Ausnahme des Kirchenzehnten längst nicht mehr den Erfordernissen der Zeit, vor allem einer auf Geld und Kredit beruhenden Wirtschaftsform.

Bergbau, Verhüttung und Metallverarbeitung repräsentieren den wichtigsten Wachstumsbereich der spätmittelalterlich-frühneuzeitlichen Wirtschaft, nicht nur in der sächsisch-thüringischen Heimat Luthers; auch dies rechtfertigt es, daß dieser Wirtschaftszweig, von dem zahlreiche Entwicklungsanstöße vor allem für den internationalen Handel ausgingen, in der Ausstellung besonders herausgestellt wird. Aus dem Montanwesen zogen, wie Karl V. 1525 feststellte, Kaiser, Fürsten und Herren mehr Gewinn als aus irgendeinem anderen Handels- oder Gewerbezweig. Der Reichtum an Edel- und Buntmetallen begründete die führende Rolle des Deutschen Reiches in Europa auf dem Wirtschaftssektor um 1470-1530.

Die Durchsetzung frühkapitalistischer Wirtschaftsformen im Fernhandel, in der gewerblichen Produktion und im Montanwesen beruhte vor allem auf der Leistung der spätmittelalterlichen Städte und ihrer Kaufleute; an der Spitze standen die großen Exportgewerbe- und Fernhandelsstädte zusammen mit den bedeutenden Hafen- und Handelszentren. Technische, wissenschaftliche und organisatorische Innovationen beschleunigten die Entwicklung; Bergbautechnologie (Wasserhebewerke, Hydraulik), Saigerverfahren, universeller Einsatz der Mühlentechnik in der gewerblichen Produktion (Papiermühle, Drahtziehmühle, Zwirnmühle, Hammer- und Schleifwerke) lassen geradezu von einer ersten »industriellen Revolution« sprechen, die um 1500 z. T. schon an energiebedingte Grenzen stieß.

Die steigende Rationalität des Wirtschaftens äußerte sich im Übergang zum Rechnen mit arabischen Ziffern, in der Einführung verbesserter Buchführungs- und neuer Methoden der Geldschöpfung und des Geldtransfers, schließlich in einer allgemeinen Zunahme der Schriftlichkeit. Die Ausbreitung des Verlagssystems im Textil-, Metall-, Ledergewerbe und nicht zuletzt im Buchdruck ermöglichte den Übergang zu standardisierter Massenproduktion, die Einbeziehung der Gewerbekraft des Umlands in das Wirtschaftssystem der Städte, die rasche Ausbreitung neuer Textilindustrien (Barchent).

Der Fortschritt der Astronomie, Kartographie und Navigationstechnik revolutionierte das traditionelle Weltbild, schuf die Voraussetzungen für die Entdeckung der Neuen Welt. Die Erfindung des Buchdrucks eröffnete ungeahnte Möglichkeiten der Wissensverbreitung und Publizistik; sie wurde zu einer wesentlichen Grundlage für die Ausbreitung der Reformation.

Die tiefgreifende Veränderung der Wirtschaftsstrukturen berührte auch den ländlichen Bereich: Die Grenzen der agrarischen Produktion, die durch Boden, Klima und Anbauformen gesetzt waren, blieben bestehen, aber zunehmende Differenzierung und Marktabhängigkeit, Vordringen gewerblicher Nebentätigkeit und steigender Bevölkerungsdruck erhöhten die Anfälligkeit für Krisen. Östlich der Elbe begünstigte die wachsende Nachfrage der gewerbereichen Staaten Westeuropas nach Roggen die Einführung des gutswirtschaftlichen Systems und der sog. zweiten Leibeigenschaft.

Um die Wende vom 15. zum 16. Jahrhundert spitzten sich eine ganze Reihe von Strukturveränderungen in Wirtschaft und Gesellschaft krisenartig zu. Die sozialen Kosten des wirtschaftlichen Fortschritts waren hoch: Rückgang der selbständigen Handwerkerexistenzen durch die Verlagsbindung, Schließung von Zünften, Zunahme unqualifizierter Hilfskräfte. Die Krise des Geld- und Währungssystems verschärfte bei stagnierenden Löhnen die Folgen der langfristig steigenden Preise für Grundnahrungsmittel; betroffen war vor allem die stark zunehmende Zahl an Lohnarbeitern in den Städten, im Bergbau und auf dem Land. Die Krise des Feudalsystems äußerte sich in wachsendem Druck der geistlichen und weltlichen Grundherrn auf die abhängige bäuerliche Bevölkerung und die unterbäuerlichen Schichten, die sich schließlich 1524/25 im Aufstand des »gemeinen Mannes« entlud.

Zeichen der Krise und des Umbruchs waren auch die Veränderungen der tradierten Gesellschaftslehre des Mittelalters, das Infragestellen der geburtsständischen Ordnung und die stärkere Betonung der funktional-berufsständischen Kriterien.

Zum gravierendsten sozialen Problem der Zeit, das im Grunde ungelöst blieb, wurde die rasch wachsende Zahl der Armen, der Bettler und anderer gesellschaftlicher Randexistenzen.

In dieser Zeit des Umbruchs überwogen die wirtschaftlichen und sozialen Veränderungen die Kräfte der Beharrung. Es verstärkt sich das bereits seit langem bestehende Bedürfnis nach Reform, nach »reformatio« im doppelten Sinn des Wortes: Wiederherstellung der alten Ordnung und Schaffung neuer Grundlagen des Lebens.

F. I.

1 Am 10. November 1483 wurde Martin Luther in der thüringischen Stadt Eisleben geboren und am folgenden Tag in der Pfarrkirche getauft.

Nativität Luthers
In: Lucas Gauricus, ›Tractatus astrologicus‹. Venedig 1552, fol. 69v
Göttingen, Niedersächsische Staats- und Universitätsbibliothek, 8° Astron. II, 6178

Am 10. November 1483, um Mitternacht, wurde Martin Luther in der thüringischen Stadt Eisleben geboren und am folgenden Tag in der Pfarrkirche St. Petri und Pauli getauft; er erhielt den Namen des Tagesheiligen, Martin von Tours. Der Vater, Hans Luder oder Lüder, stammte aus einer seit Generationen in dem Dorf Möhra zwischen Salzungen und Eisenach ansässigen Bauernfamilie, die Mutter Margaretha, geb. Lindemann, vielleicht aus Eisenach. Aus der Ehe gingen mindestens neun Kinder hervor; Martin war der zweite Sohn.
Mit der Nativität Luthers, d. h. der Stellung der Gestirne in seiner Geburtsstunde und der danach berechneten Schicksalsbestimmung, haben sich zahlreiche Astrologen befaßt, durchwegs in mehr oder weniger starker Abhängigkeit von dem süditalienischen Astrologen Lucas Gauricus, der vermutlich schon vor 1524 die ersten Berechnungen anstellte. Allerdings versuchten Freunde wie Feinde des Reformators, das Jahresdatum auf 1484 zu verlegen, da man annahm, daß mit diesem Jahr aufgrund einer großen Konjunktion der Planeten Jupiter und Saturn der Anbruch einer neuen Epoche der religiösen Entwicklung des Abendlandes eintreten sollte. Luther selbst, der gegen die Astrologie eine tiefe, in Glauben und Theologie begründete Abneigung hegte, wandte sich entschieden gegen Gauricus und die Fixierung eines zweiten, mythisch-astrologischen Geburtstags auf den 22. Oktober 1484. Der haßerfüllte, herabsetzende Text zur Nativität in der Druckausgabe von 1552 (fol. 69v) scheint unter gegenreformatorischem Druck entstanden zu sein.

A. M. Warburg, Heidnisch-antike Weissagung in Wort und Bild zu Luthers Zeiten (1919). In: D. Wuttke (Hrsg.), Aby M. Warburg – Ausgewählte Schriften und Würdigungen, 1979, S. 199-304. – Brecht, S. 13-15. F. I.

2 1484 siedelt der Bergmann Hans Luder nach Mansfeld über und steigt im Zuge der raschen Entwicklung des Mansfelder Kupferbergbaus zum Hüttenmeister auf.

Bildnis Hans Luthers
Lukas Cranach d. Ä., wohl 1527
Pinsel mit Deckfarben, auf ölgetränktem Papier, 21,8 × 18,3 cm, entlang den Konturen ausgeschnitten
Wien, Graphische Sammlung Albertina, Inv. Nr. 26 156

»Ich bin ein Bauernsohn; der Urgroßvater, mein Großvater, der Vater sind richtige Bauern gewesen. Ich hätte eigentlich, wie jener [Philipp Melanchthon] sagte, ein Vorsteher, ein Schultheiß und was sie sonst im Dorf haben, irgendein oberster Knecht über die andern werden müssen. Danach ist mein Vater nach Mansfeld gezogen und dort ein Berghäuer geworden. Dorther bin ich.« (WA TR 5, Nr. 6250) Der Übergang des Hans Luder vom Bergbauern zum Bergmann (Häuer), spätestens seit dem Herbst 1483 nach dem Zuzug nach Eisleben, entspricht dem grundlegenden Strukturwandel im thüringischen Silber-Kupferbergbau, der seit den 1470er Jahren durch eine starke Zunahme reiner Lohnarbeitsverhältnisse im Bergbauschichtbetrieb gekennzeichnet ist. Die Häuerschichten dauerten gewöhnlich sieben Stunden; viele Bergleute erbrachten aber pro Tag zwei Schichten. Die hohe Arbeitsbelastung seiner Eltern und ihre sparsame Lebensführung (»Sie haben harte Mühsal ausgestanden, wie sie die Welt heute nicht mehr ertragen wollte.« WA TR 3, Nr. 2888 a) haben Martin Luther ebenso geprägt wie die oft übermäßige Strenge der Erziehung.
Der wirtschaftliche und soziale Aufstieg des Hans Luder begann erst nach der Übersiedlung nach Mansfeld; er profitierte von der rapiden Aufwärtsentwicklung von Bergbau und Verhüttung; ihm gelang, was ein beträchtliches Investitionskapital voraussetzte, der Einstieg in den Kreis der Betreiber von Kupferschmelzhütten und der Aufstieg in das Gremium der Mansfelder »Vierherren«, deren Aufgabe es war, die Rechte der Bürgerschaft gegen den städtischen Magistrat zu vertreten.
Die Bildnisstudie gilt als Vorzeichnung für das 1527 zusammen mit einem Porträt der Mutter entstandene Bildnis des Hans Luder. Zeit und Ort der Modellsitzung sind quellenmäßig nicht belegt, doch schloß bereits Schuchardt aus einer Eintragung in den Wittenberger Kämmereirechnungen 1528 über die Ausgabe von Rotwein an Luthers Vater auf einen Besuch der Eltern in Wittenberg, bei dem eine Begegnung mit Cranach stattgefunden haben könnte. Für den Auftrag dürfte der Wunsch nach Bildnissen der Eltern des berühmten Sohnes ausschlaggebend gewesen sein.

Brecht, S. 15-18. – Westermann, Hans Luther. – Chr. Schuchardt, Lucas Cranach des Älteren Leben und Werke, 1851/1871. – J. Rosenberg, Die Zeichnungen Lukas Cranachs d. Ä., 1960, Nr. 76, Abb. 76. – Kat. Ausst. Cranach, Bd. 2, Nr. 615, Abb. 343. F. I.

3 Der Kupferschieferbergbau im Mansfelder Revier gerät um 1510/15 in eine Überproduktionskrise am europäischen Kupfermarkt.

›Mansfeldia‹, Karte der Grafschaft Mansfeld
Franz Hogenberg
Kupferstich in: Michael Eitzing, ›Itinerarium Orbis Christiani‹, Köln 1579/80
München, Bayerische Staatsbibliothek, 4° Mapp. 48

Schon in der Gründungsphase der Thüringer Saigerhüttenindustrie zwischen 1460 und 1480 entstanden im Thüringer Wald neun Saigerhütten zur Ausscheidung von Silber und Produktion von Garkupfer aus den Erzen des Kupferschieferbergbaus im Mansfelder Revier. Obwohl aus dieser verbundenen Produktion bis zur Mitte des 16. Jahrhunderts das Silber ca. 60%, das Garkupfer nur ca. 40% der Gesamterlöse der Thüringer Saigerhandelsgesellschaften erbrachte, war das Garkupfer mit seiner besonderen Eignung für die Messingherstellung kein Nebenprodukt. Am Ende des 15. Jahrhunderts rangierte die Mansfelder Kupfererzeugung nach der Tiroler an zweiter Stelle in der Rangfolge der europäischen Reviere, vor allem nach dem Ausfall der schwedischen Kupfererzeugung seit 1494/95. Zwischen 1506 und 1526 stieg die Rohkupferproduktion von 19 270 auf über 33 000 Zentner; sie lag in den Jahren 1506-1534 bei einem Jahresdurchschnitt von 25 385 Zentnern. Bis 1541 sank sie auf 20 000 Zentner.
Aus 1 000 Zentnern Rohkupfer wurden nach Berechnungen von E. Westermann bei einem Bleibedarf von 373 Zentnern ca. 1 050 Mark (= 245,5 kg) Silber ersaigert. Um 1510-1515 erreichte die europäische Kupfererzeugung den höchsten Stand im

2

16. Jahrhundert; vor allem die außerordentliche Steigerung der slowakischen Produktion im Neusohler Revier rief auf dem europäischen Kupfermarkt eine schwere Absatzkrise hervor, die zu Preiseinbrüchen führte, während gleichzeitig die Preise für Blei und Holzkohle sowie die Lohnkosten im Bergbau stiegen. Die Anpassung der Kupferproduktion erfolgte im Mansfelder Revier mit erheblicher Verzögerung, bedingt durch die weiterhin hohe Silbernachfrage. Die negativen Auswirkungen betrafen vornehmlich die mit der Produktion von Rohkupfer befaßten Hüttenmeister.

Westermann, Garkupfer. – F. Irsigler, Hansischer Kupferhandel im 15. und in der ersten Hälfte des 16. Jahrhunderts. In: Hansische Geschichtsbll. 97, 1979, S. 15-35. F. I.

4 Die ungünstige Zwischenstellung der Hüttenmeister in ihrer Abhängigkeit vom Landes- und Bergherrn als Verpächter der »Herrenfeuer« einerseits und von den großen Saigerhandelsgesellschaften andererseits beeinträchtigt die wirtschaftliche Lage dieser Unternehmer und verschärft die Krise.

Garkupferplatten aus einer Schiffsladung des 16. Jahrhunderts, geborgen 1972 in der Weichsel bei Danzig
Gdańsk (Danzig), Centralne Muzeum Morskie

Die weitgehende Identität der Kapital-, Unternehmer- und Handelsgesellschaften in den Bereichen Bergbau, Saigerhüttenindustrie und Saigerhandel schwächte die Position der teils selbständigen, teils als Pächter der landesherrlichen Kupferhüttenbetriebe und gleichzeitig als lokale Verleger im Kupferbergbau agierenden Hüttenmeister. Bei sinkenden Rohkupferpreisen und steigenden Kosten für Betriebsmaterial, Löhne und Investitionen wuchs die Abhängigkeit infolge der Kreditierung von Roh- und Betriebsstoffen sowie Geldkapital. Der Berg- und Landesherr, im Mansfelder Revier die Grafen von Mansfeld, war auf allen Ebenen der Produktion und des Absatzes in erheblichem Ausmaß an Kapitalinvestitionen, Roh- und Betriebsstofflieferungen, Erträgen und Gewinnen beteiligt. Das gesaigerte Kupfer (Garkupfer) kam meist in Form ovaler oder runder Platten in den europäischen Fernhandel.

Produktions- und Verlagsorganisation im Mansfelder Revier, 15./16. Jahrhundert

Produktions- und Wirtschaftsbereich	Personal		Organisation	Bergherr Landesherr
BERGBAU | Kupfer-Silber-Erz ↓	Berghäuer, Techniker, Hilfs- und Transportpersonal	←	Verleger und Betriebsführer	Bergabgaben, Wasserrechte, Waldbesitz
VERHÜTTUNG ↓	HÜTTENMEISTER	=	Unternehmer Pächter-Unternehmer	Hüttenzins, Hüttenzehnt
Rohkupfer ↓	Hüttenpersonal	←	Betriebsführer ↑ Kredit |	
SAIGERINDUSTRIE | Garkupfer Silber ↓	Faktor/Verleger Saigerhüttenpersonal		Saigerhütten- oder Saigerhandelsgesellschaft ↑	Gesellschaftsanteil
SAIGERHANDEL ↓	Kaufleute, Faktoren		Saigerhandelsgesellschaft	Gesellschaftsanteil
MESSINGPRODUKTION MÜNZPRÄGUNG				Münzprägung, Schlagschatz

F. I.

W. Möllenberg, Die Eroberung des Weltmarktes durch das mansfeldische Kupfer, 1911. – Westermann, Garkupfer. – Kat. Ausst. Hanse in Europa, Köln 1973, S. 380, Nr. 4,2/1 F. I.

5 Das wahrscheinlich von Nürnbergern zur großtechnischen Reife entwickelte Verfahren der Saigerung von Silber und Kupfer war eine der wesentlichen Voraussetzungen für die Entstehung frühkapitalistischer Produktionsstrukturen.

Saigerhütte unter Ludwigsstadt im Thüringer Wald, gegründet vor 1486
Paul Pfinzing, 1588
Aquarell auf Papier, 31,5 × 44,7 cm. In: Pfinzing-Atlas, Nürnberg 1594. 28 Bll., 51 × 71 cm (Blattgröße)
Nürnberg, Staatsarchiv, Nürnberger Karten und Pläne Nr. 230

»In der Geschichte der Metallurgie war die Einführung der Kupferseigerung das herausragende Ereignis, die bedeutendste technologische und folgenreichste montanwirtschaftliche Neuerung im Bereich der Nichteisentechnologie seit der Erfindung der Messingherstellung in der Antike.« (Suhling, S. 172). Das Verfahren der Umkristallisation des silberhaltigen Rohkupfers im Lösemittel Blei wurde wahrscheinlich in Nürnberg vor der Mitte des 15. Jahrhunderts zur großtechnischen Reife entwickelt. Aufgrund der günstigeren Standortbedingungen – Verfügung über Roherz, Wasserkraft und Holzkohle – und der Abdrängungspolitik des Nürnberger Rates erfolgte um 1460 der entscheidende Transfer der Saigerhüttentechnologie in das Mansfelder Revier und nach Sachsen; zwischen 1460 und 1480 entstanden neun Saigerhüttenbetriebe; die 1486 erstmals erwähnte Hütte unter Ludwigsstadt in Franken gehört wahrscheinlich auch noch zu dieser Gründungswelle. Die Saigerhütten waren Verbundbetriebe zur Herstellung von Garkupfer und Silber in einer Reihe von aufeinander bezogenen Arbeitsprozessen: Frischen, Saigern, Darren, Garen, Treiben. Als wichtigste Energielieferanten dienten Wasserkraft, besonders für die Blasebälge, und Holzkohle für die Frisch-, Schmelz- und Legierungsvorgänge. Die horizontale Zerlegung der Produktionsschritte und die Nutzung von Wasserkraft und Holz wird auch aus den Bezeichnungen der Einrichtungen der Ludwigsstädter Hütte deutlich: Kohlenhäuser, Aschenhaus, Bleiwaage, Bleiherd, Wäsche, Kupferhammer, Stampfhammer, Garkupferhammer, Schmelz- und Saigerhütte.
Einrichtung und Betrieb von Saigerhütten waren außerordentlich kapitalintensiv, erforderten den Zusammenschluß von Kaufleuten – in der Mansfelder Gründungsphase aus Nürnberg, Leipzig, Erfurt und Co-

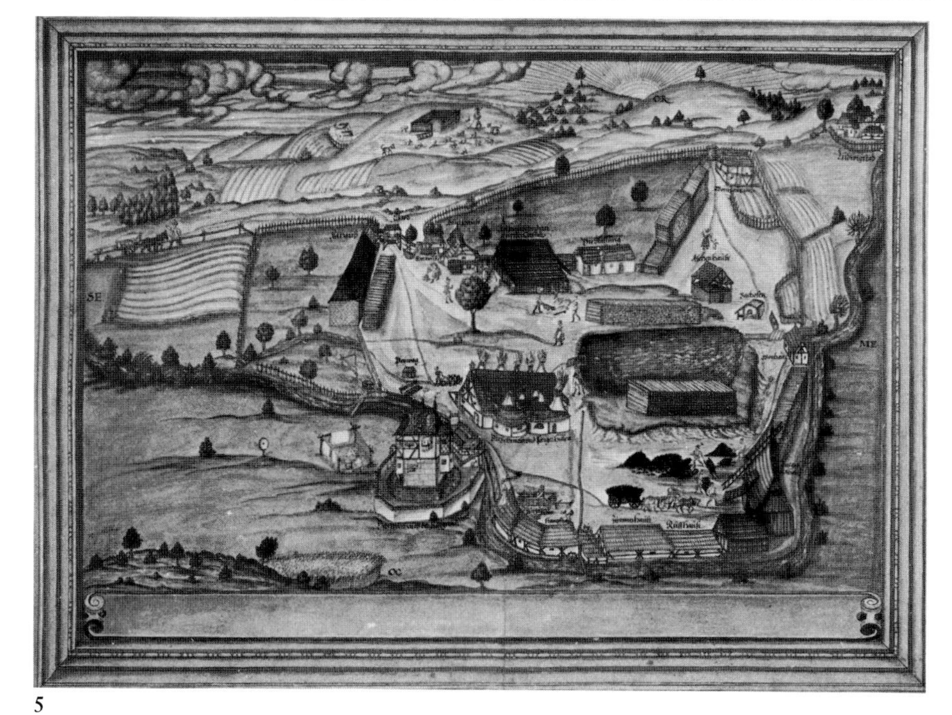

5

Abbau der Kupferschiefererze mit allen sonstigen Arbeiten der Entsümpfung, Förderung, des Transports und der Aufbereitung der Erze (vgl. Kat. Nr. 4).
Zwischen 1508 und 1536 waren im Mansfelder Revier 42 »Erbfeuer« und 48 bis 50 »Herrenfeuer« in Betrieb. Von den zu Erbpacht ausgegebenen Hütten zahlten die Hüttenmeister an den Berg- und Landesherrn den Zehnten der Rohkupferausbringung, der an der Waage zu Eisleben einbehalten wurde, von den Herrenfeuern – zunächst Eigenbetriebe der Grafen von Mansfeld, gegen Ende des 15. Jahrhunderts zu Zins ausgegeben – einen hohen Geldzins von 100 fl. pro Feuer, dann seit 1514 an dessen Stelle ebenfalls den Zehnten. Für Hans Luder z. B. erhöhte sich die Belastung 1515 dadurch um 765 fl.

Suhling. – Westermann, Hans Luther. – Brecht, S. 16-18. – H. Wilsdorf, Bergwerke und Hüttenanlagen der Agricola-Zeit, 1971. F. I.

burg – zu sog. Saigerhandelsgesellschaften, die durch ihre Faktoren für den Einkauf des Rohkupfers und den Absatz von Garkupfer und Silber in Nürnberg, Frankfurt, Braunschweig, Köln, Antwerpen und Venedig sorgten. Nach 1500 erfolgte ein starker Konzentrationsprozeß infolge von Absatzschwierigkeiten und Überproduktionskrisen (1514, 1529, 1549), die durch Fusionen, Bildung von Kartellen und Monopolgesellschaften aufgefangen werden sollten. Das bedeutendste Syndikat wurde 1534 gegründet; es verpflichtete die Gräfenthaler, Schwarzaer, Arnstädter, Leutenberger und Ludwigsstädter Gesellschaften zu einer gemeinsamen Absatzpolitik.

Suhling. – Westermann, Garkupfer. – J. Ahlborn, Die Nürnberger Gesellschaft Landauer-Starck und ihr Montanunternehmen in Eisfeld/Thüringen. In: Kultur und Geschichte Thüringens 2, 1981, S. 69-88. – E. Gagel, Pfinzing, der Kartograph der Reichsstadt Nürnberg. Schriftenreihe der Altnürnberger Landschaft 4, 1957, mit Farbabb. F. I.

6 Aufbau und Betrieb der Kupferschmelzöfen zur Herstellung von Rohkupfer erfordern hohe Investitions- und Rohstoffkosten.

Kupferschmelzöfen mit Vorherd
Holzschnitt, 23,2 × 13,6 cm. In: Georg Agricola, ›Vom Bergkwerck XII Bücher …, verteutscht durch Philippum Bechium‹. Basel: Hieronymus Froben und Nikolaus Bischoff 1557. Das neundt Buch, fol. ccxcvi^v
Nürnberg, Germanisches Nationalmuseum, 4° V. 322

Die Saigerhütten Thüringens wurden jeweils durch mehrere Kupferschmelzhütten mit silberhaltigem Rohkupfer versorgt. Die Anbindung erfolgte über Verlagskontrakte. Die Abb. bei Agricola zeigt eine Anlage mit zwei Kupferschmelzöfen (A), dem Vorherd (B), der das aus dem Ofen ausfließende Metall aufnimmt, Transport von zerkleinerten Erzbrocken (Floserz) und Beschickung des Ofens, ferner den Vorgang des Abstechens. Die notwendige Schmelztemperatur erreichte man durch Zufuhr von Frischluft mittels wassergetriebener Blasebälge, die auf der Rückseite des Hüttengebäudes eingerichtet waren.
Die Mansfelder Hüttenmeister leiteten nicht nur den Betrieb der Feuer einschließlich der Zufuhr von Floserz, Holz und Holzkohle, sondern organisierten als lokale Verleger im Bergbaubetrieb auch den

Kupferproduktion der Hüttenfeuer von Hans Luder, Jakob Luder, Heinz und Georg Kaufmann, Hans Stellwagen 1508–1534

	1508	1512	1513	1515	1519	1522	1524	1527	1529	1534	
Hans Luder	6	2	3	3	7						Zahl der Herrenfeuer
	1267	554	849,5	705	1780						Ztr. Kupfer
Herolt/				4							Zahl der Herrenfeuer
Hans Luder				891							Ztr. Kupfer
Hans Luder/						3,5	3,5	3,5			Zahl der Herrenfeuer
Heinz Kaufmann						1030	1225,5	1459,5			Ztr. Kupfer
Jakob Luder/						3,5	3,5	3,5			Zahl der Herrenfeuer
Hans Stellwagen						438	758	1478,5			Ztr. Kupfer
Heinz Kaufmann									3,5		Zahl der Herrenfeuer
									1601,5		Ztr. Kupfer
Jakob Luder									3,5	3,5	Zahl der Herrenfeuer
									1549,5	1108,5	Ztr. Kupfer
Georg Kaufmann										3,5	Zahl der Herrenfeuer
										1092	Ztr. Kupfer

7 Die Produktion der Kupferschmelzhütten von Martin Luthers Vater, Bruder und Schwägern schwankt zwischen 1508 und 1534 sehr stark; sie spiegelt die Krisenanfälligkeit und die steigende Belastung der Betriebe.

Kupferschmelzöfen mit Blasebälgen
Holzschnitt, 23,4 × 13,6 cm. In: Georg Agricola, ›Vom Bergkwerck XII Bücher …, verteutscht durch Philippum Bechium‹. Basel: Hieronymus Froben und Nikolaus Bischoff 1557. Das neundt Buch, fol. ccxcix^r
Nürnberg, Germanisches Nationalmuseum, 4° V. 322 a

Auf die ungünstige wirtschaftliche Lage von Martin Luthers Vater seit 1510 hat bereits die ältere Forschung aufmerksam gemacht. Ein nachprüfbares Bild ergibt die Auswertung der erhaltenen Mansfelder Hutzinsregister durch E. Westermann. Hans Luder betrieb wohl schon vor 1500, spätestens seit 1507, drei Herrenfeuer *vorm Raben,* zunächst zusammen mit Peter Reinecke zugunsten der Kinder des Hans Luttich, seines ehemaligen Gesellschafters; sein Verleger war die Schwarzaer Saigerhandelsgesellschaft, bei der er und Luttich vorübergehend sehr hoch verschuldet waren. Drei weitere Feuer *im Rodichen* pachtete er (vor 1508?) in Nachfolge einer Hüttenmeistergesellschaft, die der Eisfelder Gesellschaft noch 2 300 fl. schuldete, was die Aufnahme einer weiteren, konkurrierenden Verlagsbeziehung erforderte.
Die Überproduktionskrise von 1510/15 führte zu einer starken Reduzierung der Produktion seiner Feuer; hinzu kamen offensichtlich außerordentliche Belastungen im Bergwerksbereich, hohe Kosten für Schacht- und Stollenanlagen, geringerer Silber- und Kupfergehalt der Erze, die ihn wiederum zur Aufnahme von Krediten bis zu mehreren Tausend Gulden bei der Schwarzaer Gesellschaft und zur Beteiligung eines Hüttengesellschafters zwangen. 1519 war die Krise offensichtlich überwunden, wie die Erhöhung der Feuerzahl und der Kupferausbringung zeigt, die in der Folgezeit weit über das Richtmaß von 300 Zentnern Rohkupfer pro Feuer anstieg. Die Belastung durch die Kapitalvorschüsse der Schwarzaer Gesellschaft blieb allerdings bis 1529/30 bestehen.
Seit 1524 standen Hans Luder, sein Schwiegersohn Heinz Kaufmann, Jakob Luder und dessen Schwager Hans Stellwagen in Verlagsabhängigkeit von der mächtigen Leutenberger Gesellschaft.
Daß die wirtschaftliche Situation des alten Hans Luder nicht mehr so ungünstig war, zeigt nach dem Rückzug vom Hüttenbetrieb zwischen 1527 und 1529 der Aufstieg zum Schauherrn auf dem Mansfeldischen Berg und die Hinterlassenschaft von 1 250 fl., nach heutiger Kaufkraft mit 500 000-1 000 000 DM anzusetzen.

Westermann, Hans Luther. – W. Möllenberg, Hans Luther, Dr. Martin Luthers Vater, ein Mansfeldischer Bergmann und Hüttenmeister. In: Zs. des Harzvereins 39, 1906, S. 169-193. – Brecht, S. 16 f. F. I.

8 (Ausschnitt)

8 Hauptgewinner der Bergbau- und Hüttenkonjunktur sind neben den großen Handels- und Saigergesellschaften die Grafen von Mansfeld als Inhaber des Bergregals und des Münzrechts.

Die Bekehrung des Paulus, mit Ansicht des Schlosses der Grafen von Mansfeld
Lukas Cranach d. J., 1549
Gemälde auf Tannenholz, 114,7 × 167 cm.
In der Mitte unten bezeichnet mit Signet des Künstlers und 1549
Nürnberg, Germanisches Nationalmuseum, Gm 226. Leihgabe Wittelsbacher Ausgleichsfonds

Der Reichtum der Mansfelder Grafen, der auf den hohen regelmäßigen Einnahmen aus dem Hütten- und Bergwerksbetrieb, der Beteiligung an den Saigerhandelsgesellschaften und dem Schlagschatz der Münzprägung beruhte, fand den sichtbarsten Ausdruck in einer prunkvollen Hofhaltung und im Bau der gewaltigen Schloßanlage auf dem Burgberg über der Stadt Mansfeld; die Frontlänge der Anlage betrug 175 m.
Die Feuer- und Bergteilung von 1536 beendete die Besitzgemeinschaft und die gemeinsame Verwaltung der Berg- und Hüttenwerke. Auf jedes Fünftel der einzelnen Linien sollten nun elf Herren- und acht Erbfeuer nebst den dazugehörigen Bergwerken entfallen. Gemeinschaftlich blieb der Holzkohlenbezug und der teure Stollenbetrieb. In der Folgezeit wurden zunächst die Herren-, bald durch Verdrängung der Erbpächter auch die Erbfeuer wieder in gräfliche Regie übernommen. Martin Luther wandte sich deshalb am 24. Mai 1540 an Graf Albrecht von Mansfeld mit der Bitte um »Gnade und Gunst« für seine Schwäger Mackenrodt, die zu den Erbfeuerpächtern zählten. Er hielt dem Grafen vor, daß er »mit guter Leute Armut nichts gewinnen« könne, und wies ihn eindringlich auf Weissagungen hin, daß wegen des harten Vorgehens der Grafen gegen die Hüttenmeister »die Grafschaft des Segens göttlicher Gnade« beraubt werde (WA Br 9, Nr. 3481).
Die Mansfelder Schloßanlage bildet den Hintergrund für die Darstellung der Bekehrung des Paulus durch Lukas Cranach d. J. Es handelt sich wohl um ein Gedächtnisbild für den 1546 auf einem Kriegszug Karls V. verstorbenen und in Stuttgart begrabenen Grafen Wolff I. von Mansfeld. Der als Ritter dargestellte Saulus wird, umgeben von Standesgenossen und Knechten, auf einem Ausritt von der Erscheinung Christi getroffen, die ihn mit seinem Pferd stürzen läßt. Zur theologischen Deutung – man stirbt als Saulus und lebt durch den Glauben an den auferstandenen Christus als Paulus – ist auf den Titelrahmen mit der Bekehrung des Paulus zu verweisen, mit dem Lukas Cranach d. Ä. Martin Luthers ›Auslegung der Episteln und Evangelien vom Advent an bis auff Ostern‹, 1526 und 1528, veranschaulichte (Abb. Kat. Ausst. Cranach, Bd. 1, S. 357).

Westermann, Hans Luther. – Brecht, S. 16-18. – Schade, Abb. 206, Anm. 650. F. I.

9 Die Abhängigkeit seiner Verwandten vom Handelskapital hat wahrscheinlich Luthers kritische Haltung zu Zins und Wucher mit beeinflußt, auch wenn er die Zusammenhänge einer auf Kredit beruhenden Wirtschaft kaum durchschaute.

Martin Luther, ›Von Kauffshandlung und Wucher‹
Wittenberg: Hans Lufft 1524
4°. 36 Bll.
Nürnberg, Germanisches Nationalmuseum, 8° H. 684 Postinc.

Angesichts der doppelten Abhängigkeit seines Vaters, Bruders und anderer Verwandter in den Hüttenmeisterkreisen von den großen Saigerhandelsgesellschaften einerseits, den Grafen von Mansfeld als Besitzer der Herrenfeuer und gleichzeitig Prinzipalgesellschafter der Saigerhandelsgesellschaften andererseits, muß man die Frage nach der persönlichen Betroffenheit Martin Luthers und ihrer Auswirkungen in den beiden Sermonen vom Wucher (1519/20) und in der Schrift ›Von Kauffshandlung und Wucher‹ (1524) stellen. Neben dem Kontakt mit seinen Verwandten dürfte z. B. auch die lebenslange Freundschaft mit Hans Reinecke (gest. 1538, Hüttenmeister, Luthers Begleiter auf der Schülerfahrt nach Magdeburg) für eine ständige Unterrichtung mit den aktuellen Problemen im Bergbau- und Hüttenwesen seiner Heimat gesorgt haben. Mit den Risiken im Bergbau befaßte sich Luther mehrmals in den Tischreden (WA TR 1, 131; 2, 556).
Die intensive Beobachtung und Verarbeitung aktuellen Geschehens, die in anderen

Schriften Luthers so sehr fasziniert, betrifft weniger die Behandlung der Zinsproblematik schlechthin; dabei blieb Luther, der im Grunde nur den Kirchenzehnten als gerechtesten und göttlichen Zins gelten ließ, auf dem Boden der mittelalterlichen kirchlichen Lehre und des kanonischen Rechts; er zeigte kaum Verständnis für die wachsende Bedeutung des Geldes im Zuge der grundlegenden Veränderung des Wirtschaftssystems mit dem rapide steigenden Bedarf an Kredit, dem Bedürfnis nach raschem, bargeldlosem Zahlungsverkehr und der Entwicklung von Geldsurrogaten in der Entstehungsphase von Frühkapitalismus und weltwirtschaftlichem System.
Betroffenheit wird vor allem augenscheinlich im Argwohn gegen die Kaufleute, deren böswilligen Verabredungen er Preissteigerungen zuschreibt, in der Polemik gegen die großen oberdeutschen Handelsgesellschaften, gegen Monopolbildung, Spekulation (Fürkauf), ungezügeltes Gewinnstreben, Mißbrauch der wirtschaftlichen Macht zu Lasten des gemeinen Volkes und der kleinen Gewerbetreibenden, Kredit- und Bürgschaftspraxis – hier lassen sich Argumentationsstränge z. B. zur sog. Reformatio Sigismundi (1439) zurückverfolgen –, schließlich in der überaus scharfen Kritik an der engen Verbindung von wirtschaftlicher und politischer Macht in der Beteiligung der Fürsten an den großen Kapitalgesellschaften: *Konige und Fürsten sollten hie dreyn sehen und nach gestrengem recht solchs weren. Aber ich hore, sie haben kopff und teyl dran. Und geht nach dem spruch Esaie.1.* [Jes. 1,23] *'Deyne Fürsten sind der diebe gesellen worden'* (fol. D 4 v; WA 15, S. 313). Ferner prangerte Luther die in Sachsen, Lüneburg und Holstein gängige Praxis des Trucksystems bei der Kreditvergabe an, die auch im Bergwerksverlag vorkam.

Westermann, Hans Luther. – W. A. Schulze, Luther und der Zins. In: Luther 42, 1971, S. 139-146. – H. Kahlert, Ein Vergleich der Wirtschaftsauffassungen von Luther und Melanchthon, besonders ihrer Stellung zu Zins und Handel, 1953. – Brecht, S. 17 f. F. I.

10, 11, 12 Die Verarbeitung von Kupfer, Bronze und dem aus Kupfer und Galmei gewonnenen Messing zu Massenwaren des täglichen Bedarfs und hochwertigen Spezialerzeugnissen führt am Beginn der Neuzeit zu einer neuen »Bronze- und Messingzeit«.

10 Beschlag eines städtischen Hohlmaßes für Korn
Nürnberg, 1504
Bronze, gegossen, punziert und graviert, 5,1 × 30,5 cm. Auf der linken Seite das Kleine Nürnberger Stadtwappen, daneben die Inschrift: Anno dni 1504 ist das kornfirtl gemacht worden nach pfingsten
Nürnberg, Germanisches Nationalmuseum, WI 402

11 Beschlag eines städtischen Hohlmaßes für Hafer
Nürnberg, 1504
Bronze, gegossen, punziert und graviert, 5,4 × 30,8 cm. Auf der linken Seite das Kleine Nürnberger Stadtwappen, daneben die Inschrift: Anno dni 1504 ist das haber achtel gemacht worden nach pfingsten
Nürnberg, Germanisches Nationalmuseum, WI 401

Während die europäische Silberproduktion trotz hoher Steigerungsraten seit 1460/70 mit dem wachsenden Geldbedarf infolge der immer stärkeren Durchsetzung des geldwirtschaftlichen Systems nicht ganz Schritt halten konnte, ergaben sich aus der steigenden Kupferproduktion und der Verarbeitung von Kupfer, Bronze und Messing in den traditionellen Zentren der Metallverarbeitung außerordentlich starke Wachstumsimpulse. Am auffälligsten ist die Entwicklung in Nürnberg, dessen Kaufleute dank ihres hohen finanziellen, technischen und unternehmerischen Engagements im Bergbau- und Hüttenwesen eine optimale Versorgung des hochproduktiven städtischen Metallhandwerks sichern und infolge ihrer weltweiten Handelsbeziehungen die Absatzmöglichkeiten für Produkte des täglichen Bedarfs erheblich ausweiten konnten; aber auch in Braunschweig, in Augsburg, in Köln, in Aachen und im Maasraum, im Umland der großen Exportgewerbe- und Fernhandelszentren sind die Entwicklungsschübe unverkennbar.
Kupfer, Bronze und vor allem Messing, durch Verschmelzen von Garkupfer mit Galmei (Zinkblende) gewonnen, waren in universeller Weise zu verarbeiten; die Palette reicht von Kupferplatten und sonstigen Ausrüstungen für Schiffe über Waffen (Kanonen, Büchsen, Pistolen, Panzer), Kessel (Becken), Pfannen, Beschläge von Möbeln oder Getreidemaßen, Ringe und Draht bis zu winzigen Steck- und Nähnadeln, von der massiven Salzsiede- oder Braupfanne bis zum Präzisionsinstrument von Musikern, Vermessungstechnikern und Astronomen. Die hier gezeigten Beschläge von Getreidemaßen gehörten wohl zu einer Serie offizieller Eichmaße der Stadt Nürnberg.

H. Ammann, Die wirtschaftliche Stellung der Reichsstadt Nürnberg im Spätmittelalter, 1970. – F. Irsigler, Rheinisches Kapital in mitteleuropäischen Montanunternehmen des 15. und 16. Jahrhunderts. In: Zs. für hist. Forschung 3, 1976, S. 145-164. – Kat. Ausst. Hans Sachs und die Meistersinger, Nürnberg 1981, Nr. 27 und 28. F. I.

12 Klappsonnenuhr
Nürnberg oder Wien, um 1471
Messing gegossen, graviert und punziert, 4,2 × 6 cm
Nürnberg, Germanisches Nationalmuseum, WI 7. Leihgabe Stadt Nürnberg

Aus Messing gegossen war auch die hier gezeigte Reisesonnenuhr, die vermutlich aus dem Besitz des berühmten Astronomen und Mathematikers Regiomontanus (1436-1476) stammt und als Modell für ein wohl in Edelmetall ausgeführtes Geschenk an Papst Paul II. diente.
Der Differenzierung der Produkte, von der Massenware der Beckenwerker und Kupferschläger bis hin zur Sonderanfertigung des Künstler-Handwerkers, entsprach ein hoher Grad an beruflicher Spezialisierung, vor allem in Nürnberg. Aufgrund der Rohstoffvorkommen, Galmei aus dem Altenberg bei Aachen, Garkupfer aus Mitteldeutschland und dem slowakisch-ungarischen Revier, und der Konzentration der Saigerhütten- und Messinghüttentechnologie wurde die Achse Antwerpen – Aachen – Köln – Nürnberg – Venedig zur wichtigsten Handelsroute Zentraleuropas. Über Antwerpen und Venedig erreichten die Erzeugnisse dieser »neuen Bronze- und Messingzeit« die Märkte des Orients, Nord- und Westafrikas und nicht zuletzt der Neuen Welt.

Kat. Ausst. 500 Jahre Regiomontan, 500 Jahre Astronomie, Nürnberg 1976/77, Nr. 49. F. I.

13 »Vier Dinge verderben ein Bergwerk: Krieg, Sterben, Teuerung und Unlust.« Die Krisenhaftigkeit des Montangewerbes liegt nicht nur in den konjunkturellen und technologischen Faktoren begründet.

›Vier dinng verderben ain Perkwerch‹
Ludwig Lässl oder Jörg Kolber, 1556
Feder, aquarelliert, in Blattgoldrahmen, 21 × 30 cm. In: Schwazer Bergbuch, 1556. Ms. Papier, 227 Bll. Mit Einband aus dem 18. Jahrhundert
Innsbruck, Tiroler Landesmuseum Ferdinandeum, FB 4312
Farbtafel Seite 73

In keinem Wirtschaftszweig des späten Mittelalters und der frühen Neuzeit war der Kapitaleinsatz so hoch wie im Bergbau, nirgends lagen immenser Gewinn und horrender Verlust so nahe beieinander, setzten sich kapitalistische Produktionsstrukturen und Absatzstrategien so früh und so nachhaltig durch, konnten technologische Innovationen so rasch in Produktionssteigerung und Gewinn umgesetzt werden, führten technologische Grenzen und Hemmnisse zu so rapiden Zusammenbrüchen von Unternehmungen. Kein anderer Bereich reagierte so empfindlich auf Veränderungen der gesamtwirtschaftlichen Entwicklung, war so sehr in weltwirtschaftliche Zusammenhänge, in das Spiel der internationalen Handels-, Produktions- und Bankkonsortien einbezogen wie der Bergbau.
1460/70 stieg der Montanbereich nach der Landwirtschaft zum bedeutendsten Wirtschaftsbereich auf; aus den Bergbauabgaben zogen Kaiser, Fürsten und Herren mehr Gewinn als aus irgendeinem anderen *handel oder gewerb in gantzer teutscher nation und dem hailigen romischen reich* (Karl V., 1525).
Die Krisenanfälligkeit des Bergbaus war den Zeitgenossen wohl bewußt. Der Maler der Miniaturen des Schwazer Bergbuches, dem es nicht nur in dieser Darstellung gelingt, neben den technologischen auch die sozialen, wirtschaftlichen und rechtlichen Bedingungen des Tiroler Bergbaus treffend zu illustrieren, thematisiert mit Krieg und Teuerung zwei äußere, mit Tod und Unlust zwei innere Faktoren: Krieg, Teuerung und Tod gelten als unabweisbare, schicksalhafte Ereignisse; Krieg und Fehde beeinträchtigen Handel und Wandel – die Darstellung enthält hier keinen Hinweis auf den maßgeblichen Anteil von Bergknappen und Bergleute-Bauern am Bauernkrieg –, Getreide- und Brotteuerung trifft den Lohnarbeiter im Bergbau besonders hart, die Gefährdung des Lebens durch Stollenbruch, Wassereinbruch und andere Unglücksfälle im Bergbau ist immer gegeben, die räumliche Konzentration vieler Arbeiter macht sie besonders anfällig für die mit beängstigender Regelmäßigkeit auftretenden Wellen von Pest und anderen Ansteckungskrankheiten. Unlust, die provokative Arbeitsniederlegung unter der Agitation des erhöht auf dem Baum stehenden Anführers, Klagen, Beschwerden, Widerstand bis zum Streik, sind aber eher als Folgen von ungünstigen Arbeitsbedingungen, Lohndrückerei und anderen Mißständen zu begreifen denn als Ursachen für Bergbaukrisen.

Illustrierte Geschichte, Farbtafel nach S. 280. – Suhling, S. 102 f. – F. Kirnbauer, 400 Jahre Schwazer Bergbuch 1556 bis 1956, 1956. – Kat. Ausst. 150 Jahre Bibliothek des Ferdinandeums, Innsbruck 1973, Nr. 32 (mit Abb.) F. I.

14 Die ständige Bedrohung des Lebens der Bergleute findet ihren Ausdruck in einer intensiven Frömmigkeit. St. Anna, die Schutzpatronin der Bergleute, wurde 1505 in Todesangst von Martin Luther angerufen, als er in der Nähe von Erfurt fast von einem Blitzschlag getroffen wurde.

Zehntrechnung über Silber-, Kupfer- und Schlackenstein des Bergwerks »zum Geyher« bei Annaberg, 1536/37
Adam Riese
Orig. Papierlibell. 4°, fol. 1-12
Coburg, Staatsarchiv, LA F 8094

Das hohe Risiko im Bergbau und die ständige Bedrohung des Lebens der Bergleute förderten eine berufsbezogene, intensive Frömmigkeit, die in der Namengebung von Bergbauorten, Bergwerken und einzelnen Stollen oder Gruben besonderen Ausdruck fand. Die Namen *S(anct) Anna, Rosenkrantz, Paternoster Clufftt* z. B. nennt die von dem berühmten Rechenmeister Adam Riese als Zehntner Herzog Georgs von Sachsen geführte Zehntrechnung des Bergwerks »zum Geyher« bei Annaberg von 1536/37 (fol. 6^{v}). Auch in religiösen Stiftungen und in der Gestaltung von Altar- und Votivbildern kommt die Frömmigkeit der Bergleute zur Geltung. Das sprechendste Beispiel ist der Annaberger Bergaltar von 1521, gestiftet von der Bergknappschaft für die Annenkirche; auf seiner Rückseite schuf der Maler Hans Hesse zwischen 1497 und 1521 eine sehr präzise und detailreiche Darstellung des Bergwerksbetriebes von der Gewinnung bis zur Verhüttung der Erze und der Silbermünzprägung.
St. Anna, die Patronin der Bergleute, wird auch im Elternhaus Luthers besondere Verehrung genossen haben; dies könnte erklären, daß Martin Luther, als er am 2. Juli 1505 bei Stotternheim unweit von Erfurt beinahe von einem Blitzschlag getroffen wurde, in seiner Todesangst die Heilige Anna – die freilich ohnehin eine Lieblingsheilige der Zeit war (vgl. Kat. Nr. 61) – angerufen hat: »Hilf du, heilige Anna, ich will ein Mönch werden!«

WA TR 4, Nr. 4707. – Brecht, S. 57 f. – W. Rein, Adam Riese – der weltberühmte Rechenmeister aus Staffelstein. In: J. A. Meixner (Hrsg.), Staffelstein, 1980, S. 155-164. F. I.

15 Die mitteleuropäische Wirtschaft um 1500 wird geprägt durch hochentwickelte frühkapitalistische Strukturen in der Rohstoff- und der gewerblichen Produktion sowie im internationalen Handel mit Luxus- und Massenwaren.

Wirtschaft und Verkehr im Spätmittelalter um 1500
Karte, Entwurf: H. Ammann

Ein dichtes Verkehrsnetz von Wasser- und Landstraßen verband im Spätmittelalter und in der beginnenden Frühneuzeit zum einen die Zentren von Bergbau und Verhüttung mit den um die großen Handelsplätze gruppierten und von diesen dominierten Gewerbelandschaften, zum anderen die Regionen mit Überschußproduktion auf dem Nahrungsmittelsektor mit Wirtschaftsräumen, die auf regelmäßige Zufuhr von Getreide, Fleisch, Fisch, Wein und Bier angewiesen waren. Die Hauptachsen des mitteleuropäischen Handels bildeten die Strecke London – Antwerpen – Köln – Frankfurt – Nürnberg/Augsburg – Oberitalien, an der mit Antwerpen und Frankfurt die bedeutendsten internationalen Messestädte des Spätmittelalters lagen, und die große Linie des Hansehandels von Lissabon bzw. Bordeaux und der Baye über London – Brügge/Antwerpen – Hamburg/Lübeck in den baltischen und skandinavischen Raum. Zwischen den großen, schon im Hochmittelalter ausgebildeten europäi-

16

schen Wirtschaftsräumen, Oberitalien und Niederlande mit dem Niederrheingebiet, stieg im Spätmittelalter Oberdeutschland mit seinen Zentren Nürnberg und Augsburg zu einer dominierenden Stellung im zentraleuropäischen Wirtschafts- und Handelssystem auf, mit starker Ausstrahlung nach Ost- und Südosteuropa.
Wichtigste Träger der expansiven Entwicklung in Produktion und Handel waren und blieben die großen Exportgewerbe-, Fernhandels- und Messestädte, deren Kapitalkraft nicht nur im Handel mit Luxus- und Massengütern, sondern auch in der gewerblichen Produktion von Stadt und Umland sowie in der Rohstoffproduktion, vor allem im Bergbau und Hüttenwesen, eingesetzt wurde. Der wirtschaftslenkende Einfluß des Staates kam zumindest im Reichsgebiet noch wenig zur Geltung.

Karte aus: H. Aubin u. W. Zorn (Hrsgg.), Handbuch der deutschen Wirtschafts- und Sozialgeschichte, Bd. 1, 1971, Erläuterungen S. 355-359. – H. Kellenbenz (Hrsg.), Handbuch der europäischen Wirtschafts- und Sozialgeschichte, Bd. 2, 1980. F. I.

16 Markt und Rathaus bilden das bürgerliche Zentrum der spätmittelalterlichen Stadt. Sie bestimmen auch Maß und Reichweite der wirtschaftlichen und politischen Zentralfunktionen für das Um- und Hinterland.

Der Augsburger Perlachplatz im Winter
Jörg Breu d. Ä., Werkstatt, um 1531 (?)
Gemälde auf Leinwand, 225 × 348 cm. An den Gebäuden die Namen der Monate Oktober, November, Dezember
Privatbesitz

Stadt im späten Mittelalter kann definiert werden als Siedlung relativer Größe mit verdichteter, gegliederter Bebauung, beruflich differenzierter und sozial geschichteter Bevölkerung und mehreren zentralen Funktionen politisch-herrschaftlich-militärischer, wirtschaftlicher und kultisch-kultureller Art für eine bestimmte Region oder regionale Bevölkerung. Erscheinungsbild, innere Struktur, Zahl, Art und Bedeutung der zentralen Funktionen bestimmten, nach Raum und Zeit unterschiedlich, die Individualität der Stadt und ihre Zuweisung zu einem besonderen Stadttyp. Der – gemessen an Bevölkerungszahl, wirtschaftlicher Kraft und Reichweite der Zentralfunktionen – am höchsten entwickelte Stadttyp des Spätmittelalters war die Exportgewerbe- und Fernhandelsstadt; an der Spitze der deutschen Städte standen Köln, Nürnberg, Straßburg und Augsburg.
Wie kaum eine andere Stadtdarstellung der Zeit bringt das Bild des Augsburger Perlachplatzes die Aktivität städtischen Lebens zum Ausdruck, die sich auf dem Markt und um das Rathaus konzentriert: Links, in der alten Metzig, werden Fleisch und Geflügel verkauft; rechts, aus dem Rathaus mit dem Stadtwappen, strömen die Ratsherren, denen zwei Ratsdiener den Weg freimachen. Im Hintergrund erhebt sich der mit dem Reichswappen geschmückte Perlachturm, flankiert von Bärenzwingern. Geschäftiges Treiben beherrscht die Szene, die durch Schlitten als winterlich gekennzeichnet ist.
Der Markt war nicht nur der Schauplatz des Warenaustausches von Stadt und Land;

die Darstellung spricht eine Grundstruktur spätmittelalterlicher Stadtwirtschaft an. Auf den Markt bezogen – sei es täglicher, Wochen- oder Jahrmarkt bzw. Messe – waren lokale, regionale und internationale Verkehrswirtschaft, die Agrarproduktion des Landes und die gewerbliche Produktion in den Städten, das Spiel von Geld und Kredit. Die Ausweitung des Systems städtischer Marktwirtschaft, die intensive Einbeziehung des Umlandes im Aufbau von großen Gewerbe- und Wirtschaftslandschaften, war eine grundlegende Voraussetzung für die Entstehung moderner Volkswirtschaften und übernationaler Wirtschaftseinheiten.

Das Gemälde gehört zu einer Folge der vier Jahreszeiten. Je drei Monate sind auf einem Bild vereint. Eines trägt das Datum 1531. Die Kompositionen verwenden Motive von 12 Monatsscheiben, für die Jörg Breu d. Ä. die Entwürfe zeichnete. Die Gemälde werden daher als Arbeiten seiner Werkstatt angesehen.

E. Ennen, Die europäische Stadt des Mittelalters, 3. Aufl. 1979. – Kat. Ausst. Welt im Umbruch, Bd. 1, Nr. 8, mit Farbabb. F. I.

17 Die Rationalität der Wirtschaftsführung nimmt zu. Mit der wachsenden Alphabetisierung der städtischen Bevölkerung verbreitet sich die Kenntnis der traditionellen und neuen Rechenmethoden.

Zähltisch mit Rechenpfennigen
Dinkelsbühl, 16. Jahrhundert
Holz, L. 203 cm, Br. 83 cm, H. 74 cm
Nürnberg, Germanisches Nationalmuseum, HM 959. Depositum Historisches Museum Dinkelsbühl

Um 1500 war der größte Teil der Kaufleute und ein erheblicher Anteil der Handwerkerschicht in den Städten des Lesens, Schreibens und Rechnens kundig. Die Lehrinhalte der städtischen Elementar- und Lateinschulen (vgl. Abt. III) entsprachen in zunehmendem Maße den Anforderungen, die im Rahmen der öffentlichen Administration, besonders in der Finanzverwaltung, und in der privaten Wirtschaftsführung von Handel und Handwerk gestellt wurden. Seit der zweiten Hälfte des 14. Jahrhunderts stand mit dem Papier an Stelle von Pergament ein relativ preiswerter Beschreibstoff zur Verfügung, der auch Privatleuten den Übergang zur Schriftlichkeit erleichterte.

Die gängige Praxis des Rechnens beruhte auf dem Abacus, dem Rechenbrett: Beim Rechnen auf Linien, das der römischen Zahlenschreibweise entspricht, werden in ein Liniensystem Steine oder Rechenpfennige gelegt, die auf und zwischen den Linien Zahlenwerte, meist Dezimal- und Fünferwerte, darstellen und beim Rechenvorgang verschoben werden. Neben das gewöhnliche Rechenbrett, das durch Kreidelinien auf jedem Tisch hergestellt werden konnte, trat für die komplizierte Umrechnung verschiedener Münzsorten und für die Rechnungslegung der öffentlichen Kassen schlechthin der Zähltisch mit Geldbezeichnungen (Rechnungsgeld) an Stelle der römischen Ziffernwerte oder auch in Verbindung mit diesen, wie hier auf dem Dinkelsbühler Zähl- und Rechentisch, der für die Abrechnung in Gulden- und Pfundwährung eingerichtet war.

Der Vorteil des Abacus, nicht fest an das Dezimalsystem gebunden zu sein, kam bei den häufig dem Duodezimalsystem folgenden Rechengeldsystemen voll zur Geltung. Das zweite Rechenfeld diente der Kontroll- oder Gegenrechnung. Dargestellt sind auf beiden Feldern die Geldsummen 10 371 Pfund, 7 Schillinge, 8 Pfennige bzw. 25 346 Gulden (fl.), 3 Ort.

Heß. – E. Ennen, Stadt und Schule in ihrem wechselseitigen Verhältnis, vornehmlich im Mittelalter (1957). In: E. Ennen, Gesammelte Abhandlungen, 1977, S. 154-168. – L. Veit, Handel und Wandel mit aller Welt, 1960, Abb. 45. F. I.

18 Eine neue Art zu rechnen, der Gebrauch der indisch-arabischen Ziffern, wird seit dem späten 15. Jahrhundert vor allem durch Schulen und Lehrbücher der Rechenmeister verbreitet.

Ziffernrechnen
Titelholzschnitt zu: Johann Böschenstein, ›Ain New geordnet Rechenbiechlein mit den zyffern, den angenden schůlern zu nůtz, Inhaltent die siben species Algorithmi ...‹
Augsburg: Erhard Oeglin 1514
8°, 26 Bll.
Nürnberg, Germanisches Nationalmuseum, 8° H. 2649 Postinc.

Neben die bis in die Neuzeit beibehaltene Praxis des Rechnens auf Linien trat seit dem 15. Jahrhundert in wachsendem Maße die Verwendung der indisch-arabischen Ziffern, »Algorithmus« oder auch »Rechnen mit der Feder« genannt. Die Kunst des Ziffernrechnens bildete den wesentlichen Inhalt einer neuen Lehrbuchgattung, der Rechenbücher bekannter Schreib- und Rechenmeister, die häufig private Schulen unterhielten, z. T. auch als Wanderlehrer tätig waren. Christoph Scheurl d. Ä. z. B., der Vater des berühmten Nürnberger Humanisten Dr. Christoph Scheurl (1481-1542), wurde 1466 im Alter von neun Jahren bei dem angesehenen Rechenmeister Michael Joppel in Kost gegeben, um ordentlich Rechnen zu lernen.

Der Titelholzschnitt des Rechenbüchleins, das der Eßlinger Geistliche Johann Böschenstein für den Anfängerunterricht verfaßte, belegt die Vorliebe der Rechenmeister für das neue Ziffernrechnen, das Multiplikation und Division wesentlich beschleunigte. Adam Riese empfahl für den Unterricht von Kindern allerdings die traditionelle Art des Rechnens auf Linien.

Heß. – H. Grosse, Historische Rechenbücher des 16. und 17. Jahrhunderts, 1901. – E. Reicke, Magister und Scholaren, 1901, Abb. 33. F. I.

19 Das weitverbreitete System der einfachen Buchführung wird nach italienischem Vorbild zuerst in Oberdeutschland abgelöst durch die moderneren Formen der Alla-Veneziana- und der Doppelten Buchführung.

Wolfgang Schweicker sen. (Pseudonym), ›Zwiefach Buchhalten sampt dem Giornal‹
Nürnberg: Johann Petreius 1549
2°. 63 Bll.
Nürnberg, Germanisches Nationalmuseum, 4° H. 2586[d] Postinc.

Die Ausweitung des Fernhandels, die Entwicklung frühkapitalistischer Strukturen in Handel und Bankwesen und die damit zusammenhängenden Veränderungen der Organisationsstruktur der Kaufmannsfirmen und -gesellschaften förderten seit dem 13. Jahrhundert den Übergang zur dauerhaften schriftlichen Fixierung von Geschäftsvorgängen, vor allem der Notation von Verbindlichkeiten und Krediten bzw. ihrer Tilgung und Vergabe. Im Hansebereich kam man bis weit in die Neuzeit hinein mit der Technik der einfachen Buchführung aus, während sich in Oberitalien – aufgrund des internationalen Charakters der Handelsbeziehungen und der Größe und Konstanz der Handels- und Bankfirmen – schon im 13. und 14. Jahrhundert

Formen der Doppelten Buchführung verbreiteten. Die Zwischenstufe der Alla-Veneziana-Buchführung beherrschten Nürnberger Handelsgesellschaften bereits 1389. Die vollkommene Doppelte Buchführung, d.h. die Eintragung jedes Geschäftsvorganges als Soll und als Haben nach den Prinzipien der ›Summa de arithmetica‹, die Luca Pacioli 1494 drucken ließ, führte der Nürnberger Großkaufmann Hans Praun bereits 1472-1474 in seiner Firma ein. Bald folgten weitere oberdeutsche Großfirmen in Nürnberg, Augsburg und Ulm, deren intensive Handels- und Bankbeziehungen zu italienischen Kaufleuten die Übernahme der modernen Buchführungspraktiken erleichterten. Wie bei Pacioli in Oberitalien bedeutet der Druck von umfassenden Lehrbüchern der Doppelten Buchführung, in brauchbarer Form erstmals durch Wolfgang Schweikker in Nürnberg, in Oberdeutschland einen gewissen Abschluß eines langen Innovationsprozesses. Schweicker benutzte originale Nürnberger Geschäftsbücher als Vorlagen. Aufgeschlagen ist ein Hauptbuch, Soll- und Habenseite 18, mit Wechselverbuchung auf Venedig und Antwerpen.

I.-M. Wülfing u. B. Dini, Buchhaltung. In: Lex MA 2, Sp. 829-833. – W. v. Stromer, Das Schriftwesen der Nürnberger Wirtschaft vom 14. bis zum 16. Jahrhundert. In: Beitr. zur Wirtschaftsgeschichte Nürnbergs, Bd. 2, 1967, S. 751-799. – H. Kellenbenz, Die Faktoreirechnung des Georg Peurl. In: MVGN 63, 1976, S. 183-191, zu Schweicker S. 187. F. I.

20

20 Lombarden und Juden werden im 15. Jahrhundert nördlich der Alpen aus ihrer dominierenden Stellung im internationalen Bank- und Wechselverkehr weitgehend verdrängt. Das System der politischen Hochfinanz erreicht im frühen 16. Jahrhundert den Höhepunkt der Entwicklung.

Goldwaage des Nürnberger Kaufmanns und Münzmeisters Hans Harsdorfer
Nürnberg, 1497
Silber, teilvergoldet, Waagbalken Eisen. Etui Holz, bemalt mit »Wilden Männern«, Wappenhaltern und dem Allianzwappen Harsdorf-Nützel. In separatem Futteral Feingewichte, dazu Pinzette
Nürnberg, Germanisches Nationalmuseum, HG 11161. Leihgabe Frhrl. v. Harsdorf'sche Familienstiftung

Der Besitzer dieser ältesten erhaltenen Feinwaage zur Rauhgewichtsbestimmung von Goldmünzen, Hans Harsdorfer (gest. 1511), war unter Georg Podiebrad einige Jahre lang oberster Münzmeister des Königreiches Böhmen in Kuttenberg; in der ersten Hälfte des 16. Jahrhunderts waren die Harsdorfer Besitzer der Kupferschmelzhütte zu Enzendorf bei Nürnberg. Hans Harsdorfer gehörte also zu dem kleinen Kreis von Bankiers und Kaufleute-Unternehmern, die aufgrund ihrer besonderen Qualifikation zeitweilig Schlüsselpositionen in der Finanzadministration des Reiches und der Territorien übernahmen und damit politische Entscheidungsprozesse zugunsten ihrer wirtschaftlichen Aktivitäten und Ziele beeinflussen konnten.
Neben der Kontrolle der Münzprägung gehörte die Verwaltung von Zolleinkünften und von Bergbauabgaben, besonders im Silber- und Goldbergbau, zu den einflußreichsten Positionen in der Finanzverwaltung; sie erlaubten die Steuerung der Münzgeldherstellung und des Münzumlaufes. In der Regel waren sie mit erheblicher Kreditvergabe an den Münz-, Zoll- und Bergherrn verbunden.
Wegen des Entwicklungsvorsprungs im Umgang mit Geld und Kredit und ihrer starken Position beim Aufbau der komplizierten Gold-Silber-Doppelwährung im 13. und 14. Jahrhundert und im internationalen Banksystem besaßen Lombarden und Juden vor allem in Nordwestdeutschland, z.T. auch im Hanseraum, eine Sonderstellung in der Finanzverwaltung, aus der sie im 15. Jahrhundert mehr und mehr durch einheimische Bankiers und Kaufleute verdrängt wurden. Die enge Verbindung von politischer Macht und oberdeutschen Kaufleute-Bankiers, die unter Karl IV. begründet wurde, erreichte im Zeitalter der Fugger und Welser den absoluten Höhepunkt der Entwicklung.

F. Irsigler, Juden und Lombarden am Niederrhein im 14. Jahrhundert. In: A. Haverkamp (Hrsg.), Zur Geschichte der Juden im Deutschland des späten Mittelalters und der frühen Neuzeit, 1981, S. 122-162. – R. Klier, Nürnberg und Kuttenberg. In: MVGN 48, 1958, S. 51-78.
F. I.

21

21 Der aus vielfältigen Handels- und Unternehmeraktivitäten erwachsende Reichtum und politische Einfluß steigert das Ansehen und Selbstgefühl der kaufmännischen Führungsschicht.

Bildnis des Hans Harsdorfer
Unbekannter Künstler, 16. Jahrhundert, nach einem Gemälde von 1484
Gemälde auf Holz, 62 × 46 cm. Oben Inschrift: 1484/HANS HARSTORFER
Nürnberg, Frhrl. v. Harsdorf'sche Familienstiftung

Das Selbstbewußtsein und Selbstgefühl der bürgerlichen Oberschicht in den Städten des Spätmittelalters beruhte auf der wirtschaftlichen Leistung in Kaufmannschaft und Unternehmertum, der Teilhabe am Stadtregiment, dem politischen Einfluß im Rahmen der Hochfinanzbeziehungen und dem sozialen Ansehen in der berufsständisch geordneten Stadtgesellschaft. Es fand seinen besonderen Ausdruck in demonstrativem Konsum bei öffentlichen und privaten Festlichkeiten, im Kleiderluxus, in repräsentativen Steinbauten, sowohl im bürgerlichen Wohnhaus mit Fassadenmalerei, Treppenturm, Hauskapelle, Empfangsräumen, Schatz- und Kunstkammer als auch in den genossenschaftlichen Bauten der Gilde- und Zunfthäuser, im bürgerlichen Mäzenatentum, aber auch in aufwendigen Stiftungen von Altären, Kapellen, Hospitälern und Almosen; der Ausdruck des Bürgerstolzes und der Wunsch nach bleibender Erinnerung traten dabei gleichrangig neben die religiös-karitative Zielsetzung.
Seit der ersten Hälfte des 15. Jahrhunderts löste sich unter dem Einfluß von Humanismus und Renaissance, nach adelig-höfischem Vorbild, die Porträtdarstellung des Kaufmanns und Patriziers, wie auch des Geistlichen, vom formalen Typus des Stifterbildes und wurde zu einem selbständigen profanen Bildtyp, der das bürgerliche Selbstbewußtsein und die Absicht der Standesrepräsentation vor allem durch die Betonung der Standesabzeichen klar hervortreten ließ.
Das verlorene Originalgemälde wurde Michael Wolgemut zugeschrieben; doch denkt Buchner an einen jüngeren Nürnberger Künstler. Die Nelke in der Hand Harsdorfers läßt auf ein ursprünglich zugehöriges Frauenbildnis schließen.

Buchner, Nr. 143 und Abb. F. I.

22 Die tiefgreifende Umgestaltung des Geld- und Münzwesens im 14. und 15. Jahrhundert und der Zuwachs der Kreditbeziehungen verlangt neue Methoden der Geldschöpfung und des Geldtransfers.

Von wucherlichem Gewinn
Petrarca-Meister, um 1520
Holzschnitt, 9,7 × 15,5 cm. Aus: ›Von der Artzney bayder Glůck, des guten und widerwårtigen‹, Augsburg: Sigismund Grimm und Marx Wirsung 1532. Erste deutsche Ausgabe der Schrift Francesco Petrarcas, ›De remediis utriusque fortunae‹
Stuttgart, Staatsgalerie, Inv. Nr. A 2495

Zwischen der Mitte des 13. und dem Ende des 14. Jahrhunderts setzten sich in zeitlicher und regionaler Staffelung wesentliche Neuerungen im europäischen Geld- und Währungssystem durch: die Wiederaufnahme der Goldmünzenprägung seit 1252 (Florenz, Genua), die Ausprägung von Silbermünzen im mehrfachen Wert des Pfennigs, der Groschen (seit 1266) und Schillinge, und damit der Aufbau eines abgestuften, funktionalen Geldsystems mit lokal und regional gültigen Scheidemünzen, überregional gültigen Landmünzen und hochwertigen, überall gültigen Fernhandelsmünzen in Gold. Trotz der starken Zersplitterung des Münzwesens im Deutschen Reich und des unvermeidlichen langsamen Absinkens des inneren Wertes der umlaufenden Münzen blieb das System bis etwa 1460/70 stabil. Dann führte der Rückgang der Goldmünzenprägung und der erst mit Verzögerung erfolgende Ersatz der goldenen Handelsmünzen (Gulden, Dukat) durch wertgleiche schwere Silbermünzen (Silbergulden, Guldiner, Taler) zu einer schweren Krise des Geld- und Währungssystems im Bereich der Groschen- und Scheidemünzen, da begünstigt durch die steigenden Silbererträge des Tiroler und des mitteldeutschen Bergbaus und die hohen Münzgewinne (Schlagschatz) der Massenprägung von schwerem Silbergeld der Vorzug gegeben und der Kleinmünzenbereich vernachlässigt wurde.
Zu keiner Zeit reichte die vorhandene Münzgeldmenge dem rapide wachsenden Bedürfnis nach schnell verfügbarem Geld im internationalen, überregionalen und lokalen Handelsverkehr sowie in der öffentlichen und staatlichen Verwaltung. Dies erklärt – zusammen mit den angesprochenen Strukturveränderungen des Geldsystems selbst – die dominierende Rolle des Kredits in der spätmittelalterlichen Wirtschaft. Den Kaufleuten ermöglichte in Verbindung mit modernerer Buchführung die Einführung des Wechselbriefes Giralgeldschöpfung, bargeldlosen Zahlungsverkehr, starke Kreditausweitung, Umgehung des kirchlichen Wucherverbotes und Arbitragegewinne durch Ausnutzung von Währungskursschwankungen zwischen den Messeterminen.
Daneben waren ältere Formen der Kreditgewährung per Schuldschein, Waren- oder Edelmetallpfandsetzung (Lombardierung) bei allen Ständen und Schichten verbreitet. Kreditnahme gehörte zum wirtschaftlichen Alltag; sie setzte Kreditwürdigkeit voraus. Die Funktion des Geldverleihers, des Wucherers, war unverzichtbar, trotz der massiven Kritik der Zeit an der gewinnorientierten Kreditvergabe, wie sie der Petrarca-Meister in seiner Wuchererdarstellung sehr anschaulich zum Ausdruck bringt: Die Gegenüberstellung des armen Bauern, der gegen die Verpfändung seines Überrocks einen kleinen Kredit erhält, und des reichen Edelmannes, der einen Sack voll Geld »in sicheren Wucher« legt, kritisiert stärker die Gewinnsucht des Edelmannes als die des Wucherers, der aus der Mittlerrolle überhöhten Profit zieht.

W. v. Stromer, Die oberdeutschen Geld- und Wechselmärkte. In: Scripta Mercaturae 10/1, 1976, S. 23-51. – B. Kuske, Die Entstehung der Kreditwirtschaft und des Kapitalverkehrs (1927). In: B. Kuske, Köln, der Rhein und das Reich, 1956, S. 48-137. – Th. Musper, Die Holzschnitte des Petrarcameisters, 1927, Nr. 118. – W. Scheidig, Die Holzschnitte des Petrarca-Meisters, 1955, S. 107 m. Abb. F. I.

23 Den hohen Gewinnmöglichkeiten im Fernhandel entspricht das besondere Risiko auf den Handelsrouten zu Wasser und zu Lande.

Votivtafel des Kaufmanns Stephan Praun
Paul Lautensack d. Ä., 1511
Gemälde auf Weichholz, 84 × 52 cm. Unten Mitte datiert 1511
Nürnberg, Germanisches Nationalmuseum, Gm 196

Einen Großteil unseres Wissens über den mittelalterlichen Handel verdanken wir Katastrophennachrichten, städtischen und privaten Schreiben, veranlaßt durch Beschlagnahme von Kaufmannsgut, Inhaftierung wegen Schuldforderungen, Raubüberfälle durch Strauchritter und Marodeure auf den Straßen, Kaperung von Kaufmannsschiffen usw. Nicht von ungefähr bezeichnen mittelalterliche Quellen den Kaufmann als *aventiurre, eventurre,* als Abenteurer, haben sich die englischen Kaufleute, die seit dem 15. Jahrhundert der Hanse auch im Baltikum harte Handelskonkurrenz lieferten, zur Kompagnie der »merchant adventurers« zusammengeschlossen. Handelsallegorien des 16. Jahrhunderts thematisieren die Risiken des Handels: Kriege, Seuchen, Teuerungen, Hungersnöte, Brand, Raub, Schiffbruch und Wassereinbruch im Bergwerk.
Die Votivtafel aus dem Mendelschen Zwölfbrüderhaus in Nürnberg, einer 1388 von Konrad Mendel gegründeten Stiftung zur Versorgung alter, mittelloser Handwerker, erinnert an die Rettung des Kaufmanns Stephan Praun (1478-1532), der intensive Handelsbeziehungen mit Italien unterhielt, zuerst aus Seenot auf dem Gardasee, dann aus der Bedrohung durch venezianische Söldner. Der Stifter der Votivtafel kniet links im Vordergrund. Die Reiter im Vordergrund, deutlich als Entlehnung aus Dürers Holzschnitt »Die vier apokalyptischen Reiter« von 1498 zu erkennen, entfernen sich nach rechts; dahinter auf dem stürmenden See ein in Seenot geratenes Schiff; über einer Wolke Maria im Kindbett und Josef an der Haspel. Dieses Bildmotiv wiederholt eine nur in der Beschreibung überlieferte Tongruppe aus dem Hochaltar der Mendelschen Zwölfbrüderkapelle. Diese Madonna hatte Praun nach Aussage der Inschrift in seiner Not angerufen.
Der Kult der Muttergottes im Kindbett war besonders in der Bamberger Gegend verbreitet. Der in Bamberg geborene, seit 1500/01 als Meister nachweisbare Paul Lautensack d. Ä. siedelte 1528 ins reformierte Nürnberg über. Er betätigte sich auch als theologischer Schriftsteller von mystischer Grundhaltung. Noch 1533 bestätigten ihm Luther und Melanchthon die Unschädlichkeit einer ihnen zur Begutachtung gesandten Schrift. 1542 wurde Lautensack, den Wiedertäufern nahestehend, wegen Schwarmgeisterei der Stadt verwiesen, durfte jedoch drei Jahre später zurückkehren.

23

Die Lautensack bzw. seiner Werkstatt zugeschriebene Votivtafel wurde vermutlich deshalb in Bamberg in Auftrag gegeben, weil keine der Nürnberger Werkstätten in der Lage schien, die mystische Vorstellung, die sich mit dem Auftrag verband, einfühlsam genug umsetzen zu können (Aufseß, S. 19).

Kat. des Germanischen Nationalmuseums Nürnberg. Die Gemälde des 13.-16. Jahrhunderts, 1936, Nr. 196, S. 78 f. – A. v. Aufseß, Die Altarwerkstatt des Paul Lautensack unter besonderer Berücksichtigung ihrer Verbindung zur Werkstatt des Pulkauer Altars, 1963, bes. S. 50 und Katalog S. 92. – Kat. Ausst. Maximilian, Nr. 181 mit Abb. 26. F. I.

24 Das Handelskapital, konzentriert in den großen städtischen Zentren, beherrscht und steuert auch die Produktion im exportorientierten Gewerbe durch Verlag und dezentrale Manufaktur.

Bittschreiben der Kölner Messingschläger an den Rat zugunsten ihres Verlegers, 5. Dezember 1463
Orig. Papier, 22,1 × 29,8 cm. 1 Bl.
Köln, Historisches Archiv der Stadt Köln, Datierte Briefe 1463 Nov./Dez.

Der Messingschmelzer Maiss (Thomas) van Venroide betrieb um 1450/1455 und erneut zu Beginn der 1460er Jahre in Köln einen Kupferhof, d. h. eine Kupfer- oder Messingschmelze; er beschäftigte unter der Aufsicht von drei Zwischenmeistern 1463 mindestens 33 Heimarbeiter, die vom Zentralbetrieb mit Rohmaterial versorgt wurden. Venroide dürfte nach Ausweis der Akziseleistung jährlich Kupfer, Galmei und Blei im Wert von ca. 10 000 fl. verarbeitet haben. Trotz des eindringlichen Bittschreibens der abhängigen Handwerker, die darauf hinwiesen, daß Venroide vor seiner ersten Vertreibung aus Köln etwa 100 Personen beschäftigte, von denen ihm viele nach Nymwegen folgten, und daß jetzt wieder die Gefahr bestehe, daß er durch *hass, avegutz* [Neid] *ind eygennutz* erneut zur Verlegung seiner Betriebseinrichtungen *(gereitschaff)* gezwungen werde, wurde die Schmelze 1464 aus Umwelt- und Gesundheitsschutzgründen geschlossen. Tatsächlich hat dann ein großer Teil der Messingschläger Köln verlassen. Sehr bezeichnend ist hier die positive Einschätzung der Funktion des Verlegers, der *dat koffersmeltzen regiert*, für die Sicherung der Arbeitsplätze und des Lebensunterhaltes der Handwerker mit ihren Familien.
Die Ausbildung der Form der dezentralen Manufaktur mit zentralen großtechnischen Einrichtungen und in Kleinwerkstätten arbeitenden Handwerkern ergab sich im Messinggewerbe fast notwendig. »Kupferhöfe« der beschriebenen Art gab es auch in Nürnberg, Aachen und in den Maasstädten, z. T. verbunden mit Kupfer- und Messingdrahtzieherei. Manufakturcharakter hatten bereits im 14. Jahrhundert die zentralen Werkstätten in Venedig und Florenz.

Druck: H. v. Loesch, Die Kölner Zunfturkunden, Bd. 2, 1907, Nr. 537 A, S. 570-572. – H. Aubin, Formen und Verbreitung des Verlagswesens in der Altnürnberger Wirtschaft. In: Beitr. zur Wirtschaftsgeschichte Nürnbergs, Bd. 2, 1967, S. 620-668. – Irsigler. F. I.

25 Vor allem im Textilgewerbe ist die Entwicklung von standardisierter Massenware nur möglich durch die Zusammenfassung der kleinbetrieblichen Weberei mit ihren Hilfsgewerben durch den Verleger, der Kapital und Rohstoffe, oft auch das Handwerkszeug kreditiert.

Weberwerkstatt
Unbekannter Künstler, 1524
Titelholzschnitt der zweiten der drei Schwabacher Reformationsflugschriften: Hans Herbst (?), ›Ein gespräch von dem gemeinen Schwabacher Kasten‹, Nürnberg: 1524
München, Bayerische Staatsbibliothek, 4° P. o. germ 235/11

Die Forderung des Marktes nach gleichmäßiger Qualität und kontinuierlichem Angebot erzwang im Textilgewerbe früher als in anderen Handwerken eine horizontale Zerlegung des Tuchherstellungsprozesses und eine starke Spezialisierung bei den einzelnen Arbeitsschritten. Wegen der ungleichen Anforderungen und Bewertungen dieser Arbeitsschritte ergab sich dabei auch eine vertikale Gliederung, wobei die eigentliche Webarbeit, z. T. auch das Färben, eindeutig vor Arbeiten wie Wollwaschen, Kämmen, Verspinnen, Walken, Karden, Noppen, Scheren usw. rangierte, die von spezialisierten Personengruppen meist außerhalb des eigentlichen Webereibetriebes durchgeführt wurden. In Oberitalien und in den südlichen Niederlanden dominierte in der Tuchverlagsorganisation der Kaufmann, der nicht nur die teuren Rohstoffe, z. B. englische Wolle, besorgte, sondern auch den Absatz der fertigen Tuche auf den Messen und Märkten übernahm. Im rheinischen Tuchrevier, z. T. auch in Brabant, stiegen auch Webermeister zu Verlegern auf. Der untergeordneten Rolle der Hilfsgewerbe im Produktionsprozeß entsprach in der Regel die wirtschaftliche Abhängigkeit, die zahlreiche, formell selbständige Handwerker auf den Status von Lohnarbeitern herabdrückte. Verlagsabhängig war aber auch der überwiegende Teil der Weber.
Die Titelseite der zweiten Schwabacher Flugschrift zeigt eine kleine Tuchmacherwerkstatt, in der neben der Webarbeit auf einem zweisitzigen Webstuhl für besonders breites Tuch auch noch Hilfsarbeiten des Spinnens und Wollekämmens durchgeführt werden. Der zweisitzige Webstuhl setzt gemeinsame Arbeit von Meister und Geselle voraus; die Hilfsarbeiten oblagen vermutlich den weiblichen Familienangehörigen oder Hilfskräften. Die Selbständigkeit derartiger Kleinbetriebe war grundsätzlich gefährdet.

Irsigler. – Kat. Ausst. 450 Jahre Reformation in Schwabach, 1975, Nr. 27. F. I.

26 Neben die Leinen- und Wolltuchweberei treten seit dem Ende des 14. Jahrhunderts nördlich der Alpen neue Textilindustrien, vor allem die Barchentproduktion. Ihre Einführung und Förderung durch Landesherren, Städte und Kaufleute erfolgt nach frühmerkantilistischen Prinzipien.

Barchentprüfstück Conrat Fuggers
Augsburg, 1461
Barchent, 42 × 45 cm
München, Bayerisches Nationalmuseum, Inv. Nr. T 1734

Die Krise der niederländisch-niederrheinischen Wolltuchweberei und des oberdeutschen Leinengewerbes im 15. Jahrhundert wurde z. T. aufgefangen durch den Übergang zur Herstellung von Barchent, einem Mischgewebe aus Baumwolle und Leinen. Die Einführung der Baumwollindustrie in Mitteleuropa erfolgte, wie W. v. Stromer gezeigt hat, in zwei großen Gründungswellen, 1363/1368-1383 und 1407-1435, unter starkem Einfluß von Trägern politischer Entscheidung im Reich,

den Territorien und Städten. Diese planmäßige Gewerbegründungs- und -förderungspolitik wies klare frühmerkantile Züge auf. Kaufmännischer bzw. Verlegereinfluß war von Anfang an gegeben; mancherorts trat auch die Stadtobrigkeit als Verleger auf.
Fast die Hälfte der über 60 Barchentstädte, die sich zu mehreren Barchentrevieren ordnen lassen, lag in der Textilgewerbelandschaft Oberschwaben. Durch den Barchentverlag legte die Weberfamilie Fugger, die in ihre Verlagsorganisation von Augsburg aus ganz entschieden auch die ländliche Weberei einbezog, einen wesentlichen Grundstock für die rasante Entwicklung des Firmenvermögens.
1461 wurden Barchentstücke Conrat Fuggers, des Neffen von Hans Fugger, an der Augsburger Schau, der städtischen Qualitätskontrolle, beschlagnahmt, weil ihre Kettfadenzahl um 75 Fäden geringer war als die Norm, die »rechte Zahl« für die berühmten Augsburger Markenbarchente (Markennamen: Ochse, Löwe, Traube). Der Text der Beanstandung auf dem ersten Prüfstück, das im Fugger-Museum Schloß Babenhausen aufbewahrt wird, lautet: *dz tůch ist dez Conrat Fvgers gewessen vnd Er haut lxxv feden mynder zetlet vnd geworcht den Rechte zall – 1461.* Auf dem zweiten Prüfstück ist vermerkt: *dz trvm hat ach lxxv feden mynder vnd yst ach des Fugers – 1461.* Beide Stücke zeigen auf den Kettfäden in roter Farbe die Dreizackmarke, das Verlagszeichen der Fugger.

W. v. Stromer, Die Gründung der Baumwollindustrie in Mitteleuropa, 1978, mit Abb. 1 b.
F. I.

27 Technische Innovationen erhöhen die Produktivität der spätmittelalterlichen Gewerbe. Die stärkste Technisierung erfolgt bei Metallgewinnung und Verarbeitung, wobei die Hauptenergiequelle Wasserkraft bis zum Grenzwert genutzt wird.

Grundriß der Mühlen und Wehre an der Pegnitz von Wöhrd bis Doos
Nürnberg, um 1590 (?)
Feder, aquarelliert, 31,3 × 113 cm
Nürnberg, Germanisches Nationalmuseum, HB 3089

Die hohe Zahl bahnbrechender naturwissenschaftlicher Entdeckungen und technischer Erfindungen im 15. und frühen 16. Jahrhundert ist ein ganz wesentliches Kennzeichen der Zeitenwende vom Mittelalter zur Neuzeit. Der Fortschritt der Astronomie, Kartographie (vgl. Kat. Nr. 111-114) und Navigationstechnik revolutionierte das traditionelle aristotelische Weltbild, schuf die Voraussetzungen für die Entdeckung der Neuen Welt; die Erfindung des Buchdrucks mit beweglichen Metall-Lettern durch Johann Gutenberg um 1445 eröffnete ungeahnte Möglichkeiten der Wissensverbreitung und Publizistik. Technische Innovationen erhöhten die Produktivität in der gewerblichen Wirtschaft; Kenntnisse der wissenschaftlichen Mineralogie und Metallurgie förderten die Entwicklung in Bergbau und Verhüttung.
Der tiefgreifende Strukturwandel durch technischen Fortschritt hatte aber auch hohe soziale Kosten zur Folge; er setzte Arbeitskräfte frei, z. B. Seidspinnerinnen beim Einsatz der wohl in Lucca zur technischen Reife entwickelten Seidenzwirnmühle, deren Einführung 1412/1413 vom Kölner Rat aus sozialen Gründen verhindert wurde. Technische Überlegenheit bot den besten Ansatz zum Verlagsaufbau und zum Mißbrauch der Verlagsabhängigkeit der Handwerker und Lohnarbeiter im sog. Trucksystem.
Die stärkste Technisierung erfolgte im Bergbau, der Verhüttung und in der Metallverarbeitung, wo Ansätze zum manufakturartigen Großbetrieb unverkennbar sind. Nach 1500 erreichte die Ausnutzung der vorhandenen Energiequellen, Holz, Holzkohle (noch kaum Steinkohle), Wind und vor allem Wasserkraft, bereits die Grenzen des technisch Möglichen vor der Erfindung der Dampfkraft. Das zeigt sich sowohl an der Waldschutz- und Aufforstungspolitik der Landesherrn und Städte als auch an der überall zu beobachtenden Neuregelung der knapp werdenden Wasserrechte für den Mühlenbetrieb.
Das beste Beispiel für eine ungewöhnlich differenzierte Nutzung der Wasserkraft und für die enge Beziehung zwischen Gewerbeentwicklung und Mühlenwesen bietet Nürnberg. Der Mühlenprospekt von ca. 1590, vielleicht identisch mit dem Wasserrechtsplan des Ratsbaumeisters Wolf-Jakob Stromer, spiegelt durchaus einen bereits im 15. Jahrhundert erreichten Entwicklungsstand. Innerhalb der Stadt bestanden acht Mühlen, sechs an der Pegnitz mit jeweils 10 bis 12 Rädern, zwei am Fischbach. Außerhalb der Stadtmauern lagen an der Pegnitz die Groß- und die Kleinweidenmühle, ferner, beide um 1390 gegründet, mit der Hadermühle die erste deutsche Papiermühle und mit der Mühle in Wöhrd die wohl älteste Drahtziehermühle. Die Nutzungsvariation der Nürnberger Mühlen reichte von der Kornmühle über Hammer-, Schleif-, Walz- und Drahtziehwerke für die Metallgewerbe bis zur Drechslermühle in der Holzverarbeitung und der Papiermühle.

W. Endrei u. W. v. Stromer, Textiltechnische und hydraulische Erfindungen und ihre Innovatoren in Mitteleuropa im 14./15. Jahrhundert. In: Technikgeschichte 41, 1974, S. 89-117. – W. v. Stromer, Innovation und Wachstum im Spätmittelalter: Die Erfindung der Drahtmühle als Stimulator. In: Technikgeschichte 44, 1977, S. 89-120. – Kat. Ausst. Reformation in Nürnberg, S. 20, Nr. 9.
F. I.

28 Die rasche Zunahme des Marktverkehrs und eine unzureichende Münzpolitik führen seit 1460/70 zu einer spürbaren Verschlechterung der Scheide- und Landmünzen. Die monetäre Krise zwischen 1480 und 1525 kann trotz einiger Ansätze zur Münzreform nicht behoben werden.

Pfenniggepräge der Reichsstadt Nürnberg 1457-1530
Nürnberg, Germanisches Nationalmuseum, Münzkabinett

Die monetäre Krise am Ende des 15. und zu Beginn des 16. Jahrhunderts, die nur im Bereich der schweren Handelsmünzen durch die Aufnahme der Talermünzprägung eine überzeugende Lösung fand, hatte mehrere Ursachen: Die Bevorzugung der Ausprägung von schweren Nominalen, bei denen der Schlagschatz, d. h. der Gewinn des Münzherrn aufgrund der niedrigen Kosten am höchsten war, und die Vernachlässigung des Land- und Scheidemünzenbereichs wegen der hohen Prägekosten; die weit verbreitete Praxis des Münzseigerns, d. h. des Aussonderns der besseren und schwereren Stücke, die zusammen mit der rücksichtslosen Münzpolitik einiger Fürsten und Grafen zur Verdrängung des guten durch das schlechte Geld führte (Gresham'sches Gesetz); der Zwang zur Verrufung und Neuprägung umlaufender Münzen bei gleichzeitiger Verschlechterung des inneren Wertes wegen der notwendigen Anpassung an die Münzpolitik der Nachbarstaaten; schließlich die sinkende Effektivität der Münzpolitik überterritorialer Münzvereinigungen und die weitgehende Ausklammerung des Land- und Scheidemünzenbereiches aus der Reichsmünzge-

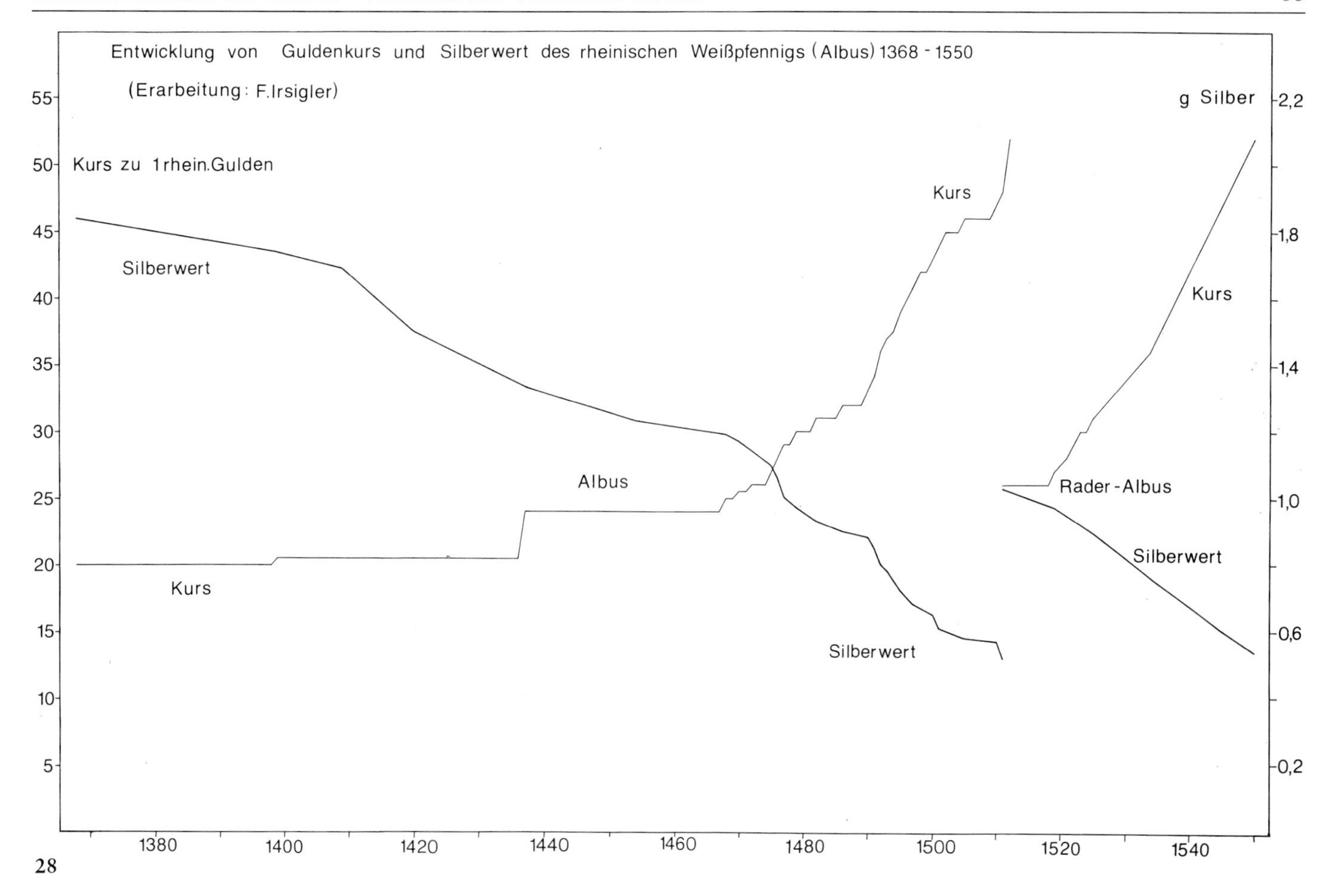

28

setzgebung, die überdies zu spät einsetzte.

Die allmähliche Verschlechterung der Nürnberger Pfennigprägungen zwischen 1457 und 1530 wird schon optisch erkennbar in der Verkleinerung der Münzen. Wie die Graphik zeigt, sank das Feingewicht des rheinischen Weißpfennigs (Albus) zwischen 1386 und 1511 von 1,83 g Silber auf 0,53 g, d. h. um 72%, der Kurs zum rheinischen Gulden verschlechterte sich von 1:20 auf 1:52.

In allen Teilen des Reiches hat die Produktion von Land- und Scheidemünzen mit dem rapide wachsenden Bedarf an verfügbarem Geld für den alltäglichen Marktverkehr nicht Schritt halten können; das erklärt nicht nur die Ausweitung der Kreditpraxis bis hinab in kleinste Alltagsgeschäfte, sondern in Verbindung mit den oben genannten münzpolitischen Faktoren z. T. auch die 1470 einsetzende Preisinflation, die sich in der 1. Hälfte des 16. Jahrhunderts zur sog. Preisrevolution auswächst. Ansätze zur Münzreform, die in der Regel eine schlagartige Herabsetzung des Kurswertes der umlaufenden Kleinmünzen zur Folge hatten, z. B. 1481/1482, 1490/1492, 1511/1512 und 1524, brachten keine dauerhafte Besserung. Wegen der starken Benachteiligung der lohnabhängigen Schichten und der verlagsabhängigen Handwerker waren sie nicht selten von sozialen Unruhen begleitet. Den Anlaß für die Kölner Sozialrevolte von 1481 lieferte nach der Aussage der Koelhoff'schen Chronik die Neufestsetzung der Münze, die der »gemeine Mann« nicht hinnehmen wollte.

Cl. v. Looz-Corswarem, Unruhen und Stadtverfassung in Köln an der Wende vom 15. zum 16. Jahrhundert. In: W. Ehbrecht (Hrsg.), Städtische Führungsgruppen und Gemeinde in der werdenden Neuzeit, 1980, S. 53-97. – Fr. Frhr. v. Schrötter, Wörterbuch der Münzkunde, 2. Aufl. 1970. F. I.

29 Die Preise der wichtigsten Grundnahrungsmittel, Brot, Fleisch und Bier, steigen seit 1470; die wirtschaftliche Situation der Unterschichten verschlechtert sich, vor allem in Ernte- und Hungerkrisen, trotz der obrigkeitlichen Preispolitik.

Kölner Brotbescheid von 1495 oder 1498: Berechnung des Roggenbrotgewichtes
Abschrift, Papier, 1. Hälfte 16. Jahrhundert. 4°. 21 Bll.
Köln, Historisches Archiv der Stadt Köln, Zunftakten 183

Nach der schweren gesamteuropäischen Hungerkrise von 1437 sanken die Getreidepreise bis 1464 nominal und im Silberäquivalent auf den tiefsten Stand des 15. Jahrhunderts. Der Preisverfall benachteiligte die Getreideproduzenten und ließ die Feudalrenten absinken, begünstigte aber die Handwerker und Lohnarbeiter durch ein preisgünstiges Angebot an Grundnahrungsmitteln. In vielen deutschen Städten zeigt sich um 1450 ein Höhepunkt der gewerblichen Produktivität.

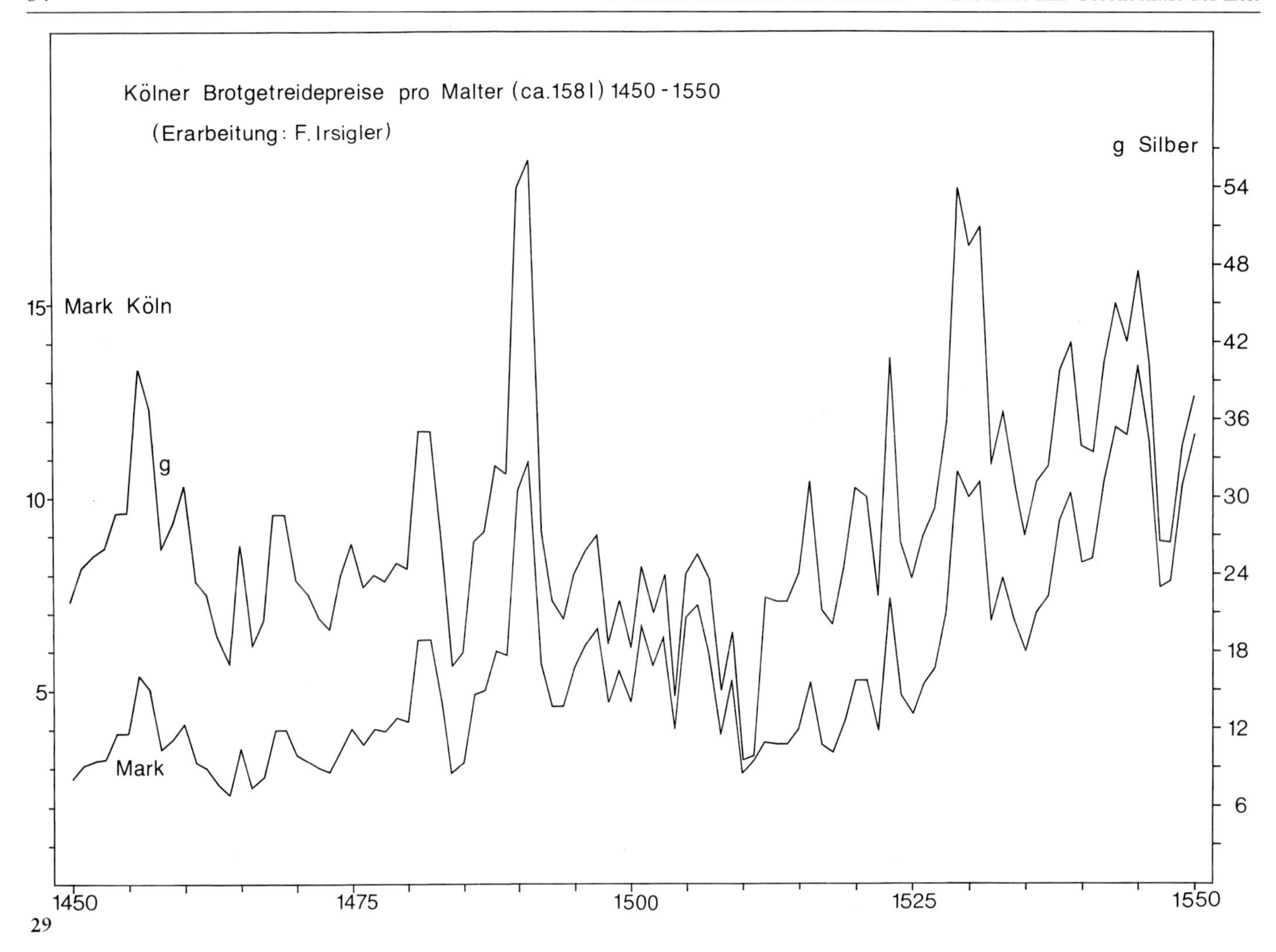

29

In den 1470er Jahren setzte der Umschwung ein; die Getreidepreise stiegen in zwei großen Sprüngen, die z.T. auch durch monetäre Veränderungen bedingt waren, während die Anpassung der Löhne nur mit Verzögerung erfolgte. Nun öffnete sich die Preis-Lohn-Schere (W. Abel) zum Nachteil der Lohnabhängigen. Nach einer vorübergehenden Erholungsphase um 1510 beginnt eine neue lange Welle mit rasch aufeinanderfolgenden zyklischen Preissprüngen, die »Preisrevolution« des 16. Jahrhunderts.
Die Erfahrung der mit beängstigender Regelmäßigkeit im Abstand von 7-13 Jahren auftretenden Mißernten und Hungersnöte führte vor allem in den großen, volkreichen Städten zu einer recht effektiven obrigkeitlichen Vorrats- und Preistaxenpolitik. Dabei variierte man gewöhnlich aus praktischen Gründen nicht den Brotpreis in Abhängigkeit vom Marktpreis, sondern, wie die Kölner Tax-Tabelle von 1495/98 zeigt (fol. 5r), das Brotgewicht (in Lot = 14,6 g) in Abhängigkeit von den Marktpreisen für Roggen und Weizen. Nur bei extremen Preisspitzen griff der Rat zugunsten der Armen ein, teils durch Getreidelieferungen an die Bäcker, teils durch Ausgabe von Brotzeichen, die zum Kauf von verbilligtem Brot berechtigten, teils durch direkte Verteilung von Brot.

Druck: H. v. Loesch, Kölner Zunfturkunden, Bd. 2, 1907, Nr. 212, S. 30-35. – F. Irsigler, Getreidepreise, Getreidehandel und städtische Versorgungspolitik in Köln vornehmlich im 15. und 16. Jahrhundert. In: Festschr. E. Ennen, 1972, S. 571-610. – D. Ebeling u. F. Irsigler, Getreideumsatz, Getreide- und Brotpreise in Köln 1398-1797, Bd. 1, 1976, S. XIV ff. mit Abb. 1.

F. I.

30 Die obrigkeitlichen Lohntaxen verzögern die Anpassung an die steigenden Preise und den sinkenden Geldwert der Löhne. Im 16. Jahrhundert öffnet sich die Preis-Lohn-Schere sehr weit; die Pauperisierung breiter Bevölkerungsschichten wird zum großen sozialen Problem der Städte.

Bauhandwerkerlöhne 1528
Papier, 21 × 28,3 cm
Köln, Historisches Archiv der Stadt Köln, Armenverwaltung Nr. 1043, Heilig-Geist-Hospital: Baurechnungen 1524-1536

Während die Einführung von Höchstlohntaxen in der zweiten Hälfte des 14. Jahrhunderts auf einen Mangel an städtischen Arbeitskräften hinweist – eine der Folgen der großen Pest von 1349/1351 und der nachfolgenden Pest- und Seuchenwellen –, sind die Lohntaxen des ausgehenden 15. und des frühen 16. Jahrhunderts eher als

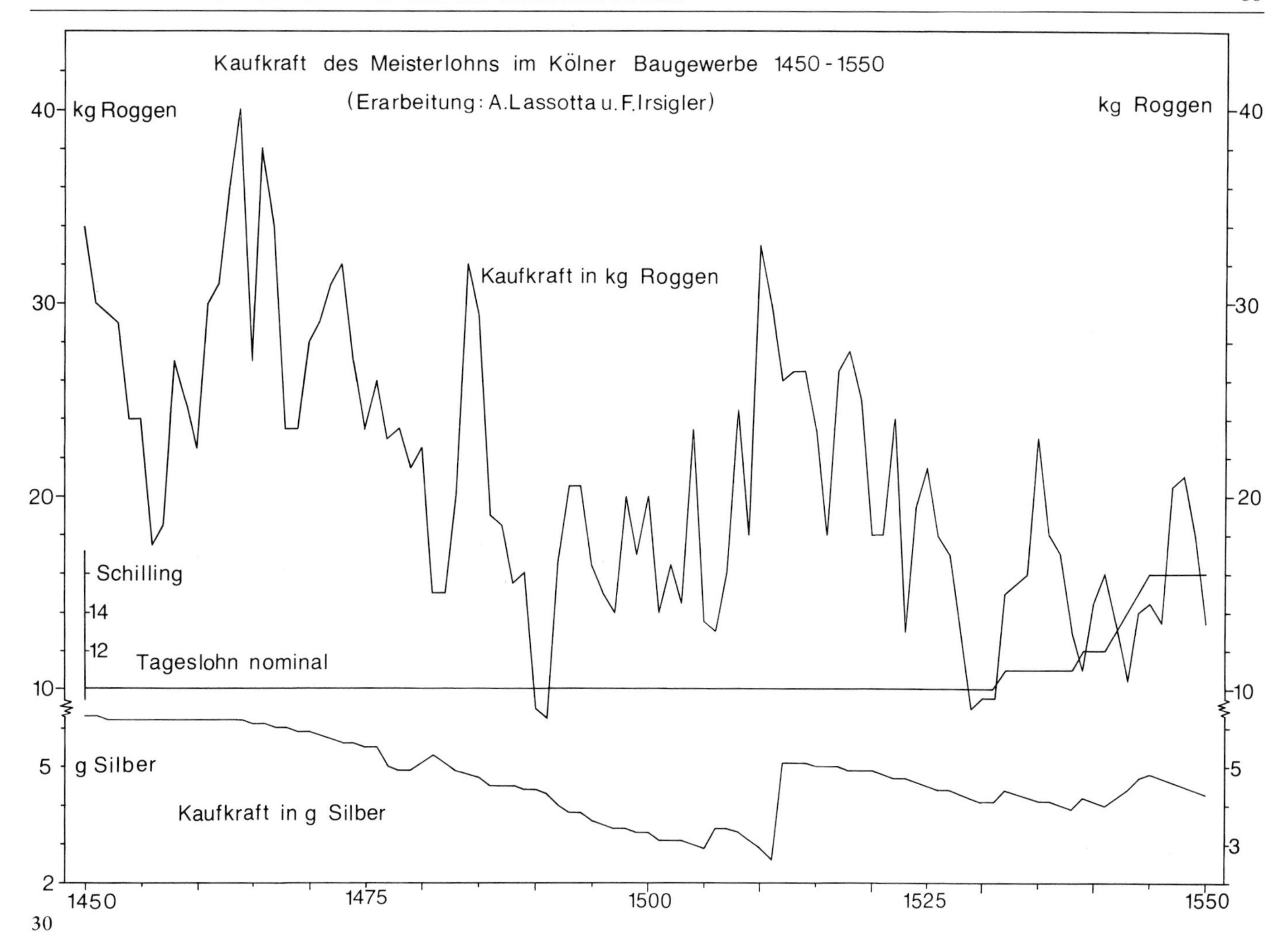

30

Mindestlohnfestsetzungen und damit als Zeichen eines unzureichenden Angebots an Arbeitsmöglichkeiten anzusehen. Zahlreiche Gewerbe waren am Ausgang des Mittelalters bereits überbesetzt; die Schließung der Zünfte, die verminderten Aufstiegschancen für Gesellen und Hilfskräfte, müssen als Krisenzeichen gewertet werden.
Kaufleute, Verleger und die besser gestellten Handwerksmeister, die gewöhnlich die obrigkeitliche Lohnpolitik maßgeblich beeinflußten, hatten kein Interesse an einer flexiblen Lohnpolitik und einer raschen Anpassung der Taxen an die Veränderungen der Preise für Grundnahrungsmittel und das stetige Absinken des Geldwertes der Fixlöhne. Die Zahl der ausschließlich auf Geldlohnbasis arbeitenden Personen nahm nicht nur im Bauhandwerk und im Dienstleistungsgewerbe, sondern auch in den übrigen Handwerken zu, nicht zuletzt wegen der wachsenden Zahl von Hilfsarbeitern ohne Qualifizierungsmöglichkeit.
Im 15. Jahrhundert hatten wegen der niedrigeren Lebensmittelpreise noch die Kost-Löhne überwogen.
In Köln z.B. blieb der Nominal-Tageslohn eines Meisters im Baugewerbe (Steinmetz, Zimmermann, Dachdecker, Lehmschleifer) nach Ausweis der Hospitalrechnungen von 1431 bis 1531 konstant bei 10 Schillingen (= 5 Albus); der Silberwert des Tageslohns sank in diesen 100 Jahren von 6,7 auf 4,1 g, die Kaufkraft in kg Roggen von 20-30 kg um die Mitte des 15. Jahrhunderts auf 15-20 kg zwischen 1485 und 1505, schließlich, nach einer kurzen Erholungsphase, die bedingt war durch die Einführung des schwereren Radergeldes 1512, auf wenig mehr als 10 kg seit 1530 (s. Graphik). Bei einer durchschnittlichen Jahresarbeitszeit von 190-250 Tagen sanken die Einkommen vor allem in Preiskrisen unter die Subsistenzgrenze. 1528 lag z.B. der Kostlohn eines Meisters mit 6 Schillingen pro Tag um 4 Schillinge unter dem reinen Geldlohn; der Geldlohn eines Opperknechts betrug 6 Schillinge (fol. 71[v] und 72[r]).

A. Lassotta, Formen der Armut im Spätmittelalter und zu Beginn der Neuzeit. Diss. Freiburg i. Br. 1983. F. I.

31 Der größte Teil der städtischen Bevölkerung um 1500 ist zu einer bescheidenen, ja ärmlichen Lebensführung gezwungen. Die Kluft zwischen reich und arm wird größer.

Holzlöffel und Fragment eines Holztellers
a Löffel
Süddeutschland, Anfang 16. Jahrhundert
Buchsbaumholz mit silbernem Griff, Länge 16,2 cm
Nürnberg, Germanisches Nationalmuseum, HG 590
b Teller
Nürnberg, 14./16. Jahrhundert
Holz, gedrechselt, 21,5 × 27,5 cm
Nürnberg, Germanisches Nationalmuseum

Einfaches Gebrauchsgerät als Zeugnis der materiellen Kultur der unteren Mittelschichten und der Unterschichten ist ungleich weniger häufig erhalten geblieben als kostbares Gerät aus dem Besitz der Oberschicht. Die große Masse des täglich verwendeten Tischgeschirrs der Unter- und Mittelschichten bestand aus sehr einfachen, begrenzt haltbaren und billigen Materialien, vorzugsweise Ton und Holz. Was verbraucht war und nicht mehr repariert werden konnte, wurde weggeworfen. Viele Fundstücke, nahezu immer in defektem Zustand, stammen daher aus Bodenfunden, besonders aus den Kloakengrabungen der Mittelalter-Archäologen.
Das Holztellerfragment wurde in einer Baugrube am Nürnberger Obstmarkt gefunden. Vier durch Metall hervorgerufene Verfärbungen an Bohrstellen zeigen, daß hier ein alter Sprung durch Metallklammern zusammengehalten wurde.
Das Material des Holzlöffels, Buchsbaum, verweist ebenso wie der Silbergriff, auf einen Besitzer aus der Mittel- oder der Oberschicht. Häufig enthielt der Silbergriff Wappen, Namen oder Initialen des Besitzers, manchmal auch eine Jahreszahl. Am Gürtel befestigt oder in einem Futteral trug man solche Löffel stets bei sich. Der Löffel des gemeinen Mannes bestand aus gewöhnlichem Holz; häufig war er lediglich aus einem einfachen Holzspan zurechtgeschnitzt.

Kat. Ausst. Hans Sachs und die Meistersinger, Nürnberg 1981, Nr. 37 und 43. F. I.

32 Die Darstellung der spätmittelalterlich-frühneuzeitlichen Ständeordnung wird differenzierter. Sie betont nicht nur die hierarchische Gliederung der Gesellschaft, sondern enthält auch beachtliche Elemente der Kritik an überlieferten Ordnungsvorstellungen.

Der »Ständebaum«
Petrarca-Meister, um 1520
Holzschnitt. Aus: ›Von der Artzney bayder Glück, des guten und widerwärtigen‹, Augsburg: Sigismund Grimm und Marx Wirsung 1532. Erste deutsche Ausgabe der Schrift Francesco Petrarcas, ›De remediis utriusque fortunae‹
Stuttgart, Staatsgalerie, Graphische Sammlung, Inv. Nr. A 2457

Die bereits um 1520 fertiggestellte Darstellung der Ständeordnung in Form eines »Ständebaumes« durch den unbekannten Augsburger Meister, die als Illustration zum Kapitel ›Vom adligen Ursprung‹ in der ersten deutschen Ausgabe der vielgelesenen Petrarca-Schrift ›De remediis utriusque fortunae‹ Verwendung fand, fügt sich nur auf den ersten Blick in das traditionelle spätmittelalterliche Schema einer hierarchischen Gesellschaftsgliederung ein: Die zwei Bauern im Wurzelwerk des hohen Baumes – neben ihnen Heugabel und Keule, Arbeitsgerät und Waffe zugleich – versinnbildlichen die Grundlage der Gesellschaft, die Masse der Bevölkerung auf dem Land. Der erste Astabschnitt umfaßt die berufsständisch gegliederte Stadtgesellschaft, Handwerker und Kaufleute, repräsentiert durch den Schneider mit der Schere, den Schuster mit dem Knieriemen, den Händler mit der Geldtasche und den Kaufmann-Bankier als Geldwechsler. Auf dem zweiten Astabschnitt sitzen die Vertreter des geistlichen und weltlichen Adels, Bischof, Kardinal, Graf und Kurfürst, mit den Zeichen ihrer Würden. Über ihnen auf dem dritten Astabschnitt thronen Papst und Kaiser. Bis dahin entspricht die Darstellung einem durchaus differenzierten, aber gängigen Bild des Gesellschaftsaufbaus.
Durchbrochen wird es in auffallender Weise durch die Figuren im Wipfel des Baumes, den Bauern mit der Gabel und den Spielmann (oder Bauern) mit dem Dudelsack, dessen Fuß die Schulter des Papstes trifft, während der Fuß des Bauern mit der Gabel auf der Krone des Kaisers zu ruhen scheint. Der Bauer ist also nicht nur Grundlage der Gesellschaft, er kann sich

32

über Bürger, Adel, Kaiser und Papst erheben, sie drücken und bedrängen, die Harmonie der gesellschaftlichen Ordnung aufheben. Hier werden zwei Einflüsse deutlich, einmal die allmähliche Zuspitzung sozialer Konflikte in den Voraufständen des Bauernkriegs (vgl. Abt. IX), zum anderen die konsequente Umsetzung der Schachmetapher bei der Beschreibung der Gesellschaftsgliederung, die nicht nur funktionale Aspekte in der Betonung der berufsständischen Ordnung stärker zur Geltung bringt, sondern auch den Gesichtspunkt der Veränderung der Gesellschaft in der Dynamik des Schachspiels, die dem Bauern die Chance gibt, den König matt zu setzen und alle anderen Figuren zu schlagen (vgl. Kat. Nr. 37).

W. Schwer, Stand und Ständeordnung im Weltbild des Mittelalters, 2. Aufl. 1970. – Epperlein, S. 147-149. – Th. Musper, Die Holzschnitte des Petrarcameisters, 1927, Nr. 78. – W. Fraenger, Altdeutsches Bilderbuch, 1930, S. 100. – W. Scheidig, Die Holzschnitte des Petrarca-Meisters, 1955, S. 60 f. m. Abb. F. I.

33

33 Die durch Handarbeit charakterisierten Schichten, Bauern und Handwerker, treten in der künstlerischen Darstellung und in der Gesellschaftslehre des Spätmittelalters stärker in den Vordergrund. Bauernlob und Bauernschelte kennzeichnen das Bild des Bauern als Typ.

Kopf eines Bauern oder bäurischen Jagdtreibers
Lukas Cranach d. Ä., um 1522
Aquarell mit Pinsel, mit der Feder in Tinte akzentuiert, 19,3 × 15,7 cm
Basel, Kupferstichkabinett des Kunstmuseums, Inv. Nr. 1937.21

»Die Form der Pelzmütze bestimmt den Dargestellten eindeutig als Bauern oder Mann aus dem Volk ... Modell war wohl ein Bauer, der den sächsischen Fürsten z. B. als Jagdtreiber nahestand und sympathisch war, so daß Cranach aufgefordert wurde, ein Portrait zu Papier zu bringen« (Koepplin in Kat. Ausst. Cranach). Das Original soll sich in einem Wittenberger Stammbuch aus den Jahren 1590/1593 befunden haben. Die Datierung auf ca. 1522 beruht auf dem Wasserzeichen.
Die ausdrucksstarke Studie mit »dem blutdurchpulsten Fleisch, dem wolligen Bart, dem lockigen Pelzhut, dem farbigen Tuch« (Landolt) fällt aus dem Rahmen der Bauerndarstellungen des 15. und frühen 16. Jahrhunderts. Der Bauer wird nicht so sehr als Vertreter seines Standes dargestellt, sondern bewußt in seiner Individualität, als schlichte, von Arbeit und Mühe geprägte, durch Ernst und Lebenserfahrung ausgezeichnete Persönlichkeit.
Die Bauerndarstellungen vor 1500 entstanden vor allem im Zusammenhang mit religiösen Themen, etwa: Adam als Bauer oder Bauern als Nebenfiguren auf Altarbildern (z. B. Anbetung des Kindes). Auch bei frühen Darstellungen der Bauern um ihrer selbst willen, z. B. Martin Schongauers Kupferstich »Auszug zum Markt« (1471/1473), liegt die Ableitung der profanen aus der religiösen Bildvorstellung, der Bezug auf Josef mit dem Esel auf der Flucht nach Ägypten, sehr nahe.
Die Wahl der Bauernthematik als selbständige Bildaussage nach 1500, z. B. bei Dürer, den »Kleinmeistern« im Umkreis Dürers, dem Petrarca-Meister und anderen, war erheblich beeinflußt durch die allgemeine Bauernproblematik vom Auftreten des Pfeifers von Niklashausen bis zum großen Bauernkrieg. Bauernlob und Bauernschelte hielten sich in Bild und Text die Waage, neben die Kritik an Wohlleben, Kleiderprotz, Selbstbewußtsein, Waffentragen und Aufsässigkeit der Bauern, neben ihre Herabsetzung als Tölpel und Taugenichtse in den Fastnachtsspielen, die Verachtung bäuerlicher Arbeit und Lebensweise, traten Mitgefühl für die bedrückende Abhängigkeit, Anerkennung des Bauern als religiös mündiger Laie in der Karsthansdarstellung (vgl. Kat. Nr. 314), Wertschätzung bäuerlicher Arbeit als Voraussetzung aller menschlichen Existenz, vor allem aber der adligen Lebensform, und mehr oder weniger unverhüllte Kritik an der überlebten feudalen Ordnung.
Aber fast alle Bauerndarstellungen zeigen den Bauern als Typ, als Vertreter seines Standes, mit typischer Haltung, Kleidung, Arbeitsgerät, um die ständischen Abgrenzungen nicht zu verwischen. Dasselbe gilt fast uneingeschränkt für die Darstellung des städtischen Handwerkers. Nicht zuletzt haben obrigkeitliche Kleider-, Prozessions-, Hochzeits- und Begräbnisordnungen die sozialständische Differenzierung der Bevölkerung durch die Festschreibung äußerlicher Rangkriterien zu stabilisieren versucht.

Epperlein, S. 123-136. – Illustrierte Geschichte, Abb. nach S. 280. – Kat. Ausst. Der Mensch um 1500, S. 177-180. – H. Landolt, 100 Meisterzeichnungen des 15. und 16. Jahrhunderts aus dem Basler Kupferstichkabinett, 1972, Taf. 39. – Kat. Ausst. Cranach, Bd. 2, Nr. 607. F. I.

34

34 Der Rhythmus der jahreszeitlichen Arbeiten und Feste, die Abhängigkeit von Witterung und Boden, die Grenzen der Arbeitsproduktivität und des Ertrags bestimmen die Grundlagen bäuerlicher Lebensform.

Monatsbild ›September‹
Hans Wertinger, um 1526
Gemälde auf Tannenholz, 32,2 × 39,3 cm.
Aus einem Zyklus von Monatsbildern
Nürnberg, Germanisches Nationalmuseum, Gm 1239

Obwohl die Tendenz zur idyllischen, harmonisierenden Darstellung auf den Monatsbildern des Malers Hans Wertinger unverkennbar ist, werden die Fülle und Vielfalt der ländlichen Arbeiten und der Stand der Agrartechnik um 1500 durchaus treffend wiedergegeben. Die Herbstarbeiten auf den drei Feldern im Vorder- und Mittelgrund des Bildes, die durch Rain, Busch oder geflochtenen Zaun voneinander bzw. vom Garten und Weideland getrennt sind, lassen sich gut in das System der Dreifelderwirtschaft einordnen: Auf dem vorderen Feld werden die Stoppeln des Sommerfeldes umgebrochen; es wird brachliegen bis zum nächsten Juni (Brachmonat), dann tiefgepflügt und für die Wintersaat des folgenden Jahres dienen; auf dem linken Feld wird das Winterkorn eingesät, das rechte Feld wird geeggt; die helle Färbung des Bodens deutet auf Mergel- oder Kalkdüngung hin, die den Ertrag des Sommergetreides im nächsten Jahr erhöhen soll; der Mergel stammt aus der Grube in der Böschung hinter dem Feld.
Es handelt sich also um die verbesserte Form der Dreifelderwirtschaft mit zweimaligem Pflügen der Brache und intensivierter Düngung, die seit dem Hochmittelalter überall zu finden ist, wo Boden, Klima und Dünger diese fortschrittliche Bewirtschaftungsmethode erlaubten. Die geschlossene Lage der Felder weist in Verbindung mit dem ansehnlichen Gehöft im Hintergrund darauf hin, daß es sich um Herrenland handelt.
Weitere Verbesserungen, teilweise Aufgabe der Brache und Übergang zur Vier- oder Fünffelderfruchtwechselwirtschaft, waren nur in besonders begünstigten Intensitäts-

inseln im niederrheinisch-niederländischen Raum möglich. Andererseits blieb man besonders in den Mittelgebirgsregionen bei der älteren Zweifelder- oder auch der Feld-Gras-Wirtschaft in unregelmäßigem Rhythmus. Natur und Klima, Boden und Raum, Arbeitskraft und Technik setzten der landwirtschaftlichen Produktion eine starre obere Grenze, die erst im 19. Jahrhundert überwunden werden konnte.
Das Monatsbild Wertingers thematisiert noch zwei weitere bestimmende Faktoren bäuerlicher Produktion, die Nutzung des individuellen Gartens (Obsternte) und der Allmende (Hirt mit Schafherde und Gänsehirt). Der Garten war der gegebene Platz für marktorientierte Sonderkulturen, Gespinst- und Färbepflanzen, Obst, Hopfen usw., die Allmende, d. h. die dorfgenossenschaftliche Nutzung von Wald, Wasser und Weide, sicherte auch dem Kleinbesitz die Lebensgrundlage. Nicht von ungefähr findet man Klagen über den herrschaftlichen Zugriff auf die Allmende oder Einschränkung der bäuerlichen Rechte in vielen Artikelsammlungen der Bauern 1524/1525.

W. Abel, Geschichte der deutschen Landwirtschaft, 3. Aufl. 1978. – F. Irsigler, Intensivwirtschaft, Sonderkulturen und Gartenbau als Elemente der Kulturlandschaftsgestaltung in den Rheinlanden (13.–16. Jahrhundert). In: Atti della 11 a Settimana di Studio (Prato 1979), 1983. – G. Ehret, Hans Wertinger, Diss. München 1976, S. 27-33, Nr. 11 (fälschlicherweise als Gm 1238). F. I.

35 Die hohen materiellen Leistungen, zu denen die Bauern verpflichtet sind, vermindern die Ertrags- und Marktquote gegen Ende des 15. Jahrhunderts in zunehmendem Maße.

Bauern liefern den Zehnten ab
Unbekannter Künstler, um 1470
Holzschnitt in: Rodericus Zamoriensis, ›Speculum vitae humanae‹ (Spiegel des menschlichen Lebens). Augsburg: Günther Zainer 1471. 2°. 128 Bll.
Nürnberg, Germanisches Nationalmuseum, Inc. 4° 108741

Die vielberufene Agrarkrise des Spätmittelalters war in erster Linie eine Krise der Getreideproduzenten mit erheblicher Marktquote, d. h. der weltlichen und geistlichen Grundherrn. Die Feudalrenten waren schon seit dem Hochmittelalter durch das Sinken der fixierten Geldzinse, den Rückgang der Dienste und Naturaleinkünfte infolge der wirtschaftlichen und sozialen Emanzipation der Grundhörigen stetig gesunken; das gilt vor allem für Südwest- und Mitteldeutschland. Das starke Absinken der Getreidepreise um die Mitte des 15. Jahrhunderts (vgl. Kat. Nr. 29) hat diesen Prozeß erheblich beschleunigt. Hinzu kamen Belastungen des kleinen und mittleren Adels durch Fehden, Befestigungsbau, Reichsdienst und Bürgschaftsleistung für den Landesherrn; viele Adlige waren zu hoch verschuldet, um von der am Ende des 15. Jahrhunderts langsam steigenden Getreidepreiskonjunktur zu profitieren. Nur östlich der Elbe, in Polen und im Baltikum führte die wachsende Nachfrage der gewerbereichen Staaten Westeuropas nach Roggen zu einer deutlichen Belebung, die das Entstehen des gutswirtschaftlichen Systems, Bauernlegen und die Einführung der sog. zweiten Leibeigenschaft wesentlich förderte.
Im Südwesten des Reiches, Kernraum der Reichsritterschaft und der »versteinerten Grundherrschaft«, in der Region mit dem höchsten Urbanisierungsgrad und der größten Zersplitterung und Marginalisierung bäuerlichen Besitzes mußten die Versuche der geistlichen und weltlichen Herren, ihre wirtschaftliche Krisensituation zu überwinden, zu einer erheblichen Verschlechterung der Lage der bäuerlichen Schichten führen. Neben der Reaktivierung der Eigenwirtschaft, oft auf Kosten der Allmenderechte, waren gängige Mittel: Wiederbelebung der oft seit Jahrhunderten nicht mehr geforderten Dienste, Erhöhung der grundherrlichen Abgaben, Verschärfung der Besitzwechsel-, Abzugs- und Heiratsgebühren, Umwandlung von Geld- in Naturalzinse und schließlich rigorose Einforderung des Zehnten – das Zehntrecht war häufig schon durch Pacht oder Pfand in Adelshand gelangt –, vor allem des umstrittenen Kleinzehnten auf die Erträge der Gartenkulturen, der Kleinviehzucht und der Wiesennutzung.
Die Bauern auf dem Holzschnitt des Rodericus Zamorensis, die dem Fronvogt und Meier als Vertreter des Grundherrn in unterwürfiger Haltung den Zehnt und Zins reichen, zahlen neben dem Geldzins vor allem die typischen Kleinzehnten, Kleinvieh wie Lämmer und Gänse. Es ist sehr bezeichnend, daß in den Artikelsammlungen der Bauernkriegszeit die Forderung nach Abschaffung des Kleinzehnten, der gerade den Kleinbesitz empfindlich traf, häufig an zweiter Stelle direkt nach der Forderung nach freier Pfarrerwahl steht. Im Durchschnitt dürfte die Feudalquote, d. h. der Anteil der grundherrlichen und staatlichen Belastungen der Bauerneinkommen, zwischen 1450 und 1525 von 30-50 auf 40-70% gestiegen sein.

W. Abel, Geschichte der deutschen Landwirtschaft, 3. Aufl. 1978. – D. W. Sabean, Landbesitz und Gesellschaft am Vorabend des Bauernkriegs, 1972. – F. Irsigler, Groß- und Kleinbesitz im westlichen Deutschland vom 13. bis 18. Jahrhundert. In: Grand domaine et petites exploitations, 1982, S. 33-59. – Epperlein, S. 130 u. 131, Abb. F. I.

36 Im 15. Jahrhundert steigt der absolute und relative Anteil der Unterschichten- und Randgruppenbevölkerung spürbar an. Vor allem die Berufsbettler werden zu einem schweren sozialen Problem, das auch die Literatur der Zeit in scharfer Form aufgreift.

Bettlerfamilie auf dem Weg zur Stadt
Titelholzschnitt aus: ›Liber Vagatorum, Der Betler orden.‹ Nürnberg: Johann Weissenburger um 1510. 8°. 14 Bll.
Nürnberg, Germanisches Nationalmuseum, 8° Gs. 2312 Postinc.

Nach der christlichen Soziallehre des Mittelalters waren Arme und Bettler integrierter Bestandteil der menschlichen Gemeinschaft; sie boten dem Reichen und Wohlhabenden Gelegenheit zur Barmherzigkeit, wobei die Gegenleistung im Gebet des Armen für den Wohltäter bestand. Dieses Gegenseitigkeitsverhältnis wurde allmählich aufgehoben durch die stärkere Differenzierung zwischen den »ehrbaren« oder »echten« Armen, die unverschuldet, oft nur vorübergehend in Not geraten sind und daher ein Anrecht auf Unterstützung haben, und den Bettlern, in der Regel vagierend, die Bettelei zum Beruf gemacht haben.
Daß die Zahl der Berufsbettler und der ständig auf Unterstützung angewiesenen Armen im Spätmittelalter rapide zunahm, hatte viele Gründe: Verschuldung wegen Mißernten und Hungerkrisen, Fehden und Kriegen, Krisenerscheinungen in einigen Gewerbezweigen, Mangel an Arbeitsmöglichkeiten, körperliche Gebrechen und Folgen ansteckender Krankheiten, die Arbeitsunfähigkeit und soziale Segregation zur Folge hatten. Viele Berufsbettler rekrutierten sich aus der wachsenden Zahl ehemaliger Söldner, denen die Rückkehr zur bäuerlich-bürgerlichen Lebensweise nicht

mehr gelang. Die Unfähigkeit der Gesellschaft, das Problem der Armut an der Wurzel zu fassen, und die zweifellos zunehmende Tendenz zum Mißbrauch der öffentlichen und privaten Fürsorge verschärften den gesellschaftlichen Druck auf die Berufsbettler; er fand seinen Ausdruck zunächst in restriktiven Bettelordnungen der Städte (Nürnberg 1370, 1478, 1522; Eßlingen 1389; Köln 1403 und 1446; Wien 1442 usw.) mit Beschränkung der Aufenthaltsdauer, Ausgabe von Berechtigungszeichen (nach Abprüfen der rechten Fähigkeit zum Beten!), Arbeitszwang oder Ausweisung für gesunde Bettler, Strafandrohung für aggressiven Appell an das Mitleid und unsittliches Verhalten, Unterstellung unter Bettlervogt oder Henker. Vor allem das Abschieben auf die Landstraße und das Abdrängen in den Kreis der »unehrlichen Leute« förderte die Formierung von eigenen gesellschaftlichen Subsystemen (Bettlerkolonien, Bettlergilden) mit besonderen Normen und eigener Sprache (Rotwelsch). Auf diese Gruppen zielte auch die literarische Kritik der Zeit in Schriften wie Sebastian Brants ›Narrenschiff‹ (1495), dem ›Liber Vagatorum‹ (um 1510) oder Thomas Murners ›Narrenbeschwörung‹ (1512). Sie schürten Mißtrauen und Vorurteile gegen den betrügerischen, arbeitsscheuen Bettler, der immer stärker als parasitäres Element der Gesellschaft empfunden wurde. Der Entlarvung des betrügerischen Bettlers, der Bedürftigkeit, Gebrechen und Krankheit nur vortäuscht, dienten auch zahlreiche Bilddarstellungen des späten 15. und des 16. Jahrhunderts.
In der frühen Reformation mußte das Problem der Armenpflege zu einer sozialethischen Herausforderung werden (vgl. Kat. Nr. 583-586).

Bettlerwesen. In: LexMA 2, Sp. 1-8. – W. Danckert, Unehrliche Leute, 1963. – M. Mollat, Les pauvres au moyen-âge, 1978. – Th. Fischer, Städtische Armut und Armenfürsorge im 15. und 16. Jahrhundert, 1979. F. I.

37 Die Übernahme und Umsetzung der Schachmetapher zur Beschreibung und Analyse der spätmittelalterlichen Gesellschaft erlaubt auch die Bestimmung der Position des Außenseiters.

Spieler/Scholar als Außenseiter der Gesellschaft
Holzschnitt, koloriert. Aus: Jacobus de Cessolis, ›Schachzabelbuch‹, Straßburg: Heinrich Knoblochtzer um 1478. Aufgeschlagen: fol. 33ᵛ-34ʳ
Nürnberg, Germanisches Nationalmuseum, Inc. 4° 887

»Und dann stand vor dem König noch einer mit struppigen und verwirrten Haaren, in der Rechten ein bißchen Geld, in der Linken drei Würfel und am Gürtel ein Ränzlein mit Büchern.« Der Satz stammt aus der Erzählung ›Von der Vorsorge, der Mutter allen Reichtums‹ in den ›Gesta Romanorum‹, einer lateinischen Sammlung von Kurzgeschichten, die um 1300 vermutlich in England zusammengestellt wurde. Die Vorlage der Erzählung, die in ihrem ersten Teil versucht, die menschliche Gemeinschaft (societas humana) in ihren verschiedenen Tätigkeiten und Interaktionen zu beschreiben, war das Schachbuch des Reimser Dominikaners Jacques de Cessoles, der um die Mitte des 13. Jahrhunderts eine christliche Ständelehre anhand des Schachspiels aufbaute, »weil auf dem Schachbrett dieser Welt alle Menschen und Gruppen einen festen Platz einnehmen und sich nach eingeübten Spielregeln bewegen sollen.« (Borst, S. 342). Am Ende der Achtzahl der einfachen Leute (Bauer, Handwerker, Notar, Geldwechsler, Arzt, Herbergswirt, Stadtknecht) und bezüglich der Zuordnung im Koordinatensystem der sozialen Ränge lediglich in der Beziehung zum König definiert steht der Außenseiter, der als Spieler und fahrender Scholar gekennzeichnet ist. Wegen seines struppigen Aussehens, der unsteten und unproduktiven Lebensweise wird er bereits in den ›Gesta Romanorum‹ kritisiert. Die Kritik verstärkt sich in den zahlreichen deutschen Bearbeitungen des Schachbuchs seit dem 14. Jahrhundert, in denen die Schachspielregeln immer weiter hinter der moralisierenden Auslegung zurückbleiben. Die Entwicklung der Gattung mündet schließlich in der reinen Ständelehre; die bekannteste, Jost Ammanns ›Ständebuch‹ von 1560, verbindet Bild und bildhafte Sprache in den Versen von Hans Sachs in besonders eindrucksvoller Weise.

Der achtent vend auff dem schachzabel soll steen vo:
dem roch das do steet zů der lincken hand des kü-
nigs/wann der bedeut spiler schelter vnd ribalden/
die söllent dem land zewissen thůn was einem verweser od
einem vitztumb schand priefen mag. Die spiler wañ sich die
verspilt habent das sye blos vnd nackent seind das sy dann
czat bereit seyen botschafft zetragen durch die land vnd trachten vmb ander gůt. Er soll auch auff dem schachzabel also gestalt sein das er hab ein reides preits har vnd soll hab
en auff seiner rechten hand ein wenig pfenig/vnd dar bey
sind bedeut gůffter vnd in d linken hant drey würfel cz bedeut spiler vñ vnd d gürtel ein brieffas cz bedeut leuffel vñ
brieftrager. Die ersten die do heissen gůffter vñ irer hab zer
störer den sol ein herren pfleger geben über ir hab vñ sol sy
machē irer hab vñ gůt vngewaltig darum wañ es geschiht
so sye ir gut vertůn vnd verzert habent so künnent sy nit ar-

37

Der Straßburger Druck des Schachzabelbuches von ca. 1478 nennt stellvertretend für die 8. Figur der »populares«, der kleinen Leute, den Verschwender/Spieler/Briefträger (*gůffter, spiler, lǒffer).* Kritisiert wird vor allem der verschwenderische Spieler, der sich »verspielt« hat, so daß er »nackt und bloß« ist. Die Bildaussage entspricht bezüglich des Spielers (Pfennige, Würfel) dem Inhalt der Erzählung in den ›Gesta Romanorum‹; der Ranzen am Gürtel wird im Text umgedeutet zur Brieftasche des laufenden Boten *(leuffel vnd brieftrager),* er läßt sich aber weiterhin auf den fahrenden Scholar oder Studenten beziehen. Wesentlich ist die bildliche Darstellung der isolierten, auf der Straße beheimateten Existenz ohne festen Bezug zur »societas humana«.
Die Absage an bestimmte gesellschaftliche Normen, die ehrenhaften und ehrlichen Broterwerb, Einordnung und Unterordnung, vor allem aber das Netz fester und dauerhafter sozialer Beziehungen zur Voraussetzung der gesellschaftlichen Integration machten, führte teils vorübergehend, teils auf Dauer in die Außenseiterposition.

W. Schwer, Stand und Ständeordnung im Weltbild des Mittelalters, 2. Aufl. 1970, S. 43-47. – A. Borst, Lebensformen im Mittelalter, 1973, S. 341-346. – G. F. Schmidt (Hrsg.), Das Schachzabelbuch des Jacobus de Cessolis, 1961. F. I.

II. Kirche und Frömmigkeit vor der Reformation

Hartmut Boockmann

Kirche und Frömmigkeit vor der Reformation könnten der Gegenstand einer eigenen großen Ausstellung sein. Obwohl zur Zeit und infolge der Reformation viele Zeugnisse und Resultate der spätmittelalterlichen Frömmigkeit und Kirchlichkeit zerstört wurden, sind die Gemäldegalerien, Museen, Archive und Bibliotheken doch voll von ihnen. Wer deutlich machen will, wie die kirchlich-religiöse Welt beschaffen war, in welche Martin Luther hineingeboren wurde und die infolge seiner Wirksamkeit zu einem großen Teil zerstört und verändert worden ist, dessen Mühsal besteht nicht so sehr im Finden dessen, was hierfür geeignet sein könnte, als vielmehr im Weglassen vieler einschlägiger Zeugnisse.

Die in der folgenden Abteilung ausgestellten Stücke sind nach zwei Gesichtspunkten ausgewählt. Einmal sollen für die Jahrzehnte vor der Reformation charakteristische Phänomene gezeigt werden, sollen die ausgestellten Objekte einen Eindruck von spätmittelalterlicher kirchlicher Lehre und Frömmigkeit vermitteln, soll die Bedeutung des päpstlichen Hofes für die Gläubigen angedeutet, soll die zentrale Rolle des Ablasses als eines Instrumentes der Heilsvermittlung sichtbar, soll das intime und konkrete Verhältnis erkennbar werden, welches zwischen dem einzelnen Gläubigen und der einzelnen Kirche, dem einzelnen Heiligen bestand, soll auch ein Blick auf irreguläre Formen der Frömmigkeit fallen und soll schließlich die Gestalt der klösterlichen Welt angedeutet werden.

Auf der anderen Seite zielt auch diese Abteilung der Ausstellung auf Martin Luther. Zwar kann die spätmittelalterliche Welt nicht mit Objekten sichtbar gemacht werden, welche aus den beiden Klöstern stammen, in denen der junge Martin Luther gelebt hat. In anderen Fällen kann jedoch der Blick auf den Lebensgang Luthers die Auswahl lenken. So wird hier das spätmittelalterliche Wallfahrtswesen am Beispiel jener Wallfahrt vorgestellt, deren Entstehungszeit nicht nur mit den ersten Jahren der Reformation zusammenfällt, sondern mit der Martin Luther auch persönlich befaßt gewesen ist, also mit der Wallfahrt zur Schönen Maria von Regensburg.

Wer nach Frömmigkeit und Kirchlichkeit vor der Reformation fragt, der hat es mit einer der Grundfragen der Reformationsgeschichte zu tun. Was waren die Ursachen der Reformation? Oder vorsichtiger gefragt: Auf welche Zustände zielte Luthers Kirchenkritik? Eine Antwort auf solche Fragen muß zu einem beträchtlichen Teil auf einer Überlieferung fußen, wie sie hier in Beispielen gezeigt wird. Aber was besagt diese Überlieferung? Was folgt aus dem Gold der Altäre, aus der Subtilität der geschnitzten Figuren, aus den uns so innig erscheinenden Gesichtern der Heiligen auf den gemalten Tafeln für die Frage nach den Ursachen, nach den Voraussetzungen der Reformation? Zeugen diese Bilder von einem Zeitalter unvergleichlicher Frömmigkeit oder verraten sie uns nur, daß die Gläubigen in den Jahrzehnten vor der Reformation einen großen Teil ihres Vermögens geistlichen Zwecken zugeführt, daß sie die Kirchen zwar reicher, aber damit nicht notwendigerweise auch Christus näher gemacht haben, wie fromme Kirchenkritiker schon lange behaupteten? Freilich: Aus den Jahrzehnten unmittelbar vor der Reformation sind die Stimmen solcher Kritiker für uns sehr viel weniger deutlich zu vernehmen als aus den drei Jahrhunderten zuvor.

Die Reformation hat uns den Zugang zu der vor ihr liegenden, durch sie veränderten Welt erschwert, und die späteren Wandlungen haben erst recht bewirkt, daß sich unser Verständnisvermögen gegen die Stifter von kirchlichen Geräten und Altären sträubt, die zwischen Devotion und Opfer zur Rettung ihrer Seelen auf der einen Seite und der Demonstration des eigenen sozialen Ranges, welche ihre Stiftung auch bewirkte, auf der anderen Seite nicht zu trennen gelernt hatten.

Gelegentlich gibt es auch schon vor der Reformation Kritik an dieser Verbindung, Protest dagegen, daß die Auftraggeber der Maler diesen anbefahlen, den Heiligen ihre eigenen Gesichtszüge zu geben, aber solche Äußerungen haben doch nur eine marginale Bedeutung. Bis in die ersten Jahre der Reformationszeit hinein dominiert vielmehr ein allgemeines Einverständnis mit der Fülle von Stiftungen, eine allgemeine Wertschätzung der »guten Werke«. Ihre plötzliche Negierung durch Luther und seine Anhänger sowie der von Luther zwar nicht gewollte, aber doch indirekt bewirkte Bildersturm erhielten deshalb an vielen Orten den Charakter eines elementaren Einbruchs.

Wir wissen noch längst nicht genug von der Frömmigkeit und Kirchlichkeit vor der Reformation, und die Überlieferung setzt unseren Fragen unüberschreitbare Grenzen. Wir werden niemals erfahren, wie die vielen Armen und Mittellosen in Stadt und Land es in den Jahrzehnten vor der Reformation aufgenommen haben, daß die Kirchen sich in wachsendem Maße mit Gegenständen füllten, welche die Wappen und Namen und am Ende gar die Porträts derer, die reich und mächtig waren, in unübersehbarer Weise präsentierten, so daß es mancher schließlich gar nicht vermeiden konnte, auch vor seinem als Stifter in einer Kreuzigung dargestellten Bürgermeister zu knien, wenn er doch bloß vor Christus oder der Muttergottes knien wollte. In welchem Grade die Energie, die sich dann in den Bilderstürmen zeigte, hier eine Wurzel hat, das läßt sich nicht sagen.

Doch selbst wenn das in erheblichem Maße der Fall gewesen sein sollte, bleibt doch die Welt unmittelbar vor der Reformation bestimmt durch eine ganz ungebrochene und sich vielfältig äußernde Frömmigkeit und Kirchlichkeit. Jedenfalls in Deutschland – und d.h. immerhin im Ursprungsland der Reformation – waren die Leute der Kirche niemals so zugewandt wie jetzt, war auch der Teil der Bevölkerung, der von der Religion erreicht wurde, der bereit war, sich den Kirchen und der Religion zuzuwenden, niemals größer gewesen als nun.

Wenn der Besucher der Ausstellung den Eindruck haben sollte, daß die in dieser Abteilung gezeigten kirchlichen Ausstattungsstücke eine Welt andeuten, die farbenreicher war und prächtiger aussieht als die der nächsten Jahrzehnte, dann hätte er gewiß recht. Die Reformation hat viel zerstört, und für die Maler und Bildschnitzer hatte die Wirksamkeit Luthers und seiner Anhänger weithin katastrophale Folgen (vgl. Kat. Nr. 511, 512).

Unsere Ausstellung will diese Zusammenhänge in ihren geschichtlichen Bedingungen verständlich machen. Wir zeigen in dieser Abteilung und in der Abteilung XIII überwiegend Gegenstände, die uns heute als Kunstwerke gelten, die jedoch nicht als solche geschaffen worden sind. Die spätmittelalterlichen Gemälde und Plastiken sowie die Proben spätmittelalterlichen Kunsthandwerks, welche hier zu sehen sind, entstanden als Teile von Kirchenausstattungen, als Gegenstände mit bestimmten kirchlichen und religiösen Funktionen. Deshalb werden sie in einigen Fällen mit Akten und Urkunden kombiniert, welche die Entstehung und den Gebrauch von Altartafeln, Altarfiguren und Kultgeräten dokumentieren und einen Eindruck von den kirchenrechtlichen und wirtschaftlichen Voraussetzungen z.B. einer vorreformatorischen Altarstiftung vermitteln.

B. Moeller, Frömmigkeit in Deutschland um 1500. In: ARG 56, 1965, S. 5-31. – R. Kießling, Bürgerliche Gesellschaft und Kirche in Augsburg im Spätmittelalter, 1971. – B. Hamm, Frömmigkeit als Gegenstand theologiegeschichtlicher Forschung. In: Zs. für Theologie und Kirche 74, 1977, S. 464-497. – J. Sydow, Bürgerschaft und Kirche im Mittelalter. Probleme und Aufgaben der Forschung. In: J. Sydow (Hrsg.), Bürgerschaft und Kirche, 1980, S. 9-25. – E. Meuthen, Das 15. Jahrhundert, 1980. H. B.

A Elemente kirchlicher Lehre

Die für die Jahrzehnte vor der Reformation so charakteristische intensive Kirchlichkeit und Frömmigkeit ist nicht zu erklären ohne die religiöse Bildung vieler Menschen, insbesondere in den Städten. Es gibt gewiß drastische Zeugnisse dafür, daß ein großer Teil der spätmittelalterlichen Geistlichkeit in einem für nachreformatorische Maßstäbe erstaunlichen Maße ungebildet war. Die Kompetenz vieler Altarpriester reichte gerade zum Messe-Lesen. Zu einer darüber hinausgehenden seelsorgerischen Tätigkeit waren sie weder verpflichtet noch in der Lage, und so konnte die religiöse Bildung der Laien von ihrer Seite aus nicht gefördert werden. Doch wurde das schon im 15. Jahrhundert an vielen Orten als Mißstand erkannt. Die Kirchenreformer dieser Jahrzehnte haben vielfältige Bemühungen unternommen, um die Bildung der Geistlichen wie der Laien zu verbessern, und sie haben dabei oft Erfolg gehabt.

Man kann das z.B. an dem wachsenden Anteil von Universitätsabsolventen unter den Geistlichen ermessen, man kann es der Zunahme spezieller Stellen für Prediger entnehmen, die in vielen größeren Städten gestiftet und gut dotiert wurden, und eine ebenso deutliche Sprache spricht die Vielzahl von religiösen Texten für die Ausbildung und Amtsführung von Geistlichen, aber auch für den Gebrauch von Laien, die im 15. Jahrhundert abgeschrieben und in dessen letzten Jahrzehnten auch durch den Buchdruck verbreitet wurden. Nicht zuletzt aber sind die vielen Altartafeln, Epitaphien, Fresken und Heiligenfiguren, welche in den Jahrzehnten vor der Reformation in die Kirchen gestiftet wurden, als Medien religiöser Bildung zu verstehen. Jedenfalls die Stifter selber waren gebildet genug, die nötigen ikonographischen Entscheidungen zu treffen, oder sie ließen sich beraten und erwarben bei Gelegenheit einer Stiftung die notwendigen Kenntnisse, die ihnen am Ende die Entscheidung erlaubten, welcher Heilige oder welche biblische Szene denn auf dem von ihnen in Auftrag gegebenen Bildwerk zu sehen sein sollte.

Doch wurden selbstverständlich auch die fertiggestellten und in Gebrauch genommenen Bildwerke zu einer Quelle religiöser Belehrung – so wenig sich das im einzelnen abschätzen läßt und so wenig man übersehen darf, daß die Wirkungen, die z.B. von einem spätmittelalterlichen Altargemälde ausgehen, heute in der Regel größer sein dürften als zur Zeit seines ursprünglichen Gebrauches. In einer Kirche oder gar in einem Museum wird es heute von vielen besichtigt und von nicht wenigen sachverständig studiert. In den Jahrzehnten vor der Reformation war es unter Umständen nur an Festtagen zu sehen, hatte es mit einer Fülle weiterer Bildwerke zu konkurrieren und wurde es womöglich nur von denen beachtet, die mit seinem Stifter verwandt waren.

Die unter Kat. Nr. 38 gezeigten Altartafeln können als Zeugnisse für die Förderung der Predigt im 15. Jahrhundert und für das damalige besondere Verständnis der Messe gelten. Das folgende Epitaph steht für die Bemühungen gebildeter Kleriker um eine Belehrung der Laien. Die Schrift des Franz von Retz läßt den Zusammenhang zwischen einem Bildwerk und theologischer Literatur erkennen. Die beiden Altartafeln aus Regensburg gehören zu den seltenen Bildern, welche eine Grundvoraussetzung spätmittelalterlicher Frömmigkeit und Kirchlichkeit, nämlich das Verhältnis von Totenschicksal auf der einen Seite und guten Werken auf der anderen, abbilden und damit zugleich eines der Felder markieren, auf denen sich die Reformation am stärksten ausgewirkt hat. Die folgenden Stücke sollen andeuten, daß es nicht nur innerreligiöse und innerkirchliche Umstände waren, welche die vorreformatorische Frömmigkeit geprägt haben, sondern daß es nicht zuletzt auch Seuchen, Pest und Todesfurcht gewesen sind, die im 14. und 15. Jahrhundert zur Ausbildung jener religiösen und kirchlichen Welt beigetragen haben, in welcher Martin Luther aufwuchs und die durch ihn und seine Anhänger so nachhaltig verändert wurde. H. B.

38

38 Predigt und Messe in der Legende eines Heiligen und als aktuelle Aufgabe der Geistlichen.

Zwei Flügel eines Martin-Altars
a Predigt des hl. Martin
b Die Messe des hl. Martin
Wilhelm Pleydenwurff, 1490
Gemälde auf Tannenholz, mit altem Rahmen, je 176 × 80 cm. Datiert 1490
Nürnberg, Germanisches Nationalmuseum, Gm 1178/79

Die Darstellungen wählen aus der legendären Lebensgeschichte des heiligen Bischofs eine frühe und eine späte Szene aus. In der frühen *(Hie predig sant mertin cristenglauben seiner muter und bekert vil folcks von dem unglauben)* versucht der eben zum Christentum bekehrte römische Offizier seine Eltern und andere Heiden zu bekehren. In der späteren von Luther übrigens in einem Tischgespräch (Nr. 5724) erwähnten Episode *(Hie helt sant mertin meß. Da wurden im sein arm bedeckt von dem engel Gottes)* bedeckt ein Engel dem heiligen Bischof die Blöße seiner Arme beim Hochheben der Hostie im Gottesdienst, nachdem dieser vorher seinen Rock an die Armen verschenkt hatte und nun nur über ein Gewand mit zu kurzen Ärmeln verfügt. Daß der Maler bzw. sein Auftraggeber zur Veranschaulichung des Meßgottesdienstes gerade den Moment der Elevation der Hostie wählt, erklärt sich daraus, daß viele Gläubige des späteren Mittelalters hierin den Kern des Gottesdienstes sahen. Manche beschränkten ihre Teilnahme am Gottesdienst auf diesen Augenblick, um dann womöglich in der so gewonnenen Zeit in eine andere Kirche zu eilen und dort ebenfalls an der Elevation der Hostie teilzunehmen: im Sinne einer für die Jahrzehnte vor der Reformation charakteristischen sozusagen quantifizierenden Frömmigkeit, im Sinne auch einer Konzentration der gottesdienstlichen Aktivitäten der Laien auf das anschauende Verehren. Links unterhalb des Bischofs der Stifter des Altars, der Deutschordenskomtur Melchior von Neuneck mit seinem Wappen und der Inschrift: *Melchior von Neuneck lant kumeter* [Komtur] *hat dise tafel lassen machen 1490.* Melchior von Neuneck hat der Nürnberger Kirche seines Ordens außer diesem einen Altar noch einen zweiten gestiftet und sich auch auf diesem darstellen lassen. Der Vergleich beider Darstellungen lehrt offensichtlich, daß der Maler Porträt-Ähnlichkeit erreicht hat.

Stange, Krit. Verz., Bd. 3, Nr. 163. H. B.

39 Gewissenhafte Seelsorger verbinden Bemühungen um das eigene Seelenheil mit geistlicher Belehrung der Gläubigen.

Epitaph des Friedrich Schön
Umkreis des Meisters des Wolfgang-Altars, um 1464
Gemälde auf Holz, 140 × 107 cm. Die dargestellten Szenen sind durch lateinische Inschriften bezeichnet
Nürnberg, Evang.-Luth. Kirchengemeinde St. Lorenz

In der Mitte des nicht vollständig erhaltenen Gedächtnisbildes – die Gedenk-Inschrift ist nachträglich entfernt worden – die Geburt Christi, in den dreieckigen Feldern vier Ereignisse aus dem Alten Testament, die im typologischen Sinne und entsprechend der Schrift des Franz von Retz als Vorzeichen der Jungfräulichkeit Marias verstanden wurden: Moses mit dem brennenden Dornbusch, Aaron mit dem blühenden Stab, Ezechiel vor der verschlossenen Pforte und Gideon mit dem nicht bzw. allein vom Tau benetzten Fell. In den Medaillons des rhombischen Rahmens die Symbole der Evangelisten. In diesem selbst dann vier Motive aus dem Physiologus: Pelikan und Löwe sowie der Phönix, der aus der Asche zu neuem Leben erwacht, und das Einhorn, das in den Schoß einer Jungfrau flüchtet. Die lateinischen Worte bezeichnen jeweils kurz die dargestellte Szene. Links unten Friedrich Schön, der Stifter des Bildes, der nach seinem Studium in Wien bis zum Jahre 1457 Theologie-Professor in Erfurt gewesen war und sich dann in seine Heimat, nach Nürnberg, zurückzog, wo er 1464 starb.

E. M. Vetter, Defensorium inviolatae virginitatis beatae Mariae. In: Lex. der christl. Ikonographie, Bd. 1, 1968, Sp. 499 ff. – Stange, Krit. Verz., Bd. 3, Nr. 78. – F. Machilek, Dr. Friedrich Schön von Nürnberg. In: MVGN 65, 1978.
H. B.

40 Gelehrte Theologen verbinden wissenschaftliche Arbeit mit einer Belehrung der Laien.

Franz von Retz, ›De generatione Christi sive defensorium inviolatae castitatis beatae virginis Mariae‹ (Von der Zeugung Christi oder Verteidigung der unverletzten Keuschheit der heiligen Jungfrau Maria)
Speyer: Johann und Konrad Hist ca. 1485
4°. 30 Bll.
Nürnberg, Germanisches Nationalmuseum, Inc. 8° 28259

Der Wiener Dominikaner und Theologieprofessor (gest. 1427) hat in seiner Schrift, die vielleicht als ein Stück dogmatische Auseinandersetzung mit Häretikern und Juden entstanden war, vor allem die Argumente für die Jungfräulichkeit Mariens gesammelt, darunter Ereignisse aus dem Alten Testament, die im typologischen Sinne als auf Maria vorausweisend verstanden wurden, und Beispiele aus der Naturlehre, die in ihrem Kontrast zur Erfahrungswelt geeignet erschienen, im Sinne einer Analogie die ebenfalls der Erfahrung widersprechende Jungfräulichkeit der Mutter Gottes zu beweisen. Aufgeschlagen sind fol. 12ᵛ und 13ʳ mit der Geschichte vom Pelikan, der seine zuvor getöteten Jungen drei Tage später wieder lebendig macht, und vom Löwen, der sein tot geborenes Junges drei Tage nach der Geburt durch den Hauch seines Atems zum Leben erweckt. Franz von Retz beruft sich auf den frühmittelalterlichen Enzyklopädisten Isidor von Sevilla, doch gehen diese Tiergeschichten letztlich auf den Physiologus, ein antikes Tiermärchen-Buch, zurück.

G. M. Häfele, Franz von Retz, 1918, S. 359 ff. – K. Grubmüller, Franz von Retz. In: Verfasserlexikon, Bd. 2, Sp. 834 ff. – Inkunabelkatalog, Nr. 389.
H. B.

39

41 Das nach dem Tode befürchtete Fegefeuer konnte durch gute Werke verkürzt werden.

Ein Altarflügel, Vorder- und Rückseite
a Heilige Messe
b Fegefeuer
Regensburg, um 1480
Gemälde auf Fichtenholz, 113,2 × 64,7 cm und 113,5 × 64,5 cm
Regensburg, Museen der Stadt Regensburg. Leihgabe des Bayerischen Nationalmuseums München, MA 3304, 3351

Die Vorder- und Rückseiten zweier Altarflügel zeigen die drei möglichen Schicksale, welche den Verstorbenen erwarteten, nämlich Hölle (nicht ausgestellt), Fegefeuer oder Himmel (nicht ausgestellt), sowie die Möglichkeiten, welche der Gläubige hatte, um Hölle und Fegefeuer zu vermeiden, nämlich die Totenfürbitte in der Messe und das Almosen-Geben. (Vgl. Kat. Nr. 443)
Die – seltene – Darstellung des Fegefeuers zeigt einerseits die von den Teufeln gemarterten Seelen und andererseits Engel, die den Gemarterten beistehen, sie mit Wein und Hostien erquicken, sie am Ende ihren

41 a

41 b

Peinigern entreißen und in den Himmel geleiten. Ebenso wie auf dem Höllenbild werden auch hier die zu sühnenden Sünden angedeutet: bei einer Frau im hinteren Bildteil rechts Eitelkeit, bei einem Mann vorn, dem ein Teufel glühendes Geld in den Mund trichtert, Geiz. Die Martern knüpfen zum Teil an die zeitgenössische Strafjustiz an, die z. B. für bestimmte Delikte die Hinrichtung durch Sieden in kochendem Öl und durch Pfählen kannte.
Auf der vierten Tafel wird das Innere einer Kirche gezeigt. An dem Altar, auf dessen Schrein eine Verkündigung Mariens zu sehen ist, zelebriert ein Priester die Messe. Aus den Spenden von Brot, Wein und Geld auf dem Altar sieht man, daß es sich dabei um eine Messe für die Toten handelt. Auch die Gebete der Frau vor einem Grab am rechten Rande und einer knienden Frau vor dem Beinhaus, der Aufbewahrungsstätte der auf dem Kirchhof nicht verwesten Überreste Verstorbener dahinter, deuten darauf hin, daß die religiösen Leistungen der Lebenden für die Toten das zentrale Thema des Bildes sind. Als weitere gute Werke werden eine in den Opferstock gelegte Geldspende und ein an Krüppel gegebenes Almosen gezeigt.

Ph. H. Halm, Ikonographische Studien zum Armen-Seelen-Kultus. In: Münchner Jb. der bildenden Kunst 11, 1921, S. 4 ff. H. B.

42 Aus der Allgegenwart der Pest-Gefahr helfen vor allem Christus und die Heiligen.

Außenseiten von zwei Altarflügeln
Fürbitte bei Pestgefahr
Martin Schaffner, um 1520
Gemälde auf Tannenholz, je 167,6 × 49,5 cm
Nürnberg, Germanisches Nationalmuseum, Gm 1103/04

Die von einem Ulmer Altar stammenden Außenflügel verschlossen einstmals einen Altarschrein, von dem man annehmen darf, daß er einem der gegen die Pest angerufenen Heiligen geweiht war. Auf dem linken Flügel oben Gottvater mit dem Richterschwert, der in seinem Zorn über die Sünden der Menschen drei Pfeile auf diese herniedersendet, mit denen Pest, Hunger und Krieg symbolisiert sind. Die ihn unterstützenden Engel sind mit Schwert, Bogen und Mühlstein (Apokalypse 18,21) bewaffnet. Gott gegenüber kniet unter der Heilig-Geist-Taube Christus und zeigt Gott seine Passionswunden, während die Engel hinter ihm die Werkzeuge demonstrieren, mit denen Christus gequält worden ist. Gottes Zorn soll also durch Christi Opfertod besänftigt werden, und dies geschieht auch, wie die geknickten, also unschädlich gewordenen Pfeile unter der Gruppe zeigen. Die gleiche Wirkung geht von Maria links unten im Bilde aus, die einerseits durch die Demonstration ihrer Brust Gott daran erinnert, daß sie seinen Sohn genährt hat, und die auf der anderen Seite – als sog. Schutzmantelmadonna – die Vertreter der geistlichen und weltlichen Stände, also die Menschheit, mit ihrem Mantel schützend umfängt. (Vgl. Kat. Nr. 461) Die Vertreter der Geistlichen werden vom Papst angeführt, während auf der anderen Seite der Kaiser, dem der Maler die Züge des damals regierenden Maximilian I. gegeben hat (vgl. Kat. Nr. 56), der vornehmste Repräsentant der weltlichen Stände ist. In der rechten Bildhälfte unten werden die beiden im ausgehenden Mittelalter vielfach verehrten Pest-Heiligen in der üblichen Weise dargestellt: Sebastian mit den Pfeilen, die ihn nicht hatten töten können und die nun als Pest-Pfeile verstanden werden, und Rochus in Pilgerkleidung und mit der Pestbeule am Oberschenkel. Der Maler hat Sebastian mit den eigenen Gesichtszügen dargestellt, er gibt also ein verstecktes Selbstporträt.
Der Maler hat die beiden unteren Figuren-

42

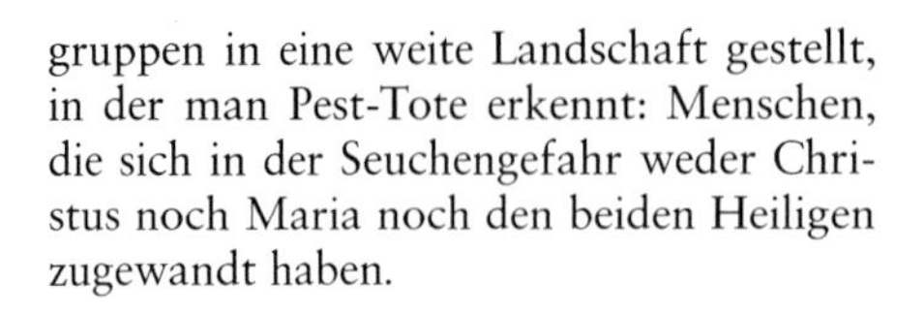

gruppen in eine weite Landschaft gestellt, in der man Pest-Tote erkennt: Menschen, die sich in der Seuchengefahr weder Christus noch Maria noch den beiden Heiligen zugewandt haben.

S. Lustenberger, Martin Schaffner, Diss. Bonn 1961, S. 48 ff. – Kat. Ausst. Reformation in Nürnberg, Nr. 199 (mit abwegiger Interpretation) und Farbtafel 7. H. B.

43 (Vorderseite)

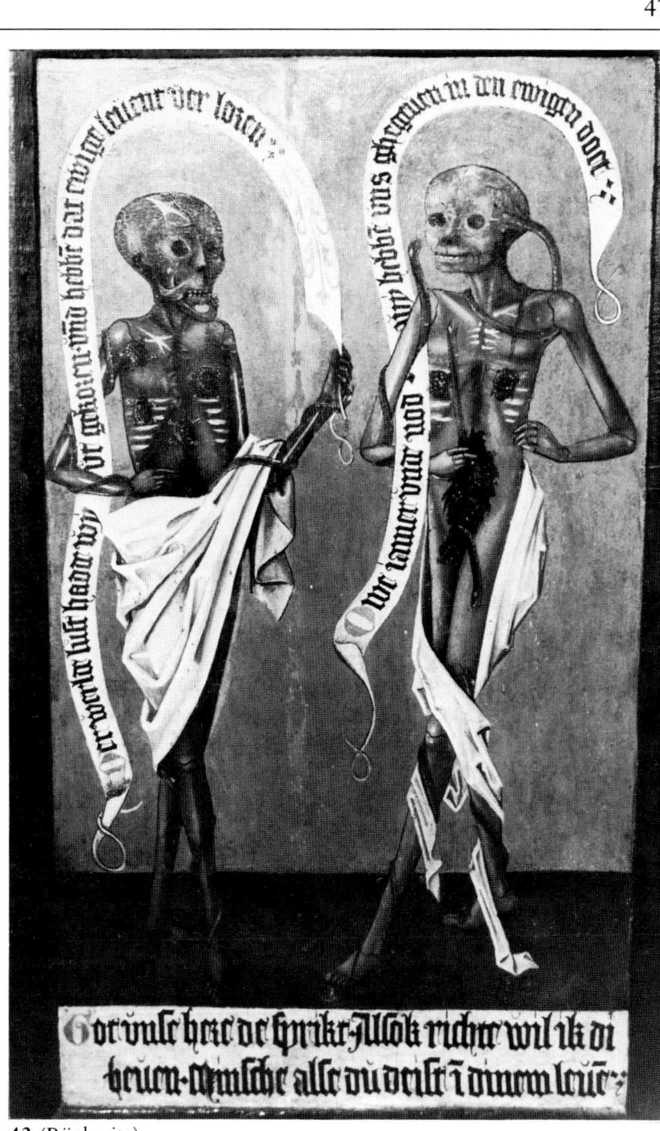

43 (Rückseite)

43 Die Nachbarschaft von Jugend und Tod mahnt die Gläubigen zur Einkehr.

Vergänglichkeitsbild
Norddeutsch, gegen 1500
Gemälde auf Eichenholz, 81 × 47,5 cm
Lauenburg an der Elbe, Evang.-Luth. Kirchengemeinde

Auf der Vorderseite des Bildes ist ein junges Paar in eleganter, modischer Kleidung dargestellt. Auf der Rückseite findet sich dasselbe Paar in Gestalt verwesender Leichname. Spruchbänder auf der Vorderseite: *Min beger in ewicheit is lust der werlde vrolicheit. To lust der werlt wil wy uns geven. Wy mogen op erden lange leven.* Unter dem Bild: *We de werlt utkust, dar mede he Got verlust. Wan id gheit* (geht) *an ein sceiden* (scheiden), *so is he quit van beiden.* Spruchbänder auf der Rückseite: *Der werlde lust hadde wy ut gekoren und hebben dat ewige levent verloren. Owe jamer unde not, wy hebben uns ghegeven in den ewigen doet.* Unter dem Bild: *Got unse here de sprikt: Alsok richte wil ik di gheven, minsche, alse du deist in dinem leven.* Solche Leben und Tod konfrontierende »Doppelbildnisse« gibt es aus dem späteren Mittelalter auch sonst. Sie haben eine Parallele in Grabmälern, welche den Verstorbenen lebend und als zerfallenden Leichnam darstellen.
Das ausgestellte Bild mag zur Hochzeit des abgebildeten Paares gemalt und später einer Kirche geschenkt worden sein. Es ist sowohl mit dem Umkreis des in Hamburg tätigen Hinrik Borneman in Verbindung gebracht als auch dem in Lübeck geschulten Maler eines 1520 datierten Altars im Dom zu Güstrow zugeschrieben worden.

Stange, Krit. Verz., Bd. 1, Nr. 725. H. B.

44 Weit verbreitete Erbauungsbücher bereiten die Gläubigen auf ein frommes Sterben vor.

›Ars moriendi‹
Köln: Heinrich Quentell ca. 1495
4°. 16 Bll.
Nürnberg, Germanisches Nationalmuseum, 8° N 40

Die Sterbebücher waren zunächst Hilfsbücher für die am Sterbebett tätigen Geistlichen, doch wurden sie im ausgehenden Mittelalter auch in die Volkssprachen übersetzt und inhaltlich so verändert, daß sie den Laien als erbauliche, auf die Todesstunde vorbereitende Lektüre dienen konnten. Sicherlich infolge der spätmittelalterlichen Pestwellen und der Allgegenwart des Todes, aber auch im Zusammenhang der gleichzeitigen Kirchenreformbemühungen massenhaft verbreitet, trugen diese Bücher auf ihre Weise zu einer für die Jahrzehnte vor der Reformation vor allem in den Städten weit verbreiteten spezifischen Religiosität und Frömmigkeit der gebildeten Laien bei.
Aufgeschlagen ist das Titelblatt, das einen heiligen Geistlichen (Thomas von Aquino?) am Lesepult mit einer Taube auf der Schulter und mit zwei Schülern zu seinen Füßen zeigt. Dazu die Worte: *Accipies tanti doctoris dogmata sancta* (Du sollst die heiligen Lehren eines so bedeutenden Gelehrten annehmen). Der Titel lautet: *Speculum artis bene moriendi, de temptationibus, penis infernalibus, interrogationibus agonisantium et variis orationibus pro illorum salute faciendis* (Spiegel der Wissenschaft, wohlversehen zu sterben. Von Versuchungen, Höllenstrafen, an im Todeskampf Befindliche zu stellenden Fragen und verschiedenen Gebeten, die man für ihr Heil sprechen kann).

R. Rudolf u.a., Ars moriendi. In: LexMA 1, 1980, Sp. 1039 ff. – Inkunabelkatalog, Nr. 90.
H. B.

B Der päpstliche Hof in Rom

Im 14. und 15. Jahrhundert haben die Päpste ihre führende Position innerhalb der römischen Kirche ausgebaut. Nachdem das große abendländische Schisma seit 1378, also der Kampf zunächst von zwei und schließlich von drei konkurrierenden Päpsten gegeneinander, das Papsttum geschwächt hatte und nachdem dessen Position durch den Konziliarismus und die Konzilien von Konstanz (1414-1418) und Basel (1431-1449) weiter reduziert und grundsätzlich in Frage gestellt worden war, gelang den Päpsten in der zweiten Hälfte des 15. Jahrhunderts im Bunde mit vielen Fürsten eine rasche Restauration ihrer führenden Stellung innerhalb der Kirche.
Der junge Martin Luther wuchs in einer Welt auf, in welcher die Päpste und ihre Behörden in Rom eine weithin unangefochtene Autorität waren – auch wenn gerade in Deutschland das Gefühl, durch den römischen Hof ausgebeutet zu werden, wuchs.
Auf der anderen Seite stand das Rom der frommen Pilger, neben Jerusalem und Santiago de Compostela das dritte große Ziel europäischer Wallfahrer und zugleich das Zentrum kirchlicher Rechtswahrung und Verwaltung. Es ist durchaus zeittypisch, wenn der junge Martin Luther im Winter 1510/11 beides aufsuchte: In Sachen seines Ordens nach Rom geschickt, hat er diese amtliche Reise zugleich als eine Pilgerfahrt aufgefaßt und wie viele spätmittelalterliche Fromme von den Gnadenstätten und Ablässen der Heiligen Stadt Gebrauch gemacht.
H. B.

45 Die Kirche stellt sich den Gläubigen vielfach als Gerichtsorganisation dar.

Gregor IX., ›Decretales‹
Basel: Michael Wenssler 15. März 1482
2°. 304 Bll. Mit Glosse
Nürnberg, Germanisches Nationalmuseum, Inc. 2° 39049

Nachdem die Sammlung der kirchenrechtlichen Bestimmungen, welche der italienische Mönch Gratian um 1140 zusammengestellt hatte, sich rasch in der kirchlichen Praxis als Gesetzbuch durchgesetzt hatte, wurde in den nachfolgenden Jahrzehnten eine Fülle von Rechtsfällen durch die Päpste entschieden und wurden die päpstlichen Entscheidungen zu kirchenrechtlichen Gesetzessammlungen zusammengefaßt. Die erste und wichtigste von ihnen waren die Dekretalen Papst Gregors IX. (›Liber extra‹) von 1234. Ebenso wie das römische (und wie das heutige) Recht bedurfte auch das Kirchenrecht für seine Anwendung in der Praxis der Auslegung. Die ausgestellte Ausgabe gibt in einer für die damaligen Ausgaben des römischen und des Kirchenrechts charakteristischen Weise den Gesetzestext und darum herumgestellt den maßgebenden Kommentar (Glosse).
Aufgeschlagen ist der Anfang des ›Liber extra‹ mit einer in der Art einer Initiale gegebenen Darstellung des thronenden Papstes und der an die Universität Bologna gerichteten Promulgations(Verkündigungs)-Bulle des Papstes. Schon hier wird der Text in der üblichen Weise aufbereitet. Er wird zunächst gegliedert und dann im einzelnen kommentiert. Die erste Glosse (linke Spalte, beginnend in der Mitte) bezieht sich auf die Titulatur des Papstes *servus servorum Dei* (Knecht der Knechte Gottes) und erklärt *servus* mit einem Zitat aus dem römischen Recht, aus dem hervorgeht, daß diese Titulatur schon vom (spätantiken) Kaiser gebraucht worden sei: *Sic etia*[m] *im-p*[er]*ator seip*[sum] *appellat servu*[um] (So nennt sich auch der Kaiser Sklave). Im Anschluß daran das Zitat der Belegstelle: C[odex Iustinianus] *de off*[icio] *p*[re]*fec*[ti] *Affric*[ae] *circa p*[ri]*n*[cipium] (Codex Iustinianus, 1,27,1. Rec. P. Krueger. 9. Aufl. 1915, S. 77.)
Der Text ist, wie beim gelehrten Recht der Zeit üblich, mit zahlreichen Kürzungen wiedergegeben, die von den Juristen leicht aufzulösen waren, dem nicht Rechtskundigen dagegen, auch wenn er Latein verstehen konnte, Schwierigkeiten bereiteten. Schon hieraus wird deutlich, daß der Umgang mit diesem Recht – ähnlich wie der mit dem römischen – den Spezialisten verlangte, der dann dazu beitragen konnte, daß die Kirche sich dem Frommen als abweisende Rechts-Anstalt präsentierte. Der Besitzer des Bandes hat den Text durch Unterstreichungen, Hinweishände und Marginalien weiter gegliedert.

K. W. Nörr, Der Liber Extra. In: H. Coing (Hrsg.), Handbuch der Quellen und Literatur der neueren europäischen Privatrechtsgeschichte, Bd. 1, 1973, S. 841 ff. – Inkunabelkatalog, Nr. 434.
H. B.

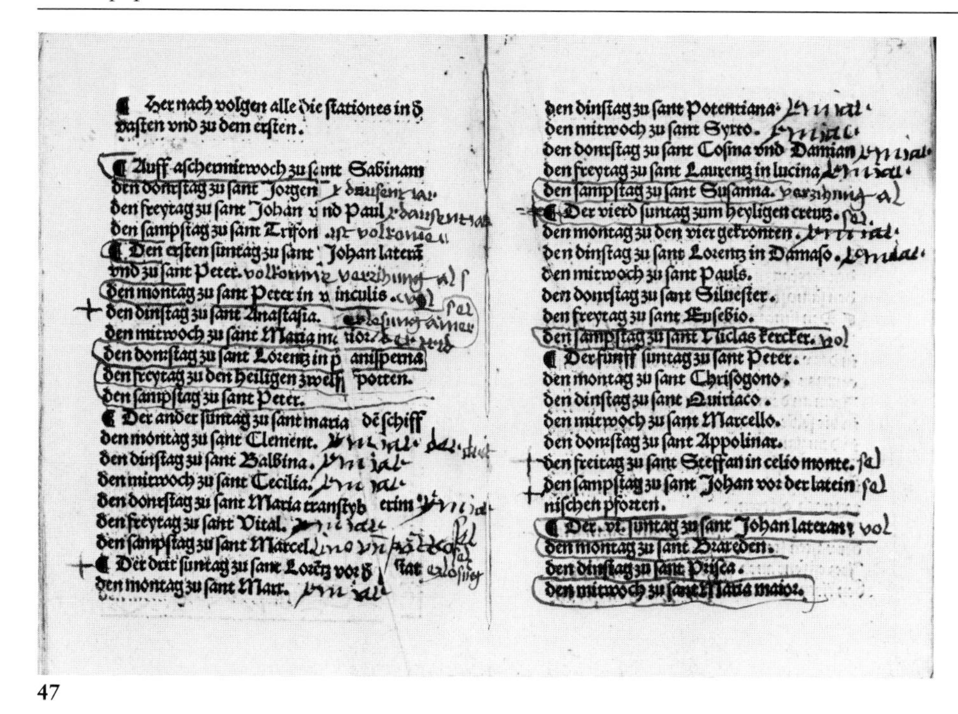
Her nach volgen alle die stationes in d vasten vnd zu dem ersten.
Auff aschermitwoch zu sant Sabinam
den donrstag zu sant Jorgen
den freytag zu sant Johan vnd Paul
den sampstag zu sant Trifon
Den ersten suntag zu sant Johan lateran
vnd zu sant Peter.
den montag zu sant Peter in vinculis
den dinstag zu sant Anastasia.
den mitwoch zu sant Maria m
den donrstag zu sant Lorentz in p
den freytag zu den heiligen zwelf
den sampstag zu sant Peter.
Der ander suntag zu sant maria
den montag zu sant Clement.
den dinstag zu sant Balbina.
den mitwoch zu sant Cecilia.
den donrstag zu sant Maria transtyb
den freytag zu sant Vital.
den sampstag zu sant Marcel
Der dritt suntag zu sant Lorentz vor d
den montag zu sant Marx.

den dinstag zu sant Potentiana.
den mitwoch zu sant Sixto.
den donrstag zu sant Cosma vnd Damian
den freytag zu sant Laurentz in lucina
den sampstag zu sant Susanna.
Der vierd suntag zum heyligen creutz.
den montag zu den vier gekronten.
den dinstag zu sant Lorentz in Damaso.
den mitwoch zu sant Pauls.
den donrstag zu sant Silvester.
den freytag zu sant Eusebio.
den sampstag zu sant Niclas kercker.
Der funff suntag zu sant Peter.
den montag zu sant Chrisogono.
den dinstag zu sant Quiriaco.
den mitwoch zu sant Marcello.
den donrstag zu sant Appolinar.
den freitag zu sant Steffan in celio monte.
den sampstag zu sant Johan vor der latein
nischen pforten.
Der vi. suntag zu sant Johan lateran
den montag zu sant Praxeden.
den dinstag zu sant Prisca.
den mitwoch zu sant Maria maior.

47

46 Formularsammlungen helfen den Rechtsvertretern derjenigen, die am päpstlichen Hof Prozesse führen.

›Formularium advocatorum et procuratorum Curiae Romanae‹
Basel: Michael Furter(?) 12. März 1489
2°. 122 Bll.
Nürnberg, Germanisches Nationalmuseum, Inc. 4° R. fol. 97

Die »Formelsammlung für Rechtsvertreter und Bevollmächtigte am römischen Hof« ist ein Beispiel für eine große Anzahl von ähnlichen Hilfsbüchern für den Praktiker des gelehrten (römischen und geistlichen) Rechts, die handschriftlich und seit Ende des 15. Jahrhunderts auch in vielen Drukken weit verbreitet waren. Das ausgestellte Exemplar weist zahlreiche Benutzungsspuren in Gestalt von Marginalien aus dem 16. Jahrhundert auf. Es ist mit einem Buch von ähnlicher Art zusammengebunden, dem ›Repertorium clarrissimi viri domini Johannis Milis in utroque iure doctoris excellentissimi‹ (Findbuch des hochberühmten Mannes, Herrn Johannes Milis, des glänzendsten Doktors in beiden Rechten).

W. Trusen, Anfänge des gelehrten Rechts in Deutschland, 1962, S. 125 ff. – Inkunabelkatalog, Nr. 384 und Nr. 662. H. B.

47 Gedruckte Führer helfen den Frommen, die Rom als Pilger aufsuchen.

›Mirabilia Romae‹
Nürnberg: Peter Wagner 13. April 1491
8°. 60 Bll. Orig. Ledereinband, verschnürt.
Aufgeschlagen: Nachdruck Berlin 1904
Nürnberg, Germanisches Nationalmuseum, Inc. 8° 12800

Wie andere Bücher dieser Art enthält der spätmittelalterliche Rom-Führer praktische Hinweise für den eigentlichen Zweck der Pilgerreise, d. h. er erklärt, wo die Ablässe zu erwerben waren, derentwegen der Pilger nach Rom kam. Daneben enthält ein solches Buch aber auch Mitteilungen, welche es zum Vorläufer moderner Reiseführer machen. Auch das kleine Format läßt den Vorfahren des »Baedeker« erkennen, und das gleiche gilt für den Einband des ausgestellten Stückes. Das flexible Leder und die Vorrichtung zum Zubinden des Buches ließen es die weite Reise in der Tasche des Pilgers, von dessen Rom-Reise handschriftliche Eintragungen in dem Bändchen zeugen, einigermaßen überstehen. Aufgeschlagen ist ein Reprint mit der Beschreibung jener Treppe am Laterans-Palast, welche als die galt, die sich vor dem Hause des Pilatus befunden und die auch Christus bestiegen hatte. Dem Rom-Pilger, der diese Treppe bestieg – wie z. B. Martin Luther im Winter 1510/1511 –, brachte

47

jede Stufe 9 Jahre Ablaß ein: *Item do ist ein steinen stieg da bey, hat XX und acht staffel, die was zu Hierusalem an Pylatus hauß. Auff der selben stiege wartt christus vor Pylatum gefuret und verurteilet, unnd wer die stiege in andacht uff oder ab geet, der hat, als offt er das tůt, van yeder staffel IX jar ablas.*

Inkunabelkatalog, Nr. 663. H. B.

48 Außerhalb von Rom werden römische Gnadenbilder wiederholt.

Triptychon mit Wiederholung der Gnadenmadonna von Santa Maria del Popolo in Rom
Augsburg, um 1490/1495
Gemälde auf Tannenholz, mit Rahmen 40,6 × 29,6 cm (geschlossen) und 40,6 × 59 cm (geöffnet)
Nürnberg, Germanisches Nationalmuseum, Gm 510

Der kleine Altar zeigt auf den Innenseiten der Flügel die heilige Katharina und die heilige Barbara und im Mittelteil eine Darstellung der Madonna mit dem Kind, die sich eng an das Gnadenbild der römischen Kirche Santa Maria del Popolo aus dem 13. Jahrhundert anlehnt, von dem man im späteren Mittelalter jedoch annahm, daß es der Apostel Lukas gemalt habe. Auf der Außenseite der Flügel ist eine Verkündigung der Geburt Christi an Maria zu sehen. Darunter die Worte: *Bapst Sixtus der vierd hat gemacht in seiner kranckheit dis gebet*

48 (geöffnet)

von unser lieben frawen, hir in geschriben steht, und bestet davon gegeben allen menschen, als offt sy das sprechen mit andacht, aylfftausend (11000) *jar ablas.* Papst Sixtus IV. (1471-1484) war in der Tat der Erbauer der Kirche Santa Maria del Popolo. Der Text des Gebetes unten auf dem Mittelteil des Altars. Die Worte auf dem Rahmen kennzeichnen das Bild als das von Lukas gemalte (bzw. – mit modernen Begriffen gesagt – als diesem Bildtypus zugehörig) und betonen die Authentizität der Kleidung Marias: *Das ist die wirdig piltnus der allerseligsten junckfrawen Marie in klaidern und ziren, als sie geprawcht hat und gezirt ist gewese* [n] *an den grosen hochzeitlichen festen, so ist gange* [n] *in den tempel gen Iherusalem, und als sant Laux der ewangelist gemalt hat, welchs hailigs* (der Satz bricht ab). Der links unten auf dem Mittelteil des Altars dargestellte Stifter war, dem Wappen zufolge, ein Graf von Öttingen, vielleicht Joachim von Öttingen (1470-1520).

P. Strieder, Hans Holbein d. Ä. und die deutschen Wiederholungen des Gnadenbildes von Santa Maria del Popolo. In: Zs. für Kunstgeschichte 22, 1959, S. 252-267. H. B.

48 (geschlossen)

C Der Ablaß

Was die Pilger nach Rom und an viele andere Wallfahrtsorte zog, war vor allem die Fülle der dort erhältlichen Ablässe, war also die hier vorhandene Möglichkeit, für sich selber und für schon verstorbene Verwandte die Qualen des Fegefeuers zu verkürzen oder gänzlich zu vermeiden.
Der Ablaß war zur Zeit der Kreuzzüge entstanden und später theologisch definiert worden. Er bedeutete die Vollmacht des Papstes und der von ihm hiermit beauftragten Geistlichen, solchen Gläubigen, die ihre Sünden gebeichtet und ein besonders verdienstliches Werk verrichtet hatten, ihre Sündenstrafen zu erlassen. Als solche verdienstlichen Werke wurden zunächst Teilnahme am Kreuzzug, sodann Zahlungen für diesen Zweck, schließlich aber auch Zahlungen für andere geistliche Zwecke anerkannt, die als ein Äquivalent für die eigentlich zu erbringenden Bußleistungen galten.
In den Jahrzehnten vor der Reformation war es in hohem Maß der Ablaß, der die Gläubigen religiös aktivierte, der ihre Frömmigkeit und Kirchlichkeit formierte und oft auch deformierte, wie nicht wenige hohe und gelehrte Geistliche längst vor Luther sahen. Es ist deshalb ebenso begreiflich wie sinnvoll, daß es gerade ein Ablaß war, der zum Anlaß dafür wurde, daß Luther die Schwelle von der herkömmlichen Kirchenreform zur Reformation überschritt. H.B.

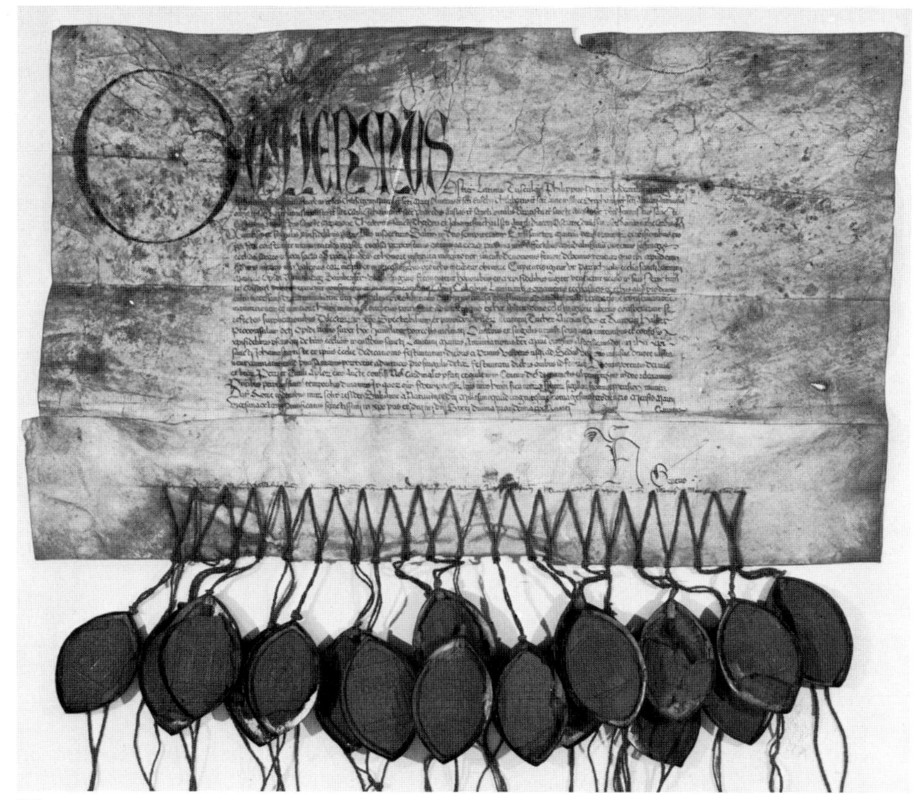

50

49 Ein Erfurter Theologe und Ordensbruder Martin Luthers verherrlicht in einem gelehrten Kompendium den Ablaß.

Johannes von Paltz, ›Supplementum Celifodine‹
Leipzig: Martin Landsberg 1510
4°. 186 Bll.
Nürnberg, Germanisches Nationalmuseum, an 8° N 282

Johannes von Paltz (gest. 1511) war Augustinereremit und Theologieprofessor in Erfurt. Er gehörte zu den führenden Ordensreformern seiner Zeit, war ein hoch angesehener Seelsorger und seit 1490 einer der aktivsten Ablaßprediger. Damals setzte der päpstliche Legat Raimund Peraudi ihn zum Ablaß-Kommissar für einen großen Teil Deutschlands ein: Johannes von Paltz hatte also die gleiche Aufgabe wie ein viertel Jahrhundert später der Dominikaner Johannes Tetzel.
Im Jahre 1490 veranlaßten Kurfürst Friedrich der Weise und sein Bruder Johann den Augustinereremiten, vier seiner Predigten zu einem Seelsorgetraktat zusammengefaßt in deutscher Sprache herauszugeben. Johannes von Paltz nannte das bis 1521 20mal gedruckte Buch ›Himmlische Fundgrube‹. 1502 erschien eine durch den Erzbischof von Köln angeregte, sehr viel ausführlichere lateinische Fassung ›Celifodina‹ und zwei Jahre später eine Ergänzung, von der hier eine spätere Ausgabe ausgestellt ist.
Diese drei Bücher fußen zu einem beträchtlichen Teil auf den praktischen Erfahrungen des Ablaßpredigers, sie fassen die damalige Ablaßlehre zusammen und bekämpfen die Argumente, die deren Gegner ins Feld führten. Darauf bezieht sich der Holzschnitt auf dem Titelblatt, der auf der ersten Seite folgendermaßen erklärt wird: *Supplementum Celifodine de exercitibus infernalibus ipsas sacratissimas indulgentias impugnantibus et de modo expugnandi eos per bombardas de turri Davitica emittendas* (Ergänzung der Fundgrube. Von den höllischen Heeren, welche die allerheiligsten Ablässe bekämpfen, und von der Art, sie durch vom Turm Davids abzufeuernde Geschosse zu vernichten). Mit dem Turm Davids bezieht sich Johannes von Paltz auf Hoheslied 4,4, mit dem – dann in seiner Schrift breit ausgeführten – Bild vom Geschützturm knüpft er an den Beruf seines Vaters an, der ein Büchsenmeister, d.h. Kriegsingenieur war, doch bezeichnet dieses Bild zugleich auch das Bestreben des Verfassers, die kirchliche Lehre und die päpstliche Autorität mit allen Mitteln zu verteidigen. Auf der anderen Seite verbindet ihn mit Luther das seelsorgerliche Ethos. Auch ihm ging es im Kern um die Frage, wie der Gläubige die Gnade Gottes erwerben konnte. Der Ablaß, verbunden freilich mit der Reue und Buße dessen, der ihn erwarb, erschien ihm als die beste Antwort auf diese Frage.

B. Hamm, Frömmigkeitstheologie am Anfang des 16. Jahrhunderts. Studien zu Johannes von Paltz und seinem Umkreis, 1982. H.B.

50 Den größeren Kirchen werden wiederholt Ablässe verliehen.

Guillermus von Ostia und 19 weitere Kardinäle verleihen der Kirche St. Lorenz in Nürnberg einen Ablaß von 100 Tagen. Rom 28. März 1476
Orig. Perg., 49 × 79 cm. Ursprünglich 20 Siegel
Nürnberg, Staatsarchiv. Kirchenurkunden Nr. 137

Die Kardinäle erlassen denjenigen, welche ihre Sünden bereut und gebeichtet haben, die Lorenzkirche an bestimmten Festtagen aufsuchen und etwas für den Bau oder die Ausstattung der Kirche spenden, hundert Tage der ihnen auferlegten Strafe. Eine solche Verleihung von 100 Tagen Ablaß war den Kardinälen vorbehalten (die Bischöfe durften nur 40 Tage verleihen), doch hatten in den Jahrzehnten vor der Reformation sehr viele Kirchen solche Ablässe verliehen bekommen, so daß man annehmen darf, daß es jedem Gläubigen leicht möglich war, mehrere solcher 40- oder 100-tägigen Ablässe zu erwerben. Von solchen gewissermaßen alltäglichen Ablässen sind die nur seltener erreichbaren und sehr viel wirksameren »Plenarablässe« wie z. B. Kreuzzugsablässe oder wie der Peters-Ablaß, der Luther den Anlaß für seine Thesen von 1517 gab, zu unterscheiden.
Die Urkunde war zur öffentlichen Anbringung bestimmt. Die große Schrift und die großen Siegel gaben ihr die Gestalt eines Werbe-Plakats. Der Erhaltungszustand zeigt, daß sie tatsächlich so verwandt wurde. Die Löcher oben rechts und links bezeugen wiederholtes Aushängen. Die Witterung und vielleicht auch vielfaches Betasten haben die Schrift und die – durch Metallkapseln geschützten – Siegel beschädigt. Auf der Rückseite der Urkunde befindet sich ein Genehmigungs-Vermerk des Bamberger Generalvikars, des obersten Beamten des zuständigen Bischofs. Am Rande des Umbugs sind als Hilfe für die Besiegelung die abgekürzten Namen der Kardinäle genannt.

N. Paulus, Geschichte des Ablasses am Ausgange des Mittelalters, 1923. H. B.

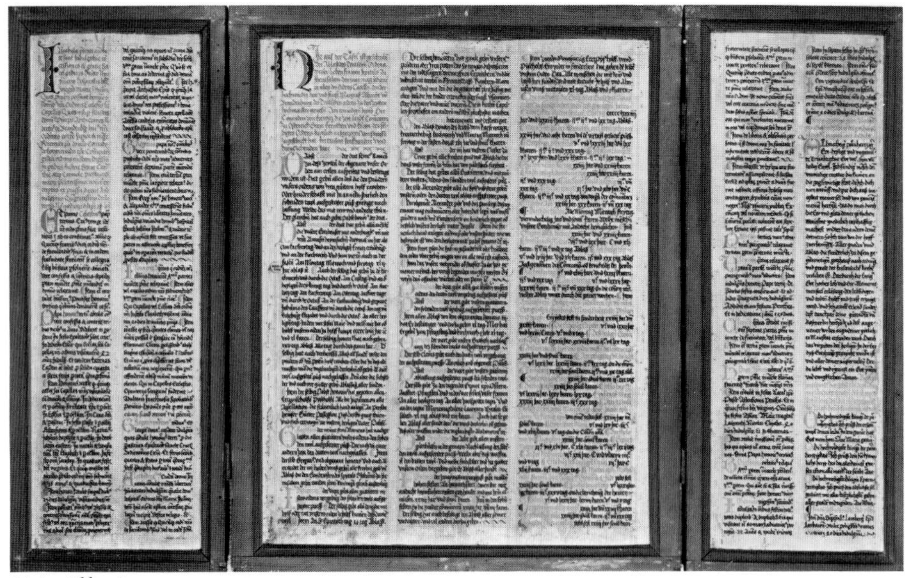

51 (geöffnet)

51 Die Inhaber von Kirchen lassen die ihren Kirchen verliehenen Ablässe zusammenstellen.

Ablaßtafel der Wiener Deutschordenskirche, 1513
Triptychon, Lindenholz(?), die Texte auf Pergament (?), 83 × 136 cm (geöffnet)
Wien, Schatzkammer des Deutschen Ordens, Gemälde Nr. 13

Auf den Außenseiten der Seitenflügel sind links die Verkündigung der Geburt Jesu an Maria und rechts Anna, Maria und das Jesuskind (Anna Selbdritt) dargestellt. Links unten das Wappen des Deutschordenshochmeisters Albrecht von Brandenburg, der brandenburgische Adler mit dem Deutschordenskreuz, rechts das Hochmeister-Wappen. Der kleine Wappenschild links unten ist nicht bestimmt. Zwischen Bildern und Wappen findet sich links in lateinischer und rechts in deutscher Sprache eine Ankündigung dessen, was dann im Inneren des Triptychon im Detail verzeichnet ist: *Summa des Ablass der Teutschen herren spitals unser lieben frawen zu Jherusalem* (Summe der Ablässe des Deutschen Ordens). Tatsächlich werden aber außer den besonderen Ablaßprivilegien noch andere päpstliche Privilegien des Deutschen Ordens aufgezählt. Der lateinische Text enthält am Ende einen Hinweis darauf, daß das Triptychon nur an bestimmten, also an Festtagen, geöffnet wurde.
Im Inneren des Triptychons folgen die Ablässe im einzelnen, auf den Seitenflügeln in lateinischer, im Mittelteil in deutscher Sprache. Am Ende werden die Ablässe, die an besondere Kirchenfeste gebunden sind, in Gestalt eines Kalenders zusammengefaßt.
Ähnliche Tafeln gab es im späteren Mittelalter auch für andere Bekanntmachungen, z. B. von Marktordnungen, während die Ablässe einer Kirche auch in dauerhafterer Form, nämlich in Stein-Inschriften, bekanntgemacht werden konnten. Die ausgestellte Tafel erweist sich als eine Art Werbemedium im neueren Sinne auch darin, daß sie vergröbert. Im Wiener Archiv des Deutschen Ordens hat sich ein Ablaß-Katalog in Urkundenform erhalten, welcher die Vorlage der ausgestellten Tafel ist. Im Gegensatz zu dieser enthält er den im Sinne der damaligen Ablaßlehre korrekten Zusatz, daß der Ablaß nur dem zugutekomme, der seine Sünden bereut und gebeichtet habe. Darüber hinaus sind einige der Ablässe verfälscht. Wenn z. B. Ablässe des Papstes Honorius III. (1216-1227) für zwei Festtage der heiligen Elisabeth aufgeführt werden, dann kann das schon deshalb nicht korrekt sein, weil Elisabeth erst nach dem Tode dieses Papstes, nämlich im Jahre 1235, heiliggesprochen wurde. Auch im Hinblick hierauf dürfte die Wiener Ablaßtafel typisch für das zu ihrer Zeit übliche gewesen sein. Zugleich liegt hier aber auch eine Ursache dafür, daß sich solche Ablaßtafeln kaum irgendwo erhalten haben. Auch wo man sie nicht im Zuge der Reformation vernichtete, waren sie doch infolge der katholischen Kirchenreform und eines strengeren Umgangs mit dem Ablaß nicht mehr zu verwenden.

51 (geschlossen)

B. Dudik, Über Ablaßtafeln. Sitzungsber. der kaiserl. Akademie der Wissenschaften Wien, Phil.-Hist. Classe 58, 1868, S. 155-180. H. B.

52 Mit Ablaß-Geldern werden vor allem Kirchenbauten finanziert.

Ablaß-Tafel für den Wiederaufbau der Heiligkreuz-Kirche in Schwäbisch Gmünd
Schwaben, 1503
Gemälde auf Holz, 98 × 79 cm
Schwäbisch Gmünd, Heiligkreuz-Kirche

Im Jahre 1497 waren bei Bauarbeiten die beiden Türme der Heiligkreuz-Kirche in Schwäbisch Gmünd eingestürzt und hatten einen Teil der Mauern niedergerissen. Der Wiederaufbau wurde – wie üblich – teilweise durch Ablässe finanziert, und das ausgestellte Bild diente dazu, diese Ablässe zu propagieren. Auf der Schriftkartusche

52

aus späterer Zeit steht ein Text, welcher der ursprüngliche Werbetext gewesen sein dürfte: *Alle, die ir hilf und steür Raichend zuo diszem würdigen gotts Hausz, die erlangend von vill Cardineln, legatten, ertzbischoffen, bischoffen in ainer sum* (Summe) *ablas dreydaussentdreyhundert und zwaintzig tag 153* [!] *Anno 1612 renoviert.* Das Bild zeigt die Verwendung der gespendeten Gelder, gibt also eine Darstellung des Baubetriebs, und zwar am Chor der Gmünder Heiligkreuz-Kirche, der vergleichsweise exakt wiedergegeben wird. Links vorn bearbeitet ein Steinmetz mit Meißel und Schlagholz einen Steinquader. Daneben der Transport von Mörtel mit Hilfe eines Korbes und weiter rechts ein von einem Tretrad betriebener Kran, der zum Hochziehen der Quadern dient.

H. Kissling, Das Münster in Schwäbisch Gmünd, 1975, S. 84. – B. Schock-Werner. In: Kat. Ausst. Die Parler und der Schöne Stil 1350-1400, Bd. 3, Köln 1978, S. 61. H. B.

53 Andachtsbilder laden zum Gebet, zum Erwerb von Ablaß und zum Gedenken an einen Verstorbenen ein.

Epitaph der Dorothea Schürstab mit Darstellung der Messe des hl. Gregor
Meister des Veldener Hochaltars, um 1475
Gemälde auf Tannenholz, 128 × 92 cm
Nürnberg, Germanisches Nationalmuseum, Gm 521

Das nicht vollständig erhaltene Gedächtnisbild besaß ursprünglich noch eine – in neuerer Zeit abgesägte, jedoch literarisch überlieferte – Inschrift: *Anno Domini MCCCC im LXXV jar am vierten Ostertag* [also am 29. März 1475] *starb Schwester Dorothea Schürstabin, Subpriorin des Klosters, der Gott genad und allen glaubigen Seelen.* Die im Alter von 59 Jahren Verstorbene, Angehörige der Nürnberger Ratsfamilie Schürstab, war 39 Jahre lang Dominikanerin gewesen und hatte das Subpriorinnen-Amt im Nürnberger Katharinenkloster, aus dessen Kirche das Epitaph stammt, 33 Jahre lang bekleidet.
Dargestellt ist die Gregorsmesse (vgl. Kat. Nr. 69) mit dem Schweißtuch der Veronica. Papst Gregor wird von einem Bischof und von einem Kardinal flankiert. Darunter kniet die Verstorbene in der Tracht ihres Ordens und gekennzeichnet durch das – redende! – Familien-Wappen. Daneben eine Inschrift, welche demjenigen, der kniend vor diesem Epitaph ein Vaterunser und ein Avemaria spricht, den Ablaß, welcher mit der Kirche verbunden ist, in welcher Papst Gregor die abgebildete Vision hatte, sowie weitere, im einzelnen aufgezählte Ablässe verspricht: *Wer diese figur kniend ert mit einem pater noster und ave Maria, der hat von der erscheinung, die sant Gregorius erschain in ainer kirchhen, dy heist portacrucis, den selben ablas der selben kirchen, des ist 30 000 iar ablas ...*

Stange, Krit. Verz., Bd. 3, Nr. 93. – Kat. Ausst. Die Messe Gregors des Großen, Köln 1982, S. 44. H. B.

D Die Gläubigen und ihre Kirchen

Die spätmittelalterlichen Kirchen waren in einer für uns kaum vorstellbaren Weise mit Bildwerken und anderen kostbaren Ausstattungsstücken gefüllt. In einigen großen Städten gab es Pfarrkirchen mit über 50 Altären, und die Zahl der Grabsteine, Epitaphien und Totenschilde war noch weit größer. Wer in den Städten und auf dem Lande Rang und Namen hatte – einzelne Personen und Familien, aber auch Zünfte und Bruderschaften –, der wollte in der Kirche präsent sein: als Toter, als Stifter von Altären und von Altargerät, als Angehöriger einer Familie oder als Mitglied einer Bruderschaft. Als einzelne oder in Gemeinschaft brachten die Gläubigen sich und ihren Rang in der Kirche zur Geltung, spendeten sie einen Teil ihres Vermögens Gott und den Heiligen und machten sie so einen Teil des Kirchengebäudes zu ihrer »eigenen« Kirche, ließen sie den eigenen Geistlichen einen eigenen Gottesdienst halten.
An großen Stadtkirchen des 15. Jahrhunderts konnten deshalb neben dem Inhaber der Pfarrstelle bisweilen über hundert Geistliche tätig sein: Vikare, Altaristen oder Kommendisten, deren Aufgabe es war, für das Seelenheil der Stifter ihres Altars und ihrer Pfründe Messe zu lesen. Im ungünstigen Falle waren das schlecht bezahlte und wenig qualifizierte Kleriker, die ihre Pflichten notdürftig wahrnahmen, die wenig zu tun hatten, die man immer wieder im (ihnen eigentlich verbotenen) Wirtshaus (oder an noch schlimmeren Orten) antraf, die ihr spärliches Einkommen durch eine ihnen untersagte Erwerbstätigkeit aufzubessern versuchten und deren Existenz dem späteren Betrachter solcher Verhältnisse die Bezeichnung »geistliches Proletariat« nahelegt. Im günstigen Falle dagegen handelte es sich bei diesen Geistlichen um geachtete Mitglieder der städtischen Gesellschaft und des städtischen Klerus, die unter der Leitung des Pfarrers und gestützt durch den bürgerlichen Verwalter des Kirchenvermögens in einer Art geistlicher Korporation lebten und zur Vermehrung des geistlichen und geistigen Lebens in der Stadt beitrugen.
Wenn sich an Festtagen die städtische Gesellschaft zur Prozession zusammenfand und sich in einer solchen Prozession gleichsam abbildete, dann traten die vielen hier tätigen Geistlichen zum städtischen Klerus zusammen, zu einer Gruppe von Klerikern, deren Zahl, deren sicht- und hörbare Qualität, deren Ausstattung mit Ornaten und Kultgeräten erkennen ließ, was eine städtische Gesellschaft zur Ehre Gottes und zur Ehre der die Stadt beschützenden Heiligen, aber auch zu ihrer Repräsentation einzusetzen bereit war. Dasselbe ließ sich der Zahl, der baulichen Verfassung und der Ausstattung der Kirchen entnehmen. Spätmittelalterliche Stadt- und Reisebeschreibungen versäumen selten, hiervon zu reden.
Auf der anderen Seite erweisen sich die vielen geistlichen Pfründen und kirchlichen Ausstattungsstücke aber ebenso als die Zeugnisse individueller Frömmigkeit und Heilsvergewisserung sowie als Instrumente, mit deren Hilfe der soziale Rang des einzelnen, der einzelnen Familie und der eigenen Korporation dokumentiert wurde.
H. B.

54 Die Stifter von Altären hoffen auf ihre Heiligen als persönliche Helfer.

Altarfragment mit Stiftergruppe
Niederrhein, um 1500
Eichenholz, H. 52 cm. Fassung erneuert
Köln, Schnütgen-Museum, A 414

Das intime Verhältnis zwischen den Gläubigen und den Heiligen, auf welche sie vor allem vertrauten und denen sie deshalb besondere Zuwendungen machten, indem sie ihnen Altäre weihten und diese reich ausstatteten, wird in den Stifterdarstellungen des ausgehenden Mittelalters besonders deutlich sichtbar. Die Stifter wachsen in den letzten Jahrzehnten vor der Reformation sozusagen heran: aus zunächst kleinen Figürchen am unteren Rande der Altartafeln und -reliefs werden am Ende Figuren, die kaum oder gar nicht kleiner sind als die dargestellten biblischen Gestalten und Heiligenfiguren und die mit diesen auf eine Bild- und vielleicht auch Realitätsebene rücken.
Das ausgestellte Fragment von einem niederrheinischen Altar unbekannter Herkunft zeigt das besonders deutlich. Man muß sich vorstellen, daß sich links von der ausgestellten Gruppe im Mittelteil des Altars eine Gruppe von Heiligen oder, wahrscheinlicher, eine biblische Darstellung befand, z. B. eine Kreuzigung Christi, zu deren Füßen die vier dargestellten Frauen – die Frau des Altar-Stifters und drei Töchter – anbetend knien. Die beiden Heiligen sind ebenfalls auf die zu ergänzende Mittel-

54

55

szene zugeordnet, stehen jedoch auch in einer besonderen Beziehung zu den vier Knienden: sie sind deren Schutzpatrone, wie insbesondere der linke Heilige mit der entsprechenden Handgebärde ausdrückt. Der vollständige Altar muß links von seinem Mittelteil eine entsprechende Gruppe aus dem Stifter und seinen Söhnen sowie zwei weiteren heiligen Patronen der Familie gehabt haben. Stifter und Stifterin demonstrierten auf diese Weise ihre Frömmigkeit und Opferbereitschaft, aber sie dokumentierten zugleich auch ihren sozialen Rang: sie waren nun bildlich in der Kirche, am öffentlichen Ort schlechthin, anwesend, und zwar in deren Zentrum, nämlich auf dem Altar.

A. Legner, Spätgotische Skulpturen im Schnütgen-Museum, 1970, Nr. 19. H. B.

55 Die Frömmigkeit der Gläubigen war vor allem auf das Schicksal der Menschen nach dem Tode ausgerichtet.

Gewirkter Grabteppich mit Jüngstem Gericht
Nürnberg, um 1450
Leinenkette und farbige Wollschüsse, 242 × 147 cm
Nürnberg, Germanisches Nationalmuseum, Gew 671

Die Sorge um ihr Seelenheil ließ vermögende Fromme nicht nur Altäre stiften, ausstatten und sich um ein Begräbnis und ein Gedächtnisbild möglichst nahe am Altar bemühen. Sie sorgten auch durch die Stiftung von Bahrtüchern dafür, daß der Schutz Christi und der Heiligen ihnen und ihren Verwandten in den Tagen zwischen Tod und Begräbnis auf ganz direkte Weise zuteil wurde. Auf den meisten Bahrtüchern ist ein großes Kreuz dargestellt. Auf einigen verweisen die Darstellungen der Erlösung und des Jüngsten Gerichtes auf das Jenseits. Der ausgestellte Teppich zeigt Christus am Tage des Jüngsten Gerichts. Er thront auf dem Regenbogen und zeigt seine Wundmale, während die ihn umgebenden Engel die Leidenswerkzeuge halten. Von Christi Mund gehen Lilienstab und Schwert aus als Zeichen von Gnade und Gerechtigkeit. Fürbittend knien zu seinen Füßen Maria und Johannes der Täufer. Darunter wecken zwei Posaunenengel die Toten – auch die, welche unter diesem Teppich geruht hatten. Um wen es sich dabei handelt, lehren die beiden Wappen. Links unten das der Nürnberger Ratsfamilie Volckamer (halbes Rad und Lilie), rechts das »redende« Wappen der ebenfalls zur Nürnberger Oberschicht gehörenden Familie Schürstab (vgl. Kat. Nr. 53). Der Teppich muß also von einem Ehepaar Volckamer-Schürstab gestiftet worden sein, wobei es sich nach den gegebenen Daten um Berthold Volckamer (1397-1492) und die ihm 1429 in zweiter Ehe angetraute Barbara Schürstab handeln dürfte.

B. Kurth, Die deutschen Bildteppiche des Mittelalters, 1926, Nr. 277. – L. v. Wilckens, Nürnberger Wirkteppiche des Mittelalters. Bilderhefte des Germ. Nat. Museums 1, 1965, Nr. 5. – Dies., Bahre, Bahrtuch. In: LexMA 1, 1980, Sp. 1349 f. H. B./L. v. W.

56 Die Lebenden lassen sich in den Heiligen darstellen.

Flügelaltar mit Anbetung der Heiligen Drei Könige
Meister von Frankfurt und Werkstatt, um 1515/20
Gemälde auf Eichenholz, 100 × 72 cm (Mitteltafel) und je 102 × 32,5 cm (Flügel)
Stuttgart, Staatsgalerie, L 27

Das Werk ist die »annähernd gleichwertige Replik« (Friedländer) eines Altars, der sich vormals in der Sammlung Gans, Frankfurt am Main, befunden hat. Dieser war ein Werk des sog. Meisters von Frankfurt, eines um 1495-1520 tätigen Niederländers. Anders als auf der Vorlage tragen auf dem ausgestellten Stück der König rechts die Gesichtszüge Kaiser Maximilians und der König neben Maria die von dessen Großvater und Vorgänger Friedrich III. Der dritte König stellt vielleicht ein verstecktes Porträt des Auftraggebers dar. Das Porträt Friedrichs III. hatte wohl eine Medaille oder Münze zur Vorlage, das Maximilians ein Bildnis des Joos van Cleve (Wien, Kunsthistorisches Museum).

Kat. Ausst. Maximilian, Nr. 558. – M. J. Friedländer, Die altniederländische Malerei, Bd. 7, 1929, Nr. 125 (englische Ausgabe, Bd. 7, 1971, Nr. 125 a). – Kat. Ausst. Die Heiligen Drei Könige, Köln 1982/83, Nr. 80. H. B./K. L.

57 Eine Altarstiftung wird vorbereitet.

Aufzeichnung über die Rechte und Pflichten des Altar-Geistlichen am Annen-Altar der St. Lorenz-Kirche in Nürnberg. Vor dem 7. August 1510
Konzept mit Korrekturen von derselben Hand. Papier, Doppelblatt, ca. 22 × 33 cm
Nürnberg, Staatsarchiv. Reichsstadt Nürnberg, D-Laden-Akten 1900

Die Aufzeichnung hat zur Vorbereitung der unter der folgenden Nummer ausgestellten Urkunde gedient. Der zunächst niedergeschriebene Text wurde ergänzt, stilistisch verbessert und im Hinblick auf

56

Schreibfehler korrigiert. Die meisten Korrekturen wurden in die Urkunde übernommen, doch enthält die Aufzeichnung auch Bestimmungen, welche wieder verworfen worden sind. H. B.

58 Ein Altar wird gestiftet.

Die Witwe Ottilia Mayer läßt beurkunden, daß sie sich entschlossen hat, in der Nürnberger St. Lorenz-Kirche einen Altar errichten zu lassen und eine Priesterpfründe für diesen zu stiften. 7. August 1510
Notariatsinstrument mit Signet. Orig. Perg., 51,5 × 33 cm
Nürnberg, Staatsarchiv. Reichsstadt Nürnberg. Stadt- und Landalmosenamt, Urkunden Nr. 249/I

Die Stiftung dieses jüngsten der wohl 17 Altäre der St. Lorenz-Kirche reicht schon in die Reformationszeit hinein. Etwa drei Jahre nach dem Tode ihres Mannes, eines aus Ravensburg zugewanderten und im Handel mit Südosteuropa reich gewordenen Kaufmanns, hat die Witwe Ottilia Mayer ihren Entschluß beurkunden lassen, zum Seelenheil ihres verstorbenen Mannes und zu ihrem eigenen in der Lorenz-Kirche einen Altar, die dazugehörige Ausstattung an Meßgeräten und Ornat, die Pfründe für einen hier tätigen Priester und eine Wohnung für ihn zu stiften. Das Stiftungskapital geht an den Rat, der verpflichtet wird, dafür 40 Gulden im Jahr an den Altar-Geistlichen zu zahlen. Jedoch behält sich die Stifterin vor, zu ihren Lebzeiten dieses Geld dem Geistlichen persönlich auszuhändigen, und sie erhält auch das Recht, die Person des Geistlichen zu bestimmen. Nach ihrem Tode soll dieses Recht an den Nürnberger Rat gehen und soll die Pfründe in eine Movendel-Pfründe *(beneficium mobile)* verwandelt werden. Das hätte zur Folge gehabt, daß der Rat nicht nur beim Tode des Amtsinhabers, sondern immer darüber verfügen, daß er also einen Inhaber der Pfründe auch absetzen konnte. Weiterhin werden die Pflichten des Inhabers der Pfründe festgelegt. Er muß wöchentlich vier Messen lesen und darüber hinaus in genau festgelegter Weise an allgemeinen gottesdienstlichen Handlungen in der Lorenz-Kirche teilnehmen.
Die Urkunde ist von einem Notar ausgestellt, der sich in dem (etwas flüchtiger als der Urkunden-Text geschriebenen) Schluß-Protokoll nennt und die Urkunde durch die Nennung von zwei Zeugen und mit seinem links daneben angebrachten Notars-Signet beglaubigt.

M. Simon, Movendelpfründe und landesherrliches Kirchenregiment. In: Zs. für bayerische Kirchengeschichte 26, 1957, S. 1-30. H. B.

59 Das Stiftungskapital wird angelegt.

Bürgermeister und Rat der Reichsstadt Nürnberg verkaufen der Ottilia Regenfuß, verwitweter Mayer, 40 Gulden Rente aus der Losungsstube, versprechen, diese Summe je zur Hälfte am Walpurgis- und am Martinstag (1. Mai und 11. Februar) auszuzahlen, und setzen als Bürgen dafür vier Ratsherren ein. 5. Mai 1512
Orig. Perg., 30 × 54 cm. Siegel der Reichsstadt Nürnberg mit Rücksiegel (Sekret) aus rotem Wachs an Perg. Pressel
Nürnberg, Staatsarchiv. Reichsstadt Nürnberg, Stadt- und Landalmosenamt, Urkunden Nr. 255

Die in deutscher Sprache abgefaßte und mit großen, leicht lesbaren Buchstaben geschriebene Urkunde legt die in Kat. Nr. 58 schon genannte Anlage des Stiftungskapitals nun im einzelnen fest. Sie verrät, daß die Witwe Mayer 1200 Gulden an die städtische Steuerkasse zahlen mußte, um von ihr jährlich 40 Gulden als Besoldung für den Geistlichen zu erhalten. Der Zinsfuß betrug also 3⅓% und war damit recht niedrig. Wenn die Stadt Nürnberg um 1500 langfristig Kapital gegen Rentenzahlungen aufnahm, dann lag der Zinsfuß im allgemeinen wenigstens bei 4%. Weiterhin wird festgelegt, daß die Stadt das Vertragsverhältnis beenden darf. Zu der in der vorigen Urkunde festgelegten (künftigen) Personalhoheit des Nürnberger Rates über die Pfründe kommt nun also die weitreichende ökonomische Verfügungsgewalt. H. B.

60 Der zuständige Bischof genehmigt die Stiftung.

Georg III. Schenk von Limpurg, Bischof von Bamberg, bestätigt die Pfründenstiftung der Witwe Ottilia Mayer. 1. April 1518
Orig. Perg., 27,7 × 49,5 cm. Siegel des Bischofs in Holzkapsel. Auf dem Kapsel-Deckel: MAIERIN S. LAURENTIJ, auf der Außenseite der Kapsel: MAIERIN. Unter dem Umbug Kanzleivermerk
Nürnberg, Staatsarchiv. Reichsstadt Nürnberg, Stadt- und Landalmosenamt, Urkunden Nr. 271

Die Urkunde erweist sich im Gegensatz zu der vorigen schon durch die lateinische Sprache und durch die stark gekürzte, kleine und für den nicht Geschulten schlecht lesbare Schrift als von einer geistlichen Behörde ausgestellt. Im Gegensatz zu der städtischen Behörde knüpft die Kanzlei des Bischofs an früh- und hochmittelalterliche Urkundentraditionen an, wie sich insbesondere an der verlängerten Schrift in der ersten Zeile zeigt.
Obwohl es der Stadt Nürnberg im 15. Jahrhundert gelungen war, die Kompetenzen des Bischofs in den Kirchen der Stadt weitgehend zu beseitigen, bedurften die Errichtung einer Pfründe und die Einsetzung von deren Inhaber immer noch seiner Genehmigung. Tätig werden konnte der von dem Verfügungsberechtigten eingesetzte Geistliche freilich schon vorher, und so wird auch im vorliegenden Fall ein Geistlicher schon längst vor der ausgestellten bischöflichen Bestätigung in die Pfründe eingesetzt worden sein und zu amtieren begonnen haben.
Wenige Jahre später sollte mit der Reformation in Nürnberg auch der geringe Rest an bischöflicher Verfügungsgewalt über die städtischen Kirchen beseitigt werden. Drei Jahre nach Ausstellung dieser Urkunde starb die Stifterin der Pfründe, Ottilia Mayer, kurz vor der Einführung der Reformation in Nürnberg. Am 1. Juni 1524, also drei Jahre nach ihrem Tode, wurden die Seelenmessen in St. Lorenz abgeschafft. Statt bis zum Jüngsten Tage ist also für ihr Seelenheil an ihrem Altar und von ihrem Geistlichen nach ihrem Tode nur drei Jahre lang Messe gefeiert worden – insgesamt etwa sechshundertmal, falls der von ihr eingesetzte Meßpriester seine Pflicht getan und wie ihm vorgeschrieben viermal in der Woche Messe gehalten hat.
Gleichzeitig mit der Abschaffung der Seelenmessen wurden in Nürnberg auch die Pfründvermögen aufgehoben und dem im Zusammenhang der Reformation und nach Luthers Vorbild geschaffenen städtischen Almosenamt eingefügt, aus dessen Einkünften die städtischen Geistlichen künftig besoldet wurden. Wie die in Kat. Nr. 57-59 verzeichneten Stiftungsbedingungen zeigen, war jedoch der Unterschied zwischen den vorreformatorischen und den durch die Reformation geschaffenen Rechtsverhältnissen nicht groß. Faktisch war die formal eigenständige St. Annen-Pfründe schon vor der Reformation in der Verfügungsgewalt des Rates, jedenfalls seit dem Tode der Stifterin. H. B.

61 Bildschnitzer und Maler schaffen das Altar-Retabel.

Retabel des Annen-Altars aus der St. Lorenz-Kirche in Nürnberg
Hans Suess von Kulmbach und unbekannter Nürnberger Bildschnitzer (Meister der Nürnberger Madonna ?), 1510
Die geschnitzten Teile Lindenholz, die Malbretter Fichtenholz. Schrein ca. 160 × 145 cm, Flügel je 154 × 55 cm, Gesamthöhe mit Gesprenge und Predella ca. 670 cm
Nürnberg, Evang.-Luth. Kirchengemeinde St. Lorenz

Im Schrein geschnitzte Figuren: Anna, Maria und das Jesuskind (Anna Selbdritt), darüber in Wolken und Rankenwerk Gottvater und Engel. Ursprünglich bestand das Retabel aus zwei feststehenden Standflügeln und aus zwei beweglichen Flügeln. Die nicht ausgestellten Standflügel zeigen links die Heiligen Zacharias und Elisabeth und rechts die Heiligen Willibald und Benedikt (München, Bayerische Staatsgemäldesammlungen), die beweglichen Flügel auf der Innenseite links den heiligen Josef und rechts Joachim (München, Bayerische Staatsgemäldesammlungen). Im geöffneten Zustand, also an hohen Festtagen, wurden demnach die beiden Ehemänner der im Schrein dargestellten Frauen sowie die drei Schreinfiguren gezeigt, während an normalen Tagen, also bei geschlossenem Altar, nur die beiden jetzt rechts und links des Schreins angebrachten Flügel zu sehen waren, welche ursprünglich die Außenseiten der beweglichen Flügel bildeten. Auf ihnen sind links die Heiligen Vitalis und Dionysius und rechts die Heiligen Gubinus und Sigismund zu sehen. Inschriften: *S. Vitalis. S. Dionisius. S. Gubinus. S. Sigismundus.* Die Heiligen sind durch Attribute charakterisiert, die ihre legendäre Lebensgeschichte kennzeichnen: Dionysius als Bischof und mit abgeschlagenem Haupt, während der heilige Vitalis, üblicherweise als Ritter dargestellt, hier – wie der heilige Stephanus – zwei Steine trägt. Der sonst unbekannte heilige Gubinus (vielleicht der heilige Bischof Ubaldus-Theobaldus von Gubbio?) ist als Bischof, der heilige Sigismund als König dargestellt. Oberhalb der rechten Inschrift die Signatur *HK 1523,* also Hans Suess von Kulmbach, der freilich schon im Jahre 1522 in Nürnberg starb. Im Gesprenge des Retabels die Heiliggeist-Taube sowie die Namenspatrone der Stifterin und ihres verstorbenen Mannes, die Heiligen Heinrich (der römisch-deutsche König

Heinrich II.) und Ottilia. Zwischen ihnen noch einmal Anna Selbdritt. Die Predella – in Nürnberg treffend »Sarg« genannt – ist in der Mitte zur Aufnahme der Altarreliquien bzw. der in Hausform gebildeten Reliquienschreine geöffnet. Auf den beiden feststehenden Flügeln die Stifterin und ihr verstorbener Mann mit den Kindern, beide durch Wappen und durch Inschriften gekennzeichnet. Links: *Anno domini 1500 und 7 jahr am Tag Tiburcii* [August 11] *ist verschiden der erber* [ehrbare] *man Heintz Mayer, dem Got gnedig sey.* Oben rechts die Jahreszahl *1510.* Auf dem rechten Predella-Flügel: *Anno domini 1521 am heiligen Auffarts tag* [Himmelfahrt, also 1521 Mai 9] *verstarb die erber frau Otilia Haintz Mayrin, stiffterin diser pfrundt, der got gnedig und barmherczig sey.* Die beweglichen Flügel der Predella sind nicht erhalten.

Die Gemälde stammen von Hans Suess von Kulmbach. Neuerdings wird dem Maler auch die Visierung für die geschnitzten Teile, die zeitweise mit Veit Stoß in Verbindung gebracht wurden, zugeschrieben. Der unbekannte Nürnberger Bildschnitzer wird mit dem Meister der sog. Nürnberger Madonna (Nürnberg, Germanisches Nationalmuseum) gleichgesetzt.

G.P. Fehring u. A. Ress, Die Stadt Nürnberg, 2. Aufl. 1977, S. 102. – Meister um Albrecht Dürer. In: Anzeiger des Germ. Nat. Museums Nürnberg 1960/61, Nr. 154. – W. Haas, Die mittelalterliche Altaranordnung in der Nürnberger Lorenz-Kirche. In: 500 Jahre Hallenchor zu Nürnberg 1477-1977, Nürnberger Forschungen 20, 1977, S. 80 f. und S. 94 f. – A. Schädler, Zum Meister der »Nürnberger Madonna«. In: Anzeiger des Germ. Nat. Museums Nürnberg 1976, S. 65-71. H. B.

61

62 Ein Altarpriester revidiert sein Pfründenvermögen.

Register der Einkünfte des Katharinen-Altars in der Nürnberger St. Sebald-Kirche. 1431
Formlose Aufzeichnung auf Pergament-Streifen, 68 × 13 cm
Nürnberg, Staatsarchiv. Reichsstadt Nürnberg, D-Laden-Akten Nr. 1815

Die Aufzeichnung beginnt mit der Überschrift, welche ein Verzeichnis der *redditus* (Einkünfte) und *bona* (Besitztümer) ankündigt, welche *ad prebendam altaris chori sancte Katherine in ecclesia sancti Sebaldi* (zur Pfründe des Altars der heiligen Katharina im Chor der St. Sebald-Kirche) gehörten und welche Johannes Cambiensis, offenbar der Inhaber der Pfründe, aus alten Büchern und Verzeichnissen am 23. Juni 1431 zusammengestellt habe.

Entsprechend dieser Ankündigung folgen dann zunächst die Einkünfte: Abgaben von Bauern teils in Form von Geld, teils aber auch in Gestalt von Naturalien, geordnet nach Pfarrbezirken und bezeichnet jeweils mit dem Namen des Abgabenpflichtigen. Im Gegensatz zu dem sehr viel jüngeren Annen-Altar (Nr. 59) hat man es hier noch mit älteren Wirtschaftsverhältnissen zu tun. Die Einkünfte kommen von verschiedenen, auseinanderliegenden Orten, und sie kommen zu den von der Natur gegebenen Terminen gehäuft (zu Ostern z. B. 200 Eier: nicht für die eigene Ernährung notwendige Lebensmittel mußten also verkauft werden), zu anderen Zeiten aber gar nicht. Der Inhaber der Stelle hatte überdies die Mühe, sich darum zu kümmern, daß die Abgaben tatsächlich geleistet wurden, er war freilich wirtschaftlich auch nicht so vom Nürnberger Rat abhängig wie der Inhaber der jüngeren, auf eine Stadt-Rente gegründeten Annen-Pfründe. Ein Zeugnis für die Mühe, welche der am Katharinen-Altar tätige Geistliche mit seinen Einkünften hatte, ist auch diese Liste. Mit ihr brachte er seine Rechte im Jahre 1431 auf den aktuellen Stand. An vier Stellen ist diese Liste später

61 (Ausschnitt)

durch die Eintragung der Namen von neuen Abgabenpflichtigen aktualisiert worden. Diese Eintragungen sind mit einer anderen Tinte und von einer anderen Hand vorgenommen worden.
Auf die Einkünfte folgen die Anniversarien, d.h. die Verpflichtungen des Pfründinhabers, an den Todestagen von Personen, welche Teile des Pfründvermögens gestiftet hatten, Gedächnis-Messen zu lesen. Danach werden an der Pfründe hängende finanzielle Verpflichtungen genannt, und es wird schließlich auf der (hier nicht sichtbaren) Rückseite des Pergament-Streifens verzeichnet, was an Ornat und Kirchengerät zu dem Katharinen-Altar gehört. Diese Ausstattung ist nicht reich. Die Monstranz z.B. ist nur aus vergoldetem Kupfer. An letzter Stelle dann das Hausinventar, soweit es der Aufzeichnung wert war: eine Truhe für den Ornat, ein runder Tisch, ein Küchen- und ein Stubenschrank. H.B.

63 Geschnitzte Figuren erzählen vom Leben der Heiligen, denen der Altar gehört.

Zwei Figurengruppen von einem Katharinen-Altar
a Radwunder der hl. Katharina
b Enthauptung der hl. Katharina
Nürnberg, um 1462/64
Holz, 85 × 90 cm und 85 × 80 cm. Fragmente zweier Hochreliefs vom Löffelholz-Altar
Nürnberg, Evang.-Luth. Kirchengemeinde St. Sebald

63 a

63 b

Der, wie das Einkünfteverzeichnis von 1431 (Kat. Nr. 62) lehrt, schon ältere Altar im Chor der Nürnberger St. Sebald-Kirche hat nach der Mitte des 15. Jahrhunderts einen neuen, von dem Nürnberger Ratsbürger Wilhelm Löffelholz gestifteten Schrein erhalten. Erhalten sind hiervon nur die Figuren des Mittelschreins und die Seitenflügel. Die ausgestellten Figuren zeigen das Radwunder der heiligen Katharina, also eine der Martern, denen sie wunderbarerweise widerstand, und ihre Enthauptung. Beide Darstellungen zehren von der zeitgenössischen Strafrechts-Wirklichkeit. Ein mit eisernen Spitzen bewehrtes Rad diente im ausgehenden Mittelalter in der Tat zu einer – gegenüber dem Köpfen mit dem Schwert – verschärften Form der Hinrichtung. Und das freihändige Abschlagen des Kopfes mit dem Schwert, wie es hier dargestellt ist, entstammt der Rechtspraxis des 15. Jahrhunderts ebenso wie die Gestalt des teils als achtenswert, teils aber auch als Außenseiter-Figur charakterisierten Henkers.

E. Zachmeier, Studien zur nürnbergischen Holzplastik der Spätgotik, Diss. Erlangen 1956, S. 37-38, Nr. 45. – G. P. Fehring u. A. Ress, Die Stadt Nürnberg, 2. Aufl. 1977, S. 135 f. – Stange, Krit. Verz., Bd. 3, Nr. 112. H.B.

64 Ein Geistlicher und zwei Goldschmiede einigen sich über die Herstellung einer Monstranz.

Aufzeichnung über die Herstellung einer Monstranz
Gleichzeitige, eigenhändige Notizen im ›Liber domini Conradi Deygel prepositi XII. monasterii Neunkirchen. Que et qualia tempore sui regiminis [1485-1496] acta et facta sunt‹ (fol. 93ʳ).
Papier, II + 252 Bll., 32,5 × 22 × 5 cm.
Bamberg, Staatsarchiv, Kloster Neunkirchen am Brand, Literalien (Rep. B 113), Nr. 12.

In der in dem Wirtschaftsbuch des Augustiner-Chorherrenstifts Neunkirchen überlieferten Aufzeichnung berichtet der Auftraggeber, der Propst von Neunkirchen, daß er zwei Goldschmiede, Meister Hans Beyer (Peyer) und Meister Franz, beauftragt habe, eine neue Monstranz von ungefähr 16 Mark Gewicht herzustellen. Zu diesem Zweck habe er am 6. Juli 1490 Hans Beyer unter Zeugen die alte Monstranz der Kirche, Kelch, Patene und weitere Gegenstände aus Silber übergeben. Ein Vierteljahr später, am 14. September 1490, übergab der Auftraggeber dem für den Auftrag verantwortlichen Hans Beyer, der den anderen Goldschmied »verlegte«, weiteres Silbergerät, da das neue Gerät schwerer ausfiel als ursprünglich vorgesehen. Das Gewicht des eingeschmolzenen Metalls und der neuen Monstranz werden genau mitgeteilt, ebenso die Preise für die sonst für die Monstranz verwandten Materialien sowie weitere Kosten. Der Aufzeichnung schließt sich die (nachträglich angefügte) Mitteilung an, daß der Auftraggeber die neue Monstranz erstmals am Vortag des Fronleichnamsfestes 1491, also am 1. Juni, bei der Vesper getragen habe.

H. Miekisch, Die spätgotische Monstranz in Neunkirchen am Brand. In: Altnürnberger Landschaft. Mitteilungen 14, 1965, S. 53-60 (mit Textabdruck). – H. Kohlhaussen, Nürnberger Goldschmiedekunst des Mittelalters und der Dürerzeit 1240-1540, 1968, S. 220 f. – F. Machilek, Magister Jobst Krell, Vikar bei St. Lorenz in Nürnberg (gest. 1483). In: MVGN 59, 1972, S. 85-104, hier S. 98 f. H.B./F.M.

65 Die Monstranz dient der Verehrung der Hostie.

Monstranz
Meister Hans Beyer und Meister Franz, 1490/91
Silber, teilvergoldet, H. 113,5 cm, Dm des Fußes 37 cm, Gewicht 14,5 Pfund. Beschauzeichen der Stadt Nürnberg auf dem Fußrand
Neunkirchen am Brand, Katholisches Pfarramt St. Michael

Im Zuge der für das spätere Mittelalter so charakteristischen Sakramentsfrömmigkeit wuchs das Bedürfnis, die geweihte Hostie anschauend zu verehren. So wurde das Fronleichnamsfest zu einem der wichtigsten kirchlichen Feste und die Hostien-Monstranz, ein kostbares Metall-Gefäß mit einem durchsichtigen Teil zur Aufbewahrung der Hostie, zu einem der am meisten gebrauchten kirchlichen Geräte.
Das ausgestellte Stück ist jene Monstranz, über deren Herstellung der Auftraggeber unter Kat. Nr. 64 berichtete. Doch ist das Stück in jüngerer Zeit teilweise erneuert worden. Die Schmuckstücke auf dem Fuß und vor allem das Schaugefäß und die es umgebenden Figuren stammen aus neuerer Zeit. Dennoch gibt der außerordentlich qualitätvolle architektonische Aufbau ein hinreichendes Bild von jenem Kultgerät, das sich der Neunkirchner Augustinerchorherrenkonvent anstelle einer als veraltet empfundenen Monstranz und weiterer Altargeräte in fast einjähriger Arbeit von zwei Nürnberger Goldschmieden herstellen ließ.

H. Kohlhaussen, Nürnberger Goldschmiedekunst des Mittelalters und der Dürerzeit 1240-1540, 1968, Nr. 314. – Kat. Ausst. Bayern, Kunst und Kultur. München 1972, Nr. 293.
H. B.

66 In geistlichen Ornaten spiegelt sich die Sakramentsfrömmigkeit.

Schultervelum für Sakramentsprozessionen
3. Viertel des 15. Jahrhunderts
Seiden- und Goldstickerei auf weißem Leinen, 47 × 180 cm
Fritzlar, Stiftsmuseum

Das Velum ist durch einen schmalen, durch das Zusammenstoßen der Muster entstandenen Streifen mit einem Loch zu seiner

65

Befestigung an der Kleidung des Priesters in zwei Hälften geteilt. Auf der linken ist der Erzengel Michael mit einer großen Monstranz dargestellt. Über ihm Gottvater und die Heilig-Geist-Taube. Zwischen ihnen und St. Michael, die durch Weinranken verbunden sind, das Gotteslamm und ein Kelch mit dem Blut Christi. Auf der rechten Seite zwei Engel und in einem Rankenwerk von Rosen wiederum das Gotteslamm und weitere Engel.
Die Spruchbänder enthalten in ihrer Mehrzahl Texte aus der Fronleichnams-Liturgie. So auf dem Spruchband Michaels: *Ecce panis angelorum/factus cibus viatorum/vere panis filiorum/non mitten*[dus canibus] (Hier ist das Brot der Engel, geschaffen als

66 (Ausschnitt)

Speise der Pilger, das wahre Brot der Söhne, das man nicht den Hunden vorwerfen darf). Das Spruchband des rechten Engels auf der rechten Seite lautet: *O vere digna hostia/per quam fracta sunt tartara/redempta plebs captivata/redit ad vite premia* (O wahrhaft würdige Hostie, durch welche die Hölle gebrochen ist. Das erlöste Volk der Gefangenen kehrt zum Lohn des Lebens zurück).

Kat. Ausst. Religiöse Kunst aus Hessen und Nassau, Marburg 1928 (1932), Nr. 243. – Th. Niederquell, Die Inschriften der Stadt Fritzlar, Die deutschen Inschriften, Bd. 14, 1974, Nr. 49.
H. B.

67 Zu einer Altarstiftung gehören auch textile Ausstattungsstücke.

Gewirktes Antependium mit Geburt Christi
Oberrhein, wohl Freiburg i. Br., 1501
Leinenkette und farbige Wollschüsse, 102 × 188/90 cm
Freiburg i. Br., Münster Unserer Lieben Frau

67

Links die Verkündigung an die Hirten auf dem Felde vor der Ansicht einer spätmittelalterlichen Stadt, die ausdrücklich als *herusalem* gekennzeichnet ist. Weiter rechts beten die Hirten das vor der Stallkrippe liegende Christkind an. Darüber ein von Engeln gehaltenes Spruchband mit den ihnen zugekehrten Worten *Gloria in excelsis deo* (Ehre sei Gott in der Höhe), daneben an der Stallwand die Jahreszahl *MCCCCCI* (1501). Weiter rechts bereitet Joseph dem Neugeborenen einen Brei in einem langstieligen Pfännchen; schließlich ein orientalisch gekleidetes Paar nach dem Vorbild eines Kupferstiches von Albrecht Dürer, dahinter ein weiteres Stadtbild: *iuda bethlahem.* Rechts und links knien unten der Stifter und seine Ehefrau: Der Freiburger Kaufmann und Zunftobristmeister Peter Sprung und Elisabeth Zahender. Beide sind mit ihren Wappen gekennzeichnet. Sprung hat im Jahre 1504 dem Freiburger Münster einen St. Wolfgangs-Altar gestiftet. Das ausgestellte Antependium dürfte zu dessen Ausstattung gehört haben: zusammen mit zwei weiteren Antependien (Altarbekleidungen) und einem Kelch (vgl. die folgende Nr.).

B. Kurth, Die deutschen Bildteppiche des Mittelalters, 1926, Nr. 158. – Kat. Ausst. Spätgotik, Nr. 253. H. B./L. v. W.

68

68 Zu einer Altarstiftung gehört auch das Meßgerät.

Kelch
Freiburg, 1500
Silber vergoldet, H. 17,8 cm
Freiburg i. Br., Münster Unserer Lieben Frau

Der Kelch wurde von dem Freiburger Peter Sprung dem Münster im Zusammenhang einer größeren Stiftung (vgl. Nr. 67) geschenkt. Wie üblich, hat der Stifter die Herkunft seiner Stiftung an dieser markieren lassen: durch sein Wappen auf dem Fuß des Kelches und durch die unter dem Fuß angebrachte Inschrift: *disen kelch hat lassen machen petter sprung von friborg uf smein e ...* [hier ist der Stehrand ausgebrochen] *1500.* Wie ein ganz ähnlich gebildeter weiterer Kelch im Besitz des Freiburger Münsters erkennen läßt, handelt es sich bei dem ausgestellten Stück um das Resultat einer Art von Serien-Produktion.

Kat. Ausst. Spätgotik, Nr. 186. – Kat. Ausst. Kunstepochen der Stadt Freiburg, Freiburg i. Br. 1970, Nr. 201/02. H. B.

69 Gemälde zeigen die Kostbarkeit geistlicher Ornate.

Epitaph des Heinrich Wolff von Wolffsthal mit der Darstellung der Messe des hl. Gregor
Franken, um 1500
Gemälde auf Fichtenholz, 187 × 138 cm
Nürnberg, Germanisches Nationalmuseum, Gm 154
Farbtafel Seite 74

Das aus der Nürnberger Katharinen-Kirche stammende Bild gibt den Ornat des zelebrierenden Priesters und der beiden ihm assistierenden Geistlichen mit außergewöhnlicher Präzision wieder. Die Kasel des Priesters aus schwerem Samt ist mit einem perlenbestickten Kreuz belegt, das seinerseits den Gekreuzigten trägt. Die sehr kostbaren Dalmatiken der beiden anderen Geistlichen zeigen ebenfalls Perlenbesatz sowie vergoldete Löwenköpfe. Solche Ornate haben sich an einigen Orten erhalten, und sie sind in vielen Kircheninventaren verzeichnet und beschrieben. Wenigstens ebenso wie Altäre und Altargeräte machten sie den Reichtum von Kirchenausstattungen aus und bezeugten sie Frömmigkeit und Reichtum ihrer Stifter.
Heinrich Wolff war nach Nürnberg eingewandert, dort rasch zu Reichtum und sozialem Ansehen gekommen und in die Oberschicht der Stadt aufgerückt. Im Jahre 1501 wurde er von Kaiser Maximilian, in dessen Finanzverwaltung er eine führende Stellung einnahm, geadelt. Sein Wappen links unten, rechts das seiner Frau. Vielleicht sind die Wappen erst nachträglich angebracht.
Dargestellt ist eines der in den Jahrzehnten vor der Reformation besonders häufig gezeigten Bildthemen: Die Messe des heiligen Papstes Gregor des Großen (590-604), in welcher sich ihm in einer Vision die Hostie in die Gestalt des leidenden Christus selber verwandelte. Diese Vision ist in dem ausgestellten Bild noch mit der Darstellung der Passionswerkzeuge (Arma Christi) und des Schweißtuches der Veronica (Vera icon) kombiniert. Links vom Altar stehen die heilige Katharina von Alexandrien und der heilige Thomas von Aquino, rechts der heilige Franziskus und der heilige Dominikaner Vincentius Ferrer (gest. 1419), also die Patronin der Nürnberger Dominikanerinnen-Kirche, zwei Dominikaner sowie der Begründer des den Dominikanern am nächsten stehenden Ordens. Links und rechts von dem zelebrierenden Papst ein Bischof und ein Kardinal. Die erst im ausgehenden Mittelalter entstandene und sehr rasch populär gewordene Legende von der Verwandlung der Hostie in den leidenden Christus spiegelt die ausgeprägte Sakramentsfrömmigkeit der Zeit.

Stange, Krit. Verz., Bd. 3, Nr. 175. – Kat. Ausst. Franz von Assisi, Nr. 10.78. – Kat. Ausst. Die Messe Gregors des Großen, Köln 1982, S. 44.
H. B.

70 In ihren Testamenten bedenken die Gläubigen vor ihren Verwandten Kirchen, geistliche Gemeinschaften und Geistliche.

Testament des Göttinger Ratsherrn Hans von Oldendorp. 7. Februar 1491
Orig. Papier, Doppelblatt 31,5 × 45 cm. Spuren des Verschlußsiegels
Göttingen, Stadtarchiv, Urkunden Nr. 977

Das ausgestellte Testament enthält an seinem Anfang wie die überwiegende Mehrzahl der aus dem Mittelalter bekannten Testamente Bestimmungen zugunsten von geistlichen Empfängern und über die von diesen für das Seelenheil des Testators zu erbringenden geistlichen Leistungen. Es zeichnet sich jedoch durch die Fülle, die Differenziertheit und auch durch die persönliche Färbung dieser Bestimmungen vor dem, was üblich war, aus.
Am Anfang stehen Bestimmungen für das Begräbnis des Testators in der Jakobikirche. Es folgen besondere Zuwendungen für diese Kirche, darunter zugunsten einer dort befindlichen Marienstatue, welche das Korallen-Paternoster der verstorbenen ersten Frau des Testators zur Hälfte erhält. Mit der anderen Hälfte soll die Marienstatue der Bartholomäus-Spitalskapelle geschmückt werden. Aus – kostbaren – Korallen ist auch die Paternosterschnur, welche der Testator *dem cleynen s. Jacobe, mynem leven hilgen apostile,* schenkt. Es folgen dann Geldzuwendungen an alle Göttinger Kirchen und Kapellen. Eine weitere Paternosterschnur aus Korallen, ein Altartuch und ein genau bezeichneter Ring gehen an die Patronin der Marienkirche: *mit dusseme sulven* [selben] *ringe ick my mit der leven moder Godes vortruwe, uppe dat se myne truwe vorbidderynne to oreme* [ihrem] *leven kinde sy.* Der Ring ist also nicht nur eine wertvolle, sondern auch eine symbolische Gabe. Auch einigen weiteren Kirchen werden Paramente zugesagt.
Es folgt dann ein hoher Betrag, von dem vor den Stadttoren steinerne Reliefs mit zwei Passionsszenen, einer Dreieinigkeitsdarstellung und je zwei Heiligen-Gestalten hergestellt werden sollen – zum Schutz der Stadt. Das etwa überschüssige Geld soll – nach dieser religiösen Wege-Sicherung – für die irdisch-reale Verbesserung der Straßen verwandt werden.
Danach werden die Armen bedacht, und Arme dürften es auch gewesen sein, denen – natürlich auf Kosten des Erblassers – die Wallfahrt *to dem hilgen blode* (nach Gottsbühren oder sogar nach Wilsnack oder bloß nach Mariengarten bei Göttingen?), die er selber versäumt hatte, an seiner Stelle aufgetragen wurde. Kleinere Opfergaben (Wachs und lebende Tiere) sollten, ebenfalls in seinem Namen, an Wallfahrtsorte und Gnadenstätten der unmittelbaren Göttinger Umgebung gehen. Danach kommen die Zuwendungen an Verwandte und an Freunde, auch sie teilweise religiösen Charakters, da mit der Bitte um Gebetsgedenken verknüpft.
Auf der letzten Seite des Testaments finden sich zwei Notizen, welche den weiteren Rechtsvorgang erkennen lassen. Die linke, quer und auf jenen Teil des Blattes, der bei gefaltetem und verschlossenem Testament beschreibbar war, geschriebene Notiz des Stadtschreibers hält fest, daß das Testament einen Tag nach seiner Niederschrift von zwei Ratsherren versiegelt dem Stadtschreiber zur Aufbewahrung auf dem Rathaus übergeben wurde. Die rechte Notiz sagt, daß das Testament am 22. Februar (nach dem Tode des Testators am 20. Februar) 1491 in Gegenwart der Verwandten seiner Witwe, der von ihm ernannten Testamentsvollstrecker und dreier Ratsherren im Ratssaal eröffnet worden sei.

Urkundenbuch der Stadt Göttingen vom Jahre 1401 bis 1500, hrsg. von G. Schmidt, 1867, Nr. 374. – A. v. Brandt, Mittelalterliche Bürgertestamente. Neuerschlossene Quellen zur Geschichte der materiellen und geistigen Kultur. Sitzungsber. der Heidelberger Akademie der Wissenschaften. Phil.-Hist. Klasse 3, 1973. – H. Boockmann, Leben und Sterben im spätmittelalterlichen Göttingen. Ein Testament aus dem Jahre 1491. In: Göttinger Jahrbuch 31, 1983.
H. B.

E Zerrbilder und illegale Formen der Frömmigkeit

Der offensichtliche Kontrast zwischen der Fülle an Zeugnissen vorreformatorischer Frömmigkeit und Kirchentreue auf der einen und dem so gewaltigen und so schnellen Echo, welches Martin Luther fand, auf der anderen Seite hat schon früh die Frage aufkommen lassen, ob sich nicht hinter der Kirchlichkeit der vorreformatorischen Jahrzehnte eine massive Kirchenkritik verborgen habe.

Inzwischen kennt man die hoch- und die spätmittelalterlichen nonkonformistischen, von der Amtskirche für häretisch erklärten religiösen Bewegungen genauer. Die Reformations-Historiker des 16. Jahrhunderts haben einige von ihnen in ihrer Radikalität gewiß unterschätzt. Auf der anderen Seite weiß man heute aber besser zu unterscheiden, und so sieht man, daß die Jahrzehnte unmittelbar vor Luther zu den Perioden der Kirchengeschichte zählen, aus denen man über häretische Bewegungen und häretische Gruppen besonders wenig hört.

Gewiß ist die Überlieferung hier sehr heikel. Sie begünstigt die Häretiker nicht. Auf der anderen Seite aber ist die Überlieferungschance von Quellen der Ketzer-Verfolgungen nicht grundsätzlich schlechter als die von anderen kirchlichen Dokumenten, und so wird man ohne Zögern sagen können, daß in der zweiten Hälfte des 15. Jahrhunderts Ketzer-Verfolgungen nicht nur selten bezeugt, sondern tatsächlich selten gewesen sind, und das nicht etwa deshalb, weil die Angst vor der Verfolgung nun größer, weil die Verfolgung selber nun schrecklicher gewesen wäre als früher. Vielmehr war von den sogenannten Verfallserscheinungen der spätmittelalterlichen Kirche auch die Glaubensgerichtsbarkeit betroffen. Anders wäre die Art, wie der Ketzer-Prozeß gegen Luther betrieben worden ist, auch gar nicht zu verstehen.

Trotzdem darf dieser Komplex in einer Ausstellung, welche die religiös-kirchliche Welt vor Luther zeigen will, nicht fehlen. Wenn er nur mit wenigen Zeugnissen repräsentiert ist, dann dürfte das die tatsächlichen Relationen spiegeln. Wenn für den im eigentlichen Sinne »ketzerischen« Bereich ein Zeugnis für das Fortwirken des Hussitismus steht, dann deshalb, weil Luther selbst – nachträglich – in Hus bis zu einem gewissen Grad einen Vorläufer gesehen hat und weil am Ende späthussitische Gruppen zu Luther übergingen, weil im späten Hussitismus sicherlich eine – freilich wohl nur schwache – Kontinuität zwischen spätmittelalterlicher Häresie und Reformation besteht.

Den drei anderen hier ausgestellten Zeugnissen wird die Überschrift „Zerrbilder und illegale Formen" gewiß nur teilweise gerecht. Mit einem Zweifel daran, ob sie an dieser Stelle richtig plaziert sind, würde man freilich nur an zeitgenössische Diskussionen anknüpfen. Wo die Grenze zwischen Frömmigkeit, Aberglauben und Ketzerei lag, darüber waren sich auch die Zeitgenossen der durch die hier ausgestellten Stücke repräsentierten Ereignisse nicht immer einig. Die Antwort hing von einer ganzen Reihe von Umständen ab: von Bildung, von Religiosität, von sozialer und hierarchischer Position und von kirchenpolitischen Absichten. H. B.

71 Ein betrügerisches Wunder endet in einem Justizmord – der Skandal wird zu reformatorischer Propaganda verwendet.

Der Jetzer-Handel

a Thomas Murner, ›Von den vier ketzern Prediger ordens der obseruantz zu Bernn jm Schweitzerlannd verprennt, in dem jar nach Cristi gepurdt. M.CCCCC.IX. auf den nachsten pfintztag nach Pfingsten‹
München: Hans Schobser ca. 1509
4°. 22 Bll. Aufgeschlagen: Titelblatt
Nürnberg, Germanisches Nationalmuseum, 8° Rl. 1423 Postinc.

b Thomas Murner, ›History von den fier ketzren Prediger ordens ...‹
Straßburg: Johann Prüss 1521
4°. 88 Bll., 21 Holzschnitte. Aufgeschlagen: Titelblatt
Nürnberg, Germanisches Nationalmuseum, 8° L. 462 Postinc.

Im Berner Dominikaner-Kloster kam es im Jahre 1507 zu Erscheinungen von Geistern, der Heiligen Barbara und schließlich der Muttergottes, die, wie sich alsbald herausstellte, von dem dort seit kurzem als Laienbruder lebenden Schneidergesellen Hans Jetzer fingiert worden waren. Obwohl diese Erscheinungen darauf zielten, Beweise gegen die von den Dominikaner-Theologen bekämpfte und von den Franziskanern vertretene Lehrmeinung von der (im Jahre 1854 dann als Dogma festgestellten) unbefleckten Empfängnis Mariens zu liefern, den Dominikanern also gelegen kamen, verhielten diese sich gegenüber den Wundererscheinungen in ihrem Kloster doch vorsichtig. Sie wollten sie vor einer Prüfung durch die römische Kurie nicht öffentlich bekannt machen, konnten aber das Einsetzen einer großen Publizität und eines öffentlichen Streites darüber nicht verhindern. Nachdem kurz darauf Jetzer als Betrüger entlarvt worden war, drängte namentlich der Berner Rat auf eine rasche Bereinigung der nun als Blamage der ganzen Stadt aufgefaßten Vorfälle. Die öffentliche Meinung kehrte sich gegen die Dominikaner. Es kam zu einem Prozeß, in welchem der Rat am Ende vom Papst gegen politische Gegenleistungen die Möglichkeit bekam, von den das Berner Kloster leitenden vier Dominikaner-Mönchen auf der Folter das Geständnis, daß sie die eigentlichen Urheber des »Wunders« seien, zu erpressen und sie (am 31. Mai 1509) als Ketzer und Gotteslästerer hinrichten zu lassen. Hans Jetzer kam frei. Nach der Publikation der Akten in neuerer Zeit steht fest, daß an den vier Dominikanern ein Justizmord verübt worden ist.

Der später als einer der wichtigsten literarischen Gegner Martin Luthers hervorgetretene Franziskaner-Mönch Thomas Murner (1475-1537) hat an dem Berner Prozeß teilgenommen und diesen anschließend in weit verbreiteten und wiederholt gedruckten Schriften propagandistisch zugunsten des eigenen Ordens und gegen den Dominikanerorden ausgeschlachtet. Ausgestellt sind ein Münchner Druck der deutschen Prosaschrift Murners von 1509 oder etwas später sowie ein Straßburger Druck von 1521, der die Reimfassung der Schrift des (damals gegen Luther polemisierenden, vgl. Kat. Nr. 285) Thomas Murner zur Anprangerung vorreformatorischer Mißstände und damit zur Rechtfertigung Luthers verwendet. Auf dem Titelblatt des älteren Drucks ist einer der mehrfach verwendeten Holzschnitte von Urs Graf abgedruckt, welcher die letzte Station des Jetzer-Handels darstellt: die Hinrichtung der vier Dominikaner-Mönche auf dem Scheiterhaufen bzw. durch den Henker, die deshalb vorgenommen wurde, weil die Witterung die rasche Verbrennung der Verurteilten nicht zuließ. Auf dem Druck von 1521 sind links Reuchlin, Hutten und Luther als *Patroni libertatis* (Schutzherren der Freiheit) dargestellt. In der Mitte und rechts mit der Unterschrift *conciliabulum malignantium* (etwa: Winkelversammlung der Bösewichte) die Berner Dominikaner, Hans Jetzer, Thomas Murner mit einem auf seinen Fa-

72a

72b

miliennamen anspielenden Katzenkopf sowie der Kölner Dominikaner-Theologe Jakob von Hoogstraeten, der Gegner Reuchlins (vgl. Kat. Nr. 121).

Thomas Murners Deutsche Schriften, hrsg. von F. Schultz, Bd. 1,1, 1929. – A. Kuczynski, Verzeichnis einer Sammlung von nahezu 3 000 Flugschriften Luthers und seiner Zeitgenossen, 1870, Nr. 2019. – Hollstein, Bd. 11, Nr. 144-157, S. 94-97. – Kat. Ausst. Nikolaus Manuel Deutsch, Bern 1979, Nr. 36, S. 184-189. – Scribner, S. 25. H. B.

72 Ein Hostienfrevel und seine Sühnung spiegeln die Intensität spätmittelalterlicher Frömmigkeit.

Zwei Altarflügel mit Darstellung eines Hostienfrevels
a Hostiendiebstahl
b Auffindung und Erhebung der Hostien
Regensburg, 1476 oder etwas später
Gemälde auf Fichtenholz, 109 × 96,6 cm und 110 × 96,3 cm
Nürnberg, Germanisches Nationalmuseum, Gm 1806/07

Der auf den beiden Tafeln dargestellte Vorgang ist auch schriftlich überliefert. Ein dreizehnjähriger Regensburger hatte einen silbernen Hostienbehälter gestohlen und die Hostien dadurch beseitigt, daß er sie in einen Keller warf – wie die erste Tafel zeigt. Der Maler benutzt das ihm aufgetragene Motiv, um eine lebhafte und wirklichkeitsnahe städtische Szene an einem Brunnen zu zeigen – einen Wasserkrug wie den am rechten Bildrand abgebildeten hat man im Jahre 1979 in der Donau unmittelbar vor Regensburg gefunden. Die beiden Engel deuten darauf hin, daß die Hostien trotz ihrer Verunehrung durch den jugendlichen Dieb nicht verlorengehen werden. Ihre Rettung zeigt dann das zweite Bild, auf dem zwei Geistliche, unter ihnen rechts wohl der Bischof von Regensburg und links der Abt von St. Emmeram, also die vornehmsten Geistlichen des Ortes, die Hostien bergen, nachdem der Dieb die Hostiendose im Spiel verloren, sich dadurch verraten und seine Tat gestanden hatte. Auch hier gibt der Maler eine realistische Szene: das hochgelegene Fenster und die Weinfässer markieren den Kellerraum. Auf der anderen Seite die kirchliche Feierlichkeit, mit welcher dem Hostienfrevel ein Ende gesetzt wird. Die verunehrten Hostien wurden zunächst auf einem Tuch, wie es im Gottesdienst zur Umhüllung der Hostien verwandt wird, gebettet, um dann in einem Hostiengefäß geborgen und in einer Prozession in eine Kirche gebracht zu werden. Auch hier deuten die Engel an, daß es ein Wunder gewesen sei, das die andauernde Verunehrung der Hostien, also des Leibes Christi, verhindert hat.
Hostienfrevel sind auch sonst bezeugt. Der für die Jahrzehnte vor der Reformation so charakteristischen, oft hektischen Hostienverehrung entsprechen magische Praktiken mit Hilfe der Hostie, entsprechen auch Gerüchte von Hostienschändungen durch Feinde des christlichen Glaubens, vor allem von Juden, die dann schreckliche Folgen für die vermeintlichen Delinquenten hatten. Der Regensburger Dieb wurde jedoch nur mit Auspeitschung bestraft: Seine Richter hatten erkannt, daß er keine Hostienschändung gewollt, sondern nur einen Diebstahl begangen hatte. Dennoch verlangte die Verunehrung des Leibes Christi mehr als bloß die Bestrafung des Diebes. So wurde über dem Keller noch im Jahre des Hostienfrevels eine Kapelle errichtet. Die beiden Tafeln dürften von einem der drei dort aufgestellten Altäre stammen.

P. Strieder, Zwei Flügel eines Altars mit Darstellung eines Hostienfrevels in Regensburg. In: Anzeiger des Germ. Nat. Museums Nürnberg 1975, S. 149-152. H. B.

73 Im Erfolg einer Betrügerin spiegelt sich die Intensität spätmittelalterlicher Frömmigkeit.

Bildnis der Anna Laminit
Hans Burgkmair, um 1503/05
Gemälde auf Holz, 28,8 × 20,6 cm. Oben links die schwer leserliche Inschrift: AMALITLIN FALSA PROPHETISSA, auf der Rückseite Abschrift (18. Jahrhundert) der Beschreibung des Bildes im Ficklerschen Inventar der herzoglichen Kunstkammer in München von 1598, Nr. 2801
Nürnberg, Germanisches Nationalmuseum, Gm 1554

Anna Laminit, die allein vom Genuß der Hostie zu leben vorgab, wurde in Augsburg, von wo sie schon einmal verbannt worden war, seit ihrem Wiederauftreten 1503 wie eine Heilige verehrt. Kaiser Maximilian I. suchte sie persönlich auf und wies Jakob Fugger 1508 an, *der junkfrauen, so nichts isst, zu Augspurg und ir diern* [ihrem Mädchen], *so ir wart* [das sie bedient], *jeder guet swarz tuech zu rockhen* [Röcken] *zu geben.* Des Kaisers Schwester, die bayerische Herzoginwitwe Kunigunde, lud die Laminit 1511 in die Münchner Residenz ein und entlarvte die angebliche Hungerkünstlerin, die unter ihrer Schürze Pfefferkuchen aufbewahrte, als Betrügerin. Mit Hilfe Anton Welsers, der ihr Knecht und Wagen zur Verfügung stellte, gelang ihr kurz vor der bevorstehenden Ausweisung 1514 die Flucht aus Augsburg. In Freiburg im Uechtland heiratete sie einen Armbrustmacher. Da das Paar nicht von seinen Betrügereien ließ, wurde der Mann gehängt, die Frau ertränkt.
Luther, der auf seiner Heimreise von Rom 1511 in Augsburg Station machte, ließ sich von einem Kaplan zur »Jungfrau Ursel« führen. In ihrer Kammer *hatte sie zween Altar stehen, und darauf zwey Cruzifix, die waren mit Harz und Blut also gemacht, in Wunden, Händen und Füßen, als tröffe Blut heraus.* Zwischen Luther und ihr entspann sich folgendes Gespräch: *Liebe Ursel, du möchtst eben so mehr todt seyn, und möchtst unsern Herrn Gott bitten, daß er dich sterben ließ. O nein,* sagte sie, *hie weiß ich, wie es zugehet; dort weiß ich nicht, wie es zugehet* (WA TR 6, Nr. 7005) oder: *Traun nein! Wie es dort zugehet, das weiß ich nicht; aber wie es hie zugehet, das weiß ich* (WA TR 4, Nr. 4925). Später distanzierte sich Luther von der *Bescheißerey,* doch spricht sein Besuch bei der Laminit für deren Ansehen und seine Wundergläubigkeit.

73

Hans Holbein der Ältere porträtierte die Laminit in einer Zeichnung (Berlin-West, Kupferstichkabinett), Hans Burgkmair malte sie bald nach 1503, vielleicht im Auftrag eines der genannten Augsburger Kaufherren. Der Kopf erhält seine Wirkung durch die tief in ihren Höhlen ruhenden Augen und die kräftigen Kinnbacken, aber auch durch die in die Stirn gezogene Pelzmütze.

Buchner, Nr. 95. – T. Falk, Hans Burgkmair, 1968, S. 33, 54. H. B./K. L.

74 Radikale Fromme attackieren die spätmittelalterliche Kirche.

Didaktische Handschrift mit hussitischen Forderungen
Die gute und die schlechte Kirche

a Austreibung der Wechsler und Geldgeschäfte der Kirche

b Joseph und Potiphars Weib und Lüsternheit der Mönche und Nonnen
Aquarell und Feder auf Papier, je 30,5 × 21 cm. Herausgelöst aus einer Handschrift der 2. Hälfte des 15. Jahrhunderts, 43 Bll.
Göttingen, Niedersächsische Staats- und Universitätsbibliothek, Cod. theol. 182

Die didaktische Handschrift konfrontiert in Bild-Paaren die schlechte Kirche der Gegenwart und die wahre Kirche der Apostel- und urkirchlichen Zeit. Sie geht zurück auf die wohl 1412 verfaßten Tabulae veteris et novi coloris seu cortina de Antichristo des Nikolaus von Dresden, eines der prominenten böhmischen Kirchenreformer um Jan Hus, und repräsentiert die kirchenkritische Bildpropaganda, wie sie im Prag des frühen 15. Jahrhunderts praktiziert wurde. Sie knüpft jedoch in ihrem Beharren auf Zuständen der Urkirche auch an die Kirchenkritik an, wie sie seit dem ausgehenden 12. Jahrhundert in Europa immer wieder und auch – wenngleich nur selten wahrnehmbar – nach dem Hussitismus des frühen 15. Jahrhunderts geübt wurde, bis Lukas Cranach sich im Jahre 1521 mit seinem Passional Christi und Antichristi in diese Tradition einreihte (vgl. Kat. Nr. 302).
Ausgestellt sind fol. 30^{v} und 31^{r} sowie fol. 34^{v} und 35^{r}.
Auf der ersten Seite die Austreibung der Wechsler aus dem Tempel, wie das Schriftband neben Christus sagt. Das große Schriftband rechts oben zitiert die einschlägige Stelle aus dem Johannes-Evangelium (2,14 f.) sowie Apostelgeschichte 8,20: »Dein Geld sei mit dir verflucht«.
Auf der gegenüberliegenden Seite dann gegenüber der guten, biblischen Vergangenheit die schlechte Gegenwart der Kirche, die durch Geldgeschäfte bestimmt ist. Als Überschrift steht über dem Ganzen: »Die römische Kirche soll vor allen Dingen für unterschiedliche Bedürfnisse Nutzen haben – nach den Dekretalen«, d. h. den päpstlichen Gesetzen. Den Figuren sind jedoch gedachte, den Umgang mit Geld charakterisierende Worte in den Mund gelegt. Die linke sagt: »Gib mir für goldene silberne (Münzen)«, die mittlere: »Gib mir Gold für Geld« und über der rechten steht: »Münzen des heiligen Vaters«. Das Kirchengebäude stellt also Rom dar, und kritisiert wird sowohl die Fülle der an den päpstlichen Hof fließenden Abgaben wie überhaupt die Tatsache, daß die Kirche an der Geldwirtschaft Anteil hat. Entsprechend die beiden polemischen Bemerkungen unter dem Bild: »In den Dekretalen: Dies geschieht zum Nutzen der Kirche und der Hure für Sündennachlaß. Vor einem unbarmherzigen und geizigen Priester hüte dich mehr als vor einer Schlange. So sagt der heilige Hieronymus zu Eusebius.« Rechts neben dem Bild: »Der Liebhaber des Geldes ist der Diener des Mammons, wie der Satan sprichwörtlich genannt wird.«
In ähnlicher Weise sind auf den beiden folgenden Blättern die Keuschheit des vor den Verlockungen Potiphars fliehenden Joseph (1. Mose 39,7 ff.) und die Sittenlosigkeit

74b

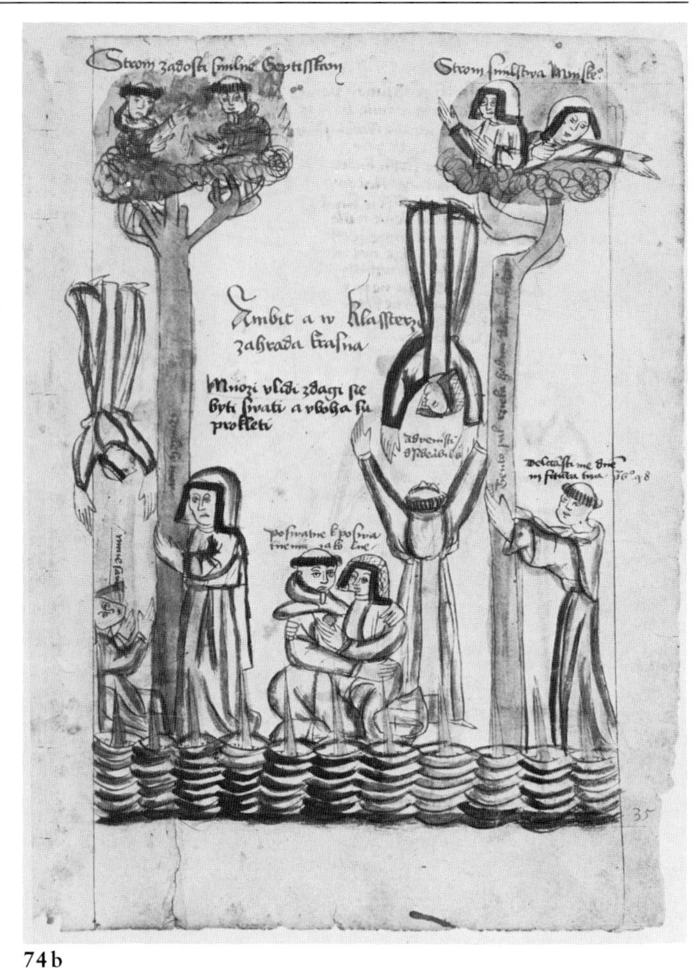

74b

gegenwärtiger Mönche und Nonnen polemisch konfrontiert. Der linke Baum, von dem sich Nonnen Mönche herunterschütteln, heißt »Baum der lüsternen Begierden der Nonnen«, der rechte dementsprechend »Baum der mönchischen Lüsternheit«. Dem Nonnen schüttelnden Mönch am rechten Bildrand wird in einer seit Jahrhunderten üblichen parodistischen Manier ein Bibelspruch (Psalm 91 [92], 5) in den Mund gelegt: *Delectasti me, Domine, in factura tua* (Du erfreust mich, Herr, durch deine Werke).
Die Handschrift ist nicht ediert. Die Übersetzung der tschechischen Texte besorgte H.G. Walther, Kiel. Einen Einblick in die in denselben Traditionsstrang wie die Göttinger gehörende Jenaer Handschrift gibt Drobná.

Verzeichnis der Handschriften im Preußischen Staate 1,2,2, 1893, S. 407ff. – Z. Drobná, Der Jenaer Kodex. Eine hussitische Bildsatire vom Ende des Mittelalters, 1970. H.B.

F Klösterliches Leben

Die Welt, in welche der junge Martin Luther hineinwuchs, war zu einem beträchtlichen Teil die Welt der geistlichen Konvente, war die Welt der Klöster, der städtischen Bettelmönche. Schon der Schüler Martin Luther lernte sie in Magdeburg und in Eisenach kennen, und der Student und junge Professor Luther war in Erfurt und in Wittenberg ein Teil von ihr.
Die Welt der Mönche und der Klosterfrauen war in den Jahrzehnten vor der Reformation vielgestaltiger als sich hier zeigen läßt. Insbesondere auf dem Lande war die Lebensform der regulierten Geistlichen vielfach nicht mehr als eine Versorgungsmöglichkeit für unverheiratete Töchter und nachgeborene Söhne jener adligen Familien, welche die Klöster wirtschaftlich trugen – wie schon jahrhundertelang. An anderen Orten, besonders in den Städten, war die klösterliche Lebensweise im Laufe des 15. Jahrhunderts im Sinne der ursprünglichen Ziele mönchischer Existenz erneuert worden, so daß der in einen Konvent Eintretende tatsächlich mit der Annahme des Mönchskleides zu einem neuen Menschen werden konnte – so wie das der junge Martin Luther bei den Erfurter Augustinereremiten erlebte und wie es auf dem Bild aus Lüneburg (Kat. Nr. 75) zu sehen ist.
Das Lüneburger Michaelskloster, aus dem die Tafel stammt, war freilich ein Konvent von der alten Art, dessen zumeist adlige Mitglieder sich in der zweiten Hälfte des 15. Jahrhunderts allen Reformversuchen heftig widersetzt hatten. Bilder wie die hier gezeigten sind keine zuverlässigen Zeugnisse dafür, welche klösterliche Lebensweise an dem Ort, für den sie geschaffen wurden, tatsächlich herrschte. Umso besser bezeugen sie generelle Züge klösterlicher Existenz, wie sie vor der Reformation an vielen Orten ebenso zu finden waren wie in den langen Jahrhunderten des Mittelalters davor. H.B.

75

75 Mit dem neuen Kleid empfangen Mönch oder Klosterfrau ein neues Leben.

Tafel aus einem Benediktzyklus
Lüneburg, 1495
Gemälde auf Eichenholz, 123,5 × 81 cm
Hannover, Niedersächsische Landesgalerie, WM XXVII 17b

Das Bild zeigt eine durch Gregor den Großen überlieferte Szene aus dem Leben des heiligen Benedikt. Zwei Väter (*Euticius* und *Tartullius*) übergeben dem heiligen Abt ihre Söhne zur Aufnahme ins Kloster. Der Vorgang ist in dem unter dem Bild angebrachten Vers beschrieben: *Nobilium pueri commendantur Benedicto. Sacris firmantur nobilium pueri* (Die Söhne der Adligen werden Benedikt anvertraut. In und mit der klösterlichen Lebensweise werden die Söhne der Adligen vertraut gemacht und bestärkt).

Der Vorgang findet vor dem Kloster statt. Am Giebel der Klosterkirche sind ein Medaillon mit Christus als Schmerzensmann und die Jahreszahl 1495 angebracht. Die beiden adligen Väter tragen eine reiche und elegante Reisekleidung, wobei Euticius in der Art eines Pilgers (langer Mantel, Gürteltasche, Stab) gewandet ist. Beide haben an der rechten Schulter ein Amulett mit dem Gesicht Christi auf dem Schweißtuch der Veronica (Vera icon). Damit ist der in einem solchen Falle tatsächlich anzunehmende Vorgang angedeutet: Die ihre Söhne einem Kloster anvertrauenden Adligen haben zu diesem Zweck eine Reise zurückgelegt, und sie haben sich gemäß dem feierlich-festlichen Anlaß dieser Reise gekleidet. Die Handgebärden des Tertullius zeigen an, daß sich sein Sohn eben noch in der väterlichen Gewalt befindet. Maurus dagegen ist aus dieser Gewalt schon entlassen, er ist frisch tonsuriert, empfängt mit dem Mönchskleid das neue Leben und wird in die Rechtsgemeinschaft des Klosters aufgenommen. Genau dieser Vorgang wurde auch an Luther vollzogen, als er – freilich als Erwachsener – in das Erfurter Augustinereremiten-Kloster eintrat. Er mußte die weltliche gegen die – noch ungeweihte – Mönchskleidung vertauschen, und der Prior begleitete diese Neueinkleidung mit dem Wunsch: »Es bekleide dich der Herr mit dem neuen Menschen, der nach Gott geschaffen ist in Gerechtigkeit und Heiligkeit der Wahrheit«.

Das Bild gehörte ursprünglich zu einem dreißigteiligen Benedikt-Zyklus in der Lüneburger Michaeliskirche, der im Jahre 1791 bis auf die ausgestellte und eine weitere Darstellung vernichtet wurde. Die Stifter – meistens Angehörige lüneburgischer Ratsfamilien – hatten ihre Wappen auf den Gemälden anbringen lassen. Einige der Wappenschilde waren, wie auf dem erhaltenen Gemälde, leer.

H.G.Gmelin, Spätgotische Tafelmalerei in Niedersachsen und Bremen, 1974, Nr. 17. H.B.

76

76 Ein Nonnenkonvent stellt sich unter den Schutz der Heiligen.

Auferstehungsaltar
Meister von Liesborn, um 1478
Gemälde auf Eichenholz, 65 × 51 bzw. je 21 cm
Nürnberg, Germanisches Nationalmuseum, Gm 33. Leihgabe Wittelsbacher Ausgleichsfond (Mittelteil); Köln, Wallraf-Richartz-Museum, Inv.Nr. 355, 356, 377, 378 (Flügel)

Die Mitteltafel des aus der Kölner Franziskanerinnen-Kirche St. Clara stammenden kleinen Altars zeigt die Auferstehung Christi vor einer spätmittelalterlichen Stadt im Hintergrund. Davor die drei Marien am Grabe. Auf dem Spruchband Christi: *Ego sum resurrectio et vita* (Johannes 11,25: Ich bin die Auferstehung und das Leben). Auf den Spruchbändern der Apostelfigürchen: *Resurrexit propter iustificationem nostram* (Römer 4,25: Er ist wegen unserer Rechtfertigung auferstanden) und *tu cognovisti sessionem et resurrectionem meam* (Psalm 138 (139), 2: Du weißt, ob ich sitze oder aufstehe).
Auf den Seitenflügeln innen links der heilige Franziskus von Assisi und rechts die heilige Klara. Zu ihren Füßen jeweils 14 Klarissen und eine Äbtissin – gemäß den Wappen links Maria von Withem (1478 als Äbtissin des Kölner Klarissenklosters bezeugt) und rechts Katharina von Nechtersheim (Äbtissin etwa 1451-1465). Die Wappen bezeichnen jeweils die Eltern und damit sicherlich die Stifter des Altars. Links wahrscheinlich Johann von Withem (gest. 1443) und Margarethe von Pallant (gest. nach 1454), die Wappen rechts sind nicht sicher identifiziert. Auf den Spruchbändern links: *In novissimo die de* (z.B. Johannes 6,39: Am jüngsten Tage) und *Estote parati quia qua nescitis hora filius hominis venturus est* (Matthäus 24,44: Seid bereit, denn des Menschen Sohn wird kommen zu einer Stunde, da ihr es nicht erwartet). Rechts: *Adducentur regi virgines post eam* (Ps. 44 (45), 15: Und die Jungfrauen werden nach ihr zum König geführt) und *Venit sponsus et quae paratae erant intraverunt cum eo ad nuptias* (Matthäus 25,10: Es kam der Bräutigam, und die bereit waren, gingen mit ihm zur Hochzeit).
Auf den Seitenflügeln links außen die Muttergottes mit dem Kind, das einen Verlobungsring der auf dem rechten Flügel dargestellten heiligen Katharina entgegenstreckt. Katharina von Alexandrien soll in einem Traum die Verlobung mit dem Jesuskind erlebt haben.

Stange, Krit. Verz., Bd. 1, Nr. 520. – Katalog des Wallraf-Richartz-Museums, Bd. 5, 1969, S. 86 f. – Kat. Ausst. Köln und Westfalen, Bd. 2, Münster 1981, Nr. 289. – W. König, Studien zum Meister von Liesborn, 1974, S. 72 ff. H. B.

77

77 Die lebenden und die toten Mitglieder einer Klostergemeinschaft sind durch ihre Gebete miteinander verbunden.

Epitaph der Janne Colyns
Meister der Barbara-Legende, nach 1491
Gemälde auf Eichenholz, 56 × 54 cm
Berlin, Staatliche Museen Preußischer Kulturbesitz, Gemäldegalerie, Kat. Nr. 2129

Der Text rechts unterhalb der Darstellung lautet: *Hier leget begraven onse gheminde suster mater Janne Colyns profes nonne in desen cloester. Die sterf int jaer ons heeren MCCCC end XCI op den lesten dach van apri*[l]. *Bidt getrouwelye voor haer ziele om Gods wille end wt susterliker minnen. Den tyt haers leves is geweest 37* (Hier liegt begraben unsere geliebte Schwester, Mutter Janne Colyns, Profess-Nonne in diesem Kloster. Die starb im Jahre unseres Herrn 1491 am letzten Tag des April. Bittet getreulich für ihre Seele um Gottes Willen und aus schwesterlicher Liebe. Die Zeit ihres Lebens war 37 [Jahre]).

Das Epitaph nahe dem Grab der Verstorbenen, wohl in der Kirche des Prämonstratenserinnen-Klosters Veurme (Flandern), wendet sich an die anderen Nonnen des Klosters, fordert sie zum Gebet für ihre tote Mitschwester auf und bringt damit die wichtigste Bindung der Mitglieder eines Klosters aneinander zur Geltung: Die Nonnen bzw. die Mönche eines Klosters und eines Ordens sind vor allem eine Gebetsgemeinschaft. Davon sprechen auch die Gebete und Segenswünsche auf dem Gemälde. Zwischen dem Bildteil und den beiden Schriftfeldern wird aus dem Neuen Testament (Markus 13, 33 ff.) zitiert: *Vigilate omnes et orate: nescitis enim quando tempus sit? Vigilate ergo: nescitis enim quando dominus domus veniat – sero, an media nocte, an galli cantu, an mane, ne dum venerit repente, inveniat vos dormientes.* (Wachet und betet, denn ihr wißt nicht, wann es Zeit ist. So wachet nun, denn ihr wißt nicht, wann der Herr des Hauses kommt, am Abend, zur Mitternacht oder um den Hahnenschrei oder des Morgens, auf daß er nicht schnell komme und finde euch schlafend). Mit diesen unmittelbar vor Beginn der Passionsgeschichte gesprochenen Worten Christi ist auch der Zusammenhang mit der aus dieser entnommenen bildlichen Darstellung des Epitaphs hergestellt, mit der Darstellung Christi vor der Geißelsäule links und seiner Erscheinung in der Rast rechts. Vor dem linken Christus-Bild ist die Verstorbene in Laien-Tracht, also vor ihrem Eintritt in den Orden dargestellt, rechts dann als Prämonstratenserin. In der Mitte des Bildes der gekreuzigte Christus mit Maria, Johannes und Maria Magdalena.

Kat. Ausst. Bilder vom Menschen in der Kunst des Abendlandes, Berlin 1980, S. 129, Nr. 14.

H. B.

G Die letzte Wallfahrt vor der Reformation

Die jüngste der spätmittelalterlichen Wallfahrten ist schon während der frühen Reformationszeit entstanden. Nachdem der Rat der Reichsstadt Regensburg am 21. Februar 1519 die Vakanz zwischen dem Tode Kaiser Maximilians und der Wahl seines Nachfolgers, Kaiser Karls V., benutzt hatte, die unter kaiserlichem Schutz stehenden Juden aus der Stadt zu vertreiben und ihr Wohnviertel zu zerstören, ließ er nach dem Vorbild früherer Pogrome zur Legitimierung dieses Gewaltaktes an der Stelle der abgebrochenen Synagoge eine Marienkapelle errichten.

Als beim Abbruch des jüdischen Gotteshauses ein Steinmetzmeister verunglückte und am nächsten Tage dennoch auf der Baustelle erschien – ein Jahr später sollte er seinen Verletzungen freilich erliegen –, sorgte der Domprediger Doktor Balthasar Hubmaier, der den Regensburger Stadtrat schon vorher bei der Durchführung des Pogroms theologisch beraten und dieses auch energisch gefördert hatte, dafür, daß dieser Vorgang als ein Wunder publik gemacht wurde. In der prekären Situation der verarmten und verschuldeten Stadt, die nun mit Sanktionen des Kaisers rechnen mußte, mag das vermeintliche Wunder wie ein befreiendes und rettendes Ereignis erschienen sein, zumal es weit über die Stadtgrenzen hinaus wirkte, Massen von Pilgern herbeiführte und der Stadt sowohl religiöse Sicherheit wie auch wirtschaftliche Vorteile brachte.

Die Wallfahrt zu der an der neuen Kultstätte verehrten »Schönen Maria« bietet noch einmal die typischen Erscheinungsformen spätmittelalterlichen Wallfahrtsbetriebes, aber sie ist, auf der anderen Seite, nicht nur in zeitlicher Hinsicht ein Ereignis auch der Reformationszeit. Luther hat entschieden zu ihr Stellung genommen, und Hubmaier sollte schon 1523/24 in Waldshut die Reformation einführen und sich danach zu einem prominenten Vertreter der radikalen Reformation entwickeln. Im Jahre 1528, neun Jahre nach dem von ihm inszenierten »katholischen« Wunder, endete er als Wiedertäufer auf dem Scheiterhaufen. H. B.

78

78 Massen von Frommen strömten zur »Schönen Maria« von Regensburg

Die Wallfahrt zur »Schönen Maria« von Regensburg
Michael Ostendorfer, 1519 oder etwas später

Holzschnitt, 63,5 × 39,1 cm. Mit einem handschriftlichen Eintrag Albrecht Dürers
Coburg, Kupferstichkabinett der Kunstsammlung Veste Coburg (Coburger Landesstiftung), I, 100, 147 – K 805

Das Blatt ist eine von mehreren Darstellungen der Wallfahrt, welche den Pilgern zum Kauf angeboten wurden. Es zeigt die provisorisch in dem bisherigen Judenviertel – am Rande rechts die Ruinen der Synagoge – errichtete Kapelle. Durch die geöffnete Tür blickt man auf das als wundertätig verehrte Marienbild, vor der Kirche dessen Wiederholung in Gestalt einer Statue. Pilgergruppen mit Fahnen, Prozessionsstangen und Kerzen nähern sich der Kapelle. Um die Marienstatue werfen sich einzelne in Ekstase auf den Boden. Rechts am Rande sieht man ein verkrüppeltes Kind, dem die Wallfahrt Heilung bringen soll. Viele Pilger sind durch bäuerliche Arbeitsgeräte als Landleute gekennzeichnet. Frühere bäuerliche Pilger haben solche Geräte als Weihgaben, die man nun an den Außenwänden der Kapelle aufgehängt sieht, geopfert. Am Turm der Kapelle hängt die für diese Wallfahrt von Albrecht Altdorfer gemalte Fahne, welche Maria mit dem Kind und das Regensburger Stadtwappen zeigt.
Das gezeigte Exemplar stammt der handschriftlichen Eintragung und dem Monogramm zufolge aus dem Besitz Albrecht Dürers. Der Maler notiert: *1523. Dis gespenst hat sich widr dy heilig geschrift erhebst zw regenspurg und ist vom bischoff ferhengt wordn czeitlichs nucz halben nit abgestelt. Gott helff uns, das wir sein werde muter nit also unern sundr in Cristo Jesu amen. A*[lbrecht] *D*[ürer].

A. Wynen, Michael Ostendorfer (um 1491 bis 1559), Diss. Freiburg i. Br. 1961, S. 113 ff. – Stahl, S. 35-282. – Hubel, S. 199-237. – Kunstsammlung der Veste Coburg. Ausgewählte Werke, 2. Aufl. 1979, Nr. 114. H. B.

79 Auf den Ruinen des ehemaligen Ghettos wurde eine neue Wallfahrtskirche errichtet.

Entwurf zur Kirche der »Schönen Maria«
Michael Ostendorfer, 1519
Holzschnitt, 62 × 53 cm
Regensburg, Museen der Stadt Regensburg

Noch im Jahre 1519 hatte der Regensburger Rat beschlossen, eine große Wallfahrtskirche durch den Augsburger Steinmetzen Hans Hieber bauen zu lassen. Ostendorfer hat das Modell dieses Baus, der infolge des bald eintretenden Rückganges der Wallfahrt nicht fertiggestellt wurde, in seinem Holzschnitt wiedergegeben. Rechts im Hintergrund die Ruinen des Ghettos. Der lateinisch-deutsche Text erklärt den Bau und seine Entstehung. Ebenso wie das – erhaltene – Modell läßt auch der Holzschnitt die gewaltigen Dimensionen erkennen, welche die eben begründete Wallfahrt nur kurze Zeit nach ihrem Anfang schon hatte und in Zukunft nach der Meinung ihrer Nutznießer haben sollte.

79

A. Wynen, Michael Ostendorfer (um 1491 bis 1559), Diss. Freiburg i. Br. 1961, S. 118 ff. – Hubel, S. 203. H. B.

80 Auf dem Altar der neuen Wallfahrtsstätte wurde ein wundertätiges Marienbild verehrt.

Entwurf zu einem Altar der »Schönen Maria«
Albrecht Altdorfer, um 1520
Holzschnitt, 301 × 214 cm
Regensburg, Museen der Stadt Regensburg

Als Gnadenbild diente ein älteres Regensburger Marienbild oder eine Kopie des Bildes, das dem Apostel Lukas zugeschrieben wurde (vgl. Kat. Nr. 48). Altdorfer hat im Zusammenhang mit der Wallfahrt noch weitere Holzschnitte geschaffen, die ebenfalls von den Wallfahrern erworben werden konnten.

F. Winzinger, Albrecht Altdorfer. Graphik, 1963, Nr. 90. – Stahl, S. 89 f. – Hubel, S. 204. H. B.

80

81 Die Wallfahrer feierten die Wunderstätte in Pilgerliedern und Gedichten.

Jakob Locher, ›Elegia votiva‹
Einblattdruck, 26,5 × 36 cm. Mit Holzschnitt nach Albrecht Dürer. Entstanden 1520 (?)
Regensburg, Museen der Stadt Regensburg

Der Humanist Jakob Locher (1471-1528) widmete der Regensburger »Schönen Maria« neben einer konventionellen Wallfahrer-Gabe (wächsernen Nachbildungen der Gliedmaßen, auf deren Heilung er hoffte) ein lateinisches Lobgedicht, das wahrscheinlich ebenso wie die Wachsglieder in der Kapelle aufgehängt wurde. Der Titel des Gedichts lautet: *Ad formosam virginem Mariam Ratisponae in area Iudaeorum expulsorum gratiose residentem et grandibus miraculis coruscantem Iacobi Locher Philomusi elegia votiva* (An die schöne Jungfrau Maria, die zu Regensburg im Stadtteil der vertriebenen Juden gnadenreich wohnt und durch großartige Wunder leuchtet [gerichtete] Votiv-Elegie des Jakob Locher, genannt Philomusus).

Stahl, S. 84 f. H. B.

83 a

82 Die Wunder wurden in besonderen Büchern verzeichnet.

Titelblatt des Mirakelbuches von 1522
Michael Ostendorfer
Holzschnitt aus: ›Wunderberliche czaychen [Zeichen] vergangenen Jars beschehen in Regenspurg tzur der Schönen Maria der mueter gottes hye jn begriffen‹. Regensburg: Paul Kohl 1522. 8°. 40 Bll.
Regensburg, Museen der Stadt Regensburg

Die an dem neuen Gnadenort beobachteten Wunder wurden in tagebuchartigen Aufzeichnungen festgehalten und durch den Druck bekanntgemacht. Noch im Jahre 1519 erschienen zwei erste Mirakelbücher mit 74 bzw. 69 Wunderberichten. Insgesamt verzeichnen die Mirakelbücher 731 Wunder. Das ausgestellte Titelblatt gehört zu dem dritten Mirakelbuch, das 211 Wunder aus der Zeit zwischen dem 28. Juni 1521 und dem 25. März 1522 enthält und in diesem Jahre von Paul Kohl in Regensburg gedruckt wurde, der soeben seine Tätigkeit als erster Drucker in Regensburg aufgenommen hatte. Es erschien in zwei Auflagen zu je 1 000 Stück. Darüber hinaus wurden zweimal 24 Exemplare auf Pergament gedruckt. Das Titelblatt wurde auch separat als Wallfahrtsandenken vertrieben. Es zeigt die für die Regensburger Wallfahrt charakteristischen Bildformeln (vgl. Kat. Nr. 78) in vergröberter, plakativer Weise. Unter dem Bild ein Versuch des Druckers, sich gegen Nachdrukker zu schützen. *Cum gratia et privilegio* (Mit Gnade und Erlaubnis [des Bischofs von Regensburg]).

Stahl, S. 99 f. H. B.

83 Als Belege für die Wallfahrt erwarben die Pilger Abzeichen.

a Gußform für Wallfahrtszeichen der »Schönen Maria«
Schwarzer Schiefer, L. 16,4; B. 8; H. 3,3 cm.

83 b

Auf den seitlichen Rahmenleisten die Aufschrift: AMICA MEA/TO[ta] PULCHRA ES. Oben: 1519, unten: REGENSPURG
München, Bayerisches Nationalmuseum, D 953

b Wallfahrtszeichen zur »Schönen Maria«
Silberguß, 5,8 × 4 cm
Regensburg, Museen der Stadt Regensburg, N 1932/2

Wie an allen größeren Wallfahrtsorten konnten die Pilger auch in Regensburg Abzeichen erwerben, die sie dann als Ausweis der vollbrachten Pilgerfahrt und als Amulett an den Hut oder an ein Kleidungsstück geheftet trugen. Das Regensburger, wohl von Albrecht Altdorfer entworfene Zeichen hat eine Öse, konnte also auch an einer Kette getragen werden. Es zeigt das hier verehrte Marienbild sowie das Reichs- und das Stadtwappen. Die Umschrift lautet: *To* [ta] *pulchra es, amica mea. Regenspurg.* Luther übersetzt diese hier auf Maria bezogenen Verse aus dem Hohelied (4,7): »Du bist allerdinge schön, meine Freundin.« Außer den Pilgerzeichen selber und den Gußformen haben sich auch Verkaufszahlen erhalten. Mit ihrer Hilfe läßt sich die Zahl der Pilger ermessen. Im Jahre 1520 wurden 109 198 bleierne und 9 763 silberne Abzeichen verkauft.

Stahl, S. 74 f. – Hubel, S. 202. H. B.

84 Die Massenhaftigkeit der Wallfahrt spiegelt sich in Rechnungsbüchern.

Abrechnungen über die Herstellung und den Verkauf der Regensburger Pilgerzeichen
Handschrift, Papier, 31 × 22 cm. Aus: Sammelband ›Baurechnungen der Kirche zur Schönen Maria‹, fol. 30r-33v
Regensburg, Archiv des Historischen Vereins für Oberpfalz und Regensburg, R I 46

Aus den Abrechnungen ergibt sich einmal, welche Arten von Wallfahrtszeichen hergestellt wurden (bleierne Zeichen in zwei Größen, silberne Zeichen in zwei Größen und vergoldete Zeichen aus Silber in drei Größen), wie und mit welchen Kosten sie produziert worden sind, wieviele verkauft und welche Erlöse dabei erzielt wurden. Aufgeschlagen ist die Seite aus der Abrechnung des Jahres 1519/20 mit den Angaben über die Herstellung einer Gußform für bleierne Zeichen.

W. Schratz, Die Wallfahrtszeichen zur schönen Maria in Regensburg und die sonstigen Regensburger Marien-Münzen. In: Mittheilungen der Bayerischen Numismatischen Gesellschaft 5, 1886, S. 41-75. H. B.

85 Martin Luther erwies sich als Gegner der neuen Wallfahrt.

Brief Martin Luthers an den Rat der Stadt Regensburg, 26. August 1523
Papier, 33 × 20 cm
Regensburg, Museen der Stadt Regensburg, Eccl. I 57

Luther war schon früh mit dem Regensburger Fall befaßt worden. Die Juden hatten sich an ihn um Hilfe gewandt, und ebenfalls noch im Jahre 1519 hatte der Vertreter des Kaisers in Regensburg Luther um seine Meinung in dem Streit zwischen dem Bischof und der Stadt um die Wallfahrts-Einkünfte gebeten. Luther hat hier ausweichend-skeptisch geantwortet, im folgenden Jahre jedoch in seiner Adelsschrift umso entschiedener Regensburg als jüngstes Beispiel für die nach seiner Meinung zu zerstörenden Wallfahrtsstätten genannt. Drei Jahre später, in dem ausgestellten Brief, hat sich Luther so eindeutig negativ auch gegenüber den unmittelbar für die Wunderstätte Verantwortlichen ausgesprochen: ... *das evangeli nicht kan schon* [schön] *werden, die schone Maria werde dann hesßlich* (WA Br 3, Nr. 652). H. B.

13 »Vier Dinge verderben ein Bergwerk« Miniatur im Schwazer Bergbuch, 1556 Innsbruck, Tiroler Landesmuseum Ferdinandeum

69 Epitaph des Heinrich Wolff von Wolffsthal mit der Darstellung der Messe des hl. Gregor

Fränkischer Meister, um 1500
Nürnberg, Germanisches Nationalmuseum

108 Die Celtis-Truhe, 1508
Wien, Universität

129 Friedrich der Weise, Kurfürst von Sachsen, in Verehrung der apokalyptischen Muttergottes

Lukas Cranach d. Ä., um 1516
Karlsruhe, Staatliche Kunsthalle. Leihgabe aus Privatbesitz

156 Ansicht des nördlichen Innenhofs der Innsbrucker Hofburg

Albrecht Dürer, 1494
Wien, Graphische Sammlung Albertina

164 Kardinal Albrecht von Brandenburg als hl. Hieronymus im Gehäus
Lukas Cranach d. Ä., 1525
Darmstadt, Hessisches Landesmuseum

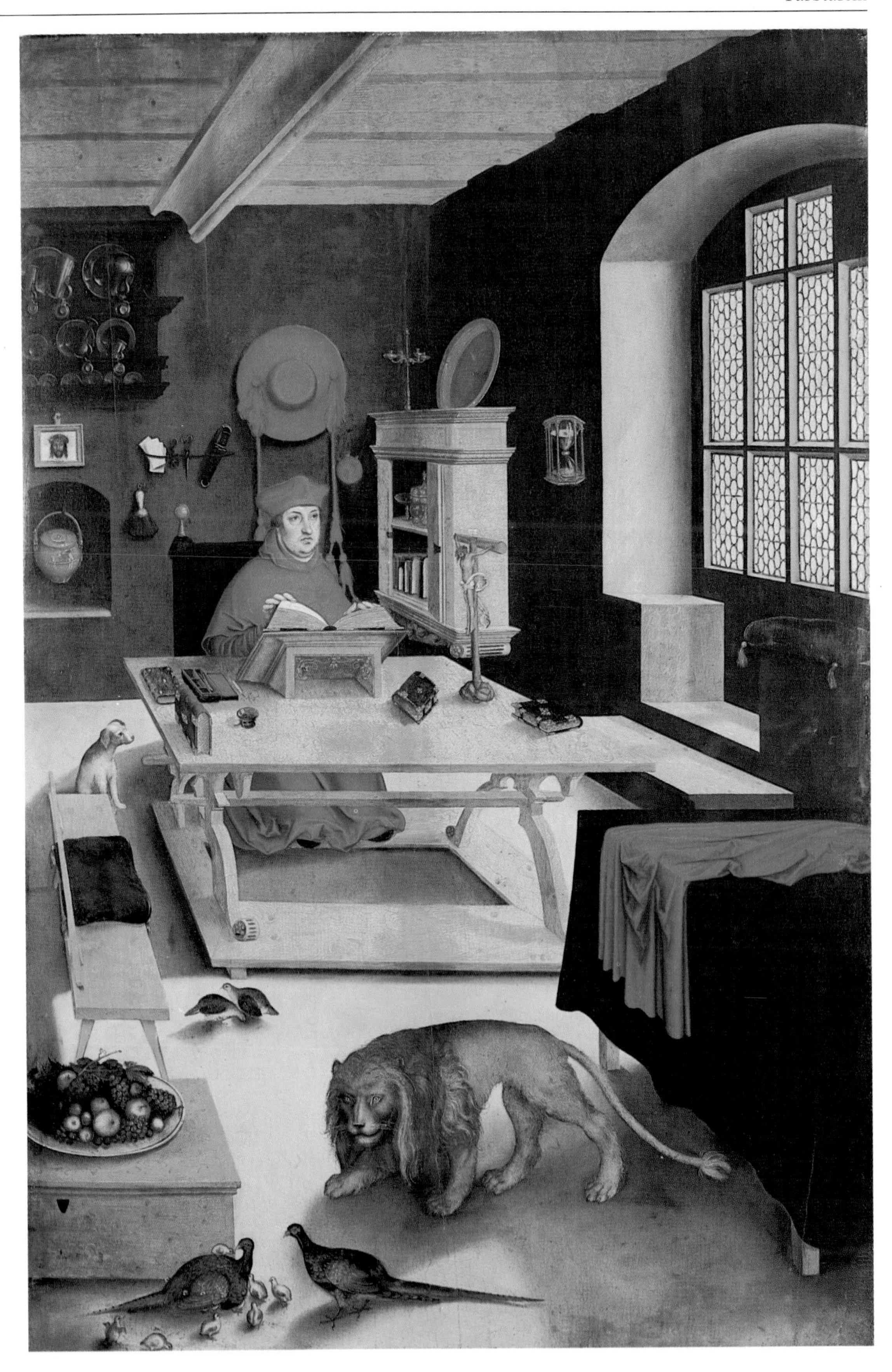

177 Privilegienlade der Schleswig-Holsteinischen Ritterschaft, 1504
Schleswig, Schleswig-Holsteinisches Landesmuseum. Leihgabe der Schleswig-Holsteinischen Ritterschaft

187 Eidesleistung vor Gericht
Derick Baegert, 1493/94
Wesel, Städtisches Museum

277 Bildnis Kaiser Karls V.
Jakob Seisenegger, 1532
Wien, Kunsthistorisches Museum, Gemäldegalerie

Ein newer Spruch/ wie die Geystlicheit vnd etlich Handtwercker vber den Luther clagen.

Der geitzig clagt auß falschem müt/
Seit jm abget an Eer vnd Güt.
Er zürnet/Dobet/vnde Wüt/
Jn dürstet nach des grechten plüt.

Die warheit ist Got vnd sein wort/
Das pleibt ewiglich vnzerstort.
Wie ser der Gotloß auch rumort/
Gott bschützt sein diener hie vnd dort.

Der Grecht sagt die Gotlich warheit/
Wie hart man jn veruolgt/verleit.
Hofft er in Gott doch alle zeit/
Pleibt bstendig in der grechtigkeit.

H. B. 26

Die clag der Gotlossen.

Hör vnser clag du strenger Richter/
Vnd sey vnser zwitracht ein schlichter.
Eh wir die hend selb legen an/
Martin Luther den schedlich man.
Der hatt geschriben vnd gelert/
Vnd schir das gātz Teütsch land verkert.
Mit schmehen/lestern/nach vnd weit/
Die Erwirdige Gaistlichait.
Von jren Pfründen/ Rent vnd zinst/
Vnd ver würfft auch jren Gotzdinst.
Der Vätter gepot/ vnd auffsetz/
Hayßt er vnnütz / vnd menschen gschwetz
Helt nichts von Aplaß vnd Fegfewr/
Die Meß kum̄ auch kainr Sel zu stewr.
All Kirchen Pew/ zir/ vnd geschmuck/
Veracht er gar/ er ist nit cluck.
Des clagen die Prelaten ser/
Pfaffen/ Münch/ Stationirer.
Glockengiesser vnd Organisten/
Goltschlager vnd Illuministen.
Hādtmaler/ Goltschmit vn̄ bildschnitzer
Ratschmit / Glaßmaler/ seydenstitzer.
Stainmetzen/Zim̄erleüt Schreiner/
Paternoster/Kertzen macher.
Die Permenter/ Singer vnd Schreyber/
Fischer / Zopffnun vnd Pfaffen Weyber.
Den allen ist Luther ein bschwert/
Von dir wirt ein Vrteil begert.
Sunst werdt wir weiter Appelliern/
Vnd dem Luther die Prend recht schirn/
Müß Prumen/ oder Reuocirn.

Antwort .D. Martini.

Actuum.1. O du erkenner aller hertzen/
Hör mein antwort des ist kein schertzen.
Die schreyen fast ich thün mich jrren/
Vnd wöllen doch nit Disputirn.
Sonder mich mit worten schrecken/
Jn thut we das ich thu auff decken.
Jr grossen geytz vnd Simoney/
Jr falsch Gotzdinst vnd Gleissnerey.
Jr Bannen/Auffsetz vnd gepot/
Vor aller welt zu schand vnd spott.
Mit deinem wort/das ich denn ler/
Nun jn abgeet an gut vnd Eer.
So kunden sy dein wort nit leiden/
Dunt mich schelten/hassen vnd neiden.
Wenn ich hett gschriben vnd gelert/
Das sich jr Reich umb het gemert.
So wer kein besser auff gestandn/
Jn langer zeit in Teutschen Landn.
Dis ist auch die vrsach ich sag/
Das gegen mir auch stent in clag.
Der Hantwercks leüt ein grosse zal/
Den auch abgeet in disem val.
Seyt diß Apgötterey entnimpt/
Also seynd vber mich ergrimt.
3.Regū.18. Von erst des Baals Tempel knecht/
Den jr jarmarck thut nimmer recht.
Actuū.19. Vnd Demetrius der werckman/
Dem sein handtwerck zu ruck wil gan.
Her durch dein wort das ich thü schreibn/
Jr droen soll mich nitt abtreibn/
Bey deinem vrteil will ich pleiben.

Hans Sachs Schuster.

Das Vrteil Christi.

Joānis.5. Das mein gericht das ist gerecht/
Nū merck vermaints gaistlichs geslecht.
Was ich euch selb beuolhen han/
Das jr in die gantz welt solt gan.
Mar. vltio. Predigen aller Creatur/
Das Euangeli rain vnd pur.
Dasselbig hant jr gar veracht/
Vnd vil newer Gotzdinst auff pracht.
Mathei.15. Der ich doch kein geheissen hab/
Vnd verkaufft sie vmb gelt vnd gab.
Mit Vigil / Jartäg vnd Selmessen/
Math.23. Den witwen jr die hewser fressen.
Vnd verspert auch das Himelreich/
Jr seyt den Doten grebern gleich.
Vn̄ schlacht zu dot auch mein Prophetn/
Der gleich die Phariseer thetten.
Also verfolgt jr die warhait/
Die euch teglichen wirt geseit.
Luce.13. Vnd so jr euch nit pessern wert/
Jr vmkum̄en. Darumb so kert.
Von euwerm falschen widerstreit/
Dergleichen jr handtwercks leyt.
Die jr mein wort veracht mit drutz/
Von wegen ewerß aygen nutz.
Vnd hört doch in den worten mein/
Mathei.6. Das jr nit solt sorgfeltig sein.
Vmb zeitlich güt/ geleich den Haydn/
Sōder sucht das Reich gots mit freudn.
Das zeitlich wirt euch wol zufalln/
Sunst wert jr in der hellen qualln/
Das ist mein vrteil zu euch alln.

318 Luther und die Handwerker
Sebald Beham, um 1524
Nürnberg, Germanisches Nationalmuseum

349 Christus segnet die Kinder
Lukas Cranach d. Ä., um 1540
Privatbesitz

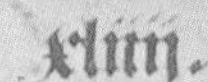

415 »Gib Fried zu unsrer Zeit, o Herr«, Bittlied des Straßburger Reformators Wolfgang Capito

Aus einem Kantoren-Folianten Konstanz, Rosgarten-Museum

437 Bildnis des Huldrych Zwingli
Hans Asper, 1531/32
Winterthur, Kunstmuseum

465 Christus in der Kelter
Albrecht Dürer, Werkstatt, um 1505/10
Ansbach, Evang.-Luth. Kirchenstiftung St. Gumbertus

474 Gesetz und Gnade
Lukas Cranach d. Ä., Werkstatt, um 1535
Nürnberg, Germanisches Nationalmuseum

557 Bildnisse Martin Luthers und seiner Frau Katharina von Bora
Lukas Cranach d. Ä., Werkstatt, um 1526/29
Münster i. W., Westfälisches Landesmuseum für Kunst und Kulturgeschichte. Leihgabe der Bundesrepublik Deutschland

III. Schulen und gelehrte Bildung

Franz Machilek

Neben dem Schulwesen in der Zeit des jungen Martin Luther sollen im Rahmen dieser Abteilung die geistigen Strömungen, im besonderen Scholastik, »Devotio moderna« und Humanismus, die geistigen Auseinandersetzungen sowie die Ausweitung des Weltbildes in der Zeit um 1500 dokumentiert werden.

Grundlage der mittelalterlichen Bildung und Lehrinhalt des Unterrichts an den Lateinschulen bildete das seit der Spätantike gültige System der »septem artes liberales« (sieben freien Künste). Auf ihnen baute jedes weitere Studium auf bis hin zur Theologie als ranghöchster Wissenschaft, die sich um Gott als das letzte Ziel allen Studiums bemüht und auf die alle anderen Wissenschaften – im besonderen aber die Philosophie – zugeordnet sind (Kat. Nr. 86, 100).

In ausgewählten Beispielen werden zunächst die wichtigsten Gattungen, Unterrichtsstoffe und Lehrmittel innerhalb des niederen Schulwesens dargestellt (Kat. Nr. 87-92), wobei nach Möglichkeit Bezüge zu Luthers Schulbesuch hergestellt werden. Anknüpfend an seine frühen Begegnungen mit der »Devotio moderna« in Magdeburg im Hospiz der Brüder des gemeinsamen Lebens und an der Erfurter Universität wird anschließend jene im Bereich des scholastischen Nominalismus angesiedelte, jede Art von Spekulation verwerfende, durch Bemühen um innerliches Leben und tätige Liebe sich auszeichnende und gelegentlich als »christliche Renaissance« (A. Hyma) bezeichnete Erneuerungsbewegung vorgestellt (Kat. Nr. 93-96).

Der folgende Komplex, insgesamt neun Exponate, soll Einblick in den Aufbau einer Universität, ihre Gliederung nach Fakultäten, die Lebensbedingungen der Studierenden, vor allem aber in die übliche scholastische Lehrmethode und die innerhalb dieser Schulwissenschaft während des 15. Jahrhunderts an den deutschen Universitäten vorherrschenden philosophisch-theologischen Richtungen vermitteln (Kat. Nr. 97-105). Dabei wird mit einzelnen Stücken auf Luthers Begegnung mit der spätscholastisch-ockhamistischen Philosophie in Erfurt und auf die Studienverhältnisse in Wittenberg zur Zeit seines dortigen Eintreffens im Jahr 1508 hingewiesen (Kat. Nr. 103-105).

Einen Schwerpunkt der Abteilung bildet die dem »Humanismus« gewidmete Folge von Kat. Nr. 106-120. Die Anliegen der Humanisten werden an einigen herausragenden Repräsentanten oder wichtigen Werken exemplifiziert. Der Humanismus am Wittenberger Hof wird in einem Lobgedicht auf Luthers Landesherrn, Kurfürst Friedrich den Weisen, und seine Universitätsstiftung hervorgehoben (Kat. Nr. 110). Technische Innovationen, neue, auf Grund empirischer Verfahren geförderte Entwicklungen in den Naturwissenschaften sowie die Entdeckungsfahrten führen zu tiefgreifenden Veränderungen des bisherigen Weltbildes (Kat. Nr. 111-114). Nürnberg wird wegen der gerade dort erzielten Errungenschaften in humanistischer Begeisterung als »Mittelpunkt Deutschlands und Europas« gepriesen (Kat. Nr. 115). Neben einer den Mißständen in der Kirche, dem zum Teil unzureichend gebildeten Klerus und den Spitzfindigkeiten der Scholastik gegenüber kritischen Einstellung findet sich bei vielen Humanisten zugleich eine stark auf die Schriften der Kirchenväter und weiterhin auf die Heilige Schrift selbst ausgerichtete, spezifisch christliche Geistigkeit. Die Kirchenväter erschienen den Humanisten als ihre eigenen »Vorläufer« und wurden von ihnen gleichsam als die »christlichen Klassiker« (A. Buck) angesehen. Die gleichzeitige Pflege der »studia humanitatis« und »studia pietatis« und die damit verbundene Bevorzugung der philologisch-kritischen vor der dialektisch-scholastischen Methode kennzeichnet eine von der jüngeren Forschung bei den Humanisten häufig beobachtete und als »christlicher Humanismus« charakterisierte Geisteshaltung. In diesem Zusammenhang kam den Bemühungen um die heiligen Sprachen, neben dem Lateinischen zunächst dem Griechischen und seit Reuchlin auch dem Hebräischen, wachsende Bedeutung zu (Kat. Nr. 116-118). Die Bemühungen münden in die 1516 gedruckte griechisch-lateinische Ausgabe des Neuen Testaments des Erasmus von Rotterdam, des in Europa führenden Humanisten, ein. Aus der zweiten Ausgabe dieses Druckwerkes von 1519 hat Luther für seine deutsche Bibel geschöpft (Kat. Nr. 119). Der um die Vernichtung der außerbiblischen Judenbücher entflammte und durch zahlreiche Streitschriften genährte Reuchlin-Pfefferkornstreit erzeugte unter den Gebildeten starke Tendenzen zur Polarisierung, die sich auf Seiten der humanistischen Gegner der Vernichtung der Bücher vielfach mit älteren, gegen die »ungeistlichen Geistlichen« gerichteten Ressentiments mischten (Kat. Nr. 121-123).

Die letzten Ausstellungsstücke der Abteilung sollen auf die vor der Reformation in kirchlichen Reformkreisen unternommenen Bemühungen um Hebung des sittlichen und geistigen Niveaus des Klerus sowie auf die als Selbsthilfe vorwiegend in städtischen Kreisen erhobenen Forderungen nach anspruchsvoller Predigt für das Kirchenvolk hinweisen (Kat. Nr. 124-126).

F. M.

86 Gott ist für mittelalterliches Verständnis das Ziel allen Studiums: Auf die Theologie sind alle anderen Wissenschaften zugeordnet.

Die vier Fakultäten der Theologen, Artisten, Juristen und Mediziner, die Sieben freien Künste (Grammatik, Logik, Rhetorik, Musik, Arithmetik, Geometrie, Astronomie) und der Baum der Wissenschaft
Wien, um 1435
Feder, koloriert, 21 × 14,4 cm. Eingebunden in eine Sammelhandschrift mit mittelhochdeutschen Texten, um 1480. 164 Bll.
Aufgeschlagen: fol. 1r
Wien, Österreichische Nationalbibliothek, Cod. 2975

Die auf der aufgeschlagenen Seite vereinigten zwei Szenen – eine allegorische Darstellung der Theologia und der auf sie bezogenen personifizierten Philosophia oben sowie eine auf die personifizierte Grammatica zugeordnete Schulszene unten – stehen am Anfang einer in Aufbau und ikonographischer Gestaltung nach bisheriger Kenntnis singulären Bilderreihe. Die erste Szene stellt das Verhältnis von Theologie und Philosophie als ranghöchster und rangniedrigster Fakultät im Wissenschaftssystem dar. Während erstere durch eine majestätisch thronende Dreifaltigkeit in der Art eines gegenüber den gängigen Bildern abgewandelten Gnadenstuhles dargestellt ist – für Christus steht nicht wie üblich der Gekreuzigte, sondern das »Schmerzenskind« –, wird die Artistenfakultät durch eine Personifikation der Philosophia als gekrönte, auf einer Thronbank sitzende, sich der Theologia zuwendende und auf sie hinweisende Frau repräsentiert: Beginn und Ziel allen Studiums werden dadurch sinnenfällig zum Ausdruck gebracht. Das Studium der Philosophie, im mittelalterlichen Bildungskonzept auf der Beherrschung der sieben, seit der Antike gelehrten Hilfsfächer der freien Künste, der »septem artes liberales«, aufbauend, soll endlich zur Theologie führen. Die untere Zeichnung stellt den Beginn dieses Weges in der von der personifizierten Grammatica beherrschten Unterrichtsszene dar. Der der Grammatik in den Mund gelegte Text lautet: *Quidquid agunt artes, tibi semper predico partes* (Was die Künste angeht, so werde ich dir immer die Teile ankündigen). *Ich pin grammatica genant, die dy puechstab von erst ervand.* Die Grammatik hält in der Rechten einen langen Honiglöffel zur Ausgabe einer süßen Belohnung an die

86

gelehrigen Schüler, in der Linken eine Rute. Die vier barfüßigen Schüler im Schülerrock in der Mitte sind in zwei Gruppen aufgeteilt: Die beiden Schüler der oberen Gruppe haben auf ihren Tafeln die ersten sechs Buchstaben des Alphabets noch wenig ordentlich angeschrieben; von den beiden Schülern der unteren Gruppe hat der linke, sich an die Grammatik anlehnende, die Buchstaben ordentlich angemalt, der rechts von ihm sitzende Schüler hat das Ziel des Grammatikunterrichts bereits erreicht, er beschäftigt sich, wie der Inschrift auf seiner Tafel zu entnehmen ist *(partes orationis),* bereits mit der lateinischen Rede. Im rechten Drittel der unteren Szene schickt sich der durch eine Inschrift als *inventor* (Erfinder) bezeichnete Gehilfe der Grammatik an, einen Schüler, den er übers Knie gelegt hat, mit der Rute zu züchtigen. Die Bezeichnung des Gehilfen als Erfinder dürfte auf seine Aufgabe, die Regelverstöße zu entdecken, zu beziehen sein. Die Aufteilung der Szene erlaubt es dem Zeichner, die Grammatik selbst als gerecht richtende magistra und nicht wie sonst vielfach üblich nur als strafende Lehrerin vorzustellen. An Berichten über die strenge Erziehung und die harten Strafen in den mittelalterlichen Schulen ist kein Mangel. Luther, der selbst die niederen Schulen in Mansfeld (wahrscheinlich seit 12. März 1491), dann in Magdeburg (wahrscheinlich seit Frühjahr 1496, möglicherweise aber erst seit Frühjahr 1497) und schließlich in Eisenach (von Frühjahr 1497 oder 1498 bis 1501) besucht hat, berichtet in späteren Jahren mehrfach über Züchtigungen in der Schule, gedenkt aber auch gelegentlich seiner guten Lehrer, vor allem des Wigand Güldenapf an der Eisenacher Georgsschule, der 1507 auch an seiner Primiz teilnahm.

D. Illmer, Artes liberales. In: TRE 4, 1979, S. 156-171. – Brecht, S. 21 ff. – L. Hödl u. H. Schipperges, Artes liberales. In: LexMA 1, 1980, Sp. 1058-1063. – K.-A. Wirth, Die kolorierten Federzeichnungen im Cod. 2975 der Österreichischen Nationalbibliothek. In: Anzeiger des Germ. Nat. Museums 1979, S. 67-110, bes. S. 67 ff., Abb. S. 68. F. M.

87 Katheder aus dem spätmittelalterlichen Schulbetrieb.

Katheder aus Landshut, um 1450
Eichenholz, H. 116 cm
München, Bayerisches Nationalmuseum, Inv. Nr. 30/830 (künftig: Ichenhausen, Bayerisches Schulmuseum)

Der Katheder gehört neben den Tafeln an der Wand und in den Händen der Schüler sowie der Rute in der Hand des Lehrers zu den auf Darstellungen des Schulbetriebs aus dem 15. Jahrhundert häufig abgebildeten Requisiten. Nur wenige Stücke haben sich erhalten, von denen der hier gezeigte Katheder aus Landshut an der Isar zu den am besten erhaltenen zählt. Seine Form und nicht zuletzt auch der gotische Maßwerkschmuck entsprechen weitgehend jenen auf einem um 1500 in der Offizin des Hieronymus Hölzel in Nürnberg mehrfach gebrauchten Holzschnitt, der unter anderem für das Titelblatt des 1501 gedruckten, dem Chemnitzer Rat gewidmeten Schuldialogs ›Latinum ideoma ... pro parvulis editum‹ des Paulus Niavis (Schneevogel) Verwendung fand.

W. L. Schreiber u. P. Heitz, Die deutschen ›Accipies‹ und Magister cum discipulis-Holzschnitte als Hilfsmittel zur Inkunabelbestimmung, 1908. – Übungsstücke aus dem ältesten Schulbuch der Welt. In: Bayerische Staatszeitung v.

87

10. 9. 1982 (Nr. 36), S. 3, mit Abb. – Fränkischer Sonntag 34, 1982, Nr. 35, S. 2, mit Abb. F. M.

88 Ein Bericht des Schulrektors einer städtischen Lateinschule an die vorgesetzten Ratsherren gibt Einblick in Aufbau und Ziele des Unterrichts.

Bericht des Schulmeisters Georg Altenstein über die Schule beim Neuen Spital (Heilig-Geist-Spital) zu Nürnberg, 1485
Doppelblatt, Papier, 31,5 × 22 cm
Nürnberg, Staatsarchiv, Reichsstadt Nürnberg, B-Laden-Akten, S I L 205 Nr. 20, Prod. 4

Der ausgestellte Bericht Altensteins an den Rat der Reichsstadt Nürnberg gibt in hervorragender Weise Aufschluß über Lehrinhalte und Unterrichtsgestaltung an einer traditionsreichen, gut geführten städtischen Lateinschule zu Ausgang des Mittelalters. Für die drei anderen Nürnberger Lateinschulen – die beiden Pfarrschulen bei St. Sebald und St. Lorenz sowie für die Klosterschule der Benediktiner bei St. Egidien – sind Berichte dieser Art ebenso wenig erhalten wie für viele andere Stadtschulen, doch läßt sich aus anderen Quellen, insbesondere Schulordnungen, der Schluß ableiten, daß der Schulbetrieb auch anderwärts, vor allem in größeren Städten, in einem in etwa vergleichbaren Rahmen ablief. Die städtischen Magistrate oder geistlichen Institutionen als Träger der Schulen waren fast durchweg nachdrücklich darum bemüht, als Rektoren der Schulen geeignete Kräfte, nach Möglichkeit mit abgeschlossener Universitätsausbildung, zu gewinnen. Georg Altenstein, der Verfasser des Berichts über die Nürnberger Spitalschule, dürfte mit dem 1478 in Leipzig immatrikulierten Träger gleichen Namens identisch sein. Er unterzeichnet den Bericht selbst als *baccalaureus clericulorum.*

Die Schüler waren gemäß ihrem Alter und Kenntnisstand in drei Gruppen eingeteilt und wurden von Altenstein und drei Mitarbeitern (Cantor, Bakkalar und Locatus) jeweils sechs Stunden am Tag unterrichtet. Davon waren vor- und nachmittags jeweils zwei Stunden den artistischen Grundfächern sowie jeweils eine am Vor- und Nachmittag der Unterweisung für den Gottesdienst bzw. den Chordienst gewidmet. In der Pause nach der ersten Vormittagsstunde lasen alle das Vaterunser, den Englischen Gruß und das Glaubensbekenntnis. Am Sonntagmorgen stand vor dem Besuch der Messe eine Erklärung des Tagesevangeliums auf dem Tagesplan. Während die jüngsten Schüler vier Stunden täglich die Grundbegriffe des Lesens und Schreibens erlernten, wurden den Schülern der mittleren und oberen Klasse die in den Lateinschulen allgemein vermittelten Fächer des artistischen Triviums (Grammatik, Logik und die Anfangsgründe der Rhetorik) nahe gebracht. Die mittlere Klasse trieb die Grammatikübungen mit den Lehrbüchern des Donat und des Alexander de Villa Dei, die obere Klasse setzte jene unter Benutzung der Evangelien nach dem lateinischen Text der ›Vulgata‹ und anderer Werke (u. a. Cato, Facetus, Alanus) sowie des Alexander de Villa Dei fort. Die Anfangsgründe der Logik wurden ihnen nach den ›Summulae‹ des Petrus Hispanus gelehrt. Den Unterricht im gregorianischen Choralgesang erteilte Altenstein selbst.

Nach dem vorliegenden Bericht bewegte sich der Unterricht an der Nürnberger Spitalschule in der Mitte der achtziger Jahre des 15. Jahrhunderts noch ganz in den herkömmlichen Bahnen des Trivialschulsystems scholastischer Prägung. In den folgenden drei Jahrzehnten wurde das Nürnberger Schulwesen schrittweise in humanistischem Sinn umgestaltet. 1496 errichtete der Nürnberger Rat auf Initiative des Dr. Johann Pirckheimer, des Vaters von Willibald Pirckheimer, eine Poetenschule, die allerdings nicht allzulange florierte. Um 1510 führte der Rat schließlich eine für alle Nürnberger Lateinschulen verbindliche, bald auch von anderen Städten übernommene Schulordnung ein, die u.a. besondere »actus in arte humanistica« im Unterrichtsplan vorsah.

R. Endres, Sozial- und Bildungsstrukturen fränkischer Reichsstädte im Spätmittelalter und in der frühen Neuzeit. In: H. Brunner (Hrsg.), Literatur in der Stadt, 1982, S. 37-72, bes. S. 56. – H. W. Heerwagen, Zur Geschichte der Nürnberger Gelehrtenschulen im Zeitraume von 1485 bis 1526, 1860, S. 34-36: Edition des Berichtes. – F. Brusniak, Conrad Rein (ca. 1475-1522), Schulmeister und Komponist, 1980, bes. S. 77 ff., 86 f. F. M.

89 An größeren Lateinschulen bestanden vielerorts auf Stiftungen beruhende Einrichtungen, die ein gemeinschaftliches Leben der Schüler, gelegentlich auch junger Kleriker, unter strenger Aufsicht der verantwortlichen städtischen und kirchlichen Organe ermöglichten.

›Novitzenpuchlein ... Gesetz und ordenung, wie und welchermassen sich ein schulmeister, die chorales und der famule der erberkeit und zucht im chor, im spital, zu peth und zu disch, bei tag und bei nacht vleissen und halten sollen‹, angelegt 1499
4°. 42 Bll., 1-28 Perg., 29-42 Papier. Einband: Holzdeckel, mit Leder überzogen. Messingbeschläge, Rücken erneuert. Im Anhang Eintragungen über die Chorschülernovizen 1500-1521. Aufgeschlagen: Titelblatt (fol. 2r)
Nürnberg, Stadtarchiv, Heilig-Geist-Spital, Amtsbücher (Rep. D 2, II), Nr. 13 (alt: Cod. ma. 4°, Nr. 3)

Für die beim Neuen Spital (Heilig-Geist-Spital) in Nürnberg für die feierlichen Gottesdienste benötigten Chorschüler dotierte bereits der Stifter des Spitals, der Nürnberger Bürger und Reichsschultheiß Konrad Groß, mit dem sog. Großen Stiftungsbrief des Jahres 1339 zwölf Wohnplätze für angehende Kleriker und arme Schüler im Spital. Ihre Ausbildung empfingen diese von Anfang an in der beim Spital eingerichteten Schule. Die 1343 für die zwölf »chorales« erlassene Hausordnung wurde 1499 durch die ausliegende, durch den Pfleger und Spitalmeister namens des reichsstädtischen Rates erlassene neue Ordnung ersetzt. Unmittelbarer Anlaß dafür waren Kompetenzstreitigkeiten zwischen dem reichsstädtischen Spitalmeister auf der einen und dem Spitalkustos und Spitalschulmeister auf der anderen Seite wegen der Einstellung neuer Chorschüler sowie einer Reihe weiterer Differenzen zwischen den für die Schule und für die »chorales« verantwortlichen Institutionen, darunter auch mit dem Propst von St. Sebald als zuständigem Pfarrer.
Die Gottesdienste in der Spitalkirche hatten zunehmende Bedeutung erlangt, vor allem seitdem dort die Reichsheiltümer aufbewahrt wurden. Durch die neuen Bedürfnisse der Kirchenmusik bei der Aufführung mehrstimmiger Sätze hatte sich zudem gegenüber früher die Zusammensetzung der »chorales« geändert. Waren es ursprünglich wohl meist Schüler jüngeren oder mittleren Alters gewesen, die im Spital Aufnahme gefunden hatten, so wurden nun zunehmend ältere, vorwiegend dem Priesterstand zustrebende Scholaren bevorzugt. In der Zeit des von 1502 bis zu seinem Tod 1522 als Schulmeister, Musiker und Vikar am Heilig-Geist-Spital wirkenden Konrad Rein aus Arnstadt in Thüringen lag das durchschnittliche Aufnahmealter der Chorschüler bei zwanzig Jahren. Viele von ihnen hatten bereits zuvor eine Universität besucht; ein Teil von diesen hatte das artistische Bakkalariat erlangt. Die Ordnung von 1499 sah die Ernennung eines eigenen Novizenmeisters für die Chorschüler vor und traf eingehende Bestimmungen zur Hausordnung. Als Strafe bei Versäumnissen oder Übertretungen war u.a. der Entzug des den »chorales« ansonsten zustehenden Bieres vorgesehen. Das ›Novizenbüchlein‹ enthält als Anhang eine Liste der von 1500 bis 1521 aufgenommenen rund 170 Chorschüler, von denen sich später viele in geistlichen Ämtern nachweisen lassen. Untersuchungen der jüngsten Zeit ziehen den Schluß, daß der Stand der »chorales« beim Nürnberger Heilig-Geist-Spital in erster Linie als Übergangsstadium zum geistlichen Beruf angesehen wurde.

K. Schlemmer, Gottesdienst und Frömmigkeit in der Reichsstadt Nürnberg am Vorabend der Reformation, 1980, S. 323 ff. – F. Krautwurst, Anmerkungen zu den Chorales des Nürnberger Heiliggeistspitals im ersten Viertel des 16. Jahrhunderts. In: MVGN 68, 1981, S. 122-129. – F. Brusniak, Conrad Rein (ca. 1475-1522). Schulmeister und Komponist, 1980, S. 53 ff., 377 (Abb.). F. M.

90 Die in der Spätantike entstandene lateinische Grammatik des Aelius Donatus ist bis in die Zeit Luthers das wichtigste Lehrbuch zur Einführung in die Sprache und diente auch für Luther selbst als Grundlage seines Lateinunterrichts.

Aelius Donatus, ›Ars minor‹
Papier, Satzspiegel ca. 22 × 15 cm. Fragment eines vermutlich in Basel hergestellten xylographischen Druckes, um 1473. Aus dem Einband einer Inkunabel aus dem Besitz des Erzbischöflichen Priesterseminars zu St. Peter im Schwarzwald abgelöst.
Freiburg i. Br., Universitätsbibliothek

Die um 356 n. Chr. entstandene lateinische Elementargrammatik ›Ars grammatica‹ des römischen Rhetors und Lehrers des hl. Hieronymus gehörte zusammen mit der für die fortgeschritteneren Schüler verwendeten ›Institutio grammatica‹ des Priscian aus der Zeit um 500 n. Chr. zu den meistbenutzten Lateinlehrbüchern des Mittelalters. Im Lauf des 13. Jahrhunderts wurden die Lehrbücher des Donat und Priscian zwar teilweise durch neue Grammatiken ersetzt, darunter durch das in Hexametern abgefaßte, in seiner Syntax stark auf Priscians ›Institutio‹ basierende ›Doctrinale‹ des Alexander de Villa Dei, behaupteten aber auf das Ganze gesehen auch weiterhin einen hervorragenden Platz im spätmittelalterlichen Unterrichtswesen. In seiner verkürzten Form ›Ars minor‹ gehörte der ›Donat‹ zu den vor 1500 am häufigsten gedruckten Büchern. Johannes Gutenberg hat bereits um 1450 in Mainz Donate im Typendruck hergestellt. Wegen des bei Schulbüchern überdurchschnittlich hohen Verschleißes sind in den Bibliotheken nur wenige frühe Donatdrucke erhalten und auch diese vielfach nur in fragmentarischer Form.
Das hier ausgestellte, einseitig bedruckte Blatt eines 27zeiligen Donats in der Form der ›Ars minor‹ ist zusammen mit einem zweiten dazugehörigen Blatt 1973 im Einband eines Basler Wiegendruckes entdeckt worden. Es handelt sich um einen Holztafeldruck, ausgeführt in der Technik des anopistographischen Reiberdruckes, bei dem je zwei aufeinander folgende Textseiten nebeneinander auf den hölzernen Druckstock geschnitten und dann zusammen abgerieben wurden. Von dem Druck sind bisher nur die beiden Freiburger Blätter bekannt. Entstehungszeit und -ort wurden auf Grund des Wasserzeichens im Pa-

pier erschlossen. Der Text des ausgestellten Fragments behandelt das Paradigma »docere« (lehren). Die Anfangsbuchstaben der Textabschnitte wurden handschriftlich nachgetragen.
Luther hat sich später mehrfach über die schematische Art des Lateinunterrichts in seiner Jugendzeit geäußert und dabei vor allem das damals übliche ungeschickte Abfragen durch einen Lupus, einen Gehilfen des Lehrers, der vielfach selbst nur ein älterer Schüler war, bemängelt. Von den vielen Grammatikern sei der Alexander de Villa Dei noch der beste gewesen. Luther hat diese Aussagen in seinem letzten Lebensjahrzehnt gemacht, und er legte dabei offensichtlich die Maßstäbe des humanistischen Schulideals an. Daß die Schulen trotz ihrer Schwächen das notwendige religiöse Grundwissen vermittelt haben, hat er später selbst anerkannt: *In schulen haben die kleinen kneblein dennoch das Pater noster, symbolum gelernt, und ist die kirch wunderlich in den kleinen schulen erhalten worden* ... (TR 5, Nr. 5557, S. 239 f.). Auch die Humanisten haben die Trivialschule als solche nicht in Frage gestellt, aber versucht, die didaktischen Hilfsmittel zu verbessern.

V. Sack, Unbekannte Donate. Neue Funde in Freiburg und Frankfurt. In: Archiv für Gesch. des Buchwesens 13, 1973, Sp. 1461-1512, hier Sp. 1262-1272, mit Abb. – Brecht, S. 24 ff. – R. W. Hunt, The History of Grammar in the Middle Ages, 1980. F. M.

91 Das im Lateinunterricht im 15. Jahrhundert gebräuchlichste lateinisch-deutsche Wörterbuch ›Ex quo‹ wird von Luther in polemischen Auseinandersetzungen später mehrfach als ausreichendes Hilfsmittel in Übersetzungsfragen empfohlen.

›Vocabularius Ex quo‹
Augsburg: Anton Sorg (und Johann Schobser?) um 1490
4°. 174 Bll., unvollständiges Exemplar. Initialen mit brauner Tinte nachgetragen, vereinzelt Randglossen (meist 16. Jahrhundert)
Nürnberg, Germanisches Nationalmuseum, Inc. 8° 91 983

In seiner Schrift ›Wider das blind und toll Verdammniß der siebenzehn Artikel von der elenden schändlichen Universität zu Ingolstadt ausgangen‹ aus dem Jahr 1524, die sich gegen die Verurteilung von 17 Sätzen des Magisters Arsacius Seehofer (gest. 1545) zu den paulinischen Briefen richtete, hat sich Luther in der Antwort zu Art. 8 und insbesondere zu Art. 17 positiv zum ›Vocabularis Ex quo‹ geäußert (WA 15, S. 118, 124). Art. 17 betraf die These Seehofers, daß das Evangelium Christi nicht der Geist, sondern der Buchstabe sei. Luther hielt den Ingolstädtern zugute, daß sie nicht wissen konnten, was Geist und Buchstabe sei, da dies mit Ausnahme von Augustinus fast alle älteren Lehrer nicht gewußt hätten. Doch wäre es schon ausreichend gewesen, *wenn die wolberemte universitet nur aus dem vocabulario exquo wuste, was litera und spiritus zu deutsch heysset.*
Der ›Vocabularius Ex quo‹ war das zu Luthers Zeiten gebräuchlichste lateinisch-deutsche Wörterbuch. Das Werk wurde um 1400 wahrscheinlich im Oberwesergebiet von einem unbekannten Verfasser aus älteren Wörterbüchern zusammengestellt und ist – in oftmals veränderten oder erweiterten Fassungen – in mehr als 220 Handschriften und weit über 50 Wiegendrucken überliefert. Es steht nach den grundlegenden Untersuchungen von Klaus Grubmüller an einem vorläufigen Endpunkt in der Entwicklung vom enzyklopädisch-systematisierenden Wörterbuch etwa des Huguccio von Pisa (gest. 1210) zum alphabetisch angeordneten handlichen Nachschlagewerk, das ohne hohen gelehrten Anspruch vor allem der praktischen Erlernung der Sprache und als Lesehilfe dienen soll. Durch seine Anordnung, die Anwendung des etymologischen Prinzips und die häufigen Hinweise auf verwandte Vokabeln war es als Hilfsmittel anderen Glossaren vielfach überlegen. Nach Grubmüllers Feststellungen an Hand der Schreibernotizen und Herkunftsvermerke in den Handschriften war der ›Vocabularius Ex quo‹ von Anfang an vor allem als Hilfsmittel im lateinischen Elementarunterricht an den Lateinschulen und dann zunehmend auch an den Universitäten in Gebrauch. An der Erfurter Universität ist seine Verwendung im grammatisch-rhetorischen Unterricht durch eine metrische Vorlesungsankündigung des in Italien gebildeten Poetiklehrers Heinrich Boger aus Höxter (gest. 1505), eines der bedeutendsten Dichter unter den Erfurter Frühhumanisten, aus dem Ende des 15. Jahrhunderts ausdrücklich belegt. Die Bezeichnung »Ex quo« trug das Wörterbuch nach den Anfangsworten *Ex quo vocabularii varii autentici, videlicet Hugutio* ...
Die älteste Druckausgabe des ›Vocabularius Ex quo‹ war 1467 in Eltville erschienen. Die ausgestellte Ausgabe stammt etwa aus der Zeit, da Luther eingeschult wurde. Aufgeschlagen ist die erste Seite der Wörter auf S, wo sich folgende Eintragung zu »Sacerdos« findet:
Sacerdos quasi sacra dans vel docens quia largus debet esse ein priester
Das Beispiel wurde im Hinblick auf eine Äußerung Luthers an Amsdorf in Wittenberg aus dem Sommer des Jahres 1521 ausgewählt, in dem er diesem Winke für eine Entgegnung auf Hieronymus Emsers Quadruplik in Bezug auf die Auslegung von Matth. 5,13 (»Ihr seid das Salz der Erde«) gibt. Luther bezeichnet es als lächerlich, daß *sal* (Salz) und *sacerdos* (Priester) dasselbe bedeuten sollen; dies wüßten schon die Knaben in der Schule, die den ›Vocabularius Ex quo‹ lesen (WA Br. 2, Nr. 419, S. 361-363, hier S. 362).

K. Grubmüller, Vocabularius Ex quo, 1967; dazu Rez. von G. Powitz. In: Anzeiger für deutsches Altertum und deutsche Literatur 79, 1968, S. 81-88. – K. J. E. Klein, Lateinschule und Schullatein. Studien zum spätmittelalterlichen Schulwesen in Nürnberg. Zul. Arb. Univ. Würzburg (Mschr.), 1978, S. 67 ff., 76 ff. – E. Kleineidam, Universitas Studii Erffordensis, Bd. II, 1969, S. 53, 58 f., 142. – Inkunabelkatalog, Nr. 942. F. M.

92 In den sog. Schreibschulen oder Deutschen Schulen vermitteln berufsmäßige Schreiber, Handwerker oder Scholaren meist auf mehr oder weniger privater Basis die Anfangsgründe des Lesens und Schreibens.

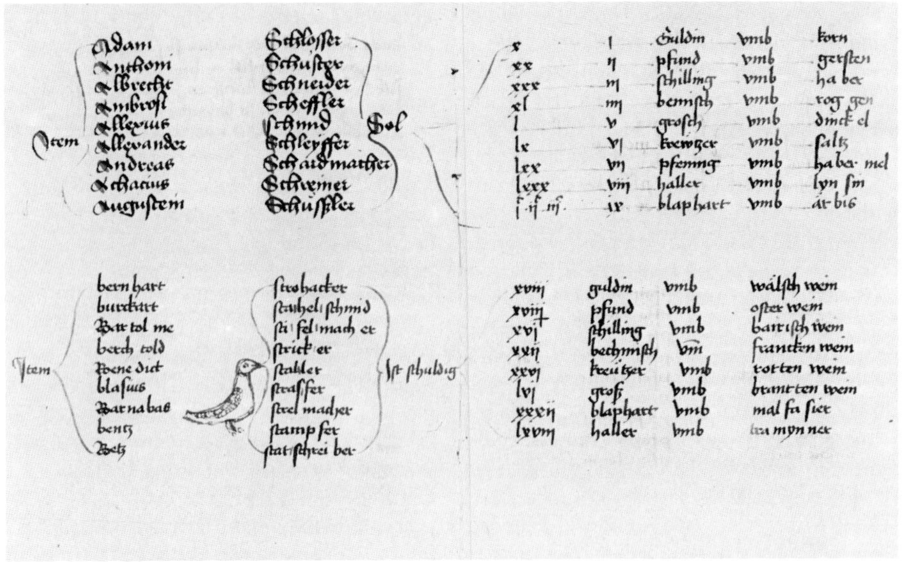

Alphabetische Satz- und Wortreihen für den deutschen Leseunterricht, um 1486
Papier, enthalten in einem Sammelband (53 Bll.) mit handschriftlichen und gedruckten Texten zur Grammatik und Rhetorik, um 1486/93. Aus dem Besitz des Augsburger Kaufmanns Claus Spaun (gest. um 1520). Aufgeschlagen: fol. 8v-9r
Hannover, Kestner-Museum, Ink. 128

An der Spitze des Sammelbandes steht eine knappe Anleitung zum Lesenlernen (fol. 1r-8r), die auf der Buchstabenlehre Priscians in dessen lateinischer Grammatik basiert, jedoch deutsche Beispielwörter verwendet. Der Lernvorgang wird dabei in drei Schritte unterteilt: Ermitteln der Silben an Hand der Vokale, Buchstabieren und Bilden der einzelnen Silben, Zusammensetzen zu ganzen Wörtern. An diese Anleitung schließen sich alphabetisch geordnete Satz- und Wortreihen an, die zusammen mit einigen Merksätzen und Gebeten sowie einem Syllabierschema eine komplette Fibel für den deutschen Leseunterricht ergeben (fol. 8v-17v). Die Beispiele in den Übungssätzen sind vor allem aus dem kaufmännischen Bereich gegriffen, sie behandeln gängige Handelswaren und Preise, wobei Vertreter häufig vorkommender Berufe als Gläubiger und Schuldner genannt werden. Die Wörter sind zum Teil silbenweise abgesetzt. Einfache Darstellungen von Gegenständen – ein Dolch für d, eine Flöte für f, ein Glas für g – sollen das Wiedererkennen der Anfangsbuchstaben erleichtern.
Die Mehrzahl der Bürgerkinder in den Städten, sowohl Knaben als auch Mädchen, durchliefen Deutsche Schulen, von denen in größeren Städten oft mehrere nebeneinander existierten, die zunftmäßig organisiert waren. An vielen Orten war Koedukation der Schüler und Schülerinnen üblich. Die jüngeren von ihnen wurden zumeist von Lehrfrauen unterrichtet. Als solche fungierten oftmals die Ehefrauen der deutschen Schulmeister. Das von den Eltern zu entrichtende Entgelt war im Verhältnis zu den an den Lateinschulen üblichen Schulgeldern gering. Die Magistrate übten auf die Deutschen Schulen zumeist nur eine Art Oberaufsicht aus. Das berühmte Aushängeschild eines deutschen Schulmeisters aus dem Jahr 1516, gemalt von Ambrosius Holbein (gest. 1519?), das heute im Kunstmuseum Basel aufbewahrt wird, gibt Einblick in eine Schulstube, in der ein Schulmeister und eine Lehrfrau gleichzeitig an je einem eigenen Katheder Unterricht erteilen, und gibt zugleich über Werbemaßnahmen zu Beginn des 16. Jahrhunderts Aufschluß. Als Lehrmittel wurden zumeist Gebetstexte verwendet. Das hier ausgestellte Beispiel macht deutlich, daß in den Deutschen Schulen zu Ausgang des Mittelalters gelegentlich auch profane Texte Eingang fanden. Neben den Schreibschulen oder Deutschen Schulen gab es in zahlreichen Städten vergleichbare Rechenmeisterschulen, die die Elementarkenntnisse im Rechnen vermittelten.

92

W. Wühr, Das abendländische Bildungswesen im Mittelalter, 1950, S. 150 ff. – R. Endres, Sozial- und Bildungsstrukturen fränkischer Reichsstädte im Spätmittelalter und in der frühen Neuzeit. In: H. Brunner (Hrsg.), Literatur in der Stadt, 1982, S. 37-72, bes. S. 58 ff. – H. Kiepe, Ettwas von Buchstaben. Leseunterricht und deutsche Grammatik um 1486. In: Beiträge zur Geschichte der deutschen Sprache und Literatur 103, 1981, S. 1-5. F. M.

93 Die Statuten des Münsteraner Hauses der Brüder des gemeinsamen Lebens galten seit der um 1499 vollzogenen Generalunion der norddeutschen Fraterhäuser auch für die Magdeburger Niederlassung. Etwa zwei Jahre zuvor hatte der damals vierzehnjährige Luther rund ein Jahr lang im Schülerhospiz der Magdeburger Brüder gelebt.

Statuten der Brüder des gemeinsamen Lebens für das Fraterhaus in Münster, 1. Hälfte des 16. Jahrhunderts
Papier, 66 Bll., ca. 20 × 15,5 cm. Rote Überschriften und Initialen. Pergamentumschlag mit Messinghäkchen als Verschluß
Münster i. W., Bibliothek des Priesterseminars, Ms. 8.10.

Zu den Hauptbetätigungsfeldern der Brüder des gemeinsamen Lebens gehörte neben der Schreibtätigkeit die Fürsorge für Scholaren und junge Kleriker, die sie durch ein auf deren spezielle Bedürfnisse ausgerichtetes pastorales Angebot freien geistlichen Zuspruches in Form von Ansprachen und vor allem durch die Einrichtung von Schülerhospizen erfüllten. Nur in wenigen Fällen wurden die Fraterhäuser später (zwischen 1515 und 1530) in Stadtschulen humanistischen Gepräges umgewandelt, so u. a. in Lüttich, Utrecht und Groningen.
Luther berichtet in einem Brief 1522, daß er einst in Magdeburg bei den »Nullbrüdern«, d. h. bei den Brüdern des gemeinsamen Lebens, zur Schule gegangen sei. Die

Bezeichnung der Brüder ist eher auf deren kapuzenartige Überwürfe, die »Nollen«, als auf deren leises Singen (lullen) zurückzuführen. Da sich die Existenz einer Schule beim Magdeburger Brüderhaus nicht belegen läßt, wird Luthers Aussage so verstanden, daß er in dem 1482 begründeten Bruderhaus zum hl. Hieronymus unweit des Domes gewohnt, aber die Domschule am Domkreuzgang besucht hat. Ähnlich wie in Zwolle, Duisburg, Emmerich, Herford, Münster und Hildesheim bestand jedoch auch in Magdeburg eine nähere Verbindung zwischen Fraterhaus und Stadt- bzw. Domschule. Während Bürgerschaft und Klerus Magdeburgs die Ansiedlung der Brüder zunächst abgelehnt hatten, war diese durch Mitglieder des Domkapitels von Anfang an gefördert worden. In Magdeburg verkehrte Luther im Haus des erzbischöflichen Offizials Dr. Paul Moßhauer, der mit dem Kreis der Mansfelder Hüttenmeister verwandtschaftlich verbunden war und der vielleicht auch die Übersiedlung Luthers von Mansfeld in die Elbestadt empfohlen hat. Wie damals auch unter Kindern bemittelter Eltern üblich, hat Luther in Magdeburg sowie hernach in Eisenach vor den Türen der Bürger als »Partekenhengst« um Brot gesungen. Insgesamt hat er aus seiner Magdeburger Zeit später auffallend wenig Erinnerungen mitgeteilt. Die Auswirkungen der ersten Berührung mit der verinnerlichten Frömmigkeit der »Devotio moderna« oder gar mit der von den Fraterherren vertretenen antiintellektualistischen Einstellung auf den damals vierzehnjährigen Luther sind gelegentlich weit überschätzt worden. Luther hat die »Devotio moderna« erst später durch die Lektüre von Werken Gabriel Biels in Erfurt (vgl. Kat. Nr. 103) und etwa seit 1513 durch den Traktat ›De spiritualibus ascensionibus‹ des Gerhard Zerbolt van Zutphen (gest. 1398) und das durch seine Nähe zur Bibel ausgezeichnete ›Rosetum‹ des Jan Mombaer (gest. 1501) kennen und schätzen gelernt.

Die ausgestellte Handschrift stammt aus dem Fraterhaus Zum Springborn in Münster, das 1401 als vierte Niederlassung überhaupt nach Deventer, Zwolle und Amersfoort entstanden war und von wo direkt oder indirekt die meisten anderen Fraterhäuser in Deutschland organisiert worden waren. Sie enthält die dort für den Eigengebrauch niedergeschriebenen Statuten in Abschrift, die seit etwa 1499 auch für die mit Münster in Generalunion verbundenen Häuser (Köln, Wesel, Herford, Kassel, Rostock, Marburg und Magdeburg) galten. Aufgeschlagen ist der Abschnitt ›De scripturario‹ (Über den Schreiber), der die Bedeutung der Schreibtätigkeit im Tagwerk der Brüder nachdrücklich hervorhebt. Sie wollten gemäß Ps 127,2 f. für ihren Unterhalt selbst sorgen. Die Handarbeit soll zugleich Müßiggang verhindern. Zur Unterstützung ihrer religiösen Ziele, im besonderen der Förderung von Meditation und verinnerlichter Frömmigkeit, wollen sie sich ausdrücklich dem Abschreiben religiöser Bücher und dem Binden entsprechender Werke widmen. Der Statutentext ist von einer Hand in klarer humanistischer Kursive geschrieben.

G. Boerner, Die Annalen und Akten der Brüder vom gemeinsamen Leben im Lüchtenhofe zu Hildesheim, 1905 (mit Edition). – K. A. Strand, Luther's Schooling in Magdeburg. In: K. A. Strand (Hrsg.), Essays in Luther, 1969, S. 106-111. – E. Brouette u. R. Mokrosch, Devotio moderna. In: TRE 8, 1981, S. 605-616. – W. Oeser, Die Brüder des gemeinsamen Lebens in Münster als Bücherschreiber. In: Archiv für Gesch. des Buchwesens 5, 1964, Sp. 197-398, bes. Sp. 199 ff., 209 f., 379 f., 382 Abb. F. M.

94 Die Predigten Bernhards von Clairvaux über das Hohelied gehören zu den von den Brüdern des gemeinsamen Lebens und auch von Luther besonders geschätzten Werken mittelalterlicher Theologen.

Bernardus Claravallensis, ›Sermones super Cantica canticorum‹
Rostock: Fratres Domus Horti Viridis, V. Kal. Aug. (28. Juli) 1481
2°. Bll. 1-4, 69-76 fehlen. Ledereinband. Aufgeschlagen: fol. 5
Eichstätt, Staats- und Seminarbibliothek, SB B XI 257

Der Zisterzienserabt Bernhard von Clairvaux (um 1090-1153), nicht selten als letzter der Kirchenväter gepriesen, hat in den Jahrhunderten nach seinem Tod durch seine Werke eine weit über seinen eigenen Orden hinausreichende Wirkung erlangt. Auch Luther hat ihn außerordentlich hoch geschätzt als einen ernstlichen rechten Christen, der unter allen Skribenten Christus in seinen Schriften auf das allerlieblichste gepredigt habe. Insbesondere griff Luther mehrfach auf Bernhards Hauptwerk, den Predigtkommentar über das Hohelied (›Sermones super Cantica canticorum‹), zurück. In seinen Vorlesungen über den Römerbrief und Hebräerbrief (vgl. Kat. Nr. 137) berief sich Luther bei der Erklärung der Sündenvergebung als Geschenk des Heiligen Geistes auf eine Stelle in Bernhards Predigt zum Fest Mariae Verkündigung I (WA 56, S. 370; 57, III, S. 169).

Bernhards Hohelied-Kommentar ist in den Jahren 1135-1153 entstanden und reicht bis cap. 3,1 der alttestamentlichen Liedersammlung. Er ist aus der klösterlichen Predigttätigkeit des Abtes entstanden und umfaßt 86 Predigten. Bernhard und der mit ihm befreundete Wilhelm von St-Thierry (gest. 1148) setzten an die Stelle der seit der Väterzeit üblichen heilsgeschichtlichen Auslegung des Liedes die seelengeschichtliche Deutung als Brautlied von Christus und der liebenden Seele, die zum entscheidenden Ausgangspunkt für die mystische Bewegung des mittelalterlichen Abendlandes wurde. Bernhards Kommentar gehörte in Devotenkreisen zu den häufig gelesenen Büchern.

Der ausgestellte Druck des Kommentars stammt aus der beim Fraterhaus zu St. Michael in Rostock eingerichteten Druckerei, die von 1476 bis 1532 bestand. Die Brüder des gemeinsamen Lebens suchten mit ihren Druckereien die zuvor durch ihre Abschreibtätigkeit angestrebte Massenverbreitung religiöser Literatur nach Erfindung der Buchdruckerkunst durch das neue Medium noch zu erweitern. Die Rostocker Michaelisbrüder bezeichneten sich gelegentlich selbstbewußt als *Fratres non verbo, sed scripto predicantes* (Brüder, die nicht mit dem Wort, sondern mit der Schrift – dem Druck – predigen).

Bernhard von Clairvaux, Sermones super Cantica Canticorum, hrsg. v. J. Leclercq, C. H. Talbot u. H. Rochais, Bd. I-II, 1957-58. – E. Mikkers, St. Bernardus en de moderne Devotie. In: Cîteaux in de Nederlanden 4, 1953, S. 149-186. – K. A. Strand, The Brethren of the Common Life and Fifteenth-Century Printing. In: The Dawn of Modern Civilization, 1962. – I. Hubay, Incunabula Eichstätter Bibliotheken, 1968, Nr. 164, S. 34. F. M.

95 Das ›Leben Christi‹ des Kartäusers Ludolf von Sachsen zählt zu den am meisten verbreiteten Meditationsbüchern des späten Mittelalters. Es wurde auch von Luther gelesen.

Ludolf von Sachsen, ›Vita Christi‹, Teil III
Papier, 112 Bll., 35 × 25 cm. Abschrift aus dem Jahr 1467
Berlin, Staatsbibliothek Preußischer Kulturbesitz, Theol. lat. fol. 56

Die Handschrift stammt aus dem Fraterhaus zu Wesel am Niederrhein, das 1435/36 durch den Münsteraner Domvikar und Rektor des Fraterhauses zum Springborn Heinrich von Ahaus (gest. 1439) begründet worden war. Sie ist in der Weseler Schreibstube für den Eigengebrauch angefertigt worden. Die Streuung der Handschriften aus Wesel läßt erkennen, daß diese wegen ihrer Qualität von Pfarrkirchenpflegern, Stiften und Klöstern im Umkreis in großem Umfang gekauft wurden.
Die Handschrift enthält den dritten Teil der ›Vita Jesu Christi‹ des in Straßburg, vorübergehend auch in Koblenz und Mainz lebenden Kartäusers Ludolf von Sachsen (um 1300-1378). Das Werk zählte zu den bevorzugten Quellen der Spiritualität der Devoten und zusammen mit den ›Meditationes vitae Christi‹ eines ungenannten italienischen Franziskaners, denen es vielfach verpflichtet ist, dem ›Weisheitsbüchlein‹ Heinrich Seuses und der ›Nachfolge Christi‹ zu den wirkungsvollsten Erbauungsbüchern des späten Mittelalters überhaupt. Ludolf erzählt und betrachtet das Leben und Leiden Jesu in chronologischer Abfolge und wendet vor allem den Worten Jesu, ihrer Auslegung und Deutung besonderes Augenmerk zu. In der Art der Frömmigkeit vereinigt die Vita augustinisch-bernhardinische Elemente mit der »pietà francescana« der ›Meditationes vitae Christi‹ und kartäusischer Theologie. Ludolfs ›Vita Christi‹ wurde auch von Luther gelesen.
Die Schrift des Weseler Codex, eine Rotunda, und die Initialornamentik entsprechen einer der unter den Fraterherren bevorzugt gepflegten Stilrichtungen, deren Einheitlichkeit durch die verschiedentlich nachweisbaren Musterblätter in den Fraterhäusern gewährleistet wurde. Die Schmuckinitiale P auf der aufgeschlagenen Seite zeigt eine teppichartige Reihung sechsblättriger Rosetten, rot konturiert auf grünem Grund, mit blau-rot geteiltem Buchstabenkörper.

W. Baier, Untersuchungen zu den Passionsbetrachtungen in der Vita Christi des Ludolf von Sachsen, 3 Teile, 1977. – J. R. Ryan, Historical Thinking in Ludolph of Saxony's Life of Christ. In: The Journal of Medieval and Renaissance Studies 12, 1982, S. 67-81. – H. Knaus, Rheinische Handschriften in Berlin, 2. Folge: Aus der Schreibstube der Weseler Fraterherren. In: Archiv für Gesch. des Buchwesens 10, 1970, Sp. 353-370, bes. Sp. 363. F. M.

96 Das im Kreis der »Devotio moderna« entstandene Erbauungsbuch der ›Nachfolge Christi‹ wendet sich mit der Betonung der Innerlichkeit zugleich gegen veräußerlichte Formen spätmittelalterlicher Frömmigkeit.

Thomas Hemerken (Malleolus) von Kempen, ›De Imitatione Christi‹ (Von der Nachfolge Christi)
Lübeck: Mohnkopfdruckerei, L. I-III. 1496; L. IV. 1492
Papier, 30 × 21 cm. Mit 6 Holzschnitten. Die vier Bücher in zeitgenössischem Einband zusammengebunden
Kopenhagen, Det Kongelige Bibliotek

Das nach der Überschrift des ersten Kapitels von Buch I – ›De imitatione Christi et contemptu omnium vanitatum mundi‹ (Von der Nachfolge Christi und der Verachtung aller Eitelkeiten der Welt) – bezeichnete Erbauungsbuch stellt nach der Bibel das meistgelesene und weitestverbreitete Buch der Weltliteratur dar. Es faßt, spätestens seit 1427, vier ursprünglich vielleicht selbständige Traktate zusammen. Die Verfasserfrage, bereits im 15. Jahrhundert umstritten, ist bis heute nicht endgültig geklärt. Da Sprache und Spiritualität des Werkes eindeutig auf die niederländische »Devotio moderna« verweisen, wird der Verfasser heute fast einhellig in deren Kreisen gesucht. Einigkeit besteht auch darüber, daß Thomas von Kempen (um 1380-1471?), ein im Windesheimer Reformkloster St. Agnetenberg bei Zwolle lebender Augustinerchorherr, die letzte Hand an das Werk gelegt hat. Bis heute offen ist der eventuelle Anteil Gert Grootes. Das Werk dürfte in einer Weise Gemeingut der Devotenkreise gewesen sein, daß sich moderne Vorstellungen von Autorschaft darauf nicht anwenden lassen (Iserloh, S. 19).
Den mehr als 750 bekanntgewordenen Handschriften stehen über 3 000 Druckausgaben, darunter zahlreiche in Übersetzung, gegenüber. Die älteste deutsche Übertragung ist aus dem Jahr 1434 bekannt. 1486 wurde in Augsburg die erste deutsche Druckausgabe veranstaltet. Drei Jahre später erschienen in der Mohnkopfdruckerei in Lübeck die Bücher I-III in niederdeutscher Übersetzung; Buch IV folgte erst 1492. 1496 wurden die Bücher I-III in der niederdeutschen Fassung erneut in der Mohnkopfdruckerei aufgelegt. In dem ausgestellten Exemplar aus der Königlichen Bibliothek zu Kopenhagen sind die Teile von 1496 (I-III) und 1492 (IV) in einem zeitgenössischen Einband zusammengefaßt.
Inhaltlich ist die ›Nachfolge Christi‹ keine logisch-systematisch aufgebaute Frömmigkeitslehre, sondern eine Sammlung von Kernsprüchen des geistlichen Lebens, wie sie in der »Devotio moderna« in größerer Zahl entstanden sind. Sie gilt als Musterbeispiel der dort gepflegten Spiritualität schlechthin. Das erste Buch enthält Aufforderungen, durch Verachtung der Welt und eitlen Wissenschaft zur Demut und zum inneren Frieden zu gelangen. Buch II handelt vom Leiden und vom Trost, Buch III von der Gnade, Buch IV gibt Ermahnungen zum Empfang der Eucharistie. Insgesamt tritt der Gemeinschaftsbezug gegenüber dem Gedanken der Selbstheiligkeit des einzelnen und der Weltflucht stark in den Hintergrund. Mit der Aufforderung zur verinnerlichten Frömmigkeit verband der Verfasser der ›Imitatio‹ gelegentlich auch Kritik an äußeren Übungen der Frömmigkeit im Bereich des Wallfahrtswesens und Reliquienkultes und berührte sich damit strukturell mit reformatorischen Anliegen. Luther hat die ›Nachfolge‹ Christi mit großer Wahrscheinlichkeit nicht gekannt.

Faksimileausgabe der ausgestellten Edition in Vorbereitung. – T. Lupo, L'imitazione di Cristo e il suo autore, 2 Bde., 1964. – Bijdragen over Thomas a Kempis en de Moderne devotie, 1971. – E. Iserloh, Thomas von Kempen und die Devotio Moderna, 1976. F. M.

Questio Prima

Uoniam sicut dicit Boeti⁹ i libro de trinitate. optime

Membrũ primũ

97

97 Das Bemühen der Scholastik, Glauben und Wissen, Offenbarung und Vernunft in harmonischer Weise zu verbinden und das philosophisch-theologische Lehrgut als Ganzes oder in wichtigen Zweigen in übersichtlicher Form zusammenzustellen, findet seinen originellsten und tiefsten Ausdruck in den scholastischen Summen des Hoch- und Spätmittelalters.

Alexander von Hales OFM, ›Summa universae theologiae‹, Pars I
Nürnberg: Anton Koberger 24. Januar 1482
2°. Zeitgenössischer Ledereinband über Holzdeckeln mit Blindpressung aus der Augsburger Werkstatt des Jörg Schapf
Heilbronn, Stadtarchiv, Ratsbibliothek, 7,1

Die an den hohen Schulen des Hoch- und Spätmittelalters sich entfaltende »Schulwissenschaft«, die Scholastik, erscheint bei aller Vielgestaltigkeit der Richtungen im einzelnen im Hinblick auf ihre Ziele und Aufgaben auf das Ganze gesehen als eine Theologie und Philosophie, Glauben und Wissen, Offenbarung und Vernunft harmonisch verbindende Einheit. Im Entwicklungsprozeß kommt der Rezeption des Aristoteles im 12. Jahrhundert besondere Bedeutung zu. *Ratio* (Vernunft) und *auctoritas* (Autorität) erlangen als Triebkräfte für den Aufbau der scholastischen Gedankengefüge größtes Gewicht. Charakteristisch für die von den Scholastikern verwendete Methode war die Vorliebe für Dialektik und Systematik: In logischem Schlußverfahren wurden die einzelnen Lehrinhalte gründlich erläutert und gegen alle denkbaren Einwände gesichert, als vernunftgemäß erwiesen und schließlich nach Disziplinen oder einzelnen Wissenszweigen in einheitlichen Lehrgebäuden (Summen, Sentenzenkommentaren) zusammengefaßt. Parallel zur Entwicklung der scholastischen Methode verläuft die Entstehung einer eigenen Wissenschaftssprache, in der auf Klarheit und Exaktheit der syllogistischen Unterscheidung Wert gelegt, jedoch auf rhetorisch-literarische Eleganz, auf Redefiguren und Rhythmik des Satzbaues verzichtet wird. Überspannung der Dialektik, Überwuchern sprachlogischer Fragen und logischer Formalien, Überbewertung der Tradition unter Zurückdrängung individueller und nationaler Eigenarten und Überbetonung der Spekulation unter Vernachlässigung empirischer Erkenntnisse waren die Hauptgründe zu kritischen Einstellungen gegenüber der Scholastik, die sich vor allem unter dem Einfluß des Humanismus formierten. Die philosophie- und theologiegeschichtlichen Forschungen der letzten Jahrzehnte haben gegenüber den Mängeln des scholastischen Systems auf die Bedeutung der Methode und auf die von der Scholastik gewonnenen Ergebnisse hingewiesen, die die Geistesgeschichte auf Jahrhunderte geprägt haben. Das Verhältnis der Humanisten zur Scholastik wird in zunehmendem Maß differenziert betrachtet. Als Beispiel einer theologischen Summe wird hier der erste Band eines Druckes der ›Summa‹ des Franziskaners Alexander von Hales (um 1185-1245) gezeigt, der aus dem Vermächtnis des aus Schärding am Inn stammenden, von 1493 bis zu seinem Tod 1520 als Prediger an der Stadtpfarrkirche St. Kilian zu Heilbronn wirkenden

Dr. Johann Kröner stammt. Aufgeschlagen ist das ›membrum primum‹ (1. Teilstück) der ›questio prima‹ (1. Frage) der Summa (fol. 8r) mit ausgemalter großer Q-Initiale und reichen floristischen Randverzierungen, denen am unteren Rand eine Miniatur des an einem Lesepult sitzenden Autors des Werkes im Habit seines Ordens mit der Kopfbedeckung des Gelehrten eingefügt ist. Die qualitätvolle Buchmalerei wird dem Umkreis des Buchbinders Jörg Schapf in Augsburg zugewiesen, wo Kröner den Druck erworben haben dürfte. Die 1235 begonnene Summa des Alexander von Hales, der an der Pariser Universität mehr als dreieinhalb Jahrzehnte Philosophie und Theologie lehrte und am Beginn der sog. Älteren Franziskanerschule steht, ist nie zum Abschluß gelangt. Sie war der herkömmlichen augustinischen Lehrtradition verpflichtet, doch wurde zur Begründung der Glaubenslehre erstmals die gesamte aristotelische Philosophie verwendet.
Alexander von Hales hat entscheidend zur Ausformung der literarischen Gattung der Summa beigetragen, die wenige Jahrzehnte später unter Thomas von Aquin ihren Höhepunkt erreichte.

Alexander de Halis, Summa theologica, bisher 4 Bde., 1924-1948 (krit. Ausgabe mit ausführl. Prolegomena). – Katalog der Inkunabeln des Stadtarchivs Heilbronn, bearb. von H. Hummel, 1981, S. 134 f. F. M.

98 Der Lehrbetrieb an den Universitäten wird im ausgehenden Mittelalter durch Auseinandersetzungen um die in Philosophie und Theologie einzuschlagende Richtung bestimmt.

Servatius Fanckel (Vanckel) OP, Aufzeichnungen über Promotionen und Disputationen an der Theologischen Fakultät der Universität Köln (1467-)1475-1488
Handschrift, Papier, 178 Bll., 21,5 × 14,5 cm
Frankfurt a. M., Stadt- und Universitätsbibliothek, Ms. Praed. 102

War das 13. Jahrhundert die große Zeit der scholastischen Systematiker gewesen, so brachte das 14. Jahrhundert eine zunehmende Zuwendung der Philosophen und Theologen zu einzelnen Wissensbereichen und konkreten Einzelproblemen. Gegenüber Lehrautorität und Lehrtradition wurde nun das Recht auf Kritik in Anspruch genommen. Vernunfteinsicht und formale Logik traten in den Vordergrund, während die Metaphysik zurücktrat. Der neuen kritischen Art des Denkens gab der in Oxford lehrende Wilhelm von Ockham (gest. 1349) entscheidende Anstöße und zugleich die prägende und weiterwirkende Form. Erkenntnistheoretische Ausgangsposition der neuen, in herkömmlicher Weise als Nominalismus bezeichneten Art des Denkens war die Trennung von Denken und Sein, die im Bereich der Theologie die Trennung von Vernunft und Offenbarung anstrebte. Ockhams Denkweise eroberte rasch die Universitäten, wurde als Neuerung aber auch vielfach heftig bekämpft. Im Gegensatz zu der von Albert dem Großen, Thomas von Aquin oder Johannes Duns Scotus vertretenen philosophischen Denkweise des Realismus, der »via antiqua«, wurden die Anhänger Ockhams und des Nominalismus als »moderni« und die von ihnen vertretene Richtung als »via moderna« bezeichnet.
In Deutschland war seit dem zweiten Viertel des 15. Jahrhunderts die Universität Köln ein Vorort der »via antiqua.« Für die Jahre 1467-1488 geben die Aufzeichnungen des Dominikaners Servatius Fanckel (gest. 1508) über Teilnehmer und Themen von über 250 Promotionen und Disputationen an der Theologischen Fakultät Aufschluß. Von den 23 zu Doktoren Promovierten waren 14 Anhänger des Thomas von Aquin, fünf Anhänger Alberts des Großen, drei Anhänger des Franziskaners Johannes Duns Scotus, einer Anhänger des Augustinereremiten Aegidius von Rom. Von den theologischen Bakkalaren, die nicht Doktoren wurden, waren 29 Thomisten, vier Skotisten, einer ein Nominalist; bei einem fehlt die Angabe der Richtung. Von zwölf Weltgeistlichen unter den 23 Doktoren waren sechs Thomisten und fünf Albertisten; von den 25 Säkularklerikern unter den 44 Bakkalaren waren 14 Thomisten, neun Albertisten, einer Skotist und einer Nominalist. Die Dominikaner, Karmeliten und Zisterzienser folgten Thomas, die Minoriten Duns Scotus, die Augustinereremiten Aegidius Romanus.

G. M. Löhr, Die theologischen Disputationen und Promotionen an der Universität Köln im ausgehenden 15. Jahrhundert, 1926. – Kat. Ausst. Albertus Magnus, Köln 1980/81, Nr. 182, S. 163. F. M.

99 Die ›Postilla litteralis‹ des Nikolaus von Lyra bietet eine nach scholastischen Prinzipien angelegte Auslegung der Schriften des Alten und Neuen Testaments nach dem Wortsinn.

Nicolaus de Lyra OMin, ›Postilla super totam Bibliam, cum expositionibus Britonis et additionibus Pauli Burgensis et correctoriis editis a Matthia Doering‹, P. I-II (in 3 Bänden)
Nürnberg: Anton Koberger 22. Januar 1481
2°. P. I. 320 Bll. Rot und blau rubriziert, mit farbigen Initialen. Ledereinband. Aus dem Bamberger Dominikanerkloster
Nürnberg, Germanisches Nationalmuseum, Inc. 2° 34 047

Unter den im 14. und 15. Jahrhundert verbreiteten Bibelauslegungen war die 50 Bücher umfassende ›Postilla litteralis‹ des in Paris lehrenden Franziskaners und Skotisten Nikolaus von Lyra (um 1270-1349) das am häufigsten benutzte Handbuch. Aus dem Zeitraum von seinem Tod bis 1450 sind rund 700 Handschriften des Gesamtwerkes bzw. von Teilen des umfangreichen Werkes bekannt. 1471-1473 erschien in Rom die mehrbändige ›editio princeps‹. Bis zur Wende vom 15. zum 16. Jahrhundert folgten rund 20 weitere vollständige Ausgaben oder Teileditionen, mehrfach verbunden mit Bibeldrucken. Die Hauptvorzüge des Werkes gegenüber anderen exegetischen Werken waren die Vollständigkeit – die ›Postilla litteralis‹ umfaßte die ganze Heilige Schrift (mit Einschluß der Apokryphen) – und die in ihm zutage tretende konsequente Beschränkung auf die Auslegung nach dem Wortsinn (Literalsinn), der von anderen Exegeten vielfach zugunsten des übertragenen bzw. mystischen Sinnes unterschätzt und vernachlässigt worden war. Um den Wortsinn zu finden, zog Nikolaus, der über einige Hebräischkenntnisse verfügte, auch Werke jüdischer Exegeten heran, darunter vor allem des Raschi Salomo ben Isaak (gest. 1105), des populärsten jüdischen Bibel- und Talmudklärers überhaupt. Seine Kenntnisse des Griechischen waren nur gering.
Wegen der nach seiner Auffassung unzureichenden Berücksichtigung der Väterexegese verfaßte der vom Judentum zum Christentum konvertierte Paulus von Burgos (gest. 1435) rund 1100 Anmerkungen, gegen die der Erfurter Professor Matthias Doering (gest. 1469), ein Ordensbruder des

Nikolaus, eine Verteidigungsschrift für die ›Postilla‹ mit rund 400 Repliken verfaßte. Die Hochschätzung des Bibelkommentars zu Ausgang des Mittelalters belegt ein von Gregor Reisch in seiner ›Margarita philosophica‹ wiedergegebenes Sprichwort aus Theologenkreisen:
Nisi Lyra lyrasset, nemo doctorum in bibliam saltasset (Wenn Lyra nicht »geleiert« hätte, wäre kein Doktor in die Bibel gesprungen).
Das Wortspiel wurde wenig später von altkirchlicher Seite in ironisierender Weise auf Luther hin umformuliert:
Si Lyra non lyrasset, Lutherus non saltasset (Wenn Lyra nicht geleiert hätte, wäre Luther nicht gesprungen).
Luther hat die ›Postilla litteralis‹ des Nikolaus in breitem Umfang benutzt, stand dem dialektisch-scholastisch angelegten Werk jedoch in zunehmendem Maß kritisch und vielfach auch polemisch gegenüber.
Die ausgestellte Ausgabe der ›Postilla‹ stammt aus der Nürnberger Offizin des Anton Koberger (gest. 1513), die im Druck von Bibeln und Bibelkommentaren zu Ausgang des 15. Jahrhunderts einen führenden Platz einnahm.

H. de Lubac, Exégèse médievale, Bd. II,2, 1964, S. 344-358. – L. Grane, Modus loquendi theologiam, 1975, S. 63, 68 f., 72 f., 96 f., 175. – Lohse, S. 154. – H. O. Keunecke, Anton Koberger. In: Fränkische Lebensbilder 10, 1982, S. 38-56, bes. S. 42. – Inkunabelkatalog, Nr. 693, S. 216.
F. M.

100 Um 1500 faßt der Kartäuser Gregor Reisch das herkömmliche philosophische Grundwissen der Scholastik und die neuen, empirisch gefundenen Erkenntnisse der Wissenschaften in einem enzyklopädisch angelegten, mit zahlreichen Holzschnitten ausgestatteten Druckwerk zusammen.

100

Die Philosophie
Titelholzschnitt zu: Gregor Reisch, ›Margarita philosophica‹. Straßburg: Johannes Schott [16. März] 1504
8°. 329 und II Bll., Titelholzschnitt, 26 ganzseitige Holzschnitte, 2 eingeklebte, herausklappbare Holzschnitte, zahlreiche Textabbildungen. Ledereinband. Starke Gebrauchsspuren
Nürnberg, Germanisches Nationalmuseum, 8° Ph. 61 Postinc.

Der aufgeschlagene allegorische Titelholzschnitt soll den Benutzern dieses Handbuchs, das das an den Artistenfakultäten der Universitäten zu jener Zeit gelehrte, allgemein anerkannte Grundwissen enthielt, den Aufbau und die Teilwissenschaften der Philosophie in anschaulicher Form vermitteln. Die als Grundlage für jedes weitere Studium seit der Antike in den Schulen gelehrten »septem artes liberales« (vgl. Kat. Nr. 86), die im unteren Teil des Kreises durch sieben Frauengestalten dargestellt sind, werden durch die eigentliche Philosophie überragt. Ihre Stellung im System der philosophischen Wissenschaften ist schon durch das Größenverhältnis gekennzeichnet. Sie erscheint dreiköpfig gemäß der traditionellen mittelalterlichen Einteilung der Philosophie in »philosophia naturalis«, »philosophia moralis« und »philosophia rationalis« (philosophia divina). Diese Gebiete der Philosophie werden durch die Gestalten außerhalb des Kreises repräsentiert: durch Aristoteles die die Physik einschließende Naturphilosophie (philosophia naturalis), durch Seneca die Ethik (philosophia moralis), durch die vier Kirchenväter Augustinus, Gregor den Großen, Hieronymus und Ambrosius die Metaphysik (philosophia rationalis bzw. divina).
Der dem Kartäuserorden zugehörige Verfasser der ›Margarita philosophica‹ – er

war von 1502 bis kurz vor seinem Tod 1525 Prior der Freiburger Kartause – hat dieses System in seinem, in Form eines Dialogs zwischen Lehrer und Schüler abgefaßten Werk im einzelnen dargelegt und mit zahlreichen weiteren Abbildungen illustriert. Sein um 1490 im wesentlichen in lateinischer Sprache abgefaßtes Werk war 1503 durch Johann Schott in Straßburg erstmals gedruckt worden. Das ausgestellte Exemplar stammt aus der zweiten, gleichfalls von Schott gedruckten Auflage. Das Werk erfuhr in der Folgezeit zahlreiche weitere Neuauflagen. Reischs ›Margarita philosophica‹ wurzelt in dem von der Verbindung aristotelischer und christlicher Lehren geprägten scholastischen System, repräsentiert aber zugleich das Bestreben, das neu hinzukommende Wissen, vor allem auf dem Gebiet der Naturwissenschaften, nach Art der »christlichen Humanisten« in jenes System zu integrieren.

Margarita philosophica, Basel 1517. Neudruck 1973. – R. Ritter v. Srbik, Maximilian I. und Gregor Reisch. In: Archiv für österr. Gesch. 122, 1961, S. 235-340. – D. Illmer, Artes liberales. In: TRE 4, 1979, S. 156-171, bes. S. 168. F. M.

101 Das bildnerische Programm eines Universitätszepters spiegelt die im Mittelalter weithin eingeführte Gliederung der Hohen Schulen nach Fakultäten.

Zepter der Universität Freiburg im Breisgau
Peter Sachs, 1512
Silber, teilvergoldet, L. 138 cm. Am Schaft datiert. Die Löwenmaske unter dem Griff wahrscheinlich erneuert
Freiburg i. Br., Augustinermuseum. Leihgabe der Albert-Ludwigs-Universität

Das hier ausgestellte Zepter der Universität Freiburg i. Br. aus dem Jahr 1512 war bereits das zweite dieser 1457 durch Erzherzog Albrecht VI. von Österreich als Landesherrn begründeten und 1460 eröffneten Hohen Schule. Aus dem das Zepter bekrönenden Blattwerk erwächst ein Rundstab mit einer Figur des »Salvator mundi«, unter dem kleine Figürchen der heiligen Schutzpatrone der Fakultäten der Artisten, Theologen und Juristen angebracht sind: Katharina von Alexandrien, Paulus und Ivo. Ein viertes Figürchen, vermutlich den hl. Lukas als Patron der Mediziner darstellend, ist verloren. Ein dreiseitiger Baldachin im oberen Drittel des Zepters überdacht Figürchen eines Kaisers und zweier Herzöge von Österreich, denen jeweils ein Wappenschild zugeordnet ist: der Doppeladler für das Reich, das dem heutigen Wappen von Niederösterreich entsprechende Lerchenwappen für Alt-Österreich, der rot-weiß-rote Bindenschild des Erzhauses Österreich. Eine eindeutige Identifizierung der Figürchen mit bestimmten Herrschern ist bisher noch nicht gelungen. Das Zepter von 1512 stimmt in den Grundformen mit dem älteren Stab von 1466 überein, ist jedoch reicher als dieser gestaltet.
Das Zepter wurde dem Rektor der Universität bei feierlichen Anlässen vorangetragen. Die Anfertigung des neuen akademischen Würdezeichens durch den Freiburger Goldschmied Peter Sachs fällt in eine Zeit der Blüte der Freiburger Universität. Diese gehört zur zweiten, zeitlich genau ein halbes Jahrhundert umspannenden Welle von Universitätsgründungen in Deutschland, die 1456 mit der Stiftung Greifswalds durch die pommerschen Herzöge eingesetzt hatte und die bis zur Gründung der Universitäten Wittenberg (1502) durch Kurfürst Friedrich den Weisen von Sachsen sowie Frankfurt an der Oder (1506) durch Kurfürst Joachim I. von Brandenburg reichte. Dazwischen lagen nach Freiburg die Gründungen in Basel (1459), Ingolstadt (1472), Trier (1473), Tübingen und Mainz (beide 1477). Die Massierung der in erster Linie aus landesfürstlich-politischen Motiven begründeten Hohen Schulen im Südwesten Deutschlands war für die Ausbildung des modernen Fürstenstaates und eines staatstragenden Beamtenstandes in den dortigen Territorien von großer Bedeutung. Mit der Gründung der Universität von Frankfurt an der Oder besaßen alle Kurfürstentümer des Reiches eigene Hohe Schulen. Die neuen Universitäten öffneten sich bereitwillig dem Humanismus, verhielten sich aber – mit Ausnahme von Wittenberg – der Reformation gegenüber zunächst ablehnend. Erst als sich die meisten Stadt- und Landesherren zum evangelischen Glauben bekannten, wurden auch die Universitäten in diesem Sinn reformiert (Basel 1529, Tübingen und Frankfurt a. d. O. nach 1535, Greifswald nach 1539).

Kat. Ausst. Spätgotik, Nr. 244, S. 274. – I. Schroth, Die Szepter der Universität. In: Kunstwerke aus dem Besitz der Albert-Ludwig-Universität Freiburg i. Br., 1957, S. 43 ff. – W. Paatz, G. W. Vorbrodt u. I. Vorbrodt, Corpus Sceptrorum, Bd. I,1: Die akademischen Szepter und Stäbe in Europa, 1971, S. 71 f. F. M.

102 Die Stiftungsurkunde einer Universitätsburse gibt Aufschluß über deren materielle Ausstattung und die dort für die Scholaren geltende Ordnung.

Institutio burse Pauli Wann in studio Wiennensi (Einrichtung der Burse des Paulus Wann an der Wiener Universität), 30. Januar 1484
Orig. Pergamentlibell, 4 Doppelbll., 34,5 × 26 cm. Beglaubigungen durch drei Notare
München, Bayerisches Hauptstaatsarchiv, Passau, Domkapitel, Urk. 1978 (früher: Fasz. 330)

Es entsprach dem hohen Rang des körperschaftlichen Denkens im Mittelalter, daß die Studenten gemäß den an den Universitäten und Fakultäten geltenden Statuten in zumeist auf Stiftungen beruhenden größeren oder in privaten kleineren Bursen unter Aufsicht von Magistern gemeinsam unter einem Dach wohnten und arbeiteten. Die öffentlichen Vorlesungen und offiziellen Universitätsakte fanden in den Kollegien statt; in den Bursen wurde vor allem der durch außerordentliche Lehrer wahrgenommene Hilfsunterricht zur Einübung der lateinischen Sprache und zur Wiederholung des in den öffentlichen Vorlesungen gehörten Stoffes erteilt. Die ursprünglich nur für die Bewohner der Bursen gebrauchte Bezeichnung »bursales« (Burschen) wurde im Lauf der Zeit auf alle Studenten ausgedehnt.

Die ausgestellte ›Institutio‹ gibt über die 1484 vollzogene Stiftung und Ausstattung sowie über die Hausordnung der berühmten Wiener »Heidenburse« (bursa gentium) Aufschluß. Zur Ausstattung gehörte eine beträchtliche Zahl von Büchern. An erster Stelle werden eine Bibel und der Schriftkommentar des Nikolaus von Lyra aufgeführt. Nach zahlreichen theologischen, philosophischen und – Wanns Amt als Prediger entsprechend – homiletischen Schriften folgen am Ende der Bücherliste noch mehrere Werke antiker Autoren. In die anschließenden Anordnungen über die Feier des Gottesdienstes, die Studien und die Einhaltung der Sitten sowie über die Auswahl und Einweisung der Stipendiaten und die Verwaltung der Stiftung sind einzelne Bestimmungen über den Umgang mit Büchern allgemein und speziell über die Verwendung einzelner, der Burse legierter Bücher aufgenommen. So soll einer der Stipendiaten an Festtagen den anderen Scholaren zur Förderung der Latinität *(ad promovendum latinitatis)* aus dem ›Trost der Philosophie‹ des Boethius, den Reden des Cicero oder anderen, namentlich aufgeführten Werken vorlesen.

Luther hat während seines im Sommersemester 1501 in Erfurt begonnenen Studiums mit großer Wahrscheinlichkeit in dem der Artistenfakultät angeschlossenen Collegium Amplonianum (Porta Coeli, Himmelspforte) unweit der St. Michaelskirche gewohnt. Zu seinen Mitbursalen gehörten hier wahrscheinlich der später als Humanist und Verfasser eines Teils der ›Dunkelmännerbriefe‹ bekannt gewordene Crotus Rubeanus (Johann Jäger) sowie der spätere »Reformator Erfurts« Johann Lang. Crotus Rubeanus erinnerte Luther in einem 1520 geschriebenen Brief daran, daß Luther in ihrem gemeinsamen Kontubernium einst als »musicus et philosophus eruditus« (Musiker und gelehrter Philosoph) gegolten habe (WA Br. 2, Nr. 281, S. 87-93, hier S. 91). Diese zuletzt genannte Stelle gehört – da die Bezeichnung »philosophus« in Erfurt zu Luthers Studienzeit vor allem für die Anhänger der neu aufkommenden humanistischen Geistesrichtung gebraucht wurde – in die in jüngster Zeit mit besonderer Aufmerksamkeit betrachtete Berührung Luthers mit dem Humanismus während seiner artistischen Studien.

H. Junghans, Der Einfluß des Erfurter Humanismus auf Luthers Entwicklung bis 1518. In: Luther-Jb. 37, 1970, S. 37-101. – Brecht, S. 40 ff., 51. – H. A. Oberman, Luther, 1982, S. 130 ff. – Mittelalterliche Bibliothekskataloge Deutschlands und der Schweiz, Bd. 4,1: Bistümer Passau und Regensburg, bearb. von Ch. E. Ineichen-Eder, 1977, S. 39-44. F. M.

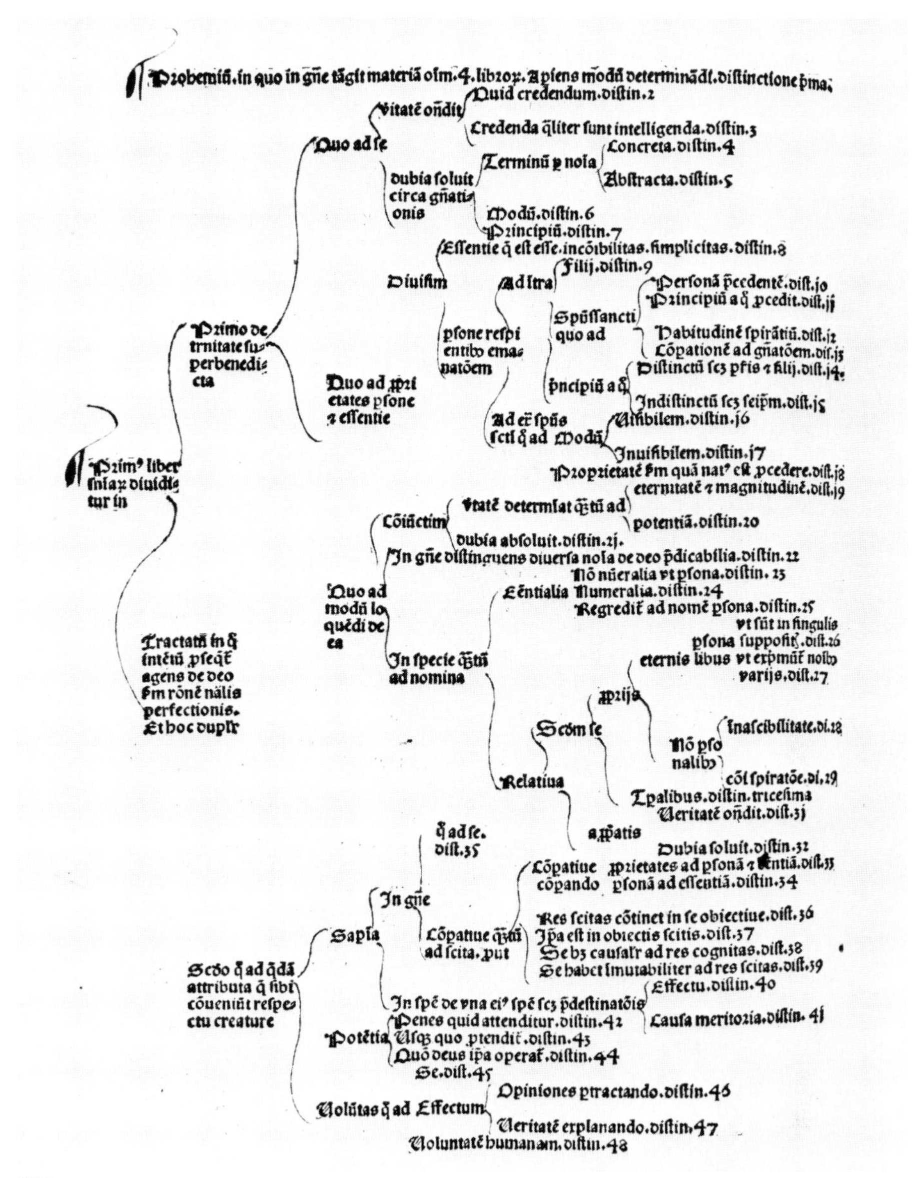

103

103 Im Werk des Tübinger Professors Gabriel Biel begegnete Luther während seiner philosophischen Studien in Erfurt dem Nominalismus in seiner gemäßigten Ausprägung.

Gabriel Biel, ›Collectorium circa quattuor Sententiarum libros‹, L. I-II
Tübingen: Johannes Otmar für Friedrich Meynberger [1501] (Erstdruck)
2°. L. I fol. A1r-X8r (144 Bll.), L. II fol. a1r-x7r (130 Bll.), zusammengebunden. Aufgeschlagen: fol. A2v-A3r, Ende der einleitenden ›Oratio‹ des Herausgebers Wendelin Steinbach und Biels Prolog zum Gesamtwerk mit der Angabe von dessen vollem Titel (›Epitome pariter et collectorium circa

quattuor Sententiarum libros‹)
Bamberg, Staatsbibliothek, Inc. typ. B VIII, 11

Biels Kommentar der Sentenzen des Petrus Lombardus ist im wesentlichen aus seiner Lehrtätigkeit an der Universität Tübingen erwachsen, wo er von 1484 bis 1491 wirkte, die handschriftliche Überlieferung belegt jedoch, daß er dort bereits auf frühere Vorarbeiten zu dem Werk zurückgreifen konnte. Die Bücher I-III waren 1488/89 fertiggestellt; danach arbeitete Biel (um 1410-1495) bis zu seinem Tod an Buch IV, das damals bis zum ›Summarium‹ von d. 23 gediehen war. Steinbach ergänzte die fehlenden Distinktionen später durch einen eigenen Kommentar (›Supplementum‹, Paris 1521). Biels Werk basierte auf einer Bearbeitung von Wilhelms von Ockham wohl vor 1324 entstandenem Sentenzenkommentar. Wo ihm Ockham zu ausführlich erschien – wie insbesondere in Buch I – hat Biel zusammengefaßt (daher im Titel ›Epitoma‹ d.h. Auszug); in den übrigen Teilen, wo Biel bei Ockham wenig oder nichts behandelt fand, was seinem Konzept entsprach, erweiterte er die Ockhamsche Grundlage oder erstellte einen eigenen Kommentar unter ausgiebiger Einbeziehung anderer Autoritäten (daher ›Collectorium‹, d.h. Zusammenlese).
Luther hat Biels Werke, vor allem dessen Meßerklärung und den Sentenzenkommentar, an der Erfurter Universität kennengelernt, wo dieser einst selbst studiert und gelehrt hatte und wo der Ockhamismus seit der zweiten Hälfte des 15. Jahrhunderts eine Vorrangstellung unter den gelehrten Systemen eingenommen hatte. Er hat seine Lehrer Jodocus Trutfetter und Bartholomaeus Arnoldi von Usingen später als »Gabrielisten«, d.h. als Anhänger Gabriel Biels (WA Br. 1, Nr. 26, S. 65), und sich selbst als der ockhamistischen Richtung zugehörig (WA 6, S. 600) bezeichnet. Als er seit Frühjahr 1517 unter Berufung auf Augustinus und auf die Bibel zum Angriff auf Aristoteles, die Sentenzen und auf das scholastische System überhaupt überging, nahm er sich Biels ›Collectorium‹ erneut vor, wie seine Randbemerkungen in der 4. (Lyoner) Ausgabe dieses Werkes von 1514 bezeugen. Auf Grund dieser Beschäftigung wandte er sich in der Wittenberger Disputation am 4. September 1517 *Contra scholasticam theologicam* (Gegen die scholastische Theologie) in den Thesen 5 und 36 scharf gegen die scholastische Auffassung vom Vermögen des natürlichen Menschen und nahm vor allem gegen die Gestalt dieser Lehre bei Biel Stellung.

Gabrielis Biel Collectorium circa quattuor libros sententiarum, hrsg. v. W. Werbeck u. U. Hofmann, bisher I, III, IV, 1-2, 1973-1979. – Grane, S. 369-382. – H. Volz, Luthers Randbemerkungen zu zwei Schriften Gabriel Biels. In: Zs. für Kirchengeschichte 81, 1970, S. 207-219. – U. Bubenheimer, Gabriel Biel. In: Verfasserlexikon, Bd. 1, Sp. 853-858. F. M.

104 Einer von Luthers Lehrern der Philosophie an der Universität Erfurt, Jodocus Trutfetter aus Eisenach, verfaßte 1501 ein auf der ockhamistischen Universalienlehre basierendes neues Lehrbuch der Logik.

Jodocus Trutfetter, ›Summule totius logice: quod opus maius appellitare libuit... ex dogmatibus veterum retentiorumque omnium in Gymnasio nuper Erphordiensi utpote succus e floribus: laboriosissime compilate‹
Erfurt: Wolfgang Schenck 1501
4°. 392 Bll.
Nürnberg, Stadtbibliothek, Philos. 24.4°

1501, im gleichen Jahr, in dem Luther an der Universität Erfurt durch den damaligen Rektor, den Professor der Philosophie Jodocus Trutfetter aus Eisenach (um 1460-1519), in die Matrikel eingeschrieben und auf die Universitätssatzungen verpflichtet wurde, erschien Trutfetters umfangreiches Hauptwerk über die Wissenschaft der Logik in der Offizin des Wolfgang Schenck in Erfurt selbst im Druck. Zusammen mit dem Augustinereremiten Bartholomaeus Arnoldi von Usingen (um 1465-1532) zählte Trutfetter in den Erfurter Studienjahren zu Luthers wichtigsten Lehrern. Die Erfurter Universität befand sich um 1500 in einer Periode des geistigen Aufschwungs, der vor allem in der Tätigkeit Trutfetters und Arnoldis sowie in der Pflege des Humanismus unter Führung des aus dem elsässischen Ingweiler stammenden Maternus Pistoris begründet war.
Trutfetter und Arnoldi setzten sich auf der Quodlibetdisputation des Jahres 1497 mit der ockhamistischen Universalienlehre gegen die anderen Richtungen durch und suchten diese durch Einführung neuer Lehrbücher fest im Lehrbetrieb zu verankern. Die von Trutfetter 1497 vorgetragene Auffassung, daß es keine allgemeine Entität gäbe, daß als Kategorien nur Substanz und Qualität anzunehmen seien und daß es der Philosophie viel mehr entspräche, nach dem »principium universalisationis« (dem Prinzip der Verallgemeinerung) zu fragen, anstatt wie bisher nach dem »principium individuationis« (dem Prinzip der Vereinzelung), hat Trutfetter wörtlich in seine hier ausgestellten ›Summule totius logice‹ aufgenommen. Dem Philosophieren über die Dinge habe eine eingehende Sprachkritik vorauszugehen. Ohne Sprache läßt sich nach Trutfetter nichts über die Dinge aussagen, heißt es an der aufgeschlagenen Textstelle des Werkes (fol. M^v). Nur über eine präzise Sprachanalyse führe der Weg zur kritischen Sprachwissenschaft. Dies gilt nach Trutfetter auch für den Weg, der zur Metaphysik und Theologie führt; auch hier vermittle die Sprachanalyse noch nicht Sachkenntnis in diesen Wissenschaften, zeige aber den Weg, auf dem dorthin zu gelangen sei. Gegenüber Biel folgte Trutfetter wie auch Arnoldi Ockham weniger streng.
Trutfetter wurde 1504 zum Doktor der Theologie promoviert. Er lehrte in den Jahren 1506-1510 an der Theologischen Fakultät der Wittenberger Universität. Es wird angenommen, daß er sich bei Staupitz 1508 für den Wechsel Luthers von Erfurt nach Wittenberg eingesetzt hat. 1510 kehrte Trutfetter nach Erfurt zurück; er wirkte hier zwar bis zu seinem Tod als Ordinarius der Theologie, blieb aber zeitlebens bei der philosophischen Behandlung der theologischen Probleme stehen. Luther distanzierte sich seit Anfang 1517 im Zuge seiner Abwendung von der Scholastik mehr und mehr von seinem Lehrer. 1518 trennte sich Trutfetter ebenso wie Arnoldi von Luther. Als dieser die Nachricht vom Tod Trutfetters hörte, schrieb er am 24. Mai 1519 an Spalatin: *Ich fürchte, daß auch ich Ursache seines vorschnellen Todes geworden bin; so viel Kummer war in ihm wegen meiner sog. Entweihungen und Verwegenheiten, durch die die scholastische Theologie zu seinem Schmerz in eine unglaubliche Verachtung geraten sei. Der Herr erbarme sich seiner Seele, Amen!* (WA Br. 1, Nr. 181, S. 407).

M. v. Hase, Bibliographie der Erfurter Drucke von 1501-1550. In: Archiv für Gesch. des Buchwesens 7, 1967, Sp. 655-1096, hier Nr. 35, Sp. 664. – E. Kleineidam, Universitas Studii Erffordensis II. 1969, S. 147 ff., 160 f., 217 f., 226 ff., 292 ff. – W. Urban, Die »via moderna« an der Universität Erfurt am Vorabend der Reformation. In: H. A. Oberman (Hrsg.), Gregor von Rimini, 1981, S. 311-330. – H. Junghans, Erfurt, Universität. In: TRE 10, Lfg. 1/2, 1982, S. 141-144. F. M.

105 Fast zur gleichen Zeit, als Luther im Wintersemester des Jahres 1508 an der Wittenberger Artistenfakultät mit Vorlesungen über Moralphilosophie begann und zugleich an der Theologischen Fakultät seine in Erfurt begonnenen theologischen Studien fortsetzte, erhielt die Wittenberger Universität von Kurfürst Friedrich dem Weisen von Sachsen eine neue Verfassung.

Statuten des Theologischen Kollegs der Universität Wittenberg, erlassen durch Kurfürst Friedrich den Weisen, 15. November 1508
Papier, 31,5 × 25 cm. Gleichzeitige Abschrift in einer Sammelhandschrift (2 und 469 Bll.) aus dem Besitz des Christoph Scheurl, fol. 415v-420v. Einband: Buchenholz mit Lederrücken und Messingbeschlägen
Nürnberg, Scheurl-Archiv, Cod. 293 (alt 281), Kl. Folio

Für die 1502 durch Kurfürst Friedrich den Weisen mit Genehmigung Maximilians I. in Wittenberg begründete Universität begann mit den Jahren 1507/08 der eigentliche Aufstieg: In diesen Jahren erfolgte ihre nachträgliche Bestätigung durch Papst Julius II., die Inkorporation des Allerheiligenstiftes und seiner Einkünfte in die Universität, die Berufung des Christoph Scheurl zum Lehrer des Kanonischen Rechts und zum Rektor der jungen Akademie sowie der Erlaß eigener, maßgeblich unter Beteiligung Scheurls entstandener Universitäts- und Fakultätsstatuten durch den Kurfürsten.
Nach einem Eintrag im Dekanatsbuch der Juristischen Fakultät der Universität Wittenberg aus dem Jahr 1509 ist der Text der Statuten durch Scheurl »komponiert« und durch die vom Landesherrn dazu beauftragten »Weisen« oder »Reformatoren« verbessert worden. Über die Scheurl für seine Arbeit zuerkannte Zuwendung gibt eine Notiz im ›Scheurlbuch Ab‹ Aufschluß (Scheurl-Archiv, Cod. 284 [alt 274], fol. 157r). Scheurl lehnte sich im wesentlichen an die Tübinger Statuten an, die schon zuvor in nahezu unveränderter Form in Wittenberg in Geltung gewesen waren. In der Unterstellung der Universität unter den besonderen Schutz des hl. Augustinus und der Feier des Festes dieses Patrons im Augustinereremitenkloster am Elstertor kommt die enge Verbindung der Hochschule zu diesem Kloster und indirekt auch der hohe Anteil des Johannes von Staupitz (vgl. Kat. Nr. 135) an der Organisation der Hochschule zum Ausdruck. Die allgemeinen Statuten sahen u. a. die Gleichberechtigung der »via antiqua« und »via moderna« im Lehrbetrieb vor, verpflichteten die Mitglieder des Lehrkörpers zu regelmäßiger Abhaltung der Vorlesungen und zur Veranstaltung und Leitung von Disputationen und regelten die Verpflichtungen der Studierenden. Diese genügten ihnen in wissenschaftlicher Hinsicht, wenn sie täglich mindestens eine Vorlesung besuchten. Spiel, Handeltreiben und Verkehr mit Dirnen waren ausdrücklich untersagt. Weitere Bestimmungen betrafen das Schuldenmachen der Studenten und deren Bestrafung bei nächtlicher Ruhestörung, Waffentragen oder Gewalttaten. Die Sonderstatuten der einzelnen Fakultäten enthielten nach jeweils entsprechendem Schema die Einzelbestimmungen über die besonderen Schutzheiligen, über die Funktionen der Senate und Dekane, über die Promotionen und die Verpflichtungen der Professoren.
Die umfangreiche Sammelhandschrift Scheurls enthält neben mehreren eigenen juristischen Vorlesungen in Wittenberg aus den Jahren 1507/08 und Abschriften wichtiger, auf die Schloßkirche Allerheiligen und die Universität bezüglicher Urkunden aus den Jahren 1506/07 vor allem gleichzeitige Kopien der im Herbst 1508 erlassenen Universitäts- und Fakultätssatzungen und der Statuten des Allerheiligenstiftes. Die meisten Texte sind eigenhändig von Scheurl geschrieben und an vielen Stellen von ihm korrigiert worden. Aufgeschlagen sind fol. 415v/416r mit dem über die Ferien und die akademischen Feiertage der Universität handelnden Ende der allgemeinen Universitätssatzungen und dem Beginn der von Kurfürst Friedrich an die Adresse des Johannes von Staupitz als Generalvikar der Augustinerobservantenkongregation für Deutschland und »Reformator« (Weisen) der Universität sowie an den Senat der Fakultät gerichteten Statuten des theologischen Kollegs. Wenige Wochen bevor in Wittenberg diese Statuten in Kraft traten, hatte der auf Veranlassung von Staupitz auf die Lektur für Moralphilosophie dorthin berufene Luther mit Vorlesungen über die »Nikomachische Ethik« des Aristoteles begonnen und zugleich die bereits am Erfurter Hausstudium seines Ordens begonnenen theologischen Studien fortgesetzt.

Urkundenbuch der Universität Wittenberg I, bearb. v. W. Friedensburg, 1926, Nr. 23, S. 31-39 (Abdruck der Statuten der Theologischen Fakultät; die Statuten der Univ. und der übrigen Fakultäten ebd. Nr. 22 und 24-26, S. 18-31 und S. 39-58). – W. Friedensburg, Geschichte der Universität Wittenberg, 1917, S. 24 ff. – W. Graf, Doktor Christoph Scheurl von Nürnberg, 1930, S. 41. F. M.

106 Rudolf Agricola gilt als universaler Geist im Sinn der italienischen Renaissance (uomo universale) und als einer der hervorragenden Wegbereiter des Humanismus in Deutschland.

Bildnis des Rudolf Agricola
Lukas Cranach d. Ä., um 1530
Gemälde auf Buchenholz, 19,8 × 15 cm. Oben rechts bezeichnet mit Signet des Künstlers
Privatbesitz

Das posthume Bildnis Agricolas geht wohl auf ein Miniaturporträt des Humanisten zurück, das nicht erhalten ist. Dafür sprechen die Unterschiede zu einem etwa um die gleiche Zeit entstandenen, möglicherweise nach der gleichen Vorlage geschaffenen weiteren Porträt Agricolas (heute in München) sowie die Verwandtschaft zu einer vielleicht von Melanchthon angefertigten Deckfarbenminiatur aus der Zeit vor 1526 (heute in Basel) und zu einer weiteren Miniatur in der Wittenberger Universitätsmatrikel (heute in Halle) aus dem Jahr 1531.
Rudolf Agricola (Roelof Huysman) wurde 1444 in Baflo bei Groningen geboren. Die ihm an der Groninger Martinsschule im Sinn der »Devotio moderna« zuteil gewordene Erziehung hat ihn nachhaltig geprägt. Nach Studienjahren in Erfurt, Köln und Löwen lebte Agricola in den Jahren 1468-1479 in Italien, wo er Griechisch lernte, eine Biographie Petrarcas verfaßte und in Ferrara vor dem Hof des Ercole d'Este und der Universität eine berühmt gewordene Rede zum Lob der Philosophie und der übrigen Künste (›In laudem philosophiae et reliquarum artium‹) hielt, ein Glanzstück humanistischer Rhetorik. Die Humanisten in Italien erkannten ihn als einen der Ihren an. Die folgenden Jahre wirkte Agricola als freier Gelehrter in den Niederlanden und in Deutschland. Die von ihm seit 1484 in Heidelberg nach italienischem Vorbild gehaltenen philosophischen Vorlesungen übten große Ausstrahlungskraft aus. Seine Beherrschung des Lateinischen wurde von Erasmus mit der Vergils und des Dichters

Angelo Poliziano aus Florenz verglichen. Agricolas Schrift ›De inventione dialectica‹ (Über die dialektische Lehre), sein Hauptwerk, gelangte erst nach seinem Tod zum Druck (1539). Agricola stellte darin die dialektisch-kritische der herkömmlichen scholastischen Methode gegenüber. In seinem 1484 abgeschlossenen Brieftraktat ›De formando studio‹ (Von der Gestaltung des Studiums) stellte Agricola den vielseitig tätigen und tugendhaften Menschen als Ziel aller Bildung vor. Das von ihm dargebotene Reformprogramm für das Studium hat in der Folgezeit Wissenschaftsgliederung und Unterrichtslehre an den Universitäten nachhaltig bestimmt.
In seinen Werken, vor allem aber in seiner Persönlichkeit, verkörpert Agricola als einer der ersten nördlich der Alpen wirkenden Gelehrten das Ideal des »uomo universale« im Sinn der italienischen Renaissance und gehört zu den großen Anregern des Frühhumanismus in Deutschland. Seine Vorstellungen waren für die geistige Entwicklung des Konrad Celtis, Erasmus und Philipp Melanchthon von hervorragender Bedeutung.
Das ausgestellte Bild Cranachs ist ein Zeugnis für die Hochschätzung, die der Verstorbene und sein Werk in Wittenberg noch um 1530 genossen. Im Wittenberger Matrikelbuch ist Agricola zusammen mit Luther, Melanchthon und Erasmus auf einer Seite dargestellt.

A. Faust, Die Dialektik Agricolas. In: Archiv für Gesch. der Philosophie 34, 1922, S. 118-135. – M. A. M. Nauwelaerts, Rudolphus Agricola, 1963. – H. Rupprich, Die deutsche Literatur vom späten Mittelalter bis zum Barock, T. 1, 1970, S. 490-494. – Kat. Ausst. Cranach, Bd. 1, Nr. 167, S. 266, Abb. 123, dazu ebd. S. 257 ff.
F. M.

106

107 An der Wiener Universität wurden die humanistischen Studien einige Jahre lang im Rahmen eines eigenen, den herkömmlichen vier Fakultäten rechtlich weitgehend gleichgestellten »Collegium poetarum et mathematicorum« unter Leitung des »Erzhumanisten« Konrad Celtis betrieben.

Insignien der Dichterkrönung und des »Collegium poetarum« an der Wiener Universität
Hans Burgkmair, um 1504
Holzschnitt, koloriert, 16,8 × 22,8 cm.
Aus: Konrad Celtis, ›Rhapsodia‹. Wien: Johann Otmar 1505, fol. 8r
Nürnberg, Germanisches Nationalmuseum, H 7491 Postinc.

Über die von der Spätantike bis in das hohe Mittelalter maßgebliche Einteilung der Künste und weltlichen Wissenschaften in das System der sieben freien Künste waren mit dem Aufstieg der Universitäten im 12. und 13. Jahrhundert vor allem aus der Weiterentwicklung der Logik neue Fächer entstanden, die in Studium und Lehre über das alte System hinausgingen. Das seit dem 14. Jahrhundert sich verstärkende, zunächst in Italien erkennbare Bemühen, an Stelle der formalen Bildung durch die freien Künste die Formung des Menschen als

Bildungsziel anzustreben, war mit einem starken Aufschwung der Grammatik und Rhetorik verbunden und mündete in das im Lauf des 15. Jahrhunderts ausgebildete System der »studia humanitatis« mit Grammatik, Rhetorik, Dichtung, Geschichte und Moralphilosophie (Ethik) als Hauptfächern ein. Bis zur Wende vom 15. zum 16. Jahrhundert traten zu diesen Fächern insbesondere die Geographie und die Naturwissenschaften hinzu. Der Gelehrte, der das neue System beherrschte, wurde seit Ende des 15. Jahrhunderts mit dem aus der Studentensprache entlehnten Wort »humanista« bezeichnet, das mit der Zeit auch in offizielle Dokumente Eingang fand.

An der Wiener Universität setzte König Maximilian I. das System der »studia humanitatis« gegen erhebliche Widerstände von Seiten scholastisch eingestellter Professoren durch. Der Berufung des aus Venedig stammenden Humanisten Hieronymus Balbus im Jahr 1493 und dem kurzzeitigen Wirken anderer italienischer Gelehrter in Wien folgte 1497 die Berufung des aus Wipfeld bei Schweinfurt stammenden Konrad Celtis (gest. 1508). 1501 stiftete Maximilian I. zur Pflege der humanistischen Wissenschaften neben den vier Fakultäten das »Collegium poetarum et mathematicorum« mit je zwei Lehrern für die poetischen und mathematischen Disziplinen und unterstellte dieses der Leitung des Celtis. Das Kolleg erhielt das Recht, den akademischen Grad eines »poeta laureatus«, eines gekrönten Dichters, zu verleihen. Celtis selbst war 1487 von Friedrich III. als erster Deutscher in Nürnberg zum Dichter gekrönt worden und stand damit seither an der Spitze der Humanisten in Deutschland.

Der ausgestellte Holzschnitt Burgkmairs bildet die Insignien der Dichterkrönung und des Poetenkollegs ab: das Zepter mit dem bekrönenden kaiserlichen Doppeladler und den Wappen der sieben Kurfürsten, den Siegelstempel mit Darstellungen Apolls und Merkurs, Birett und Ring, sowie den Lorbeerkranz. Das Kolleg ging bald nach dem Tod des Celtis wieder ein; die humanistischen Studien wurden an der Wiener Universität seither vor allem innerhalb der Fakultäten der Artisten und Mediziner weiter gepflegt.

L. W. Spitz, Conrad Celtis, The German Arch-Humanist, 1957. – P. O. Kristeller, Studien zur Geschichte der Rhetorik und zum Begriff des Menschen in der Renaissance, 1981. – F. Gall, Die Insignien der Universität Wien, 1965, S. 89 f. – Kat. Ausst. Maximilian, Nr. 385, S. 102. – Kat. Ausst. Hans Burgkmair, Augsburg 1973, Nr. 12.

F. M.

108 Die Darstellungen auf der sog. Celtis-Truhe symbolisieren wesentliche Anliegen der Humanisten.

Die Celtis-Truhe, 1508
Holz, 31 × 31 × 31 cm. Bemalung in Tempera
Wien, Universität (Universitätsarchiv)
Farbtafel Seite 75

Die Truhe wurde nach dem Tod des Konrad Celtis als Behälter für die Insignien und den Stiftungsbrief des 1501 durch den römischen König gestifteten »Collegium poetarum et mathematicorum« angefertigt.

Die Truhe ist oben mit einem Schiebedekkel versehen, auf dem ein Pergamentblatt mit elfzeiligem Text aufgeklebt ist. Das Blatt wird von der von zwei wilden Männern gehaltenen Kaiserkrone und dem sog. Celtis-Wappen umrahmt. Der Text nimmt auf die Privilegien Maximilians für das Collegium und die Verdienste des Celtis um seine Einrichtung Bezug. Das Celtis-Wappen enthält als Devise die einem Kreuz eingeschriebene Buchstabenfolge *VIVO* (»ich lebe«). Vorder- und Rückwand der Truhe sind mit Wappendarstellungen geziert. Die Vorderwand trägt das Wappen Neu-Österreichs, den rot-weiß-roten Bindenschild, die Rückwand den nimbierten kaiserlichen Doppeladler mit dem maximilianeisch-genealogischen Brustschild (gespalten von Österreich und Alt-Burgund). An den Seitenwänden finden sich vereinfachte Nachbildungen zweier Holzschnitte: rechts des lorbeerbekränzten fidelspielenden Apoll auf dem Parnaß von Hans von Kulmbach aus der Celtisschen Ausgabe des ›Ligurinus‹ von 1507, links der thronenden Philosophia von Dürer aus den Celtisschen ›Quatuor libri amorum‹ von 1502. Der Apoll-Holzschnitt des Hans vom Kulmbach ging auf ein oberitalienisches Vorbild zurück. Apoll als Gott des Lichtes, der Heilkunde und Weissagung, als Herr über Leben und Tod und Schutzherr der Musen galt den Humanisten, zumal nach der Wiederentdeckung der Apollstatue vom Belvedere (1495), als Inbegriff der Vollkommenheit und Ordnung. Die thronende Philosophia hatte für Celtis programmatische Bedeutung und erscheint vor allem in der Form des Holzschnittes geeignet, eine Vorstellung des Celtisschen Humanismusverständnisses zu geben. Auf dem Holzschnitt und entsprechend auf der Truhe sind auf der zum Herzen als dem Lebenszentrum der Philosophia führenden Schärpe die Anfangsbuchstaben von der »philosophia« über die »septem artes liberales« bis hin zur »theologia« als ranghöchster Wissenschaft eingetragen. Auf die gleiche Rangfolge weist auch der Celtis wahrscheinlich durch Jakob Locher aus dem Werk des Pseudo-Phokylides vermittelte Text in griechischen Buchstaben auf den Thronwangen hin: »Vor allem ehre Gott, allem anderen widme das rechte Maß deines Interesses.« Der hinter dem Holzschnitt und der Philosophia-Darstellung auf der Truhe stehende Humanismus erweist sich frei von antireligiöser Tendenz und war, wie Dieter Wuttke aus der Analyse des gegenüber dem Bild auf der Truhe detailreicheren Holzschnittes schloß, »an der Schaffung eines neuen enzyklopädischen Wissens elementar interessiert, das der neuen Formulierung des Weltgesetzes dienen soll« (Humanismus in Nürnberg, S. 129).

E. Panofsky, Die Renaissancen der europäischen Kunst, 1979, S. 207 ff. – D. Wuttke, Dürer und Celtis. In: The Journal of Medieval and Renaissance Studies 10, 1980, S. 73-129. – D. Wuttke, Humanismus in Nürnberg um 1500. In: Kat. Ausst. Caritas Pirckheimer 1467-1532, Nürnberg 1982, S. 128-132. – F. Winkler, Hans von Kulmbach, 1959, S. 31-37. – Kat. Ausst. Maximilian, Nr. 382. – Kat. Ausst. Renaissance in Österreich, Schloß Schallaburg 1974, Nr. 423.

F. M.

109 Nach Auffassung des »Erzhumanisten« Konrad Celtis muß zur Herstellung harmonischer Zustände im Reich die menschliche Ordnung der göttlichen entsprechen.

Der allegorische kaiserliche Doppeladler
Hans Burgkmair, 1507
Holzschnitt, ca. 33,4 × 21,5 cm. Die lateinische Unterschrift nennt Celtis als Entwerfer des Bildprogramms, Burgkmair als ausführenden Künstler. Neben dem Brunnenrohr das Monogramm des Künstlers
Wolfenbüttel, Herzog August Bibliothek, 12.9 Poet. 2°

Über- und Unterschriften in Form von Distichen stellen den Bezug zwischen den allegorischen Darstellungen und König Maximilians I. Fürsorge für die Pflege der Künste und das Wirken der Musen in Wien her. Vor dem Leib des Wappenvogels wächst ein Brunnenstock mit mehreren übereinander angeordneten Szenen empor. In der Darstellung des Paris-Urteils ist vor allem der Hinweis auf die Folgen dieses Urteils in der knienden Figur der Uneinigkeit *(Discordia)*, die den Zankapfel emporhält, auffallend. Über dieser Szene kommen in zwei Figurengruppen von drei bzw. vier Frauengestalten die »septem artes liberales« zur Darstellung. Darüber erhebt sich die thronende, von zwei Genien begleitete *Philosophia*. Drei Bücher in ihrer Linken symbolisieren die drei Disziplinen der Philosophie. Die muschelförmige Brunnenschale ist von den neun Musen bevölkert, die die schönen Künste und Wissenschaften vertreten. Der Brunnen wird von der Musenquelle *(fons musarum)* gespeist, über der Maximilian als Kaiser thront, flankiert von zwei Herolden. Maximilian nimmt die Stelle des die Ordnung in der Welt verkörpernden Apoll ein. Den Schwingen des Doppeladlers sind jeweils sieben Medaillons aufgesetzt, die (heraldisch) rechts das göttliche Werk *(divina fabrica)*, symbolisiert durch das biblische Sechstagewerk *(sex opera dierum)* samt dem siebten Tag der Ruhe, und (heraldisch) links die sieben Eigenkünste *(artes mechanicae)* als Erfindungen des Menschen *(humana inventa)* darstellen, das Textilhandwerk *(vestiaria)*, den Ackerbau *(agricultura)*, die Baukunst *(architectura)*, die Kriegs- und Jagdkunst *(milicia, venatio)*, den Handel *(mercatura)*, die Kochkunst *(coquinaria)* und die Metallurgie *(metallaria)*. Die beiden Reihen werden durch Wappenschilde abgeschlossen: das königliche Wappen (rechts) und das (alt-)österreichische Wappen (links).

Das von Celtis konzipierte Programm verbindet mittelalterliche und neuplatonische Elemente. Dem durch den heraldischen Platz hervorgehobenen göttlichen Werk werden wie auf einer Waage die menschlichen Erfindungen gegenübergestellt. Beide sollen miteinander in Harmonie stehen. Die Ordnung in den einzelnen Bereichen wird durch die Siebenzahl der göttlichen und menschlichen Werke und der »artes« dokumentiert. Es ist anzunehmen, daß Celtis Marsilio Ficinos Deutung des Paris-Urteils kannte, wonach die drei Göttinnen die »vita contemplativa«, »vita activa« und »vita voluptuosa« vertraten. Nach Ficino hätte Paris alle drei gleichermaßen verehren sollen. Maximilian, der von den Hofgenealogen als Sproß der Trojaner angesehen wurde, wurde zugleich vor Augen gestellt, daß die im oberen Teil dargestellte Harmonie durch ein Fehlurteil in Gefahr gebracht werden könne. Daß auch aus einem Irrtum gelernt werden kann, hat Celtis an zentraler Stelle seiner Allegorese ausdrücklich hervorgehoben, indem er der »Philosophia« die Beischrift hinzufügen ließ: *Errando discitur Philosophia.*

Mit großer Wahrscheinlichkeit stellt der Holzschnitt das Titelblatt eines nicht erhaltenen humanistischen Festspiels des Celtis zur Verherrlichung Maximilians I. dar. Zusammen mit dem Philosophia-Holzschnitt Dürers bringt der Reichsadler Burgkmairs die Fülle der Anliegen des im Celtis-Kreis am Wiener Hof Maximilians, aber auch weit darüber hinaus gepflegten Humanismus sinnenfällig zum Ausdruck.

P. Sternagel, Die artes mechanicae im Mittelalter, 1966. – T. Falk, Hans Burgkmair, 1968, S. 49 ff., Abb. 25. – Kat. Ausst. Maximilian, Nr. 381. – Kat. Ausst. Hans Burgkmair, Augsburg 1973, Nr. 17, Abb. 20. – Kat. Ausst. Cranach, Bd. 2, Nr. 535. F. M.

110 Der Wittenberger Hofpoet Georgius Sibutus Daripinus rühmt die Stadt, Kurfürst Friedrich den Weisen sowie dessen Universitätsstiftung und kündigt ein Lobgedicht auf die Reliquiensammlung des Kurfürsten an.

Georgius Sibutus Daripinus, ›Silvula in Albiorim illustratam‹
Leipzig: Martin Landsberg 1506
London, The British Library, C. 57, d. 11

Das Lob des aus dem thüringischen Tannroda bei Weimar gebürtigen Dichters und Arztes Georgius Sibutus auf Wittenberg, Kurfürst Friedrich den Weisen von Sachsen und dessen Universitätsgründung steht ideell zwar noch in der Tradition des spätmittelalterlichen Städtelobs, folgt aber in der Gestaltung den humanistischen Bildungsdramen seines Lehrers Konrad Celtis. Wie diese war auch die ›Silvula‹ in erster Linie Huldigungsspiel für den Herrscher und zugleich ein Panegyrikus auf die Dichtkunst. Das Stück wurde vor dem Kurfürsten und dem Hof aufgeführt. Der Dichter tritt darin persönlich auf, die ihn umgebenden Götter und Göttinnen empfehlen ihn dem Kurfürsten: Der Sänger soll mit ihm vereint sein. Am Schluß des Spiels verkündet Calliopius die Absicht des Sibutus, demnächst ein Lobgedicht auf die berühmte Reliquiensammlung des Kurfürsten zu verfassen. Die geplante dichterische Parallele zu Lukas Cranachs Heiligtumsbuch von 1509 hat Sibutus offenbar nicht realisiert, möglicherweise mit Rücksicht auf den 1507 gedruckten Dialogus des Universitätsmagisters und späteren Wittenberger Stadtschreibers Andreas Meinhard, der in diesem als Werbeschrift für die neue Universität und als Führer durch die Stadt angelegten Werk voll Bewunderung ausführlich über die Reliquiensammlung (vgl. Kat. Nr. 131) berichtete.

Seit dem Wintersemester 1505/06 las Sibutus, der in Wien Schüler des Celtis gewesen zu sein scheint und von Kaiser Maximilian den Dichterlorbeer empfangen hatte, als ordentlicher Lehrer der humanistischen Wissenschaften an der Artistenfakultät der Wittenberger Universität. Mehrere Gedichte und ein von Cranach in Holz geschnittenes Bild des Sibutus sind aus den folgenden Jahren überliefert. Ein Widmungsgedicht des Andreas Bodenstein gen. Karlstadt für ihn deutet auf nähere Beziehungen zwischen den beiden hin. Später stand Sibutus auch in Beziehungen zu Luther, hat sich schließlich jedoch von diesem abgewandt, womit er dem Beispiel vieler anderer Humanisten fortgeschritteneren Alters folgte, die sich im Gegensatz zur jüngeren Humanistengeneration der Jahre um 1525 vielfach gegen die Reformation entschieden.

M. Grossmann, Humanism in Wittenberg 1485-1517, 1975. – N. Holzberg, Willibald Pirckheimer. Griechischer Humanismus in Deutschland, 1981, S. 60, 74, 159. – Short-Title Catalogue of Books printed in the German-Speaking Countries from 1455 to 1600 now in the British Museum, 1962, S. 813. – Kat. Ausst. Cranach, Bd. 1, Nr. 159, 163. F. M.

111 Die Entdeckungsfahrten seit dem 14. Jahrhundert führen zu einer tiefgreifenden Veränderung des traditionellen Bildes der Welt und zwingen zusammen mit den neuen Entwicklungen in den Naturwissenschaften dazu, die Vorstellung von Europa als dem Mittelpunkt der bewohnten Erde aufzugeben.

Weltkarte
Wilhelm Pleydenwurff, 1493
Holzschnitt, koloriert, 30,6 × 43,1 cm.
Aus: Hartmann Schedel, ›Liber chronicarum‹. Nürnberg: Anton Koberger 1493
Nürnberg, Germanisches Nationalmuseum, Inc. 2° 117013a

Der antike Mathematiker und Astronom Claudius Ptolemäus (87-150 n. Chr.), der in der Renaissance wiederentdeckt wurde,

blieb bis weit in das 16. Jahrhundert hinein »die« geographische Autorität, obwohl sein Weltbild durch den Fortschritt der Astronomie und vor allem durch die Entdeckung eines neuen Erdteils, Amerika, in Frage gestellt wurde. Auch die Weltkarte in der Schedelschen Weltchronik (fol. 12^v-13^r) von 1493, dem »größten Buchunternehmen der Dürer-Zeit«, folgt noch der Ptolemäustradition. Die Welt ist in zwei Hälften dargestellt: Die eine Hälfte, Asien, verkörpert den Aufgang der Sonne, die andere, Europa und Afrika, ihren Niedergang. In der Chronik ist die Karte im zweiten Weltalter nach der Sintflut eingeordnet; sie verdeutlicht die Aussendung der Söhne Noahs, die als Halbfiguren in die Darstellung übernommen sind und das Kartenbild halten. Als Vorlage haben Hartmann Schedel (1440-1514) und Michael Wolgemut merkwürdigerweise nicht die Karte in der Ulmer Ptolemäus-Ausgabe von 1482 verwendet, sondern jene, die in der kleinen Oktav-Ausgabe der »Cosmographia« des römischen Geographen Pomponius Mela, Venedig 1488, enthalten war.
Trotz des Festhaltens am geozentrischen Weltbild – zwei Holzschnitte der Chronik (fol. 4^r und 5^v) zeigen die Sonne inmitten von Planeten auf einer Umlaufbahn um die Erde – ist Schedels Werk das »Produkt einer Zeitwende« (Rücker); im Text zur Weltkarte äußert Schedel bereits Zweifel an der traditionellen Schau und bemerkt (fol. 12^v), daß die Erde entweder eine Scheibe oder eine Kugel sei. Die Frage der Kugelgestalt der Erde hat den Nürnberger Humanistenkreis wohl schon vor der Fertigung des Behaim-Globus von 1492 beschäftigt. Eine bedeutsame Mittlerrolle zwischen beiden epochalen Werken hat höchstwahrscheinlich Hieronymus Münzer (geb. 1437) gespielt, der Textrevisionen für die Weltchronik lieferte und in einem Brief an Johann II. von Portugal vom 14. Juli 1493 Martin Behaim als geeignet empfahl, den westlichen Weg von Portugal aus nach China zu finden, womit er die Kugelgestalt der Erde als absolut sicher voraussetzte.

E. Rücker, Nürnberger Frühhumanisten und ihre Beschäftigung mit Geographie. In: R. Schmitz u. F. Krafft (Hrsgg.), Humanismus und Naturwissenschaften, 1980, S. 181-192. – G. Hamann, Kartographisches und wirkliches Weltbild in der Renaissancezeit. Ebd. S. 155-180. – E. Rücker, Die Schedelsche Weltchronik, 1973, S. 77-79, Abb. 59. F. I.

112 Die Ergebnisse der vornehmlich aus wirtschaftlichen Motiven unternommenen Expeditionen, die 1492 zur Entdeckung Amerikas durch Kolumbus führten, fanden ihren Niederschlag in neuen See- und Landkarten.

Orbis Typus Universalis
Lorenz Fries, 1522
Holzschnitt, 41 × 54,2 cm. In: ›Claudii Ptolemaei Alexandrini Geographicae enarrationis libri octo‹ (Acht Bücher der geographischen Anleitung des Claudius Ptolemäus von Alexandria). Textbearbeitung Willibald Pirckheimer
Lyon: Melchior und Caspar Trechsel 1535. 2. Ausgabe dieser im Holzschnitt datierten und monogrammierten Seekarte
Nürnberg, Germanisches Nationalmuseum, 2° H 2203 Postinc.

Die exponierte atlantische Lage, eine hochentwickelte Schiffahrt, der Fortschritt der Kartographie, vor allem auf dem Gebiet der Seekarten, und das Interesse der Krongewalt an der Erkundung des Seewegs nach Indien begünstigten die iberischen Völker bei ihren Entdeckungsleistungen am Ende des 15. Jahrhunderts. Wirtschaftliche Interessen standen dabei im Vordergrund: Der Gewürzhandel war durch den Einbruch der Osmanen in der Levante empfindlich gestört; der Wunsch nach direktem Bezug der wertvollen Handelswaren aus dem fernen Osten und die Gerüchte von dem sagenhaften Goldreichtum Indiens förderten die Anstrengungen auf der Suche nach dem direkten Seeweg nach Indien. Während Portugal unter König Johann II. (1481-95) die Fahrt um Afrika in mehreren Expeditionen vorantrieb – 1487 segelte Bartolomeo Diaz um das Kap der Guten Hoffnung, 1497 gelangte Vasca da Gama bis nach Calicut (Kalkutta) –, fand Christoph Kolumbus 1492 die Unterstützung des kastilischen Königspaares für eine Entdeckungsfahrt mit dem Ziel, Indien auf dem Westweg zu erreichen. Auf seiner ersten Expedition erreichte er Ende 1492 eine Bahama-Insel (San Salvador), Kuba und Haiti; auf seinen späteren drei Fahrten entdeckte er Trinidad, Jamaica und die Orinoco-Mündung.
Während Kolumbus bis zu seinem Lebensende (1506) glaubte, nach Indien gelangt zu sein, setzte sich infolge weiterer Entdekkungsfahrten allmählich die Erkenntnis durch, daß man es mit einem neuen Erdteil zu tun habe. Wesentlichen Anteil daran hatte der Florentiner Kosmograph Amerigo Vespucci; seine Reiseberichte ›Quatuor navigationes‹ und ›Mundus novus‹ erregten großes Aufsehen. Ihm zu Ehren schlug der Kosmograph und Kartograph Martin Waldseemüller (1470-1528), der 1507 zusammen mit Matthias Ringmann (Philesius) eine ›Cosmographiae introductio‹ herausgab, darin vor, die »neue Welt« Amerika zu nennen, da er ihn für ihren Entdekker hielt *(... ab inuentore sagacis ingenii viro Amerigen quasi Americi terram siue Americam dicendam ...).* 1507 entwarf Waldseemüller vermutlich auch schon jene ›tabula terre nove‹, die er in seiner Straßburger Ptolemäus-Ausgabe von 1513 veröffentlichte. Hierin wird richtigerweise Kolumbus als Entdecker Amerikas genannt. Die Seekarte Waldseemüllers bearbeitete der Arzt Lorenz Fries für den Straßburger Drucker Johannes Grüninger, der sie 1525 erstmals herausbrachte. Ebenfalls für Grüninger lieferte Fries eine Seekarte für dessen Ptolemäus-Ausgabe, auf der von der Neuen Welt nur Südamerika eingezeichnet ist und dort den Namen America erhielt; diese Karte wurde von den Brüdern Trechsel wiederverwendet.

R. Konetzke, Der weltgeschichtliche Moment der Entdeckung Amerikas. In: Hist. Zs. 182, 1956, S. 267-289. – Kat. Ausst. Die Neue Welt in den Schätzen einer alten europäischen Bibliothek, Wolfenbüttel 1976, S. 48-56. – L. Bagrow u. R. A. Skelton, Meister der Kartographie, 1963, S. 159-162. – Kat. Ausst. Die Karte als Kunstwerk, Bayer. Staatsbibliothek, München 1979, Nr. 16. F. I./E. R.

113 Der am portugiesischen Hof tätige Martin Behaim entwarf mit ideeller Unterstützung durch Nürnberger Humanisten den nach ihm benannten »Erdapfel«, die älteste erhaltene Darstellung der Erde in Kugelgestalt.

Erdglobus
Martin Behaim, Jörg Glockendon d. Ä., u. a. 1491/92
Kugel: geleimte Leinwand und Leder, darauf Papier, bemalt. Meridianring: Eisen. Horizont: Messing, graviert. Gestell: Schmiedeeisen, bezeichnet 1510, Dm 50,7 cm, Höhe 133 cm
Nürnberg, Germanisches Nationalmuseum, WI 1826

Wichtige Voraussetzungen für die Herstellung des Behaimschen »Erdapfels«, der ältesten erhaltenen Darstellung der Erde in Kugelgestalt und einer »der großartigsten

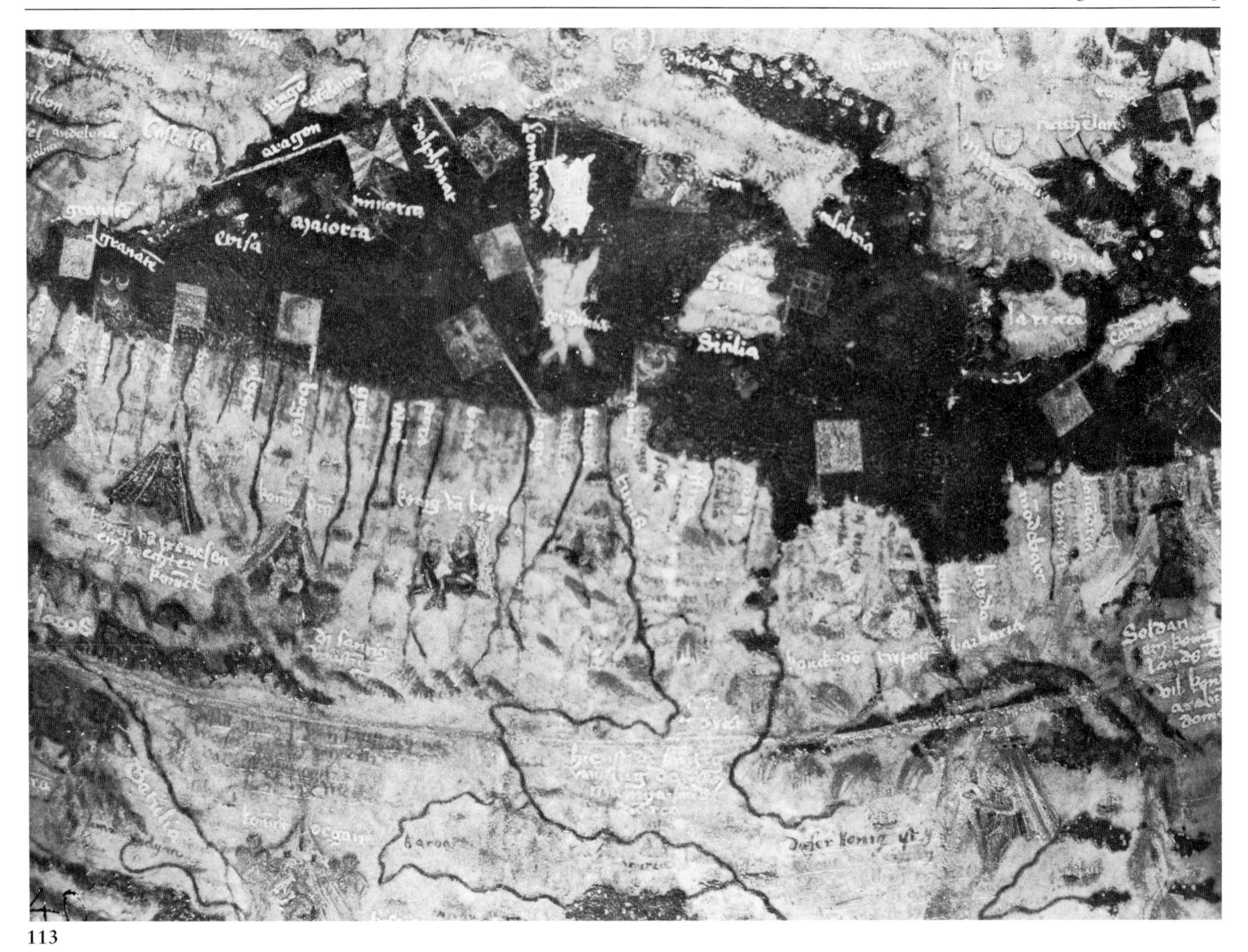

113

Schöpfungen renaissancezeitlicher Neugierde und Mitteilsamkeit« (Hamann, S. 164), waren die in der Stadt seit langem blühende Kunst der Feinmechanik und des Instrumentenbaues sowie die vor allem seit dem Nürnberger Aufenthalt des Johannes Regiomontanus in den Jahren 1471-1475 verstärkt dort betriebenen mathematisch-astronomischen Studien.

Der einer Nürnberger Patrizierfamilie entstammende Tuchkaufmann und Kosmograph Martin II. Behaim, der 1484 Mitglied der Junta dos mathemáticos am Hof des portugiesischen Königs Johann II. in Lissabon geworden war, 1485/86 als navigatorischer Berater an der zweiten Expeditionsreise des Admirals Diego Cão entlang der Südwestküste Afrikas teilgenommen und mehrere Jahre auf der Azoreninsel Fayal gelebt hatte, gab während eines durch Erbangelegenheiten bedingten Aufenthaltes in seiner Vaterstadt in den Jahren 1491-1493 die entscheidenden wissenschaftlichen Hinweise zur Herstellung des nach ihm benannten »Erdapfels«. Nach neuesten Forschungen waren aber mit großer Wahrscheinlichkeit neben Behaim auch noch eine Reihe von Nürnberger Frühhumanisten wie Hartmann Schedel, Hieronymus Münzer und Erhard Etzlaub ideell an dem Werk beteiligt, möglicherweise auch der zu jener Zeit gleichfalls mehrfach in Nürnberg nachweisbare Konrad Celtis. Ob die Herstellung schließlich im Auftrag des Rates erfolgt ist, kann nicht endgültig geklärt werden; der Rat hat das Unternehmen aber später (1494) finanziert. Mit großer Wahrscheinlichkeit sollte der Globus als Anschauungsmittel zur Gewinnung oberdeutschen Kapitals für eine deutsch-portugiesische Chinaexpedition dienen. Der Waag-, Schreib- und Rechenmeister Ruprecht Kolberger war für die technischen Arbeiten, insbesondere die Anfertigung der Kugelhälften, der Holzschneider Glockendon für die graphischen Arbeiten zuständig. Nach Behaims Rückreise nach Portugal ließ der Rat durch den Kalligraphen Peter Gagenhart (Jagenhart) auf der unteren Kalotte nachträglich eine ausführliche Widmungsinschrift anbringen, die als Quellen der Darstellung auf dem Globus die Werke des Ptolemäus, Plinius, Strabo und Marco Polo benennt. Von den zur Entstehungszeit des Globus bereits erfolgten Entdeckungen sind nicht alle durch ihre Ergebnisse dokumentiert. Offenbar war Behaim gehalten, die portugiesischen Entdeckungen wenigstens zum Teil geheimzuhalten. Verwertet wurden aber bereits die Ergebnisse der Fahrt um das Kap der Guten Hoffnung des Bartolomeo Diaz (1487), wie sie auch schon unmittelbar danach in die Karte des in Rom wirkenden Kartographen Henricus Martellus Germanus Aufnahme gefunden hatten. Über den Behaim-

114

Globus wurden die Formen Afrikas auf die Waldseemüllersche Karte von 1507 und auf die von Johannes Stabius entworfene und von Albrecht Dürer ausgeführte Weltkarte der östlichen Halbkugel aus dem Jahr 1515 weitervermittelt.

Kat. Ausst. Martin Behaim, Nürnberg 1957. – Kat. Ausst. Dürer, Nr. 301. – G. Hamann, Albrecht Dürers Erd- und Himmelsgloben. In: Albrecht Dürers Umwelt, 1971, S. 152-177. – K. Pilz, 600 Jahre Astronomie in Nürnberg, 1977, bes. S. 106 ff. – R. Schmitz u. F. Kraft (Hrsg.), Humanismus und Naturwissenschaften, 1980 (mit einschlägigen Beiträgen v. G. Hamann, E. Rücker, J. Willers). F. M.

114 Neue Karten für die praktischen Bedürfnisse von Pilgern und Kaufleuten fördern das reale Verständnis der geographisch-politischen Gegebenheiten Europas.

Karte der Landstraßen durch das Römische Reich
Nachdruck der Karte des Erhard Etzlaub von 1501 durch Albrecht Glockendon, 1533
Holzschnitt, koloriert, 56,8 × 42 cm. Oben die Inschrift: *Das sein die lantstrassen durch das Romisch reych von einem kunigreych zw dem andern, dy an Tewtsche land stossen, von meilen zw meiln mit puncten verzaichnet*
Nürnberg, Germanisches Nationalmuseum, La 217

In den Jahren 1500 und 1501 schnitt und druckte Georg Glockendon d. Ä. zu Nürnberg zwei Holzschnittkarten nach Entwürfen des hier 1484 eingebürgerten Kartographen und Arztes, Kalender- und Sonnenuhrmachers Erhard Etzlaub (um 1460 bis 1532) aus Erfurt, die als epochemachende Werke der Kartographie gelten: die Romwegkarte als Hilfsmittel für die Rompilger aus Anlaß des Heiligen Jahres 1500 und im Jahr darauf die etwas größere, offenbar vor allem als Reisehilfsmittel für Kaufleute und Diplomaten gedachte sog. Landstraßenkarte durch das Römische Reich. Die Straßenzüge kennzeichnete Etzlaub auf beiden Karten durch punktierte Linien. Die Entfernung von einem Punkt zum anderen entsprach jeweils einer gemeinen deutschen Meile (d. h. jeweils 7 400 m), so daß aus den Punkten zugleich die Entfernung zwischen den Orten abgelesen werden konnte. Auf beiden Karten sind die meisten Orte durch einfache Kreise gekennzeichnet; nur einige wenige bedeutendere werden – wie auf gleichzeitigen Karten sonst noch weithin üblich – durch stilisierte Ortsbilder hervorgehoben. Bei beiden Karten ist der Süden oben zu finden.
Auf der ausgestellten Landstraßenkarte liegt Nürnberg nahezu im Mittelpunkt des eingezeichneten Straßennetzes. Dargestellt ist dieses von Viborg bis Rom, von Danzig bis Barcelona, von Krakau bis Paris, von Ofen bis Canterbury. Die Namen außerdeutscher Städte und Landschaften sind in deutschen Formen wiedergegeben (z. B. *Presburg* oder *Schotlant*); die Meeresbezeichnungen finden sich z. T. in lateinischer Form (insbesondere bei den Teilmeeren des Mittelmeeres). Am unteren Rand ist in der Mitte eine Reisesonnenuhr mit Kompaß eingefügt. Die Legende rechts davon weist den Benutzer der Karte darauf hin, daß die Lage (»Gelegenheit«) der Städte untereinander durch einen aufgesetzten Kompaß abgelesen werden könne. Am linken Rand der Karte sind die Breitengrade vom 58. bis zum 40. angegeben, am rechten Rand die jeweilige Dauer des längsten Tages in Stunden. Besonders eindrucksvoll ist die Wiedergabe des von einem Kranz von Bergen umschlossenen böhmischen Kessels. Cochlaeus weist in seiner Beschreibung Deutschlands 1512 darauf hin, daß Etzlaub die Entfernungen zwischen den Städten und

die Flußläufe exakter wiedergegeben habe als Ptolemäus auf seinen Tafeln! – Die Wirkung von Etzlaubs Karten auf die zeitgenössische und nachfolgende Kartographie war außerordentlich groß; sie reichte von den vier Landschaftsbildern des Hans von Kulmbach zu den ›Quatuor libri amorum‹ des Celtis bis zu Sebastian Münster und noch über diesen hinaus. Vor allem die Landstraßenkarte wurde mehrfach nachgedruckt, darunter 1533 in fast unveränderter Form durch Albrecht Glockendon, den Sohn Georg Glockendons. Luther wählte für seine Romreise eine der auch auf Etzlaubs Karten eingetragenen Hauptrouten.

F. Schnelbögl, Leben und Werk des Nürnberger Kartographen Erhard Etzlaub (gest. 1532). In: MVGN 57, 1970, S. 216-231, bes. S. 223 f. (mit Faksimile der Karte). – F. Machilek, Kartographie, Welt- und Landesbeschreibung in Nürnberg um 1500. In: H.-B. Harder (Hrsg), Landesbeschreibungen Mitteleuropas vom 15. bis 17. Jahrhundert, 1983. – Kat. Ausst. Hans Sachs und die Meistersinger, Nürnberg 1981, Nr. 4, S. 54 (Nachdruck v. 1533, mit Abb. S. 56).
F. M.

115 Unter den auf humanistischer Grundlage erarbeiteten neuen Lehrbüchern für den Lateinschulunterricht war die ›Germania‹ des Johannes Cochlaeus das erste für den Geographieunterricht konzipierte Schullehrbuch über Deutschland überhaupt.

Johannes Cochlaeus, ›Brevis Germanie descriptio‹
Angefügt der von Cochlaeus veranstalteten Edition der ›Cosmographia Pomponii Mele‹, Nürnberg: Johann Weißenburger 1512, 8°. 58 Bll.
Nürnberg, Germanisches Nationalmuseum, 8° H. 2050 Postinc.

In den Jahren 1511/12 suchte Johannes Cochlaeus, der nach Abschluß seiner Studien in Köln und mehrjähriger Lehrtätigkeit an der dortigen Universität als Rektor der Lateinschule bei St. Lorenz in Nürnberg tätig war, mit einer Reihe von vier, in humanistischem Geist abgefaßten neuen Lehrbüchern bzw. durch Anhänge erweiterten alten Lehrbüchern den Lateinschulunterricht auf neue Grundlagen zu stellen. Für den Unterricht in den Naturwissenschaften und in der Erdkunde zog Cochlaeus zwei Werke antiker Autoren heran: Mit der Ausgabe der ›Meteorologia‹ des Aristoteles in der lateinischen Paraphrase des Jakob Faber Stapulensis (Jacques Lefèvre d'Etaples), die er mit einem Kommentar versah, suchte er die bis dahin in hohem Ansehen stehende Naturgeschichte des Plinius zu ersetzen. Der ›Cosmographia‹ des Pomponius Mela aus dem ersten nachchristlichen Jahrhundert fügte Cochlaeus eine Einführung in die Erdkunde und eine umfangreiche Beschreibung Deutschlands bei. Diese ›Germania‹ war das erste für den Geographieunterricht an der Lateinschule konzipierte Lehrbuch über Deutschland überhaupt. In cap. 4, dessen Beginn hier aufgeschlagen ist, handelt Cochlaeus über Nürnberg als Mittelpunkt Deutschlands und Europas. Für die Nürnberg zugemessene Stellung war für Cochlaeus nicht so sehr die Mittelpunktslage, sondern vielmehr die Tüchtigkeit der Bewohner, vor allem aber die dort beheimatete Kultur ausschlaggebend: »Diese Stadt scheint sich also vor der gewöhnlichen Unkultur (barbaria) hervorragend gesichert und zugleich nach Tüchtigkeit und Lage in die Mitte gesetzt zu haben ...«. Die Auffassung über die Mittelpunktsfunktion Nürnbergs war damals weit verbreitet. Schon Enea Silvio Piccolomini hatte Nürnberg als Mitte Deutschlands angesehen; Regiomontan und Celtis hatten es als Mittelpunkt Europas gefeiert. Luther gebrauchte 1528 die auch anderweitig belegte Bezeichnung von Nürnberg als Auge und Ohr Deutschlands.
Cochlaeus, der Luther zunächst im ganzen positiv gegenüber gestanden hatte, vollzog unter dem Eindruck von Luthers Programmschriften des Jahres 1520 den Schritt auf die Seite von dessen Gegnern und blieb bis zu seinem Tod einer der unermüdlichsten und bedeutendsten Wortführer im Dienst der altkirchlichen Reform.

F. Machilek, Johannes Cochlaeus. In: Fränkische Lebensbilder 8, 1978, S. 51-69. – R. Bäumer, Johannes Cochlaeus (1479-1552), 1980. – N. Holzberg, Willibald Pirckheimer, 1981, S. 77 f.
F. M.

116 Johannes Reuchlin widmete Philipp Melanchthon 1509 ein Exemplar der griechischen Grammatik des Konstantinos Laskaris.

Konstantinos Laskaris, ›Grammatices graecae epitome‹ (Auszug aus der griechischen Grammatik)
Mailand: Bonus Accursius 29. September 1480
4°. 98 Bll.
Uppsala, Universitetsbiblioteket, Ink. Nr. 938

Während der griechische Humanismus in Italien seit dem Beginn der Vorlesungen des byzantinischen Rhetors Manuel Chrysoloras in Florenz 1396 und dem Auftreten des byzantinischen Philosophen Georgios Gemistos Plethon sowie seines Schülers Bessarion auf dem Unionskonzil zu Ferrara 1438/39 eine feste Heimstätte gefunden hatte, setzte sich in Deutschland das Studium des Griechischen erst nach der Wende vom 15. zum 16. Jahrhundert allgemein durch. In Italien waren in der zweiten Hälfte des Quattrocento neben Florenz und Ferrara die Städte Bologna, Padua, Pavia, Rom und Venedig zu Zentren des Griechischstudiums geworden. Schon 1476 wurde in Italien mit dem Druck griechischer Texte begonnen. 1490 errichtete der Gräzist Aldus Manutius in Venedig eine Offizin, in der er gestützt auf die Mitarbeit des Markos Musuros, der in Padua wirkte, und des Kreters Demetrios Dukas, in der Folgezeit eine große Zahl grammatischer Hilfsmittel und Editionen wichtiger griechischer Autoren zum Druck brachte. Die wenigen Humanisten in Deutschland und den Niederlanden, die in der zweiten Hälfte des 15. und zu Beginn des 16. Jahrhunderts das Griechische einigermaßen beherrschten, hatten die Grundlagen dazu zumeist in Italien gelegt, so Johann Pirckheimer, Johannes Regiomontanus, Rudolf Agricola, Konrad Celtis, Johannes Cuno, Willibald Pirckheimer, Johannes Werner, Johannes Rhagius Aesticampianus (Rack) aus Sommerfeld in der Lausitz oder Johannes Caesarius aus Jülich. Johannes Reuchlin hat die Grundkenntnisse der griechischen Sprache in Paris und im Anschluß daran bei dem in Basel lebenden griechischen Emigranten Andronikos Kontoblakas erworben. Auch Erasmus hatte erste Kenntnisse des Griechischen in Paris erlangt. Reuchlin und Erasmus haben diese Kenntnisse dann in Italien vertieft.
An den Universitäten in Deutschland setzte sich das Studium des Griechischen allgemein erst seit der zweiten Hälfte des zweiten Jahrzents des 16. Jahrhunderts durch, beginnend mit Leipzig (1515), Wittenberg (1518) und Erfurt (1519). Dieser Situation der griechischen Studien in Deutschland entsprechend, kam es hier erst verhältnismäßig spät zum Druck griechischer Lehrbücher; die ersten unbeholfenen Versuche erschienen 1501 in Erfurt. Die am Griechischen interessierten Humanisten waren somit auf in Italien gedruckte Hilfsmittel, im besonderen auf die Elementargrammatiken des Konstantinos Laskaris (Mailand 1476

u.ö.), Manuel Chrysoloras (Venedig 1484) oder Theodoros von Gaza (Venedig 1495) angewiesen.
Das ausgestellte Exemplar des 1480 in Mailand gedruckten Auszugs aus der griechischen Grammatik des Laskaris befand sich nach Ausweis des Exlibris ursprünglich im Besitz Reuchlins und wurde von diesem, wie aus der Schenkungsnotiz unter dem Exlibris hervorgeht, Anfang März des Jahres 1509 seinem wenige Wochen zuvor zwölf Jahre alt gewordenem Großneffen Melanchthon geschenkt. Neun Jahre später wurde der inzwischen zum hervorragenden Kenner des Griechischen herangereifte Melanchthon auf Empfehlung seines Großonkels und Förderers Reuchlin zum ersten Professor des Griechischen in Wittenberg berufen, wo er sich bald eng Luther anschloß.

H. Volz (Hrsg.), Melanchthons Werke in Auswahl, Bd. VII.2, 1975, S. 7, 333 f. – A. Pertusi, Ἐρωτήματα. Per la storia e le fonti delle prime grammatiche Greche a stampa. In: Italia medioevale e umanistica 5, 1962, S. 321-352. – Katalog der Inkunabeln der Kgl. Universitäts-Bibliothek zu Uppsala, bearb. von I. Collijn, 1907, Nr. 938, S. 231. F.M.

117 Ein Übungsheft des elsässischen Humanisten Beatus Rhenanus mit Abschriften griechischer Texte dokumentiert das wachsende Interesse an der Verbreitung der Griechischkenntnisse in Deutschland.

Aristophanes, ›Νεφέλαι‹ (Nubes, Die Wolken)
Abschrift des Beatus Rhenanus, vermutlich Basel, zwischen 31. Juli 1511 und 21. Februar 1513
In Sammelhandschrift, Papier, 71 Bll., 22,2 × 16,3 cm. Neuer Einband. Text der ›Wolken‹ des Aristophanes fol. 19ᵛ-29ᵛ, unvollständig abbrechend.
Schlettstadt, Bibliothèque Humaniste, Ms. 3

In der Schlettstadter Handschrift sind Abschriften zweier Hauptwerke des griechischen Komödiendichters Aristophanes (›Πλοῦτος‹, Plutus, Der Reichtum; ›Νεφέλαι‹, Nubes, Die Wolken), eines Werkes Lukians (›Δημοσθένους ἐγκώμιον‹, Encomium Demosthenis, Lobrede des Demosthenes) und mehrere Scholien bzw. Kommentare zu den ›Wolken‹ des Aristophanes vereinigt sowie eine dazu von dem Paduaner Gräzisten Markos Musuros gehaltene Vorlesung. Die Abschriften stammen von der Hand des elsässischen Humanisten Beatus Rhenanus (1485-1547) und wurden von diesem mit großer Wahrscheinlichkeit in dem oben angegebenen Zeitraum in Basel angefertigt, als er hier Schüler des Gräzisten Johannes Cuno war. Die Abschrift der ›Wolken‹ des Aristophanes bricht wie auch das Lukiansche ›Encomium‹ mitten im Text ab, möglicherweise weil es sich um bloße Abschreibübungen des Beatus Rhenanus handelte.
Das Wirken des Beatus Rhenanus in Basel seit 1511 war für die Entfaltung des dortigen Druckerei- und Übersetzungswesens bedeutungsvoll. Der Humanist war maßgeblich am Aufstieg der Druckereien der Johann Amerbach und Johann Froben beteiligt und unterstützte den ihm freundschaftlich verbundenen Erasmus tatkräftig bei seinen Editionsvorhaben. Während Beatus Rhenanus in seinen jungen Jahren im gereinigten Aristoteles den Inbegriff aller menschlichen Weisheit sah, wandte er sich in späterer Zeit stärker der Philosophie Platons zu, der ihm als das wahrhaft christliche Haupt der Philosophen erschien.

G. Ritter, Erasmus und der deutsche Humanistenkreis am Oberrhein, 1937. – M. Sicherl, Johannes Cuno. Ein Wegbereiter des Griechischen in Deutschland, 1977, S. 146 ff., Abb. Taf. IX. – N. Holzberg, Willibald Pirckheimer, 1981, S. 104 ff. F.M.

118 Die Beschäftigung mit dem Urtext der Bibel zählt seit dem Ausgang des 15. Jahrhunderts zu den hervorragenden Zielen des christlichen Humanismus.

Johannes Trithemius, ›Quaestiones in evangelium Iohannis‹, 1496
Enthalten in einem Sammelband mit Autographen des Trithemius, fol. 96ʳ-108ʳ. Niedergeschrieben 1508
Uppsala, Universitetsbiblioteket, Cod. C IV

Die von den Humanisten befolgte Maxime *Ad fontes* (zu den Quellen) wurde in Bezug auf die Heilige Schrift in Deutschland bereits um die Mitte der neunziger Jahre des 15. Jahrhunderts durch Johannes Trithemius (1462-1516), den damaligen Abt des Benediktinerklosters Sponheim an der Mosel, erhoben. In der Bodleian Library in Oxford wird eine Handschrift des griechischen Textes des Johannesevangeliums mit hebräischen Zusätzen aufbewahrt, die von Trithemius niedergeschrieben ist. Mit dem ausgestellten Brieftraktat beantwortete Trithemius 28 Fragen eines Kölner Domherrn und Theologieprofessors zu demselben Evangelium sowie drei weitere Probleme, die ihm ein vertrauter Freund vorgelegt hatte. Zumeist ging es um die Übersetzung oder Interpretation einzelner Wörter, deren Überlieferung in der ›Vulgata‹ verderbt zu sein schien. Trithemius bemühte sich vor allem um ein vertieftes Verständnis des Schrifttextes. Er bekannte bereits am Anfang seines Traktats, sich bei allen Bemühungen um die Heilige Schrift der Autorität der Kirche und des Papstes bereitwillig unterwerfen zu wollen.

A. Nelson, Johannes Trithemius' skrift »Questiones in euangelium Joannis«. In: Kyrkohistorisk årsskrift 32, 1932 (ersch. 1933), S. 297 ff. (Abdruck: S. 314-333). – K. Arnold, Johannes Trithemius (1462-1516), 1971, S. 49 ff., 240. F.M.

119 Das ›Novum instrumentum‹ des Erasmus von Rotterdam aus dem Jahr 1516 stellt die erste im Druck veröffentlichte, textkritische Ausgabe des Neuen Testaments dar. Die zweite Ausgabe von 1519 verwendete Luther bei seiner Bibelübersetzung auf der Wartburg.

Erasmus Roterodamus, ›Novum instrumentum omne‹
Basel: Johann Froben Februar 1516. 2°
Nürnberg, Stadtbibliothek, Solg. 152

Das Erscheinen der griechisch-lateinischen Ausgabe des Neuen Testaments des Erasmus stellte ein von der gelehrten Welt seiner Zeit mit höchster Aufmerksamkeit und vielfacher Bewunderung aufgenommenes Ereignis dar. Hatte Erasmus schon zuvor allgemein als Maßstab humanistischer Gelehrsamkeit und literarischen Geschmacks gegolten, so wurde er durch die Herausgabe des Neuen Testaments zur Leitfigur für das wissenschaftliche Studium der Theologie. Diese Stellung wurde durch mehrere von ihm seit 1517 veranstaltete Kirchenväterausgaben sowie die Veröffentlichung von Paraphrasen zu den Apostelbriefen, den Evangelien und der Apostelgeschichte noch verstärkt.
Die von Erasmus Papst Leo X. und dem englischen Primas William Warham gewidmete, mit kaiserlichem Privileg versehene Ausgabe des ›Novum instrumentum‹ enthielt in Kolumnendruck links den griechi-

schen Text und rechts eine, der ›Vulgata‹ gegenüber selbständige, in gefälligem Latein abgefaßte Übersetzung. Wichtiger Bestandteil waren die Anmerkungen, in denen er vor allem die Abweichungen von der ›Vulgata‹ erläuterte, sich aber vielfach auch gegen aktuelle Mißstände in der Kirche wandte. Seiner einleitenden Ermahnung an den Leser legte Erasmus eine biblische Theologie zugrunde, als deren Kern er die nur durch die Evangelien erreichbare Wiederherstellung der wahren Natur des Menschen ansah. In zwei weiteren Vorreden begründete er die Anwendung philologischer Methoden und rechtfertigte den Schritt, die ›Vulgata‹ durch eine Neuübertragung zu ersetzen. Im Widmungsbrief an Leo X. wies Erasmus auf die Überlegenheit der Quellen gegenüber den Ableitungen in Bezug auf die Heilslehre hin: »... da ich sehe, daß jene Heilslehre viel reiner und lebendiger ... aus den Quellen selbst geschöpft wird, als aus Tümpeln oder abgeleiteten Bächen, so habe ich das ganze Neue Testament getreu nach dem Originaltext griechisch bearbeitet, nicht leichtfertig und mit geringer Mühe, sondern unter Heranziehung mehrerer griechischer und lateinischer Handschriften, und zwar der ältesten und besten, nicht ganz beliebiger« (Opus epistularum Bd. 2, S. 185).
Der Drucker Froben und Erasmus waren mit ihrem Werk der im Auftrag des Kardinals Francisco Ximenes de Cisneros an der Universität zu Alcalá unter Mitarbeit von Gelehrten aus Salamanca und Paris begonnenen kritischen Gesamtausgabe des Alten und Neuen Testaments zuvorgekommen, von der der erste Band bereits 1514 ausgedruckt vorlag, jedoch noch nicht veröffentlicht worden war. Die von Erasmus seit langem geplante Ausgabe des Neuen Testaments entstand somit schließlich unter äußerstem Zeitdruck, was Erasmus später selbst zugestand. Vor allem waren die Handschriften, was Vollständigkeit, Qualität und Alter betraf, von Erasmus nur zum Teil glücklich ausgewählt. Die Hast des Druckes der 1 200 Exemplare umfassenden Auflage in knapp fünf Monaten und die Verwendung von zwei Pressen zogen zahlreiche Fehler im Satz und in der Paginierung nach sich. Außerdem nahm Erasmus eine Reihe von Änderungen und Ergänzungen im Text vor. Bei dem Unternehmen standen Erasmus nur wenige Mitarbeiter zur Seite; Hervorhebung verdient Johannes Oekolampad (vgl. Kat. Nr. 438). Luther hat die Ausgabe bereits seit Frühjahr 1516 benutzt, obwohl er gegenüber den theologischen Auffassungen des Erasmus sehr bald Vorbehalte äußerte. Am 1. März 1517 schrieb er an Johann Lang in Erfurt: »... *humana prevalent in eo plus quam divina*« (bei ihm haben die menschlichen Dinge mehr Gewicht als die göttlichen) (WA Br. 1, S. 90). Die noch zu Lebzeiten des Erasmus erscheinenden Neuausgaben (1519, 1522, 1527 und 1535) waren gegenüber der Erstausgabe verbessert, z. T. auch in den Vorworten. Seit 1519 trug die Ausgabe den Titel ›Novum testamentum‹. Die Ausgabe von 1519 diente Luther als eine Vorlage für seine Verdeutschung des Neuen Testaments.

G. B. Winkler, Erasmus von Rotterdam und die Einleitungsschriften zum Neuen Testament, 1974. – L.-E. Halkin, Erasme et l'humanisme chrétien, 1969. – Opus epistolarum, Bd. 2., hrsg. von P. S. Allen. Neudruck 1961. – Kat. Ausst. Dürer, Nr. 279. F. M.

120 Die Torheit gilt Erasmus als wahre Weisheit.

Erasmus von Rotterdam, ›Μωρίας ἐγκώμιον i. [e.] Stulticiae laus, libellus vere aureus, nec minus eruditus & salutaris, quam festivus, nuper e ipsius autoris archetypis diligentissime restitutus, tum Gerardi Listrii commentariis explanatus‹
Basel: Johann Froben 1515
4°. 84 Bll.
Erlangen, Universitätsbibliothek, 8° Phl. A. IX, 22

Das ›Lob der Torheit‹ stellt neben der Bibelübersetzung und den ›Colloquia‹ das bekannteste Werk des Erasmus dar und ist als einziges bis heute lebendig geblieben. Die außerordentlich weite Verbreitung setzte schon zu seinen Lebzeiten ein. Vom Erstdruck des Jahres 1511 bis zu seinem Tod erschienen nicht weniger als 36 Auflagen. 1534 setzte mit der Übersetzung des Sebastian Franck die lange Reihe deutscher Ausgaben ein. Die lateinische Edition aus der Basler Offizin Frobens enthält den Kommentar des Gerhard Listrius, der zu einem Teil von Erasmus selbst stammt.
Erasmus hat das schon zuvor konzipierte Werk zu Beginn seines dritten Englandaufenthalts innerhalb weniger Tage im Haus seines Freundes Thomas Morus (gest. 1535) in Chelsea ohne Zuhilfenahme anderer Bücher niedergeschrieben. Die Anspielung des Titels auf den Namen des Freundes (μῶρος = töricht) war bewußt gewählt. Ihm hat Erasmus auch das Werk gewidmet. In der Form lehnt sich das Werk der griechischen »Declamatio« an, die er aus Übersetzungen von Werken des griechischen Rhetors Libanios her kannte. Indem er die Lobrede auf die Torheit in Aufnahme eines seit dem späten Mittelalter vertrauten Motivs der als Person auftretenden Frau Torheit selbst in den Mund legt, die Torheit also sich selbst und ihre Werke preisen läßt, sind ihre Aussagen voll von ironischem Doppelsinn und Mehrdeutigkeit. Es gelingt Erasmus, die Aussagen nicht in die Absurdität, sondern in ein Lachen einmünden zu lassen. Entscheidende Anregungen verdankte Erasmus den Satiren des Aristophanes und insbesondere des Lukian. In reicher Gedankenfülle greifen Aussagen, Anspielungen und Gegensätze ineinander: Nur der Torheit haben die Menschen aller Altersstufen, Stände und Berufe Heiterkeit, Lebensglück und letztlich Weisheit zu verdanken. Angemaßte und eingebildete Weisheit ist demgegenüber töricht. In diesem Zusammenhang prangert Erasmus die in der Kirche, vor allem an der Kurie, und in der Politik bestehenden Mißstände an. Diese Erörterungen münden in ein ernsthaftes, nicht mehr mit Ironie beladenes Lob der paulinischen Torheit des Kreuzes (nach 1 Kor 1,18 ff.). Nachdem er die Ekstase als höchste Form der Torheit erkannt hat, bezeichnet Erasmus den Zustand des Außersichseins, den Gott denen bereitet hat, die ihn lieben (1 Kor 2,9), als das wahre Glück.
Trotz dieser christlichen Sinngebung der Torheit sah sich Erasmus vor allem wegen seiner Angriffe auf die Unbildung und Überheblichkeit der Theologen starker Kritik ausgesetzt. U. a. forderte ihn Martin van Dorp (gest. 1525) von Löwen aus auf, den Schaden, den er der Autorität der Theologen durch sein ›Lob der Torheit‹ zugefügt hätte, durch ein »Lob der Weisheit« wiedergutzumachen. Erasmus war in seinen Antworten zwar geneigt, die Vorwürfe herunterzuspielen, hielt aber fest, daß die Theologen da zurecht kritisiert würden, wo ihre Lehren in Spitzfindigkeiten bestünden, anstatt auf gründlichem Studium der biblischen Sprachen und der Väterschriften.

Desiderius Erasmus, The Praise of Folly, transl. by C. H. Miller, 1979. – P. G. Watson, Erasmus' Praise of Folly and the Spirit of Carnival. In: Renaissance Quarterly 32, 1979, S. 333-353. – C. Augustijn, Desiderius Erasmus. In: TRE 10, Lfg. 1/2, 1982, S. 1-18, hier bes. S. 8. – P. Berglar, Die Stunde des Thomas Morus, 1978,

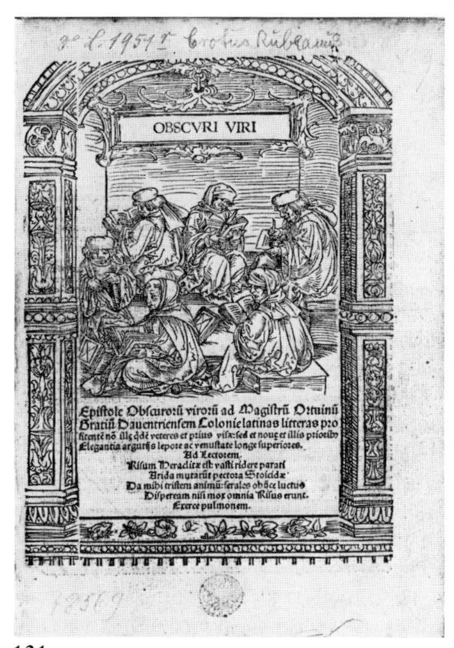
OBSCVRI VIRI

Epistole Obscurorū virorū ad Magistrū Ortuinū Gratiū Dauentriensem Colonie latinas litteras profitentē nō ille qdē veteres et prius visę: sed et nouę et illis prioribꝰ Elegantia argutijs lepore ac venustate longe superiores.

Ad Lectorem.
Risum Heraclitæ est: vasti ridere parati
Arida mutarūt pectora Stoicidæ
Da mihi tristem animū: ferales obijce luctus
Dispeream nisi mox omnia Risus erunt.
Exerce pulmonem.

121

S. 181 ff. – I. Bezzel, Erasmusdrucke des 16. Jahrhunderts in bayer. Bibliotheken, 1979, Nr. 1302, S. 362 f. F. M.

121 Brillante Satiren geißeln die Unbildung und sittlichen Schwächen der Theologen und Kleriker am Beispiel der Gegner Reuchlins.

Ulrich von Hutten u. a., ›Epistole Obscurorum virorum ad Magistrum Ortvinum Gratium Daventriensem Colonie latinas litteras profitentem non ille quidem veteres et prius visae, sed et nove et illis prioribus Elegantia argutiis et lepore ac venustate longe superiores‹
Speyer: Jakob Schmidt 1517
8°. 24 ungez. Bll. Titelholzschnitt mit 6 Dunkelmännern
Nürnberg, Germanisches Nationalmuseum, 8° L. 1951[r] Postinc.

Die zunächst schwelenden Gegensätze zwischen den Humanisten und der zum Teil in bloße Dialektik und geistige Unfruchtbarkeit verfallenen scholastischen Theologie (vgl. Kat. Nr. 97) fanden – neben weniger folgenreichen Auseinandersetzungen – vor allem im sog. Reuchlinschen Streit Ausdruck, der schließlich in den sog. Dunkelmännerstreit einmündete. Johannes Reuchlin (Capnion) aus Pforzheim hatte in den achtziger Jahren des 15. Jahrhunderts mit dem Studium des Hebräischen begonnen und sich auf Grund seiner Hinneigung zu den philosophischen Vorstellungen des Giovanni Pico della Mirandola (gest. 1494) in das Studium der jüdischen Geheimwissenschaft der Kabbala vertieft. Seine ›Rudimenta hebraica‹ (1506) bildeten in der Folgezeit das wichtigste Hilfsmittel für die Beschäftigung mit dem Hebräischen in Deutschland. Reuchlin geriet seit 1509/10 in den Sog der Auseinandersetzungen um ein für die Vernichtung der außerbiblischen jüdischen Bücher eintretendes kaiserliches Mandat, das der Kölner Spitalmeister Johann Pfefferkorn, ein getaufter Jude, im Bemühen um eine umfassende Judenbekehrung erwirkt hatte. Erst nach Erlaß des Mandats ließ Maximilian I. bei mehreren Universitäten sowie einigen Gelehrten, darunter Reuchlin, Gutachten in der Judenbücherfrage einholen. Reuchlin setzte sich aus Ehrfurcht vor den alten Texten in einem vertraulichen Gutachten (1510) für die Erhaltung der Judenbücher mit Ausnahme offenkundig antichristlicher Schmähschriften ein. Pfefferkorn, der von Reuchlins Gutachten Kenntnis erlangte, verfaßte nun seinen ›Handspiegel‹ (1511), der eine Reihe weiterer Schriften auslöste. Die Kölner Theologen stellten sich unter Führung des Dominikanerprofessors und Inquisitors Jakob von Hochstraten (gest. 1527) auf die Seite Pfefferkorns und zogen auch auswärtige Theologische Fakultäten ganz oder zum Teil auf ihre Seite. Als ein 1513 von Hochstraten wegen des Verdachts der Ketzerbegünstigung gegen Reuchlin angestrengter kanonischer Prozeß vor dem Forum des Speyerer Bischofs mit Freispruch endete (1514), appellierte Hochstraten nach Rom; der vielfach verzögerte Prozeß endete erst 1520 zu Ungunsten Reuchlins. Inzwischen hatte er sich längst zur grundsätzlichen Auseinandersetzung zwischen Humanisten und Scholastikern ausgewachsen, die die Gebildeten über Deutschlands Grenzen hinaus in Spannung hielt. 1514 veröffentlichte Reuchlin unter dem Titel ›Clarorum virorum epistolae‹ seiner Haltung zustimmende Äußerungen befreundeter Humanisten im Druck, einer in dieser Art einmaligen Demonstration des Humanismus in Deutschland. Als Antwort darauf erschienen in den Jahren 1515/17 die berühmten, an den Kölner Professor Ortwin Gratius von Deventer (gest. 1542) gerichteten, anonymen ›Epistolae obscurorum virorum‹ (Briefe unbekannter Männer), ein fingierter Briefwechsel, der mit den Waffen von Witz und Naivität bis hin zu beißender Ironie die Unbildung und sittlichen Schwächen der Gegner Reuchlins vor aller Welt bloßzustellen suchte. Der erste Teil (41 Briefe) erschien 1515 in Hagenau (unter der fingierten Ortsangabe Venedig), eine zweite Auflage (mit sieben weiteren Briefen) wohl auf Veranlassung Pirckheimers 1516 in Nürnberg. Der zweite, hier mit seinem Titelbild vorgestellte Teil (62 Briefe) wurde 1517 in Speyer (fingiert in Köln) gedruckt. Heute gilt der erste in der Hauptsache als Werk des dem Mutiankreis zugehörigen Crotus Rubeanus; daneben waren Ulrich von Hutten und Hermann von Busch daran beteiligt. Der Anhang zur zweiten Auflage des ersten Teiles und die meisten Briefe des zweiten stammen von Hutten. Möglicherweise gehen die ›Briefe‹ ursprünglich auf Späße der Trinkrunden im Humanistenkreis um Mutian in Gotha zurück. Ortwin Gratius, der Hauptadressat der ›Briefe‹, Lehrer der schönen Wissenschaften in Köln, war mehrfach als Vertreter des Humanismus hervorgetreten. Übertragungen von Schriften Pfefferkorns in das Lateinische, eine Widmung zu dessen ›Judenspiegel‹ (1509) und eine Kontroverse mit Busch wegen der Verwendung des ›Donat‹ im Universitätsunterricht 1509 drängten ihn dann jedoch auf die Seite der Gegner des Humanismus und zogen ihm – wohl auch auf Veranlassung Buschs – die Verachtung der Verfasser der ›Briefe‹ in besonderem Maß zu. Themen der ›Briefe‹ des ersten Teils waren die Verspottung der scholastischen Methode, der Kampf mit den Humanisten, Erotisches und die Verhöhnung obskurer Dichtung, alles vor dem Hintergrund des Reuchlinstreites. Die Unbefangenheit des ersten Teiles erreichte der zweite nicht mehr; in ihm überwog die antirömische Tendenz. Durch den Dunkelmännerstreit kam es unter den Gebildeten in Deutschland zu einer Polarisierung, die sich in der Folgezeit noch verstärkte und die wichtige Voraussetzungen für die wenige Jahre später anstehenden persönlichen Entscheidungen der einzelnen für oder gegen die Reformation schuf.

H. Grimm, Ulrich von Hutten, 1971, S. 54 ff. – K. H. Gerschmann, Antiqui – novi – moderni in den »Epistolae obscurorum virorum«. In: Archiv für Begriffsgeschichte 11, 1967, S. 23-36. – J. V. Mehl, Ortwin Gratius' Orationes Quodlibeticae: humanist apology in scholastic form. In: The Journal of Medieval and Renaissance Studies 11, 1981, S. 57-69. – N. Holzberg, Willibald Pirckheimer, 1981, S. 179 ff., 220. – H. A. Oberman, Wurzeln des Antisemitismus, 1981, S. 30 ff., 90 ff. F. M.

122 Der wahre Theologe soll über umfassende Kenntnisse in allen Wissenschaften verfügen.

Lukian von Samosota und Willibald Pirckheimer, ›Luciani Piscator seu reviviscentes. Bilibaldo Pirckheymero, Caesareo Consiliario, Patricio ac Senatore Nurenbergensi interprete‹
Nürnberg: Friedrich Peypus 2. Oktober 1517
8°. 26 Bll. Mit Widmungsbrief Pirckheimers zur Verteidigung Reuchlins (Epistola Apologetica). Auf der aufgeschlagenen Titelseite unter dem Titel ein Motto nach Pindar: ἀκέρδεια λέλογχε[ν] θαμινὰ κακαγόρο[υ]ς (Ein Lohn bösester Art war den Lästerern oft zuteil), Olympia 1,53.
Nürnberg, Germanisches Nationalmuseum, 8° L. 2475 Postinc.

Im Verlauf des Dunkelmännerstreites leistete Pirckheimer durch eine im Anschluß an die erste Druckausgabe des Aldus Manutius von 1503 gearbeitete Übersetzung von Lukians ›Ἁλιεὺς ἢ Ἀναβιοῦντες‹ (Der Fischer oder die wiederauferstandenen [Philosophen]) einen wichtigen Beitrag. Mit der vom 30. August 1517 datierten, ausführlichen Widmungsvorrede an den Bamberger Humanisten Lorenz Beheim (gest. 1521) setzte er den satirischen Dialog des griechischen Rhetors Lukian zu den Problemen des Streites in Beziehung. Unter den Pirckheimer-Papieren der Nürnberger Stadtbibliothek befindet sich eine (nicht von Pirckheimer selbst angefertigte) Reinschrift der Widmungsvorrede und der Übersetzung, bei der es sich – wie die schwarzen Fingerabdrücke nahelegen – möglicherweise um die Druckvorlage handelt (PP 338).
Lukians ›Fischer‹ gehört zu einer Reihe von Dialogen, in deren Mittelpunkt die Schwächen der Philosophen stehen. Nach Pirckheimers Absicht sollen die Leser seiner Übersetzung des Dialogs in Parrhesiades-Lukian den zu Unrecht angegriffenen Reuchlin und in den falschen Philosophen dessen Gegner wiedererkennen.
In der umfangreichen Widmungsvorrede bekennt sich Pirckheimer stolz als Anhänger Reuchlins und weist die gegen Reuchlin vorgebrachten Anschuldigungen zurück, fordert aber zugleich zur Mäßigung im Streit auf. Im zweiten Teil legt Pirckheimer seine Auffassung vom wahren Theologen dar. Dieser soll frei von Lastern und reich an Tugenden sein, über ausreichende Kenntnisse in der Grammatik und in den drei heiligen Sprachen verfügen, die richtige Dialektik und Rhetorik betreiben, die aristotelische, vor allem aber die platonische Naturphilosophie und Metaphysik studieren, das kanonische und zivile Recht kennen sowie in den mathematisch-naturwissenschaftlichen Fächern und in der Geschichte Bescheid wissen. Das Studium der großen scholastischen Theologen wird von Pirckheimer gebilligt, doch soll die Bibel die Grundlage aller theologischen Studien bilden. Es folgt der berühmte Katalog mit den Namen jener Gelehrter, die nach Pirckheimers Auffassung die Bezeichnung »Theologen« wirklich verdienen. Die Vorrede mit dem Katalog ist einer der hervorragenden Belege für das Selbstverständnis des »christlichen Humanismus« in jenen Jahren. Das von Pirckheimer nicht zuletzt dadurch gewonnene Ansehen spiegelt der etwa ein Jahr jüngere Brief Huttens an ihn.

W. P. Eckert u. Chr. v. Imhoff, W. Pirckheimer, 1971, S. 239-268. – F. Machilek, Klosterhumanismus in Nürnberg um 1500. In: MVGN 64, 1977, S. 10-45, hier S. 37, 41. – N. Holzberg, Willibald Pirckheimer, 1981, S. 248 ff. F. M.

123 »O Jahrhundert! O Wissenschaften! Es ist eine Lust zu leben ...!« Ein offener Brief Ulrichs von Hutten an Willibald Pirckheimer bezeugt die Begeisterung des Humanisten über die Wiedergewinnung der antiken Geisteskultur und die neu ins Bewußtsein getretene Freiheit des Geistes.

›Ulrichi de Hutten Equitis ad Bilibaldum Pirckheymer Patricium Norimbergensem Epistola vite sue rationem exponens‹ (Ein Brief des Ritters Ulrich von Hutten an den Nürnberger Patrizier Willibald Pirckheimer über seine Lebensauffassung), 25. Oktober 1518
Augsburg: Sigmund Grimm & Marx Wirsung 6. November 1518 (Erstdruck) 4°. 12 Bll.
Nürnberg: Germanisches Nationalmuseum, 8° Bg. 5009 Postinc.

In dem wenige Tage nach Luthers Verhör durch Cajetan in Augsburg von Ulrich von Hutten hier verfaßten und zum Druck gegebenen Brief an Willibald Pirckheimer, den führenden Nürnberger Humanisten und eines der geistigen Häupter Deutschlands zu jener Zeit, hat Hutten seiner Sorge über die herrschende Unordnung, Unsicherheit und Unruhe Ausdruck verliehen, aber zugleich ein persönliches Bekenntnis zum tätigen Leben im Geist des Humanismus abgelegt, das in seinen von Zuversicht geprägten Passagen noch den jungen Goethe in Straßburg begeistert hat: »O Jahrhundert! O Wissenschaften! Es ist eine Lust zu leben, Willibald, wenn auch noch nicht in der Stille! Die Studien stehen in Ansehen, die Geister blühen auf; Barbarei, nimm den Strick, deine Verbannung steht bevor!« Anders als die seit den frühen Dante-Kommentaren nachweisbaren und auch von deutschen Humanisten wie Nikolaus Gerbel gebrauchten enthusiastischen Wendungen über das Aufblühen der lange vernachlässigten Studien, die als typische Übernahmen aus dem Zeitgeist erscheinen, weist das zitierte Wort Huttens in die Zukunft. Jan Huizinga hat allerdings in seinem berühmten Buch vom ›Herbst des Mittelalters‹ davor gewarnt, Huttens Wort in zu weitem Sinn aufzufassen: »Es ist viel mehr der begeisterte Literat, der hier frohlockt, als der ganze Mensch. Man könnte aus dem Beginn des sechzehnten Jahrhunderts eine ganze Anzahl ähnlicher Freudenrufe über die Herrlichkeit der Zeit zitieren, würde aber stets bemerken müssen, daß sie fast ausschließlich der wiedergewonnenen Geisteskultur gelten und keineswegs dithyrambische Äußerungen der Lebenslust in ihrer ganzen Fülle sind. Auch die Lebensstimmung des Humanisten ist noch durch die alte fromme Abkehr von der Welt temperiert ...«
Hutten, dessen religiöse, politische und nationale Vorstellungen wenige Jahre zuvor in den ›Epistolae obscurorum virorum‹ ihren Niederschlag gefunden hatten, legte in der ›Epistola vite sue‹ gegenüber Pirckheimer ein programmatisches Bekenntnis der ihn leitenden Gedanken vor. In den folgenden Jahren sah Hutten seine Hauptaufgabe im Kampf um die nationale Befreiung Deutschlands von Rom mit den Mitteln humanistischer Bildung. Mit höchstem publizistischem Geschick suchte er Luther, den er vor allem seit der Leipziger Disputation im Sommer 1519 (vgl. Kat. Nr. 212, 213) als Bundesgenossen und Vorkämpfer für die geistige und nationale Freiheit betrachtete, durch eine Reihe zumeist in deutscher Sprache abgefaßter antirömischer Kampfschriften zu unterstützen, wenngleich ihm dessen eigentliches reformatorisches Anliegen innerlich fremd blieb.

H. Holborn, Ulrich von Hutten, 1968, S. 82 f. – E. Schubert, Ulrich von Hutten (1488-1523). In:

Fränk. Lebensbilder 9, 1980, S.93-123. – J.Huizinga, Herbst des Mittelalters, 11.Aufl. 1975, S.37. – Kat. Ausst. Dürer, Nr.42. F.M.

124 Das Protokoll einer aus bischöflichem Reformwillen erwachsenen Visitation vermittelt Aufschluß über Bildungsstand, sittliches Niveau und seelsorgliches Wirken der Geistlichen eines Sprengels am Ausgang des Mittelalters.

a Protokoll einer im Auftrag Bischof Wilhelms von Reichenau (1464-1496) durch Johannes Vogt, Kanonikus am Willibaldschor des Eichstätter Domes, durchgeführten Visitation in der Diözese Eichstätt, 1480
Orig. Papier, 32,5 × 23 cm. Sammelband, angebunden: Reformatio generalis des Nikolaus von Cues, Protokolle von Visitationen in Plankstetten (1555), Herrieden, Spalt und in 26 Pfarreien der Diözese (1565), alphabetische Matrikel 1.Hälfte 16.Jahrhundert, 311 Bll., Visitation 1480 fol. 1-150. Aufgeschlagen: fol. 55^v
Eichstätt, Diözesanarchiv, B 220

b ›Statuta synodalia Eystettensia cum statutis provincialibus Moguntinis‹
Eichstätt: Michael Reyser, nach dem 20.März 1484 (Erstausgabe)
2°. Publiziert im Auftrag Bischof Wilhelms von Reichenau. Aufgeschlagen: fol. 1^v mit Kupferstich des Monogrammisten WH mit dem kleineren Wappen des Hochstifts Eichstätt und dem Wappen Bischof Wilhelms
Würzburg, Universitätsbibliothek, 1 an L.t.f.234

Die Forderung nach besserer Bildung der Geistlichen gehört vor allem seit den Reformkonzilien der ersten Hälfte des 15.Jahrhunderts zu einem der Hauptanliegen der Vertreter des Reformgedankens. Ein schon zu Ende des 14.Jahrhunderts aufgezeichnetes Sprichwort wies drastisch auf den angesichts der Zunahme der Laienbildung nicht immer entsprechenden Bildungsstand des Klerus und den daraus erwachsenden Schaden für die Kirche hin: *Laici scioli et clerici indocti, laici spirituales et clerici carnales confundunt ecclesiam* (Allzu gescheite Laien und ungebildete Kleriker, geistlich gesinnte Laien und weltlich gesinnte Kleriker bringen die Kirche durcheinander) (Oediger, S.132). Seit der Wende vom 15. zum 16.Jahrhundert mischten sich die Aufrufe reformwilliger Bischöfe und die mitunter etwas übertreibenden Klagen der Prediger in zunehmendem Maße mit dem beißenden Spott der Humanisten über die Unbildung der Geistlichen. Tatsächlich waren – wie Detailforschungen der letzten fünfzig Jahre über die Bildungsverhältnisse des Klerus in verschiedenen Diözesen Deutschlands und der Schweiz erwiesen haben – diese nicht so katastrophal, wie die Klagen der Prediger und die Kritik der Humanisten erwarten lassen möchten. Bei der Bewertung der negativen Urteile der Zeitgenossen über den Bildungsstand des Klerus zu Ausgang des Mittelalters ist zu berücksichtigen, daß dieser sein früheres Bildungsmonopol verloren hatte, daß sich das Bildungsstreben des städtischen Bürgertums in ständigem Aufschwung befand, vor allem aber, daß die Ansprüche der Gemeinden in bezug auf seine sittliche Qualität, Bildung und Predigt gewachsen waren.
Über die tatsächlichen Bildungsverhältnisse geben die aus der Zeit vor 1500 allerdings nur ganz sporadisch erhaltenen Protokolle der bischöflichen Visitationen einige, zumeist indirekte Aufschlüsse. Das hier ausgestellte Protokoll enthält Aufzeichnungen über die Befragungen der Pfarrer und Benefiziaten der Diözese Eichstätt mit Ausnahme der Städte Ingolstadt und Neumarkt i.d.Opf. Den Fragen über die Inhaber und Rechtstitel der betreffenden Pfründen schlossen sich, einem festen Schema folgend, u.a. Fragen über das Vorhandensein der vorgeschriebenen Synodalstatuten und die von den Geistlichen bei der Sakramentenspendung verwendeten Formeln, über die Feier der Gottesdienste, die vorhandenen liturgischen Bücher und Kleinodien sowie über den Lebenswandel der Geistlichen an. Die Überprüfung der Bücher war mit einer Prüfung – Übersetzung und Erörterung ausgewählter Texte – verbunden. Verhältnismäßig häufig mußte der Visitator Unkenntnis über die rechte Lossprechungsformel protokollieren, so z.B. auch auf dem aufgeschlagenen Blatt (55^v) mit dem Eintrag über die Visitation der Frühmeßpfründe in Altdorf bei Nürnberg. Korrekt stellt Vogt wie in zahlreichen ähnlichen Fällen fest, daß dieser Mangel durch das Fehlen der vorgeschriebenen Synodalstatuten verursacht war. In einem Fall war der befragte Geistliche nicht in der Lage, die Wandlungsworte richtig wiederzugeben; er las anstelle von *mysterium fidei ministerium fidei.* Krasse Fehler dieser Art scheinen, auf das Ganze gesehen, die Ausnahme gewesen zu sein. Häufig erscheinen demgegenüber im Protokoll Priester, die im Konkubinat lebten oder bei denen der Verdacht darauf bestand.
Bischof Wilhelm von Reichenau hat sehr rasch nach Abschluß der Visitation auf Abstellung der Mißstände gedrängt. Zu den von ihm ergriffenen Maßnahmen gehörten die Einberufung einer Synode und der Druck der auf ihr beschlossenen Statuten zusammen mit den noch geltenden älteren Satzungen. Den Ausbau der Universität Ingolstadt hat Wilhelm von Reichenau als ihr erster Kanzler wesentlich mitgetragen; er hat dabei den theologischen Fächern besonderes Augenmerk geschenkt.

F.X.Buchner, Kirchliche Zustände in der Diözese Eichstätt am Ausgang des XV.Jahrhunderts. In: Pastoralblatt des Bistums Eichstätt 49-51, 1902-1904. – F.W.Oediger, Über die Bildung der Geistlichen im späten Mittelalter, 1953. – E.Reiter, Rezeption und Beachtung von Basler Dekreten in der Diözese Eichstätt unter Bischof Johann von Eych (1445-1467). In: Von Konstanz nach Trient. Festgabe für A.Franzen, 1972, S.215-232, hier S.218ff. – I.Hubay, Incunabula der Universitätsbibl. Würzburg, 1966, Nr.1952, S.398. F.M.

125 Durch die Stiftung von Prädikaturen suchten die Magistrate der Städte und Märkte dem steigenden Bedarf an gehobener Predigt unter der Bevölkerung entgegenzukommen.

Bücherschenkung des Breslauer Bischofs Johann IV. Roth für die von ihm bei der Pfarrkirche St.Emmeram zu Wemding im Ries gestiftete Prädikatur. Breslau, 16.Juli 1500
Orig. Perg., 28,5 × 47,5 cm. Spitzovales Siegel des Bischofs an Pergamentpressel
Wemding, Katholisches Pfarramt, Urkunden Nr.19

Johann Roth (1426-1506) stand nach Studien in Rom und Padua längere Zeit in kurialen und königlichen Diensten. Von 1468 bis 1479 leitete er die Diözese Lavant, von 1482 bis zu seinem Tod das Bistum Breslau. Durch die Abhaltung von Diözesansynoden, Maßnahmen zum Druck liturgischer Bücher und die Neuordnung des Kirchengesanges erwarb sich Johann Roth als Bischof von Breslau besondere Verdienste. 1499 stiftete er in Anbetracht des Umstandes, daß an der Pfarrkirche seiner Vaterstadt *allweg junge ungelehrte priester, auch*

im priesterlichen leben oft geprechliche und zum predigen wenig geschickte oder tugeliche tätig gewesen waren, *dadurch die inwohner und pfarrleute großen abgang in christlicher unterweisung und gutem ebenbild* [eines] *rainigs* [= reinen] *leben erleiden,* eine Prädikatur an der Wemdinger Pfarrkirche, zu deren Ausstattung er zunächst 600 fl. vorsah, dazu *zween groß stubich* [Packfässer] *mit mancherlei büchern* sowie Meßgewänder und -geräte, die nach Wemding geschickt und dort beim Rat deponiert wurden. Die hier gezeigte, für den Wemdinger Rat ausgefertigte Urkunde erwähnt einleitend die von Seiten der Stadt für die Prädikaturstiftung zusätzlich erbrachten Leistungen, enthält im Anschluß daran eine Liste der von Bischof Johann geschenkten Meßgewänder und -geräte sowie der Bücher – eine vierteilige Bibel, exegetische und homiletische Werke, theologische Schriften des Augustinus und Gerson, Heiligenlegenden, die ›Moralia‹ Gregors des Großen, ein Werk Boccaccios u.a. – und gibt dann über eine Zustiftung Johanns von weiteren 100 fl. *zu pesserung* der Prädikatur Auskunft. Am Schluß kündigt der Bischof die Stiftung eines gemalten Epitaphs für sich selbst in Wemding an, das am Familienbegräbnis Platz finden soll.
Die Bedeutung der Prädikaturstiftungen in Städten und Märkten, vielfach aus Eigeninitiative und als Selbsthilfe der Kommunen erwachsen, ist hoch einzuschätzen. An die Prediger wurden zumeist hohe Anforderungen in bezug auf ihre Ausbildung und ihren Lebenswandel gestellt. Die Prädikaturen kamen zu Beginn der Reformation Luthers Intentionen vom Wort und von der Verkündigung des Wortes in besonderer Weise entgegen; im weiteren Verlauf verhalfen an vielen Orten gerade die Prediger der evangelischen Lehre zum Durchbruch.

L. Buzas, Deutsche Bibliotheksgeschichte des Mittelalters, 1975, S. 107 ff. – F. Machilek, Die Frömmigkeit und die Krise des 14. und 15. Jahrhunderts. In: Mediaevalia Bohemica 3, 1970, S. 209-227, hier S. 216 f. – Mittelalterliche Bibliothekskataloge Deutschlands und der Schweiz, Bd. 3,2: Bistum Eichstätt, bearb. von P. Ruf, 1933, S. 317-319 (Druck der Urkunde). – F. X. Buchner, Archivinventare der katholischen Pfarreien in der Diözese Eichstätt, 1918, S. 639-642. F. M.

126 Handbücher für die Seelsorgepraxis zählen zum Grundbestand einer spätmittelalterlichen Kirchenbibliothek.

Johannes von Auerbach (Urbach), ›Directorium pro instructione simplicium presbyterorum in cura animarum‹ (Leitfaden zur Unterrichtung des einfachen Klerus in der Seelsorge), um 1415
Abschrift Papier, 30,5 × 21,5 cm. In Sammelhandschrift des 15. Jahrhunderts mit Werken für die Seelsorgepraxis, fol. 1ʳ-36ʳ.
Einband: Leder über Holzdeckeln mit Messingschließen und 72 cm langer Kette
Nürnberg, Staatsarchiv, Fürstentum Ansbach, AA-Akten, Nr. 750

Als Handbuch für die Spendung der Sakramente und das kirchliche Bußwesen erfreute sich das ›Directorium‹ des 1408 in Heidelberg zum Doctor decretorum promovierten, später als Bamberger Domvikar nachweisbaren und wahrscheinlich nach 1422 in Erfurt verstorbenen Johann von Auerbach außerordentlicher Beliebtheit. Es faßte die einschlägigen kirchenrechtlichen Vorschriften in knapper Form zusammen und wurde auf Reformsynoden des 15. Jahrhunderts in verschiedenen Diözesen ausdrücklich als Anleitung für die seelsorgerliche Arbeit empfohlen (Eichstätt 1434, 1447; Brixen 1453). Das dementsprechend in zahlreichen Handschriften, verschiedentlich unter dem Titel ›Summa de auditione confessionis et de sacramentis‹ (Summa über das Beichthören und über die Sakramente) überlieferte Kompendium wurde auch mehrfach gedruckt (Augsburg 1469, Speyer um 1471, Straßburg um 1475).
Die Weißenburger Sammelhandschrift beinhaltet neben dem Traktat des Johann von Auerbach eine Anzahl weiterer, für die kirchenrechtlich-praktische Instruktion des Seelsorgers konzipierter Schriften, darunter die Pastoralanweisung des Johannes Gerson für die Sakramentenspendung am Sterbelager (fol. 36ʳ-39ᵛ), eine anonyme Abhandlung über die Wiedergutmachung (fol. 39ᵛ-47ᵛ) und eine kurze Schrift über die Hinderungsgründe für den Empfang der Eucharistie des Johannes von Mies (fol. 156ʳ-159ʳ).
Die Handschrift gehörte zu dem im Verhältnis zu anderen reichsstädtischen Pfarrkirchen vergleichbar bescheidenen Bücherbestand der Pfarrkirche St. Andreas in Weißenburg. Ein Schatzverzeichnis aus dem Jahr 1504 zählt neben mehreren liturgischen Büchern 15 weitere Bände einzeln auf, darunter *1 decretal an der ketten.* Letzterer Band könnte mit der hier ausgestellten Sammelhandschrift identisch sein. Nach dem Schatzverzeichnis waren die 15 Bände *in den stillen, da die priester innen steen,* also am Chorgestühl, angekettet. Das wohl bald nach der Chorweihe von 1425 in St. Andreas errichtete Chorgestühl ist nicht erhalten. Ankettung des wertvollen Bücherschatzes zur Sicherung vor Entfremdung war seit dem 13. Jahrhundert vielerorts üblich.

H. Boockmann, Aus den Handakten des Kanonisten Johannes Urbach (Auerbach). In: Deutsches Archiv 28, 1972, S. 497-532. – Ders., Johannes Falkenberg, der Deutsche Orden und die polnische Politik, 1975, S. 22 ff. u. ö. – F. Machilek, Die Bibliothek der Kapelle zu Unserer Lieben Frau in Windsheim um die Mitte des 15. Jahrhunderts. In: Würzburger Diözesangeschichtsblätter 32, 1970, S. 161-170, hier S. 164 f. F. M.

IV. Luther in Wittenberg 1511–1517: Die Ausbildung der reformatorischen Theologie

Bernhard Lohse

Wittenberg sollte die hauptsächliche Wirkungsstätte Luthers werden. Zuerst hielt Luther sich hier 1508/1509 auf, als er im Auftrag seines Ordens an der 1502 gegründeten Universität Vorlesungen über die nikomachische Ethik des Aristoteles hielt. 1511 wurde er für dauernd von Erfurt nach Wittenberg in das dortige Augustiner-Eremiten-Kloster versetzt. In Wittenberg wurde für ihn vor allem die Begegnung mit Johannes von Staupitz wichtig, der neben seinem hohen Amt in der Leitung des deutschen Zweiges des Augustiner-Eremiten-Ordens auch die Professur für Exegese wahrnahm. Im Geiste Augustins und der spätmittelalterlichen Frömmigkeit der »Devotio moderna« geschult, hatte Staupitz für den nach dem ewigen Heil fragenden Luther mehr Verständnis als andere. Staupitz war es auch, der ihn veranlaßte, zum Doktor der Theologie zu promovieren (1512). Um Staupitz zu entlasten, übernahm Luther 1512 dessen Professur. In den folgenden Jahren hatte er außerdem verschiedene Ämter in seinem Orden inne; ferner versah er zeitweilig auch pfarramtliche Aufgaben.

Das Schwergewicht seiner Arbeit lag seit 1512 auf seinen Vorlesungen als Professor der biblischen Exegese. Daß er zunächst die Psalmen (1513-1515) und anschließend den Römerbrief des Paulus (1515-1516) auslegte, entspricht der theologischen Konzentration seines Denkens: der Psalter war als das Gebetbuch zugleich auch eine Art Beichtspiegel; der Römerbrief bot die schärfste Entfaltung der paulinischen Lehre von Sünde und Gnade. In seiner Auslegung folgte Luther nicht der scholastischen Theologie, sondern eher Augustin, ging freilich über diesen an etlichen Punkten hinaus. Die Heilige Schrift war ihm das Gotteswort, das dem Menschen das Gericht, aber auch das Evangelium Gottes bringt. In dieser Konzentration auf die Schrift und auf das Kreuz Christi folgte Luther manchen Richtungen der spätmittelalterlichen Theologie und Frömmigkeit; aber auch hier ging er über Frühere hinaus: faktisch vertrat Luther schon den Grundsatz »die Schrift allein« und in Verbindung damit den anderen »Christus allein«. Wahrscheinlich war es im Herbst 1514, nach Meinung anderer Forscher jedoch erst 1518, daß Luther zu seiner reformatorischen Erkenntnis über die Gerechtigkeit Gottes und die Rechtfertigung des Menschen gelangte. Diese Erkenntnis besagt, daß Gottes Gerechtigkeit, wie sie im Evangelium offenbar wird, nicht die richtende, sondern die schenkende Gerechtigkeit ist; sie wird allein im Glauben empfangen. Nach der Römerbriefvorlesung legte Luther den Galaterbrief (1516-1517) und den Hebräerbrief (1517-1518) aus; in diesen Vorlesungen vertiefte und erweiterte er seinen theologischen Neuansatz. Dieser führte ihn zu einer kritischen Stellung nicht nur gegenüber der herrschenden Scholastik, sondern auch gegenüber der Frömmigkeitspraxis seiner Zeit. Schon vor der Publikation der 95 Thesen über den Ablaß wandte Luther sich auch an eine breitere Öffentlichkeit. B. L.

A Wittenberg als Luthers Lebensraum

Von 1512 bis zu seinem Tode 1546 lebte und wirkte Luther in der kleinen kursächsischen Landstadt Wittenberg. Neben Torgau war Wittenberg zweite Residenz des sächsischen Kurfürsten. Friedrich der Weise, selbst ein zutiefst frommer Fürst, hatte dort 1502 eine Universität gegründet, deren Wohl ihm lebhaft am Herzen lag, die aber zunächst über bescheidene Anfänge nicht recht hinauskam. Die knappen Räumlichkeiten reichten freilich angesichts der geringen Studentenzahlen hin. Die Stiftskirche – heute »Schloßkirche« – wurde zugleich für zahlreiche Universitätsveranstaltungen benutzt. Ferner war die Stiftskirche der Aufbewahrungsort der von Friedrich dem Weisen gesammelten Reliquien und damit auch Zentrum der Abläße, die man hier erlangen konnte. So bedeutend der Reliquien- und Heiligenkult war, so finden sich in Wittenberg schon früh auch Zeugnisse für die auf den Christus am Kreuz konzentrierte Frömmigkeit; Buße, Erwartung des Gerichts, Demut und Glaube sind ihre wichtigsten Kennzeichen. B. L.

127 Friedrich der Weise und sein mitregierender Bruder Johann von Sachsen brachten einen der größten Reliquienschätze zusammen.

Doppelbildnis des Kurfürsten Friedrich des Weisen von Sachsen und seines mitregierenden Bruders Herzog Johann
Lukas Cranach d.Ä., 1510
Kupferstich, 13,2 × 11,8 cm. Auf einer Tafel unten Mitte bezeichnet mit Signet des Künstlers und 1510, oben das kurfürstliche und das herzoglich-sächsische Wappen
Privatbesitz

Die Porträts der Fürsten wurden für das Titelblatt des Wittenberger Heiligtumsbuches geschaffen, als einziger Kupferstich neben zahlreichen Holzschnitten. Sie sollten die Frömmigkeit der beiden in Eintracht miteinander regierenden Fürsten – Friedrich der Weise 1463-1525, Kurfürst seit 1486; Johann 1468-1532, Kurfürst seit 1525 – darstellen. Tatsächlich dokumentierte sich in dem Reliquienschatz der Wittenberger Stiftskirche Allerheiligen, der in dem Heiligtumsbuch vorgestellt wurde und den Friedrich der Weise unter hohem finanziellen Aufwand erheblich vermehrt hatte, die mittelalterliche Frömmigkeit in ganz ungewöhnlicher Konzentration. Es handelte sich um eine der größten Reliquiensammlungen, die es überhaupt gab. Ihr Wert bestand jedoch vornehmlich in dem Ablaß, den man durch sie gewinnen konnte. Friedrich der Weise hat das damalige Ablaßwesen aus Überzeugung bejaht.

P. Kirn, Friedrich der Weise und die Kirche, 1926. – I. Ludolphy, Friedrich der Weise, 1980, S. 74-89. – Kat. Ausst. Cranach, Bd. 1, Nr. 95.
B. L.

127

128 Allegorische Darstellung der Rückkehr des Menschen zu Gott – ein Beispiel spätmittelalterlicher Frömmigkeit.

Kurfürst Friedrich von Sachsen unter der Himmelsleiter des hl. Bonaventura, darunter die Verdammten im Höllenfeuer
Lukas Cranach d.Ä., um 1510
Holzschnitt in zwei Teilen, 38,9 × 29,2 cm und 12 × 29,1 cm. Zahlreiche Aufschriften im Typendruck
London, The British Museum, Department of Prints and Drawings, E 7-180 with 1871-12-9-447

Vermutlich war Symphorian Reinhart der Drucker und wohl auch der Formschneider dieses Holzschnittes. Wahrscheinlich gab es fünf verschiedene, in den eingefügten Aufschriften voneinander abweichende Ausgaben des Blattes. Ein koloriertes Exemplar beider Teile befindet sich im Museum von Gotha. Die reiche Allegorese, wie sie auch in den eingefügten Schriftbändern zum Ausdruck kommt, war seit etwa 1400 ein beliebtes Mittel religiöser Symbolik und Unterweisung, wie es sich auch noch in den Flugblättern der Reformationszeit bei Anhängern wie Gegnern Luthers findet. Die Himmelsleiter (s. 1. Mose 28, 12 f.), seit der alten Kirche Symbol für den Weg des Menschen zurück zu Gott, ist in Bonaventuras (1221-1274) Schrift ›Itinerarium mentis in Deum‹ (Pilgerreise der Seele zu Gott) zum Sinnbild für den Aufstieg der Seele zu Gott geworden, wobei auf der Leiter drei Hauptstufen mit je zwei Unterstufen sich befinden. Anders als bei Bonaventura hat die Leiter in Cranachs Holzschnitt lediglich drei Stufen. Doch ist der Gedanke der Läuterung, des Aufstiegs und schließlich der mystischen Vereinigung mit Gott im Kern bei Bonaventura und bei Cranach der gleiche. Als Anführer der zum Aufstieg Bereiten erscheint am Fuß der Leiter Kurfürst Friedrich der Weise mit der Geste des Adoranten. Die Schriftbänder weisen auf die zu übenden Tugenden wie auch auf die Gefahren hin. Im unteren Bildteil ist die Qual der Verdammten in der Hölle dargestellt.

Bonaventura, Itinerarium mentis in Deum, 1961. – Kat. Ausst. Cranach, Bd. 2, Nr. 307. B. L.

128

129 Der sächsische Kurfürst läßt sich als frommer Landesvater porträtieren.

Kurfürst Friedrich der Weise in Verehrung der apokalyptischen Muttergottes
Lukas Cranach d.Ä., um 1516
Gemälde auf Lindenholz, auf Leinwand übertragen, 115 × 91 cm
Karlsruhe, Staatliche Kunsthalle, Leihgabe aus Privatbesitz
Farbtafel Seite 76

Als eine Sonderform des mittelalterlichen Stifterporträts war das Bildthema der Verehrung der Muttergottes durch einen weltlichen oder geistlichen Würdenträger vor allem in Buchmalerei und Druckgraphik verbreitet. Auch gegenüber Cranachs nur wenig früher zu diesem Thema entstandenem Holzschnitt zeigt das um 1516, also noch in vorreformatorischer Zeit, geschaffene Gemälde eine auffällige Monumentalität: Der von seinem Schutzheiligen Bartholomäus empfohlene Kurfürst kniet betend vor der auf der Mondsichel erscheinenden apokalyptischen Muttergottes, die als Himmelskönigin der irdischen Sphäre durch Engelsglorie und strahlenden Goldgrund entrückt erscheint.
Format und Ausführung stehen somit gleichermaßen im Dienste einer neuartigen repräsentativen Bildschöpfung. Sie zeigt den sächsischen Kurfürsten ein weiteres Mal spätmittelalterlicher Frömmigkeit eng verbunden, zu der er sich als Sammler des Wittenberger Heiltumsschatzes und als Auftraggeber zahlreicher Altäre für die Ausstattung seiner neu erbauten Schloßkirche ebenfalls demonstrativ bekannte.

H. Bornkamm, Luther und sein Landesherr Kurfürst Friedrich der Weise (1463-1525). In: Luther. Gestalt und Wirkungen, 1975, S. 33-38. – B. Stephan, Kulturpolitische Maßnahmen des Kurfürsten Friedrich III., des Weisen, von Sachsen. In: Luther-Jb. 49, 1982, S. 50-95. – Kat. Ausst. Cranach. Bd. 2, Nr. 339. – Friedländer-Rosenberg, 1979, Nr. 83. B. L.

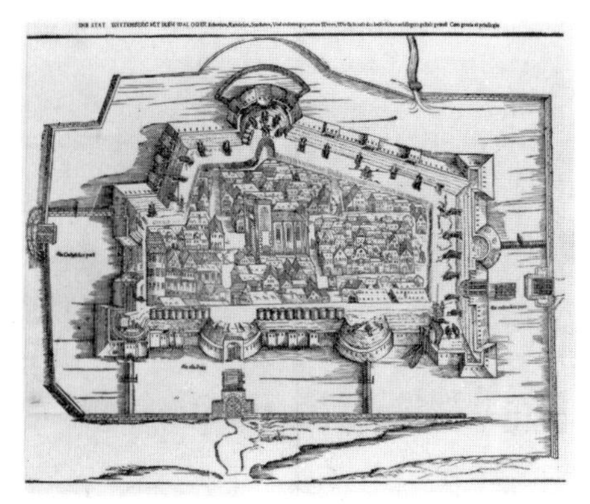

130

130 Unter Friedrich dem Weisen wird die weitgehend unbekannte Landstadt Wittenberg zur kursächsischen Residenzstadt ausgebaut.

Stadtansicht von Wittenberg
Unbekannter Künstler, 2. Hälfte 16. Jahrhundert
Holzschnitt, 39,2 × 47 cm. Inschriftliche Bezeichnung der drei Stadttore
Berlin, Staatliche Museen Preußischer Kulturbesitz, Kupferstichkabinett, Inv. Nr. 76-1885

Der Holzschnitt nimmt die Darstellung Wittenbergs als befestigter Stadt auf, wie sie erstmals in dem großformatigen Holzschnitt des Monogrammisten MS überliefert ist, der – um 1550 entstanden – das Feldlager Kaiser Karls V. vor Wittenberg im Jahre 1547 wiedergibt. Während die Stadt dort nur durch ihre inschriftlich bezeichneten Hauptgebäude – wie die Stadtkirche im Zentrum, das Schloß mit Schloßkirche links unten, die Universität und *Des Lutters Kloster* mit zwei großen Dächern – am rechten unteren Rand gekennzeichnet ist, fügt der Kopist eine reiche Stadtlandschaft aus Häusern, Gassen und Brunnen hinzu. Ebenso werden die Beschriftungen der Stadttore beibehalten, wobei allerdings das östliche Elstertor die falsche Benennung *rostocker port* erhält.
Einen Anhaltspunkt für die Datierung gibt das Aussehen der Stadtkirche, die bereits ohne ihre im Schmalkaldischen Krieg eingebüßten Turmhelme erscheint, aber auch noch ohne die in den Jahren 1556/58 neu geschaffenen Aufsätze.
Neben einer ebenfalls um 1550 anzusetzenden Stadtsilhouette der Cranach-Werkstatt ist dieser aus seinem ursprünglichen Zusammenhang genommene Holzschnitt bis ins späte 16. Jahrhundert die gängige Ansicht Wittenbergs. Frühere selbständige Darstellungen der kleinen sächsischen Landstadt sind nicht bekannt, neuer Bedarf an repräsentativen Stadtansichten entstand erst nach fortgeschrittenem Ausbau zur sächsischen Residenz- und Universitätsstadt und aufgrund der durch das Auftreten Luthers bewirkten Konzentration des allgemeinen Interesses auf Wittenberg.

Geisberg, Nr. 947/952. – G. Krüger, Die Lutherstadt Wittenberg im Wandel der Jahrhunderte, 1939. – Kat. Ausst. Freiheit eines Christenmenschen, Nr. 5. B. L./J. Z.-S.

131

131 Die Stiftskirche Allerheiligen (Schloßkirche) zu Wittenberg war auch ein Zentrum der Universität.

Stiftskirche Allerheiligen in Wittenberg
Lukas Cranach d. Ä., 1509
Holzschnitt, 16 × 11,2 cm. Aus: Christoph Scheurl, ›Oratio attingens litterarum prestantiam, necnon laudem Ecclesie Collegiate Vittenburgensis‹. Leipzig: Martin Landsberg, Dezember 1509
Nürnberg, Scheurl-Bibliothek

Die Stiftskirche Allerheiligen, heute als »Schloßkirche« bezeichnet, ist anstelle einer älteren Kapelle 1496-1509 von Friedrich dem Weisen neben seinem Wittenberger Schloß erbaut worden. Cranach hat diesen Holzschnitt auch für das Wittenberger Heiligtumsbuch verwendet. Hier ist der Holzschnitt der Rede als Schmuck beigegeben, die der bekannte Nürnberger Humanist Dr. Christoph Scheurl 1508 in der Stiftskirche gehalten hat und die er 1509 mit einer Widmung an Cranach drucken ließ. Scheurl war seit 1507 Professor der Rechte in Wittenberg und Rektor der Universität. In der Rede würdigt er die Gründung der Universität Wittenberg (1502) sowie des mit ihr verbundenen Allerheiligenstifts und die reiche Ausstattung der Kirche mit Kunstwerken.
Tatsächlich bot das Wittenberger Heiligtumsbuch mit über 100 Holzschnitten einen Katalog der 5 005 Reliquienpartikel, die es damals gab, sowie ihrer Goldschmiedefassungen. Erstmals 1398 und danach noch mehrmals haben Päpste der Allerheiligenkirche das Recht übertragen, Ablässe zu erteilen. Voraussetzung für die Erlangung eines Ablasses war in Wittenberg – abgesehen von der priesterlichen Absolution – das Gebet vor der Reliquienkammer sowie für das Seelenheil der beiden Fürsten oder ein Opfer zugunsten des Kirchenbaus. Bei der zweimal im Jahr stattfindenden »Zeigung des Hochlobwürdigen Heiligtums der Stiftskirche Allerheiligen zu Wittenberg« wurden besondere Ablässe gewährt, die eine gewaltige Höhe erreichten. Noch 1522 ließ Friedrich der Weise Reliquien ausstellen; Ablaß war damals allerdings nicht mehr zu erlangen.

P. Kalkoff, Ablaß und Reliquienverehrung an der Schloßkirche zu Wittenberg unter Friedrich dem Weisen, 1907. – H. Barge, Andreas Bodenstein von Karlstadt, Bd. 2, 1905, Neudruck 1968, S. 525-529 (Ordnung der Stiftskirche zu Wittenberg 1508). – E. Schulte-Strathaus, Die Wittenberger Heiligtumsbücher vom Jahre 1509 mit Holzschnitten von Lucas Cranach. In: Gutenberg-Jb. 5, 1930, S. 175-186. – Die Denkmale der Lutherstadt Wittenberg, bearb. v. F. Bellmann u. a., 1979. – H. Junghans, Wittenberg als Lutherstadt, 1979, S. 12-15, 44-51. B. L.

133

132 Der Reliquienschatz der Wittenberger Stiftskirche Allerheiligen nach dem Wittenberger Heiligtumsbuch.

›Der Acht gang dis heiligthumbs‹: Reliquienkreuz mit 25 Partikeln des Heiligen Kreuzes und Christusstatuette mit 22 Partikeln vom Grabe Christi und 4 Partikeln vom Stein der Himmelfahrt Christi
Lukas Cranach d. Ä.
Holzschnitte aus: ›Dye zaigung des hochlobwirdigen hailigthums der Stifftkirchen aller hailigen zu wittenburg‹. Wittenberg 1509
Schweinfurt, Sammlung Otto Schäfer

Heiltums- oder Heiligtumsbücher wurden im späten 15. und frühen 16. Jahrhundert verschiedentlich gedruckt. In der Regel dienten handschriftliche Verzeichnisse mit Zeichnungen als Vorlagen. In den Heiligtumsbüchern wurde die Reliquiensammlung einer Kirche bekannt gemacht. Der seit 1504/05 in Wittenberg nachweisbare Lukas Cranach, der das Wittenberger Heiligtumsbuch geschaffen hat, ließ sich wahrscheinlich von dem Wiener Heiligtumsbuch von 1502 anregen. Offenbar wollte Friedrich der Weise dieses hinsichtlich des Umfanges, der Anordnung und auch der Größe der Holzschnittillustrationen übertreffen. Während das Wiener Heiligtumsbuch auf einer Seite vierreihig zwischen Strichen bis zu zwölf Reliquienbehälter abbildete, bot das Wittenberger Heiligtumsbuch höchstens vier. Wir zeigen die letzten Seiten des Buches mit der Schlußabrechnung über den Reliquienschatz und dem durch ihn zu erlangenden Ablaß.

Wittemberger Heiligthumsbuch, illustriert v. Lucas Cranach d. Ä. 1509, 1884. – Kat. Ausst. Cranach, Bd. 1, Nr. 95. B. L.

133, 134 Die frühe reformatorische Theologie und Frömmigkeit wuchs aus der spätmittelalterlichen Konzentration auf den gekreuzigten Christus hervor.

133 Der hl. Augustin in Betrachtung des Schmerzensmannes
Lukas Cranach d. Ä., um 1515
Holzschnitt, 13,1 × 10,8 cm. Auf dem Grabdeckel bezeichnet mit dem Signet des Künstlers, rechts oben die kurfürstlichen Wappen
Nürnberg, Germanisches Nationalmuseum, H 6061

Die Bildthematik ist kennzeichnend für die damals in Wittenberg begegnende Frömmigkeit. Das Wittenberger Universitätssiegel von 1503, das den hl. Augustin mit dem durchbohrten Herzen in der Hand zeigt, hat die lateinische Inschrift: »Wer mir nachfolgt, der wird nicht wandeln in der Finsternis ...« (Joh. 8,12). Daß Augustin in Wittenberg besonders in Ehren stand, dürfte vor allem Johannes von Staupitz zu verdanken sein. Möglicherweise hat Luther von Staupitz den Anstoß bekommen, sich besonders mit Augustin zu befassen. Tatsächlich hatte Augustin für den jungen Luther größere Bedeutung als irgendein anderer Kirchenvater. Der Holzschnitt zeigt die Hinwendung zur Betrachtung des leidenden Herrn, die auch sonst in der Frömmigkeit des ausgehenden Mittelalters begegnet.

Brecht, S. 85, 122-129. – Kat. Ausst. Cranach, Bd. 1, Nr. 9. B. L.

Christo Saluatori Deo Opti. Max.
Georgius Spalatinus. Peccator
Quas tibi. peccator. pro tanto munere. grateis
Soluere Christe potest. quod tibi ferre sacrum.
Quid non inferius tam dira morte rependat.
Que faciat casum. victima cesa. parem.
Ista tibi pietas superos summisit et horum.
Et Mundum tanta relligione regis.
Morte tibi tanta mortaleis adseris omneis
Et facis ad sumum posse venire patrem.
Inde tibi placuit primi reparare parentis
Occasum. et miseros insinuare Patri.
Inde tibi placuit defunctis querere vitam.
Inde patere polos. inde salutis iter
Istac ad patrem. et felicia regna. vocasti.
Istac ad celos. agmina cuncta. trahis.
Hoc hominum vireis. hoc omnia sidera vincit.
Vincit id angelicas. ambrosiasq; manus.
Ergo tibi corpus. mentem. Deus Optime. dedo.
Ergo tibi supplex offero Christe preceis.
Quod si plura velis. da vireis. queso. clienti.
Vt tibi pro meritis munera digna feram
.M D XV.

134

134 Georg Spalatin betend vor dem Gekreuzigten
Lukas Cranach d. Ä., 1515
Holzschnitt, 16,5 × 11,1 cm. Unter dem Bild 23 Zeilen in Typendruck
Berlin, Staatliche Museen Preußischer Kulturbesitz, Kupferstichkabinett, Inv. Nr. 978-11

Georg Spalatin (Burckhardt), 1484-1545, aus Spalt bei Nürnberg, während seines Studiums Anhänger des Erfurter Humanistenkreises um Mutian, wurde 1508 nach seiner Priesterweihe Erzieher des kursächsischen Prinzen Johann Friedrich (geb. 1503, Kurfürst 1532-1547, gest. 1554). 1512 mit der Verwaltung der Wittenberger Universitätsbibliothek betraut, die im Schloß untergebracht war, trat er 1514 in Verbindung mit Luther. Seit 1516 in der kurfürstlichen Kanzlei tätig, wurde er zum Vermittler zwischen dem ihm befreundeten Luther und dem sächsischen Kurfürsten. Als geistlicher Berater und Kammersekretär des Kurfürsten hatte er eine Vertrauensstellung, die gerade in der Anfangszeit der reformatorischen Bewegung von kaum zu überschätzender Bedeutung war. So unterstützte er die 1516 einsetzende Universitätsreform in Wittenberg, die zu einer Verstärkung des Studiums der alten Sprachen und der biblischen Exegese, aber auch der Beschäftigung mit Augustin führte. Als Humanist, aber auch als Übersetzer von Schriften Luthers und nicht zuletzt durch eigene Publikationen hat er die Sache der Reformation gefördert. Der Bildtypus des vor dem Gekreuzigten Betenden ähnelt demjenigen von Kat.Nr. 133. Die Reformation hat die Konzentration auf den gekreuzigten Christus, wie sie schon im Spätmittelalter begegnet, noch verstärkt. Der Text des Gebetes nimmt einige auch für den jungen Luther wichtige Gedanken über die Sünde des Menschen und die Erlösung durch Christus auf, jedoch in einer spezifisch humanistischen Sprache.

I. Höss, Georg Spalatin 1484-1545, 1956, bes. S. 81. – Kat. Ausst. Cranach, Bd. 2, Nr. 343. B. L.

135

135 Johannes von Staupitz hatte für Luthers theologischen und persönlichen Weg größere Bedeutung als irgend jemand sonst.

Bildnis des Dr. Johannes von Staupitz
Unbekannter Künstler, um 1520
Gemälde auf Holz, unten beschnitten, 51,9 × 41,5 cm
Salzburg, Erzabtei St. Peter

Johannes von Staupitz (1469?-1524), aus sächsischem Adel, studierte seit 1483 in Köln und Leipzig, trat ca. 1490 dem Orden der Augustiner-Eremiten bei, wurde 1497 Prior des Tübinger Konvents, 1500 *Doctor in Biblia* und bald darauf Prior des Konvents in München. 1503 rief ihn Friedrich der Weise nach Wittenberg, damit er bei dem Aufbau der 1502 gegründeten Universität helfen sollte. Ebenfalls 1503 wurde er Generalvikar der deutschen Observanten-Kongregation des Ordens der Augustiner-Eremiten. 1512 gab er dieses Amtes wegen seine Bibelprofessur in Wittenberg auf, die dann von Luther übernommen wurde. Obwohl Staupitz selbst weniger ein schöpferischer Denker war, gehört er durch seine von Augustin und von der spätmittelalterlichen »Devotio moderna« geprägte Frömmigkeit zu den edelsten Gestalten des ausgehenden Mittelalters. Als Beichtvater hat er Luther oft geistlichen Beistand geleistet. In dem beginnenden Streit mit Rom suchte er Luther zu schützen. Selbst der Ketzerei verdächtigt, legte Staupitz 1520 sein Ordensamt nieder, trat den Benediktinern bei und wurde 1522 Abt der Abtei St. Peter in Salzburg, außerdem Hofprediger des Kardinalerzbischofs von Salzburg. Luther empfand zeitlebens für Staupitz tiefe Verehrung und äußerte öfter, eigentlich habe ihn Staupitz zur Erkenntnis des Evangeliums geführt. Damit dürfte Luther jedoch die Bedeutung Staupitz' zu hoch veranschlagt haben. Trotzdem hätte Luther ohne die Hilfe von Staupitz kaum seine Kloster-Anfechtungen überwinden und zu seiner neuen reformatorischen Theologie gelangen können.

J. v. Staupitz, Sämtliche Schriften, 1979 ff. – D. C. Steinmetz, Luther and Staupitz, 1980. – Kat. Ausst. St. Peter in Salzburg, 1982, Nr. 304, Abb. S. 93. B. L.

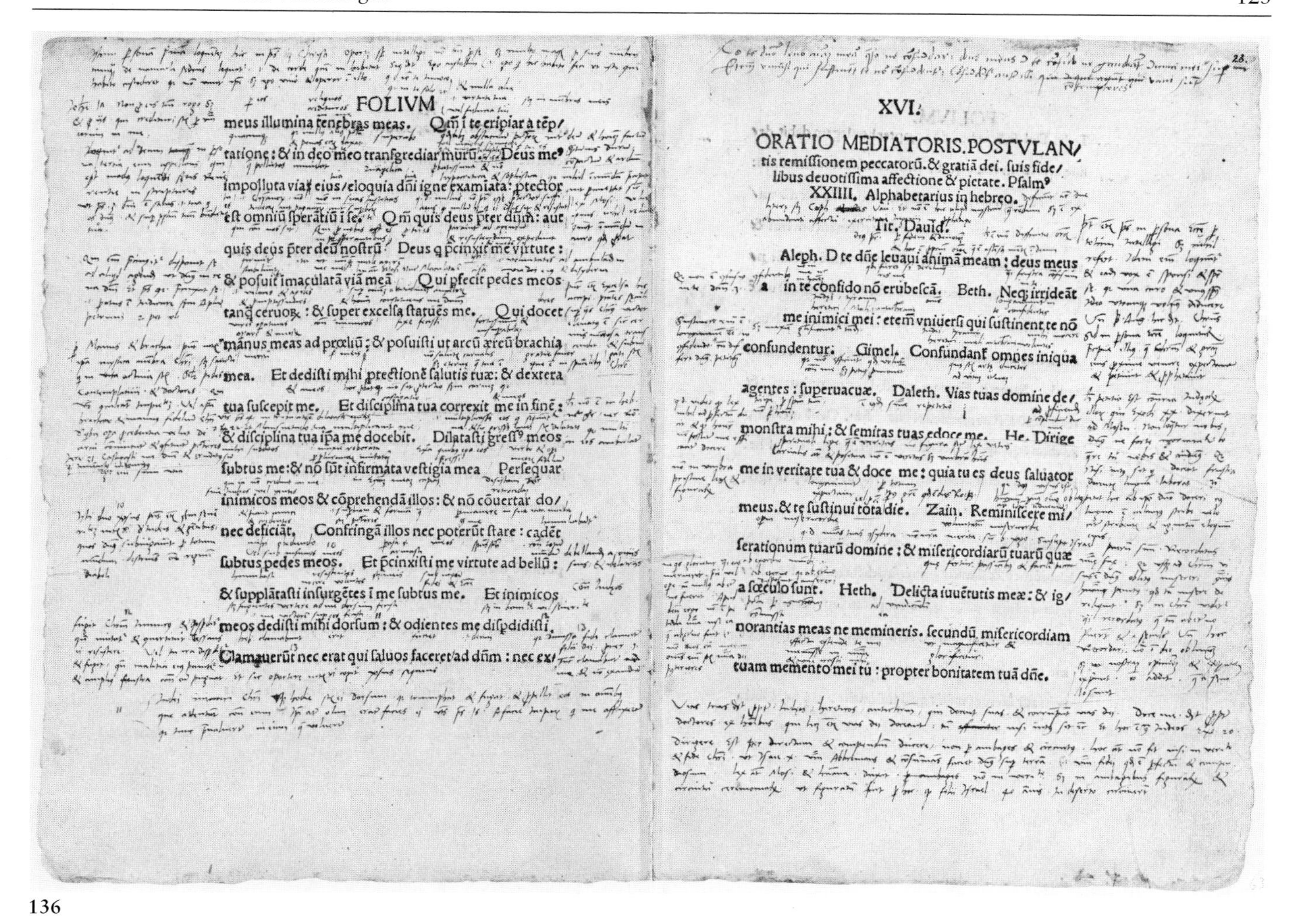
FOLIVM
meus illumina tenebras meas. Qm̄ i te eripiar a tēp/
tatione: & in deo meo transgrediar murū. Deus me⁹
impolluta via eius/eloquia dñi igne examiata: ptector
est omniū sperātiū i se. Qm̄ quis deus pter dn̄m: aut
quis deus pter deū nostrū. Deus q pcinxit me virtute:
& posuit imaculatā viā meā. Qui pfecit pedes meos
tanq ceruoꝝ: & super excelsa statuēs me. Qui docet
manus meas ad prœliū: & posuisti ut arcū ęreū brachia
mea. Et dedisti mihi ptectionē salutis tuæ: & dextera
tua suscepit me. Et disciplina tua correxit me in finē:
& disciplina tua ipsa me docebit. Dilatasti gressꝰ meos
subtus me: & nō sūt infirmata vestigia mea. Persequar
inimicos meos & cōprehendā illos: & nō cōuertar do/
nec deficiāt. Confringā illos nec poterūt stare: cadēt
subtus pedes meos. Et pcinxisti me virtute ad bellū:
& supplātasti insurgētes i me subtus me. Et inimicos
meos dedisti mihi dorsum: & odientes me disperdidisti.
Clamauerūt nec erat qui saluos faceret ad dn̄m: nec ex/

XVI.
ORATIO MEDIATORIS.POSTVLAN/
tis remissionem peccatorū.& gratiā dei. suis fide/
libus deuotissima affectione & pietate. Psalm⁹
XXIIII. Alphabetarius in hebreo.
Tit. Dauid.
Aleph. D te dn̄e leuaui animā meam: deus meus
in te cōfido nō erubescā. Beth. Neq; irrideāt
me inimici mei: etenī vniuersi qui sustinent te nō
confundentur. Gimel. Confundant omnes iniqua
agentes: superuacuæ. Daleth. Vias tuas domine de/
monstra mihi: & semitas tuas edoce me. He. Dirige
me in veritate tua & doce me: quia tu es deus saluator
meus. & te sustinui tota die. Zain. Reminiscere mi/
serationum tuarū domine: & misericordiarū tuarū quæ
a sæculo sunt. Heth. Delicta iuuētutis meæ: & ig/
norantias meas ne memineris. secundū misericordiam
tuam memento mei tu: propter bonitatem tuā dn̄e.

136

B Luther in seinen frühen Vorlesungen

Die Vorlesungen, die Luther von 1513 bis 1518 hielt, sind erst im 19. Jahrhundert wieder aufgefunden worden. Die Erforschung des jungen Luther erhielt damit eine neue Grundlage, weil erst durch das Studium von Luthers frühen Gedanken der Hintergrund für seinen Angriff auf die Mißbräuche im Ablaß verständlich werden konnte. Luther ließ – dies macht insbesondere der hier ausgestellte Teil seines Manuskriptes der ersten Psalmenvorlesung (1513-1515) deutlich – den biblischen Text mit weiten Zwischenräumen drucken, um seine Zeilen- und Randglossen zu den jeweiligen biblischen Aussagen eintragen und diktieren zu können. Die zahlreichen Korrekturen verraten, wie intensiv er um den genauen Sinn des biblischen Textes gerungen hat. Aus den erhaltenen studentischen Nachschriften der frühen Vorlesungen läßt sich noch etwas von dem Echo ermessen, das Luther als Professor und Schriftausleger bereits vor Beginn des Streites mit Rom fand. B. L.

136 Das Manuskript von Luthers Vorlesung über die Psalmen, seiner ersten theologischen Vorlesung, zeigt, wie intensiv der junge Professor den genauen Sinn des biblischen Textes zu erfassen suchte.

Der »Wolfenbüttler Psalter«
›SEPHER THEHILLIM HOC/EST LIBER LAVDVM/SIVE HYMNORVM/(QVI PSALTERI/VM DAVID/DICITUR ...‹, Wittenberg: Johannes Grunenberg 1513
4°. 111 Bll. Druck des Psalters nach der Vulgata, mit handschriftlichen Eintragungen Luthers
Wolfenbüttel, Herzog August Bibliothek, 71.4 Theol. 4

Von 1513 bis 1515 hielt Luther in Wittenberg seine erste theologische Vorlesung über die Psalmen. Für sich selbst wie für seine Studenten ließ er den lateinischen Psalter mit weitläufigen Zeilen und breitem Rand drucken, um selbst Raum für Zeilen- und Randglossen zu haben und um auch den Studenten für die Eintragung in deren Exemplare Diktate machen zu können. Nach der Praxis mittelalterlicher Ausleger kommentierte Luther den Text nicht nur in den kurzen, paraphrasierenden Zeilen- und den ausführlicheren Randglossen, sondern auch in »Scholien«, also in längeren Ausführungen über zentrale Begriffe oder Themen. Der »Wolfenbüttler Psalter« bietet Luthers Zeilen- und Randglossen. Luthers Scholien-Handschrift befindet sich in der Sächsischen Landesbibliothek Dresden (Ms. Dresd. A 138). Es ist nicht zufällig, daß Luther für seine erste Vorlesung den Psalter aussuchte. Der Psalter als das Gebetbuch der Kirche diente seit alters auch als Beichtspiegel. Zugleich wurden die

Psalmen als Gebete Jesu Christi verstanden. Von daher gab die Auslegung des Psalters Luther Veranlassung, besonders die Fragen des göttlichen Gerichtes, der Gerechtigkeit Gottes und derjenigen des Glaubenden, aber auch der Buße und des Heiles überhaupt zu bedenken. In vielfacher Hinsicht kündigen sich in dieser Vorlesung schon die zentralen Themen und Gedanken an, die Luther später jedoch mit größerer Sicherheit und Klarheit zu behandeln verstand.

WA 3 und 4. – Neuausgabe WA 55 I/II. B. L.

137 Eine studentische Nachschrift von Luthers Römerbriefvorlesung.

›Divi Pauli apostoli ad Romanos Epistola‹
Wittenberg: Johannes Grunenberg 1515
4°. Druck des Römerbriefs nach der Vulgata, in Sammelband. Mit handschriftlichen Eintragungen eines Ordensbruders Luthers
Città del Vaticano, Biblioteca Apostolica Vaticana, Pal. lat. 132

1515-1516 hielt Luther seine zweite theologische Vorlesung, für die er als Text den Römerbrief des Apostels Paulus wählte. Wie bei der ersten Psalmenvorlesung, so ließ Luther auch bei dieser Vorlesung den Text des Römerbriefes in der Vulgata-Fassung mit weitläufigen Zeilen und breitem Rand drucken. Luthers eigenes Exemplar mit seinen Rand- und Zeilenglossen sowie mit seinen Scholien, das früher in der Preußischen Staatsbibliothek in Berlin aufbewahrt wurde, ist im Zweiten Weltkrieg verschollen. Es sind jedoch einige Nachschriften erhalten. Die in der Vatikanischen Bibliothek aufbewahrte Nachschrift stammt von einem Ordensbruder Luthers, Johannes Fogler. Anscheinend hat Fogler einige Passagen unmittelbar während der Vorlesung mitgeschrieben, das meiste jedoch nachträglich in Ruhe und mit besonderer Sorgfalt eingetragen. Die Römerbriefvorlesung gehört zu Luthers größten Leistungen. Hier finden sich eigentlich schon alle zentralen Themen der späteren reformatorischen Theologie, wenn auch noch ohne Auseinandersetzung mit der römischen Hierarchie.

WA 56 (nach Luthers Manuskript der Römerbriefvorlesung). – WA 57 I (studentische Nachschriften der Römerbriefvorlesung). – W. Grundmann, Der Römerbrief des Apostels Paulus und seine Auslegung durch Martin Luther, 1964. B. L.

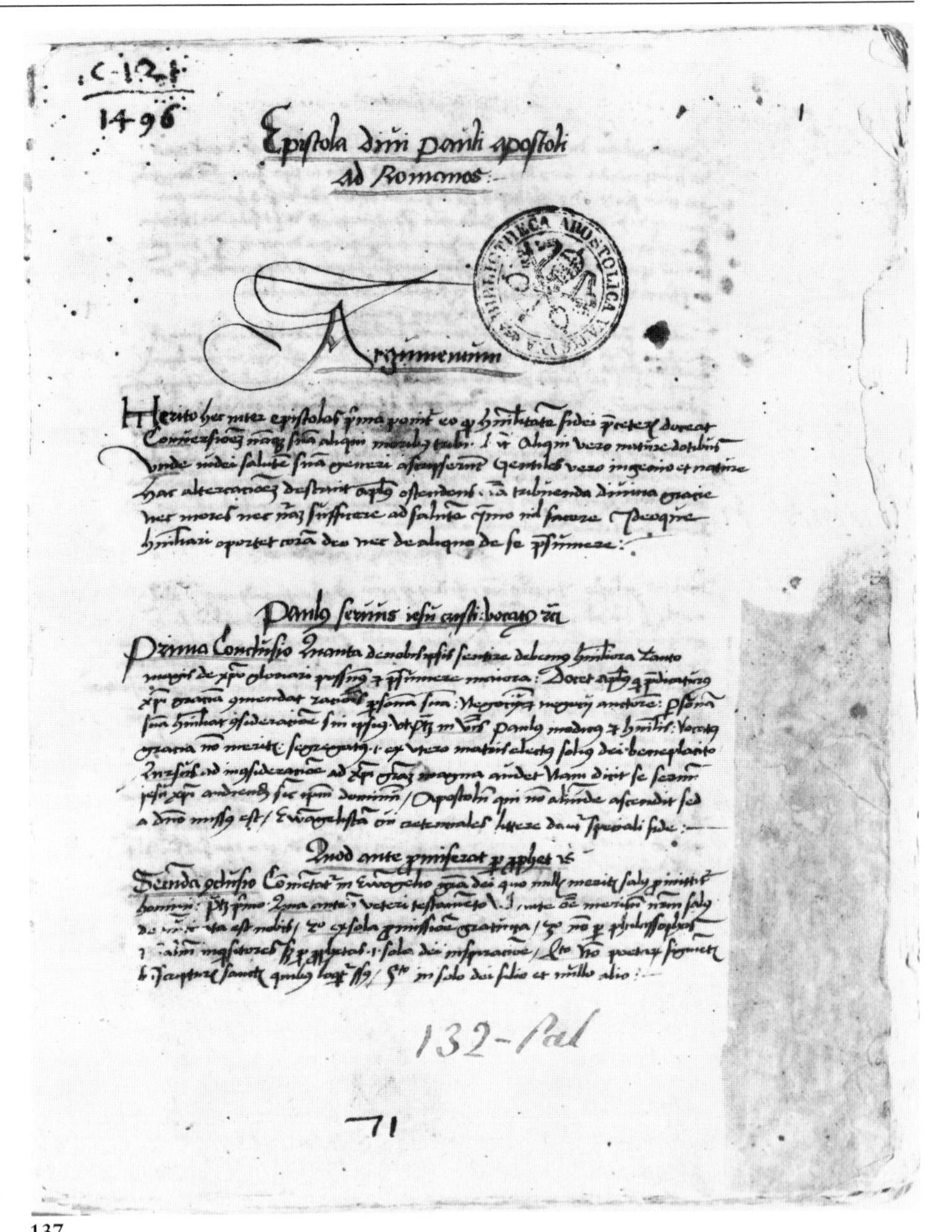

137

138 Eine studentische Nachschrift von Luthers Galaterbriefvorlesung 1516/17.

›Divi Pauli Apostoli ad Galathas Epistola‹
Wittenberg: Johannes Grunenberg 1516
4°. Druck des Galaterbriefes nach der Vulgata. Mit handschriftlichen Eintragungen eines aus Köln stammenden Augustinermönchs
Bretten, Melanchthonhaus, Nr. 427

1516-1517 legte Luther den Galaterbrief des Apostels Paulus aus. Auch für diese Vorlesung ließ Luther den lateinischen Text des Galaterbriefes mit weitläufigen Zeilen und breitem Rand drucken. Luthers eigenes Exemplar seiner Galaterbriefvorlesung ist nicht erhalten. Vermutlich ging es bei der Vorbereitung der Druckausgabe des Galaterbriefkommentars von 1519 zugrunde. Verfasser der studentischen Nachschrift war vermutlich ein aus Köln stammender Augustinermönch namens Augustin Himmel (Hymel, Humel) gewesen, der damals schon zu dem engeren Kreis um Luther gehörte. Die Nachschrift zeigt, daß Himmel manche Schwierigkeiten hatte, seinem Professor zu folgen. Es finden sich zahlreiche Fehler, von denen manche offenbar nachträglich korrigiert wurden. Die Bedeutung der Galaterbriefvorlesung besteht darin, daß Luther hier seine schon in der Römerbriefvorlesung gewonnenen Einsichten weiter vertieft hat. Insbesondere entfaltete er seine Auffassung vom Gesetz, von der Gnade, von der Gerechtigkeit Gottes und vom Glauben. Die Römerbrief- und die Galaterbriefvorlesung zeigen, daß Luther bereits Jahre vor Beginn des Konfliktes diejenigen Anschauungen vertrat, die von ihm 1517 in den 95 Thesen vorgetragen wurden.

WA 57 II (studentische Nachschrift von Luthers Galaterbriefvorlesung). B. L.

C Frühe Veröffentlichungen Luthers

Seine ersten Veröffentlichungen hat Luther bereits vor Beginn des Ablaßstreites herausgebracht. Schon hier zeigt sich die Eigenart seines literarischen Schaffens. Die ›Theologia Deutsch‹ – eine anonyme, der Mystik nahestehende Schrift des späten 14. Jahrhunderts, die den Gedanken des Gehorsams und der Nachfolge Christi betonte – schien Luther eine Bestätigung seiner eigenen theologischen Bestrebungen zu sein; darum gab er sie mit einer Vorrede heraus. Luthers erste deutschsprachige Veröffentlichung behandelte die sieben Bußpsalmen. Dies ist bezeichnend: Die neue reformatorische Theologie wuchs aus einem radikalen Bußernst hervor. Daß dieser Bußernst aber nicht mehr in asketischem Sinne der Heiligung diente, sondern der Dialektik von Gericht und Gnade entsprang, zeigt sich in Luthers programmatischem Angriff auf die scholastische Theologie: Dieser Angriff war im Grunde viel radikaler als die etwas später folgende Kritik am Ablaß. Daß es nicht schon über dieser Ablehnung der von Luther beanstandeten »Werkgerechtigkeit« der Scholastik zum Konflikt kam, kann man als einen Zufall bezeichnen. B. L.

139-141 Aus der intensiven Bemühung um den genauen Sinn der biblischen Texte erwuchs bei Luther auch der Wunsch, unter Früheren Gleichgesinnte aufzuspüren, um von ihnen zu lernen oder durch sie bestätigt zu werden. In der ›Theologia Deutsch‹ fand Luther eine Frömmigkeit, die allein auf Christus und die Gnade konzentriert war.

139 Handschrift der ›Theologia Deutsch‹
Orig. Papier. In: Sammelhandschrift unbekannter Herkunft, möglicherweise aus dem Katharinenkloster zu Nürnberg, 1489/90. 4°. 218 Bll., fol. 115r-126r
Nürnberg, Stadtbibliothek, an Cod. Cent. VI, 61

Bei der sog. ›Theologia Deutsch‹ oder »Deutsch Theologie« handelt es sich um eine anonyme mystische Schrift aus dem späten 14. Jahrhundert. Sie stammt von dem sog. »Frankfurter«, d. h. vermutlich von einem Priester des Deutschordenshauses in Sachsenhausen. Die ›Theologia Deutsch‹ folgt nicht den zuweilen recht kühnen mystischen Gedanken eines Eckhart, sondern hält sich im ganzen in dem Rahmen einer schlichten Frömmigkeit, die auf die zentralen Stücke des christlichen Glaubens konzentriert, jedoch durch mystische Betrachtung verinnerlicht ist. Die Nürnberger Handschrift bietet nur einen Teil des ganzen Textes der ›Theologia Deutsch‹. Diese Handschrift ist von Wolfgang von Hinten aufgefunden und in ihrer Bedeutung erkannt worden. Im Blick auf Luther ist die Nürnberger Handschrift deswegen von besonderer Bedeutung, weil sie im ganzen die gleiche Auswahl des vollständigen Textes bietet, wie auch Luther sie in der Vorlage für seinen Druck von 1516 fand, und dieser Vorlage auch in der Gestaltung des Textes nahesteht.

W. v. Hinten, Der ›Franckforter‹, 1982. B. L.

Vor Rede.

¶ Zuuoran vormanet diß Buchleynn alle die das leßen vnd versteen wollen/sunderlich.die von heller vornüfft vnd sinnereych vorstandts seyn / das sie tzum ersten mal nit sich selb mit schwindem vrteyl vber eylen/dan es ynn etlichen worten scheynet vntüchtig ader auß der weyße gewonlicher prediger vnnd lerer reden . ja es schwebt nit oben/wie schawm auff dem wasser / Sunder es ist auß dem grund des Jordans võ einem warhafftigen Israeliten erleßen / wilchs namen gott weyß vnnd wen er eß wissen wil. dan dißmall ist das buchleyn an titell vnnd namen fūden. Aber nach müglichez gedencken zu schetzē ist die matery/ faßt nach der art / des erleuchten doctoris Tauleri/prediger ordens. Nū wie dem allen. dae ist war grunelich lere/der heilgen schrifft . muß narren machen/ adder narre werden Als der apostel Paulus berurt j. Co. j . Wir predigen Christum eyne torheyt den heyden/ aber eyne weyßheit gottis den heylgen.

F. Martinus Luder
Subscripsit.

140

140 ›Eyn geystlich edles Buchleynn./von rechter vnderscheyd/vnd vorstand. was der/alt vnd new mensche sey. Was Adams/ vnd was gottis kind sey. vnd wie Adam/ynn vns sterben vnnd Christus/ersteen sall.
Wittenberg: Johannes Grunenberg 1516
4°. Mit Luthers Vorrede zur unvollständigen Ausgabe der ›Theologia Deutsch‹
Nürnberg, Stadtbibliothek, Theol. 909. 4° (13)

Luthers erste Veröffentlichung war, sieht man von dem Druck der biblischen Texte für seine exegetischen Vorlesungen ab, eine Ausgabe der sog. ›Theologia Deutsch‹. Er hatte sich 1516 intensiver auch mit Texten aus der deutschen Mystik befaßt. Dabei war er außer auf Schriften Taulers auch auf die ›Theologia Deutsch‹ gestoßen. Er hatte zunächst nur einen unvollständigen Text vor sich, der lediglich etwa ein Viertel des ganzen Textes umfaßte, war jedoch schon von diesem tief beeindruckt. Insbesondere war es die Schlichtheit und Echtheit der Frömmigkeit sowie die Konzentration auf Grundfragen des Glaubens und der Nachfolge, die ihm diesen Text wertvoll erscheinen ließen. In der ›Theologia Deutsch‹ meinte er eine Bestätigung seiner eigenen Bemühungen um eine Erneuerung der Theologie zu finden. Darum gab er den Text in der Gestalt, die ihm vorlag, heraus. Das Buch erschien im Dezember 1516. Luther war damals im Edieren noch unerfahren; dies macht die aus dem Briefstil übernommene Unterschrift der Vorrede *F. Martinus Luder Subscripsit* (Bruder Martinus Luder hat unterschrieben) deutlich. Andererseits ist Luther bei der Edition des Textes durchaus sorgfältig vorgegangen, er hat ihn nicht etwa im Sinne seiner eigenen Theologie überarbeitet. Den Titel hat Luther dem Text gegeben, da das von ihm gefundene Manuskript keinen Titel hatte.

WA 1, S. 152 f. – M. Brecht, Randbemerkungen in Luthers Ausgaben der »Deutsch Theologia«. In: Luther-Jb. 47, 1980, S. 11-32. B. L.

141 ›Eyn deutsch Theologia. das ist/Eyn edles Buchleyn, von rechtem vorstand, was/Adam vnd Christus sey, vnd wie Adam yn/vns sterben, vnd Christus ersteen sall./‹
Wittenberg: Johannes Grunenberg 1518
4°. Mit Luthers Vorrede zur vollständigen Ausgabe der ›Theologia Deutsch‹
Erlangen, Universitätsbibliothek, 4° Thl. (IV)

Einige Zeit nach der Veröffentlichung des unvollständigen Textes der ›Theologia Deutsch‹ erhielt Luther ein vollständiges Manuskript des Textes. Luther gab diesen Text in einer neuen Ausgabe unter dem Titel ›Eyn deutsch Theologia‹ heraus, die im Juni 1518 erschien, als bereits der Ablaßstreit im Gang war. Er stellte dem Buch einen Titelholzschnitt voran, bei dem es sich wohl um das früheste Ergebnis einer direkten Zusammenarbeit Luthers mit Lukas Cranach handelt. Das Bild zeigt in Vorwegnahme lehrhaft-reformatorischer Ikonologie den Inhalt der Schrift: Den auferstehenden Christus über dem geöffneten Grab, daneben das Begräbnis des »alten Adam«. In einem frühen Nachdruck ist der Titel ›deutsche Theologie‹ in ›Theologia Deutsch‹ geändert worden; seither begegnen beide Titelfassungen für dieses spätmittelalterlich mystische Werk. War Luther schon von dem unvollständigen Text tief beeindruckt, so sah er sich von der vollständigen Abschrift in seinem Urteil über die scholastische Theologie und in seinem Bemühen um eine Universitätsreform bestätigt. Er betont in der Vorrede, daß ihm – abgesehen von der Bibel und von Augustin – kein anderes Buch begegnet sei, aus dem er mehr gelernt habe, was Gott, Christus, der Mensch und alle Dinge seien. Der von manchen erhobene Vorwurf, man betreibe in Wittenberg »neue Dinge«, sei im Blick auf diese Schrift gegenstandslos. Man möge doch dieses Buch lesen und dann urteilen, ob die Theologie in Wittenberg neu oder alt sei. Mit einem gewissen Anklang an die sich damals ausbreitende nationale Bewegung stellte Luther sich selbst und seine Wittenberger Kollegen als »deutsche« Theologen heraus.

WA 1, S. 375-379. – Kat. Ausst. Cranach, Bd. 1, Nr. 207 und Bd. 2, Abb. 249. B. L.

Eyn deutsch Theologia. das ist
Eyn edles Buchleyn/von rechtem vorstand/was
Adam vnd Christus sey/vnd wie Adam yn
vns sterben/vnd Christus ersteen sall.

141

heylge so küne gewest das er vō ym selb sagete/das seyne
weißheit vnd gerechtickeit vor ym nichts sey/sundern im
hadder lygen sie vñ mit ynn selbs vber den dingen streytē
Szo kümen dan dise aber mit eynem trieglichem wort.
ja die neygung ist aber nit todsunde/vnnd haltens aber
darfur das sie nit blind seynn/sundern woll wissen was
teglich adder todsund sey/vñ fast yn derselben blindheit
Christo nach seynem richtstül greyffen. dann war ist es
das teglich sund nit vordamnen/seynd aber von natur
keyn teglich sunde/dan alleyn denn sie gott auß gnaden/
teglich achtet/das thut er aber nur den/die sie nit vorachten. darumb ists gar feerlich zu reden von teglichen sun-
den/so mā darauß sicherheit empfahen wil/vñ falschen
trost/der do widder gottis furcht strebet/vnd gottis gericht gar heymlich vorachten leeret. dañ so der mensch
von einē iglichen mussigen wort sall rechēschafft geben
am jungsten tag/wer will so küne seynn/das er tegliche
sunde nit mit furchten hüten adder beweynen wolle/vnd
also ynn demutiger furcht/nach gnade vnd barmhertz-
ickeyt sich ernstlich sehnen.

Gedruckt zu Wittenbergk yn der Chürfurstlichen stad
durch Joannem Grunenbergk Nach Christ
geburt Tausent funffhundert vnd im
sibentzen jar.
Bey den Augustinern.

142

142 Luthers erste deutschsprachige Veröffentlichung ist eine Auslegung der sieben Bußpsalmen.

Martin Luther, ›Die Sieben puszpsalm mit/deutscher auszlegung/nach dem schrifftlichen synne/...‹
Wittenberg: Johannes Grunenberg 1517
4°. 46 Bll. (Erstdruck)
Nürnberg, Germanisches Nationalmuseum, 8° Rl. 507 Postinc.

Abgesehen von der ersten unvollständigen Ausgabe der ›Theologia Deutsch‹ ist die Auslegung der sieben Bußpsalmen Luthers erste deutschsprachige Veröffentlichung und der erste größere selbständige Text, den er drucken ließ. Der Druck dieses Werkes dürfte im März 1517 begonnen haben und nicht später als im April 1517 beendet worden sein. Die Absicht, welche Luther mit dieser Publikation verband, wird in einem Brief an Christoph Scheurl vom 6. Mai 1517 deutlich. Danach habe er sich »nicht an feingebildete Nürnberger, sondern an rohe Sachsen wenden wollen, denen die christliche Lehre nicht wortreich genug vorgekaut werden könne« (WA Br 1 Nr. 38, 6-8). Luther wollte darum nicht, daß seine Freunde dieses Werk erwarben. Tatsächlich blieb diese Übersetzung und erbauliche Auslegung der Bußpsalmen ziemlich unbeachtet; der Buchhandel versprach sich von dem Werk des noch kaum bekannten Verfassers keinen großen Ab-

INSIGNIVM THEOLOGORVM
Domini Martini Lutheri, domini Andree
Barolostadij, Philippi melan
thonis & aliorum
conclu-
siones varię, pro diuinæ gratiæ defensione
ac commendatione, contra sco
lasticos & pelagianos
disputate in præ-
clara academia.

Vvittembergensi.

Lege lector & afficieris versa facie catalogum
inuenies.

143

satz. Trotzdem war diese erste deutsche Veröffentlichung Luthers von erheblicher Bedeutung. Was ihre Thematik betrifft, so zeigt sich hier, ähnlich wie in der Wahl der Psalmen als Thema der ersten Vorlesung, der Buß- und Gerichtsernst, der hinter dem reformatorischen Aufbruch stand. In Sprache und Stil erweist sich Luther hier bereits als Volksschriftsteller. Luther nahm zwar manche Gedanken seiner ersten Psalmenvorlesung (vgl. Kat. Nr. 136) auf, formulierte sie aber entsprechend seiner inzwischen weiter entwickelten Theologie neu und gab dieser im Blick auf die möglichen Leser eine knappe und zugespitzte Form. Damit wurde schon vor Ausbruch des Ablaßstreites deutlich, daß Luther nicht nur als Professor für die Erneuerung der Theologie und der Universität überhaupt tätig sein, sondern daß er sich auch an eine breite Öffentlichkeit wenden wollte.

WA 1, S. 154-220; WA 60, S. 429. B. L.

143 Bereits im September 1517 richtete Luther einen öffentlichen Angriff gegen die scholastische Theologie.

Martin Luther, ›Disputatio contra scholasticam theologiam‹. In: ›Insignium Theologorum/Domini Martini Lutheri, domini Andree/Barolostadij (so!), Philippi melan/thonis & aliorum/conclu-/siones varie, pro divine gratie defensione/ac commendatione ...‹
Paris: Pierre Vidoué um 1520. 4°
Wolfenbüttel, Herzog August Bibliothek, Li 5530 (38/662)

Die Thesen für die Disputation gegen die scholastische Theologie – knapp zwei Monate vor dem Streit um die 95 Ablaßthesen – waren ein erklärter Angriff gegen die damals noch weithin vorherrschende Scholastik. Diese Thesen sollte Franz Günther aus Nordhausen am 4. September 1517 in einer Disputation unter Luthers Vorsitz verteidigen, um die Würde eines Baccalaureus biblicus zu erwerben. Sie dürften in Plakatform gedruckt worden sein. Von dem Urdruck ist jedoch kein Exemplar bekannt. Luther hat die Sätze zunächst nach Erfurt, seiner früheren Universität, geschickt, erhielt aber von dort durchaus keine Zustimmung; im Gegenteil, man war in Erfurt über die Schärfe dieses Angriffes auf die Scholastik entsetzt. Tatsächlich vertrat Luther hier in zugespitzter Form seine an Paulus und an Augustin ausgebildete Lehre von der radikalen Sündhaftigkeit des Menschen und der absoluten Notwendigkeit der Gnade für das Heil in scharfem Gegensatz gegen die spätmittelalterliche Verharmlosung der Sünde und gegen die Auffassung, daß der »natürliche« Mensch von sich aus Gott lieben und fürchten könne. Die ›Disputatio contra scholasticam theologiam‹ ist im Grunde radikaler, als die ihr im Abstand von knapp 2 Monaten folgenden 95 Thesen über den Ablaß. Wenn nicht schon im September 1517 ein öffentlicher Streit um Luther ausbrach, dann lag das wohl daran, daß die fach-theologischen Fragen, die in den Sätzen dieser Disputation behandelt sind, einer breiten Öffentlichkeit schwerer zugänglich waren als die kritischen Thesen über den Ablaß.

WA 1, S. 221-228. – Grane. B. L.

D Luthers Arbeit an der Bibel

Es ist nicht bekannt, wann Luther ein Exemplar des hebräischen Alten Testaments erworben hat. Die erste Psalmenvorlesung hatte er, wie es damals üblich war, unter Zugrundelegung des Vulgatatextes gehalten; immerhin hatte Luther sich schon damals um Berücksichtigung der Besonderheiten der hebräischen Sprache bemüht, da nur so die biblischen Aussagen in ihrer eigentlichen Bedeutung erfaßt werden konnten. Die neue Auslegungsmethode des jungen Luther besteht in der Verbindung von philologischer und theologischer Erfassung des Textsinnes. Diese exegetische Methode hat sich, weil sie im Grunde die einzig sachgemäße ist, auf die Dauer allenthalben durchgesetzt. Luthers Randbemerkungen in seinem Exemplar der hebräischen Bibel, die teilweise auf die Zeit vor 1520 zu datieren sind, geben Zeugnis von seiner Bemühung um den Textsinn. B. L.

144 Für seine Auslegung der Bibel benutzte Luther neben den lateinischen Übersetzungen des Alten Testaments auch das hebräische Original.

Luthers Handexemplar des sog. Brescia-Druckes des Alten Testaments, mit handschriftlichen Eintragungen Luthers
Brescia: Gersom ben Mose Soncino 1494
Berlin, Staatsbibliothek Preußischer Kulturbesitz, Inc. 2840

Im Zuge seiner intensiven Bemühungen um den genauen Sinn des biblischen Textes hat Luther sich nicht nur selbst dem Studium der griechischen und der hebräischen Sprache gewidmet, sondern hat auch, sobald es ging, selbst Exemplare des griechischen Neuen Testaments und des hebräischen Alten Testaments erworben. Als die von Erasmus besorgte Ausgabe des griechischen Neuen Testaments 1516 erschien, benutzte Luther sie sofort für die weitere Ausarbeitung seiner Römerbriefvorlesung. Schwieriger war es, eine Ausgabe des hebräischen Alten Testaments zu bekommen. Es ist nicht sicher, wann Luther eine solche erworben hat. Wahrscheinlich hat er das hier gezeigte Handexemplar schon im Jahre 1519 besessen. Luther erwarb es antiquarisch. Vor ihm hatten es nacheinander zwei nicht identifizierte jüdische Gelehrte besessen, wie aus Eintragungen hervorgeht. Luther machte zu verschiedenen Zeiten Ein-

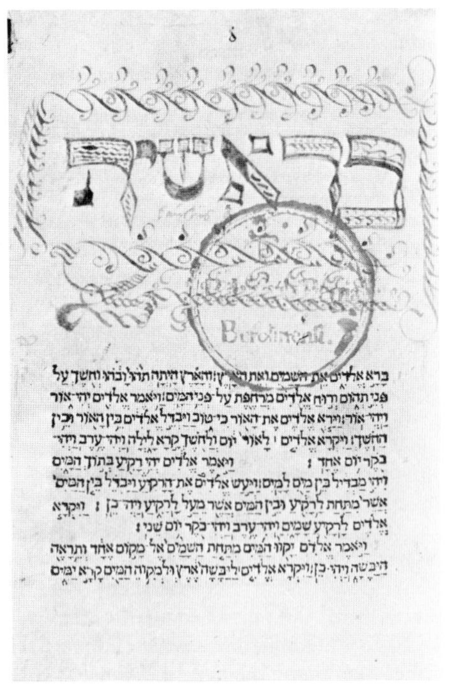

144

tragungen in das Buch. Wahrscheinlich wurde es später auch bei der Arbeit an der Bibelrevision, also der Überarbeitung von Luthers Übersetzung der Bibel, benutzt (vgl. Kat. Nr. 370).

WA 60, S. 240-307. B. L.

E Der reformatorische Durchbruch

Die Forschung hat bis heute noch keine eindeutige Antwort auf die Frage gefunden, wann Luther seine sog. reformatorische Erkenntnis gewonnen hat. Als Zeitpunkt wird hauptsächlich entweder der Herbst 1514 oder das Frühjahr 1518 angenommen. Wichtiger als die Datierungsfrage ist jedoch der Inhalt der Erkenntnis. Er besteht darin, daß Gottes Gerechtigkeit die schenkende, begnadigende ist und daß sie allein im Glauben empfangen wird. Diese Erkenntnis stand in engstem Zusammenhang mit der Erwartung des Jüngsten Gerichts. Luther rang mit der Frage, wie er vor Gott im Gericht bestehen könne. Es handelte sich bei der neuen Erkenntnis nicht um »billige Gnade« (Bonhoeffer). Der Gerichtsernst, der in spätmittelalterlicher Frömmigkeit allenthalben anzutreffen ist, kommt auch in der zeitgenössischen Kunst zum Ausdruck. Christus wurde weithin als der Weltenrichter gedeutet. Daß Gott auch der gnädige Vater sei, war im ausgehenden Mittelalter durchaus bekannt, gleichwohl hat die Reformation die Ausschließlichkeit der Gnade, die der Mensch nicht verdienen, sondern nur empfangen kann, doch in neuer Weise betont. B. L.

145 Die Erwartung des Jüngsten Gerichts und die Forderungen nach ernster Buße bestimmen weithin die Frömmigkeit des späten Mittelalters.

Bußpredigt des Johannes von Capestrano
Titelholzschnitt zu: Bernhardinus, ›Vita Johannis Capistrani‹, Augsburg: Johann Miller 1519, 4°. 20 ungez. Bll.
Nürnberg, Germanisches Nationalmuseum, 8° Bg. 1915 Postinc.

Die von dem Salvatorianerbruder Bernhardinus zusammengestellte, 1519 in Augsburg gedruckte Schrift enthält eine Lebensbeschreibung des 1456 verstorbenen Johannes von Capestrano und Auszüge aus seinen Predigten. Der Titelholzschnitt zeigt den neben Bernhardin von Siena und später Savonarola wohl bekanntesten Bußprediger des 15. Jahrhunderts bei einem seiner Auftritte. Wie in dem um 1480 entstandenen, von Stange Sebald Bopp zugeschriebenen Gemälde der Staatsgalerie Bamberg ist die Schlußszene einer solchen Predigt dargestellt, die sog. »Verbrennung der Eitelkeiten«: Die in reicher Zahl erschienenen Zuhörer werfen als Zeichen ihrer Bußfertigkeit heidnische Bücher, Kleider, Schmuck- und Spielutensilien ins Feuer und entsagen auf diese Weise jeglicher Art von irdischem Luxus. In Deutschland sind derartige Aktionen aus Nürnberg, Erfurt, Magdeburg, Breslau und Augsburg belegt. Zuschauerzahlen von mehr als 60 000 und »drei oder vier Wagen fol« allein in Augsburg verbrannter »Eitelkeiten« zeigen ihre Popularität.

VITA IOHANNIS CAPISTRANI.
Sermones eiusdem.

145

Die Zuschreibung des Holzschnittes bzw. eines diesem zugrundeliegenden Kupferstiches an Hans Schäufelein ist nicht aufrechtzuhalten.

J. Hofer, Johannes Kapistran. Ein Leben im Kampf um die Reform der Kirche, 2. Aufl. 1965. – H. Bredekamp, Renaissancekultur als »Hölle«: Savonarolas Verbrennung der Eitelkeiten. In: Martin Warnke (Hrsg.), Bildersturm, 1973, S. 41-64. – A. Bartsch, Le Peintre Graveur, Bd. 7, 1808, S. 255, Nr. 36. – Kat. Ausst. Franz von Assisi, Nr. 4.04. B. L./J. Z.-S.

146

146 Der Gerichtsernst findet besonders auch darin seinen Ausdruck, daß man in Christus den Richter beim Jüngsten Gericht erblickt.

Christus als Weltenrichter
Unbekannter Künstler, Ende 14. Jahrhundert
Relief, Sandstein, 215 × 132 cm.
Abguß des Originals in der Evang. Stadtpfarrkirche St. Marien zu Wittenberg. Hergestellt von Dipl.-Ing. Gerhard Oschmann, Eisenach

Dieses Sandsteinrelief eines unbekannten Meisters, das Christus als den Weltenrichter zeigt, befand sich ursprünglich auf dem Friedhof an der Stadtkirche zu Wittenberg. Nachdem der Friedhof im 17. Jahrhundert verlegt worden war, wurde es über dem Nordportal der Stadtkirche an der Außenseite angebracht. Seit 1955 befindet es sich in der Sakristei. Wie im späten Mittelalter vielfach üblich, wird Christus in einer Mandorla, auf dem Regenbogen sitzend, dargestellt. In seinen Händen trägt er ein Schwert, das zugleich von seinem Mund berührt wird; zur einen Seite geht dies Schwert in einen Knauf, zur anderen in eine Lilie aus. Biblische Belege fand man in Jesaja 49,2 »Er hat meinen Mund wie ein scharfes Schwert gemacht«; Apok. 1,16 »... und aus seinem [d. i. Christi] Mund ging ein scharfes, zweischneidiges Schwert.« Luther hat dieses Sandsteinrelief, seit er in Wittenberg war, unzählige Male gesehen. Wie aus zahlreichen späteren Aussagen hervorgeht, sah Luther in solchen Darstellungen Christi als des Weltenrichters ein »erschreckliches Bild«, das eben nicht die Heilkraft des Leidens Christi, sondern einseitig den Gerichtsgedanken zum Ausdruck bringt.

H. Junghans, Wittenberg als Lutherstadt, 1979, Nr. 12, S. 39. – O. Scheel (Hrsg.), Dokumente zu Luthers Entwicklung, 2. Aufl. 1929, Nr. 182, 194, 279, 312, 346, 358, 381, 383. – R. Schwarz, Die spätmittelalterliche Vorstellung vom richtenden Christus – ein Ausdruck religiöser Mentalität. In: Gesch. in Wissenschaft und Unterricht 32, 1981, S. 526-553. B. L.

147 Immer wieder werden in Predigten, aber auch in künstlerischen Darstellungen die Schrecken des Jüngsten Gerichts und der ewigen Verdammnis ausgemalt.

Das Jüngste Gericht
Niedersächsischer Meister, um 1420
Gemälde auf Eichenholz, 63 × 57 cm
Nürnberg, Germanisches Nationalmuseum, Gm. 1840. Leihgabe des Landschaftsverbandes Westfalen-Lippe

Die Tafel stammt von einem Altar aus der Lambertikirche in Hildesheim, der auf den Innenseiten die Passion Christi, auf den Außenseiten die Geschichte der Apostel Petrus und Paulus zeigte. Christus wird hier dargestellt als Richter, umgeben von Engeln, die mit ihren Posaunen zum Jüngsten Gericht blasen. Aus dem Munde Christi geht sein richtendes Schwert aus. Die Wundmale erinnern die Menschen zugleich an Gottes Zorn und an die Sühneleistung Christi. Auch die demütige Haltung der beiden betenden Gestalten Maria und Johannes soll zeigen, in welcher Haltung der Fromme dem richtenden Christus begegnen soll.

K. Löcher, Das Jüngste Gericht. In: Anzeiger des Germ. Nat. Museums Nürnberg, 1979, S. 172-175. B. L.

148 Kreuz, Gericht und Buße sind die Voraussetzungen, unter denen Luther zu seiner reformatorischen Erkenntnis über die Gerechtigkeit Gottes und die Rechtfertigung des Menschen gelangte.

Kreuzigung Christi
Lukas Cranach d. Ä.
Holzschnitt, 11,1 × 7,5 cm. Aus: Adam von Fulda, ›Ein ser andechtig Cristenlich Buchlein aus hailigen schrifften vnd Lerern von Adam von Fulda in teutsch reymen gesetzt‹. Wittenberg: Symphorian Reinhard 1512
London, The British Museum, Department of Prints and Drawings, 1927-6-14-90 … 92

Adam von Fulda war seit 1489 Kapellmeister im Dienst Friedrichs des Weisen in Torgau, seit 1502 Musikprofessor an der eben gegründeten Universität Wittenberg; er starb 1506. Die näheren Umstände, weshalb es zur Veröffentlichung dieses Buches gekommen ist, sind nicht bekannt. Herausgeber war Magister Cyclop von Zwickau, der dieses Werk Herzog Johann von Sachsen widmete. Die Holzschnitte dieses Buches sind häufig wieder verwendet worden.

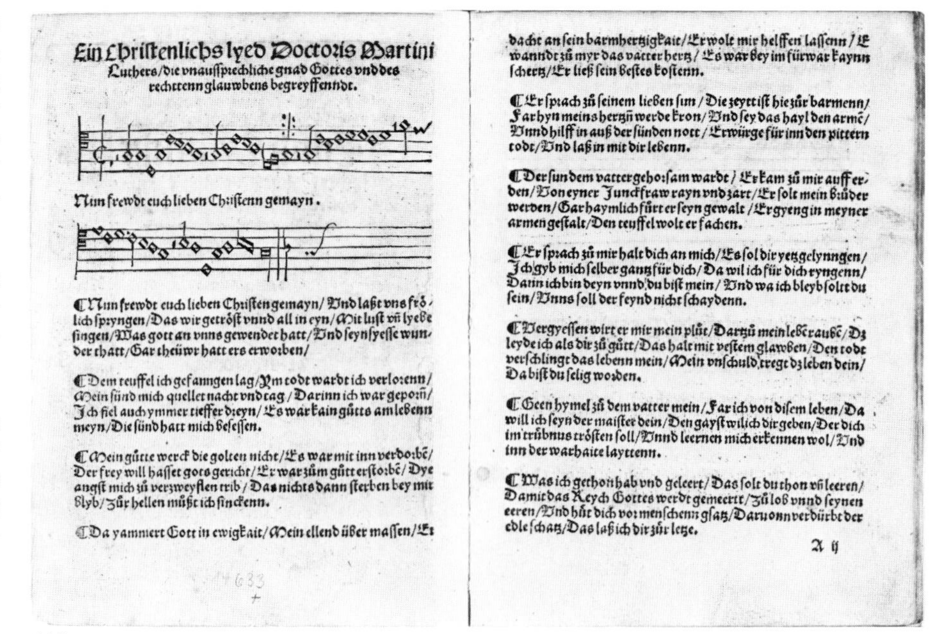
Ein Christenlichs lyed Doctoris Martini Luthers/die vnaussprechliche gnad Gottes vnd des rechttenn glauwbens begreyffenndt.

Nun frewdt euch lieben Christenn gemayn.

Nun frewdt euch lieben Christen gemayn/ Vnd laßt vns frö-lich spryngen/ Das wir getröst vnnd all in eyn/ Mit lust vñ lyebe singen/ Was gott an vnns gewendet hatt/ Vnd seyn syesse wunder thatt/ Gar theüwr hatt ers erworben/

Dem teuffel ich gefanngen lag/ Ym todt wardt ich verlorenn/ Mein sünd mich queller nacht vnd tag/ Darinn ich war geporñ/ Jch fiel auch ymmer tieffer dreyn/ Es war kain gůtts am lebenn meyn/ Die sünd hatt mich besessen.

Mein gůtte werck die golten nicht/ Es war mit inn verdorbē/ Der frey will hasset gots gericht/ Er war zům gůtt erstorbē/ Dye angst mich zů verzweyflen trib/ Das nichts dann sterben bey mir blyb/ Zůr hellen můßt ich sinckenn.

Da yammert Gott in ewigkait/ Mein ellend über massen/ Er dacht an sein barmhertzigkait/ Er wolt mir helffen lassenn/ Er wanndt zů myr das vatter hertz/ Es war bey im fürwar kaynn schertz/ Er ließ sein bestes kostenn.

Er sprach zů seinem lieben sun/ Die zeytt ist hie zůr barmenn/ Far hyn meins hertzñ werde kron/ Vnd sey das hayl den armē/ Vnnd hilff in auß der sünden nott/ Erwürge für inn den pittern todt/ Vnd laß in mit dir lebenn.

Der sun dem vatter gehorsam wardt/ Er kam zů mir auff erden/ Von eyner Junckfraw rayn vnd zart/ Er solt mein brůder werden/ Gar haymlich fürt er seyn gewalt/ Er gyeng in meyner armen gestalt/ Den teuffel wolt er fachen.

Er sprach zů mir halt dich an mich/ Es sol dir yetz gelynngen/ Jch gyb mich selber gantz für dich/ Da wil ich für dich ryngenn/ Dann ich bin deyn vnnd du bist mein/ Vnd wa ich bleyb solt du sein/ Vnns soll der feynd nicht schaydenn.

Vergyessen wirt er mir mein plůt/ Dartzů mein lebē raubē/ Dz leyde ich als dir zů gůtt/ Das halt mit vestem glawben/ Den todt verschlingt das lebenn mein/ Mein vnschuld tregt dz leben dein/ Da bist du selig worden.

Geen hymel zů dem vatter mein/ Far ich von disem leben/ Da will ich seyn der maister dein/ Den gayst wil ich dir geben/ Der dich im trůbnus trösten soll/ Vnnd leernen mich erkennen wol/ Vnd inn der warhaite layttenn.

Was ich gethon hab vnd geleert/ Das solt du thon vñ leeren/ Damit das Reych Gottes werdt gemeertt/ Zů loß vnnd seynen eeren/ Vnd hůt dich vor menschenn gsatz/ Daruonn verdürbt der edle schatz/ Das laß ich dir zůr letze.

A ij

149

Die Illustrationen des Buches stellen die hl. Dreifaltigkeit, die Erschaffung Evas, die Verkündigung an Maria, Christi Einzug in Jerusalem, Christi Kreuzigung, Christus in der Vorhölle, das Jüngste Gericht sowie das Wappen des Herzogs Johann von Sachsen dar. Die »Christliche Kunst« soll den Leser »in götlich brunst« ziehen. Dieses Buch kann als Ausdruck der im ausgehenden Mittelalter verbreiteten Frömmigkeit gelten, die sich auf den dreieinigen Gott, Schöpfung, Fall und Erlösung sowie vor allem auf Kreuz und Gericht konzentrierte. Gezeigt werden neben der Kreuzigung die hl. Dreifaltigkeit und Christus in der Vorhölle.

H. Hüsche, Adam von Fulda. In: Verfasserlexikon, Bd. 1, S. 54-61. – Kat. Ausst. Cranach, Bd. 1, S. 307, 335 f.; Bd. 2, Nr. 324. B. L.

149 In seinem Lied »Nun freut euch, lieben Christen gmein« formuliert Luther seine reformatorische Erkenntnis dichterisch.

›Ein Christenlichs lyed Doctoris Martini Luthers/die vnaussprechliche gnad Gottes vnd des rechttenn glauwbens begreyffenndt. Nun frewdt euch lieben Christenn gemayn‹. In: ›Etlich Cristliche lyeder Lobgesang, vnd Psalm, dem rainen wort gotes gemeß, auß der hailigen gschrifft, durch mancherlay Hochgelerter gemacht, in der Kirchen zusingen, wie es dann zum tail berayt zu Wittemberg in yebung ist.‹ Wittemberg M. D. XXiiij. Augsburg: Melchior Ramminger 1524, 8°. 12 Bll.
Nürnberg, Germanisches Nationalmuseum, 8° L. 645 Postinc.

In seinem Lied »Nun freut euch, lieben Christen gmein«, das 1523 entstanden ist, stellte Luther die eigene reformatorische Erkenntnis im Zusammenhang der Heilsgeschichte dar. Besonders bemerkenswert ist dabei, daß das Einst der Sendung Jesu und das Jetzt der Anfechtung und Begnadigung miteinander verwoben sind (vgl. Kat. Nr. 390).

WA 35, S. 375 f. – Handbuch zum Evang. Kirchengesangbuch, Bd. I, 2, 1965, S. 369-373; Sonderband, S. 368-371. – Benzing, Nr. 3 574. B. L.

V. Fürstliche Landesherrschaft und städtisches Regiment vor der Reformation

Horst Rabe, Bernd Moeller

Die Geschichte Martin Luthers und der Reformation in Deutschland stand in ihren Voraussetzungen wie in ihrem Verlauf und in ihren Auswirkungen in engstem Zusammenhang mit der politischen Geschichte der Epoche, und zu den wichtigsten Faktoren dieser politischen Geschichte gehörten neben Kaiser und Reich (vgl. Abt. VII) die fürstlichen Landesherrschaften sowie die Stadtregimente Deutschlands.

Was zunächst die fürstlichen Landesherren angeht, so hatten sie es in einer bis ins hohe Mittelalter zurückreichenden Entwicklung verstanden, eine Fülle politischer Rechte in ihren Händen zu vereinigen und überdies ihre Herrschaft auf immer weitere Lebensbereiche auszudehnen, während das Reich mit dem Kaiser an der Spitze noch immer in seinen alten, mehr an der Wahrung des Rechts als an der Stärkung seiner Macht orientierten Verfassungsstrukturen verharrte. Auch der Modernisierungsversuch der ständischen Reichsreform am Ende des 15. Jahrhunderts brachte hierin keinen grundlegenden Wandel; ja: die ständische Umgestaltung der Reichsverfassung verstärkte noch den Einfluß der Fürsten auf die Reichspolitik.

Jene Konzentration und Expansion politischer Macht der Landesherren vollzog sich auf vielen Gebieten und in vielen Formen – in der Modernisierung und Vereinheitlichung des älteren Rechts wie überhaupt in einer zunehmenden gesetzgeberischen Tätigkeit, im Aufbau einer landesfürstlichen Verwaltung mit juristisch geschulten Räten wie in der Gründung landeseigener Universitäten, nicht zuletzt in der Ausbildung eines landesherrlichen Kirchenregiments mit weitgehendem Einfluß auf die Besetzung kirchlicher Ämter und kräftigen Zugriffen auf die kirchlichen Finanzen. In alledem vollzog sich aber auch ein Wandel des Selbstverständnisses und der Selbstdarstellung der Landesfürsten. Sie fühlten sich zunehmend als »die« weltliche Obrigkeit und machten diesen Anspruch auch in äußerer Repräsentation geltend: Aus den landesherrlichen Burgen wurden Schlösser, aus dem Hof als Haushalt des Fürsten wurde die Residenz, das politische und kulturelle Zentrum des Landes.

Freilich wird man den bis zur Reformation erreichten Stand dieser Entwicklung auch nicht überschätzen dürfen. Zu einer Monopolisierung öffentlicher Gewalt beim Landesherrn war es noch nirgends gekommen und sollte es auch noch lange nicht kommen; fast überall waren die Stände des Landes ein vor allem finanzpolitisch wirksames Korrektiv, wo nicht gar: eine politische Konkurrenz des Landesherrn; durchweg fehlte es den Fürsten noch an den personellen und finanziellen Mitteln, um ihren Willen zur Veränderung gegen die Beharrungskräfte traditioneller landschaftlicher und ständischer Eigenrechte in Stadt und Land bis ins einzelne durchzusetzen. Und auch das politische Selbstverständnis mancher deutscher Landesfürsten war von der Dynamik modernen Staatsdenkens doch erst wenig berührt – wie denn überhaupt erhebliche Unterschiede von Land zu Land, von Fürst zu Fürst ein wichtiges Merkmal der politischen Situation des beginnenden 16. Jahrhunderts darstellten.

Im Unterschied zu den fürstlichen Landesherrschaften trug die Verfassung der Städte überall, mehr oder minder ausgeprägt, genossenschaftliche Züge. Sei es von ihrer Gründung an, sei es in späteren Auseinandersetzungen mit dem Stadtherrn (dem König oder Landesfürsten, Bischof oder Abt) oder auch in innerstädtischen Konflikten um das Stadtregiment – überall hatte das Grundprinzip der Beteiligung aller Bürger an der Leitung der Stadt auf die städtische Verfassung eingewirkt.

Diese genossenschaftlichen Züge der Stadtverfassung wurden freilich im ausgehenden Mittelalter von zwei Seiten bedroht und mitunter kräftig zurückgedrängt. Da waren zum einen die fürstlichen Stadtherren, die die in ihren Territorien gelegenen Städte ihrer eigenen Herrschaft strikter ein- und unterzuordnen suchten. Nicht wenige Städte, die die Stadtherrschaft ihres Landesherrn schon fast ganz abgeschüttelt hatten und beinahe zu Freien bzw. Reichsstädten aufgestiegen waren, verloren diese weitgehende Unabhängigkeit jetzt wieder an ihren geistlichen oder weltlichen Herrn. Und selbst die Frei- und Reichsstädte, die die größte politische Unabhängigkeit unter allen Städten des Reichs überhaupt genossen und nur die Oberherrschaft des Kaisers über sich anerkannten, waren vor tiefen Eingriffen eben des Kaisers in ihre Regierung, selbst: in ihre Verfassung, nicht sicher; der berüchtigte Verfassungsoctroi Karls V. gegenüber den süddeutschen Reichsstädten nach dem Schmalkaldischen Krieg entsprach insofern durchaus mittelalterlichen Verfassungstraditionen. Vielleicht noch wichtiger war die durch das ganze Spätmittelalter hindurch wirksame innere Bedrohung des genossenschaftlichen Charakters der Stadtverfassung durch die Ausbildung städtischer Oligarchien. Immer wieder gewannen schmale bürgerliche Oberschichten – reiche Kaufleute, z.T. auch sozial aufgestiegene Familien des zünftischen Handwerks – maßgebenden Einfluß auf das Stadtregiment, brachten die wichtigsten Positionen im Rat der Stadt an sich und suchten die Zünfte als die eigentlichen Träger genossenschaftlicher Verfassungsprinzipien politisch zu entmachten; nicht selten titulierte der Rat seine Mitbürger nun sogar als Untertanen und sich selbst als Obrigkeit. Natürlich fehlte es nicht an Widerstand gegen solche Entwicklungen. Es kam zu lautstarken Protesten und Unruhen, die manchmal auch Erfolg hatten. Gerade in den Jahrzehnten der Reformation sollten sich derartige politische und soziale Bürgerkämpfe dann vielfach mit den innerstädtischen Auseinandersetzungen um die Einführung der Reformation verbinden.

Unabhängig von den Auseinandersetzungen um den entscheidenden Einfluß auf das Stadtregiment vollzog sich im übrigen in einer Entwicklung von großer Stetigkeit eine beträchtliche Intensivierung der städtischen Verwaltung. Deren Vorschriften wuchsen sich aus bescheidenen Anfängen von Regelungen für den Markt der Stadt zu umfassenden Polizeiordnungen mit detaillierten Bestimmungen für so gut wie alle Lebensbereiche der Bürger aus; die städtischen Behörden wurden entsprechend ausgebaut. Die Analogien zum Ausbau der landesfürstlichen Herrschaft liegen hier überall offen zutage, übrigens auch im Verhältnis zur Kirche: Das Kirchenregiment des Stadtrats entsprach durchaus dem landesfürstlichen Kirchenregiment vor der Reformation. H.R.

A Fürst und Hof

Allen Landesherren war gemeinsam, daß sie in ihren Ländern über die wichtigsten Hoheitsrechte verfügten und nur Kaiser und Reich als übergeordnete politische Gewalt anerkannten; überdies hatten sie selbst Sitz und Stimme auf den Reichstagen und konnten so die Reichspolitik mitbestimmen. Diese Gemeinsamkeit der verfassungsrechtlichen Stellung verband sich freilich mit sehr grundlegenden Unterschieden der Herkunft, der tatsächlichen Macht, des geistigen Formats, auch des Selbstverständnisses und der – vor allem höfischen – Selbstdarstellung der Landesfürsten.
Der erste und gerade für die deutsche Reformationsgeschichte besonders wichtige derartige Unterschied war der zwischen geistlichen und weltlichen Fürsten. Der bei weitem größte Teil der deutschen Bischöfe, dazu eine Reihe von Äbten, herrschten ja zugleich als Landesherren über ein Territorium. Der Umfang dieser geistlichen Territorien war beträchtlich – namentlich im Nordwesten des Reichs, aber auch im Fränkischen; einige der geistlichen Reichsfürsten wie etwa der Erzbischof von Salzburg gehörten überhaupt zu den mächtigsten Landesherren des Reichs. Dazu kam noch, daß die Zahl der geistlichen Reichsfürsten größer war als die der weltlichen; das hatte zur Folge, daß auf den Reichstagen gegen ein auch nur einigermaßen geschlossenes Votum der geistlichen Fürsten kein Beschluß zustandekommen konnte.
Im Unterschied zu den weltlichen Landesherren, die als Fürsten oder Grafen allesamt zum hohen Adel des Reichs gehörten, gab es unter den geistlichen Reichsfürsten auch Männer von bescheidener Herkunft; Matthäus Lang von Wellenburg z.B., der mächtige Erzbischof von Salzburg, war der Sohn einer – überdies verarmten – Augsburger Patrizierfamilie. Die große Mehrheit der bedeutenderen geistlichen Fürstentümer befand sich freilich um die Wende des 15. Jahrhunderts schon fest in adliger Hand, nicht selten als Sekundogenituren der mächtigsten weltlichen Fürstendynastien wie etwa der Habsburger, Wittelsbacher, Wettiner oder Hohenzollern.
Daß es zwischen geistlichen und weltlichen Fürsten typische Interessenkonflikte gab, z.B. über die Zuständigkeit der geistlichen Jurisdiktion, liegt auf der Hand; wichtiger, tiefergreifend war jedoch die Grundproblematik der Verbindung des geistlichen Amts eines Bischofs oder Abts mit der weltlichen Herrschaft eines Landesherrn. Hier drohte stets die Gefahr unheilvoller Vermischung und Verwirrung, zumindest die Gefahr der Vernachlässigung des einen oder anderen Amts. Faktisch haben sich die geistlichen Reichsfürsten am Vorabend der Reformation zumeist mehr als Fürsten denn als Geistliche gefühlt, und zwar auch in ihrer persönlichen Lebensführung: Die Ausstattung ihrer Höfe, ihre Festlichkeiten, Jagden und Turniere unterschieden sich grundsätzlich in nichts von denen der großen weltlichen Herren.
Zum Unterschied zwischen geistlichen und weltlichen Landesherren kam das Gefälle der politischen Macht, des ständischen Rangs, der Reputation. Zwischen den Habsburgern als Landesherren der österreichischen Länder, den Herzögen von Bayern oder Landgrafen von Hessen einerseits, den Grafen von Castell oder von Geroldseck oder auch dem Abt von Hersfeld anderseits bestanden Unterschiede der politischen Potenz, die – ungeachtet der reichsrechtlichen Eigenständigkeit noch der kleinsten Reichsstände – nahezu unausweichlich zu politischen Abhängigkeiten und des weiteren zu Auseinandersetzungen der Mächtigen untereinander um Einflußsphären innerhalb des Reichs führen mußten. So stritten sich Habsburger und Wittelsbacher um den bestimmenden Einfluß in Süddeutschland; in Mitteldeutschland standen sich die sächsischen Wettiner und die brandenburgischen Hohenzollern in entsprechenden Auseinandersetzungen gegenüber. Daß sich die überlegene politische Macht der großen Reichsfürsten auch in ihrer höfischen Selbstdarstellung ausprägte, kann dabei nicht wundernehmen; im übrigen hätten Feste, wie sie etwa die bayerischen Herzöge aus dynastischen oder sonstigen bedeutenden politischen Anlässen ausrichteten, manch kleineren Reichsstand schon finanziell in den Ruin gestürzt.
In ihrer großen Mehrheit verfügten die deutschen Landesherren des ausgehenden Mittelalters über eine nur bescheidene persönliche Bildung und standen dem geistigen Leben der Zeit ziemlich uninteressiert gegenüber. Abgesehen von den zunehmenden Aufgaben der Regierung gehörte ihre Zeit der Jagd, dem Turnier, dem Tanz, auch den – zumeist deftigen – Freuden der Tafel. Immerhin gab es doch einige geistliche und weltliche Landesherren, die nach dem Vorbild Kaiser Maximilians persönliches Interesse an der einen oder anderen Wissenschaft, an der Literatur, an der bildenden Kunst oder – dies sogar recht verbreitet – an der Musik nahmen und ihre Höfe zu Zentren des geistigen Lebens ihrer Zeit machten. Dabei spielte der Humanismus eine wichtige Rolle; er fand eben jetzt an den geistig regsamsten Fürstenhöfen Eingang. Im übrigen bekamen die Fürstenhöfe des ausgehenden 15. und beginnenden 16. Jahrhunderts zunehmend repräsentative, überhaupt: politische Funktionen – sei es, daß der Landesherr die wichtigsten Hofämter zu Führungspositionen der neuen landesfürstlichen Verwaltung umgestaltete, sei es, daß er das höfische Turnier zum Instrument seiner Adelspolitik machte, sei es, daß er durch prächtige Einzüge oder sonstige Feste seine Macht gegenüber fürstlichen Gästen wie gegenüber dem Volk dokumentierte. Auch hier gab es freilich von Fürst zu Fürst, von Hof zu Hof erhebliche Unterschiede. Die Grundtendenz der Entwicklung aber ist deutlich; sie gehört in den Zusammenhang der umfassenden Wandlung der Landesherrschaft zum neuzeitlichen Fürstenstaat. H.R.

150 Der in der ständischen Ordnung des Reichs ranghöchste Landesherr ist der Erzbischof von Mainz, als solcher zugleich Kurfürst und Reichserzkanzler. Seit 1514 war das Albrecht von Brandenburg.

Bildnis des Kardinals Albrecht von Brandenburg
Albrecht Dürer, 1523
Kupferstich, genannt der »Große Kardinal«, 17,4 × 12 cm. Über dem Bildnis die Inschrift: MDXXIII/SIC.OCULOS.SIC.ILLE.GENAS.SIC.ORA.FEREBAT/ANNO. ETATIS. SUE XXXIV. (1523, So zeigte jener Augen, Wangen und Mund im 34. Jahr seines Lebens). Unter dem Bildnis die geistlichen und weltlichen Titel des Kardinals
Nürnberg, Germanisches Nationalmuseum, St. N. 16572

Dem hier gezeigten Bildnis liegt eine Silberstiftzeichnung Dürers zugrunde, die vermutlich Anfang 1523 während des Reichstags zu Nürnberg entstand. Die Aufzählung der Titel am unteren Bildrand, darunter die Angabe der römischen Titelkirche S. Chrysogoni, entnahm Dürer einfach seinem früheren Bildnis Albrechts, dem »Kleinen Kardinal« von 1519. Dabei übersah er jedoch, daß Albrecht mittlerweile die Zuweisung der in Deutschland besser bekann-

150

ten, berühmten Titelkirche S. Petri ad Vincula erreicht hatte – ein für den prestigebewußten Kardinal gewiß ärgerliches Versehen.

Das Bildnis selbst zeigt Albrecht auf dunklem Grunde im Profil von rechts, in der rechten oberen Ecke sein – relativ kleinformatiges – Wappen. Der Vergleich mit dem »Kleinen Kardinal« erweist den Kirchenfürsten als bemerkenswert gealtert; Doppelkinn und Tränensäcke unter den Augen treten deutlich hervor. Gegenüber der vorausgehenden Zeichnung nach der Natur hat Dürer die Massigkeit des Untergesichts jedoch gemildert, nicht zuletzt durch die eine höhere Stirn andeutende Mütze. So vermittelt das Bild des Kardinals den vorherrschenden Eindruck einer ungemein kraftvollen und zugleich lebenserfahrenen Persönlichkeit – was wohl auch dem Selbstverständnis Albrechts entsprach.

Der 1490 geborene Erzbischof von Mainz gehörte schon als einer der sieben Kurfürsten zur höchstprivilegierten Gruppe der deutschen Reichsstände: Kein Reichsgesetz kam ohne die Mehrheit der Kurfürsten zustande; sie allein waren es auch, die den Kaiser wählten. Darüberhinaus war der Erzbischof von Mainz als solcher zugleich Primas der deutschen Kirche sowie Reichserzkanzler, zu dessen Befugnissen es gehörte, die Verhandlungen der Reichsstände auf den Reichstagen zu koordinieren bzw. zu leiten. Die politische Position des Kardinals Albrecht wurde zusätzlich durch seine enge verwandtschaftliche Beziehung zu einem der großen weltlichen Fürstenhäuser des Reichs gestärkt: Er war ein Hohenzoller, der jüngere Bruder Kurfürst Joachims I. von Brandenburg.

Neben Kaiser Maximilian I. und Kurfürst Friedrich dem Weisen gilt Albrecht von Brandenburg als der bedeutendste fürstliche Mäzen des Humanismus im Deutschland seiner Zeit; auch als Verwaltungsmann leistete er Tüchtiges. Der großen Aufgabe der Kirchenreform stellte er sich freilich nur zögernd. In der Auseinandersetzung mit der Reformation bezog er ungeachtet seiner frühen Verstrickung in den Ablaßstreit erst seit 1523 entschieden Position, auch dann noch lange in dem Bemühen, die Gegensätze einzugrenzen und zu mildern. Daß er Luther zu dessen Hochzeit 20 Gulden schenkte, war insofern mehr als bloß eine Kuriosität. (Zur Pfründenkumulation und zur Rolle Albrechts im Ablaßstreit vgl. Kat. Nr. 196).

F. Schrader, Kardinal Albrecht von Brandenburg, Erzbischof von Magdeburg, im Spannungsfeld zwischen alter und neuer Kirche. In: R. Bäumer (Hrsg.), Von Konstanz nach Trient. Festgabe für A. Franzen, 1972, S. 419-445. – S. H. Hendrix, Martin Luther und Albrecht von Mainz. In: Luther-Jb. 49, 1982, S. 96-114. – H. Wölfflin, Die Kunst Albrecht Dürers, 1908, S. 322. – E. Flechsig, Albrecht Dürer, Bd. 2, S. 337. – Kat. Ausst. Dürer, Nr. 548. H. R.

151 Zu den einflußreichsten geistlichen Fürsten des Reichs gehörte Kardinal Matthäus Lang von Wellenburg. Lange Jahre hindurch der vertrauteste Rat Kaiser Maximilians I., war er seit 1519 Erzbischof von Salzburg.

Bildnis des Kardinals Matthäus Lang von Wellenburg
Hans Daucher zugeschrieben, um 1520/25
Relief, Solnhofener Stein, 53 × 53 × 8 cm
Salzburg, Museum Carolino Augusteum, 7083/49

Das von A. Schädler erstmals Hans Daucher zugeschriebene Bildnisrelief läßt den im Profil gegebenen, scharf konturierten Kopf des Kardinals in leichter Drehung aus dem Halbprofil der Schulterpartie herauswachsen und verleiht dem Bildnis damit eine eigentümliche Bewegtheit. Das runde Medaillon mit dem harmonisch eingefügten Brustbild wird von vier mit feinem Rankenwerk ornamentierten Eckzwickeln zum Quadrat ergänzt. Hans Burgkmairs Porträtholzschnitt Papst Julius' II. (Kat. Nr. 195) könnte als Anregung gedient haben.

151

Der 1468/69 geborene Lang stammte aus einer verarmten Augsburger Patrizierfamilie. Bereits 1494 Sekretär bei Kaiser Maximilian I., erwarb er bald dessen völliges Vertrauen. 1498 geadelt, 1501 zum kaiserlichen Rat ernannt, wurde er der wichtigste Diplomat und einflußreichste Ratgeber Maximilians. 1512 vermittelte er die Aussöhnung des Kaisers mit dem Papst, 1515 war er maßgeblich am Zustandekommen der Erb- und Heiratsverträge mit den Jagellonen beteiligt, die nach der Schlacht von Mohács 1526 zum Anfall Ungarns an die habsburgische Herrschaft führten; 1519 spielte er als Wahlkommissar der Habsburger bei der Wahl Karls V. eine wichtige Rolle. Zeitgenössische Chronisten nannten ihn den »halben König«. Zur Belohnung für seine Dienste bahnte Maximilian seinem Ratgeber den Weg für eine glänzende kirchliche Karriere: Bereits 1500 Dompropst von Augsburg, wurde Lang 1504 Bischof von Gurk, 1514 Kardinal, 1519 Erzbischof des reichen Erzbistums Salzburg und damit zugleich ein mächtiger Landesherr. Erst jetzt nahm er die höheren Weihen. Bereits um 1515 soll der Kardinal aus seinen vielen geistlichen und weltlichen Pfründen in Deutschland, Frankreich, Italien und Spanien ein jährliches Einkommen von über 50 000 Gulden bezogen haben.

Der Reformation stand Lang von vornherein scharf ablehnend gegenüber. In seinem weltlichen Herrschaftsbereich suchte er alle evangelischen Regungen schon frühzeitig mit Gewalt zu unterdrücken; auch in der Reichspolitik galt er als einer der streitbarsten Vertreter der alten Kirche.

H. Wagner, Kardinal Matthäus Lang. In: G. Frhr. v. Pöllnitz (Hrsg.), Lebensbilder aus dem Bayerischen Schwaben 5, 1956, S. 45-69. – Kat. Ausst. Welt im Umbruch, Bd. 2, Nr. 514. – Kat.

Ausst. Reformation, Emigration. Protestanten in Salzburg, 1981, Nr. 1.3. – H. Dopsch, Vom Mittelalter zur Neuzeit, ebd. S. 14-25. H. R.

152 Von allen deutschen Fürsten vor der Reformation gab Kurfürst Friedrich I. von der Pfalz seiner Landesherrschaft am entschlossensten und erfolgreichsten das Gepräge einer modernen, intensivierten Staatlichkeit.

Bildnis des Kurfürsten Friedrich des Siegreichen von der Pfalz
Mittelrheinischer Meister, um 1500
Gemälde auf Nadelholz, 49 × 34 cm
Heidelberg, Kurpfälzisches Museum

Das Bildnis ist die Kopie eines Porträts, das wohl noch zu Lebzeiten des 1476 gestorbenen Kurfürsten gemalt wurde. Der Maler hat sich bisher nicht bestimmen lassen; Matthias Grünewald und der sog. Hausbuchmeister, an die man gedacht hat, kommen nicht in Betracht. »Die farbige Kultur und die weichvertreibende Malerei weisen auf einen um 1500 tätigen, mittelrheinischen Meister von Rang« (Buchner).
Das in warmen Tönen gehaltene Brustbild zeigt den Fürsten vor schwarzbraunem Grund halb seitlich nach links, in der linken Hand hält er einen Brief. Neben dem ruhig und entschlossen wirkenden Antlitz des Fürsten beherrscht der breite Hermelinkragen seiner Schaube aus Goldbrokat das Bild – ein Herrschaftszeichen, das neben dem König nur den Kurfürsten zustand und so den politischen und sozialen Rang des Dargestellten betont.
Um eben diesen Rang hat der 1425 geborene Friedrich freilich lange kämpfen müssen. Schon in frühen Jahren anstelle des unmündigen Kurfürsten Philipp Regent der Kurpfalz, machte er sich selbst mit Zustimmung der *mercklichsten Räte und Glieder der Kurpfalz* auf Lebenszeit zum Herrn des Landes, wenngleich unter Anerkennung der Nachfolge Philipps. Der Kaiser erkannte diese sog. Arrogation wegen ihres Widerspruchs zur Goldenen Bulle nicht an, und der daraus folgende Streit führte schließlich sogar dazu, daß Kaiser Friedrich III. den Pfälzer in die Reichsacht erklärte. Politisch durchzusetzen vermochte sich der Kaiser gegenüber dem Kurfürsten jedoch nicht – und dies vor allem deshalb nicht, weil der Pfälzer die fehlende reichsrechtliche Legitimation durch die Modernisierung seines Landes im Sinne einer intensivierten Staatlichkeit mehr als wettmachen konnte. Wichtige Elemente dieser Modernisierung waren: die Ausnutzung aller rechtlichen und politischen Chancen zur Herstellung eines territorial geschlossenen Herrschaftsgebiets; die Heranziehung römisch rechtlich geschulter Räte als leitender Verwaltungsbeamter; ein außerordentlich geschickter Umgang mit den adligen und geistlichen Großen des Landes, die sich demgegenüber nicht einmal zu politischen Ständen – als Gegengewicht zum Fürsten – zusammenschlossen; schließlich der Aufbau eines schlagkräftigen Söldnerheeres, das den Kurfürsten in den zahlreichen militärischen Auseinandersetzungen mit der langen Reihe seiner politischen Gegner immer wieder zum Sieger machte.

H. Grüneisen, Friedrich I. der Siegreiche. In: NDB 5, 1961, S. 526-528. – F. Ernst, Friedrich der Siegreiche. In: Saarpfälzische Lebensbilder 1, 1938, S. 45-59. – Buchner, Nr. 39, Abb. 40. H. R.

152

153 Kurfürst Friedrich der Weise von Sachsen, der Landesherr Martin Luthers, genoß im Reich schon lange vor der Reformation hohes Ansehen.

Bildnis des Kurfürsten Friedrich III. des Weisen von Sachsen
Albrecht Dürer, um 1496
Tempera auf Leinwand, 76 × 57 cm. Bezeichnet unten links mit dem Monogramm des Künstlers
Berlin, Staatliche Museen Preußischer Kulturbesitz, Gemäldegalerie, Kat. Nr. 557 C

Zwischen dem 14. und 18. April 1496 hielten sich die Brüder Friedrich und Johann von Sachsen in Nürnberg auf. Damals wird Dürer den Kurfürsten »nach dem Leben« gezeichnet haben; das Gemälde führte er bald danach aus. Die Echtheit der Signatur ist umstritten.
Der Kurfürst ist vor graugrünem Grund im Dreiviertelprofil nach rechts dargestellt und richtet seinen Blick auf den Beschauer; das dunkelbraune rechte Auge wird so »zu einem fixierenden und fixierten Punkt im Bilde« (Musper). Im Gegensatz zu späteren Bildnissen des Kurfürsten, die ihn als Landesvater in einer gewissen behäbigen Gelassenheit zeigen, bringt das Porträt von 1496 bei aller Beherrschtheit doch eine willensmäßige Anspannung zum Ausdruck, die dem Bildnis »dramatische Kraft« (Panofsky) verleiht.
1463 geboren und 1486 zur Herrschaft gekommen, führte Kurfürst Friedrich sein Regiment in kaum je getrübter Harmonie gemeinsam mit seinem Bruder und Nachfolger Johann. Er tat viel für die Rechtspflege wie für ein gesichertes Kanzleiwesen des Landes, überhaupt für die Entwicklung einer neuzeitlichen Staatsverwaltung, auch bewährte er vielfach ein ungewöhnliches diplomatisches Geschick; doch blieb ihm eine Staatsräson, die das überkommene oder sonst legitim begründete Recht zugunsten staatlicher Machtentfaltung überging, zutiefst fremd. Auch fühlte er sich stets und stärker als die meisten anderen deutschen Fürsten der Zeit dem Reichsganzen verpflichtet. Diese Grundeinstellung, dazu freilich auch eine gewisse Schwerfälligkeit seines Wesens, ließen ihn in mancherlei territorialen Auseinandersetzungen in Mitteldeutschland den Kürzeren ziehen. Andererseits genoß Friedrich um seiner politischen Integrität wie um seiner Reichsgesinnung willen im Reiche hohes Ansehen; so wurde er bereits 1500 Statthalter des damals neu eingerichteten Reichsregiments, und nach dem Tode Kaiser Maximilians stand sogar die Wahl des Kurfürsten zum Kaiser ernsthaft zur Debatte (zur reichspolitischen Bedeutung Friedrichs vgl. Kat. Nr. 247).
Aus der Mehrzahl seiner Zeitgenossen ragte Friedrich der Weise durch seine Bildung wie durch sein lebhaftes Interesse für Theologie, Geschichte und Rechtswissenschaft hervor. Gewiß blieb seine geistige Originalität stets geringer als die seines kai-

153

154

serlichen Onkels Maximilians I., aber sein Hof war doch ein bedeutendes Zentrum humanistischen Geisteslebens, der bildenden Kunst wie der Musik. Auch die Gründung der Universität Wittenberg (1502) gehört in diesen Zusammenhang.

R. Kötzschke u. H. Kretzschmar, Sächsische Geschichte, 1965, S. 165-174. – F. H. Schubert, Friedrich III. der Weise, Kurfürst von Sachsen. In: NDB 5, 1961, S. 568-572. – E. Panofsky, The Life and Art of Albrecht Dürer, 1955, S. 40. – H. Th. Musper, Albrecht Dürer, 1965, S. 66. – Anzelewski, Nr. 19, S. 125 f. H. R.

154 An der Spitze des Deutschen Ordens stand als Hochmeister seit 1511 Markgraf Albrecht von Brandenburg-Ansbach. 1525 bildete er den Ordensstaat zu einem weltlichen Herzogtum Preußen unter polnischer Oberlehensherrschaft um.

Bildnis des Markgrafen Albrecht von Brandenburg-Ansbach als Hochmeister des Deutschen Ordens
Lukas Cranach d. Ä., um 1511/12
Gemälde auf Lindenholz, 38 × 26,5 cm
Privatbesitz

Daß es sich bei dem Dargestellten um Markgraf Albrecht handelt, geht aus dem Ordensmantel, aus dem Wappenring am rechten Zeigefinger sowie aus der Übereinstimmung der Gesichtszüge, namentlich des schielenden Blicks, mit denen des Porträts des Markgrafen von Hans Krell hervor, das in einer Kopie des 19. Jahrhunderts in Heilsbronn erhalten ist. Terminus post quem der Entstehung des Bildes ist die Installation Albrechts als Hochmeister des Deutschen Ordens am 13. Februar 1511. Das gegenüber dem Porträt Krells jugendlichere Alter legt die Vermutung nahe, daß das Bildnis bald nach der Übernahme des Amts entstand.

Früh für den geistlichen Stand bestimmt, war Albrecht noch nicht 21 Jahre alt, als er zum Hochmeister des Deutschen Ordens gewählt wurde. Mit ihm hatte der Orden – wie schon mit Albrechts Vorgänger Friedrich von Sachsen – ein Mitglied einer mächtigen deutschen Dynastie zum Hochmeister gewählt, um in seinem Kampf gegen die von Polen beanspruchte Oberherrschaft über den Ordensstaat aus dem Reiche Hilfe zu gewinnen. Zu der erhofften wirksamen Unterstützung kam es jedoch nicht: Das habsburgische Kaiserhaus hatte in seiner Politik gegenüber Polen ganz andere Prioritäten, und die Mehrheit der Reichsstände, obschon nicht ohne Sympathien für den Orden, vermochte sich doch nicht zu einer entschiedenen Politik aufzuraffen. Dazu kam noch die innere Schwäche und Zerrissenheit der Ordensherrschaft, die von sich aus nicht zum Aufbau eines modernen Staatswesens fand. Das war die Situation, aus der heraus Albrecht sich im Jahre 1525 – von Luther beraten – der Reformation anschloß und den preußischen Ordensstaat unter Anerkennung der polnischen Lehenshoheit zum weltlichen, erblichen Herzogtum umbildete. Die zunächst nach allen Seiten prekäre Stellung des neuen Herzogtums vermochte Albrecht in der Folge innen- wie außenpolitisch abzusichern; damit wahrte er auch eine gewisse Eigenständigkeit gegenüber Polen.

K. Forstreuter, Vom Ordensstaat zum Fürstentum, 1951. – W. Hubatsch, Albrecht von Preußen, 1967. – Kat. Ausst. Cranach, Bd. 2, Nr. 600. – Friedländer-Rosenberg, 1979, Nr. 26, Abb. 26. H. R.

155 Von den mehr als hundert deutschen Landesherren des frühen 16. Jahrhunderts erreichen nur wenige das politische Format eines Friedrichs des Weisen. Zu den weniger bedeutenden, aber gerade darum typischen Fürsten der Zeit gehörte Heinrich V., »der Friedfertige«, von Mecklenburg.

Bildnis des Herzogs Heinrich V. des Friedfertigen von Mecklenburg
Jacopo de' Barbari, 1507
Gemälde auf Holz, 59,5 × 37,5 cm. Oben rechts Inschrift: HENRICUM REFERO DUCEM MEGAPOLENSEM MAGNI FILIUM ANNOS NATUM OCTO/ET VIGINTI/MDVII A NATALI CHRISTI ANNO/CALENDIIS MAIIS (Ich zeige Heinrich, Herzog von Mecklenburg, Sohn des Magnus, 28 Jahre alt, am 1. Mai des Jahres 1507 nach Christi Geburt)
Den Haag, Mauritshuis, Nr. 898

Das Porträt ist ein typisches Hofbildnis: Vor einem dunkelgrünen, leicht durchhängenden Samtvorhang entfaltet sich die Halbfigur in einer dokumentarisch getreuen, dabei schmuckhaft flächigen Wiedergabe. Der Herzog trägt einen damals hochmodischen schwarzen Samthut, links länger als rechts, mit großen weißen Federn. An einem breiten goldenen Halsband hängt eine kleine Nachbildung einer Streitaxt. Der prächtige grüne, mit einem schweren Samtkragen versehene Umhang des Herzogs ist mit hell- und dunkelgoldenen Ornamenten geschmückt; das Motiv der Streitaxt begegnet, hochstilisiert, auch hier. Nur die rechte Hand ist sichtbar; ihr fester Griff in den Stoff des Umhangs deutet Festigkeit und Willensstärke an, steht damit aber – ebenso wie das martialische Motiv der Streitaxt – in offenkundigem Widerspruch zu dem eher sanften, ja: weichen Antlitz des Fürsten. Die seitliche Wendung des Porträtierten wie das aus H (= Heinrich) und V (= U = Ursula) gebildete Monogramm an der Hemdborte lassen auf ein zugehöriges Bildnis der Gemahlin des Herzogs, der Tochter Ursula des Kurfürsten Johann Cicero von Brandenburg, schließen. Dem entspricht eine Eintragung im Heidelberger Inventar von 1685, nach der sich damals die *anno 1507 durch Jacobum de Barbaris* gemalten Bilder des Herzogs und seiner Gemahlin *in einem hültzern libell* – wohl einem verschließbaren hölzernen Diptychon – in Heidelberg befanden. Zweifel an der Richtigkeit der Zuschreibung des Haager Porträts an Barbari hat zuletzt J. A. Levenson angemeldet.
Der 1479 geborene Herzog Heinrich regierte seit 1503 gemeinsam mit seinem Onkel Balthasar und seinen Brüdern Erich und Albrecht. Nach dem Tode der beiden Erstgenannten kam es zu einer, allerdings nicht streng durchgeführten, Teilung des Landes zwischen den überlebenden Brüdern; seitdem regierte Heinrich den Schweriner Teil des Herzogtums. Diese Teilung und die mit ihr dokumentierte Gefahr weiterer künftiger Erbteilungen veranlaßten die Stände des gesamten Landes 1523, sich zu einer »Union« zusammenzuschließen, durch die sie für die Zukunft die Einheit des Landes garantierten und zugleich sich selbst einen entscheidenden Einfluß auf die Regierung des Landes sicherten. Im übrigen war Heinrich als ein gerecht und billig denkender, zum Frieden ratender Fürst geschätzt und wurde deshalb auch gern als Schlichter in politischen Streitfragen angerufen; schon die Zeitgenossen haben ihm den Beinamen »der Friedfertige« gegeben.

H. Thierfelder, Heinrich V. der Friedfertige, Herzog von Mecklenburg-Schwerin. In: NDB 1, 1953, S. 372. – A. E. Bye, A portrait of Henry the Peaceful of Mecklenburg. In: Art in America 18, 1930, S. 221-228. – Kat. Ausst. Cranach, Bd. 1, Nr. 3, S. 55. – J. A. Levenson, Jacopo de Barbari and Northern Art of the early Sixteenth Century, Diss. New York 1978, S. 27 f., Kat. Nr. 50. H. R./K. L.

155

156 Die höfische Architektur der deutschen Landesherren des beginnenden 16. Jahrhunderts ist zumeist noch dem älteren Burgenbau verhaftet und steht den architektonischen Prinzipien der Spätgotik näher als denen der Renaissance.

Ansicht des nördlichen Innenhofs der Innsbrucker Hofburg
Albrecht Dürer, 1494
Aquarell auf Papier, 33,5 × 26,7 cm
Wien, Graphische Sammlung Albertina, Inv. Nr. 3058
Farbtafel Seite 77

Das Aquarell zeigt den nördlichen Teil des Innenhofs der Innsbrucker Burg, auf der rechten Bildhälfte die Westfassade des Ostflügels. Insbesondere die drei klar unterscheidbaren Baukörper dieses Ostflügels – das Frauenzimmer jenseits des Quergangs im Bildmittelgrund, die Paradiesstube links des Quergangs und der Saalbau rechts vorne mit dem Turm und seinen beiderseitigen, überdachten Treppenaufgängen – haben Dreger die Identifikation der dargestellten Bauten als der Innsbrucker Hofburg ermöglicht.
Die Burg war im Laufe des 15. Jahrhunderts, wohl eher den praktischen Bedürfnissen des Hofs als einem architektoni-

schen Gesamtplan folgend, aus einzelnen Gebäuden unterschiedlicher Höhe und Geschoßverteilung zusammengewachsen. Dieser Art der Entstehung, gepaart mit den spätgotischen Bauelementen – geschwungene Kragsteine bei Erkern und Bögen auf der linken Bildhälfte, auch die hohen, steilen Dächer, Türme und Erker – verdankte die Anlage ihren winkligen, eher kleinräumigen Charakter einer mittelalterlichen Burg. Dazu kam die wehrhafte Abgeschlossenheit des Ganzen in bewußter Stadtrandlage – Schutz des Fürsten weniger gegen äußere Feinde als vielmehr gegen feindliche Adelsgruppen und aufständische Untertanen.
Mit der Festigung der landesfürstlichen Herrschaft trat dieses Schutzbedürfnis allmählich hinter das nun immer stärker werdende Bedürfnis nach Repräsentation der herrscherlichen Macht zurück. Der Weg ging von der Burg zum Schloß; auf diesem Weg wurden die spätgotischen Bauprinzipien durch die der Renaissance abgelöst. Ein frühes Beispiel dieser neuen Baugesinnung war der Umbau des Dresdner Schlosses mit den großzügig gegliederten und reichgeschmückten, ganz auf Außenwirkung hin konzipierten Renaissancefassaden des sog. Georgenbaus (bald nach 1530), von denen es leider keine zeitgenössische Abbildung gibt.
Dürer zeichnete diese und eine weitere Ansicht des Hofes der Burg zu Innsbruck (Wien, Albertina, Inv. Nr. 3057) auf seinem Hinweg nach Italien im Herbst 1494. Charakteristisch ist die dokumentarische Treue. »Die eindringliche Gewalt, mit der der Raum und die Massen sprechen, und die trotz der unsicheren Perspektive im Ganzen höchst treffsichere Wiedergabe voll farbigen Lebens lassen die Blätter als die ersten wahrhaft modernen Architekturstücke erscheinen« (Winkler).

A. Weck, Der Chur-Fürstlichen Sächsischen weitberuffenen Residentz- und Haupt-Vestung Dresden Beschreib- und Vorstellung, 1680, Abb. 9. – M. Dreger, Zur ältesten Geschichte der Innsbrucker Hofburg. In: Kunst und Kunsthandwerk 24, 1921, S. 133-201. – F. Winkler, Die Zeichnungen Albrecht Dürers, Bd. 1, 1936, Nr. 68 und bei Nr. 67. – J. Gritsch, Gotische Baureste in der Innsbrucker Hofburg und Dürers Schloßhofansicht. In: Österr. Zs. für Denkmalpflege 4, 1950, S. 120-122. – K. Hermann-Fiore, Dürers Landschaftsaquarelle, 1972, bes. S. 36-37. H. R.

157 Hofordnungen deutscher Landesherren vor der Reformation lassen einen eher bescheidenen Zuschnitt der täglichen Lebensführung des Fürsten, auch eine noch geringe repräsentative, überhaupt: politische Funktion des Hofs erkennen.

Hofordnung Herzog Heinrichs des Mittleren von Braunschweig-Lüneburg. Um 1510
Konzept auf Papier, 42 × 16 cm. 11 Bll.
Hannover, Niedersächsisches Hauptstaatsarchiv, Celler Br. 44, Nr. 905

Es gab im Europa des 15. Jahrhunderts Fürstenhöfe von erlesener Pracht, festlicher Repräsentation und einem aufs feinste durchdachten Zeremoniell zu Ehren des Herrschers. Das wohl eindrucksvollste Beispiel dafür war der Hof der Herzöge von Burgund, dessen Zeremoniell durch Karl V. nach Spanien übertragen wurde, ein anderes der Hof der Medici in Florenz. Die deutschen Fürstenhöfe der Zeit waren demgegenüber – ungeachtet gelegentlich recht aufwendiger Festlichkeiten – von sehr viel bescheidenerem Zuschnitt. Der Hof war hier zunächst und vor allem der Haushalt des Fürsten, den er in hausväterlicher Manier regelte. So erließ Heinrich der Mittlere von Braunschweig-Lüneburg um 1510 eine Hofordnung, in der er aufs genaueste die Verantwortlichkeiten für Küche, Keller und Stall bestimmte, die Essenszeiten wie die Anzahl der Mahlzeiten und Gänge festlegte und tägliche Abrechnungen über die Ausgaben für Essen, Getränke und Futter vorschrieb bis hin zu dem Gebot, *das nymants in kuchen und keller gehen sall, dan allein diejhenen, die von seiner gnaden* [dem Herzog] *wegen darinnen zu bestellen* [tun] *haben; auch sollen keyne gelage in kuchen adir* [oder] *keller gehalten werden.* Inwieweit die Wirklichkeit bei Hofe diesen Prinzipien der haushälterischen Sparsamkeit wirklich entsprach, ist freilich nicht so sicher, zumal man Heinrich dem Mittleren selbst eine gewisse Neigung zur Verschwendung nachsagte.
Der in der Braunschweiger Hofordnung exemplarisch ausgeprägte patriarchalische Zug des fürstlichen Haushalts schloß im übrigen nicht aus, daß der Hof gelegentlich zu einem wichtigen Forum der politischen Kommunikation zwischen dem Fürsten und den mächtigen Herren des Adels und der Kirche seines Landes werden konnte. Auch die Erwähnung der fürstlichen Kanzlei wie der Drosten und Vögte, denen die Hofordnung einen Platz bei Tische einräumt, weist auf den Zusammenhang des Hofs mit der Regierungstätigkeit des Landesherrn hin. Jedoch besaß dieser Zusammenhang für den Hof selbst offenbar noch keine entscheidende Bedeutung; die politische, namentlich die repräsentative Funktion des Hofs war jedenfalls noch viel schwächer ausgeprägt als die der späteren, absolutistischen Fürstenhöfe (vgl. jedoch Kat. Nr. 158, 167).

W. Havemann, Geschichte der Lande Braunschweig und Lüneburg, 1853. – O. v. Heinemann, Geschichte von Braunschweig und Hannover, Bd. 2, 1886. – Hrch. Schmidt, Heinrich der Mittlere, Herzog von Braunschweig-Lüneburg-Celle. In: NDB 8, 1969, S. 550 f. – A. Kern (Hrsg.), Die deutschen Hofordnungen des 16. und 17. Jahrhunderts, Bd. 2, 1907, S. 1-8. H. R.

158 Wichtige dynastische oder überhaupt politische Ereignisse werden von den Landesfürsten mitunter zu prächtigen, auch für das Volk eindrucksvollen Festen ausgestaltet.

Militärisches Schauspiel zu Ehren Kaiser Karls V. anläßlich dessen Einzug in München am 10. Juni 1530
Sebald Beham, 1530
Holzschnitt, aus fünf Stöcken zusammengesetzt, 35,6 × 133,7 cm. Oben links das bayerische Wappen, oben rechts das Wappen der Herzöge von Österreich. Ein geschwungenes Band mit der Aufschrift »Die Furstlich Statt München« über der Stadt im linken Bildteil; die wichtigsten Türme und großen Bauwerke der Stadt durch Beischriften kenntlich gemacht. Auf einer Tafel in der Mitte oben eine Inschrift in sechs Zeilen: ANKUMMEN UND EINREYTTEN KAISERLICHER MAIESTÄT, UNSERS AL/LERGNEDIGSTEN HERRN ... Oben rechts eine zwölfzeilige Widmungsinschrift für die Herzöge von Bayern. In der Mitte das Monogramm des Druckers und Herausgebers Nikolaus Meldeman
Braunschweig, Herzog Anton Ulrich-Museum

Mit der hier gezeigten Darstellung hat Sebald Beham nach seinem Holzschnitt der Türkenbelagerung von Wien 1529 (vgl. Kat. Nr. 272) zum zweiten Mal die Aufgabe einer ungewöhnlich großformatigen Komposition mit einer kompletten Stadtansicht und einer Fülle von Einzelmotiven und Episoden übernommen. Die rechte

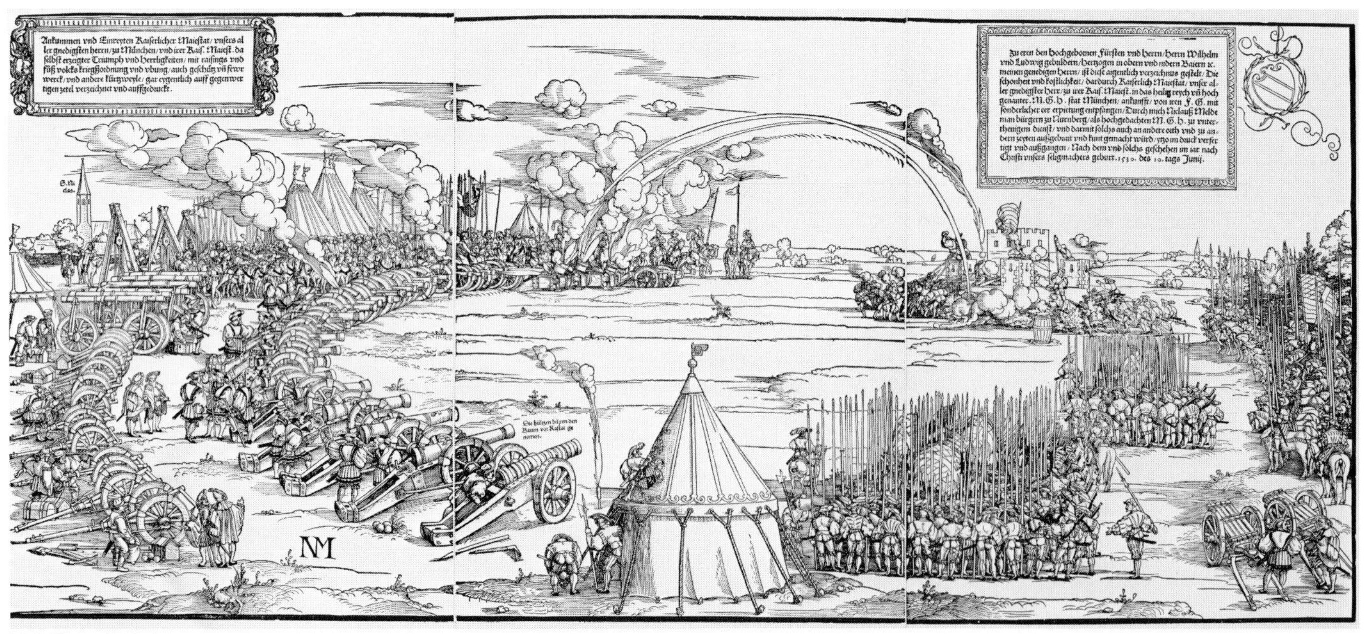

158 (Ausschnitt)

Bildhälfte wird von der Darstellung des eigentlichen kriegerischen Schauspiels beherrscht, vor allem des Sturms auf eine samt Türmen und Bastionen aus Holz und Leinwand errichtete, von Landsknechten verteidigte Festung – Sebastian Franck hat übrigens in seiner ›Chronica‹ (1531) überliefert, daß *auch etlich in diesem Scherz umkommen sind.* In der linken Bildhälfte zieht die den Horizont bildende Stadtansicht Münchens den Blick des Betrachters auf sich. Die beiden Bildteile der sehr breiten, beinahe friesartigen Darstellung sind durch das Zaunwerk des Bildmittelgrunds, vor allem aber durch die in zwei weiten Bögen aufgefahrenen Geschütze und Lafetten sowie durch die Geschoßbahnen der Mörser am Himmel miteinander verbunden. Die Geschützreihen wie das Zelt am unteren Rand der rechten Bildhälfte und die rechts daran anschließenden Landsknechtsformationen beziehen zugleich den rechten Vordergrund des Bildes in dessen eigentliche Thematik ein. Die vorderste Kanone trägt die typographische Beischrift *die hültzen Büxen den Bauern vor Rastat genomen;* bei diesem mit Eisenringen verstärkten Holzgeschütz handelt es sich offenbar um ein Beutestück aus den Kämpfen gegen die aufständischen Salzburgischen Bauern, die 1526 bei Radstadt an der Enns geschlagen worden waren. Daß Sebald Beham auf diese Ereignisse ausdrücklich aufmerksam machte, entsprach seiner auch sonst bezeugten, mit grundsätzlicher Kritik an den politischen und sozialen Verhältnissen der Zeit verbundenen Anteilnahme am Schicksal der aufständischen und dann geschlagenen Bauern.

Für die bayerischen Herzöge dürfte es bei ihrem aufwendigen Militärschauspiel vor allem darum gegangen sein, ihren kaiserlichen Gast zu ehren und zu beeindrucken. Karl V. kehrte eben jetzt nach langjähriger Abwesenheit vom Reich nach Deutschland zurück, um sich auf dem bevorstehenden Reichstag zu Augsburg zum ersten Mal seit 1521 der deutschen Angelegenheiten mit Nachdruck anzunehmen; zu diesen deutschen Angelegenheiten aber gehörte auch der Dauerkonflikt des Hauses Habsburg mit den Wittelsbachern. Der dem Kaiser bereitete festliche Einzug mitsamt dem spektakulären Kriegsschauspiel mochte wohl als propagandistisch wirksames Mittel erscheinen, den Kaiser einem politischen Entgegenkommen geneigter zu machen.

E. Straub, Repraesentatio Maiestatis oder churbayerische Freudenfeste. Die höfischen Feste in der Münchener Residenz vom 16. bis zum Ende des 18. Jahrhunderts, 1969, S. 147 f. – G. Pauli, Hans Sebald Beham. Mit Nachträgen sowie Ergänzungen und Berichtigungen von H. Röttinger, 1974, Nr. 1115, S. 388 f. – Zschelletzschky, S. 87-92. H. R.

159, 160 Obwohl der ritterliche Einzelkampf durch die kriegstechnische Entwicklung seine militärische Bedeutung verloren hat, erfährt das Turnier an den Fürstenhöfen eine tiefgreifende Neubelebung.

159 Massenturnier mit Lanzen
Lukas Cranach d. Ä., 1506
Holzschnitt, 26 × 37 cm. Rechts oben an einer Hauswand bezeichnet mit dem Monogramm des Künstlers, darunter die Jahreszahl 1506
Nürnberg, Germanisches Nationalmuseum, H 451

Schon seit dem späteren 14. Jahrhundert hatte der ritterliche Einzelkampf für die Kriegführung an Bedeutung verloren – zuerst durch die Überlegenheit der in massierten Gevierthaufen kämpfenden Landsknechte, seit dem 15. Jahrhundert zusätzlich durch die jetzt aufkommende Feldartillerie. Angesichts dieses Wandels der Kriegstechnik verlor auch das Turnier seine ursprüngliche Funktion und Bedeutung als Schule der ernsthaften militärischen Auseinandersetzung. Wenn das Turnier trotzdem nicht zugrunde ging, im 15. und beginnenden 16. Jahrhundert sogar eine kräftige Neubelebung erfuhr, so im entscheidenden nicht deshalb, weil es immer noch als eine hervorragende Schule von Mut und Geschicklichkeit gelten konnte; das entscheidende Moment für die Erhaltung und Neubelebung des Turniers war viel-

mehr »seine auszeichnende Exklusivität, seine Ritterlichkeit oder auch Rittertümlichkeit, seine Haftung im Wurzelboden der Ahnen und Urahnen, seine, also durchaus romantische, Aussonderung aus der grauen, so wenig ritterlichen Wirklichkeit« (Reitzenstein). Die Bedeutung dieser Romantisierung als eines Elements geistiger Selbstbehauptung des Adels ist nicht leicht zu überschätzen; sie half ihm, bis er sich – schließlich sogar recht erfolgreich – den neuen ökonomischen und politischen Verhältnissen angepaßt hatte, über schwere Jahrzehnte militärischer und politischer Funktionsverluste hinweg. Daß der Adel auch in der Grabskulptur noch lange am monumentalen Ritterbild festhielt, gehört in den gleichen Zusammenhang.
Freilich: Auch das Turnier kostete viel Geld, und das konnten die adligen Herren in der sie ja besonders hart treffenden Agrarkrise des 15. Jahrhunderts je länger desto weniger aufbringen – nicht einmal dann, wenn sie sich zu großen Turniergesellschaften zusammenschlossen, wie das seit der Mitte des 15. Jahrhunderts vielfach geschah. So konnte das Turnier nur deshalb überleben und zu neuer Blüte gelangen, weil sich die Landesherren mit ihren überlegenen finanziellen Mitteln im Turnierwesen engagierten. Daß manche der Landesfürsten dabei auch persönlich vom romantischen Reiz des Rittertums berührt wurden, ist sicher; Kaiser Maximilian I. war hier gewiß kein Einzelfall. Das eigentlich Wichtige aber war, daß die Landesherren, indem sie die Ausrichtung der Turniere an ihren Höfen übernahmen, den Adel nicht nur in seiner sozialen Exklusivität stützten, sondern ihn zugleich an sich selber banden.
Der Holzschnitt ist die erste Turnierdarstellung Cranachs. Er gehört zusammen mit dem wohl gleichzeitig entstandenen Blatt einer Hirschjagd zu den frühesten im Dienste des sächsischen Kurfürsten entstandenen Arbeiten mit betont höfischer Thematik. Die umgebenden Häuser mit Schaulustigen, unter denen sich auf einem mit dem kursächsischen Wappen geschmückten Balkon auch Mitglieder des Hofs befinden, lassen als Ort des Turniers den Wittenberger Marktplatz vermuten, wo im November 1508 auch das durch den Hofpoeten Georgius Sibutus Daripinus besungene und ebenfalls in Holzschnitten Cranachs festgehaltene Turnier stattfand.

A. Frhr. v. Reitzenstein, Rittertum und Ritterschaft, 1972, bes. S. 90. – R. van Marle, Iconographie de l'art profane, Bd. 1, 1931, S. 143 ff. – Kat. Ausst. Cranach, Bd. 1, Nr. 108; ebd. auf Taf. 6, S. 107, eine Wiedergabe des kolorierten Dresdner Exemplars. – Kat. Ausst. Cranach, Bukarest 1973, Nr. 8. H. R.

160 Riefelharnisch mit Fratzenvisier
Wolfgang Großschedel, um 1520/25
Eisen, getrieben, geschliffen und geätzt, Höhe ca. 180 cm. Geschlossener Helm mit aufschlächtigem Fratzenvisier und geschnürlter Kragenwulst über vierfach geschobenem Kragen. Kugelige Brust mit aufklappbarem Rüsthaken, an ihr vierfach geschobene Bauchreifen mit vierfach geschobenen Beintaschen. Rücken mit oben aufgenieteter Randversteifung, unten beweglicher Gürtelreifen mit zwei Gesäßreifen. Ganze Armzeuge mit oben und unten mehrfach geschobenen Flügen (der rechte vorne mit Lanzenausschnitt), rundlichen, geschobenen Armkacheln mit herzförmigen Ansteckmuscheln und Henzen. Ganze Beinzeuge mit zweifach geschobenen Diechlingen, vierfach geschobenen Kniebuckeln und »Kuhmaul«-Schuhen. Alle Teile mit Ausnahme der Unterbeinzeuge geriefelt. – Plattnermarke W des Wolfgang Großschedel und Landshuter Beschauzeichen auf dem untersten Kragengeschübe. Nürnberger Stadtwappen (Besitzmarke des Zeughauses?) auf dem Rücken und den beiden Schultern
Nürnberg, Germanisches Nationalmuseum, W 1340.

Der hier ausgestellte Harnisch zeigt durch seine klare, die anatomischen Proportionen des Menschen durch keine Kanten oder unnötige Linien verdeckende Gestaltung das Menschenbild der Renaissance. Sein hoher ästhetischer Wert beruht auf der großen Ausgewogenheit zwischen Funktion und Ornament.
Der Harnisch gehört nach seinem Ätzdekor zur sog. Fica-Gruppe. Mit diesem Namen bezeichnet man eine – heute über die ganze Welt verstreute – Gruppe von Harnischen, die in den breiten Bändern der Riefelung charakteristische, eingeätzte Ornamente tragen. Die Harnische stammen durchweg aus süddeutschen Werkstätten; der unbekannte Ätzer dürfte mithin ebenfalls in Süddeutschland gearbeitet haben. Das namengebende apotropäische Zeichen der fica (die »Feige«, eine Faust, bei der der Daumen zwischen Zeige- und Mittelfinger durchgesteckt ist) findet sich überall zwischen anderen Ornamenten eingestreut, zusammen mit den »Hörnchen« (eine Faust mit abgespreiztem Zeige- und kleinem Finger). Beide Zeichen galten als starke Abwehrmittel gegen den bösen Blick, auch als Gegenzauber bei verdächtigen Begegnungen.
Die Ätzungen des gezeigten Harnisches stammen vermutlich von derselben Hand wie der Ätzdekor eines Kostümharnischs im Metropolitan Museum in New York und dessen Wechselbrust im Historischen Museum in Dresden. Diese Stücke in New York und in Dresden aber dürften als Teile einer größeren Harnischgarnitur anzusehen sein, die für den letzten Hochmeister des Deutschen Ordens Albrecht von Brandenburg angefertigt wurde. Für wen der hier gezeigte Harnisch des Germanischen Nationalmuseums gearbeitet wurde, ist nicht bekannt; mit seiner dem New York-Dresdener Harnisch ganz ähnlichen Form und seinem aus der gleichen Werkstatt stammenden Ätzdekor vermittelt der Nürnberger Harnisch jedenfalls einen guten Eindruck von einer Turnierrüstung, in der – auch – geistliche Fürsten des frühen 16. Jahrhunderts bei Turnieren oder anderen offiziellen Anlässen auftraten.

H. Nickel, The Art of Chivalry, 1980. – A. Frhr. v. Reitzenstein, Die Landshuter Plattner Wolfgang und Franz Großschedel. In: Münchner Jb. der bildenden Kunst, 3. Folge, Bd. 5, 1954, S. 142-153. – J. Schöbel, Prunkwaffen – Waffen und Rüstungen aus dem Historischen Museum Dresden, 1973. – Germanisches Nationalmuseum Nürnberg. Führer durch die Sammlungen, 1977, Nr. 570. H. R./J. W.

161 Wie überall, so gilt auch am Hofe der Tanz als beliebteste gesellige Unterhaltung. Der verfeinerte höfische Tanz macht zugleich ein Stück sozialer Exklusivität des Hofes aus.

Tanzszene am Hofe Herzog Albrechts IV. von Bayern
Monogrammist MZ (Matthäus Zasinger?), 1500
Kupferstich, 21,8 × 31 cm. Am unteren Bildrand bezeichnet mit dem Monogramm MZ. Im Erker über dem linken Fenster datiert
Nürnberg, Germanisches Nationalmuseum, St. Nbg. 5035

Die Darstellung zeigt im Vordergrund eines mit Steinquadern ausgelegten Saals (der Münchener »Neuveste«?) fünf höfisch gekleidete Paare, die sich gerade zum Tanz formieren. An der Rückwand des Saals sitzt in einem Erker ein weiteres, karten-

spielendes Paar, in dem man Herzog Albrecht IV. von Bayern und seine Gemahlin sieht – die Identität zumindest des Herzogs ist durch den Vergleich mit den Porträts von Hans Wertinger und Barthel Beham (Bayer. Staatsgemäldesammlungen bzw. Bayer. Nationalmuseum) gesichert. Auf den Galerien stehen Musiker; ihnen hat sich ein Narr hinzugesellt. Links vor dem Erkertisch beobachtet ein Höfling (Mundschenk? Tanzmeister?) die Szene; hinter ihm betritt ein Page mit einem durch ein Tuch verdeckten Pokal den Saal. Im Vordergrund links versucht ein Türwart, mit einem Stock in der Rechten neugierige Zuschauer zurückzudrängen und die ein wenig geöffnete Tür wieder zuzudrücken. Die fünf Fenster an der Rückwand des Saales und Erkers geben den Blick auf die Straßen der Stadt frei.
Die dargestellte höfische Tanzszene ist von intimer Exklusivität. Es ist nur ein kleiner, beinahe familiär anmutender Kreis vornehmer Personen, der sich hier zusammengefunden hat. Auch der Tanz selbst, zu dem man sich gerade anschickt, ist offenbar von feiner, höfischer Art – schon wegen der langen Kleider der Damen würden sich derbere Tänze, wie wir sie aus zeitgenössischen Darstellungen bäuerlichen Lebens kennen, verbieten. Und schließlich wird die soziale Exklusivität des höfischen Tanzes auch noch durch die Türszene am linken Bildrand betont: Das Volk darf der Festlichkeit nicht einmal zuschauen.

S. F. Hofmann, Der gotische Tanzsaal in der »Neuveste«. Ein Beitrag zur Geschichte der Münchner Residenz. In: E. Buchner u. K. Feuchtmayr (Hrsgg.), Beiträge zur Gesch. der deutschen Kunst, Bd. 1, 1924, S. 120-128. – A. Lenz, Der Meister MZ, ein Münchner Kupferstecher der frühen Dürerzeit, Diss. München 1972, S. 9-12. H. R./N. G.

161

162 Standesgemäße Erholung bietet dem Landesherrn vor allem die Jagd. Sie hat auch eine politische Funktion, vor allem dann, wenn auswärtige Fürsten als Gäste dazu eingeladen werden.

Hirschjagd auf der Langen Wiese bei Innsbruck
Jörg Kölderer, 1500
Miniatur aus dem Tiroler Jagdbuch Kaiser Maximilians I., Deckfarben auf Papier, 32 × 21,5 cm
Brüssel, Bibliothèque Royale Albert Ier, Ms. 5751-52

Das von Karl von Spaur und Wolfgang Hohenleitner für Kaiser Maximilian I. zusammengestellte Jagdbuch beschreibt die landesfürstlichen Hirsch- und Gemsjagden in den tirolischen Lieblingsrevieren des Kaisers. J. Kölderer hat die Handschrift mit einer Wappenseite und zwei Jagddarstellungen geschmückt. Die auf der hier gezeigten Miniatur abgebildete Hirschjagd ist eine räumlich geraffte, im übrigen aber getreue und detaillierte Wiedergabe der einzelnen Phasen einer Treibjagd; sie entspricht genau den Regeln, die Wilhelm von Greyß im Auftrag Maximilians I. im österreichischen Jagdbuch von 1515 beschrieben hat (Wien, Nationalbibliothek, Cod. 8039).
Das Jagen, eine der beliebtesten Formen fürstlichen Zeitvertreibs, diente als sportliche Betätigung wie, durch das mit der Jagd verbundene Erleben der freien Natur, der Erholung vom politischen Tagesgeschäft, zugleich damit der Ausbildung von Mut und Geschicklichkeit. Darüber hinaus hatte die Jagd aber auch politische Funktionen: Sie erlaubte vielerlei zwanglose, vertrauenstiftende Begegnungen zwischen dem Fürsten und seinen Untertanen; vielfach nutzte man diese Gelegenheit, dem Landesherrn Wünsche vorzutragen oder auch Bittschriften zu überreichen. Wurden auswärtige Fürsten eingeladen, was häufig geschah, so verstärkten sich die politischen Funktionen der Jagd noch, und zwar nicht nur wegen der dabei entfalteten fürstlichen Repräsentation, sondern auch wegen der Möglichkeit des ungezwungenen Gesprächs während der Jagd – von der persönlich verbindenden Wirkung gemeinsamer Jagderlebnisse ganz abgesehen. Und wenn Maximilian I. (1495) halb scherzhaft in einer Einladung zu einer großen Jagd an seinen Onkel Sigmund von Tirol schrieb: »Ich hoff' zu Gott, daß solche Hörner da erschallen werden und so manches wildes Waidgeschrei, daß das den Türken und allen andern bösen Christen in den Ohren läuten wird«, so erhoffte er sich von der bevorstehenden Jagd, zu der er eine lange Reihe von Reichsfürsten eingeladen hatte, sogar eine abschreckende Wirkung auf seine Feinde.

M. Mayr, Das Jagdbuch Kaiser Maximilians I., Faksimile-Ausgabe, 1901. – G. Schack, Der Kreis um Maximilian, 1963. – Kat. Ausst. Maximilian, Nr. 276. – F. Niederwolfsgruber, Kaiser Maximilians I. Jagd- und Fischereibücher, 2. Aufl. 1979. H. R.

163 Neben Kaiser Maximilian I. stehen auch einige deutsche Landesfürsten des beginnenden 16. Jahrhunderts dem Humanismus aufgeschlossen gegenüber. Sie fördern ihn und suchen ihn zugleich politisch in Dienst zu nehmen.

162

Widmungsbild zu Celtis' Ausgabe der Werke der Roswitha von Gandersheim: Celtis überreicht sein Werk dem sächsischen Kurfürsten Friedrich dem Weisen
Albrecht Dürer, 1501
Holzschnitt aus: ›Opera Hrosvite Illustris Virginis et Monialis germane gente Saxonica orte nuper a Conrado Celte inventa‹
Nürnberg: Sodalitas Celtica 1501

Nürnberg, Germanisches Nationalmuseum, 4° L. 1153ˢ Postinc.

Der Holzschnitt zeigt Friedrich den Weisen im Kurfürstenornat mit dem Hermelinkragen. Auf einem reichverzierten Thronsessel sitzend, an dessen hohen Wangen das sächsische Wappen und der Kurschild mit den gekreuzten Schwertern hängen, nimmt er das Dedikationsexemplar aus der Hand Celtis' entgegen. Celtis trägt das lange, pelzverbrämte Übergewand des Gelehrten, in der Linken hält er sein mit dem Lorbeerkranz des poeta laureatus geschmücktes Barett. Drei Männer schauen der Übergabe des Dedikationsexemplars zu; ihre Identifizierung ist mehrfach versucht worden, aber bislang nicht gelungen.

Die Wiederentdeckung der Werke der Roswitha von Gandersheim durch Conrad Celtis in der Klosterbibliothek von St. Emmeram in Regensburg und ihre Veröffentlichung durch die Sodalitas Celtica war dem erwachenden Nationalgefühl des deutschen Humanismus zu verdanken. Angestachelt durch die Geringschätzung der geistigen und musischen Fähigkeiten ihres Volkes von seiten der Italiener, suchten die deutschen Humanisten die alten Handschriftenschätze der deutschen Geschichte ans Licht zu ziehen und so den Nachweis zu erbringen, daß die Deutschen keine ungebildeten Barbaren wären, sondern selbst eine große geistige Tradition aufzuweisen hätten, die der des römischen Erbes nicht nachstände. Celtis' Widmung der ›Opera Hrosvite‹ war ein Zeichen des Danks an den Kurfürsten, der die Drucklegung des Buches ermöglicht und überhaupt den Humanismus schon früh – noch vor Maximilian I. – gefördert hatte; gerade der nationale Zug des deutschen Humanismus paßte gut zur ausgeprägten Reichsgesinnung Friedrichs des Weisen. Zugleich freilich stellte die Dedikation ein Stück humanistischer Propaganda dar, mit deren Hilfe sich die Humanisten, in bewußter Konkurrenz zum Adel, im Fürstendienst zu etablieren suchten.

P. Joachimsen, Geschichtsauffassung und Geschichtsschreibung in Deutschland unter dem Einfluß des Humanismus, 1910, bes. S. 113. – Kat. Ausst. Dürer, Nr. 288. – H. Grimm, Des Conradus Celtis editio princeps der ›Opera Hrosvite‹ von 1501 und Albrecht Dürers Anteil daran. In: Philobiblon 18, 1974, S. 3-25. – D. Wuttke, Dürer und Celtis. Von der Bedeutung des Jahres 1500 für den deutschen Humanismus. In: Humanismus und Reformation als kulturelle Kräfte in der deutschen Geschichte. Ein Tagungsbericht, hrsg. von L. H. Spitz, O. Büsch u. B. Rollka, 1981, S. 121-150. H. R.

164 Der Humanismus beruft sich auf das Vorbild der Antike, auch auf das Vorbild der griechischen und lateinischen Kirchenväter. Selbstbewußte Kirchenfürsten lassen sich in der Gestalt von Heiligen der alten Kirche porträtieren.

Kardinal Albrecht von Brandenburg als hl. Hieronymus im Gehäuse
Lukas Cranach d. Ä., 1525
Gemälde auf Lindenholz, 117 × 78 cm. Auf der Truhe links unten bezeichnet mit Signet des Künstlers und datiert 1525
Darmstadt, Hessisches Landesmuseum, GK 71
Farbtafel Seite 78

Cranach benutzte, wohl von seinem fürstlichen Auftraggeber veranlaßt, Dürers Kupferstich des hl. Hieronymus im Gehäuse von 1514; die Gesichtszüge entsprechen denen auf Cranachs Stichporträt des Kardinals von 1520. Dürers Stich galt den Zeitgenossen als Musterbeispiel eines zentralperspektivischen Innenraumbildes, und auch Cranach hat sich offenbar sorgfältig um eine genaue perspektivische Konstruktion bemüht. Um so aufschlußreicher sind die Unterschiede zu Dürers Arbeit. Sie liegen zum einen im Formalen – in der Lichtführung, in der räumlichen Anlage mit der Verschiebung des Fluchtpunkts außerhalb des Blickfeldes, in den einfachen Farbkontrasten –, zum andern aber auch im Inhaltlichen: Im Gegensatz nämlich zu Dürers bescheidenem Interieur ist das »Gehäuse« des Kardinals Albrecht von repräsentativem Zuschnitt. Cranach stattete den Raum mit vornehmen Tüchern und Metallgeräten aus, mit Zinngeschirr und einem kupfernen Wasserbecher, mit einem fein gearbeiteten Leuchter und goldenen Pokalen, mit kostbar gebundenen Büchern. Aus dem bescheidenen, wenngleich gemütvollen Gehäuse des gelehrten Heiligen ist das repräsentativ ausgestaltete Arbeitszimmer eines reichen und mächtigen Kirchenfürsten geworden. Dem entspricht, daß die geistlichen Symbole wie das Kruzifix auf dem Tisch und das kleine Bild des Erlösers am linken Bildrand, aber auch die Sanduhr neben dem Fenster als Symbol der Vergänglichkeit in ihrer Bedeutung für die Gesamtkomposition ganz zurücktreten.
Die Wendung ins Repräsentative auf Kosten des geistlichen Gehalts bestimmt auch die Darstellung der Person selbst. An sich galt dem frühen 16. Jahrhundert der Wunsch eines Auftraggebers, in Gestalt eines Heiligen porträtiert zu werden, nicht als Anmaßung; es konnte vielmehr durchaus als eine Verpflichtung auf das verehrungswürdige Vorbild des Heiligen, als Bekenntnis zu ihm verstanden werden (vgl. Kat. Nr. 56), und auch Cranachs Darstellung enthält gewiß solche Elemente. Der hl. Hieronymus galt ja als ein Heiliger gerade der Gelehrten, und nicht zufällig hatten viele Humanisten ihn zu ihrem Schutzpatron erkoren; das Porträt Albrechts in der Gestalt des Hieronymus war insofern ein deutliches Bekenntnis zum – christlichen – Humanismus. Gleichwohl tritt hier das Vorbild des hl. Kirchenvaters doch ganz hinter dem Porträt des fürstlichen Auftraggebers zurück. Wenn der Dürersche Hieronymus den Inbegriff der gelehrten, in die Schrift versenkten Kontemplation darstellte, so schaut Cranachs Kardinal nicht einmal in das vor ihm liegende Buch hinein; nur die Hände blättern darin. Und auch die Tiere – neben dem Löwen als festem Attribut der Hieronymusikonographie ein Hund sowie ein Rebhuhn- und ein Fasanenpärchen – sollen wohl die spezifischen Fürstentugenden der Klugheit, Mäßigung und Stärke symbolisieren; mit der Hieronymuslegende haben sie an sich nichts zu tun.

Kat. Ausst. Cranach, Bd. 1, Nr. 45, Farbtaf. 12. – Friedländer-Rosenberg, 1979, Nr. 185. – A. Strümpell, Hieronymus im Gehäuse. In: Marburger Jb. für Kunstwissenschaft 2, 1927, S. 173 ff. – E. Wind, Studies in Allegorical Portraiture I. In: Journal of the Warburg Institute 1, 1937/38, S. 138-162, bes. 153, 160 ff. H. R.

165

165 Weltliche Fürsten lassen sich im Zeichen des Humanismus in Gestalt mythologischer Figuren der heidnischen Antike darstellen.

Das Urteil des Paris
Doman Hering, um 1530
Relief, Jurakalkstein, 22 × 19,7 cm. Auf einem Täfelchen an einem Zweig des rechts stehenden Baumes das Monogramm des Künstlers
Berlin, Staatliche Museen Preußischer Kulturbesitz, Skulpturengalerie, Inv. Nr. 1959

Das Relief folgt in seiner Anlage einem Holzschnitt Cranachs von 1508. Mit ihm thematisiert Hering die mittelalterliche Fassung des mythologischen Stoffs: Der Ritter Paris, der sich auf der Jagd verirrt hat, sinkt ermattet nieder; im Schlaf erscheint ihm Merkur, der ihm die drei Göttinnen zuführt.
Das Werk Herings gilt, wenngleich nicht ganz unbestritten, als Allegorie auf die Vermählung des Pfalzgrafen Ottheinrich mit Susanna von Bayern 1529. In der Tat zeigen zeitgenössische Bildnismedaillen Ottheinrichs und Susannas deutliche Ähnlichkeiten mit den Figuren des Reliefs; auch hat man die Burgstadt als Ottheinrichs damalige Residenzstadt Neuburg, das Schlößchen mit den Staffelgiebeln links im Bilde als sein Jagdschloß Grünau identifiziert.
Das Motiv des Parisurteils hatte um 1500 in der bildenden Kunst wie – vor allem – in der Literatur bereits eine lange Geschichte hinter sich. Dabei war jene mittelalterliche Umdeutung des mythologischen Stoffs zum Traum des Ritters Paris von besonderer Bedeutung gewesen: Sie erst hatte die heidnische Göttergeschichte mit dem Urteil des Helden zugunsten der Liebesgöttin für die Christen überhaupt voll annehmbar gemacht. Im Anschluß an Hochzeitsallegorien, wie sie bereits für das 14. und 15. Jahrhundert auf italienischen Brauttruhen bezeugt sind, hat Doman Hering dann freilich, ohne die Rahmenhandlung des Traums aufzugeben, die traditionelle distanzschaffende und sublimierende Wirkung des Traummotivs durch die Identifizierung seiner Figuren mit konkreten Personen – und nun eben immerhin: durch die Darstellung einer bayerischen Herzogstochter als nackter Liebesgöttin – völlig aufgehoben. Der antike Mythos wird zur Darstellung einer fürstlichen Heiratsallianz des 16. Jahrhunderts.

A. Frhr. v. Reitzenstein, Ottheinrich von der Pfalz, 1939, bes. S. 102. – Kat. Ausst. Cranach, Bd. 2, S. 613 ff. – I. El-Himoud-Sperlich, Das Urteil des Paris, Diss. München 1977. – P. Reindl, Loy Hering, 1977, S. 419 ff. H. R.

B Die fürstliche Landesherrschaft auf dem Wege zu neuzeitlicher Staatlichkeit

In grundsätzlichem Gegensatz zum neuzeitlichen Staat, der auf das Prinzip des staatlichen Gewaltmonopols gegründet ist, war öffentliche Gewalt im Mittelalter auf eine Vielzahl von Trägern eigenständiger politischer Macht aufgesplittert. Dem entsprach, daß es weithin überhaupt an der Vorstellung einer einheitlichen und umfassenden Staatsgewalt fehlte; vielmehr war die Rechtsmacht auch des mächtigsten Landesherrn, selbst des Königs, nichts anderes als eine Summe von Einzelrechten – namentlich der Gerichtsbarkeit, aber auch von Zoll- und Geleitsrechten, von Rechten der Grundherrschaft gegenüber bäuerlichen Untertanen, auch von Rechten gegenüber der Kirche, etwa im Rahmen einer Klostervogtei oder eines Patronats. Alle diese Rechte konnten einzeln erworben, verkauft oder weiter verliehen werden; namentlich in dynastischen Erbfällen war auch eine Aufteilung dieser Rechte auf mehrere Erben gang und gäbe. Dazu kam des weiteren, daß die Herrschaftsbereiche auch bedeutender Landesherren, vor allem im Altreichsgebiet des deutschen Westens und Südwestens, geographisch nur wenig geschlossen waren; weithin gab es keine einigermaßen scharfen Grenzen zwischen den einzelnen Ländern.
Im Rahmen solcher Strukturen öffentlicher Gewalt waren die Möglichkeiten einer zugleich einheitlichen und umfassenden, aktiv gestaltenden Politik ziemlich bescheiden. In der Tat beschränkte sich die Aufgabe der weltlichen Obrigkeit nach mittelalterlicher Auffassung im wesentlichen auf die Wahrung von Frieden und Recht. Auch diese Aufgabe aber konnte oft nur unzureichend, im ausgehenden Mittelalter angesichts zunehmender sozialer Spannungen bei gleichzeitig wachsender Mobilität von Menschen und Gütern immer weniger gelöst werden. Die Zeit war voll von Klagen über Verletzungen des Friedens, über den Niedergang des Rechts. Eben dies war die Situation, die zu einer prinzipiellen Umstrukturierung, nämlich zur Zusammenfassung, Vereinheitlichung und zugleich Erweiterung der politischen Gewalt führte, auch zu ihrem organisatorischen Ausbau; genau darin kündigte sich moderne Staatlichkeit an. Zugleich freilich griff der sich formierende Staat über die Aufgabe bloßer Friedens- und Rechtswahrung hinaus: Zur politischen Leitvorstellung wurde vielmehr der »gemeine Nutzen«, und in dessen Zeichen konnten grundsätzlich alle Lebensbereiche der Gesellschaft der staatlichen Fürsorge und Herrschaft unterworfen werden – auch dies ein durchaus neuzeitliches Phänomen.
Sollte die möglichst weitgehende Zusammenfassung aller Herrschaftsrechte in der Hand des Landesherrn gelingen, so mußten zum einen fremde Herrschaftsrechte aus dem Land verdrängt, zum andern konkurrierende Machtträger im Lande selbst zurückgedrängt werden. In der Tat kam es jetzt vielfach zu politischen Flurbereinigungen, namentlich zwischen benachbarten Landesherrschaften; man begann bezeichnenderweise, genauere Grenzverläufe festzulegen. Die »Landeshoheit« – das war der jetzt üblich werdende Inbegriff der Herrschaftsrechte des Landesherrn – wurde insofern von vornherein auch als Gebietshoheit verstanden. Noch wichtiger war die Zurückdrängung der konkurrierenden Machtträger im Lande selbst, die Einschränkung also der traditionellen Gerichts- und Polizeigewalt des Adels und der Städte, z. T. auch kirchlicher Institutionen. Allerdings führte diese Expansion fürstlicher Macht auf Kosten der herkömmlichen Rechtsverhältnisse auch dazu, daß die so Bedrohten sich zusammenschlossen und sich eine politische Organisation gaben, und zwar als Landstände mit dem Landtag als ihrer wichtigsten Institution. Diese Landstände haben denn auch in nahezu allen Territorien das Recht zur Steuerbewilligung durchgesetzt, nicht selten sogar eine weitgehende Beteiligung an der Regierung des Landes selbst. Sie haben damit im Ganzen als heilsames Korrektiv fürstlicher Machtpolitik nach innen und außen gewirkt; die stärkeren, auch zukunftsträchtigeren politischen Impulse gingen freilich in aller Regel vom Landesherrn aus.
Zum wichtigsten politischen Instrument des sich formierenden Fürstenstaats wurde die landesherrliche Verwaltung, die, vor allem in der Spitze, in der Zentralverwaltung, zunehmend mit geschulten Juristen im ausschließlichen Dienst des Fürsten besetzt wurde. Erst diese Verwaltung ermöglichte es dem Landesherrn, die von ihm beanspruchte Landeshoheit auch wirklich auszuüben und zugleich in ihrem Wirkungsbereich auszudehnen. Von dieser Ausweitung zeugt namentlich die rasch zunehmende Gesetzgebung der Territorien; aber auch die landesherrliche Fürsorge für

das Bildungswesen, z.B. durch die Gründung landeseigener Universitäten, und die Ausbildung eines landesherrlichen Kirchenregiments gehören in diesen Zusammenhang. H.R.

166 Ein wichtiger Schritt auf dem Wege der Landesherrschaft zu neuzeitlicher Staatlichkeit besteht in der Sicherung der territorialen Einheit des Landes gegen dynastische Erbteilungen.

Vidimus der Grafen Eberhard d.Ä. und Eberhard d.J. von Württemberg über den Münsinger Vertrag vom 14. Dezember 1482
Orig. Perg., 33,5 × 25,5 cm. Siegel der beiden Grafen. Letztes Blatt mit Datierung fehlt. Nach der Abschrift des Stücks (Stuttgart, Hauptstaatsarchiv, A 602 U 303 a) ist das Vidimus auf den 22. Februar 1483 zu datieren. Aufgeschlagen: fol. 2v-3r
Stuttgart, Hauptstaatsarchiv, A 602 U 303 b

Der Münsinger Vertrag, von dem hier eine durch die fürstlichen Vertragspartner selbst beglaubigte Abschrift gezeigt wird, hatte seine unmittelbare Ursache in Streitigkeiten zwischen Graf Eberhard d.J. und den Ständen seines Landesteils; sowohl der Graf als auch die Stände hatten sich in ihrem Zwist schließlich um Hilfe an Graf Eberhard d.Ä. gewandt. Hinter jenen Auseinandersetzungen stand jedoch das allgemeinere Problem der Teilung des Landes: Seit 1442 nämlich war Württemberg durch eine dynastische Erbteilung in zwei Teile auseinandergerissen, die durch zwei Linien des gräflichen Hauses in Stuttgart und Urach regiert wurden. Derartige Erbteilungen, die auch in vielen anderen deutschen Territorien der Zeit vorkamen, entsprachen zwar der herkömmlichen patrimonialen Staatsauffassung; der Auf- und Ausbau einer schlagkräftigen Verwaltung, auch die Einrichtung eines stetigen Finanzwesens wurde durch die fürstlichen Erbteilungen aber sehr erschwert, und natürlich minderte sich auch das politische Gewicht des geteilten Landes in der Reichs- und europäischen Politik. So gingen die deutschen Fürsten, nicht selten übrigens unter dem Druck der Landstände, allmählich dazu über, die erbliche Thronfolge auf eine Person, zumeist den ältesten Sohn, zu beschränken. Eine solche Primogeniturordnung hatte schon die Goldene Bulle von 1356 für die weltlichen Kurfürstentümer festgelegt, doch setzte sich dieses Vorbild gegen die verbreitete Praxis patrimonialer Erbteilungen nur langsam durch; bis zur Reformation folgten ihm nur Württemberg und Bayern.
Der Münsinger Vertrag von 1482 bedeutete in dieser Entwicklung für Württemberg einen wichtigen Schritt. Der Vertrag suchte nämlich nicht nur den akuten Zwistigkeiten abzuhelfen, sondern der Teilung des Landes selbst – und auch dies nicht nur für die Lebenszeit der beiden fürstlichen Vertragspartner, von denen Graf Eberhard d.Ä. nun praktisch die Alleinregierung übernahm, sondern auch im Blick auf künftige Erbfolgen: *Es sol ouch, hinfuro zu ewigen Zytten, also gehalten werden, das allwegen der Elttest her von Wirttemberg in der wyse wie vor stett, regiere ungeirrtt siner bruder oder ander siner frund, hern zu Wirttemberg, und ob wir baid oder unser ainer elich sön uberkemen das gott zum besten fug so solten die nach unser baider tod unser land und lütt erben und doch aber der Elttest under denselben regieren ... damit die herschafft by ainander und ungetailtt belyb. Und das sol also von erben zu erben gehaltten und nymer mer geendertt werden.* Zwar nicht das Erbrecht an sich, wohl aber das Regierungsrecht wurde damit auf den jeweils ältesten Sohn der beiden Grafen und ihrer Nachfolger eingeschränkt. 1495, mit der Erhebung Württembergs zum Herzogtum, folgte die Festlegung der uneingeschränkten Primogenitur.

E. Schneider (Hrsg.), Ausgewählte Urkunden zur württembergischen Geschichte, Württ. Geschichtsquellen 11, 1911, S. 65-72. – F. Ernst, Eberhard im Bart. Die Politik eines deutschen Landesherrn am Ende des Mittelalters, 1933, S. 32-35. – W. Grube, Der Stuttgarter Landtag 1457-1957, 1957, S. 36 f. H.R.

167, 168 Selbst mächtige Landesherren des Mittelalters verfügten kaum über eine effektive Verwaltung. Das ändert sich seit dem späteren 15. Jahrhundert; die jetzt neugeschaffenen landesherrlichen Verwaltungsbehörden werden zum wichtigsten politischen Instrument des sich formierenden Fürstenstaats.

167 Die sogenannte Ratssitzung Graf Eberhards des Milden von Württemberg
Unbekannter Künstler, 2. Viertel 16. Jahrhundert, nach einer Vorlage von 1440/50. Gemälde auf Tannenholz, 125,7 × 112 cm. In den Zwickeln des Arkadenbogens die nachträglich zwischen 1575 und 1583 angebrachten Wappen Herzog Ludwigs von Württemberg und dessen erster Gemahlin Dorothea Ursula, Markgräfin von Baden. Stuttgart, Württembergisches Landesmuseum, Inv.Nr. 2735

Das Bild ist eine von mehreren Kopien einer verschollenen Darstellung aus der Mitte des 15. Jahrhunderts, deren Gegenstand noch einmal Jahrzehnte zurückliegt. Dargestellt ist nämlich der bereits 1417 verstorbene Graf Eberhard der Milde von Württemberg im Kreise geistlicher und weltlicher Herren, letztere ausschließlich adligen Standes. Die Personen sind, beginnend mit den Bischöfen von Konstanz und Augsburg links und rechts des Grafen, streng nach ihrem Rang geordnet und jeweils durch ihre Wappen und Namen gekennzeichnet. Allerdings entsprechen den 48 Namen und Wappen nur 44 Personen; offensichtlich gelang es dem Maler nicht, die fehlenden vier Personen standesgemäß auf dem Bild unterzubringen.
Vermutlich wurde das Bild auf Veranlassung der württembergischen Stände kopiert. Sie glaubten hier eine Darstellung des württembergischen Landtags zu erkennen und wollten damit nachweisen, wer alles unter Württembergs Botmäßigkeit gestanden, wer alles zum Lande gehört habe – einschließlich vor allem des württembergischen Adels, der sich faktisch ja längst vom Herzogtum gelöst hatte und zu einem Teil der Reichsritterschaft geworden war. In Wirklichkeit handelt es sich bei der dargestellten Szene weder um eine Landtagssitzung noch um irgendeine andere Versammlung württembergischer Stände – bezeichnenderweise fehlen alle Vertreter der Städte –, sondern um eine Ratssitzung Graf Eberhards – vielleicht im Rahmen eines Hoftags – mit einer Vielzahl geistlicher und weltlicher Herren, die dem Grafen durch Lehenspflicht oder auch durch besondere Verträge zu Rat verpflichtet waren. Dabei ist wichtig, daß diese »Räte« zum guten Teil nicht etwa württembergische Untertanen waren, sondern selbständige Herren, die Bischöfe von Konstanz und Augsburg sogar Reichsfürsten. Darin spiegelt sich gewiß die überragende politische Stellung Graf Eberhards. Zugleich

167

wird daraus aber auch deutlich, daß dieses Ratskollegium kein sehr effektives Instrument einer stetigen und ins einzelne wirkenden staatlichen Machtentfaltung sein konnte – und dies nicht nur wegen der Nichtständigkeit des Gremiums, sondern auch und vor allem deshalb, weil seine Mitglieder keineswegs ausschließlich im Dienste des Grafen standen und also daneben durchaus ihre legitimen politischen Eigeninteressen verfolgen konnten.
Die Praxis politischer Entscheidungsfindung der Grafen und Herzöge von Württemberg blieb dabei allerdings nicht stehen: Vielmehr gab es seit 1498 »geordnete Räte«, die in ausschließlicher Verpflichtung gegenüber Land und Landesherrn in einem zentralen, behördlich organisierten Ratsgremium die Entscheidungen des Fürsten vorbereiteten oder gar an seiner Stelle entschieden.

W. Fleischhauer, Die sog. Ratssitzung des Grafen Eberhards des Milden von Württemberg. Die ikonographische Deutung eines verlorenen spätgotischen Tafelbildes. In: Württ. Vierteljahreshefte für Landesgeschichte, NF 40, 1935, S. 198-212. – H. Decker-Hauff, Geschichte der Stadt Stuttgart, Bd. 1, 1966, S. 253-256, 364 f.
H. R.

168 Hofordnung König Maximilians I. vom 13. Dezember 1497 mit Unterschrift Maximilians und Gegenzeichnung des Kanzlers Stürtzel
Orig. Perg., 55,5 × 82,5 cm. Mit Einschnitten für die Siegelschnur, jedoch ohne Siegel. Wien, Haus-, Hof- und Staatsarchiv, Allgemeine Urkundenreihe

Diese *hofe Ordenung* ist nicht mehr eine Ordnung für den landesfürstlichen Haushalt (= Hof) wie noch die braunschweigische Hofordnung von ca. 1510 (vgl. Kat. Nr. 157), sondern ein Organisationsgesetz für die zentrale österreichische Regierungsbehörde, den Hofrat. Zwar erscheinen die Inhaber der vornehmsten traditionellen Hofämter jetzt auch als oberste Hofräte, sie werden als solche aber ganz in die neue Behörde eingebunden. Der räumliche Zuständigkeitsbereich des Hofrats erstreckt sich auf die gesamten österreichischen Erblande und auf das Reich, seine sachliche Zuständigkeit umfaßt Politik und Rechtsprechung. Routineangelegenheiten sollen von den Hofräten selbständig erledigt werden, *gros und swere hendel* dagegen sind dem König vorzulegen. Als neue, für die Ausbildung des neuzeitlichen Fürstenstaats richtungweisende Prinzipien der Hofordnung sind zum einen die Zentralisierung der wichtigsten politischen Entscheidungen, zum andern die bürokratische Verfestigung des Hofrats hervorzuheben, z. B. durch die Anordnung fester täglicher Sitzungszeiten bei strenger Anwesenheitspflicht, aber auch durch die auf Effektivität und Überprüfbarkeit abzielenden genauen Verfahrensregelungen. Dazu kommt die strikte und ausschließliche Verpflichtung aller Mitglieder des Hofrats auf den Fürsten, konkretisiert in dem Verbot, fremden Sold oder Geschenke anzunehmen *von nyemannd wer der sey oder in was gestalt solichs beschehen mochte.*
In der Entwicklung der habsburgischen Zentralverwaltung stellte die Hofordnung von 1497 nur eine Anfangsstufe dar, die im einzelnen bald durch andere Regelungen überholt wurde. Es ist sogar zweifelhaft, ob die Ordnung in der vorliegenden Form überhaupt in Kraft trat und nicht bereits im Februar 1498 durch eine umgearbeitete Fassung ersetzt wurde. Die Grundprinzipien der Ordnung aber haben sich durchgesetzt und bedeuteten damit, über den habsburgischen Herrschaftsbereich weit hinauswirkend, ein wichtiges Element der Umgestaltung feudaler Hofhaltung zur Zentralverwaltung des neuzeitlichen Staats.

Th. Fellner u. H. Kretschmayr, Die österreichische Zentralverwaltung, Bd. 1,1, 1907, S. 23-29; Druck: ebd., Bd. 1,2, 1907, S. 6-16. – H. Wiesflecker, Kaiser Maximilian I., Bd. 2, 1975, S. 305-313.
H. R.

169-172 In der landesherrlichen Zentralverwaltung spielen Juristen, oft bürgerlicher Herkunft, von Anfang an eine wichtige Rolle. Aus ihnen erwächst eine neue Führungsschicht mit einem kräftigen Selbstbewußtsein.

169

170

169 Bildnismedaille des Leonhard von Eck
Matthes Gebel, 1543
Silber, gegossen, Dm 5,4 cm. Vorderseite: Umschrift LEONHART. VON.EGKH. Brustbild von rechts, bartlos, Mütze mit Ohrenklappe. Gezackter Abschnitt, Laubrand. Rückseite: Im Feld MEMORARE NOVISSIMA '/' M.D.XXXXIII. Darunter behelmter Wappenschild (quer dreigeteilt, im mittleren Feld Rose). Breiter Blattkranz
München, Staatliche Münzsammlung

Der Ausbau der landesfürstlichen Verwaltung war ohne geschultes Personal nicht denkbar, und als Grundbestand solcher Schulung setzte sich das rechtswissenschaftliche Studium durch. In zunehmendem Maße waren es Juristen, die die obersten Stellen der Verwaltung bekleideten, und zwar in zunehmendem Maße Juristen bürgerlicher Herkunft, denen sich über Studium und Verwaltungslaufbahn eine soziale Aufstiegsmöglichkeit eröffnete. Damit entstand eine neue, bald auch durch vielfältige Heiratsverbindungen stabilisierte politische Führungsschicht. Das Selbstbewußtsein dieser Elite kam nicht zuletzt darin zum Ausdruck, daß viele ihrer Vertreter – dem Vorbild ihrer fürstlichen Herren folgend – sich Bildnismedaillen anfertigen ließen, die in oft erheblichen Stückzahlen zu Ruhm und Andenken verschenkt und aufbewahrt wurden.
Leonhard von Eck (1481-1550) wurde nach dem Studium in Ingolstadt und Siena Ratgeber und – 1519 – Kanzler Herzog Wilhelms von Bayern. Als eigentlicher Leiter der bayerischen Politik kämpfte er drei Jahrzehnte hindurch für die Selbständigkeit seines Landes gegenüber Kaiser, Reich und Kurie, zugleich aber auch für die Erhaltung Bayerns bei der alten Kirche; die Unterdrückung der Reformation in Bayern war im entscheidenden sein Werk.

170 Bildnismedaille des Sebastian von Rotenhan
Hans Schwarz, 1518
Silber, gegossen, Dm 7,15 cm. Vorderseite: Umschrift SE[bastian]. V[on]. ROTENHAN. RITTER. V[nd]. DOCT[or] 1518. Brustbild von links, bartlos, geschlitzter und gepuffter Hut, Kette. Im Feld vertieft: 41 ALT. Rückseite: Ohne Schrift. Behelmter Wappenschild (schräg laufender Fluß, darüber Stern) mit Hahn als Helmzier. Stark profilierter Rand
München, Staatliche Münzsammlung

Sebastian von Rotenhan (1478-1534?) absolvierte humanistische und juristische Studien in Erfurt, Ingolstadt und Bologna, daran anschließend unternahm er weite Reisen in den Orient, auch nach Jerusalem, und wurde nach kurzer Zeit in Kurmainzischem Dienst 1521 Oberhofmeister des Würzburger Bischofs Konrad von Thüngen. Im Bauernkrieg trat er als Kriegsmann wie als Unterhändler hervor. Seine Biographie verdeutlicht exemplarisch, daß auch für das Rittertum als Grundlage für Ansehen und politische Möglichkeiten neben der sozialen Herkunft die akademische Bildung entscheidend an Bedeutung gewann – in der Umschrift der Medaille Rotenhans stehen *Ritter* und *Doctor* gleichberechtigt nebeneinander.

171 Bildnismedaille des Ambrosius Volland
Christoph Weiditz, 1533
Silber, gegossen, Dm 5,5 cm. Vorderseite: AMB[rosius].VOLANT. V[triusque].J[uris]. D[octor].CESAREE.MAIES[tatis].AULE.ET.PALATII. Brustbild nach rechts, bartlos, Mütze mit Ohrenklappen, Pelzschaube. Im Feld zwischen erhabenen Linienkreisen: AET[atis] LXI. Auf der Rückseite Fortsetzung der Umschrift der Vorderseite: LATERANE[nsis]. COMES.EIUSDEM.MAIES[tatis].CONSILIARIUS. MDXXXIII. Behelmter, gevierter Wappenschild (1 u. 4: Doppelbecher, 2 u. 3: Adlerflug). Auf einem Spruchband: EREPTUS.INPELLOR.
München, Staatliche Münzsammlung

Ambrosius Volland (1472-1551) wurde nach dem Studium in Tübingen und Padua 1502 kursächsischer Rat, folgte aber bereits 1503 einem Ruf nach Württemberg. Seit 1516 Kanzler Herzog Ulrichs, trat er nach dessen Vertreibung durch den Schwäbischen Bund 1522 in die Dienste des Kardinals Matthäus Lang von Salzburg. Erst 1551 durch Herzog Christoph wieder nach Württemberg zurückberufen, starb er noch im gleichen Jahr.

172 Bildnismedaille des Georg Gienger
Ludwig Neufarer, 1540
Silber, gegossen, Dm 3,6 cm. Vorderseite: Umschrift GEORG GIENGER D[octor] RO[mischer] K[ai]Z[erlicher] M[ajestät] ZC HOFVICECANCZLER ZC. Brustbild von links, bärtig, Kette. Schnurrand. Rückseite: Bildnis der Magdalena Gienger. Umschrift: MAGDALENA GIENGERIN. Brustbild von links. Schnurrand
Nürnberg, Germanisches Nationalmuseum, Med. 6064

Georg Gienger von Rotteneck (1500-1574) stammte aus einer Ulmer Patrizierfamilie und war nach dem Studium in Wien zunächst in Diensten des Hochstifts Konstanz tätig, ging dann aber bald in habsburgische Dienste über und wurde Geheimer Rat, schließlich Vizekanzler Ferdinands I. Er hat namentlich in der Reichspolitik der Habsburger eine wichtige, wenn auch nicht überragende Rolle gespielt.

Habich, Bd. 1,1, Nr. 132, 416; Bd. 1,2, Nr. 1239, 1376 (Var.). – P. Grotemeyer, Da ich het die gestalt. Deutsche Bildnismedaillen des 16. Jahrhunderts, 1957.
H. R.

173

173 Neben den wachsenden Aufgaben der Regierung bleiben die Forderungen und Freuden höfischen Lebens ein Grundelement fürstlicher Existenz. Das Bewußtsein der Vorläufigkeit und Vergänglichkeit alles menschlichen Tuns aber gilt gleichermaßen dem Hofleben wie der Regierung des Staats.

König Maximilian zwischen Rat und Narr
Niklas Türing d.Ä., um 1500
Relief, Sandstein, 83 × 72,5 cm. Vom »Goldenen Dachl« in Innsbruck. Links auf dem Brüstungsteppich das deutsche Königswappen
Innsbruck, Tiroler Landesmuseum Ferdinandeum

Das »Goldene Dachl«, der Erker an einem seit 1420 als Residenz genutzten Haus am Innsbrucker Stadtplatz, diente als Zuschauerloge des Hofs bei öffentlichen Festlichkeiten und bildet diese Funktion in sich selbst noch einmal ab. Die je drei Figuren der beiden mittleren Brüstungsreliefs des Laubengeschosses schauen den auf den übrigen Reliefs dargestellten Moriskentänzern zu. Zweimal erscheint König Maximilian hinter einer brokatbehängten Balustrade: einmal mit seinen beiden Gemahlinnen, Maria von Burgund und Maria Blanca Sforza, daneben – auf dem rechten Mittelrelief – zwischen den Figuren eines Narren und eines Rats, vielleicht des Kanzlers. Narr und Rat sind in betonter Gegenüberstellung aufeinander bezogen: Der Rat, in ruhiger Haltung, mit rundlichem Antlitz und nachdenklich gekrauster Stirn, wendet sich dem König zu; der Narr hingegen, mit scharf geschnittenem, hagerem Profil, wendet sich in lebhafter Gestik vom König ab und sprengt dabei sogar den Rahmen des Reliefs. In dieser Gegenüberstellung darf der Rat wohl als Verkörperung der neuen Staatlichkeit der fürstlichen Herrschaft verstanden werden, für die er ja so etwas wie eine Symbolfigur war. Die schon am spätmittelalterlichen Fürstenhof traditionelle Figur des Narren dagegen ist eine schillernde, vieldeutige Gestalt: In der Regel mit körperlichen oder geistigen Defekten behaftet, fällt er aus dem Rahmen der menschlichen Gesellschaftsordnung, ist an deren Normen nicht zu messen und bezieht von daher seine Narrenfreiheit – auch zur öffentlichen Formulierung unbequemer Wahrheiten. Auf Grund seiner Defekte belustigt er, freiwillig oder unfreiwillig, die Hofgesellschaft, gemahnt sie aber gleichzeitig an die Hinfälligkeit und Nichtigkeit des menschlichen Lebens. So auch hier: Über den Reliefrahmen hinaus zeigt der Narr auf die ihm am nächsten stehende Person des Nachbarreliefs – auf die längst verstorbene erste Gemahlin Maximilians, Maria von Burgund –; damit erinnert er die fröhliche Hofgesellschaft und mit ihr den Betrachter der ganzen Szene an Vergänglichkeit und Tod. Aber auch die Staatsklugheit des gelehrten Rats wird durch die Gegenüberstellung des Narren nicht nur betont – im Gegensatz etwa zum törichten Geschwätz des Narren –, sondern zugleich relativiert: Auch für sie gilt die im Narren symbolisierte Hinfälligkeit und Vergänglichkeit alles menschlichen Tuns.
Die Rechnungsbücher aus der Zeit der Entstehung des »Goldenen Dachl« sind verloren, ein schriftlicher Hinweis auf die ausführende Bildhauerwerkstatt hat sich nicht erhalten. Doch gilt das Werk als eine Arbeit des Niklas Türing und seiner Werkstatt. Die Wappen des Künstlers und seiner Ehefrau sind im Gewölbe des Laubengeschosses des Erkers angebracht.

W. Mezger, Hofnarren im Mittelalter, 1981. – Kat. Ausst. Maximilian, Nr. 571. – U. R. v. Lutterotti, Das Goldene Dachl zu Innsbruck, 2. Aufl. 1976. – V. Oberhammer, Das Goldene Dachl zu Innsbruck, 1970. H.R./N.G.

174 Der Fürstenstaat entfaltet eine rasch anwachsende Gesetzgebung, durch die er das ältere, oft regional oder gar lokal aufgesplitterte Recht reformiert und immer weitere Bereiche des gesellschaftlichen Lebens seiner Herrschaft unterwirft.

Bambergische Halsgerichtsordnung
Bamberg: Hanns Pfeyll 1507
4°. 80 Bll. Aufgeschlagen: fol. 18ᵛ-19ʳ
Bamberg, Staatsbibliothek, R.B. Inc. typ. D 2

Die Bambergensis war das nach Inhalt und Wirkung wohl bedeutendste Gesetz einer deutschen Landesherrschaft am Vorabend der Reformation. Sein Anlaß lag im Versagen der spätmittelalterlichen Strafrechtspflege gegenüber der wachsenden Kriminalität der Zeit – in der Zersplitterung des Rechts, vor allem aber in der Unsicherheit und Formlosigkeit, wo nicht gar Willkür des materiellen wie des Strafprozeßrechts. In dieser Situation bot sich das an den italienischen Universitäten des späteren Mittelalters gründlich durchgearbeitete römische Recht wegen seiner Rationalität und hohen formalen Qualität als Vorbild an, und es war eben die Bambergensis, die das römische Recht zum ersten Male in umfassender Weise für das deutsche Strafrecht fruchtbar machte. Als ihr eigentlicher Schöpfer hat Johann Freiherr von Schwarzenberg (1463-1528) zu gelten, der seit 1501 in Diensten des Bischofs von Bamberg stand und die Regierung des Hochstifts leitete.
In den materiellrechtlichen Regelungen der Halsgerichtsordnung hat der Geist der Rezeption vor allem zur genaueren Bestimmung der strafbaren Tatbestände wie der darauf gesetzten Sanktionen geführt. Im Verfahrensrecht betonte die Bambergensis nachdrücklich die Notwendigkeit der Verteidigung; darüber hinaus unterwarf sie die Folter strengen Voraussetzungen und Einschränkungen. Zwar blieb die Tortur als Mittel der Geständniserzwingung erhalten; fol. 18ᵛ der Ordnung zeigt denn auch eine Folterszene, in der der Henker und sein Gehilfe in Gegenwart des durch seinen Stab gekennzeichneten Richters sowie des Gerichtsschreibers und zweier Schöffen die Vorbereitungen zum sog. Aufziehen des Angeklagten treffen. Schon der gegenüberstehende Text (fol. 19ʳ) aber erklärt den zuvor erbrachten Indizienbeweis zur unabdingbaren Voraussetzung der Folter (Art. 56) und gibt dem Angeklagten über-

Seyt sich auf dich erfunden hat
Redlich anzeig der missetat
Furstu nit vnschuld auß nach radt
Die peynlich frag sol haben stat
174

dies noch einmal die Möglichkeit, ein Alibi vorzubringen und zu beweisen (Art. 58). Nach anderen Vorschriften der Ordnung ist die Folter überhaupt nur bei bestimmten Indizien zulässig (Art. 26 ff); auch soll die Schärfe der Folter nicht außer Verhältnis zur Schwere des Verbrechens stehen (Art. 71 f). Das alles bedeutete – ungeachtet mancher barbarisch anmutender Härten auch der Bambergensis – gegenüber der Praxis spätmittelalterlicher Strafgerichtsbarkeit in Deutschland einen enormen Fortschritt an Rechtssicherheit, und dieser Fortschritt wirkte sich in der Folge auf das ganze Reich aus; die Bambergensis wurde nämlich zur wichtigsten Grundlage des großen Reichsstrafgesetzbuches von 1532, der Peinlichen Halsgerichtsordnung Kaiser Karls V.

Eb. Schmidt, Einführung in die Geschichte der deutschen Strafrechtspflege, 3. Aufl. 1965, S. 108-144. – G. Kleinheyer, Zur Rolle des Geständnisses im Strafverfahren des späten Mittelalters und der frühen Neuzeit. In: P. Mikat u. G. Kleinheyer (Hrsgg.), Beiträge zur Rechtsgeschichte, 1979, S. 367-384. H. R.

175 Nachdem in Deutschland bis zum Beginn des 15. Jahrhunderts erst sieben Universitäten entstanden sind, setzt nach der Mitte des Jahrhunderts eine kräftige Welle von Universitätsgründungen ein. Die Initiatoren dieser Gründungen sind überall die Landesherren.

Freiheitsbrief Graf Eberhards im Barte für die Universität Tübingen. Tübingen, 9. Oktober 1477
Orig. Perg. Libell, 39,5 × 27,8 cm. Siegel Graf Eberhards und der Stadt Tübingen
Tübingen, Universitätsarchiv, U 3

Nach mittelalterlicher Rechtstheorie bedurfte es zur Gründung einer Universität der Mitwirkung des Papstes oder wenigstens des Kaisers. Wenn schon die Universitätsgründung nicht von einem der universalen Häupter der Christenheit selbst vorgenommen wurde, so mußte doch wenigstens eine Lizenz erwirkt werden, die der Neugründung das Privileg der Allgemeingültigkeit ihrer akademischen Grade verlieh. Die Gründung der Universität Tübingen ist dieser Rechtstheorie formal durchaus gefolgt: Die rechtlich maßgebende Gründungsurkunde der Universität war eine Bulle Papst Sixtus' IV. vom 13. November 1476; im Auftrag des Papsts erklärte am 14. März 1477 der Abt des Benediktinerklosters von Blaubeuren, Heinrich Fabri, in feierlicher öffentlicher Proklamation die Universität Tübingen für bestehend.
Der eigentliche Universitätsgründer aber war der württembergische Landesherr Graf Eberhard im Barte. Er war es, der in Rom die Gründung und wirtschaftliche Sicherung »seiner« Universität betrieb; er war es, der die personellen und finanziellen Verhältnisse der Neugründung im einzelnen regelte; er war es, der bereits im Sommer 1477 durch plakatförmige Flugblätter für den Besuch der neuen Universität werben ließ; er war es auch, der der Universität ihren Freiheitsbrief ausstellte, durch den die Universität mit allen zu ihr gehörigen Personen – von den Professoren bis zu den Kindern der Universitätshandwerker – als eine rechtlich und wirtschaftlich weitgehend selbständige Korporation mit Satzungsrecht, eigener Zivil- und Strafgerichtsbarkeit, Verwaltungsautonomie und Steuerfreiheit organisiert wurde.
Es steht außer Frage, daß Graf Eberhard mit der Universitätsgründung vor allem politische Ziele verfolgte – die Sicherung

und Kontrolle der Ausbildung künftiger Amtsträger des Landes in Staat und Kirche, darüber hinaus die Erhöhung seines fürstlichen Prestiges durch die »eigene« Universität. Doch dürfen daneben auch ideelle Motive nicht ausgeschlossen werden. Graf Eberhard hat ihnen in der Einleitung des Freiheitsbriefs beredten Ausdruck verliehen: *So haben wir in der guten meynung, helffen zu graben den brunen des lebens, darus von allen enden der weltt unersihlich geschöpfft mag werden trostlich und hailsam wyßheit zu erlöschung des verderblichen fürs menschlicher unvernunfft und blintheit, uns usserwelt und fürgenomen, ain hoch gemain schul und universitet in unsrer stadt Tüwingen zu stifften und uffzurichten ...*

W. Teufel: Die Gründung der Universität Tübingen. In: 500 Jahre Eberhard-Karls-Universität Tübingen, Bd. 1: Beiträge zur Gesch. der Universität Tübingen 1477-1977, 1977, S. 3-32. H. R.

176 Der Weg der Landesherrschaft zu neuzeitlicher Staatlichkeit ist stets durch die Konkurrenz, häufig auch durch offene Machtkämpfe mit den gleichzeitig sich organisierenden Ständen des Landes – in der Regel: Adel, Klerus, Städten – gekennzeichnet.

Erblandesvereinigung der Stände des Erzstifts Köln, 26. März 1463
Orig. Perg., 43,5 × 70 cm. Beigesiegelt 11 Transfixbriefe der folgenden Aussteller: 1. Wilhelm von Nesselrode, Truchseß zu Zons, 8. Januar 1473 (19 × 29 cm); 2. Philipp Graf von Virneburg und Neuenahr, 8. Januar 1473 (20 × 26 cm); 3. Johann von Hoemen, Ritter und Herr zu Alsdorf, 12. Januar 1473 (15,5 × 21,5 cm; Verbindung mit der Haupturkunde zerstört); 4. Friedrich von Sombreff, Herr zu Kempen, 22. Januar 1473 (21 × 31,5 cm); 5. Evert von Sayn, Graf zu Wittgenstein, 31. Oktober 1477 (19 × 29 cm); 6. 10 namentlich aufgeführte Grafen und Freiherren, 12. November 1508 (30 × 48 cm); 7. 92 namentlich aufgeführte Edelleute und Ritter, 12. November 1508 (33 × 51 cm); 8. die Städte Sinzig und Remagen, 12. November 1508 (24 × 40 cm); 9. Johann Graf zu Holzheim und Schauenberg, Diederich Graf von Manderscheid und Blankenheim, Joest Junggraf zu Holzheim und Schauenberg, 11. März 1515 (20 × 30 cm); 10. 34 namentlich aufgeführte Edelleute und Ritter sowie die Städte Recklinghausen und Dorsten, 19. April 1515 (25 × 45 cm); 11. Hermann von Wied, Erzbischof von Köln, 14. August 1521 (19,5 × 26,5 cm). Alle Urkunden sind Ausfertigungen auf Pergament. Insgesamt 69 Siegel
Köln, Historisches Archiv der Stadt, Domstift UK 1693/1.

In fast allen deutschen Ländern des späten Mittelalters war der Landesherr, besonders zur Erhebung von Steuern, auf die Mitwirkung der Stände angewiesen. Überdies beanspruchten die Stände – jeder für sich – eigenständige politische Herrschaftsrechte. Sie waren jedoch als Gesamtheit nicht organisiert, schon gar nicht auf Dauer. Die Modernisierung der Landesherrschaft und der daraus resultierende Machtgewinn des Landesherrn ließen diese politische und soziale Stellung der Stände nicht unberührt. Wollten die Stände gleichwohl ihre herkömmlichen Positionen halten, mußten sie sich zusammenschließen und sich eine handlungsfähige politische Organisation geben. Zum Kern dieser Organisation wurden die gesamtständischen Landtage, die sich noch das ganze 16. Jahrhundert hindurch als maßgebende politische Kraft des Landes neben und gegenüber dem Landesherrn behaupteten.
Der Urkundenkomplex der kurkölnischen Erblandesvereinigung von 1463 mit ihren 11 Transfixbriefen läßt die Entstehung der politischen Organisation des Ständewesens exemplarisch und zugleich geradezu anschaulich erkennen. In Kurköln gab es vier Stände: das Domkapitel, die Edelleute, die Ritter und die Städte. Von ihnen schloß sich neben dem Domkapitel jeweils nur erst ein Teil der Stände in der Vereinigung von 1463 zusammen, um den damals neu zu wählenden Landesherrn auf die Wahrung ihrer herkömmlichen Privilegien, auch: auf ihre Mitwirkungsrechte bei der Regierung des Erzstifts, zu verpflichten. Art. 21 (nach der Zählung bei Lacomblet) der Vereinigung ließ indessen ausdrücklich den Beitritt anderer Stände zu, und die Transfixbriefe zeigen, daß sich die Vereinigung von 1463 tatsächlich innerhalb weniger Jahrzehnte zu einer gesamtständischen *landtverayniqung* erweiterte und als solche auch vom Landesherrn anerkannt wurde. Für die konkrete Organisation der kurkölnischen Stände waren die Art. 14 und 15 der Urkunde von 1463 besonders wichtig und zukunftsträchtig. Hier wurde nämlich das Recht, ja: die Pflicht zur Abhaltung von Versammlungen aller in der Erbvereinigung zusammengeschlossenen Stände, sei es auf Anforderung des Domkapitels oder auch der weltlichen Stände, festgelegt, und zwar ohne Einspruchsmöglichkeit – *sonder indracht* – des Landesherrn. Das war der Ursprung des kurkölnischen Landtags mit seiner fortdauernd starken Stellung gegenüber dem geistlichen Landesherrn.

Druck, jedoch ohne die Transfixbriefe: Th. Lacomblet, Urkundenbuch für die Geschichte des Niederrheins, Bd. 4, 1858, Nr. 325, S. 398-401. – G. Droege, Verfassung und Wirtschaft in Kurköln unter Dietrich von Moers (1414-1463). In: Rheinisches Archiv 50, 1957. – K. Ruppert, Die Landstände des Erzstifts Köln in der frühen Neuzeit. Verfassung und Geschichte. In: Annalen des Hist. Vereins Niederrhein 174, 1972, S. 47-111. H. R.

177 Die Landstände sind überwiegend politische Kräfte der Beharrung, namentlich im Widerstand gegen die Expansion staatlicher Macht durch die Landesfürsten. Sie legen deshalb den größten Wert auf die einmal errungenen Zusicherungen ihrer politischen und sozialen Freiheiten.

Privilegienlade der Schleswig-Holsteinischen Ritterschaft, 1504
Holzkasten mit Schiebedeckel und Ledergriffen, mit schwarzem Wachstuch ausgeschlagen, 43,3 × 89,6 × 35,4 cm. Auf dem Deckel die Inschrift [a]*nno MDIIII leveden noch so vele slechte in desseme lan*[de] sowie die Wappen des Bischofs von Schleswig, Detlev Pogwisch (im Geviert der Petersschlüssel des Bistums Schleswig und das Wolfswappen der Pogwisch), der Herzöge von Schleswig und Holstein (im Geviert die beiden Löwen des Herzogtums Schleswig und das holsteinische Nesselblatt mit den drei Nägeln vom Kreuz Christi, im Herzschild der Schwan von Stormarn) und des Bischofs von Lübeck, Dietrich Arndes (im Geviert das goldene Kreuz des Bistums Lübeck und das Familienwappen der Arndes, ein Balken belegt mit drei Hundeköpfen). Die in zwei Reihen um den Kasten laufenden insgesamt 24 rotgeränderten Felder tragen Familienwappen der – bis auf eine Ausnahme – holsteinischen Ritterschaft.
Schleswig, Schleswig-Holsteinisches Landesmuseum (Leihgabe der Schleswig-Holsteinischen Ritterschaft)
Farbtafel Seite 79

Das Ständewesen der deutschen Territorien war überwiegend eine Kraft politischer Beharrung. Das schließt nicht aus, daß die Stände immer wieder auch sehr moderne Positionen verfochten, insbesondere zur Sicherung der Einheit und Unteilbarkeit des Landes als eines Grundelements neuzeitlicher Staatlichkeit (vgl. auch Kat. Nr. 166). Gegenüber der Expansion staatlicher Macht im Zeichen des Fürstenstaats haben die Stände jedoch durchweg eine eher verzögernde, bremsende Rolle gespielt.
Es entsprach dieser konservativen Grundeinstellung der Stände, daß sie auf die Rechtsgrundlagen ihrer politischen und sozialen Stellung den größten Wert legten. So wurden die einschlägigen, oft genug hart errungenen Verträge und Privilegien auch mit besonderer Sorgfalt aufbewahrt. Ein schönes Beispiel dafür ist die hier gezeigte Privilegienlade der Schleswig-Holsteinischen Ritterschaft, die bis ins 20. Jahrhundert hinein die wichtigsten Urkunden der Ritterschaft enthalten hat – einschließlich des berühmten Ripener Privilegs von 1460, das die dauernde Vereinigung von Schleswig und Holstein verbriefte (*... unde dat se bliven ewich tosamende ungedelt*).
In der Inschrift der Lade heißt es, daß 1504 nur *noch* diejenigen Geschlechter der Ritterschaft des Landes geblüht hätten, deren Wappen auf der Lade abgebildet waren. Darin klingt wohl die Trauer über die schweren Verluste nach, die die Ritterschaft im Jahre 1500 in der Schlacht von Hemmingstedt gegen die Dithmarscher erlitten hatte. Allerdings fehlen unter den Wappen der Lade mindestens vier der im Jahre 1504 noch blühenden Rittergeschlechter, wie denn überhaupt der Krieg mit den Dithmarschern zwar einige der kleineren Familien der Ritterschaft zum Erlöschen gebracht hatte, kaum aber eines der großen, mehrere Familien umfassenden Geschlechter.

H. v. Rumohr, Über den holsteinischen Uradel. Die sog. Originarii. In: Dat se bliven ewich tosamende ungedelt. Festschr. der Schleswig-Holsteinischen Ritterschaft zur 500. Wiederkehr des Tages von Ripen am 5. März 1460, 1960, S. 101-152. – I. M. Peters, Der Ripener Vertrag und die Ausbildung der landständischen Verfassung in Schleswig-Holstein. In: Blätter für deutsche Landesgeschichte 109, 1973, S. 305-349; 111, 1975, S. 189-208. H. R.

C Landesherrliches Kirchenregiment vor der Reformation

Die Expansion und Konzentration politischer Macht in den Händen der Landesherren machte auch vor der Kirche nicht halt. Die Landesherren versuchten auf alle nur denkbare Weise, ihre Einflußsphäre in die Kirche hinein zu erweitern, Entscheidungsbefugnisse für die Kirche ihres Landes in ihre Hand zu bringen und fremde Einwirkungen – auch solche von Rom her – nach Möglichkeit auszuschließen. Dabei wirkten die westeuropäischen Staaten mit ihrem scharf ausgeprägten System staatlicher Kirchenhoheit als Vorbild; begünstigend kam hinzu, daß das Papsttum im Kampf gegen den Konziliarismus des 15. Jahrhunderts das kirchenpolitische Bündnis auch mit den deutschen Landesherren suchte und ihnen dafür, vielfach in eigenen Konkordaten, kräftige Erweiterungen ihrer staatskirchenrechtlichen Befugnisse zugestand.
Als besonders wichtiges Element des vorreformatorischen landesherrlichen Kirchenregiments ist zunächst der weitgehende Einfluß der Landesherrn auf die Besetzung kirchlicher Ämter zu nennen, etwa durch die zielbewußte Vermehrung der landesherrlichen Patronate. Des weiteren wurden die Klöster und Stifte durch den Ausbau und die Umgestaltung der traditionellen Schirmvogtei des Landesherrn unter Kontrolle gebracht; Abtsstellen und Stiftspfründen mußten überhaupt vielfach dazu herhalten, die Beamten der neuen landesfürstlichen Verwaltung – übrigens auch: die Professoren der neugegründeten Universitäten – zu versorgen. Schwieriger war es dagegen, auf die Besetzung auch der Bischofsstellen bestimmenden Einfluß zu gewinnen, zumal die Bischöfe in der Regel zugleich selbst Reichsfürsten und Landesherren waren. Immerhin gelang es den großen Landesherren im Osten und Südosten des Reichs, für eine ganze Reihe von Bistümern ihres Machtbereichs vom Papst das Besetzungsrecht – genauer: das Nominationsrecht – zu erwerben und die Bischöfe in deren weltlicher Herrschaft der eigenen landesfürstlichen Hoheit unterzuordnen.
Neben der Stellenbesetzung war die Gerichtsbarkeit ein Hauptfeld landesherrlicher Machterweiterung. Das Interesse der Landesherren lag hier vor allem in der Einschränkung der räumlichen und sachlichen Zuständigkeit der geistlichen Jurisdiktion zugunsten der eigenen Gerichtsbarkeit. Traditionell gab es ja einen weiten Bereich von Rechtsstreitigkeiten, für deren Entscheidung der geistliche Richter – in der Regel der bischöfliche Offizial – entweder allein oder konkurrierend mit dem weltlichen Richter zuständig war, und selbst wenn beide Gerichtsbarkeiten zur Wahl standen, wandten sich die Leute gern an den Offizial; das Verfahren vor dem geistlichen Richter war nämlich dem weltlichen Verfahren in mehr als einer Hinsicht überlegen, nicht zuletzt wegen der sicheren Vollstreckung der Urteile des Offizials auch über die Grenzen des Territoriums hinaus, notfalls mit Hilfe von Kirchenstrafen wie Bann und Interdikt. Die weltlichen Landesherren gingen dagegen mit allen Mitteln an, bis hin zur Androhung von Strafen für Leib und Leben der Boten des geistlichen Gerichts; die Überlegenheit des Verfahrens vor dem geistlichen Richter konnte freilich erst allmählich ausgeglichen werden.
Ein drittes wichtiges Element des vorreformatorischen landesherrlichen Kirchenregiments bestand im Zugriff auf die kirchlichen Finanzen. Die landesherrliche Besteuerung der Geistlichen wurde zur Regel, andere Besteuerungen dagegen – z. B. das bischöfliche subsidium charitativum oder auch die päpstlichen Ansprüche auf Abgaben – wurden ausgeschlossen oder doch stark eingeschränkt. Nicht selten ließen sich die Landesherren sogar den kirchlichen Zehnten abtreten. Die Erlaubnis zur Verkündigung von Ablässen wurde in aller Regel nur erteilt, wenn dem Landesherrn selbst ein kräftiger Anteil an den Erträgen des Ablasses zugestanden wurde; viele Ablässe wurden überhaupt zur Finanzierung von Vorhaben der weltlichen Obrigkeit ausgeschrieben, die mit geistlichen Zwekken kaum noch etwas zu tun hatten.
Bei alledem fehlte es manchen Landesherren freilich weder an persönlicher Frömmigkeit noch an Fürsorge für die kirchliche Devotion in ihrem Lande, z. B. durch die Pflege der Landesheiligtümer oder auch durch die Anordnung von Prozessionen und Bittmessen. Und auch für die Notwendigkeit kirchlicher Reformen hatten manche Landesherren Sinn. Bis weit in die Reformationszeit hinein waren es ja überhaupt weltliche Landesfürsten – an ihrer Spitze die Habsburger und die Wittelsbacher –, die dieser innerkirchlichen Reform die kräftigsten Impulse gaben. Daß sie sich dabei, z. B. um verwahrloste Klöster zur

Ordnung zurückzuführen, notfalls auch der Zwangsmittel ihrer weltlichen Herrschaft bedienten, entsprach weitverbreiteten Grundsätzen über die Aufgaben der weltlichen Obrigkeit für den Fall des Versagens der kirchlichen Instanzen. Das landesherrliche Kirchenregiment evangelischer Obrigkeiten, wie es sich seit Mitte der 20er Jahre des 16. Jahrhunderts auszubilden begann, war mithin – auf das Verhältnis von Staat und Kirche gesehen – nur eine besonders charakteristische Ausprägung von Verhältnissen, wie sie bereits Jahrzehnte zuvor durchaus üblich geworden waren. H. R.

178 Die deutschen Bischöfe sind zumeist selbständige Landesherren. Im Osten des Reichs aber gelingt es mächtigen weltlichen Fürsten, die Bistümer politisch ihrer Herrschaft zu unterwerfen und maßgebenden Einfluß auf die Besetzung der Bischofssitze zu erlangen.

Urkunde Papst Pauls II. für Kaiser Friedrich III. über die Besetzung der Bischofssitze von Trient, Brixen, Gurk, Triest, Chur, Piben, Wien und Wiener Neustadt. Rom, 5. Juni 1469
Orig. Perg., 30 × 54 cm. Bleibulle an rotgelber Schnur
Wien, Österreichisches Staatsarchiv, Haus-, Hof und Staatsarchiv, Allgemeine Urkundenreihe

Mit der hier gezeigten Urkunde bestätigte Papst Paul II. zunächst das am 15. September 1447 durch Papst Nikolaus V. erteilte – und hier wörtlich inserierte – Indult, durch das Friedrich III. auf Lebenszeit das Nominationsrecht für die Besetzung der Bischofssitze von Trient, Brixen, Gurk, Triest, Chur und Piben (in Kroatien) erhalten hatte. Zugleich erweiterte der Papst dieses Nominationsrecht jetzt auf die neugeschaffenen Bistümer Wien und Wiener Neustadt und bestimmte schließlich, daß nach dem Tode Friedrichs III. dessen Sohn Maximilian die gleichen Rechte haben sollte.
Daß das Versprechen des Papstes, bei der Ernennung von Bischöfen den Vorschlägen der habsburgischen Fürsten zu folgen, diesen einen erheblichen Einfluß auf die genannten Diözesen eröffnete, liegt auf der Hand. Die volle Bedeutung jenes Nominationsrechts erschließt sich jedoch erst im Zusammenhang der gesamten, auf die politische Ein- und Unterordnung der Bistümer abzielenden Politik der weltlichen Landesfürsten. In ihrer Mehrheit waren die deutschen Bischöfe ja zugleich Reichsfürsten mit einem eigenen Territorium und eigener Reichsstandschaft. Namentlich im Osten bzw. Südosten des Reichs aber brachten mächtige weltliche Fürsten wie die Habsburger, die brandenburgischen Hohenzollern und die sächsischen Wettiner es fertig, die in ihre Länder eingesprengten geistlichen Territorien ihrer Landesherrschaft unterzuordnen und die Bischöfe aus Reichsständen zu landsässigen Ständen zu machen; erst recht wurden neugegründete Bistümer wie z. B. Wien und Wiener Neustadt von vornherein als »Landesbistümer« errichtet. Der Zusammenhang des Nominationsrechts für die Besetzung der Bistümer mit dieser Tendenz zu einem möglichst geschlossenen, von konkurrierenden politischen Kräften freien Territorium wird auch in der gezeigten Urkunde Pauls II. erkennbar: Zur Begründung nämlich für sein Indult verweist der Papst ausdrücklich darauf, daß die Besitzungen der genannten Kirchen »größtenteils in deinen [Friedrichs] Erblanden gelegen sind« *(in tuo hereditario dominio pro maiori parte sunt constituta)*. Von seiten der Päpste aber muß die Erteilung derartiger Indulte im Zusammenhang des Kampfs gegen den Konziliarismus gesehen werden: Sie war vielfach der Preis für das von den Päpsten gesuchte Bündnis mit den Landesherren gegen die Beschlüsse der Reformkonzilien von Konstanz und Basel, die die päpstliche Autorität in Zweifel gezogen hatten. Daß die damit konzedierte Stärkung des landesherrlichen Einflusses auf die Kirche die spätere Bildung evangelischer Landeskirchen außerordentlich erleichtern würde, war dabei freilich noch nicht abzusehen.

H. v. Srbik, Die Beziehungen von Staat und Kirche in Österreich während des Mittelalters, 1904. – Abdruck des Stücks als Insert einer päpstlichen Bestätigung vom 8. April 1473 bei: J. Chmel (Hrsg.), Actenstücke und Briefe zur Geschichte des Hauses Habsburg im Zeitalter Maximilians I., Bd. 1, 1, 1854, S. 316 ff. H. R.

179 Im Bestreben nach Ausdehnung ihrer staatlichen Macht geraten die Landesherren zwangsläufig in Konflikt mit der geistlichen Gerichtsbarkeit, die in diesen Auseinandersetzungen schließlich zumeist den kürzeren zieht.

Bericht Wynrichs von Aussem, Vogts zu Bergheim, an Herzog Wilhelm von Jülich-Kleve-Berg über Auseinandersetzungen mit der geistlichen Gerichtsbarkeit. 13. 12. 1501
Orig. Papier, 29,5 × 22 cm. Auf fol. 89ᵛ ein nicht vollständig sicher zu lesender Rückvermerk: supplicatio des [...] Berchems Stjne Moelners Ingesessene van Berchem antreffende [?]
Düsseldorf, Nordrhein-Westfälisches Hauptstaatsarchiv, Jülich-Berg I, 733, fol. 89

Der Bericht des Wynrich von Aussem gehört in den Zusammenhang der jahrzehntelangen Auseinandersetzungen der Herzöge von Jülich-Kleve-Berg mit den Erzbischöfen von Köln um die geistliche Gerichtsbarkeit.
Die geistliche Jurisdiktion hatte im späteren Mittelalter eine ungemein weit gespannte Zuständigkeit. Der kirchliche Richter – in der Regel der bischöfliche Offizial – war nicht nur für alle Prozesse zuständig, an denen Geistliche oder geistliche Institutionen als Partei beteiligt waren; auch Ehesachen gehörten wegen des Sakramentscharakters der Ehe grundsätzlich in die Kompetenz des geistlichen Richters, desgleichen Verlöbnis- und Testamentsangelegenheiten. Und selbst wenn es dem Kläger freistand, sich an ein weltliches oder an ein geistliches Gericht zu wenden, klagte er oft vor dem Offizial: Dessen Verfahren war nämlich in aller Regel zwar teurer, aber auch schneller und sicherer als der Prozeß vor dem weltlichen Gericht. Dazu kam noch, daß der kirchliche Richter die Vollstreckung seiner Urteile besser durchsetzen konnte – notfalls mit Hilfe des Interdikts, d. h. mit dem Verbot der Sakramentenspendung oder überhaupt des Gottesdienstes, gegen solche Orte, die sich gegen den Vollzug der kirchlichen Sentenz sperrten.
Den aufstrebenden Landesfürsten war diese Ausdehnung und Macht der kirchlichen Gerichtsbarkeit freilich sehr unerwünscht – ihr Interesse lag ja gerade darin, alle hoheitlichen Kompetenzen im Lande einschließlich der Gerichtsbarkeit möglichst

vollständig in die eigenen Hände zu bringen. So war der Konflikt mit der geistlichen Jurisdiktion unvermeidlich; dabei setzte sich in der Regel schließlich die Macht des weltlichen Staates durch.

Der hier gezeigte Bericht des Vogts von Bergheim an seinen Landesherrn wirft auf diese Konflikte und auf die Härte, mit denen sie ausgetragen wurden, ein bezeichnendes Licht. Eine in Bergheim wohnende Frau war – aus welchen Gründen auch immer – vor dem geistlichen Richter, wohl dem Kölner Offizial, verklagt worden. Die herzogliche Regierung war nun offenbar nicht bereit, der geistlichen Jurisdiktion ihren Lauf zu lassen, befürchtete allerdings, daß daraus ein *yn der dick* [Interdikt] folgen könne. Der Vogt aber hatte schon von sich aus vorgesorgt, und zwar so, daß er die Boten des geistlichen Gerichts kurzerhand ins Gefängnis geworfen hatte, wo einer von ihnen sogar umgekommen war *(ind die boeden darumb gefenklich zo Berchem gehait hain, die sulchen breif brachten ind dan ein gestorven ist des gefenknisse).*

O. R. Redlich (Hrsg.), Jülich-Bergische Kirchenpolitik am Ausgange des Mittelalters und in der Reformationszeit, Bd. 1: Urkunden und Akten 1400-1533, 1907, Einleitung und Nr. 173. – J. Hashagen, Zur Charakteristik der geistlichen Gerichtsbarkeit, vornehmlich im späten Mittelalter. In: Zs. der Savigny-Stiftung für Rechtsgeschichte, Kanon. Abt. 37, 1916, S. 205-292.
H. R.

180 Die Landesherren des Spätmittelalters sichern sich mehr und mehr den Zugriff auf kirchliche Einkünfte; eine beliebte Einnahmequelle dieser Art ist die Teilhabe an Ablaßgeldern.

Thomas Murner, ›Narrenbeschweerung‹
Straßburg: M. Hupfuff 1512
4°. Aufgeschlagen: fol. i6^{b}-i7^{r}, ›Der heiligen gůt‹. Mit Holzschnitt aus Sebastian Brant, Narrenschiff (1494), Kapitel 17
Nürnberg, Stadtbibliothek, Solg. 726.4°

Neben Sebastian Brants ›Narrenschiff‹ (1494) war die ›Narrenbeschwörung‹ des Thomas Murner das bedeutendste vorreformatorische Zeugnis einer massiven literarischen Zeit- und Gesellschaftskritik. Bild und Text der gezeigten Seiten aus Murners Satire beklagen die sündhafte Bereicherung auf Kosten des Kirchenguts. Der Holzschnitt zeigt den gottlosen Reichen in seinem wohlausgestatteten Hause, wie er in seiner gefüllten Geldtruhe wühlt, während draußen vor der Tür ein armer Pilger sitzt, dem zwei magere Hunde Fuß und Bein lecken. Unter den damit angeprangerten Praktiken der Bereicherung auf Kosten der Kirche nennt Murner dann ausdrücklich den Zugriff der Landesherren auf die Ablaßgelder der Kirche: *Wil der bapst ein aplaß geben, so nympt der herr syn teil do neben; Wolt man im syn teil nit lon* [lassen], *So miest der aplaß blyben ston* [unterbleiben].

In der Tat machten viele Landesherren der vorreformatorischen Zeit ihre Erlaubnis zur Verkündigung eines Ablasses in ihren Herrschaftsgebieten davon abhängig, daß sie selbst einen stattlichen Anteil – ein Drittel oder noch mehr – aus den eingehenden Ablaßgeldern erhielten, und zwar keineswegs nur für geistliche, oft nicht einmal für Zwecke des öffentlichen Wohls. Von solchen Praktiken war es offenbar nur ein kleiner Schritt zu dem berüchtigten Ablaßgeschäft Albrechts von Brandenburg, das den Anstoß zur Reformation geben sollte (vgl. Kat. Nr. 196); auch für die Genehmigung dieses Ablasses hat sich übrigens kein Geringerer als Kaiser Maximilian I. einen, allerdings vergleichsweise bescheidenen, Anteil am Ertrag ausbedungen.

N. Paulus, Geschichte des Ablasses im Mittelalter, Bd. 3, 1923, S. 450 ff., bes. S. 534 ff. – Druck: M. Spanier (Hrsg.), Thomas Murner, Narrenbeschwörung, 1926. H. R.

181 Nicht selten werden die Ablässe ganz offen zur Finanzierung von Vorhaben der weltlichen Obrigkeit ausgeschrieben, die mit Handel und Gewerbe viel, mit geistlichen Anliegen aber wenig oder gar nichts zu tun haben.

Urkunde des päpstlichen Legaten Kardinals Raimundus Peraudi über die Erteilung eines Ablasses von hundert Tagen. Braunschweig, 3. März 1503
Orig. Perg., 21,3 × 39 cm. Siegel des Legaten
Braunschweig, Stadtarchiv, AI1, Nr. 1170

Der Aufenthalt Peraudis in Braunschweig stand im Zusammenhang der Bemühungen Roms, mit Hilfe der Ablaßalmosen des Jubeljahres 1500 das notwendige Geld für einen Türkenkreuzzug zusammenzubringen. Peraudi, der den Ablaß in Deutschland verkündigen sollte, weilte auf seiner Reise, die ihn in fast alle bedeutenderen deutschen Städte führte, im März 1502 im Westen des Reichs, im März 1503 in Braunschweig. Die im Text der Ablaßurkunde selbst gegebene Datierung auf das Jahr 1502 folgt offenbar dem sog. Osterstil, nach dem der Jahreswechsel erst auf das Osterfest fällt.

Die Urkunde verspricht allen Gläubigen, die mittels testamentarischer Zuwendungen oder durch andere Hilfeleistungen zur Unterhaltung, Herstellung und Besserung der öffentlichen Straßen und Wege in der Umgebung Braunschweigs beitragen, einen Ablaß von hundert Tagen. Die Begründung dafür ist rein wirtschaftlicher Natur: Die Straßen und Wege seien durch Schnee, Überschwemmungen und sonstige Witterungseinflüsse dermaßen in Verfall geraten, daß die nach Braunschweig reisenden Kaufleute wichtige Geschäfte in der Stadt versäumten oder überhaupt – unter Vermeidung Braunschweigs – andere Handelswege einschlügen.

Mit dem eigentlichen Sinn der Legationsreise Peraudis – der Gewinnung von Ablaßgeldern für den Türkenkreuzzug – hatte dieser Ablaß offenbar so gut wie nichts zu tun; dafür entsprach er um so besser der zeitüblichen Praxis der Finanzierung öffentlicher Projekte. Städtische und landesherrliche Obrigkeiten bemühten sich allenthalben bei den zuständigen kirchlichen Stellen – Päpsten, Nuntien und Bischöfen – um Ablässe, mit deren Erträgen man Straßen und Brücken erneuern, städtische Festungsanlagen verstärken und von Sturmfluten zerstörte Deiche wieder aufbauen wollte. Daß ein solches Verfahren der Finanzierung öffentlicher Projekte durch Ablaßgelder fiskalische Erfolge zeitigte, ist vielfach belegt; ebenso sicher waren freilich die verheerenden seelsorgerlichen Folgen einer solchen Vermischung geistlicher und weltlicher Motive und Zwecke.

Druck: C. Hessenmüller, Heinrich Lampe, der erste evangelische Prediger in der Stadt Braunschweig, 1852, S. 142 f. – H. G. Mehring, Kardinal Raimund Peraudi als Ablaßkommissar in Deutschland 1500-1504 und sein Verhältnis zu Maximilian I. In: Forschungen und Versuche zur Gesch. des Mittelalters und der Neuzeit. Festschr. Dietrich Schäfer, 1915, S. 334-409. – N. Paulus, Die Geschichte des Ablasses im Mittelalter, Bd. 3, 1923, bes. S. 440 ff. – R. Piekarek, Die Braunschweiger Ablaßbriefe. In: Braunschweiger Jb. 54, 1973, S. 74-137. H. R.

182 Angesichts der tiefen Reformbedürftigkeit der spätmittelalterlichen Kirche sehen es viele Landesherren als ihr Recht und ihre Pflicht an, auch mit den Mitteln ihrer weltlichen Gewalt für solche Reformen zu sorgen.

Landgraf Wilhelm d. J. von Hessen an Papst Alexander VI., 16. Februar 1493
Konzept, Papier, 26 × 40 cm
Marburg, Hessisches Staatsarchiv. Samtarchiv Akten, Schubl. 6, Nr. I 57

Der hier gezeigte Brief Landgraf Wilhelms d. J. an den Papst beginnt mit einer bewegten Klage über die Zustände in den Klöstern des Landes: Keine Spur der früheren Anständigkeit und Heiligkeit sei übriggeblieben; vielmehr seien die Klöster zu einem so abscheulichen und unwürdigen Dasein herabgesunken, daß man sie besser als Jahrmarktsbuden bezeichnete denn als Klöster und Gotteshäuser *(scurrilitatum receptacula quam monasteria et domus orationum).* In einem ersten, im Text korrigierten Entwurf hieß es sogar noch drastischer ... *quod iustius prostibula quam monasteria et spelunce latronum quam domus orationum nuncuparentur* (... besser als Bordelle denn als Klöster, besser als Räuberhöhlen denn als Gotteshäuser). Angesichts dieser Situation habe sich Wilhelm bei den zuständigen kirchlichen Stellen immer wieder, wiewohl vergeblich, um die Reform der Klöster bemüht – allein wegen des Franziskanerklosters in Marburg in nicht weniger als sieben Versuchen –; selbst die Reformvollmachten des päpstlichen Legaten Peraudi hätten sich wegen einer entgegenstehenden älteren Papstbulle als unwirksam erwiesen. So bittet Landgraf Wilhelm den Papst nun ein weiteres und letztes Mal, ihm bei der Klosterreform wirksame Unterstützung zu gewähren. Der Landgraf werde sich sonst gezwungen sehen, *exercere potestatem secularis gladii ... quia tam gravem Dei contumeliam et tam impiam fundatorum defraudationem ... et derisionem meam nequaquam diutius perferam* (die Macht des weltlichen Schwertes einzusetzen, weil ich keineswegs länger bereit bin, eine so tiefe Schmähung Gottes und so gottlose Mißachtung des Stifterwillens hinzunehmen und mich selbst lächerlich zu machen).
Derart grundsätzliche Willensbekundungen – noch dazu in der Form einer unverhüllten Ankündigung gegenüber dem Papst – waren zwar um die Wende des 15. Jahrhunderts noch nicht gerade häufig; die kirchenpolitische Praxis vieler Landesherren entsprach diesen Grundsätzen jedoch weithin: Schon lange vor der Reformation gehörte es zum landesherrlichen Kirchenregiment, für die Durchsetzung kirchlicher Reformen auch die Zwangsmittel des Staats einzusetzen.

Druck: Koch, Beurkundete Nachricht von dem Teutsch-Ordens-Haus und Commende Schiffenberg wie auch denen übrigen in dem Fürstentum Hessen gelegenen Ordensgütern, 1755, Teil 2, Beilage Nr. 193. – W. Heinemeyer, Territorium und Kirche in Hessen vor der Reformation. In: Hess. Jb. für Landesgeschichte 6, 1956, S. 138-163. H. R.

183 Der tiefgreifende Einfluß weltlicher Landesherren auf die Kirche, vor allem die Inanspruchnahme kirchlichen Vermögens für den Fürstenstaat, erregt bei den Betroffenen bitteren Protest.

Schmähschrift eines Geistlichen auf Kaiser Friedrich III. 1470
Papier, gebunden, 21 × 15,7 cm. Aufgeschlagen: fol. 173v-174r
München, Bayerische Staatsbibliothek, Cgm 414, fol. 169r-178v

Von dem hier gezeigten Pamphlet gegen Friedrich III. – ursprünglich wohl ein Maueranschlag – gibt es noch eine weitere, von dem Augsburger Stadtschreiber Heinrich Erlbach stammende Handschrift (heute im Ungarischen Nationalmuseum Budapest), und zwar im Rahmen einer chronologisch angelegten Sammlung von Aktenstücken vornehmlich zur Türkenfrage. Aus der Einordnung in diese Sammlung, aber auch aus inhaltlichen Gründen, die Joachimsohn im einzelnen aufgeführt hat, ergibt sich die Datierung des Stücks auf das Jahr 1470. Die ausdrückliche Datierung am Schluß des Münchner Exemplars: *Datum ... an freytag vor Martini anno LXXVIIIº.* könnte ihren Grund darin haben, daß das Pamphlet von 1470 in der für das Jahr 1478 vielfach bezeugten Unzufriedenheit mit dem Herrscher erneut Verwendung fand. Auch die Abweichungen der Texte in den beiden Handschriften ließen sich damit plausibel erklären.
Der Verfasser des Stücks war sicherlich ein Kleriker, vermutlich in Innerösterreich, vielleicht ein Minorit, in jedem Fall aber ein Mann, der die Verbitterung der armen Leute über die Tatenlosigkeit wie über die Habgier ihres Fürsten – so sah das Volk ja die Machtlosigkeit und finanzielle Schwäche der Regierung Friedrichs III. – kannte und ihr leidenschaftlichen Ausdruck verlieh. Dabei spielte die Kritik am Zugriff des Fürsten auf das Vermögen der Kirche eine wichtige Rolle: *»Sprich nicht, pfaffen hab ist mein cammer gut. Wie magstu dich des anziehen* [das beanspruchen] *für dein gut das Got dem almechtigen und begeben personen* [Klosterleuten], *im zu dienen und durch sailig* [selige] *fursten für frej aigens gut gegeben und gewydemt ist ...*

Druck: J. Zahn, Maueranschlag wider Kaiser Friedrich III. 1478. In: Jahresber. des Steiermärkischen Landesarchivs 1, 1869, S. 56-63. – P. Joachimsohn, Ein Pamphlet gegen Kaiser Friedrich III. aus dem Jahre 1470. In: Hist. Jb. der Görres Ges. 12, 1891, S. 351-358. – A. Lhotsky, Quellenkunde zur mittelalterlichen Geschichte Österreichs. In: MIÖG Erg.-H. 19, 1963, S. 415. H. R.

D Die Stadt als Rechtsverband und das städtische Regiment

In Deutschland waren im Reformationszeitalter die Städte der wichtigste Schauplatz der Kultur. In ihnen war ein großer Teil der Wirtschaftskraft und der relative Wohlstand der Zeit ebenso konzentriert wie Bildung, Erfindergeist und Künste. Auch das geistlich-kirchliche Leben hatte in den Städten seinen Schwerpunkt.
Um 1500 vermochten die Städte die allgemeine Bedeutung, die sie besaßen, auch in politischen Einfluß umzusetzen. Vor allem gilt das für die Gruppe der Reichsstädte und Freien Städte, denen nunmehr im Reichstag ein – wenn auch gegenüber den Fürsten geminderter – eigener Status eingeräumt war. Daneben gab es jedoch auch Landstädte mit beträchtlicher Macht und weitgehender Autonomie, und für das gesamte Städtewesen, so vielgestaltig es sich auch darbot, war politische Durchbildung, ja politische Kultur kennzeichnend.
Noch war die rechtliche und politische Sonderstellung der Städte innerhalb der feudalen Welt verhältnismäßig unangefochten. So wie sie in der Regel von Mauern umgeben waren, bewahrten sie ihre eigene Rechtsordnung und beanspruchten mehr oder weniger weitgehende Freiheiten, die sie auch gegenüber ihren Hauptgegnern, den Landesherren, im allgemeinen noch zu behaupten vermochten. Sie konnten ihre Rolle als »zentrale Orte« meist verteidigen, und große Städte betrieben in aller Form Außenpolitik.
Freilich waren sie gefährdet. Nicht nur brachte jeder Fortschritt in der Administration der Territorien eine Einbuße an Autonomie für die Städte mit sich, sondern sie waren von jeher auch in sich selbst bedroht. Das Sozialsystem Stadt war ein empfindliches System – das Zusammenleben vieler auf engem Raum, soziale Divergenzen angesichts ungleicher beruflicher Bedingungen und manchmal beträchtlicher Vermögensunterschiede, die verheerende Wirkung von Bränden, Teuerungen und Seuchen und manche andere Belastung erzeugten vielfach einen Zustand ständiger Anspannung, der das städtische Leben stimulierte, aber auch erschwerte. Zumal die Wahrung oder Wiederherstellung von Eintracht und Frieden war unter diesen Umständen eine Existenzbedingung für die Stadt, sie lag im Interesse der Machtträger und war zugleich als politisches und ethisches Ziel konsensfähig.
So wie die Stadt als Korporation Freiheiten in Anspruch nahm, gewährte sie sie ihren Bürgern. Unter diesen gab es zwar soziale, nicht jedoch prinzipielle, rechtliche Unterschiede. In irgendeinem Sinn war die politische Dimension, das Bewußtsein der politischen Mitwirkung am eigenen Geschick, wohl überall eine bürgerliche Lebenserfahrung; daß die Stadtgemeinden vielfach als Genossenschaften entstanden und groß geworden waren, dürfte nirgends ganz in Vergessenheit geraten sein.
Freilich war die Verleihung des Bürgerrechts in der Regel an bestimmte Voraussetzungen, etwa den Besitz eines Hauses, geknüpft, und in vielen Städten war darüber hinaus die »Ratsfähigkeit« auf bestimmte Gruppen oder Familien beschränkt; in der einen oder anderen Form hatte das eigentliche Stadtregiment überall oligarchischen Charakter, auch wenn es neben den Räten in vielen Städten weitere Bürgervertretungen gab und die Ratsgremien selbst zum Teil sehr groß waren – mancherorts hatten bis zu einem Zehntel aller männlichen Bürger Ratserfahrung.
Die feste Einbindung der Bürger in das jeweilige Gemeinwesen war ein rechtlicher Tatbestand, der weitgehend akzeptiert war. Eine Art »städtischer Patriotismus« war verbreitet. Wer in den Genuß bürgerlicher Freiheiten kam, nahm mit den Rechten auch Pflichten auf sich; der Schutz durch die Kommune wurde nur gegen die Verpflichtung, ihr zu helfen, gewährt, etwa durch die Übernahme der Steuern, die Sorge für kommunale Bauten, den Dienst in Wacht und Wehr. Der Schwur von »Treue und Gehorsam« gegen die Stadt war Hauptinhalt des Bürgereids, dem die städtischen Räte mit der Zusage, dem »gemeinen Nutzen« dienen zu wollen, antworteten; der Idee nach standen Regierende und Regierte in einem wechselseitigen Treueverhältnis.
In alledem war für das mittelalterliche Verständnis die religiöse Dimension elementar gegenwärtig. So war das ganze Leben des Individuums wie der Kommune von religiösen und kirchlichen Bezügen geprägt, zwischen den kirchlichen und den bürgerlichen Institutionen und Personen bestanden intensive soziale Kontakte, ja in gewisser Hinsicht waren Kirchengemeinde und Bürgergemeinde ununterscheidbar. Freilich handelte es sich auch hier um ein spannungsreiches Verhältnis. Klerus und Mönche beanspruchten soziale Exklusivität und paßten damit in die städtische Genossenschaft nicht ohne weiteres hinein. Die Tendenz, sie Kontrollen zu unterwerfen, ihre Privilegien in Frage zu stellen und in kirchliche Reservate mit bürgerlicher Folgewirkung wie das Schulwesen, die Armenfürsorge oder die Ehegerichtsbarkeit einzudringen, lag für die städtischen Räte nahe. Und auch wenn die kirchliche Heilsvermittlung als solche nirgends bestritten, sondern vielmehr aufs eifrigste in Anspruch genommen wurde, übernahm das Stadtregiment doch auch da, angesichts offenkundiger Mißstände oder aus Sorge vor solchen, allmählich Schlüsselfunktionen wie Stiftungsverwaltung oder Patronat. Eine Neigung, auch den eigentlichen kirchlichen Bereich in bürgerliche Regie zu übernehmen, war nicht zu übersehen. B. M.

184

184 Die spätmittelalterliche Stadt versteht sich als Eidgenossenschaft.

Schwurlade aus dem Rathaus zu Rendsburg
Mitte des 16. Jahrhunderts (?)
Eichenholz, in Form einer Kapelle, bemalt, 32,5 × 18,5 × 24 cm
Rendsburg, Heimatmuseum

Die Stadtgemeinde des Spätmittelalters war eine Eidgenossenschaft. Auf der Verpflichtung zu gegenseitiger Treue, Friedwahrung und Hilfeleistung, die die Bürger

185

mit der Eidesleistung eingingen, beruhte die gesamte städtische Rechts- und Sozialordnung. So war in nicht wenigen Städten auch um 1500 noch die regelmäßige, alljährliche Wiederholung des Bürgereids und dessen Ergänzung durch einen antwortenden Eid des Rates üblich, die Bürgerschaft stellte sich als »fortgesetzte Eidgenossenschaft« (coniuratio reiterata) dar, und zwar nicht nur aufgrund solcher Gesamteide, sondern auch in einer Fülle einzelner eidlicher Verpflichtungen – es bestand ein »dichtes Geflecht eidlicher Bindungen, das den ganzen Körper des Gemeinwesens (durchzog und zusammenhielt)« (Ebel, S. 80).

Die hier gezeigte »Schwurlade« aus einer kleinen norddeutschen Landstadt veranschaulicht diesen elementaren Sachverhalt des städtischen Lebens – es ist das Gerät, auf dem die Bürger ihre Eide schworen. Daß man dabei Gott beteiligt sah und das ewige Heil selbst auf dem Spiel stand, kommt in den in das Dach eingeschnitzten Christushäuptern bildkräftig zum Ausdruck; auch war in die Lade ein Evangelienbuch eingelegt, und ursprünglich waren zudem die beiden Treppengiebel durch zwei kleine Kreuze bekrönt – das Ganze hatte die Form einer Kapelle. In einer Notiz von 1598 wird sie *das heiligen hauß* genannt (Kaack, S. 146); vielleicht enthielt sie also ursprünglich (oder sogar damals noch, in protestantischer Zeit) eine Reliquie, so wie das bei Schwurladen anderer Städte der Fall war.

W. Ebel, Der Bürgereid, 1958. – H.-G. Kaack, Die Ratsverfassung und -verwaltung der Stadt Rendsburg bis gegen Ende des 16. Jh., 1976. – H. Appuhn, Bürgereidkristall und Schwurlade. In: Wallraf-Richartz-Jb. 40, 1978, S. 13-21.

B. M.

185 Organ der politischen Selbstverantwortung der Stadt ist der Rat

Sitzung des Inneren Rates der Reichsstadt Regensburg
Hans Mielich, 1536
Deckfarben auf Pergament, 41 × 27,5 cm.
Titelminiatur aus dem Freiheitenbuch der Stadt Regensburg von 1536. Auf dem Türsturz Monogramm des Künstlers
Regensburg, Museum der Stadt Regensburg, IAb 2

Um 1500 war die Ratsverfassung, in der einstmals die politische Verselbständigung der Städte ihren deutlichsten Ausdruck gefunden hatte, längst zu deren normalem Merkmal geworden. Zwar gab es im einzelnen hinsichtlich der Kompetenzen und der Zusammensetzung der Räte beträchtliche Unterschiede, doch lag fast überall zumindest die Verwaltung der Stadt in ihrer Hand, und eine jährliche Wahl, oder Rudimente einer solchen, war allgemein üblich. Daß der Rat die Bürgerschaft repräsentierte und ihr verantwortlich war, dürfte nirgends ganz in Vergessenheit geraten sein, auch wenn sich eine Stärkung des Eigenbewußtseins der Räte, so etwas wie ein »obrigkeitliches« Selbstverständnis, nun vielerorts deutlich abzeichnete.

Daß die Reichsstadt Regensburg ihr Freiheitenbuch von 1536 mit dieser Miniatur, der Abbildung des versammelten Inneren Rats, schmückte, hängt mit den angedeuteten Rechtsverhältnissen zusammen – der Rat war das Organ der politischen Selbstverantwortung und damit der »Freiheit« Regensburgs, die gerade in diesem Zeitalter mannigfach bedroht war und deren rechtliche Dokumente das Buch enthielt; die zentrale Szene, die der Miniaturist darstellt, ist denn auch die Überreichung des Freiheitenbuchs durch den Ratskonsulenten Dr. Johann Hiltner – übrigens den energischsten Förderer der Reformation der Stadt – an den Bürgermeister.

Das Bild enthält noch weitere anschauliche Züge. Die 16 Ratsherren (unter ihnen der Maler Albrecht Altdorfer) sind nicht bloß abgebildet, sondern mit ihren Namen und Familienwappen auf dem Rahmen ist auch ihr herausgehobener sozialer Rang bezeichnet. Weiterhin ist die maßgebliche Bedeutung des Stadtschreibers für die städtische Politik eindrücklich ins Bild gebracht. Endlich mag auf die an der Rückwand des Ratssaals erkennbare Darstellung des Jüngsten Gerichts hingewiesen werden – ein für zahlreiche Rathäuser des Spätmittelalters bezeugtes Bildmotiv, dessen Wahl 1420 in Konstanz damit begründet wurde, *daz ain jeclicher biderman von den räten, der da sitzet, das ansehe, götlich forcht vor augen hab und dest füro* [desto eher] *gedenke und betrachte, daß er spreche, daz in* [ihn] *götlich und recht dunke* (Feger, S. 85 f).

O. Feger (Hrsg.), Vom Richtebrief zum Roten Buch, 1955, S. 85 f. – A. Kraus u. W. Pfeiffer (Hrsg.), Regensburg. Geschichte in Bilddokumenten, 1979, S. 72, Nr. 96. – F. Winzinger, Albrecht Altdorfer. Die Gemälde, 1975, Nr. 112, Abb. 112. B. M.

186 Eine Bürgerschaft nötigt ihrem Rat Reformen der Stadtverfassung auf.

Transfixbrief der Reichsstadt Köln, 15. Dezember 1513
Orig. Perg., 63 × 90 cm. 22 Siegel, ein Siegel fehlt
Köln, Historisches Archiv der Stadt, HUA K/15787/2

Bei dieser aufwendigen Urkunde handelt es sich um eines der grundlegenden Verfassungsdokumente der Reichsstadt Köln. Mit ihrer Besiegelung endete am 15. Dezember 1513 eine etwa ein Jahr lang andauernde, schwere Verfassungskrise. Hintergrund waren wirtschaftliche Schwierigkeiten der seit 1474/75 stark verschuldeten Stadt, konkreter Anlaß Konflikte zwischen dem Rat und der Bürgervertretung der »Gaffeln« um Finanz- und Rechtsfragen. Zwei Bürgermeister und acht weitere Inhaber städtischer Ämter waren im Verlauf der Auseinandersetzungen zum Tode verurteilt und hingerichtet worden. Mit dem Transfixbrief, der eine frühere Kölner Verfassungsurkunde, den sog. »Verbundbrief« von 1396, reformierte, wurde der politische Erfolg der Aufständischen vertraglich festgeschrieben. Hinfort sollte solchen Vertretern der Gaffeln, die nicht dem Rat angehörten, den sog. »Vierundvierzigern«, ein Kontrollrecht über die Rentkammern und die Aufsicht über das Große Stadtsiegel eingeräumt werden, und es wurden Maßregeln gegen Rechtsverletzungen und Cliquenwirtschaft vereinbart. Ziel dieser feierlichen *ordenunge, reformacion, setzonge ind verdrach* (Chroniken CCXLII) sollte die Einigkeit der Stadtgemeinde sein. Die Urkunde, die bis 1794 in Geltung geblieben ist, macht die genossenschaftliche Grundlage der städtischen Verfassung am Vorabend der Reformation anschaulich. Sie zeigt, daß eine Bürgerschaft imstande war, ihrem Rat einen Schwurvertrag aufzunötigen, und gibt mit den 22 Siegeln der Gaffeln, die dem Großen Stadtsiegel beigefügt sind – mit Siegelschnüren in den Kölner Stadtfarben rot und weiß –, ein Bild von der genossenschaftlichen Gliederung der Bürgergemeinde.

Text: Chroniken der deutschen Städte, Bd. 14, 1877, S. CCXXXII-CCXLIII. – T. Diederich (Hrsg.), Revolutionen in Köln 1074-1918, 1973, S. 46-53. – C. v. Looz-Corswarem, Unruhen und Stadtverfassung in Köln an der Wende vom 15. zum 16. Jh. In: W. Ehbrecht (Hrsg.), Städtische Führungsgruppen und Gemeinden in der werdenden Neuzeit, 1980, S. 53-97, bes. S. 71-79. B. M.

187 Eines der Hauptprobleme der Stadtgesellschaft ist die Sorge um ordentliche Rechtfindung und gerechtes Gericht.

Eidesleistung vor Gericht
Derick Baegert, 1493/94
Gemälde auf Eichenholz, 121 × 144 cm
Wesel, Städtisches Museum
Farbtafel Seite 24

Ein besonders wichtiges Aufgabengebiet des spätmittelalterlichen Stadtregiments war das Gerichtswesen. Fragen der Gerichtshoheit, vor allem aber der rechtliche Ausgleich der auf engem Raum Zusammenwohnenden gehörten zu den Hauptproblemen der Stadtgesellschaft. Meist herrschten rigide Rechtsordnungen. Und auch in diesem Bereich kam die innige Verknüpfung der weltlichen und geistlichen Sphäre zum Ausdruck, indem der Zusammenhang des irdischen mit dem göttlichen Richten hervorgehoben wurde.
Baegerts »Eidesleistung« aus dem Rathaus der klevischen Landstadt Wesel führt ein Stadtgericht in lebendiger Aktion vor. Über dem Kopf des Richters, der oben zwischen fünf Schöffen sitzt und auf ein Bild des Jüngsten Gerichts hinweist, findet sich ein Spruchband mit den Versen: *Siet hier besynt wael wat gy duit / suert nyet valselick vm tytlick gvet / want got die heer die weit dat wael / Int leste gericht he it ordellen sael* (Bedenket wohl hier, was ihr tut. Schwört falsch nicht um ein zeitlich Gut! denn Gott der Herr, der weiß es wohl, im letzten Gericht darüber urteilen soll). Unten zwischen den Parteien der Zeuge, dem ein Engel zuflüstert: *Swer niet valselick / wat ghi duet / gi verliest got / dat ewighe guet* (Schwört nicht falsch, was ihr auch tut, ihr verliert Gott, das ewige Gut). Der Teufel, der die aufgehobene Hand umfaßt, spricht: *Hald up die hant / wilt v nyet scamen / swert in alre duuel name*[n] (Hebt auf die Hand, wollt euch nicht schämen, schwört in aller Teufel Namen).
Der Maler hat den dramatischen, für die Rechtsuchenden kritischen Moment des Eidschwurs, der im Grunde eine bedingte Selbstverfluchung bedeutete, erfaßt: Er warnt den Betrachter mit den stärksten Argumenten, die ihm zur Verfügung stehen – dem Hinweis auf Engel und Teufel und das endgültige Urteil Gottes –, vor dem Meineid. Das Gericht, das er abbildet, ist mit Richtern und Urteilern ordnungsgemäß besetzt. Das Bild läßt sich genau datieren auf das Jahr, in dem das Weseler Stadtgericht von der alten Gerichtsstätte unter freiem Himmel ins Rathaus verlegt wurde. Es war möglicherweise dazu bestimmt, den Gefahren entgegenzuwirken, die der Autorität der Rechtsprechung in dieser Situation drohten.
Der zwischen der Stadt Wesel und dem Künstler geschlossene Vertrag datiert von 1493. 1494 erhielt Baegert das Honorar. Ob der Stecher Israhel van Meckenem an dem Entwurf beteiligt war, bleibt offen. Welche Anregungen aus der burgundischen, niederländischen und niederrheinischen Malerei, Teppichwirkerei und Schnitzkunst man immer feststellen will, Baegerts Gemälde ist eine Leistung von originärem Rang. Anders als bei niederländischen Rathausbildern wird das Thema des Gerechtigkeitsbildes nicht am historischen Beispiel demonstriert. Durch das zeitgenössische Kostüm der Dargestellten und die Charakterköpfe, von denen einige Bildnisse sind, gewinnt die »Eidesleistung« unmittelbare Gegenwärtigkeit.

G. Kocher, Spätmittelalterliches städtisches Rechtsleben. In: Sitzungsber. der Österr. Akademie der Wissenschaften Wien, Phil.-Hist. Klasse 325, 1977, S. 51-75. – Kat. Ausst. Der Maler Derick Baegert und sein Kreis, Münster 1937, Nr. 45. – R. His, Das Weseler Gerichtsbild des Derick Baegert. In: Westfalen 22, 1937, S. 237-242. – Kat. Ausst. Herbst des Mittelalters, Köln 1970, Nr. 42. B. M./K. L.

188 (Vorderseite)

188 Der Schutz der Stadt ist Sache aller Bürger.

Auszug der Bürgerwehr der Reichsstadt Augsburg 1545
Unbekannter Augsburger Künstler
Pinsel mit Deckfarben und Feder auf Papier, Vorder- und Rückseite, 39,2 × 55,1 cm
Nürnberg, Germanisches Nationalmuseum, HB 2587

Im Mittelalter gehörte das Bewußtsein ständiger kollektiver Bedrohung zu den Voraussetzungen des städtischen Lebens. So war die Verantwortung für den Schutz der eigenen Stadt eine der wichtigsten bürgerlichen Pflichten, als Gegenleistung für den Schutz und die Freiheiten, die die Stadt ihrerseits den Bürgern bot. In der Regel mußte der Dienst für »Zug und Wacht« von den geeigneten Männern in eigener Person geleistet werden, vielerorts war die Bereitschaft zum Kriegsdienst und zur eigenen Rüstung Bestandteil des Bürgereids. Auch bildete die genossenschaftliche Gliederung der Bürgerschaft vielfach die Organisationsbasis für das Verteidigungswesen.
All dies veranschaulicht diese Zeichnung. Dargestellt ist der »Zug«, d. h. die Musterung, der Bürgerschaft der Reichsstadt Augsburg, der am 12. August 1545, im Vorfeld des Schmalkaldischen Krieges (vgl. Nr. 621), stattfand. Mit Ausnahme der Angehörigen der Weberzunft, denen besondere Aufgaben innerhalb der Stadt selbst zugewiesen waren, zogen dabei alle waffenfähigen Bürger Augsburgs mit, insgesamt etwa 470 Reiter (rekrutiert aus den beiden »Stuben« der Patrizier und von der Metzger-Zunft) sowie 3 596 Mann Fußvolk, ein jeder mit der von ihm selbst gestellten Ausrüstung. Der Zug führte die neuen, eigens zu diesem Zweck von dem Stadtmaler Sorg hergestellten Fähnlein (»Hauptreiter-, Renn- und Schützenfähnlein«) in den Stadtfarben Grün-rot-weiß und mit dem Augsburger Wappenzeichen, dem »Stadtpyr«, versehen, mit, ferner eine Reihe von Zunftfahnen, und es wurden einige Feldgeschütze aus dem Zeughaus und die von Christoph Amberger entworfenen Uniformen der städtischen Söldner gezeigt – das Ganze, wie nicht zuletzt aus dieser Zeichnung ersichtlich, eine höchst aufwendige Aktion und ein Gemisch aus Manöver und militärischer Demonstration, genossenschaftlichem Handeln und Gelegenheit zur Selbstdarstellung der einzelnen Bürger.

Unveröffentlicht. – J. Kraus, Das Militärwesen der Reichsstadt Augsburg 1548-1806, 1980. – Roth, Bd. 3, S. 300 ff. B. M.

189 Große Reichsstädte betreiben eine intensive Außenpolitik. Die führenden Städtepolitiker gehören auf den Reichstagen zu den erfahrensten und angesehensten Mitgliedern.

Barett und Schwert des Christoph Kress von Kressenstein, 1530
a Großes Barett aus schwarzem Samt mit Straußenfedern und Goldtroddeln sowie lederbezogene Hutschachtel
b Schwert
Peter Flötner (Entwurf) und Lorenz Trunck, 1530
Knauf Bronze, gegossen und vergoldet; Parierstange Eisen, geätzt und vergoldet, L. 122,5 cm
Nürnberg, Germanisches Nationalmuseum, T 3784 und W 2927. Leihgabe Freiherrlich von Kress'sche Vorschickungsadministration Kraftshof

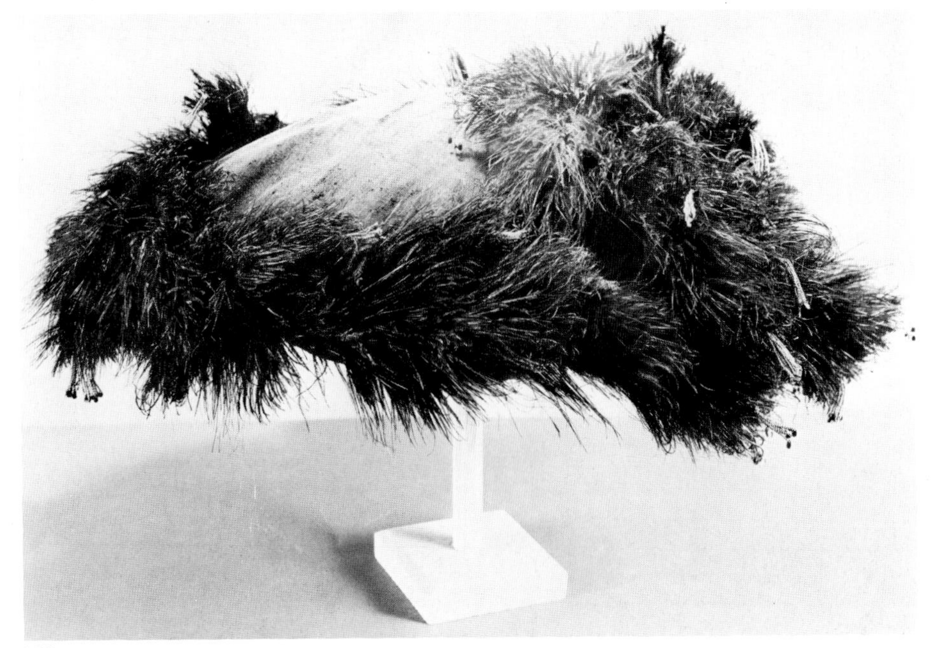

189 a

Die etwa 65 »Reichsstädte«, die es in Deutschland im frühen 16. Jahrhundert gab, verdankten ihrer Reichsunmittelbarkeit das wichtige Privileg, zum Reichstag entboten zu werden. Dort war zwar die rechtliche Stellung der Städtekurie immer umstritten und ungesichert (vgl. Kat. Nr. 253), doch war deren politischer Einfluß gerade im Reformationszeitalter nichtsdestoweniger beträchtlich. Zumal gehörten die größten und wohlhabendsten Reichsstädte zeitweise zu den wichtigsten politischen Potenzen im Reich überhaupt.
Unter den städtischen Reichspolitikern der frühen Reformationszeit war der einer Patrizierfamilie entstammende Reichstagsgesandte der Stadt Nürnberg, Christoph Kress (1484-1535), einer der erfahrensten; er nahm zwischen 1521 und 1532 an sämtlichen Reichstagen teil und stand auch bei zahlreichen anderen Legationen im Dienst der Stadt. Welches Ansehen er sich erworben hatte, zeigte sich auf dem Augsburger Reichstag von 1530, als er am 15. Juli vom Kaiser und von König Ferdinand in den erblichen Adelsstand erhoben wurde – er durfte sich hinfort Kress von Kressenstein nennen – und ein gebessertes Wappen sowie die hier gezeigten, kostbaren Ehrengeschenke erhielt, zu denen ursprünglich auch noch ein seidenes Kleid gehörte. Mit dieser bedeutenden Gunstbezeugung kamen die Herrscher einem dem städtischen Patriziat der Zeit vielerorts naheliegenden Interesse, dem Streben nach Grundherrschaft und Angleichung an den Adel, entgegen; doch honorierten sie in jenen entscheidenden Wochen nach der Überreichung der Confessio Augustana (vgl. Kat. Nr. 271) auch, wie es scheint, die Haltung, die Kress der neuen Lehre gegenüber einnahm: Er war ihr zwar von früher Zeit an zugewandt, jedoch in maßvoller Form und mit dem offenkundigen Bemühen, auch seine Heimatstadt zu einer gemäßigten, dem Kaiser gegenüber loyalen Kirchenpolitik zu veranlassen.

L. Groß (Hrsg.), Die Reichsregisterbücher Kaiser Karls V., 1930, Nr. 4762. – K. F. v. Frank zu Döfering, Die Kressen. Eine Familiengeschichte, 1936, S. 265-303. – G. Pfeiffer, Nürnberg und das Augsburger Bekenntnis. In: Zs. für bayer. Kirchengeschichte 49, 1980, S. 2-19. B. M.

190 Im Fall von Notständen nehmen städtische Räte gegenüber der Kirche auch das Recht zu Eingriffen in den Seelsorgebereich in Anspruch.

Mandat des Rates von Ulm an die Prädikanten und Bürger zur Einführung eines täglichen Bußgebets, 29. Oktober 1530
Plakatdruck, 40 × 29,5 cm
Ulm, Stadtarchiv, A (1554), Nr. 24

Dieses Plakat – ein Aufruf des Rates von Ulm an die Prediger und Bürger zu einem täglichen Bußgebet und die Einführung eines regelmäßigen Geläuts zur Erinnerung der Hausväter an diese Pflicht – gehört bereits in den geschichtlichen Zusammenhang der Reformation und ist daher an dieser Stelle unserer Ausstellung nur bedingt am Platz. Doch war der Ulmer Rat zu diesem Zeitpunkt zumindest nominell noch altgläubig, und der Text dokumentiert eine kirchenpolitische Position, die bereits im ausgehenden Mittelalter wurzelte: Die Überzeugung war verbreitet, daß die Stadtgemeinde in ihrer Gesamtheit, als ein »Corpus christianum im kleinen«, vor Gott stehe und bei Fehlverhalten als ganze seinem Gericht ausgeliefert sei. Von daher konnten auch Eingriffe der politischen Instanzen in den eigentlichen Wirkungsbereich der Kirche eine Rechtfertigung finden: Die Räte fühlten sich mitverantwortlich dafür, daß der Gottesdienst und das Gottesverhältnis der Stadt nicht gefährdet wurden, und konnten hieraus zumindest im Notstand geistliche Kompetenzen ableiten.

Specker – Weig, S. 163. B. M.

191

191 Präsenz der Ratsgewalt in der Bürgerkirche.

Geschnitzte Füllungen vom ehemaligen Bürgermeisterstuhl in St. Marien zu Lübeck
Lübeck, um 1520
Eichenholz, mittlere Füllung 52 × 61 cm, seitliche Füllungen je 42 × 49 cm. 1893 ergänzt
Lübeck, Museum für Kunst und Kulturgeschichte der Hansestadt Lübeck, Inv. Nr. 1892/64

Die intensive Verflechtung von Bürger- und Kirchengemeinde kam in der spätmittelalterlichen deutschen Stadt besonders deutlich in den Bürgerkirchen zum Ausdruck, unter denen St. Marien in Lübeck die eindrucksvollste sein dürfte. Diese gewaltige Pfarrkirche, aufgrund bürgerlicher Initiative gegen den bischöflichen Dom erbaut und durch Pfleger aus der Bürgerschaft betreut, unterstand auch kirchlich weitgehend dem Rat (diesem stand die »Denomination« des Pfarrers zu). Im Innern bot St. Marien ein reiches, ja überladenes Bild der Selbstdarstellung der Bürgerschaft – ihrer Organe sowie der bürgerlichen Genossenschaften und der führenden Familien –, das bis zum Bombardement im Zweiten Weltkrieg größtenteils erhalten war. Dem Rat diente die Kirche nicht bloß zur Repräsentation, sondern er erledigte dort auch einen Teil seiner rechtlichen und politischen Geschäfte. Jede Ratssitzung wurde mit einer Messe in St. Marien eröffnet, hier gewährten die Bürgermeister Audienz, und seit alter Zeit bildete die »Trese« in der Bürgermeisterkapelle die Schatzkammer des Rates, in der die »handtvesten« der Stadt, d.h. die Stadtprivilegien, aufbewahrt wurden.
Die kostbaren Restbestände der alten Ausstattung von St. Marien können diese eigentümlich-vieldeutige Funktion der »Ratskirche« veranschaulichen. Es handelt sich um ornamentale Füllungen des alten Bürgermeisterstuhls, der an zentraler Stelle, an der Ostseite des ersten südlichen Langschiffpfeilers, aufgestellt und auf den Altar ausgerichtet war. Die größte zeigt den von einem gekrönten Spangenhelm mit wachsendem Adler überragten lübischen Doppeladler, auf den beiden kleineren ist der geteilte Wappenschild der Stadt mit gekröntem Stechhelm zu sehen.

Die Bau- und Kunstdenkmäler der Freien und Hansestadt Lübeck, Bd. 2, 1906, S. 276. – A. v. Brandt, Die Ratskirche St. Marien im öffentlichen und bürgerlichen Leben der Stadt. In: Ders., Geist und Politik in der lübeckischen Geschichte, 1954, S. 83-96, 207-209. – Kat. St. Annen-Museum Lübeck. Kirchliche Kunst des Mittelalters und der Reformationszeit, 1981, Nr. 176. B. M.

192 Kirchenverwaltung durch Pfleger und Kirchenmeister aus der Bürgerschaft.

Salbuch von St. Sebald zu Nürnberg von 1482-1493
Orig. Perg., 35 × 26 cm. 318 Bll., 3 Bll. fehlen, 46 Seiten unbeschrieben. Einband: Holzdeckel mit Leder überzogen, Messingbeschläge. Aufgeschlagen: fol. 1 f.: Verzeichnis der Pfleger und Kirchenmeister von St. Sebald
Nürnberg, Staatsarchiv, Reichsstadt Nürnberg, Salbücher, Nr. 2

Auch die beiden großen Nürnberger Kirchen waren »Bürgerkirchen«. Am Ende des Mittelalters hatte sich der Rat hier gleichfalls, gegen den Widerstand des Bischofs von Bamberg, das Recht der Stellenbesetzung weitgehend erkämpft. Schon viel länger aber lag die Verwaltung der beträchtlichen Vermögenswerte dieser Kirchen vollständig in seiner Hand, wie der hier gezeigte Handschriftenband aus St. Sebald erweist. Die vom Rat hierfür eingesetzten Amtspersonen, ein Ratsmitglied als Kirchenpfleger, ein weiterer Bürger als Kirchenmeister, hatten auch für die bestimmungsgemäße Verwendung der Stiftungen und den ordentlichen Ablauf der zahlreichen Gottesdienste (täglich allein in St. Sebald 22 Messen) sowie für die Besoldung von Schulmeister, Totengräber und Kirchner und das Funktionieren der Orgel Sorge zu tragen.
Von 1482 bis 1503 fungierte Sebald Schreyer als Kirchenmeister von St. Sebald, ein wohlhabender, rühriger, in vielen Ämtern und Unternehmungen (u.a. auch als Finanzier der ›Schedelschen Weltchronik‹) tätiger Mann, der seinem Namensheiligen mit großer Hingabe diente, nicht *umb zeitlich belonung*, sondern in der Hoffnung, *belonung darumb von Gott auf furpeth* [Fürbitte] *der lieben heiligen zu gewarten, daran im auch, wo er im anders recht getan und seinem ampt vleissig außgewart hatt, nit zweyfelte* (Caesar, S. 103). In welchem Maß diese Ämter zugleich zum bürgerlichen Ansehen ihres Inhabers beitrugen und dessen soziale Stellung innerhalb der städtischen Gesellschaft regulierten, läßt das Verzeichnis der Pfleger und Kirchenmeister

erkennen, mit dem Schreyer das seine Amtstätigkeit dokumentierende »Salbuch« eröffnete. Hier sind alle Amtsinhaber von 1300 an bis hin zu ihm, Schreyer, selbst, jeweils mit Namen und Wappen, aufgeführt – ein eindrücklicher Katalog der großen Familien Nürnbergs.

E. Caesar, Sebald Schreyer. Ein Lebensbild aus dem vorreformatorischen Nürnberg. In: MVGN 56, 1969, S. 1-213, bes. S. 79 ff., 183 f.

B. M.

193 Reichsstädte, Bischofsstädte und Universitätsstädte in Mitteleuropa um 1500.

Karte. Erarbeitung: F. Irsigler/G. Schmidt, Entwurf: F. Irsigler, Kartographie: K. Lonsdorfer

Um 1500 lebten in Mitteleuropa ca. 20-25% der Bevölkerung in Städten, nur in Oberitalien, im flandrisch-brabantischen Raum lag der Urbanisierungsgrad bereits bei 40-45%. Überdurchschnittlich groß war er auch schon im Südwesten Deutschlands und im niederrheinischen Raum. Von den ca. 3 000-3 500 Städten des Deutschen Reiches am Ende des Mittelalters gehörte der überwiegende Teil zu den Klein- und Zwergstädten unter 2 000 Einwohnern, die auf der Karte nicht dargestellt werden konnten. Ihre Bedeutung in einem hierarchisch gestuften Städtesystem darf aber nicht unterschätzt werden; für das Umland hatten sie wesentliche Zentralfunktionen wirtschaftlicher und kultisch-kultureller Art, die nicht zuletzt die Ausbreitung der Reformation begünstigten. Die Zahl der Großstädte (über 20 000 Einwohner) und der großen Mittelstädte (10-20 000 Einwohner) war gering. Der Übersichtlichkeit wegen konnten kartographisch nur wenige funktionale Kriterien berücksichtigt werden, die für die Geschichte der Reformation von Bedeutung waren: Reichsstadtqualität, Bischofssitz, Universität. Zu den Reichsstädten werden nur Städte gezählt, die folgende Kriterien erfüllen: Teilnahme an Städte- und Reichstagen, korporative Organisationen auf Reichsebene im allgemeinen Städtetag, Aktivierbarkeit für Kaiser/König und Reich, relativ selbständiges politisches Handeln (G. Schmidt).

E. Keyser (Hrsg.), Deutsches Städtebuch, 10 Bde, 1935-1974. – H. Ammann, Wie groß war die mittelalterliche Stadt? (1956). In: C. Haase (Hrsg.), Die mittelalterliche Stadt, Bd. 1, 3. Aufl. 1978, S. 415-422. – Bevölkerung. In: LexMA 2, Sp. 10-18. – G. Schmidt, Der Städtetag in der Reichsverfassung, Diss. Tübingen 1981. – H. Jedin (Hrsg.), Atlas zur Kirchengeschichte, 1970.

F. I.

194 Die Intensität der Reisetätigkeit Luthers steht in starkem Gegensatz zur Reichweite seiner Reisen. Vor allem nach 1521 hat er das Gebiet der Kurfürsten von Sachsen kaum noch verlassen.

Itinerar Martin Luthers 1483-1546
Karte. Erarbeitung: Ch. Strohm, Entwurf: F. Irsigler, Kartographie: K. Lonsdorfer
siehe Einbandinnenseite hinten

Der persönliche Wirkungskreis Martin Luthers war in auffälliger Weise konzentriert auf die sächsisch-thüringischen Lande. Obwohl er insgesamt mehrere Jahre seines Lebens auf Reisen verbrachte, war die Zahl der Fernreisen gering; lediglich die Romreise von 1510/11 führte ihn aus dem Reichsgebiet hinaus. Westwärts gelangte er bis nach Köln, Norddeutschland kannte er nicht aus eigenem Erleben. Vor allem nach 1521 hat Luther – maßgeblich infolge des Wormser Ediktes – das Gebiet der Kurfürsten kaum noch verlassen, ausgenommen die Reise 1529 zum Marburger Religionsgespräch. Anläßlich des Augsburger Reichstages von 1530 mußte Luther in Coburg, dem südlichsten Zipfel des kursächsischen Herrschaftsgebietes, zurückbleiben. In gewisser Weise kennzeichnen die Reiserouten nach Heidelberg zur Disputation von 1518, nach Augsburg zum Verhör durch Cajetan im Oktober 1518 und nach Marburg auch Stoßrichtungen bei der Ausbreitung der Reformation. In den letzten Jahrzehnten seines Lebens waren Luthers Reisen bestimmt durch Aufgaben im Bereich der Kirchenordnung und Kirchenleitung, als politischer Ratgeber und Friedensstifter. Auf seiner letzten Reise, die der Vermittlung in einem Streit unter den Grafen von Mansfeld diente, starb Luther am 18. Februar 1546 in Eisleben.

G. Buchwald, Luther-Kalendarium. In: Schriften des Vereins für Reformationsgeschichte 147, 1929, S. 1-159.

F. I.

VI. Zeit der Entscheidungen: Luther 1517-1520

Herbert Immenkötter

Nicht die berühmten 95 Thesen zur Ablaßpredigt seiner Zeit haben Luthers Bruch mit der römischen Kirche offenkundig werden lassen, wie man vielfach gemeint hat. Es war dies nur eine Einzelheit in einer Kette von Vorgängen und Überlegungen, die Luther mehr und mehr in die Entscheidung zwischen den Forderungen seines eigenen Gewissens und denen der traditionellen Kirche drängten. Freilich hat der Ablaßstreit dann den eigentlichen Anstoß für die lutherische Kirchenkritik geliefert. Die Entscheidung selbst aber war lange Zeit gereift. Schon die Hauptthemen der frühen Vorlesungen des Wittenberger Professors hatten immer wieder neue Fragen der Anthropologie aufgeworfen, konzentriert auf die Frage nach der Stellung des Menschen vor Gott. Heil oder Unheil des Menschen, Sünde und Gnade, die Gerechtigkeit Gottes waren zentrale Themen Luthers auf dem Weg zu seiner Entscheidung. Der Mensch müsse sich, so empfand Luther, unter das Gericht Gottes, wie es am Kreuz Christi ergangen ist, demütigen. Nur so könne er schließlich der göttlichen Gnade teilhaftig werden. Statt dessen werde ein Großteil der Menschheit von leichtfertigen Predigern in grundlos falscher Heilssicherheit gewiegt, was die alles entscheidende Erkenntnis der Sündhaftigkeit des Menschen verstelle.

Letztlich dürften diese Themen, zu denen Luther immer wieder zurückkehrte, durch seine Anfechtungserfahrungen intensiviert und durch regelmäßige Schriftlesung konzentriert worden sein. Und sein Leben im Kloster, dessen tägliche Forderungen er überaus ernst nahm, verstellte ihm geradezu einen Ausweg aus seiner Not, da er sich die wohlgemeinten Hinweise seines väterlichen Beichtvaters Staupitz auf den milden und barmherzigen Gott nicht zu eigen machen konnte. Er empfand sich als zutiefst sündhaft nicht wegen einzelner Taten, sondern weil er sich stets und einzig auf sich selbst bezogen fühlte. Selbst strengste Pflichterfüllung im Kloster und Beruf zielte ihm doch nur immer wieder auf die eigene Person, die sich ewigen Gewinn von jedem guten Werk vorgaukelte, statt einzig im Vertrauen auf Gott zu leben. Je mehr sich Luther in diese Gedanken verstrickte, je weniger Hilfe ihm aus der Theologie, wie er sie verstand, zuteil wurde, um so mehr wuchs der Wille, einen Ausweg jenseits der herkömmlichen Glaubenslehre zu suchen. Eine innere Bereitschaft, die Fessel des tradierten Dogmensystems zu brechen, war vorhanden, als die Ablaßkampagne den konkreten Anlaß bot, der Luther an die Öffentlichkeit treten ließ.

Nach diesem ersten Schritt entfaltete der Wittenberger Mönch eine geradezu fieberhafte Aktivität, getrieben von Gegnern, von Freunden ermutigt, und erarbeitete in weniger als drei Jahren ein Programm für die Durchführung einer Kirchenreform, wie er sie zu verwirklichen wünschte. So sind in den großen Schriften aus dieser Zeit bereits die wichtigsten Reformforderungen ebenso enthalten wie die weitreichenden Konsequenzen für eine Erneuerung von Lehre und Verkündigung der christlichen Botschaft.

Das mußte ihn zwangsläufig in Konflikt mit den Verantwortlichen der Kirche, mit den Anhängern des Papstes bringen. Nachdem man in Rom die Kunde aus Wittenberg lange Zeit nicht ernst genommen und rechtliche Schritte nur halbherzig eingeleitet hatte, erging im Sommer 1520 eine Bannandrohungsbulle gegen den Wittenberger und seine Anhänger. Als Luther einen Widerruf der ihm zur Last gelegten Irrtümer verweigerte, statt dessen seinen Standpunkt gar noch um weitere von der römischen Lehre abweichende Sätze verdeutlichte, verhängte der Papst Anfang 1521 den Großen Bann – ein Urteil, das bekanntlich bis heute fortbesteht. H. I.

A Der Ablaßstreit

Eine verbindliche Lehräußerung über den Ablaß kannte die mittelalterliche Kirche nicht. Erst 450 Jahre, nachdem der Ablaßstreit den äußeren Anstoß für die reformatorische Bewegung in ihrer ganzen Breite gegeben hatte, erging von Rom eine ausführliche Darlegung über Wesen und Praxis des Ablasses (Konstitution Pauls VI. »Indulgentiarum doctrina« vom 1. 1. 1967).

Im Spätmittelalter verstand man unter Ablaß einen vor Gott gültigen Nachlaß zeitlicher Sündenstrafen, den die kirchliche Autorität aufgrund des von ihr verwalteten sogenannten Kirchenschatzes aussprach. Für Lebende gewährte sie den Ablaß durch Lossprechung; für Verstorbene gestattete sie eine Zuwendung fürbittweise. Trotz der Unsicherheit der kirchlichen Lehre wurde die Ablaßpraxis zu einer der verbreitetsten Frömmigkeitsübungen des ausgehenden Mittelalters. Besonders weil das Ablaßwerk auch die Form eines Almosens annehmen konnte und später nahezu ausschließlich in Münzform geleistet wurde, war dem Mißbrauch Tür und Tor geöffnet. Das geschah zu eben der Zeit, da die Ausweitung des Handels im Abendland allmählich eine Ablösung der Naturalwirtschaft durch die Geldwirtschaft notwendig machte. Da entdeckte und entwickelte die Römische Kurie den Ablaß als höchst willkommene zusätzliche Einnahmequelle.

Eine fatale Vermehrung der Ablässe und der damit verbundenen Mißstände brachte die Zeit des Großen Abendländischen Schismas (1378-1417 bzw. 1449), da sich die Papstprätendenten in Rom und Avignon zur Ausweitung ihrer jeweiligen Obedienzen in der Gewährung von Ablässen gegenseitig überboten. Da die Obedienzen zumeist territorial abgegrenzt waren, leistete diese Praxis auch der Entwicklung der Ablaßhoheit der Landesfürsten Vorschub. Es bürgerte sich ein, Ablässe zur Finanzierung von Gemeinschaftsaufgaben auszuschreiben: für Brücken-, Deich- und Wegebau, für Badehäuser, Kirchen, Kriegslasten u. a. Es war dies eine frühe Form der Sondersteuer.

Dabei galt als Regel, daß mindestens ein Drittel, häufig zwei Drittel der einkommenden Gelder als Anteil der Territorialherren im Lande verblieben. Das übrige sollte nach Rom abgeführt werden. Die Geschichte kennt aber viele Beispiele, da nur ein geringer Bruchteil der Ablaßgelder dem Zweck zugeführt wurde, dem sie laut Ausschreibung zukommen sollten. Nicht selten wurde sogar der Gesamtbetrag zweckentfremdet und diente einzig zur Erleichterung der Finanzen der Landesherren. Diese Praxis konnte sich über Jahrhunderte halten, weil geistliche und weltliche Herren gleichermaßen als Nutznießer am Fortbestand dieses Systems interessiert waren.

H. I.

195 Papst Julius II. schreibt zur Finanzierung des Neubaus der Peterskirche in Rom 1507 einen neuen Ablaß aus.

Bildnis des Papstes Julius II.
Hans Burgkmair, 1511
Farbholzschnitt, 26,4 × 24,3 cm. Umschrift IVLIVS. LIGVR. PAPA-SECVNDVS, (Papst Julius II. aus Ligurien). Datiert MCCCCCXI (1511). Im linken unteren Zwikkel: H. BURGKMAIR. Darunter die Adresse des Formschneiders Jost de Negker zu Augspurg
Braunschweig, Herzog Anton Ulrich-Museum, Inv. Nr. 2898.

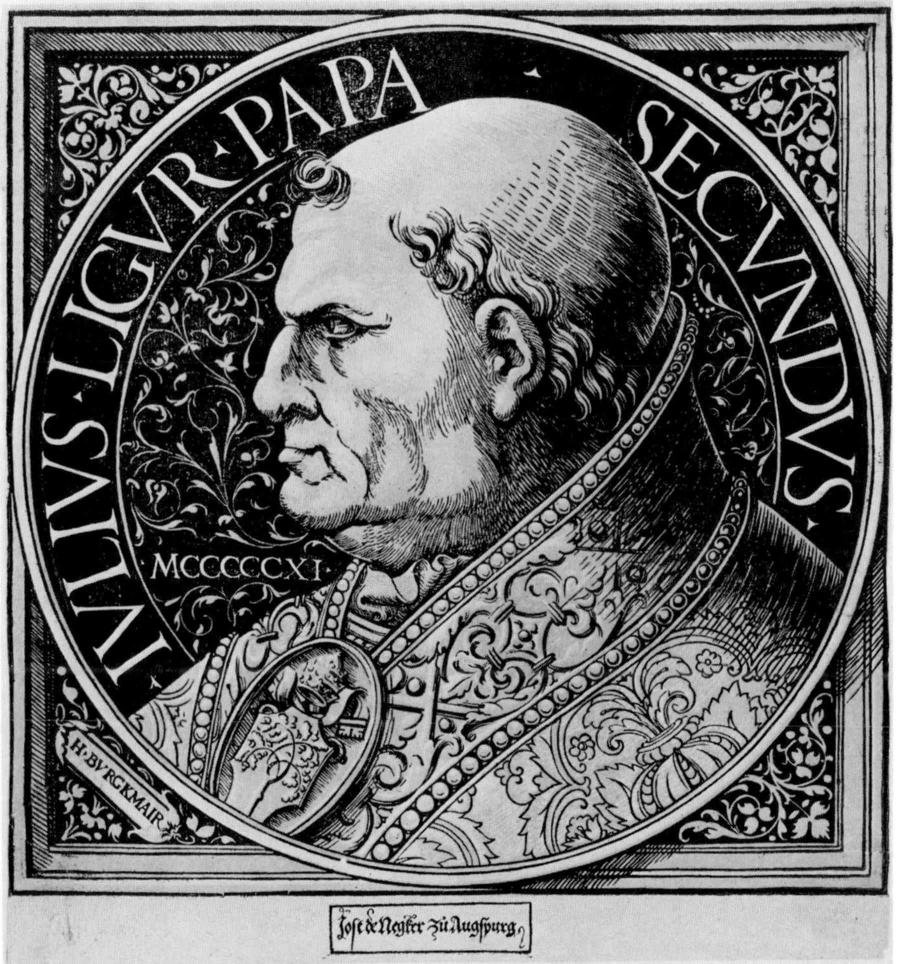

195

Am 18. April 1506 hatte Julius II. den Grundstein für die Erneuerung der römischen Peterskirche gelegt und im darauffolgenden Jahr zur Finanzierung des gewaltigen Neubaus nach bewährter Art einen vollkommenen Ablaß ausgeschrieben, der erstmals nicht nur in einzelnen Ländern, sondern in der ganzen Christenheit verkündet werden sollte, damit auf diese Weise der weltweiten Bedeutung des Gotteshauses über dem Petrusgrab Rechnung getragen würde. Der allgemeinen Verkündigung des Ablasses widersetzten sich aber nicht nur Portugal, Frankreich und Burgund, sondern auch die Landesherren im Deutschen Reich, die einen erst drei Jahre zuvor aufgelegten Ablaß zugunsten des von den Russen hart bedrängten Deutschen Ordens gefährdet sahen.
Nach T. Falk begannen Vorstudien zu unserem Bildnis Julius II. bereits 1509, als ein Freund Burgkmairs, der bekannte Augsburger Stadtschreiber und Humanist Konrad Peutinger, bei dem Weißenauer Abt Johann Mayer wie auch in Rom selbst nach geeigneten Vorlagen für ein Porträt des Papstes Ausschau hielt. Es ist nicht im einzelnen bekannt, welche Bilder, Münzen, Medaillen oder auch Beschreibungen der »markanten Physiognomie« des Papstes aus Ligurien dem Meister vorgelegen haben. Ebenso bleibt die ursprüngliche Bestimmung des Bildes bisher unbekannt. Wenn wir aber erfahren, daß Zeitgenossen Julius II. als »geistige und körperliche Kraftnatur ungewöhnlichen Ausmasses«, als »il Terribile« (G. Schwaiger) schildern, dann drängt sich die Gewißheit auf, daß uns mit diesem Holzschnitt ein lebensechtes Porträt des Papstes erhalten ist. Das markante Profil erhält durch schwarze Schraffierung nahezu reliefartiges Aussehen. Der Kopf ist umrahmt von zartem, nur angedeutetem Rankenornament. Die Schließe des Umhangs trägt das Wappen der Rovere, der Familie des Papstes. In den Zwickeln des rechteckigen Rahmens ist das Rankenornament des Rundes mit kräftigen Strichen wieder aufgenommen.

T. Falk, Hans Burgkmair, 1968, S. 56 f. – G. Schwaiger, Geschichte der Päpste, 1964, S. 268. H. I.

196 Erst mit der Wahl Albrechts von Brandenburg zum Erzbischof von Mainz 1514 ergab sich für die Römische Kurie die Möglichkeit, den Peters-Ablaß auch im Reich verkünden zu lassen.

Bildnis des Kardinals Albrecht von Brandenburg
Lukas Cranach d. Ä., Schule, nach 1530
Gemälde auf Eichenholz, 51 × 37,5 cm
Mainz, Mittelrheinisches Landesmuseum, Inv. Nr. 304

Nachdem der erst 23jährige Albrecht von Brandenburg 1513 Erzbischof von Magdeburg und Administrator von Halberstadt geworden war, postulierte ihn das Mainzer Domkapitel schon im Jahr darauf auch

196

noch zum Erzbischof und Kurfürsten von Mainz, dem größten Metropolitansitz der damaligen Christenheit. Dort waren schon zum dritten Mal innerhalb eines Jahrzehnts die bei Neubesetzung des Erzbischofsstuhls üblichen Abgaben von stolzen 14 000 Dukaten an die Römische Kurie fällig geworden. Es hatte sich aber der Hohenzollernsproß bereit erklärt, diese hohe Summe aus eigenen Mitteln aufzubringen. Gleichzeitig aber wünschte er, auch seine bisherigen Bistümer zu behalten, was nach kirchlichem Recht nicht statthaft war. Die Römische Kurie jedoch gewährte gegen eine Gebühr von 10 000 Dukaten Dispens vom Verbot der Pfründenhäufung und wies gleichzeitig einen Weg, wie die Gesamtsumme von nunmehr 24 000 Dukaten aufgebracht werden konnte. Zunächst war das Augsburger Bankhaus Fugger zu bewegen, einen entsprechend hohen Kredit zu gewähren. Sodann sollte Albrecht die Predigt des Peters-Ablasses in seinen Landen acht Jahre lang zulassen und dafür die Hälfte der einkommenden Gelder zur Tilgung der Bankschulden verwenden dürfen. Die zweite Hälfte, ebenfalls 24 000 Dukaten, war als Beitrag zu den Baukosten von St. Peter unmittelbar nach Rom abzuführen.

Das Bildnis gilt als Schülerarbeit nach dem in den frühen zwanziger Jahren von Lukas Cranach d. Ä. ausgeführten Porträt Albrechts von Brandenburg (Berlin/Kriegsverlust), von dem sich weitere Varianten in Leningrad (Ermitage) und Berlin (Jagdschloß Grunewald) erhalten haben. Der kantige Faltenwurf des Samtvorhanges im Hintergrund läßt an den Umkreis des Meisters der Gregorsmessen denken, der die großen Altarwerke ausführte, die Albrecht von Brandenburg zur Ausstattung der 1518 in Halle erbauten Stiftskirche bei Cranach in Auftrag gab (vgl. Kat. Nr. 464). Wie in dem um 1530 angesetzten Bildnis wirkt der Kardinal deutlich älter gegenüber der eigenhändigen Fassung, so daß eine Entstehungszeit nach 1530 anzunehmen ist.

G. A. Benrath, Albrecht von Mainz. In: TRE 2, 1978, S. 184-187. – E. Iserloh, Luther zwischen Reform und Reformation, 3. Aufl. 1979, S. 22-29. – Friedländer-Rosenberg, 1979, 182 C. – Katalog des Museums der Stadt Mainz, 1836, Nr. 170. – Mittelrheinisches Landesmuseum Mainz (Hrsg.), Das Gebetbuch des Kardinals Albrecht von Brandenburg, 1980, S. VII (mit Abbildung S. V). H. I.

197 Papst Leo X. ernannte Erzbischof Albrecht sowie den Franziskaner-Guardian von Mainz zu päpstlichen Ablaßkommissaren.

Bulle ›Sacrosanctis [!] salvatoris et redemptoris nostri‹ vom 31. März 1515, o. O., o. J. 2°. 5 Bll.
München, Universitätsbibliothek, 2° H. eccl. 859

Mit der vorliegenden Bulle ernannte Papst Leo X. den jungen Mainzer Kurfürsten und den dortigen Franziskanerguardian für die Dauer von acht Jahren, beginnend mit dem Tag der Promulgation, zu päpstlichen Ablaßkommissaren. Weil der Text aber die genauen Einzelheiten über die Verwendung der Gelder nicht ausdrücklich aufzählt, kam es über diese Frage zwischen Mainz und Rom zu erneuten Verhandlungen, die sich nochmals über fast zwei Jahre hinzogen, bis Albrecht von Rom die schriftliche Zusage erhielt, daß er die Hälfte des Ertrages zur Tilgung seiner Schulden, die ihm im Zusammenhang mit seinem Amtsantritt in Mainz entstanden waren, behalten durfte. So verzögerte sich der Beginn der Ablaßpredigt bis in die ersten Monate des Jahres 1517.
Mit diesem Dokument wurde die Verkündigung des Peters-Ablasses in den Ländern Albrechts von Brandenburg zu einem »Tauschobjekt in einem Großhandelsgeschäft« (J. Lortz).

N. Paulus, Johann Tetzel, der Ablaßprediger, 1899, S. 30 ff. – Text: W. Köhler, Dokumente zum Ablaßstreit von 1517, 2. Aufl. 1934, S. 83-93. H. I.

198 Um die hohen Gebühren aus Anlaß seiner Wahl aufbringen zu können, mußte Erzbischof Albrecht beim Augsburger Bankhaus Fugger einen beträchtlichen Kredit aufnehmen.

Bildnis Jakob Fuggers des Reichen
Nürnberger oder Augsburger Maler nach Albrecht Dürer, 1520
Gemälde, 56,5 × 47,5 cm. Ursprünglich Holz; 1850 auf Leinwand übertragen, später auf Weichholzbrett aufgeklebt. Oben links datiert: ANNO. DO(mi)NI.MDXX (1520)
Privatbesitz

Auf Vermittlung der Römischen Kurie verlieh das große Augsburger Bankhaus, dem Jakob Fugger seit dem Tode seiner Brüder vorstand, den Betrag von 29 000 Dukaten an Erzbischof Albrecht von Brandenburg, damit dieser die mit Amtsübernahme fälligen Abgaben an die Kurie (die sog. Servitien und Palliengelder) sowie die Gebühr für den Dispens vom Verbot der außergewöhnlichen Kumulation von Seelsorgspfründen (zusammen 24 000 Dukaten) unmittelbar nach Rom abführen konnte. Von den verbleibenden 5 000 Dukaten mußten eine Forderung des Kaisers (2 143 Dukaten) und die Organisation der Ablaßpredigt bestritten werden. Wenn dann die ganze Sammelaktion ihren finanziellen Zweck erfüllen sollte, mußten weit mehr als 50 000 Dukaten einkommen, um die vorweg aufgeteilten Summen zu erbringen. Zwar ist eine Endabrechnung nicht mehr erfolgt; mit Sicherheit aber darf man annehmen, daß nur ein Bruchteil der veranschlagten Gesamtsumme eingekommen ist.
Bei dem vorliegenden Gemälde handelt es sich um eine zeitgenössische Kopie des im Besitz der Augsburger Staatsgalerie befindlichen Leinwandporträts Jakob Fuggers von Albrecht Dürer. Als Maler unseres Bildes wurden in den letzten Jahrzehnten Hans von Kulmbach, Barthel Beham und Christoph Amberger genannt. Im Unterschied zu seiner Vorlage erweist sich bei unserem Bild der dunkle Hintergrund rechts oben als eine grobe Bretterwand. Der Dargestellte trägt einen blauschwarzen Samtrock mit schwarzem Seidenkragen. Der Gesichtsausdruck ist weniger streng als bei Dürer, die Goldhaube reicher gemustert.

Kat. Staatsgalerie Augsburg – Städtische Kunstsammlungen, Bd. 1: Altdeutsche Gemälde, 1967, S. 39 f. (Lit). – Kat. Ausst. Welt im Umbruch, Bd. 1, Nr. 33. H. I.

199 Erzbischof Albrecht von Mainz und der Mainzer Franziskaner-Guardian erteilen genaue Anweisungen zur Organisation der Ablaßverkündigung.

›Instructiones confessorum. Instructio summaria pro subcommissariis, penitentiariis et confessoribus pro executione negotii plenissimarum indulgentiarum et aliarum facultatum in favorem fabrice ecclesiae seu Basilice principis apostolorum de urbe per sanctissimum dominum nostrum papam Leonem decimum modernum largissime concessarum subdeputandis et ordinandis‹ [Mainz: Johann Schöffer, o. J. (1516)]
4°. Aufgeschlagen: fol. Aj^{v}f.
Mainz, Stadtbibliothek, HBA I 55, Bl. 237-247 (einziges nachgewiesenes Exemplar)

198

Üblicherweise erließ der vom Papst ernannte Ablaßkommissar, in unserem Fall federführend der Mainzer Erzbischof, an seine Ablaßprediger und Beichtväter, die sogenannten Subkommissare, genaue Anweisungen zur Organisation der Ablaßverkündigung. Es finden sich hier Richtlinien für das Auftreten und die Lebensführung der Prediger sowie für die Festsetzung der Gebühren, die den persönlichen Lebensverhältnissen der Gläubigen angepaßt werden sollten. In Anlehnung an ältere Vorlagen zählt die Instruktion die vier Hauptgnaden auf, die mit dem Kauf eines Ablaßzettels erworben werden konnten. Es waren dies im Sinne der Autoren:

1. Nachlaß aller Sünden.
2. Vollmacht, einmal im Leben und in der Todesstunde einen Beichtvater frei wählen zu dürfen, der von allen Zensuren und Sünden, auch solchen, die dem Papst vorbehalten sind, absolvieren wird. Diese Zusage auch unabhängig vom augenblicklichen Gnadenstand des Käufers.
3. Teilhabe an allen geistlichen Gütern der Kirche; dies auch für Verstorbene.
4. Nachlaß aller Sünden solcher Verstorbener, deren Seelen im Fegfeuer büßen; diese Gnade fürbittweise.

Weil die Instruktion nicht zwischen Sündenschuld und Sündenstrafe unterscheidet, weil von der Reue und persönlichen Disposition des Pönitenten nur beiläufig die Rede ist, weil ganz offenkundig der Gelderwerb im Vordergrund steht, wird hier leichtfertig der Eindruck erweckt, als ob das ewige Heil des Menschen käuflich sei.

On Aplas von Rom
kan man wol selig werden
durch anzaigung der götlichen
hailigen geschryfft.

200

H. Volz. In: Jb. der Hessischen Kirchengeschichtlichen Vereinigung 13, 1962. S. 213. – E. Iserloh, Luther zwischen Reform und Reformation, 3. Aufl. 1979, S. 23-27. H. I.

200 Die Ablaßpredigt in der Kirche wird häufig vom gleichzeitigen Handel mit Ablaßzetteln begleitet.

St. Peter-Ablaßhandel
Titelholzschnitt zu: ›On Aplas von Rom kan man wol selig werden durch anzaigung der götlichen hailigen geschryfft‹
Anonyme Flugschrift, Augsburg: Melchior Ramminger, 1520. 4°
Augsburg, Staats- und Stadtbibliothek, 4° Th. H. 1700, 1

Im Innern einer mittelalterlichen Kirche verliest ein Franziskanermönch den Text der päpstlichen Ablaßbulle, die an fünf anhängenden Siegeln kenntlich ist. In der Bildmitte, unmittelbar unter dem hohen Kreuz, die große Ablaßkiste, in deren Einwurfschlitz ein Bürger eben eine Münze fallen läßt, dabei von einem weiteren Mönch als Aufseher wohlwollend beobachtet. An einem großen Tisch vorn rechts erfolgt die Ausgabe der Beichtbriefe (auch Ablaßbriefe genannt). Im Hintergrund zwei aufgesteckte Fahnen: links das allgemeine Papstwappen, das den Heiligen Stuhl symbolisiert, hier wohl für Papst Julius II.; rechts das Wappen der Medici für Papst Leo X.
Der durch Dreschflegel und Hut gekennzeichnete Bauer am rechten Bildrand erinnert an den »Karsthans« (vgl. Kat. Nr. 314), der, reformatorische und sozialkritische Tendenzen verbindend, in Schriften und bildlichen Darstellungen der frühen 20er Jahre als Vertreter des gesunden Menschenverstandes für die neue Lehre eintritt. Wie der mit Geld beladene Wechslertisch im Vordergrund, der an eine Kaufmannsdarstellung denken läßt, und das hinter den Ablaßkästen zum Requisit der Händler gewordene Kreuz mit Dornenkrone legt er eine kritische Haltung des anonymen Künstlers zu den geschilderten Vorgängen nahe. Die Darstellung fand als Titelholzschnitt mehrerer um 1520 in Augsburg erschienener Reformationsdrucke Verwendung, doch darf man annehmen, daß er für die vorliegende, gegen den Ablaß gerichtete Flugschrift geschaffen wurde.

G. A. Benrath, Ablaß. In: TRE 1, 1977, S. 347-364. – Kat. Ausst. Freiheit eines Christenmenschen, Nr. 56, Abb. S. 46. – Zschelletzschky, S. 230 ff. H. I.

201 Die Witwe Rodt und Adam Rodt aus Göttingen erwerben das Recht, sich unabhängig vom zuständigen Pfarrer einen Beichtvater selbst zu wählen.

Beicht- oder Ablaßbrief
[Mainz: Johann Schöffer, o. J. (1516/17)]. 8°
Wolfenbüttel, Herzog August Bibliothek, Jüngere Ablaßbriefe

Vor Beginn der eigentlichen Ablaßpredigten waren an verschiedenen Orten nach vorgeschriebenem Muster Beichtbrief-Formulare gedruckt worden. In diese wurde der Name des Käufers, Ort und Datum des Erwerbs handschriftlich eingetragen. Es scheint, daß der Druck der Formulare nach Diözesen getrennt erfolgte. Wir zeigen einen Beichtbrief (auch Ablaßbrief genannt), der in Mainz gedruckt worden war und am 11. Juli 1517 in Göttingen (das zum Erzbistum Mainz gehörte) der Witwe Rodt und ihrem Verwandten Adam Rodt gegen Zahlung eines halben Guldens verkauft wurde. Im Besitz dieses Briefes durften die beiden Käufer, deren Namen im Formular handschriftlich verzeichnet sind, »einmal im Leben und in der Todesstunde« einen Beichtvater frei wählen. Solches Vorrecht war in einer Zeit, da die Sakramentenspendung streng an den Grundsatz des Pfarrzwanges gebunden war, überaus begehrt. Die Begünstigten konnten so nämlich den zuständigen Ortsgeistlichen, vor dem freimütig zu beichten oftmals eine gewisse Hemmung bestanden haben mag, umgehen und selbständig einen Beichtvater aus dem Welt- oder Ordensklerus wählen. Dieses Vorrecht war ebenso begehrt in den Fällen, da die Päpste (häufig leichtfertig) geistliche Strafen, so vor allem das Verbot der Sakramentenspendung, das sogenannte Interdikt, über große Gebiete verhängten, um Gehorsam und rein politische Ziele zu erpressen. Nach Vorlage unseres Beichtbriefes war der gewählte Beichtvater gehalten, die Witwe bzw. ihren Verwandten nach Sündenbekenntnis und Reue von allen Sünden freizusprechen, gegebenenfalls auch von solchen, deren Absolution allein dem Papst vorbehalten war. Weiter erteilte unser Beichtbrief die Vollmacht, bestimmte zeitliche Gelübde in Werke der Frömmigkeit (z. B. Gebet, Fasten usw.) umzuwandeln – all dies einmal im Leben und in der Todesstunde.
Am Ende des Beichtbriefes sind zwei Absolutionsformeln abgedruckt: »Es erbarme sich deiner [der allmächtige Gott; er lasse dir die Sünden nach und führe dich zum ewigen Leben]. Der Herr Jesus Christus spreche dich um des Verdienstes seines Leidens willen frei; aufgrund seiner und der apostolischen Vollmacht, die mir hierin übertragen und dir vergönnt ist, spreche ich dich frei von allen Sünden. Im Namen des Vaters und des Sohnes und des Heiligen Geistes. Amen.«
Darunter folgt die Formel für die Generalabsolution, die einmal im Leben und in der Todesstunde empfangen werden konnte: »Es erbarme sich deiner usw. Unser Herr Jesus Christus spreche dich um des Verdienstes seines Leidens willen frei; und aufgrund seiner und der apostolischen Vollmacht, die mir hierin übertragen und dir vergönnt ist, spreche ich dich frei erstens von jedem Kirchenbann, dem großen und kleinen, falls du in einen verfallen bist, sodann von allen deinen Sünden, indem ich dir vollste Vergebung aller deiner Sünden erteile und dir außerdem die Strafen des Fegfeuers, so weit die Schlüssel der heiligen Mutter Kirche reichen, vergebe. Im Namen des Vaters und des Sohnes und des Heiligen Geistes. Amen.«
Die Witwe Rodt bzw. Adam Rodt hatten den hier ausgestellten Beichtbrief dem von ihnen gewählten Beichtvater vorzulegen, der dann die jeweils entsprechende Absolutionsformel auswählte.
Die ungeheuere Vermehrung der Beichtbriefe und ihr geschäftsmäßiger Verkauf förderten im 15. Jahrhundert vielfach Mißverständnis und Mißbrauch. Weil die angepriesenen Vergünstigungen auch für zukünftige Sünden galten, konnten sich Käufer der Beichtbriefe verleitet sehen, im Vertrauen auf die Garantie der Absolution leichtfertig zu sündigen. Verheerender noch wirkten weit verbreitete, irrige Vorstellungen; so die theologisch unhaltbare Ansicht, daß ein Ablaß nicht nur Erlaß von Sündenstrafen, sondern auch Vergebung der Sündenschuld zuspreche, ja daß Vergebung der Sünden bei Vorweisen eines Beichtbriefes auch ohne Reue und Bekenntnis, sozusagen automatisch, erfolge, daß das ewige Heil somit letztlich käuflich sei.

LThK 2, 2. Aufl. 1958, Sp. 125 f. – H. Volz: Martin Luthers Thesenanschlag und dessen Vorgeschichte, 1959, S. 53. H. I.

202 Ein Notar bestätigt das finanzielle Ergebnis einer örtlichen Ablaßpredigt und überwacht die auftragsgemäße Verteilung der eingegangenen Gelder.

Öffnungsprotokoll der Göttinger Ablaßkampagne, 12. Juli 1518
Notariatsinstrument, Orig. Papier, ca. 32 × 20 cm
Würzburg, Staatsarchiv, Mainzer Urkunden Weltlicher Schrank 1/159.

Aus derselben Göttinger Ablaßkampagne, aus der auch unser Beichtbrief (Kat. Nr. 201) stammt, zeigen wir hier das »Öffnungsprotokoll«, eine unter Zeugen angefertigte Abrechnung über die Gelder, die durch den Ablaßverkauf in Göttingen eingegangen waren. Darüber hatte der bestellte Notar Heinrich Wischeman die vorliegende Urkunde auszustellen. Er teilte darin mit, daß die Verkündigung des Peters-Ablasses in Göttingen bis zum 12. Juli 1518 insgesamt 74 Gulden eingebracht hatte. Von diesem Betrag zweigte er, offenbar auftragsgemäß, 15 Gulden ab, von denen acht dem örtlichen Dominikanerkloster, sieben dem Göttinger Franziskanerkloster zugute kamen. Die verbleibenden 59 Gulden flossen dem eigentlichen Zweck der Ablaßverkündigung zu, mußten entsprechend unter mehreren Nutznießern aufgeteilt werden. H. I.

203 Der Kaufpreis für die Ablaßbriefe wird in einer Ablaßkiste hinterlegt, zu der die jeweiligen Nutznießer getrennte Schlüssel besitzen.

Ablaßkiste, 16. Jahrhundert
Eichenholz, mit Eisenbeschlägen, 40,7 × 82,5 × 47,5 cm
Braunschweig, Städtisches Museum, B 31

In Braunschweig glaubt man seit altersher, daß es sich um eine Ablaßkiste Johann Tetzels handelt. Die innen und außen mit breiten Eisenblechen beschlagene Eichenholzkiste mit ebenfalls eisenbeschlagenem schweren Deckel besitzt an den Schmalseiten zwei Eisenringe als Tragegriffe. Auf der Vorderseite waren drei Schlösser angebracht, von denen sich nur das Hauptschloß einschließlich des dazugehörigen Schlüssels erhalten hat. Die beiden kleineren seitlichen Vorhängeschlösser sind verloren. Tatsächlich läßt sich die Überlieferung der Kiste sicher bis in die erste

203

Hälfte des 17. Jahrhunderts zurückverfolgen. Matthäus Merian d. Ä. hat sie bereits in seiner ›Topographia und eigentlichen Beschreibung der vornehmsten Städte, Schlösser etc. in den Herzogtümern Braunschweig und Lüneburg‹ (1638) vermerkt. Er will auch wissen, daß Tetzel den Ablaß in der kleinen Peterskapelle, auf einem Hügel südöstlich des Dorfes Süpplingenburg (bei Helmstedt) gelegen, gepredigt habe. Unser Kasten soll dabei verwendet worden sein. Über verschiedene Aufbewahrungsorte gelangte er 1870 in den Besitz des Braunschweiger Stadtmuseums. Der Bericht entbehrt nicht der Glaubhaftigkeit. Trotzdem ist Vorsicht geboten. Denn seit der zweiten Hälfte des 16. Jahrhunderts wurde Tetzel im evangelischen Volk allgemein zu einer sagenumwobenen Figur, der man sehr bald nach dem faktischen Verlust der Kircheneinheit zu Unrecht ein hohes Maß an persönlichem Verschulden zuschrieb. Seine Wirksamkeit wurde und wird bis heute in vielen Gegenden behauptet, die er tatsächlich nie betreten hat. Mit Vorliebe werden Anekdoten von ihm berichtet, die ihn als überlisteten Tölpel erscheinen lassen. Es ist immerhin nicht unwahrscheinlich, daß auch unsere Kiste Teil solcher Legendenbildung des ausgehenden 16. Jahrhunderts geworden ist.
Mit Sicherheit läßt sich sagen, daß die Kiste ausweislich der handwerklichen Ausführung im ausgehenden 15. bzw. beginnenden 16. Jahrhundert entstanden ist und offenbar als Sammelbehälter bei Ablaßpredigten gedient hat. Ob dies auch während der Tetzelschen Ablaßkampagne der Fall war, muß offen bleiben. Es ist gut vorstellbar, daß sich die Schlüssel zu den mindestens drei Schlössern im Besitz der verschiedenen Nutznießer befanden; es waren dies im Falle des Petersablasses das Fuggersche Bankhaus, die Römische Kurie, der Kaiser und gegebenenfalls auch noch der jeweilige geistliche oder weltliche Landesherr.

F. Knoll u. R. Bode, Das Herzogtum Braunschweig, 2. Aufl. 1891, S. 323 f. – F. J. Christiani, Tetzels Ablaßkiste. In: Städt. Museum Braunschweig. Miszellen 37, 1983. H. I.

204 In seinem Brief vom 31. Oktober 1517 fordert Luther Erzbischof Albrecht von Mainz auf, die Ablaßinstruktionen zurückzunehmen.

Martin Luther an Erzbischof Albrecht von Brandenburg, Wittenberg 31. Oktober 1517
Eigenhändig, Orig. Papier, 31 × 21 cm
Stockholm, Riksarkivet

Offenbar nach längerem Zögern wandte sich Luther am 31. Oktober 1517 an den Erzbischof als den für die Ablaßpredigt verantwortlichen Fürsten. Dabei lehnte er den Ablaß nicht grundsätzlich ab, sondern führte lediglich Klage über die gefährliche Irreführung der Gläubigen durch die Ablaßprediger. Durch erlogene Märchen und Versprechungen vom Ablaß werde dem Volk falsche Sicherheit und Furchtlosigkeit vorgegaukelt, während doch in Wirklichkeit die Ablässe zum Heil und zur Heiligkeit der Seelen nichts beitrügen. Das marktschreierische Auftreten der Ablaßprediger erwecke beim einfachen Volk die falsche Meinung, als könnten aufgrund der Ablaßgnade selbst die allerschwersten Sünden vergeben werden; als könnte der Ablaß nicht nur von den Sündenstrafen, sondern auch von der Schuld befreien; als könnten die Seelen der Verstorbenen ohne Reue, allein durch eine Geldspende aus dem Fegfeuer erlöst werden. Bei allem Aufwand für die Ablaßpredigt werde die ungleich wichtigere Predigt des Evangeliums völlig vernachlässigt.
Luther forderte aus diesen Gründen den Erzbischof auf, den Ablaßpredigern eine andere Predigtweise zur Auflage zu machen, d. h. die ›Instructiones confessorum‹ zurückzuziehen bzw. in entscheidenden Passagen abzuändern. Zur Stützung seiner Meinung legte er dem Brief Disputationsthesen über den Ablaß bei.
Unüberhörbar war die dunkle Drohung Luthers für den Fall, daß die Mißstände nicht alsbald beseitigt würden: »Dann könnte es so weit kommen, daß einer aufsteht, der durch seine Bücher die Ablaßprediger sowohl als auch die Instruktionen öffentlich widerlegt – zur höchsten Schande Eurer erlauchten Hoheit. Davor graut mir in tiefster Seele, und doch fürchte ich dies für die nächste Zukunft, wenn nicht eilends Abhilfe geschaffen wird«. Luther selbst hat später diese Drohung als sein letztes Ultimatum bezeichnet.

WA Br, 1, S. 108-115. – Kyrkohistorisk Årsskrift 18, 1917, S. XXXIV f. – E. Iserloh: Luther zwischen Reform und Reformation, 3. Aufl. 1979, S. 41-55. – Brecht, S. 187 f. H. I.

205 Dem Brief an Albrecht von Mainz legte Luther seine 95 Thesen gegen den Ablaß bei. Das Datum 31. Oktober 1517 gilt als Beginn der Reformation.

Martin Luther, ›Amore et studio elucidande veritatis: hec subscripta disputabuntur Wittenberge. Presidente R.P. Martino Luther . . .‹
Nürnberg: Hieronymus Höltzel 1517. 2°
London, The British Library, C. 18 d. 12

Entgegen weitverbreiteter Meinung bedeuteten die Ablaßthesen noch keinen endgültigen Bruch Luthers mit der alten Kirche, handelte es sich doch um Disputationsthesen, die nicht unbedingt die Meinung des Verfassers wiedergeben mußten. Im übrigen ist der Ablaß keineswegs grundsätzlich abgelehnt; ja, »wer wider die Wahrheit des apostolischen Ablasses redet, sei verflucht und vermaledeit«, heißt es in These 71. Dem Papst gesteht der Text sogar ein vor Gott gültiges Recht der Reservierung von Sünden zu (These 6). Auch an der Lehre vom Läuterungszustand im Jenseits halten die Thesen ausdrücklich fest (Thesen 15-19). Die falsche Sicherheit aber, die der Ablaß vorgaukelt, wird mehrfach beklagt; man dürfe keineswegs sein Vertrauen darauf setzen (These 32, 49, 52). Vor allem seien Werke der Liebe und das Gebet ungleich höher zu bewerten (These 41, 74). Weiter wurde die Wirkung des Ablasses auf den Nachlaß der kanonischen Strafen eingeschränkt (These 5, 11, 20, 21, 33) und eine Entsprechung der von Gott auferlegten Strafen zu den Kirchenstrafen abgelehnt.
Die Zählung der Thesen stammt kaum von Luther selbst, sondern geht auf den Setzer zurück. Unser Exemplar addiert 25 + 25 + 25 + 20 Thesen zu insgesamt 95. Das gleichzeitige Leipziger Exemplar kommt durch andere Unterteilung des Textes auf nur 87 Thesen. Der bei weitem verbreitetste Druck entstand in der Offizin Adam Petri in Basel; er verteilte den Text auf sieben Seiten.

Brecht, S. 188-195. H. I.

Amore et studio elucidande veritatis: hec subscripta disputabũtur Wittenberge. Presidente R. P. Martino Luther: Artiũ et S. Theologie Magistro: eiusdem ibidem lectore Ordinario. Quare petit: vt qui non possunt verbis presentes nobiscũ disceptare: agant id literis absentes. In noie dñi nostri Iesu chri. Amẽ.

1 ¶ Dominus et magister nr Jesus chrs dicendo. Penitentiã agite. &c. omnẽ vitam fideliũ penitentiam esse voluit.
2 ¶ Qđ verbũ de penitẽtia sacramentali (id est confessiõis et satisfactiõis que sacerdotum ministerio celebratur) non põt intelligi.
3 ¶ Non tñ solam intendit interiorẽ: immo interior nulla est. nisi foris operetur varias carnis mortificationes.
4 ¶ Manet itaq pena donec manet odiũ sui (id est penitentia vera intus) scz vsq ad introitum regni celorũ.
5 ¶ Papa nõ vult nec põt vllas penas remittere. pter eas: quas arbitrio vel suo vel canonum imposuit.
6 ¶ Papa nõ põt remittere vllã culpã nisi declarando et approbando remissam a deo. Aut certe remittendo casus reseruatos sibi: quib9 ptẽptis culpa prorsus remaneret.
7 ¶ Nulli prorsus remittit deus culpã: quin simul eũ subijciat: humiliatũ in omnibus: sacerdoti suo vicario.
8 ¶ Canones penitẽtiales solũ viuẽtibus sunt impositi. nihilq morituris fm eosdem debet imponi.
9 ¶ Inde bñ nobis facit spũssctũs in papa. excipiendo in suis decretis sp articulũ mortis et necessitatis.
10 ¶ Indocte et male faciũt sacerdotes ij: qui morituris pñias canonicas in purgatorium reseruant.
11 ¶ Zizania illa de mutanda pena Canonica in penam purgatorij. videnẽ certe dormientibus episcopis seminata.
12 ¶ Olim pene canonice nõ post: sed ante absolutionem imponebantur: tanq tentamenta vere contritionis.
13 ¶ Morituri: p mortẽ omnia soluunt. et legibus canonũ mortui iam sunt habentes iure earum relaxationem.
14 ¶ Impfecta sanitas seu charitas morituri: necessario secũm fert magnũ timorem: tantoq maiorem: quãto minor fuerit ipsa.
15 ¶ Hic timor et horror satis est. se solo (vt alia taceã) facere penã purgatorij: cum sit proximus desperatiõis horrori.
16 ¶ Videnẽ infernus: purgatoriũ: celum differre: sicut desperatio: ppe desperatio. securitas differunt.
17 ¶ Necessariũ videẽ aiab9 in purgatorio: sicut minui horrorẽ. ita augeri charitatem.
18 ¶ Nec pbatum videẽ vllis: aut rõnibus aut scripturis. q sint extra statum meriti seu agende charitatis.
19 ¶ Nec hoc pbatũ esse videẽ: q sint de sua btitudine certe et secure saltẽ oẽs. licz nos certissimi simus.
20 ¶ Igitur papa p remissionẽ plenariã oĩm penarũ. nõ simpliciter oĩm. intelligit: sed a seipso tantũmodo impositarũ.
21 ¶ Errant itaq indulgẽtiarũ pdicatores. ij: qui dicũt per pape indulgẽtias: hoiem ab omi pena solui et saluari.
22 ¶ Quin nullã remittit aiabus in purgatorio: quã in hac vita debuissent fm Canones soluere.
23 ¶ Si remissio vlla oĩm oĩno penarũ: põt alicui dari. certũ est eã nõ nisi pfectissimis. i. paucissimis dari.
24 ¶ Falli ob id necesse est: maiorẽ partẽ popli: per indifferentẽ illã et magnificam pene solute pmissionem.
25 ¶ Qualẽ ptãtem hz papa in purgatoriũ gñaliter: talem hz quilibet Episcopus et Curatus in sua diocesi et parochia specialiter.
1 ¶ Optime facit papa: q nõ ptãte clauis (quã nullã hz) sed per modũ suffragij dat aiabus remissiouem.
2 ¶ Hoiem predicãt. qui statim vt iactus nummus in cistam tinnierit: euolare dicunt animã.
3 ¶ Certũ est. nũmo in cistã tinniente: augeri questũ et auariciã posse. suffragium aũt ecclie: in arbitrio dei soli9 est.
4 ¶ Quis scit. si oẽs aie in purgatorio velint redimi. sicut de. s. Seuerino et paschali factũ narratur.
5 ¶ Nullus est securus de veritate sue cõtritiõis. multominus de cõsecutione plenarie remissionis.
6 ¶ Qz rar9 est q̃ve penitẽs: tã rar9 est q̃ve indulgẽtias redimẽs. i. rarissim9
7 ¶ Dãnabunẽ ineternũ cũ suis mgris: qui p lr̃as veniarũ securos sese credunt de sua salute.
8 ¶ Cauendi sunt nimis: qui dicũt venias illas Pape: donũ esse illud dei inestimabile: quo reconciliaẽ homo deo.
9 ¶ Gratie eñi ille veniales: tantũ respiciunt penas satisfactiõis sacramẽtalis ab homĩe constitutas.
10 ¶ Non christiana predicant: qui docent. q redemptoris aĩas vel cõfessionalia: nõ sit necessaria contritio.
11 ¶ Quilibet christianus vere cõpunctus: hz remissionẽ plenariã: a pena et culpa. etiam sine lr̃is veniarũ sibi deditã.
12 ¶ Quilibet verus christianus: siue viuus siue mortu9: hz participationẽ oĩm bonorũ Chri et Ecclesie. etiã sine lr̃is veniarũ a deo sibi datam.
13 ¶ Remissio tñ et participatio Pape: nullo mõ est ptemnẽda. qr (vt dixi) est declaratio remissionis diuine.
14 ¶ Difficilimũ est: etiã doctissimis Theolog. simul extollere veniarũ largitatem: et contritiõis veritatẽ coram populo.
15 ¶ Contritionis veritas penas querit et amat. Veniarũ aũt largitas relaxat: et odisse facit saltem occasione.
16 ¶ Caute sunt venie apl̃ice pdicande. ne populus false intelligat. eas pferri ceteris bonis opibus charitatis.
17 ¶ Docendi sunt christiani. q Pape mens nõ est: redemptionẽ veniarũ vlla ex parte cõparandã esse opibus misericordie.
18 ¶ Docendi sunt christiani. q dans paupi: aut mutuans egenti: meli9 facit: q si venias redimeret.
19 ¶ Quia p opus charitatis crescit charitas: & fit hõ melior. sed p venias nõ fit melior: sed tñmodo a pena liberior.
20 ¶ Docendi sunt chr̃iani. q qui videt egenũ: et neglecto eo. dat p venijs nõ indulgẽtias Pape: sed indignationẽ dei sibi vendicat.
21 ¶ Docendi sunt chr̃iani: q nisi supfluis abundent: necessaria tenenẽ domui sue retinere: et nequaq ppter venias effundere.
22 ¶ Docendi sunt christiani. q redemptio veniarũ est libera: nõ precepta.
23 ¶ Docẽdi sunt chr̃iani. q Papa sicut magis eget: ita magis optat in venijs dandis p se deuotam orationem: q pmptam pecuniam.
24 ¶ Docendi sunt christiani. q venie Pape sunt vtiles: si non in eas confidant. Sed nocentissime: si timorem dei per eas amittant.
25 ¶ Docendi sunt chr̃iani. q si Papa nosset exactiones venaliũ pdicatorum mallet Basilicã. s. Petri in cineres ire: q edificari. cute carne & ossibus ouium suarũ.
1 ¶ Docendi sunt chr̃iani. q Papa sicut debet ita vellet. etiam vendita (si opus sit) Basilica. s. Petri: de suis pecunijs dare illis: a quorum plurimis quidã cõcionatores veniarũ pecuniam eliciunt.
2 ¶ Vana est fiducia salutis p lr̃as veniarũ. etiã si Cõmissarius: immo Papa ipse suã aiam p illis impigneraret.
3 ¶ Hostes chr̃i et Pape sunt ij: qui ppter venias pdicandas verbũ dei in alijs ecclesijs penitus silere iubent.
4 ¶ Iniuria fit verbo dei: dũ in eodez sermone: equale vel longius tẽpus impenditur venijs q illi.
5 ¶ Mens Pape necessario est. q si venie (qđ minimum est) vna cãpana: vnis pompis: et ceremonijs celebranẽ. Euangelium (qđ maximũ est) centũ campanis: centũ pompis: centũ ceremonijs prediceẽ.
6 ¶ Thesauri ecclie vñ Papa dat indulgẽtias: neq satis noiati sunt: neq cogniti apud ppl̃m christi.
7 ¶ Temporales certe nõ esse patet. q nõ tã facile eos pfundũt: sz tñmõ colligunt multi concionatorũ.
8 ¶ Nec sunt merita Chr̃i et sctõrũ. qr hec sp sine Papa operanẽ gr̃am hois interioris: et crucẽ: mortẽ: infernumq exterioris.
9 ¶ Thesauros ecclie. s. Laurẽti9 dixit esse: paupes ecclie. sz locutus est vsu vocabuli suo tpe.
10 ¶ Sine temeritate dicim9 claues ecclie (merito Chr̃i donatas) esse thesaurum istum.
11 ¶ Clarũ est eñ. q ad remissionẽ penarũ et casuũ sola sufficit ptãs Pape.
12 ¶ Verus thesaurus ecclie. est sacrosctm̃ euãgelium glorie et gratie dei.
13 ¶ Hic autẽ est merito odiosissimus. qr ex primis facit nouissimos.
14 ¶ Thesaurus aũt indulgentiarũ merito est gratissimus. qr ex nouissimis facit primos
15 ¶ Igitur thesauri Euangelici rhetia sunt: quibus olim piscabanẽ viros diuitiarum.
16 ¶ Thesauri indulgentiarũ rhetia sunt: qbus nũc piscanẽ diuitias virorũ.
17 ¶ Indulgẽtie: quas cõcionatores vociferanẽ maxias gr̃as. intelliguntẽ vere tales quoad questum pmouendum.
18 ¶ Sunt tamen re vera minime ad gr̃am dei et crucis pietatẽ compate.
19 ¶ Tenenẽ Epi et Curati veniarũ apl̃icarũ Cõmissarios cũ omi reuerentia admittere.
20 ¶ Sed magis tenenẽ oibus oculis intendere: oibus aurib9 aduertere: ne p cõmissione Pape sua illi somnia pdicent.
21 ¶ Cõtra veniarũ apl̃icarũ ṽitatẽ q loquiẽ. sit ille anathema & maledict9.
22 ¶ Qui vero contra libidinẽ ac licentiã verborũ Cõcionatoris veniarũ curam agit: sit ille benedictus.
23 ¶ Sicut Papa iuste fulminat eos: qui in fraudem negocij veniarũ quacunq arte machinantur.
24 ¶ Multomagis fulminare intendit eos: qui p veniarũ pretextũ in fraudem sctẽ charitatis et veritatis machinanẽ.
25 ¶ Opinari venias papales tãtas esse: vt soluere possint hoiez. etiã si qs p impossibile dei genitricẽ violasset. Est insanire.
1 ¶ Diximus contra. q venie papales: nec minimũ venialium pctõrũ tollere possint quo ad culpam.
2 ¶ Qz dr. nec si. s. Petrus modo Papa esset: maiores gr̃as donare possz est blasphemia in sctm̃ Petrum et Papam.
3 ¶ Dicimus contra. q etiã iste et quilibet papa maiores hz. scz Euangelium: virtutes: gr̃as curationũ. &c. vt. 1. Co. xij.
4 ¶ Dicere. Crucẽ armis papalibus insigniter erectã: cruci christi equiualere: blasphemia est.
5 ¶ Rationẽ reddent Epi: Curati: et Theologi. Qui tales sermões in populum licere sinunt.
6 ¶ Facit hec licẽtiosa veniarũ pdicatio. vt nec reuerentiã Pape facile sit: etiã doctis virĩ redimere a calũnijs aut certe argut. qstiõib9 laicorũ.
7 ¶ Scz. Cur Papa nõ euacuat purgatoriũ ppter sctissimã charitatez et summã aiarũ necessitatẽ: vt cãm oĩm iustissimã. Si infinitas aĩas redimit ppt pecuniã funestissimã ad structurã Basilice: vt cãz leuissimã
8 ¶ Itẽ. Cur pmanẽt exequie et anniuersaria defunctorũ: et nõ reddit aut recipi pmittit bñficia p illis instituta. cũ iã sit iniuria p redẽpt. orare
9 ¶ Itẽ. Que illa noua pietas Dei et Pape. q impio et inimico ppter pecuniã pcedũt: aĩam piã et amicã dei redimere. Et tñ ppter necessitatẽ ipsius met pie et dilecte anĩe nõ redimunt eã gratuita charitate.
10 ¶ Itẽ. Cur Canones pñiales re ipa et nõ vsu: iã diu in semet abrogati et mortui: adhuc tñ pecunijs redimunẽ per pcessionẽ indulgẽtiarũ tanq viuacissimi.
11 ¶ Itẽ. Cur Papa cui9 opes hodie sunt opulẽtissimis crassis crassiores: nõ de suis pecunijs mag. q paupm fideliũ struit vnã tñmõ Basilicã sancti Petri.
12 ¶ Item. Quid remittit aut participat Papa iis: qui p ptritionẽ pfectaz ius habẽt plenarie remissionis et participationis.
13 ¶ Item. Quid addereẽ ecclie boni maioris. Si Papa sicut semel facit: ita cẽties in die cuilibz fideliũ has remissiões & pticipatiões tribuẽt.
14 ¶ Ex quo Papa salutẽ querit aiarũ: p venias mag. q pecunias. Cur suspendit lr̃as et venias iam olim pcessas: cũ sint eque efficaces.
15 ¶ Hec scrupulosissima laicorũ argumẽta: sola ptãte pescere: nec reddita ratione diluere. Est eccliam & Papã hostib9 ridendos exponere et infelices christianos facere.
16 ¶ Si ergo venie fm spiritũ et mentẽ Pape pdicarẽtur. facile illa omia soluerenẽ: immo nõ essent.
17 ¶ Valeãt itaq oẽs illi pphe: q dicũt pplo Chr̃i. Pax pax. et nõ est pax.
18 ¶ Bñ agãt oẽs illi pphe: q dicũt pplo Chr̃i. Crux crux. et non est crux
19 ¶ Exhortandi sunt Christiani: vt caput suũ chr̃m per penas: mortes: infernosq sequi studeant.
20 ¶ Ac si magis p multas tribulatiões intrare celũ: q p securitatẽ pacis confidant.

M. D. Xvij.

205

206 Mit dem Namenswechsel von Luder zu Luther bzw. Eleutherius verband sich für den Wittenberger Augustinermönch ein radikal neues Selbstverständnis.

Martin Luther an Christoph Scheurl, Wittenberg 11. September 1517
Eigenhändig, Orig. Papier, ca. 21,5 × 31,5 cm
Nürnberg, Scheurl-Archiv

Der berühmte Brief Luthers vom 31. Oktober 1517, dessen Autograph wir in der Ausstellung zeigen, trägt die Unterschrift *Indignus filius/Martinus Luther/Aug*[ustinensis] *Doctor S*[acrae] *Theologie/vocatus.* (Unwürdiger Sohn Martin Luther, Augustiner, berufener Doktor der heiligen Theologie.) Es ist dies die erste sicher datierbare Unterschrift des Wittenberger Reformators mit der Namensform *Luther.* Bis dahin, oder wenigstens bis September 1517, hat er seinen Namen wie den seiner Familie stets mit *Luder* angegeben. So zuletzt in seinem Schreiben an Christoph Scheurl, dem er am 11. September 1517 seine Thesen gegen die scholastische Theologie (vgl. Kat. Nr. 143) übersandte mit der Bitte, diese auch dem Ingolstädter Professor Dr. Johannes Eck zukommen zu lassen. Hier noch hatte er unterschrieben: *Frater Martinus Luder/Augustinianus Wittenbergensis* (Bruder Martin Luder, Augustiner aus Wittenberg).

Nun war ein Namenswechsel im frühen 16. Jahrhundert an sich nichts Besonderes; er schien vielmehr als Ausweis der Zugehörigkeit zu Humanistenkreisen geradezu geboten (Beispiele: Eck, Fabri, Cochlaeus, Melanchthon, Spalatin oder Eobanus Hessus). Auffällig im Falle Luthers ist aber die Tatsache, daß der Name *Luder* im Herbst 1517 nicht durch einen, sondern durch zwei verschiedene Namensformen abgelöst wurde: durch *Luther* und *Eleutherius* (griech.-lat., der Freie). Wenn auch dieser Namenswechsel nicht ganz konsequent erfolgte – in der unmittelbaren Umgebung des Wittenbergers tauchte gelegentlich auch der alte Familienname nochmals auf –, so ist der äußere Befund doch überzeugend: In den insgesamt 80 erhaltenen Briefen aus der Zeit zwischen dem 31. Oktober 1517 und dem 24. Januar 1519 unterzeichnet Luther 28mal mit *Eleutherius,* 43mal mit *Luther* und nur ein- oder zweimal noch mit *Luder* (in sieben weiteren Fällen ist die exakte Überlieferung unsicher). Mit dem 24. Januar 1519 war dann die Reihe der Eleutherius-Briefe beendet. Von da an hieß der Wittenberger Reformator stets und allgemein *Luther.* Allein die altgläubige Polemik hielt die Erinnerung an *Luder* aufrecht.

Die jüngste Luther-Forschung hat nun gemeint, daß der Namenswechsel von *Luder* zu *Luther* und *Eleutherius* nicht zufällig in die Zeit der 95 Thesen fiel. Den entscheidenden Hinweis zum Verständnis des Namenswechsels meint man in dem Brief Luthers vom 11. November 1517 an seinen Erfurter Freund Johann Lang zu finden. Diesem schickte Luther die 95 Thesen und verwahrte sich gleichzeitig mit scharfen Worten gegen eine zu erwartende Verwerfung seiner Thesen durch die Universität Erfurt.

Der Brief enthält eine deutliche und selbstbewußte Absage an die Scholastik. Die jüngste Forschung sieht hier im Hintergrund die von Luther erfahrene Befreiung von den Fesseln der Schultheologie durchbrechen. Diesen wichtigen und geradezu programmatischen Brief unterzeichnet Luther mit: F[rater] *Martinus Eleutherius, imo dulos et captivus nimis, Augustinianus Wittenbergensis.* Damit wandte Luther das Motiv der christlichen Freiheit auf seine eigene Person an und wollte damit doch wohl sagen, daß er durch die Erkenntnis der wahren christlichen Freiheit ein neuer Mensch geworden sei. Paraphrasierend kann man die Unterschriftenzeile übersetzen: »Bruder Martin, der (durch Gott Freigemachte und daher) Freie, oder vielmehr ganz Knecht und Gefangener (Gottes), Augustiner in Wittenberg«. Dieses neue Selbstverständnis Luthers markiert nun in der Tat einen tiefen Einschnitt in der inneren Entwicklung des Reformators.

WA Br, 1, S. 105-106. – B. Moeller u. K. Stackmann, Luder – Luther – Eleutherius. Erwägungen zu Luthers Namen, 1981. – Dies., Laune Luthers? In: Frankfurter Allgemeine Zeitung v. 1. 12. 1982, S. 25.

H. I.

B Luther tritt an die Öffentlichkeit

Die 95 Thesen vom Oktober 1517 waren ursprünglich nicht für die Öffentlichkeit, sondern für kundige Fachkollegen bestimmt. Ohne Wissen Luthers wurden sie jedoch innerhalb von wenigen Wochen in mehreren Orten des Reiches nachgedruckt und fanden trotz der nicht leicht verständlichen (lateinischen) Sprache weite Verbreitung. Noch mehr gilt dies von den frühen Sermones, die aktuelle kirchlich-theologische Fragen aufgriffen und sich vornehmlich an gebildete Laien wandten. Daß diese Schriften nach Inhalt und Sprache begeisterte Aufnahme fanden, erweisen die vielen innerhalb weniger Monate angefertigten Nachdrucke. Anders als nahezu alle seine Zeitgenossen hat Luther nie Sorge tragen müssen, Geld und Verleger für seine Arbeiten zu finden. Im Gegenteil: die Buchdrucker rissen sich geradezu um seine Manuskripte. Und nicht selten war der erste Teil eines Werkes bereits fertig abgesetzt, noch bevor der Schlußteil überhaupt geschrieben war. So auch bei seinen drei berühmtesten Schriften des Jahres 1520, die man seit Jahrhunderten als seine reformatorischen Hauptschriften zu bezeichnen pflegt, weil sie für die lutherische Lehrentfaltung größte Bedeutung gewannen: ›An den christlichen Adel deutscher Nation von des christlichen Standes Besserung‹ (gedruckt Anfang August 1520); ›De captivitate Babylonica ecclesiae praeludium‹ (Oktober 1520); ›Von der Freiheit eines Christenmenschen‹ (November 1520). Allein von der letzten Schrift erschienen in anderthalb Jahrzehnten nicht weniger als 36 Ausgaben in deutscher, niederdeutscher, lateinischer, englischer, niederländischer, spanischer und tschechischer Sprache sowie in deutscher Rückübersetzung aus dem Lateinischen.

Einen ganz anderen Personenkreis erreichte Luther mit seiner Teilnahme an akademischen Disputationen: in Heidelberg gewann er im April 1518 mehrere seiner jungen, theologisch gebildeten Zuhörer für seine Überzeugung; und zwei Monate später bestand er in Leipzig ein viel beachtetes Rededuell gegen den Ingolstädter Theologieprofessor Johann Eck, der zu seinem Hauptgegner werden sollte.

Als Beweis für die beispiellose Breitenwirkung, die Luther allein in den ersten Jahren der Reformation erzielte, werden aus einer Fülle von möglichen Belegen nur die Reaktionen von vier berühmten Zeitgenossen ausgewählt. Es sind dies Albrecht Dürer, Erasmus von Rotterdam, der englische König Heinrich VIII. und Ulrich von Hutten.

H.I.

207 Nachdem die 95 Thesen weit über den Kreis der eigentlich angesprochenen Adressaten hinaus Aufmerksamkeit und Unruhe gestiftet hatten, wandte sich Luther mit einem deutschen »Sermon« zur selben Thematik verdeutlichend an einen größeren Leserkreis. Es sollte dies sein erster großer literarischer Erfolg werden.

Martin Luther, ›Ein Sermon von Ablaß und Gnade‹
17 verschiedene Drucke, erschienen in den Jahren 1518-1520:
a Wittenberg: Johann Rhau-Grunenberg 1518. 4°. 4 Bll.
Erlangen, Universitätsbibliothek, Thl. V, 2/23
b Wittenberg: Johann Rhau-Grunenberg 1518. 4°. 4 Bll.
Münster, Universitätsbibliothek, Coll. Erh. 40
c Leipzig: Valentin Schumann 1518. 4°. 4 Bll.
Frankfurt, Stadt- und Universitätsbibliothek, H. 276
d Leipzig: Valentin Schumann 1518. 4°. 4 Bll.
Augsburg, Staats- und Stadtbibliothek, 4° Th. H. 1700-17
e Leipzig: Wolfgang Stöckel 1518. 4°. 4 Bll.
München, Bayerische Staatsbibliothek, 4° Th. U. 103 (XXV, 12
f Leipzig: Valentin Schumann 1518. 4°. 4 Bll.
Göttingen, Niedersächsische Staats- und Universitätsbibliothek, 8° Autogr. Luth. 222
g Nürnberg: Jobst Gutknecht 1518. 4°. 4 Bll.
München, Bayerische Staatsbibliothek, 4° Th. U. 103 (XXV, 14
h Nürnberg: Jobst Gutknecht 1518. 4°. 4 Bll.
Nürnberg, Germanisches Nationalmuseum, 8° Rl. 2669 Postinc.
i Augsburg: Jörg Nadler 1518. 4°. 4 Bll.
Heidelberg, Universitätsbibliothek, Sal. 20, 10a
k Basel: Pamphilus Gengenbach 1518. 4°. 4 Bll.
München, Bayerische Staatsbibliothek, 4° Th. U. 103 (XXV, 11
l Basel: Pamphilus Gengenbach 1518. 4°. 4 Bll.
Stuttgart, Württembergische Landesbibliothek, Theol. qt. K 775
m Leipzig: Melchior Lotter d. Ä. 1519. 4°. 4 Bll.
Wolfenbüttel, Herzog August Bibliothek, Li 5530 (19, 211)
n Leipzig: Wolfgang Stöckel 1519. 4°. 4 Bll.
Stuttgart, Württembergische Landesbibliothek, Theol. qt. K 776
o Leipzig: Martin Landsberg 1519. 4°. 4 Bll.
Coburg, Landesbibliothek, Lu I a 1519, 7
p Augsburg: Jörg Nadler 1520. 4°. 4 Bll.
Augsburg, Staats- und Stadtbibliothek, 4° Th. H. 1700-18
q Augsburg: Jörg Nadler 1520. 4°. 4 Bll.
München, Bayerische Staatsbibliothek, 4° Th. U. 103 (XXV, 15
r Wittenberg: Johann Rhau-Grunenberg 1520. 4°. 12 Bll.
München, Bayerische Staatsbibliothek, 4° Hom. 1157

Die 95 Thesen über den Ablaß wurden gegen den Willen Martin Luthers verbreitet und machten den Wittenberger Professor und Mönch in nur wenigen Wochen im ganzen Reich bekannt und berühmt. Überrascht über diese Entwicklung und betroffen zugleich räumte Luther am 5. März 1518 in einem vertraulichen Schreiben an Christoph Scheurl ein: »Es war weder meine Absicht noch mein Wunsch, sie [die 95 Thesen] zu verbreiten. Sondern es sollte zunächst mit wenigen, die bei und um uns wohnen, über sie konferiert werden, damit sie so nach dem Urteil vieler entweder verworfen und abgetan oder gebilligt und herausgegeben würden. Aber jetzt werden sie weit über meine Erwartung so oft gedruckt und herumgebracht, daß mich dieses Erzeugnis reut. Nicht, daß ich nicht dafür wäre, daß die Wahrheit dem Volk bekannt werde – das wollte ich vielmehr einzig und allein –, sondern weil diese Weise nicht geeignet ist, das Volk zu unterrichten« (WA Br 1, 152,1 ff.). Die weite Verbreitung der Thesen im Volk, für das sie nicht verfaßt waren, hatte zu Mißverständnissen Anlaß gegeben. Und Luther selbst hatte inzwischen seine Kritik an der Ablaßpraxis auf Bereiche der traditionellen Rechtfertigungslehre ausgedehnt.
So verfaßte Luther noch im März 1518 diesen deutschen ›Sermon‹, der vielleicht auf eine Predigt zurückgeht; er wandte sich mit diesem aus 20 kurzen belehrenden Abschnitten bestehenden Traktat nicht nur an Gelehrte. Den veränderten Ton schlägt er gleich im ersten Hauptsatz an, da er die traditionelle Dreiteilung der Buße in Reue, Beichte und Genugtuung als nicht schriftgemäß in Frage stellt. Zwar sei er weiterhin bereit, ebenso zu reden; es sei aber ungleich wichtiger, weil schriftgemäß, die Sünder zu ermahnen, »herzliche und wahre Reue« zu erwecken sowie den »Vorsatz, hinfort das Kreuz Christi tragen« zu wollen. Dann seien die Werke der Genugtuung selbstverständlich und müßten nicht eigens auferlegt werden. Der Ablaß aber, der angeboten werde, »die Werke der Genugtuung abzulösen«, mache »unvollkommene und faule Christen«. Tausendmal besser sei es für die Sünder, die Werke zu verrichten und die Strafe Gottes zu erleiden. Ein Almosen für die Peterskirche aber möge der Christ frei, »um Gottes willen«, nicht aber als Gegenwert für einen Ablaß leisten. Und eine Ablaßzuwendung für die armen Seelen im Fegfeuer sei durchaus unsicher »und von der Kirche nicht beschlossen«; er selbst jedenfalls glaube nicht daran.
Mit beispiellosem Selbstbewußtsein schloß Luther im 20. Artikel: *Ob etliche mich nun wohl einen Ketzer schelten, denen solche Wahrheit in der Kasse sehr schädlich ist, so achte ich doch solch Geplärre nicht groß; sintemal das niemand tut als etliche finstere Gehirne, die nie in der Bibel gerochen, die christlichen Lehrer nie gelesen, ihre eigenen Lehrer nie verstanden, sondern in ihren durchlöcherten und zerrissenen Schulmeinungen beinahe verwesen ... Gott gebe ihnen und uns rechten Sinn! Amen.*
Wie sehr Luther mit diesen Gedanken, in forschen Formulierungen mutig vorgetragen, auf begeisterte Zustimmung überall im Reich stieß, beweisen die insgesamt 25 Nachdrucke in wenig mehr als zwei Jahren, von denen wir 17 in der Ausstellung zeigen.

Brecht, S. 203 f. – Text: WA 1, S. 243-246. H.I.

208 Mit einem leidenschaftlichen Appell an die weltlichen Obrigkeiten des Reiches forderte Luther zur Überwindung vielfacher Mißstände in Kirche und Gesellschaft auf.

Martin Luther, ›An den christlichen Adel deutscher Nation von des christlichen Standes Besserung‹
Leipzig: Valentin Schumann 1520
4°. 36 Bll. Aufgeschlagen: fol. Biij^r
München, Bayerische Staatsbibliothek, 4° H. ref. 488 a

Mit der Adelsschrift eröffnete Luther im Sommer 1520 seine großen Programmschriften, in denen er die wichtigsten Gedanken seiner neuen Theologie zusammenfaßte. Zwar ist auch dies eine Gelegenheitsschrift, die zunächst auf die Verteidigung des Papsttums durch Silvester Prierias u. a. antworten wollte; schon bald aber machte Luther diesen Ausgangspunkt vergessen durch die Formulierung einer Fülle von detaillierten Reformvorschlägen, die nicht allein die Kirche, sondern auch die Bildungseinrichtungen seiner Zeit sowie das politische und soziale Zusammenleben der Christen betreffen. Hier konnte Luther an eine seit langem im ganzen Reich geführte Reformdiskussion anknüpfen, deren Ertrag auf mehreren Reichstagen in sog. Gravamina (Beschwerden) schriftlich festgehalten worden war – so noch 1518 in Augsburg, wo Luther sie persönlich kennengelernt haben mag. Das ärgerliche Finanzgebaren des Papstes und seiner Kardinäle etwa, der offene Handel mit geistlichen Stellen, die widerrechtliche Ämterhäufung ohne Rücksicht auf die Erfordernisse der Seelsorge, die Einschaltung des Fuggerschen Bankhauses in den leidigen Ablaßhandel, die konkurrierende geistliche Gerichtsbarkeit und die Vermengung geistlicher und weltlicher Gewalt in der Kirche waren breiten Schichten des Volkes als Mißstände bewußt. Indem Luther diese oftmals verfochtenen Klagen aufgriff, machte er sich zum Sprecher der ganzen deutschen Gravaminabewegung, deren begeisterte Zustimmung ihm entsprechend von vorneherein sicher war. Auch seine eigentliche Kirchenkritik, die auf eine strenge Beschneidung der Handlungsfreiheit der Bettelorden, Freigabe der Priesterehe, die Verringerung der hohen Zahl von Klerikern durch Zusammenlegung von Meßstiftungen, Verbot von Interdikt und geistlichen Strafen u. a. abzielte, konzentrierte sich letztlich auf den Papst, der einer Einführung von sinnvollen Reformen in Kirche und Gesellschaft im Wege stehe. Dieser habe drei Mauern um sich aufgerichtet, wodurch seine Position wie in einer Festung unangreifbar geworden sei: die angemaßte Oberhoheit des Papstes über alle weltliche Gewalt, die oberste Lehrautorität mit dem Anspruch letztgültiger Schriftauslegung und die Behauptung eines ausschließlich päpstlichen Rechtes auf Einberufung eines Konzils. Diese drei Mauern einzureißen, um dann fällige Reformen einleiten zu können, sah Luther als wichtigste Lebensaufgabe der weltlichen Obrigkeiten: allen voran des neuen Kaisers Karl V. (»ein junges edles Blut«) und des deutschen Adels. Die Überordnung der geistlichen über die weltliche Gewalt – jene Grundfeste der mittelalterlichen Gesellschaftsordnung – ließ Luther nicht länger gelten. Schließlich seien alle Christen durch die eine Taufe, ein Evangelium und einen Glauben gleichermaßen zu Priestern berufen. Freilich sei die konkrete Durchführung von Reformen überaus gefährlich, denn: »Wir müssen gewiß sein, daß wir in dieser Sache nicht mit Menschen, sondern mit den Fürsten der Hölle handeln . . .«

Brecht, S. 352-361. – Benzing, Nr. 687. – Text: WA 6, S. 404-469. H. I.

209 In lateinischer Sprache, d. h. zunächst für Theologen, verwarf Luther die traditionelle Sakramentenlehre und ließ nur noch Taufe, Abendmahl und Buße als Sakrament gelten.

Martin Luther, ›De captivitate Babylonica ecclesiae praeludium‹
Basel: Adam Petri 1520.
4°. 58 Bll. Aufgeschlagen: fol. Av^r
München, Bayerische Staatsbibliothek, 4° Th. U. 103 (XVIII, 9

Nach den in der Adelsschrift erhobenen Forderungen nach einer äußeren Reform der kirchlichen Organisation und Disziplin wandte sich Luther in der »Babylonica« der eigentlichen Theologie, vornehmlich der Sakramentenlehre zu. Kernpunkt war ihm die Abendmahlslehre, die ihm durch drei »Gefangenschaften der Kirche« verdunkelt erschien: 1. durch die Verweigerung des Laienkelchs; 2. durch die Transsubstantiationslehre, nach der die Substanz von Brot und Wein in den Leib und das Blut Christi verwandelt wird und 3. durch die Lehre von der Messe als gutem Werk, das für Lebende und Verstorbene geopfert werden kann. Darunter bedeutete namentlich die Bestreitung der traditionellen Meßopferlehre und mit ihr die Streichung des Meßkanons und Abschaffung der Privatmessen einen radikalen Eingriff in die gewohnte finanzielle Basis der Seelsorge und vor allem der Klöster.
Die Taufe, deren Schriftgemäßheit und Sakramentalität Luther ausdrücklich betonte, galt ihm als Berufung des Menschen in ein Leben in christlicher Freiheit – ein Thema, dem er seine dritte große Reformschrift widmen sollte.
Gegen die herrschende Bußpraxis seiner Zeit wandte er ein, daß die obligatorische Ohrenbeichte die Leistungen der Menschen durch Betonung der drei Teile: Reue, Bekenntnis und Genugtuung überbewerte und die im Absolutionswort verheißene Gnade Gottes verschüttet habe. Im übrigen war ihm der sakramentale Charakter der Buße unsicher.
Die weiteren vier Sakramente: Ehe, Priesterweihe, Firmung und Krankensalbung lehnte Luther als nicht schriftgemäß ab.
Mit dieser Schrift riß Luther eine tiefe Kluft zwischen sich und die Lehre der alten Kirche, und dies in einer bis dahin nicht gekannten Schärfe. Verteidiger der römischen Kirche haben später immer wieder den Häresievorwurf gegen den Wittenberger Reformator mit Verweis auf die »Babylonica« begründet.

Text: WA 6, S. 497-573. – Brecht, S. 362-366. – Benzing, Nr. 708. H. I.

210 Die meistgelesene Schrift Luthers war und ist bis heute der Freiheitstraktat mit seiner dialektischen Formel von der Freiheit und gleichzeitigen Knechtschaft des Christen.

Martin Luther, ›Von der Freiheit eines Christenmenschen‹
Leipzig: Melchior Lotter 1520
4°. 16 ungez. Bll. Aufgeschlagen: fol. Aij^r
Nürnberg, Germanisches Nationalmuseum, 8° Rl. 2451 Postinc.

»Ein Christenmensch ist ein freier Herr über alle Dinge und niemand untertan.
Ein Christenmensch ist ein dienstbarer Knecht aller Dinge und jedermann untertan«.
Der scheinbare Widerspruch dieser berühmten und vielzitierten Sätze, die in Anlehnung an Paulus (1 Kor 9, 19) formuliert sind, löst sich auf, wenn man mit Luther

»zweierlei Natur« im Menschen annimmt: eine innere geistliche und eine äußere leibliche. Wenn man dann weiter fragt, was »dem inneren, geistlichen Menschen« hilft, »damit er ein frommer, freier Christenmensch sei und heiße«, dann wird man einzig auf »das heilige Evangelium, das Wort Gottes« verwiesen. Alle Äußerlichkeiten aber: Essen, Trinken, geistliche Kleidung, auch Beten, Fasten, Wallfahrten und alle guten Werke nützen der Seele dagegen nichts. Und die einzige Antwort des Menschen auf das Wort Gottes sei der Glaube; denn »allein der Glaube ohne alle Werke macht fromm, frei und selig. Ein Christenmensch bedarf deshalb keines Werkes, damit er fromm sei ... Damit aber ist er von allen Geboten und Gesetzen entbunden; ist er aber entbunden, dann ist er gewißlich frei.«

Und trotzdem ist der äußerliche leibliche Mensch gehalten, gute Werke zu tun, »nicht jedoch in der Absicht, daß der Mensch dadurch vor Gott fromm werde ..., sondern nur in der Absicht, daß der Leib gehorsam werde.« Dieses richtige Verständnis der guten Werke befähige dann den wahrhaft freien Christenmenschen »frei, fröhlich und umsonst« die Werke zu verrichten, die Gott und dem Nächsten gefallen.

Luther stellte seinem Freiheitstraktat eine ehrfurchtsvolle Widmung an Papst Leo X. voran, die in ihren devoten Formulierungen die damals übliche Unterwürfigkeit noch weit übertraf und deshalb seit 1520 bis in die jüngste Zeit vielen romtreuen Katholiken Anlaß gewesen ist, die Aufrichtigkeit Luthers in Frage zu stellen. Tatsächlich muß diese vielbeachtete Ergebenheitsadresse des Wittenbergers an Leo X. im Zusammenhang mit dem römischen Prozeß gesehen werden, dessen Einzelheiten im Herbst 1520 für Luther nicht leicht überschaubar waren.

J. Köstlin u. G. Kawerau, Martin Luther, 5. Aufl. 1903, S. 354-365. – W. Maurer, Von der Freiheit eines Christenmenschen, 1949. – Text: WA 7, S. 21-38. – Benzing, Nr. 735 H. I.

211

211 Herzog Georg von Sachsen gestattete 1519 die Veranstaltung einer Disputation in Leipzig über das Verhältnis von göttlicher Gnade und freiem Willen des Menschen sowie über das Papsttum. Disputanten sind Johann Eck, Andreas Karlstadt und Luther.

Bildnis Herzog Georgs des Bärtigen von Sachsen
Lukas Cranach d. Ä., Werkstatt, 1534
Gemälde auf Lindenholz, 20,5 × 14,7 cm. Oben links datiert 1534, darunter das Signet des Künstlers
Berlin, Staatliche Museen Preußischer Kulturbesitz, Gemäldegalerie, Kat. Nr. 635

Im wesentlichen dem Einschreiten Herzog Georgs von Sachsen ist es zuzuschreiben, daß die zwischen Luther und Eck schon im Oktober 1518 in Augsburg vereinbarte Disputation über die Frage des Zusammenwirkens von göttlicher Gnade und freiem Willen des Menschen sowie über Buße und Ablaß tatsächlich zustandekam. Man hatte

212

sich auf Leipzig als Austragungsort geeinigt, und Eck bat im Dezember 1518 Herzog Georg und die Leipziger Universität formell um Erlaubnis. Die theologische Fakultät jedoch und wenig später auch der zuständige Ortsbischof Adolf von Merseburg sträubten sich gegen das Ansinnen. Die angekündigte Thematik berühre die Autorität des Papstes, über die zu disputieren verboten sei. Herzog Georg aber setzte sich energisch über diese Bedenken hinweg. Er schalt die Theologen faul und gefräßig und voller Minderwertigkeitsängste. Als Lehrer der Heiligen Schrift »sollte es ihnen eine Lust sein, an den Tag zu bringen, was wahr oder falsch sei«. Erst recht im vorliegenden Fall, da es um die Frage gehe, »ob eine Seele gen Himmel führe, wenn der Pfennig im Becken klinge ..., damit der arme Laie nicht unwissend um sein Geld betrogen werde«. Bezeichnenderweise vermochte sich der weltliche Landesherr gegen Träger und Vertreter der geistlichen Gewalt durchzusetzen.
Unser Bild zeigt Herzog Georg 15 Jahre später als alten Mann in halber Figur vor grünem Hintergrund. Über seinem schwarzen Damastmantel trägt er die Kollane vom Orden des Goldenen Vlieses. Es war dies ein 1429 gestifteter Orden, der sich besonders die Verteidigung des Glaubens zum Ziel gesetzt hatte. Herzog Georg wurde 1531 als Verteidiger des alten Glaubens und Anhänger des Kaisers in den Orden aufgenommen. Im Gegensatz zu seinem Bruder Heinrich, der ihm 1539 in der Regierung der Albertinischen Linie der Wettiner folgte und im Gegensatz zu seinen ernestinischen Vettern blieb Herzog Georg unbeugsamer Gegner der religiösen Neuerer bis zu seinem Tode.

F. Gess, Akten und Briefe zur Kirchenpolitik Herzog Georgs von Sachsen, Bd. 1, 1905. – Kat. Ausst. Lukas Cranach, Berlin 1973, S. 34. H. I.

212 Der Ingolstädter Theologieprofessor Johann Eck war der gelehrte und kämpferische Verteidiger der alten Kirche bei der Leipziger Disputation.

Bildnis des Johannes Eck
Peter Weinher d. Ä., um 1572
Kupferstich, 19,1 × 14,5 cm. Umschrift: VERA IMAGO REVERENDISSIMI DOMINI IOHANNIS. ECKII SACROSANCTAE THEOLOGIAE. DOCTORIS NOSTRI. TEMPORIS CLARISSIMI (Wahres Bild des hochwürdigsten Herrn Johannes Eck, der hochheiligen Theologie berühmtesten Doktors unserer Zeit). Darunter das Wappen Ecks
Berlin, Staatliche Museen Preußischer Kulturbesitz, Kupferstichkabinett, Inv. Nr. 25-9

Eck ist als Halbfigur dargestellt und geringfügig nach rechts gedreht. Die Gesichtszüge, das rundgeschnittene Haar und die Mütze ähneln deutlich dem einzig erhaltenen zeitgenössischen Porträt Ecks auf der 1529 datierten Bildnismedaille (München, Staatliche Münzsammlung) eines unbekannten Künstlers. Unser Kupferstich zeigt Eck mit einer gemusterten Schaube bekleidet, in der rechten Hand eine Papierrolle. Das Wappen ist gegenüber dem Wappen auf der Rückseite der Bildnismedaille von 1529 verändert.
Vom 4.-14. Juli 1519 disputierten Eck und Luther über das Verhältnis von Schuld und Strafe sowie über das Problem der nach der Taufe im Menschen bleibenden Sünde. Außerdem berührten sie Fragen der Rechtfertigung, nämlich der Reue, der Buße, der Vergebung schwerer und läßlicher Sünden, auch des Ablasses. Die weltgeschichtliche Bedeutung des Leipziger Streitgesprächs liegt aber in der Diskussion über das göttliche Recht, den Primat des Papstes sowie die Autorität der Konzilien. Eck verteidigte die traditionelle Lehre, daß der Papst aufgrund göttlichen Rechts, d. h. gemäß der Einsetzung durch Jesus Christus, »Monarch« in der Kirche sei. Luther stellte dieser These Christus als das Haupt der Kirche entgegen. Die Hochschätzung des Petrus und nach ihm der Ehrenvorrang des römischen Papstes seien lediglich menschlichen Rechts. Die Verheißung von Matth. 16, 18 (»Du bist Petrus, und auf diesen Felsen will ich meine Kirche bauen ...«) sei auf den Glauben der Gesamtkirche und nicht auf den Primat des Papstes zu beziehen. Eck hielt daraufhin seinem Gegenüber vor, daß er mit dieser Aussage gefährlich in die Nähe von Wiclif und Hus gerate, deren Lehren vom Konstanzer Konzil (1414-1418) verworfen worden seien. Damit war das Problem der Konzilsautorität angeschnitten und Luther gedrängt, sich in dieser Frage eindeutig zu erklären – was er nach einigem Zögern auch tat: »Das eine behalte ich mir vor, was auch zu bewahren ist, nämlich daß ein Konzil schon geirrt hat und irren kann; besonders in den Dingen, die nicht zum Glauben gehören, hat das Konzil keine Autorität, neue Glaubensartikel zu begründen«. Diese faktisch kirchentrennende These quittierte Eck mit dem erbosten Zwischenruf: »Dann seid Ihr mir wie ein Heide und Zöllner«.

E. Iserloh, Johannes Eck (1486-1543). Scholastiker, Humanist, Kontroverstheologe, 1981. S. 36-46. – A. Andresen, Deutscher Peintre-graveur, Bd. 4, 1874, S. 55, Nr. 14. H. I.

213 Luther predigte am 29. Juni 1519 auf dem Schloß zu Leipzig über die Themen der Disputation.

Martin Luther, ›Ein Sermon gepredigt zu Leipzig auf dem Schloß am Tag Petri und Pauli im 19. Jahr‹ (29. Juni 1519)
Leipzig: Wolfgang Stöckel 1519
4°. 4 Bll. Titelblatt mit Bildnis Luthers. Umschrift im Rund (spiegelverkehrt): DOCTOR. MARTINVS. LVTTER. AVGVSTINER: WITTENB:, im Wappen die Lutherrose
Nürnberg, Germanisches Nationalmuseum, 8° Rl. 1952 Postinc.

Das Titelblatt zeigt einen predigenden Mönch mit Doktorhut, der durch die Umschrift als der Verfasser ausgewiesen wird. Bei der übereilten Herstellung des Werkes wurde das Bild einschließlich der Umschrift positiv in Holz geschnitten, so daß beide im Druck spiegelverkehrt erscheinen. Es ist die früheste benennbare Darstellung Luthers im Bild, bei der die neuzeitliche Porträtabsicht jedoch noch ganz hinter die formelhafte, an der Buchillustration des 15. Jahrhunderts orientierte Bildsprache

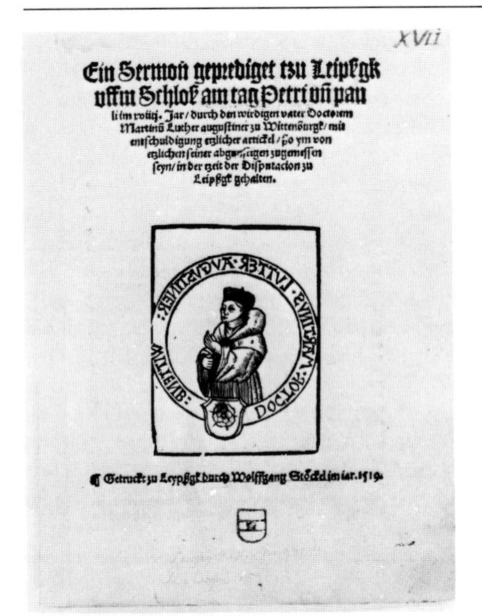

XVii

Ein Sermon gepredigt tzu Leipßgk uffm Schloß am tag Petri uñ pauli im xviiij. Jar / durch den wirdigen vater Doctorem Martinū Luther augustiner zu Wittenburgk / mit entschuldigung etzlicher artickel / ßo ym von etzlichen seiner abgunstigen zugemessen seyn / in der tzeit der Disputacion zu Leipßgk gehalten.

¶ Getruckt zu Leypßgk durch Wolffgang Stöckel im iar. 1519.

213

AETHERNA IPSE SVAE MENTIS SIMVLACHRA LVTHERVS
EXPRIMIT · AT VVLTVS CERA LVCAE OCCIDVOS
· M · D · X · X ·

214

zurücktritt. Die Figur selbst bleibt anonym, der intendierte Personenbezug wird erst durch die Beschriftung und die aus Luthers Wappen übernommene »Lutherrose« hergestellt.

Die Disputation auf der Pleißenburg zu Leipzig sollte ursprünglich zwischen Johannes Eck und Andreas Bodenstein von Karlstadt, Luthers Wittenberger Kollegen, geführt werden. Letzterer hatte im April 1518, als Luther zum Ordenskapitel und zur Disputation in Heidelberg weilte, 405 Thesen veröffentlicht, von denen sich mehr als 100 gegen Eck wandten, um die Auffassungen Luthers zu stützen. Eck antwortete darauf mit einem Plakatdruck von 12 Thesen. Themen waren Buße, Ablaß, Kirchenschatz und Fegfeuer. Wenn auch Karlstadt nominell angesprochen war, so zielten die Thesen doch gegen Luther, der daraufhin seine Zulassung zur Disputation in Leipzig betrieb. Er brenne darauf, seine Meinung vor der Öffentlichkeit zu vertreten, was ihm in Augsburg von Kardinal Cajetan (vgl. Kat. Nr. 224) verweigert worden sei. Eck, der Karlstadt ungern verdrängt sehen mochte, setzte sich doch bei Herzog Georg von Sachsen für Luther als zweiten Disputanten ein und erreichte schließlich kurz vor Beginn des Rededuells die offizielle Zulassung Luthers.

Wenige Tage später – die Disputation zwischen Eck und Karlstadt hatte am 27. Juni begonnen – predigte Luther auf Wunsch des Herzogs Barnim von Pommern am Fest St. Peter und Paul über das Evangelium des Tages (Matth. 16, 13-19: Bekenntnis des Petrus). Luther nutzte die Gelegenheit, um das Hauptthema der laufenden Disputation aus seiner Sicht zu umreißen: den Zusammenhang von Rechtfertigungslehre und Ekklesiologie. Der Herr Jesus habe in seiner Antwort auf das Bekenntnis des Petrus zunächst von der Gnade Gottes gesprochen (»Nicht Fleisch und Blut hat dir dies geoffenbart, sondern mein Vater im Himmel« Vers 17); dann erst habe Er das Schlüsselamt dem Petrus gegeben (»Dir will ich die Schlüssel des Himmelreiches geben« Vers 19). Petrus aber habe die Gewalt stellvertretend für die ganze Kirche empfangen; im Grunde sei sie jedem Christen gegeben; jeder einzelne sei demnach Diener der Schlüsselgewalt. Dem so verstandenen kirchlichen Amt komme lediglich funktionale Bedeutung zu. Ein Amtsträger – und das kann jeder Getaufte sein – spreche zwar Sündenvergebung aus. Entscheidend sei dabei aber zuvor die Gnade Gottes, die

215

der Mensch allein im Glauben empfange. Damit erwies Luther einmal mehr die Rechtfertigungslehre als Mittelpunkt seiner neuen Theologie.

Brecht, S. 302-304. – Benzing, Nr. 398. – Text: WA 2, S. 246-249. H. I.

214, 215 Die wachsende Popularität Luthers und die Parteinahme weiter Kreise für ihn förderten die Herstellung und massenhafte Verbreitung seiner Bildnisse.

214 Bildnis Martin Luthers als Augustinermönch
Lukas Cranach d. Ä., 1520
Kupferstich, 13,8 × 9,7 cm. Unten auf der Schrifttafel: AETHERNA IPSE SVAE. MENTIS SIMVLACHRA LVTHERVS/EXPRIMIT. AT VVLTVS CERA LVCAE OCCIDVOS./M.D.X.X. (Das unvergängliche Abbild seines Geistes drückt Luther selbst aus, Lukas dagegen zeichnet die sterbliche Gestalt. 1520); darunter das Signet des Künstlers
Nürnberg, Germanisches Nationalmuseum, K 868

Das früheste Luther-Bildnis Cranachs ist zugleich das erste authentische Porträt des Reformators. Wie bei dem nur ein Jahr zuvor auf dem Titelblatt der Leipziger Predigt abgedruckten Holzschnitt erscheint Luther als Augustinermönch, nun ohne Kopfbedeckung mit der Tonsur. Während Luther dort durch Kutte, Redegestus und Namensumschrift kenntlich gemacht wurde, schuf Cranach in seinem Kupferstich ein Individualporträt von hoher physiognomischer Charakterisierung.
Drei Jahre nach Bekanntwerden der 95 Thesen kam Cranach mit diesem Porträtstich dem Bedürfnis entgegen, den durch seine geistlichen und kirchenkritischen Schriften inzwischen weithin bekannt gewordenen Mönch auch von Angesicht kennenzulernen. Gleichwohl wurde dieses erste Luther-Bildnis offenbar nur in einer kleinen Auflage gedruckt und noch im Jahre 1520 durch eine zweite Fassung ersetzt.

Hollstein, Bd. 6, Nr. 6. – J. Ficker, Älteste Bildnisse Luthers. In: Zs. des Vereins für Kirchengeschichte der Provinz Sachsen 17, 1920, H. 1 u. 2. – Kat. Ausst. Cranach, Bd. 1, Nr. 35. J. Z-S.

215 Bildnis Martin Luthers als Augustinermönch
Lukas Cranach d. Ä., 1520
Kupferstich, 16,5 × 11,5 cm. Unten auf der Schrifttafel: AETHERNA IPSE SVAE MENTIS SIMVLACHRA LVTHERVS/EXPRIMIT. AT VVLTVS CERA LVCAE OCCIDVOS/M.D.X.X. (Das unvergängliche Abbild seines Geistes drückt Luther selbst aus, Lukas dagegen zeichnet die sterbliche Gestalt. 1520); daneben das Signet des Künstlers
München, Staatliche Graphische Sammlung, Inv. Nr. 14 448

Der zweite Entwurf Cranachs für ein Bildnis Luthers stammt ebenfalls aus dem Jahr 1520. Während bei der konzentrierteren 1. Fassung alle ausstattungsmäßigen Details auf ein Minimum reduziert sind und die persönliche Ausstrahlung des Porträtierten die Bildwirkung herstellt, greift Cranach hier – möglicherweise durch Kritik aus Wittenberger Humanistenkreisen dazu bewogen – auf vertraute, eindeutige Bildformeln zurück, die den Reformator in seiner historischen Rolle charakterisieren. Das in kleinteiliger Fältelung wiedergegebene Ordensgewand des Augustinermönchs kennzeichnet den Träger zugleich als Angehörigen der theologischen Fakultät, das aufgeschlagene Buch und die im Redegestus erhobene linke Hand verweisen auf den dozierenden Gelehrten. Die Rundbogennische im Hintergrund umfängt die Halbfigur als traditionelle Würdeform und unterstreicht die Bedeutung des Dargestellten.
Durch die künstlerische Formensprache für den zeitgenössischen Betrachter derart konkretisiert, wurde dieser Kupferstich Cranachs zum ersten offiziellen Bildnis Luthers, das vor allem als Illustration reformatorischer Schriften weiteste Verbreitung fand.

A. Hagelstange, Die Wandlungen eines Lutherbildnisses in der Buchillustration des XVI. Jh. In: Zs. für Bücherkunde 11, 1907/8, S. 97-107. – Hollstein, Bd. 6, Nr. 7. – Kat. Ausst. Cranach, Bd. 1, Nr. 36. J. Z-S.

216 Zum Reichstag von Worms erscheint ein weiteres Lutherporträt von Lukas Cranach.

Bildnis Martin Luthers mit Doktorhut
Lukas Cranach d. Ä., 1521
Kupferstich, 20,5 × 15,1 cm. 1. Zustand. Unten auf der Schrifttafel: LVCAE OPVS EFFIGIES HAEC EST MORITVRA LVTHERI/AETHERNAM MENTIS EXPRIMIT IPSE SUAE/M.D.X.X.I. (Dieses Bildnis der sterblichen Gestalt Luthers ist des Lukas Werk, das Ewige seines Geistes prägt er selbst. 1521); daneben Signet des Künstlers und handschriftliche Eintragung: Hoc opus est hominis: Sed opus fuit omne JEHOVAE! mundus enim nunquam Protulit Huic similem. Dr. Pfeil (Dieses Bild ist das Werk eines Menschen, doch das Ganze [d. h. Luther] war ein Werk Jehovas! denn nie hat die Welt seinesgleichen hervorgebracht. Dr. Pfeil)
Coburg, Kunstsammlungen der Veste Coburg (Coburger Landesstiftung) Inv. Nr. I, 41, 7

Von dem 1521, vor der Abreise Luthers zum Reichstag von Worms entstandenen Profilbildnis hat sich in den Coburger Kunstsammlungen dieser, noch vor der Druckauflage genommene Abzug erhalten. Ohne die dafür im Interesse einer größeren Massenwirksamkeit vorgenommenen Veränderungen gibt er den ursprünglichen Entwurf Cranachs wieder, bei dem sich das Porträt nuancenreich durchmodelliert vom hellen Grund abhebt. Gegenüber den Bildnissen von 1520 bewirkt die Profilansicht eine neue Monumentalität, die durch das erstmals gewählte größere Format noch unterstützt wird. Unmittelbar vor dem historischen Auftritt Luthers auf dem Reichstag zu Worms schuf Cranach hier ein durch Entschlossenheit und Sendungsbewußtsein gleichermaßen bestimmtes Bildnis des Reformators, dessen propagandistische Absicht unverkennbar ist.

216

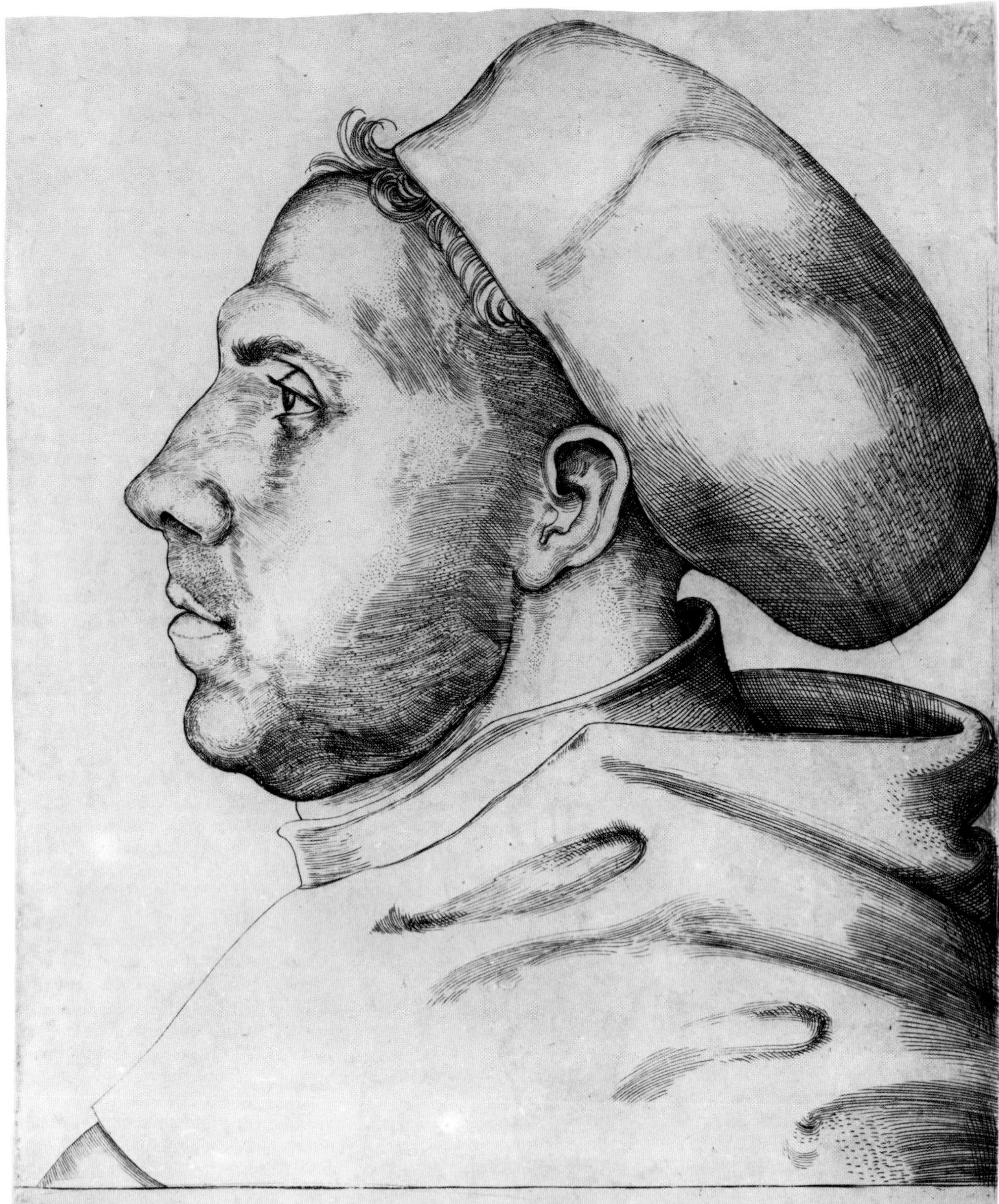
LVCAE OPVS EFFIGIES HAEC EST MORITVRA LVTHERI
AETHERNAM MENTIS EXPRIMIT IPSE SVAE
M·D·X·X·I·

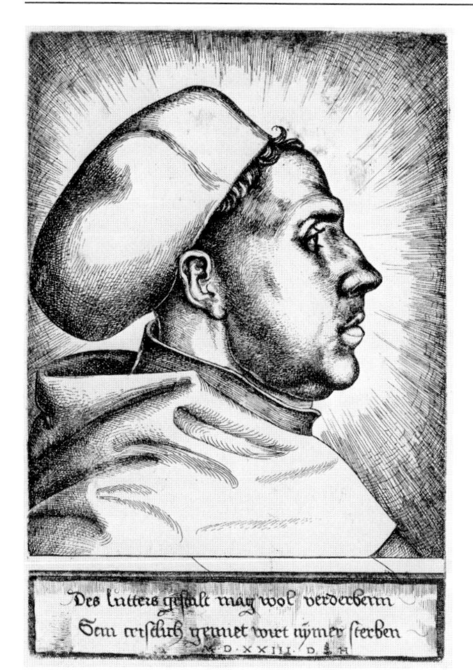

217

Dies scheinen auch die späteren Veränderungen der Platte zu bestätigen, die die Gestalt Luthers nun vor dunklem Hintergrund vollends zum monumentalen Idealbild erheben. Aber auch die Rezeption dieses Entwurfs Cranachs durch andere Künstler zeigt, daß die derart berechnete Bildaussage ihre Wirkung nicht verfehlte.

Hollstein, Bd. 6, Nr. 8. – Kat. Ausst. Cranach, Bd. 1, Nr. 38. J. Z-S.

217 Auch die Luther-Bildnisse anderer Künstler gehen auf Cranachs Bildnistypen zurück.

Bildnis Martin Luthers mit Doktorhut
Daniel Hopfer, 1523
Eisenradierung, 22,8 × 15,6 cm. Unten auf der Schrifttafel: Des lutters gestalt mag wol verderbenn/Sein cristlich gemiet wirt nymer sterben. M.D.X.X.III. (1523); daneben das Monogramm des Künstlers
Nürnberg, Germanisches Nationalmuseum, K 722

Daniel Hopfer nimmt für seine 1523 entstandene Radierung Cranachs Lutherbildnis im Profil von 1521 nahezu wörtlich zum Vorbild, geht aber in der Gesamtanlage über eine bloße Gegensinnkopie hinaus. Er greift den bereits in dem Kupferstich Cranachs enthaltenen Anspruch eines überzeitlich-idealtypischen Reformatorenporträts auf und entwickelt ihn – freilich damit die ursprüngliche Intention verfälschend – weiter. Die entscheidende Veränderung betrifft den Bildhintergrund, dessen radial auf den Dargestellten zulaufende Schraffuren den Profilkopf Luthers nimbusartig umgeben. Der Reformator erscheint vor einem leuchtenden Strahlenkranz, der das monumentale Idealbild der Cranachschen Vorlage gleichsam zur Lutherikone überhöht.
Das Motiv des Strahlenkranzes in Verbindung mit Luther ist jedoch bei Hopfer nicht neu. Schon Hans Baldung Grien umgab den Reformator in seinem 1521 entstandenen Holzschnitt (Kat. Nr. 280) mit einem Glorienschein, verbunden mit der über dem Haupt schwebenden Taube des Heiligen Geistes. Diese, der altkirchlichen Heiligenverehrung entlehnten Darstellungsformen scheinen in der reformatorischen Frühzeit besondere Popularität erreicht zu haben, indem sie der breiten Masse den Übergang von den spätmittelalterlichen Kultgewohnheiten zum neuen Glauben erleichterten. Auf dem Reichstag zu Worms 1521 und in der Zeit nach jenem spektakulären Auftritt Luthers fanden derartige Lutherbildnisse großen Absatz, so daß der päpstliche Nuntius Aleander auch den falschen »Heiligen« Luther angriff, dessen Bild gekauft und geküßt wurde.
Durch die erstmals deutsche Fassung der Bildunterschrift gab Hopfer dem Bildnis des Reformators eine neue volkstümliche Komponente, die seine Popularität unterstützt haben mag.

E. Eyssen, Daniel Hopfer, Diss. Heidelberg 1904, Nr. 90. – Kalkoff, S. 58 f. – Kat. Ausst. Cranach, Bd. 1, Nr. 38. J. Z-S.

218 Für 24 Pariser Gelehrte, die über das Ergebnis der Leipziger Disputation ein Urteil fällen sollten, wurde eigens ein Druck des Disputationsprotokolls hergestellt.

›Disputatio inter egregios et praeclaros viros ac doctores Ioannem Eccium et Martinum Lutherum in praesentia notariorum habita‹
Paris: Badius [1519/20; ausgeliefert am 12. Januar 1520]. 8°
Paris, Bibliothèque Nationale, Rés. D. 5832

Schon Monate vor der Leipziger Disputation waren von beiden Parteien genaue Einzelheiten über den Verlauf des Rededuells ausgehandelt worden. Obwohl Eck anfänglich für die sog. italienische Disputationsform, d. h. weitgehend freie Rede beider Kontrahenten, eintrat, vermochten sich Karlstadt und Luther mit ihrer Forderung nach streng protokollierter Disputation durchzusetzen. Dazu hatte jede Partei zwei Notare als Protokollanten beizuziehen. Die offizielle Mitschrift konnte dann dem Papst, den Bischöfen oder einzelnen Universitäten zur Begutachtung vorgelegt werden. Eck und Karlstadt bestimmten die Universität Erfurt als Schiedsinstanz; Eck und Luther einigten sich sehr schnell auf die Universitäten Erfurt und Paris, vermochten aber keine Einigung zu erzielen über die Frage, ob jeweils nur die theologischen Fakultäten oder die ganze Universität um eine Entscheidung gebeten werden solle. Während Eck die Urteilsfindung auf die Theologen beschränkt wissen wollte, plädierte Luther für Hinzuziehung auch der Laien. Den Streit entschied Herzog Georg von Sachsen erst am letzten Tag der Disputation, am 16. Juli. Er bestimmte, daß Theologen und Kanonisten um ihr Urteil angegangen werden sollten. Man kam weiter überein, die Akten erst zu veröffentlichen, wenn der erbetene Schiedsspruch vorlag.
Am 4. Oktober 1519 wandte sich Herzog Georg von Sachsen schriftlich an den Rektor und die Doctores der Universität Paris mit der Bitte um ihr Urteil in der vorstehenden Sache. Angehörige des Augustiner- und des Dominikanerordens bat er, von der Urteilsfindung auszuschließen. Gleichzeitig schickte er einen Kurier mit den handschriftlichen Akten der Disputation nach Paris. Dort nahm der Rektor Hieronymus Clichtove die Akten am 22. November in Empfang und beauftragte

24 Universitätsgelehrte mit der sorgfältigen Prüfung. Die Kommission kam alsbald überein, für jedes Mitglied ein Druckexemplar der Akten bei dem ortsansässigen Verleger Badius herstellen zu lassen. Es wurde eigens Vorsorge getroffen, daß kein weiteres Exemplar hergestellt wurde, um die auferlegte Geheimhaltung zu wahren.
Am 12. Januar 1520 erfolgte die Auslieferung und Verteilung der Druckexemplare. Die Kommission konnte sich an die Arbeit machen. In den folgenden Monaten wurde dann aber die Erstellung des Gutachtens durch die gleichzeitig in Rom vorbereitete Bannandrohung gegen Luther überholt. Die endgültige Stellungnahme aus Paris – unter Einbeziehung der Ereignisse des Jahres 1520 – erfolgte erst am 15. April 1521.

F. T. Bos, Luther in het oordeel van de Sorbonne, Diss. Amsterdam 1974, S. 25-35. H. I.

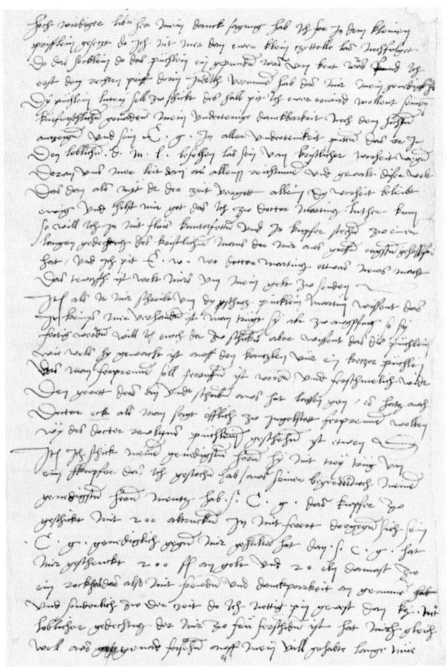

219

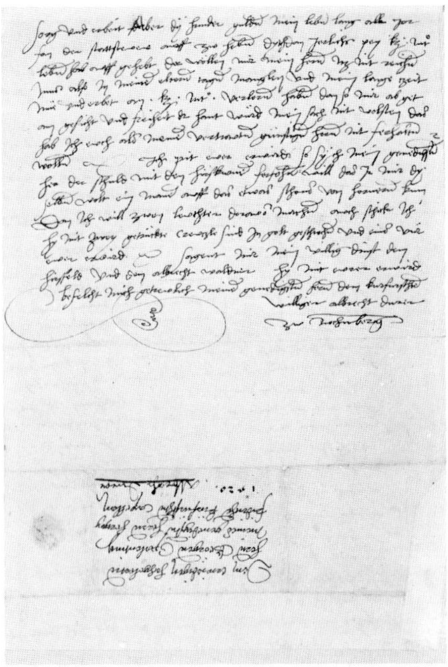

219 Von den Künstlern legte Albrecht Dürer als einer der ersten ein Bekenntnis zu Luther ab.

Albrecht Dürer an Georg Spalatin, Nürnberg, Januar oder Februar 1520
Eigenhändig, Orig. Papier, 32,5 × 22,5 cm
Basel, Universitätsbibliothek, G I 31, Bl. 41

Dürer dankt dem Rat und Hofkaplan Friedrichs des Weisen für ein »Büchlein« Martin Luthers, das ihm der sächsische Kurfürst hatte zukommen lassen. »Deshalb bitte ich, Euer Ehrwürden wollen Seiner Kurfürstlichen Gnaden meine untertänige Dankbarkeit nach dem höchsten anzeigen, und Seine Kurfürstliche Gnaden in aller Untertänigkeit bitten, daß sie sich den löblichen Doktor Martin Luther befohlen sein läßt von christlicher Wahrheit wegen. Daran uns mehr liegt als an allem Reichtum und Gewalt dieser Welt ... Und hilft mir Gott, daß ich zu Doktor Martinus Luther komme, so will ich ihn mit Fleiß porträtieren und in Kupfer stechen zu einem langen Gedächtnis des christlichen Mannes, da er mir aus großen Ängsten geholfen hat«. Neue Veröffentlichungen Luthers in deutscher Sprache möge Spalatin gegen Vergütung der Unkosten übersenden.

H. Rupprich, Dürer. Schriftlicher Nachlaß, Bd. 1, 1956, S. 85-87, Nr. 32. – Kat. Ausst. Dürer, Nr. 381. H. I.

220 Erasmus von Rotterdam, der maßgebende Humanist, bewahrte Luther gegenüber lange Zeit vorsichtige Sympathie. Doch vermied er eine öffentliche Stellungnahme.

Erasmus von Rotterdam an Wolfgang Capito, Löwen, 6. 12. 1520
Eigenhändig, Orig. Papier, 31,5 × 21,5 cm.
Ohne Unterschrift
Basel, Universitätsbibliothek, Ki.-Ar. 25 a., Nr. 98

Ein wichtiger Grund für das Bekanntwerden Luthers war in den frühen Jahren das Aufsehen, ja die Begeisterung, die er und seine Sache in den vielerorts bestehenden Zirkeln der Humanisten erregten. Auch Erasmus von Rotterdam, deren maßgebende Autorität und ungekrönter König (vgl. Kat. Nr. 120), teilte zunächst diese Sympathien und begegnete Luther mit Wohlwollen. Er betrachtete diesen als Bundesgenossen seiner eigenen Bemühungen um ein maßvolles Einschreiten gegen die kirchlichen Mißstände. Luther seinerseits pflegte die Beziehungen zu den Humanisten und zu Erasmus, obwohl er gegenüber dem letzteren bereits frühzeitig tiefgreifende theologische Differenzen wahrnahm (vgl. Kat. Nr. 119). In ein kritisches Stadium geriet das Verhältnis im Winter 1520/21, als Luther gebannt wurde. Zwar setzte sich Erasmus für das Verhör des Wittenberger Professors in Worms ein, doch wies er dessen an die Grundpfeiler des bestehenden Kirchenwesens rüttelnde theologische Kritik in ›De captivitate Babylonica ecclesiae‹ scharf zurück.
Der hier gezeigte Brief stammt aus dieser Zeit. Erasmus hat ihn vier Tage vor der Bücherverbrennung am Elstertor in Wittenberg (vgl. Kat. Nr. 230) an seinen Schüler und Freund Wolfgang Capito gerichtet, der damals eine einflußreiche politische Stellung einnahm, als vertrauter Rat des Kurfürsten Albrecht in Mainz. In dem Brief, der noch in Löwen verfaßt ist, kommen die Konflikte des Erasmus mit der dortigen, schroff antilutherischen theologischen Fakultät zur Sprache, und der Verfasser deutet dem in vielen Zusammenhängen als Vermittler zu Luther tätigen Empfänger, der später selbst einer der Reformatoren der Reichsstadt Straßburg werden sollte, an mehreren Stellen eine gewisse Solidarität mit Luther an. Gegen Ende heißt es (in Übersetzung): »Die Theologen [von Löwen] meinen, nur ich [mein Schreibgriffel] könne mit Luther fertigwerden, und fordern damit stillschweigend, ich solle gegen ihn schreiben. Aber ein solcher Wahnsinn sei ferne von mir!«

W. P. Eckert, Erasmus von Rotterdam, Werk und Wirkung, Bd. 2, 1967, S. 327 ff. – J. M. Kittelson, Wolfgang Capito from Humanist to Reformer, 1975, S. 52 ff. – Text: Opus epistolarum, Bd. 4, hrsg. von P. S. Allen, Neudruck 1961/62, Nr. 1165. B. M.

221 Der Reichsritter und Humanist Ulrich von Hutten bestärkte Luther in seinem Kampf gegen das Papsttum.

Ulrich von Hutten, ›Duae ad Martinum Lutherum epistolae Ulrici ab Hutten‹ (Zwei Briefe Ulrich von Huttens an Martin Luther)
Wittenberg: Johann Grunenberg 1521
8°. 4 Bll.
Fulda, Hessische Landesbibliothek

Den Ablaßstreit beurteilte der aus der Umgebung von Fulda stammende Reichsritter und gebildete Humanist Ulrich von Hutten (vgl. Kat. Nr. 262) lange als Mönchsgezänk. »Fresset einander, damit ihr voneinander gefressen werdet. Ich wünsche sehnlichst, daß sich unsere Feinde so viel als möglich selbst zerfleischen«, so vertraute er einem Ordensangehörigen an, der ihn auf den Wittenberger Kampf gegen den Ablaßhandel angesprochen hatte.
Erst Jahre später, vielleicht schon nach der Leipziger Disputation, vollends aber nach Bekanntwerden der offiziellen Vorladung Luthers zum Reichstag in Worms entdeckte und anerkannte Hutten den Wittenberger Professor als Bundesgenossen in seinem Kampf gegen die jurisdiktionellen, finanziellen und politischen Ansprüche des römischen Papstes. Inzwischen war Hutten aus den Diensten des Mainzer Erzbischofs Albrecht von Brandenburg ausgeschieden und konnte daher um so leichter jede Rücksicht auf Empfindlichkeiten des Brandenburgers im Zusammenhang mit dem römischen Ablaßgeschäft fallen lassen. »Nunmehr habe ich alle Schranken der Geduld gesprengt und werde so hervortreten, wie ich wirklich bin«, kündigte er dem Frankfurter Bürgermeister Philipp von Fürstenberg Anfang 1520 an.
Vor diesem Hintergrund entstanden dann die beiden Briefe vom April 1521, von denen wir einen gleichzeitigen Druck zeigen. Geschrieben wurden sie auf der Ebernburg in der Nähe von Kreuznach, wo Hutten bei Franz von Sickingen vorübergehend untergeschlüpft war, in einem vermeintlich sicheren Zufluchtsort, den er im Jahr zuvor auch Luther als Refugium empfohlen hatte. Der Reformator weilte zu dieser Zeit in Worms. Seinen Mut und Widerstandswillen gegenüber möglichen Pressionen des Kaisers oder des päpstlichen Legaten zu stärken, war die Absicht Huttens. Er versicherte den Reformator seiner unverbrüchlichen Treue und Unterstützung im Kampf gegen die rasenden Gegner, die nach seiner Meinung sehr bald der Verachtung anheimfallen werden.

V. Press, Ulrich von Hutten, Reichsritter und Humanist 1488-1523. In: Nassauische Annalen 85, 1974, S. 71-86. – J. Benzing, Ulrich von Hutten und seine Drucker, 1956, S. 101 f. – Text: WA Br 2, 301-304, Nr. 398 f. H. I.

222 Zur selben Zeit erwuchs mit dem König von England ein mächtiger Gegner der lutherischen Lehre.

König Heinrich VIII. von England, ›Assertio septem sacramentorum adversus Martinum Lutherum‹
London: Richard Pynson 1521. 4°
London, The British Library, C. 25. k. 2

Eine der ersten Mächte, die sich öffentlich gegen die Lehre Luthers aussprach, war das englische Königreich, wo man zunächst einen Umsturz der politischen Ordnung befürchtete. Es war dann kein Geringerer als der König selbst, der seiner Regierung auch theologische Argumente gegen den Wittenberger Professor lieferte. Anlaß waren die großen reformatorischen Schriften Luthers mit ihrer Leugnung der päpstlichen Autorität und der Verwerfung der traditionellen Sakramentenlehre im Jahre 1520. Vor allem gegen ›De captivitate Babylonica ecclesiae‹ (Kat. Nr. 209) wandte sich Heinrich VIII. (1491-1547; König seit 1509) in vorliegender Schrift.
Man hat lange bezweifelt, daß der Autor dieses theologisch beachtlichen Werkes überhaupt Laie, gar ein König, dessen handwerkliche Fähigkeiten eher auf dem Turnierplatz und bei der Jagd als im Umgang mit der Feder vermutet werden mußten, gewesen sein konnte. Heute weiß man, daß Heinrich, der als nachgeborener Sohn ursprünglich für den Erzbischofsstuhl in Canterbury erzogen worden war, dieses Buch im wesentlichen selbst verfaßt hat, gestützt allerdings auf eine Sammlung von Zitaten und Argumenten, die von Fachtheologen zusammengestellt worden waren. Die letzte Fassung des fertigen Manuskriptes hat dann noch der königliche Rat Sir Thomas More (1478-1535) durchgesehen.
Heinrich verteidigt die Lehre von den sieben Sakramenten der Kirche sowie die allgemeine Praxis der Sakramentenspendung und verweist für die Richtigkeit seiner Meinung nicht nur auf die Heilige Schrift und das göttliche Recht, sondern auch auf die Überzeugung der ganzen Christenheit in einer Zeitspanne von nahezu anderthalb Jahrtausenden. Der Hinweis auf die überall und zu allen Zeiten übereinstimmend vertretene christliche Grundüberzeugung ist ihm auch Beweis für die Rechtmäßigkeit des päpstlichen Anspruchs auf höchste Lehr- und Hirtengewalt.
Das Buch aus königlicher Feder erregte großes Aufsehen auf dem Kontinent. Es war Papst Leo X. schließlich Veranlassung, dem seit Jahren in Westminster erhobenen Wunsch nach öffentlicher Belobigung des englischen Königs durch die römische Kurie nachzukommen. Im Oktober 1521 verlieh Leo X. dem königlichen Verteidiger der päpstlichen Lehre den Titel »Defensor fidei« (Verteidiger des Glaubens) – einen Titel, den das englische Königshaus bis heute führt, obwohl Heinrich VIII. nur ein Jahrzehnt nach der Verleihung den päpstlichen Jurisdiktionsanspruch verwarf und 1534 in der sog. Suprematsakte sich selbst und seinen Nachfolgern die oberste Gewalt in der englischen Kirche zuschrieb.
Wir zeigen eines der zwei auf besondere Bestellung Heinrichs VIII. in London angefertigten Druckexemplare.

M. Brown, Henry VIII.'s Book Assertio septem sacramentorum and the Royal Title of Defender of the Faith. In: Transactions of the Royal Historical Society 8, 1880, S. 242-261. – J. J. Scarisbrick, Henry VIII., 1968, S. 111-118.
H. I.

C Der römische Prozeß

Lange Zeit hat Rom von den Ereignissen im fernen Wittenberg kaum ernsthaft Notiz genommen. Dann wurde eine Behandlung der Sache über noch längere Zeit aus politischen Rücksichten bewußt verzögert. Und als man sich schließlich doch zum energischen Einschreiten entschloß, war es im Grunde schon zu spät: die neue Lehre hatte inzwischen im ganzen Reich begeisterte Zustimmung gefunden.
Zwar hatte man in Rom um die Jahreswende 1517/18 von Luthers 95 Ablaßthesen und wenig später auch von deren Verteidigung Kenntnis erhalten. Darin sah aber niemand einen Anlaß zu energischem Einschreiten gegen einen vermeintlich unbedeutenden, ungebärdigen Mönch. Am wenigsten Papst Leo X., dessen Sinn vornehmlich auf die Jagd, auf die schönen Künste, auf humanistische Bildung gerichtet war.
Immerhin finden wir im Sommer 1518 den Sachverständigen für Glaubensfragen an der Kurie, den Dominikaner Silvester Prierias, mit der Angelegenheit befaßt. In nur drei Tagen will Prierias sein Gutachten über die 95 Thesen verfaßt haben. Darin empfahl er, den Wittenberger nach Rom vorzuladen, damit er sich persönlich verantworte. Als Luther davon erfuhr, tat er etwas, womit niemand gerechnet hatte: Er entschloß sich kurzerhand, das Gutachten des Prierias im Druck zu veröffentlichen und diesem eine eigene Entgegnung anzufügen. So sehr war er überzeugt von der Haltlosigkeit des Prierias-Gutachtens. Im übrigen aber verwahrte sich Luther gegen ein päpstliches Urteil in seiner Sache: »Sowohl der Papst wie das Allgemeine Konzil können irren. Irrtumslos ist allein die Heilige Schrift«.
Das konnte im Verständnis römischer Theologen als Ketzerei ausgelegt werden, und auf Ketzerei stand die Todesstrafe. Allein, soweit kam es nicht. Noch bevor die Räder des kanonischen Prozesses richtig in Gang gesetzt waren, erreichte Rom eine Nachricht, die vorerst alle Anstrengungen in dieser Richtung erlahmen ließ. Der Kaiser, so hieß es, liege im Sterben. Damit stellte sich als dringlichstes Problem die Nachfolgefrage, und hier hatte Rom ein unmittelbares Interesse, die Wahl des jungen Habsburgers Herzog Karl von Burgund zu verhindern. Unter den deutschen Kurfürsten, die allein wahlberechtigt waren, gab es aber nur einen, der für den römischen Wunsch gewonnen werden konnte. Und dies war ausgerechnet der sächsische Herzog und Kurfürst Friedrich der Weise, Luthers Landesherr (vgl. Kat. Nr. 247). Mit Rücksicht auf diesen wurde deswegen der Prozeß gegen Martin Luther anderthalb Jahre lang nur zögernd und halbherzig fortgeführt.
Die Wahl Karls zum Kaiser des Heiligen Römischen Reiches Deutscher Nation hat die römische Kurie freilich trotz erheblicher Bestechungsgelder nicht verhindern können. Der Habsburger – in Verbindung mit dem Augsburger Bankhaus der Fugger – vermochte noch höhere Summen als Bestechungsgelder zu seinen Gunsten einzusetzen und gewann die Wahl.
Monate vergingen, bevor man sich in Rom von diesem Schock erholt hatte. Und es bedurfte auch dann noch der Hilfe deutscher Theologen, um der Kurie die Dringlichkeit der lutherischen Sache vor Augen zu stellen. Vor allem Johann Eck, Professor an der bayerischen Landesuniversität in Ingolstadt, nutzte seinen Einfluß, um eine baldige Verurteilung Luthers zu erreichen.
Diese erfolgte schließlich im Sommer 1520 in einer feierlichen Bulle, die insgesamt 41 Sätze aus Schriften Luthers wörtlich zitierte und als falsch, ärgerniserregend oder anstößig verwarf. Luther wurde aufgefordert, die beanstandeten Sätze innerhalb von 60 Tagen zurückzunehmen. Im Weigerungsfall wurde ihm die Exkommunikation, das heißt der Ausschluß aus der sichtbaren Gemeinschaft der Gläubigen und der Verlust aller aus der Kirchenmitgliedschaft erwachsenen Rechte, angedroht.
Luther selbst hatte sich inzwischen innerlich so sehr von der römischen Kirche entfernt, daß ihn die päpstliche Mahnung nicht mehr beeindrucken konnte. Unter dem Beifall seiner Studenten verbrannte er die Bulle in einer spektakulären Aktion zusammen mit dem kirchlichen Rechtsbuch und einigen Schriften scholastischer Theologen vor dem Elstertor in Wittenberg. Einen Monat später erging von Rom aus der endgültige Bann gegen Luther und seine Anhänger. H.I.

223 Seit dem Frühsommer 1518 ließ Papst Leo X. die »Luthersache« in Rom überprüfen.

Bildnis des Papstes Leo X.
Sebastiano del Piombo zugeschrieben, vor 1521
Schwarze Kreide auf Papier, 48 × 29,9 cm
Chatsworth, Devonshire Collection

Geboren 1475 in Florenz, war Giovanni de' Medici, der spätere Papst Leo X., schon vierzehnjährig zum Kardinal erhoben worden, konnte sich aber erst nach dem Tode Alexanders VI. (1503) in Rom halten, wo er unter Julius II. (vgl. Kat. Nr. 195) großen Einfluß gewann. Zehn Jahre später wurde der vielgereiste, humanistisch gebildete Kardinal und Freund des Erasmus von Rotterdam zum Papst gewählt. Die hohen Erwartungen seiner Wähler und vieler Reformfreunde sollte Leo X. freilich enttäuschen. Das zeigte sich schon an seiner Führung des fünften Laterankonzils, das nach fünfjährigen, mühsamen, nur halbherzig geführten Verhandlungen im März 1517 zu Ende gegangen war. Das zeigte sich dann auch an seiner Einschätzung und Behandlung der »causa Lutheri«, auf die ihn die Anzeige Albrechts von Brandenburg (vgl. Kat. Nr. 196) aufmerksam gemacht hatte und die er daraufhin seit Juni 1518 durch den amtlichen Sachverständigen in Fragen der Glaubenslehre, den magister sacri palatii Silvester Mazzolini da Prierio, gen. Prierias (1456-1523), überprüfen ließ. Unsere Kreidezeichnung diente offenbar Giulio Romano als Vorlage für das Bildnis Papst Clemens' I. auf einem Fresko der Sala di Costantino im Vatikan. Giulio Romano ist deshalb des öfteren auch unsere Porträtstudie, die nachweislich die Züge Papst Leos X. trägt, zugeschrieben worden. Für Sebastiano del Piombo haben sich J. Wickhoff (1899), J. A. Gere (1949) u. a. ausgesprochen.

R. Bäumer, Martin Luther und der Papst, 2. Aufl. 1971. – J. A. Gere, Some Italian Drawings in the Chatsworth Exhibition. In: Burlington Magazine 91, 1949, S. 169-173. – Kat. Ausst. Old Master Drawings from Chatsworth, Washington 1962-63, Nr. 69. H.I.

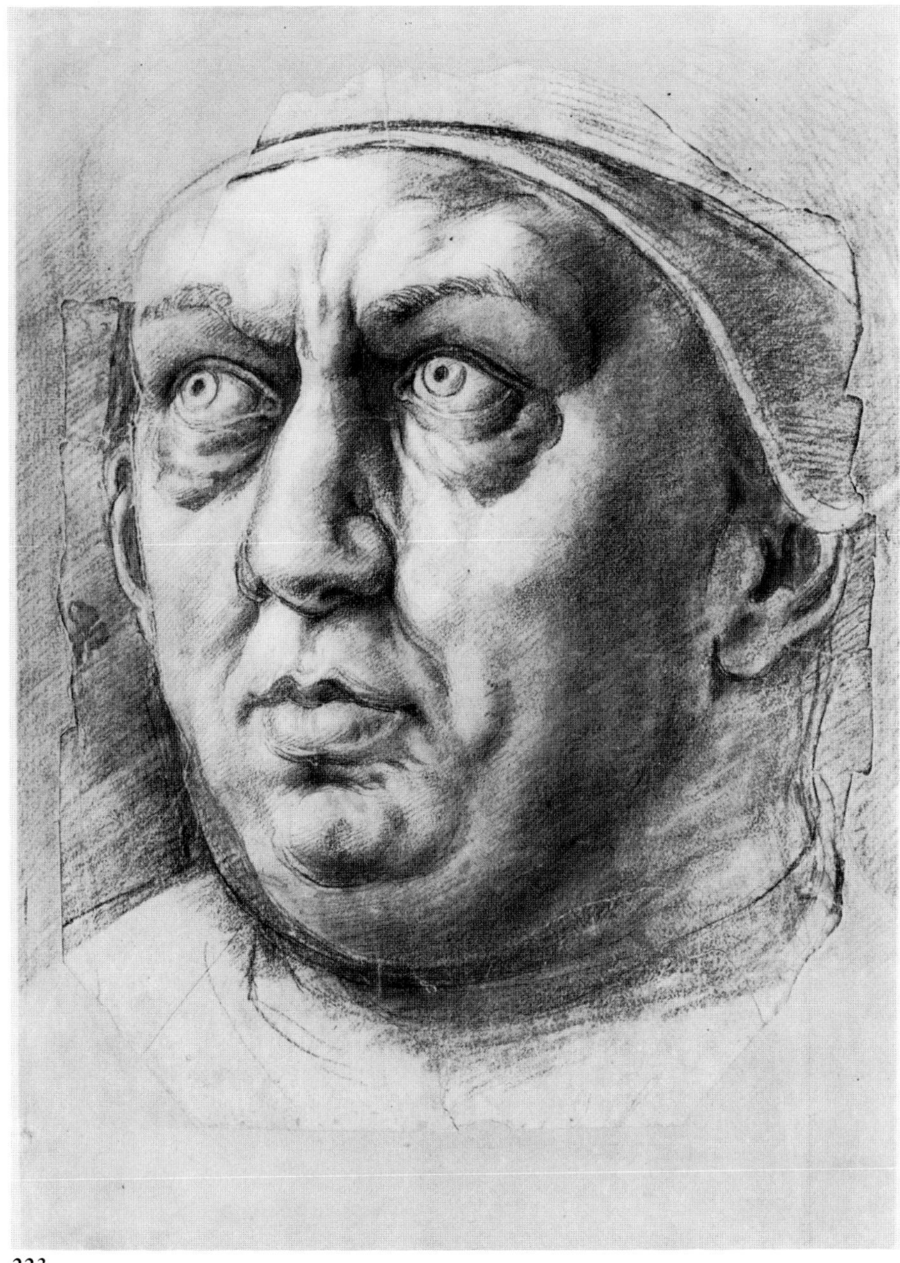

223

nicht richterlich« verhört und anschließend sicher – gegebenenfalls auch ohne Widerruf – nach Wittenberg entlassen.
Aus der richtigen Erkenntnis, daß die bis dahin bekannt gewordenen und in Augsburg benannten Kontroversen – Ablaß, Gerechtigkeit Gottes, Buße, Reue, Fegfeuer, Glaubensgewißheit, Kirchenschatz, Konzil – in der Lehre vom päpstlichen Primat gipfelten, ist die vorliegende Schrift entstanden. In einem für die Zeit bemerkenswert sachlichen Ton setzte sich Cajetan darin mit Luthers Exegese von Matth. 16,18 (»Du bist Petrus, und auf diesen Felsen will ich meine Kirche bauen . . .«) und Joh. 21,15 (»Weide meine Lämmer . . .«) auseinander. Die Worte Jesu seien an Petrus als Hirt der jungen Christenheit und in seiner Person an jeden seiner Nachfolger im Hirtenamt der Kirche gerichtet. Jesus habe in den Nachfolgern Petri, d.h. in den römischen Päpsten, die Hirten- und Schlüsselgewalt bis zum Ende der Zeiten sicherstellen wollen.
Cajetans Methode war die scholastische, die er meisterhaft beherrschte: Zu jedem Gedankengang werden zunächst die Meinungen der Gegner vorgetragen – unter ihnen vor allem die Luthers mit einer Fülle wörtlicher Zitate aus dessen Schriften, jedoch ohne Nennung seines Namens. Darauf folgt die Widerlegung, vornehmlich mit Vernunftgründen und Verweisen auf die Heilige Schrift.

E. Iserloh u. B. Hallensleben, »Cajetan de Vio«. In: TRE 7, 1981, S. 538-546. – Text: F. Lauchert (Hrsg.). In: Corpus Catholicorum 10, 1925. H. I.

224 Der päpstliche Nuntius Kardinal Cajetan fand den Hauptgegensatz Luthers zur alten Kirche in dessen Lehre über die Autorität des Papstes.

Thomas de Vio Gaëtano, gen. Cajetan, ›De divina institutione pontificatus Romani pontificis super totam ecclesiam a Christo in Petro‹
Rom: Marcellus Silber alias Franck 1521 Undecimo Kalendas Aprilis (22. März)
4°. Sammelband, ursprünglich im Besitz des Humanisten Johann Albrecht Widmanstetter (gest. 1557), später in der Bibliothek des Münchener Jesuitenkollegs
München, Bayerische Staatsbibliothek, 4° Dogm. 297

Erstes Ergebnis der römischen Prüfung von Luthers Schriften gegen den Ablaß war die Anweisung an Kardinal Cajetan (1469-1534), den päpstlichen Legaten beim Augsburger Reichstag des Jahres 1518, Luther offiziell zu einem Verhör nach Augsburg vorzuladen. Luthers Landesherr Kurfürst Friedrich der Weise stimmte dem Vorhaben zu, nachdem er die Versicherung erwirkt hatte, Luther werde »väterlich und

225 Wichtigste Quelle für den Verlauf des Augsburger Verhörs vor Kardinal Cajetan im Oktober 1518 ist Luthers eigene Niederschrift.

Martin Luther, ›Acta Fratris Martini Luther Augustiniani apud Dominum Legatum Apostolicum Augustae‹
Wittenberg: Johann Rhau-Grunenberg 1518. 4°
München, Bayerische Staatsbibliothek, 4° H. ref. 478

Am 14. Oktober 1518, dem dritten und letzten Tag des Augsburger Verhörs, legte Luther dem Kardinal eine schriftliche Begründung seiner Meinung von der Irrtumsfähigkeit des Papstes und von der Notwendigkeit der Glaubensgewißheit beim Sakramentenempfang und bei der Rechtfertigung vor. Diese schriftliche Verantwortung erweiterte er unmittelbar nach seiner Rückkehr in seine Wittenberger Studierstube – am 31. Oktober – zu einem Gesamtbericht über seine Verhandlungen mit Kardinal Cajetan. Dem kurfürstlichen Hof aber mißfiel die Veröffentlichung des Berichtes zu diesem Zeitpunkt, da der Ausgang des römischen Prozesses gegen Luther noch immer nicht absehbar war. Georg Spalatin suchte daher im Auftrage seines Landesherrn, eine Auslieferung der Acta zu verhindern, mußte aber erleben, daß der Wittenberger Buchdrucker Johann Grunenberg das Manuskript förmlich vom Schreibtisch Luthers weg in seine Druckpresse gelenkt und die ersten beiden Bogen bereits verkauft hatte, bevor der Schlußteil überhaupt geschrieben war. Spalatin erreichte dann lediglich, daß im dritten Druckbogen eine als anstößig empfundene Passage mit Druckerschwärze unleserlich gemacht wurde. In unserem Exemplar fol. Ciij[r] (Hier hatte Luther behauptet, daß das päpstliche Breve an Cajetan vom 23. August mit der Anweisung, Luther bei Verweigerung des Widerrufs gefangenzusetzen und nach Rom auszuliefern, eine Fälschung sein müsse.)

G. Hennig, Cajetan und Luther, 1966. – O. H. Pesch, »Das heißt eine neue Kirche bauen«. Luther und Cajetan in Augsburg. In: Festschr. für H. Fries, 1972, S. 645-661. – Benzing, Nr. 234. – Text: WA 2, S. 6-26. H. I.

226 In banger Erwartung des päpstlichen Bannstrahls appellierte Luther an ein Allgemeines Konzil, da er sich dem Urteil des nach seiner Meinung schlecht unterrichteten Papstes nicht unterwerfen wollte.

Martin Luther, ›Appellatio. F. Martini Luther ad Concilium‹
Wittenberg: Johann Rhau-Grunenberg 1518. 2°
London, The British Library, C. 18. e. 2 (103.)

Nachdem Luther noch Mitte Oktober in Augsburg offiziell von Cajetan an den Papst appelliert hatte, kündigte er gleich nach seiner Ankunft in Wittenberg am 31. Oktober an, vom Papst an ein allgemeines Konzil appellieren zu wollen. Dieser rechtliche Schritt stand im Zusammenhang mit dem noch immer ungewissen Ausgang des römischen Prozesses; es sollte jedenfalls die Appellation bereits vorliegen, falls der päpstliche Urteilsspruch gegen Luther ausfiel. Als formales Vorbild diente ihm dabei die Appellation der Pariser Universität, die sich am 27. März dieses Jahres gegen das französische Konkordat von 1516 ebenfalls vom Papst an ein allgemeines Konzil gewandt hatte. Wir zeigen hier den Urdruck, der als Plakat offenbar für einen öffentlichen Anschlag vorgesehen war. Vorgeblich gegen Luthers Willen (vgl. WA Br 1, S. 270, 15-17) erfuhr die Appellatio, die etwa Mitte Dezember 1518 mit unserem Einblattdruck bekannt wurde, nicht weniger als acht Nachdrucke, die alle noch 1518 datiert sind.

Brecht, S. 253 f. H. I.

227 In Rom suchte Eck Einfluß auf den Fortgang des Prozesses gegen Luther zu nehmen.

Johannes Eck, ›De primatu Petri adversus Ludderum ... libri tres‹
Paris: Petrus Vidovaeus impensis honesti viri Conrardi [!] Resch ... 1521 Mense Septembri
2°. Titelrahmen von Urs Graf, Exemplar aus dem Besitz des Augsburger Stadtschreibers und Humanisten Konrad Peutinger (1465-1547)
Augsburg, Staats- und Stadtbibliothek, Adl. 2° Th. Sch. 156

Wie zuvor schon Cajetan sah auch Eck (1486-1543) den zentralen Kontroverspunkt zwischen Wittenberg und Rom in der Lehre vom Primat des Papstes. So suchte die vorliegende umfangreiche Schrift ausdrücklich, den Irrtum Luthers in dessen 13. Leipziger These zu erweisen; die Behauptung, daß dem Papst nur ein Ehrenvorrang menschlichen Rechtes zukomme, zu widerlegen und das von Jesus Christus gestiftete Lehr- und Hirtenamt Petri und seiner Nachfolger mit einer erdrückenden Fülle von Verweisen auf die Heilige Schrift, auf die Kirchenväter, auf Kaiser und Konzilien sowie die Liturgie der Kirche zu begründen.
Das fertige Manuskript überreichte Eck am 1. April 1520 Papst Leo X., der ihn wenig später in die Viererkommission berief, die den Text der Bannandrohungsbulle entwerfen sollte. H. I.

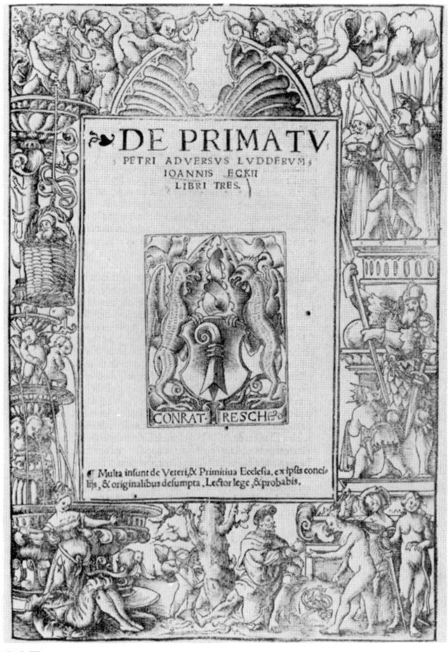

DE PRIMATV
PETRI ADVERSVS LVDDERVM,
IOANNIS ECKII
LIBRI TRES.

CONRAT RESCH

Multa insunt de Veteri, & Primitiua Ecclesia, ex ipsis concilijs, & originalibus desumpta, Lector lege, & probabis.

227

228 Ergebnis monatelanger Beratungen im Kardinalskollegium: die Bannandrohungsbulle gegen Martin Luther.

Papst Leo X., Bulle »Exsurge Domine«, 15. Juni 1520
Druckexemplar: ›Bulla contra errores Martini Lutheri et sequacium‹. Rom: Jacobus Mazochius 1520. 21,5 × 15,5 cm. 12 Bll., Bl. 11[v] besiegelt und unterschrieben
Nürnberg, Staatsarchiv, Reichsstadt Nürnberg, A-Laden-Akten, S I L 68, Nr. 1

Mit der Berufung des Ingolstädter Theologieprofessors Dr. Johannes Eck in die Viererkommission, die den genauen Wortlaut einer Bulle gegen Martin Luther erarbeiten sollte, hat Leo X. den Abschluß des römischen Prozesses entscheidend gefördert. Die Kommission arbeitete so fleißig und schnell, daß sie den fertigen Entwurf bereits wenige Wochen später, am 2. Mai 1520, vorlegen konnte.
In insgesamt vier Konsistorien – d. h. Beratungen der Kurienkardinäle – wurden dann die einzelnen Artikel ausführlich besprochen und die Form der angestrebten Verurteilung diskutiert. Schließlich erfolgte die Verwerfung von 41 wörtlich zitierten Sätzen aus Luthers Schriften einmütig; allein über die einzelnen Zensuren konnte man sich nicht einigen. Deshalb erklärte man die 41 Sätze pauschal als »irrig, häretisch, ärgerniserregend, für fromme Ohren anstößig und für einfache Gemüter verfüh-

229

rerisch«. Wenn schon diese Vergröberung unbefriedigend erscheinen mußte, so stiftete die Tatsache, daß nach Anführung der gegnerischen Sätze nicht gleichzeitig – oder wenig später – auch die Lehre der alten Kirche dargelegt wurde, ein hohes Maß an Verwirrung. Das römische Vorgehen ist um so unverständlicher, wenn man weiß, daß die hier vorliegende Bulle die einzige Äußerung des kirchlichen Lehramts in der »Luthersache« blieb – bis zum Zusammentritt des Trienter Konzils im Dezember 1545, wenige Wochen vor Luthers Tod.

Die Bulle beginnt mit dem Psalmwort (Ps 74,22) *Exsurge Domine:* »Erhebe Dich, o Herr, und entscheide Deine Sache; sei eingedenk der Lästerungen gegen Dich, die von den Sündern kommen den ganzen Tag. Neige Dein Ohr zu unseren Bitten, denn Füchse wollen Deinen Weinberg verwüsten ...« (vgl. Ps 80,14; Ps 86,1). Luther und seine Anhänger werden aufgefordert, die ihnen vorgehaltenen Irrtümer innerhalb von 60 Tagen zu widerrufen. Andernfalls werde nach Ablauf dieser Frist der Bann gegen sie ausgesprochen. Daher die Bezeichnung Bannandrohungsbulle.

Das Dokument trägt das Datum des 15. Juni 1520, ist aber wohl erst einige Wochen später fertig geworden. Bekannt sind heute vier Originalausfertigungen, die im Text deutlich voneinander abweichen. Beide vom Papst für die Verkündigung der Bulle eigens ernannte Nuntien – Johannes Eck und der päpstliche Bibliothekar Hieronymus Aleander – hatten überdies die Möglichkeit, im gleichzeitig zu publizierenden Veröffentlichungsschreiben einige Namen von Anhängern Luthers noch nachträglich einzufügen.

Da uns keines der Originale (Landeshauptarchiv Dresden, Hauptstaatsarchiv Stuttgart, Haus- Hof- und Staatsarchiv Wien; das vatikanische Exemplar muß als verloren gelten) erreichbar war, zeigen wir eines der zeitgenössischen Druckexemplare.

R. Bäumer, Lutherprozeß und Lutherbann, 3. Aufl. 1983. H. I.

229 Luther wußte, daß er auf den Schutz Kurfürst Friedrichs des Weisen rechnen konnte.

Bildnis des Kurfürsten Friedrich des Weisen

Albrecht Dürer, 1524

Kupferstich, 19,2 × 12,7 cm. Auf der Tafel am unteren Bildrand Inschrift: CHRISTO. SACRVM./ILLE.DEI VERBO. MAGNA PIETATE. FAVEBAT./PERPETVA. DIGNVS.POSTERITATE. COLI./D(omino). FRID(e)R(ico). DVCI.SAXON (iae). S(acri). R(omani). IMP(erii)./.ARCHIM (areschallo). ELECTORI./.ALBERTVS. DVRER. NVR(imbergensis). FACIEBAT./.B(ene). M(erenti). F(ecit). V(ivus). V(ivo) M.D. XIIII (Christus geweiht. Er liebte das Wort Gottes in großer Frömmigkeit, würdig, verehrt zu werden in alle Zukunft. Dem Herrn Friedrich, Herzog von Sachsen, des Heiligen Römischen Reiches Erzmarschall, Kurfürst, schuf es Albrecht Dürer aus Nürnberg. Dem Hochverdienten schuf er es als Lebender dem Lebenden 1524). Links das Monogramm des Künstlers (spiegelverkehrt), in den oberen Ecken die kursächsischen Wappen

Nürnberg, Germanisches Nationalmuseum, St. N. 2200

Dem Kupferstichporträt liegt eine Silberstiftzeichnung Dürers (Paris, Ecole des

Beaux-Arts) zugrunde, die wohl zwischen November 1522 und Februar 1523 entstand, als sich der sächsische Kurfürst anläßlich des Reichstags in Nürnberg aufhielt. Mehr noch als die feinlinige Bildnisaufnahme stellt die druckgraphische Ausführung des Porträts die mächtige, in sich ruhende Gestalt Friedrichs des Weisen in seinen landesväterlichen Eigenschaften vor Augen. Die Verbindung des Kurfürsten mit Dürer, die bereits seit der Mitte der 90er Jahre des 15. Jahrhunderts über mehrere Altaraufträge für die neuerbaute Schloßkirche in Wittenberg bestand, mag durch die wohlwollende Haltung Friedrichs des Weisen gegenüber Luther für den Künstler eine neue emotionale Komponente erhalten haben. Die in der Inschrift explizit mit dem »Wort Gottes« in Verbindung gebrachte Frömmigkeit des Kurfürsten als besonders verehrungswürdige Eigenschaft läßt wie die brieflichen Äußerungen Dürers wenige Jahre zuvor (Kat. Nr. 219) dessen tiefe persönliche Anteilnahme an dem Schicksal Luthers und der Reformation erkennen.

Kat. Ausst. Dürer, Nr. 546/547. H. I./J. Z-S.

230 Das kirchliche Gesetzbuch gehörte zu den Werken, die Luther am 10. Dezember 1520 zusammen mit der päpstlichen Bannandrohungsbulle öffentlich verbrannte.

›Decretum Gratiani‹
Lyon: François Fradin 1509/10. 2°. 3 Bde.
Augsburg, Staats- und Stadtbibliothek, 2° KR 50.

Nachdem Luther von der Fertigstellung einer Bannandrohungsbulle gegen ihn und seine Anhänger schon im Juli 1520 Mitteilung erhalten hatte, erfuhr er wohl Ende September, spätestens aber am 1. Oktober dieses Jahres, daß die Bulle überall im Reich und schließlich auch im Bistum Brandenburg, zu dem Wittenberg gehörte, veröffentlicht wurde. Verantwortlich für die Publikation in diesem Teil des Reiches war der Ingolstädter Professor Dr. Johannes Eck, dem auch ein maßgeblicher Anteil an Inhalt und Formulierung der Bulle zugeschrieben werden muß. Um die öffentliche Bekanntmachung der Bulle nicht nur in der Stadt Wittenberg, sondern auch in der dortigen Universität sicherzustellen, ließ Eck ein zusätzliches Exemplar eigens dem Rektor der Universität überbringen. Schließlich hatte Eck doch in einem Begleitschreiben drei Wittenberger Professoren ausdrücklich als von der Bannandrohung Betroffene benannt: neben Luther dessen Kollegen Andreas Bodenstein von Karlstadt und Johannes Doelsch.
Der Rektor der Universität Wittenberg nahm das ihm zugedachte Exemplar am 10. Oktober in Empfang. Genau 60 Tage später, am 10. Dezember 1520, d. h. nach Ablauf der in der Bulle gesetzten Widerrufsfrist, kam es dann vor dem Elstertor außerhalb der Wittenberger Stadtmauer zu der bekannten, spektakulären Aktion: der Verbrennung der kirchlichen Rechtsbücher, scholastischer Beichthandbücher, einiger Kleinschriften der Luthergegner Eck und Emser sowie schließlich eines Druckexemplares der Bannandrohungsbulle, die Luther selbst ins Feuer warf, wodurch er augenfällig dokumentierte, daß das kirchliche Recht für ihn nicht länger bindend war, er deshalb eine päpstliche Verurteilung nicht fürchtete.
Wir zeigen ein Exemplar jener dreibändigen Ausgabe des ›Decretum Gratiani‹, die in der ersten Hälfte des 16. Jahrhunderts im ganzen Abendland in Gebrauch war. Aufgeschlagen ist die Titelrückseite und die erste Textseite von Band I. Auf der linken Seite in der Bildmitte der Kamaldulensermönch Gratian, »Vater der kirchlichen Rechtswissenschaft«, innerhalb des Gelehrtenmilieus der Studierstuben des 15. Jahrhunderts; hinter ihm ein Drehpult und ein Bücherstilleben in der Schaukredenz. Gratian zieht die Summe aus den alten kirchlichen Rechtsquellen und ist gleichzeitig dargestellt als berufener Lehrer vor den Vertretern der kirchlichen Hierarchie – in deren vorderster Reihe Papst, Kardinal und Bischof. Der durch einen Kielbogen fensterartig geöffnete Raum ruht auf einem schmalen Sockel. Auf der als Fassade gestalteten Titeleinrahmung finden sich die Halbfiguren alttestamentlicher und neutestamentlicher Autoren sowie früher Kirchenväter: links fünf Propheten und Patriarchen des Alten Bundes, rechts die Autoren der wichtigsten neutestamentlichen Schriften, an den Kanten des geöffneten Raumes die vier lateinischen Kirchenväter. Bildmotivisch erscheint so der große Kompilator des kirchlichen Rechts den inspirierten Autoren der Heiligen Schriften sowie den großen Kirchenvätern gleichgeordnet – ein beredtes Zeugnis für die zentrale Bedeutung des Kirchenrechts in der Zeit um 1500.
Auf der rechten Seite beginnt in der Mitte

230

der oberen Hälfte der Text des ›Decretum Aureum divi Gratiani‹ (das goldene Dekret des heiligen Gratian) mit den ersten fünf Causae der ersten Distinktion. Über und unter dem eigentlichen Gesetzestext sowie rechts und links davon findet sich die sogenannte Glossa ordinaria, ein vornehmlich im 13. Jahrhundert entstandenes Kommentarwerk mit Verweisen auf die Heilige Schrift und frühe Rechtsquellen, mit Parallelstellen, mit kurzen Erklärungen oder zusammenfassenden Darlegungen, mit ganzen Argumentenreihen als Nachweis für die Gültigkeit des Gesetzes. Diese Glossen zum Dekret des Gratian wurden von Johannes Teutonicus kurz nach 1215 herausgegeben und 1245 von Bartholomaeus von Brescia überarbeitet und ergänzt. Die Namen dieser Autoren am oberen linken Rand der ersten Textseite.

Brecht, S. 403-406. H. I.

VII. Kaiser, Reich und Reformation bis 1531

Volker Press

Die Reformation Martin Luthers traf nicht nur die Kirche in einer kritischen Situation, sondern auch das Reich. Das 15. Jahrhundert war voll von Klagen über seinen Zustand und Forderungen nach seiner Reform – Herrscher wie Sigmund und Friedrich III. waren über lange Zeiten abwesend gewesen, so daß sich die landesfürstlichen Obrigkeiten verstärkt etablieren konnten. Der Prozeß vollzog sich nicht ohne Kriege und Fehden, führte im kaiserfernen Norden und Osten zu einem stärkeren Konzentrationsprozeß als in den alten Kerngebieten des Reiches in Schwaben, in Franken und am Rhein, wo sich die Zersplitterung erhielt. Da sich Kaiser und Reich, auch als Teil der göttlichen Weltordnung, tief in das Bewußtsein der Menschen eingesenkt hatten, war eine Lösung der Probleme ohne den Kaiser oder gar eine Zerstörung des Reiches nicht denkbar.

So bedeutete der Wormser Reichstag von 1495, der erste des neuen Königs Maximilian, für die Geschichte des Reiches die Eröffnung einer dramatischen Phase: ein starker Herrscher, der den Reichsverband herausforderte und die im 15. Jahrhundert errungene hervorragende Stellung der Kurfürsten gefährdete. Die Stände waren gezwungen, den königlichen Aktivitäten ihre Vorstellungen entgegenzusetzen, die erwünschte Verstärkung der zentralen Gewalten durch fürstliche Kontrolle in ihre Bahnen zu lenken. Dabei aber stießen sie auf ein geschickt und konsequent operierendes Reichsoberhaupt, das die Gegensätze innerhalb des fürstlichen Lagers auszunützen wußte. So folgte auf die Phase einer durch die Stände kontrollierten Reichsentwicklung eine stärker vom Kaiser her geprägte. Man spricht gern von einer Zeit der Reichsreform, obgleich es sich eher um eine in Konkurrenz zwischen Kaiser und Ständen entstehende Verdichtung als um eine zielgerichtete Reformentwicklung handelte. Auch wenn nach 1512 die Kräfte beider erlahmten, hat doch in den Jahren nach 1495 eine ganze Reihe von Institutionen einen mächtigen Anstoß erfahren, ist neu gebildet oder ausgeformt worden, so vor allem der Reichstag. Es wurde ein Kompromiß festgeschrieben, der die politischen Strukturen Deutschlands weiterentwickelte, in der Zweiheit von Kaiser und Reichsinstitutionen einerseits, der Landesfürsten andererseits. Die letzteren spielten die doppelte Rolle von Herren im eigenen Land und Ständen auf dem Reichstag.

Als nach dem Tode Maximilians I. 1519 doch sein Enkel Karl gewählt wurde, kehrte die Situation Sigmunds und Friedrichs wieder – aber die lange Abwesenheit des Herrschers wurde durch die halbwegs funktionierenden Reichsinstitutionen abgefangen, zumal man bei der Wahl eher Hürden gegen die Machtambitionen eines starken Kaisers aufgebaut hatte. So vollzogen sich die Entwicklungen der Reformation im Zeichen eines funktionierenden Reichsverbandes. Während sich Luthers Besuch auf dem Augsburger Reichstag von 1518 nur am Rande abgespielt hatte, wurde jener auf dem ersten Reichstag Karls V. zu Worms 1521 zu einem welthistorischen Ereignis – die Reformationsfrage wurde mit dem Auftreten des Wittenberger Mönchs inmitten der Stände des Reiches ein Thema der Reichstage und blieb es. Nur hier konnte ein Ausgleich zwischen dem Kaiser und den Fürsten gefunden werden, die 1523 mit der Ritterkrise und 1525 mit dem Bauernkrieg aus eigener Kraft fertig geworden waren.

Die Reformation hatte damit neben der kirchlichen, der obrigkeitlichen, der populären Ebene auch noch jene des Reiches gewonnen. Das bedeutete nicht nur, daß Reichstag und Reformation sich wechselseitig befruchteten und weitertrieben – beides auch bedingt durch die lange Abwesenheit des Kaisers. Dies machte aber auch die Luthersache zu einem politischen Geschäft, das die konfessionelle Entwicklung durchaus beeinflußte. Der Reichstag relativierte die gerade gefestigte Autorität des Papsttums; indem er eine kirchliche Angelegenheit zu seiner Sache machte, leistete er unbewußt der Reformation Vorschub. Als der Kaiser, in Anspruch genommen durch seine weitgespannten europäischen Besitzungen und Beziehungen und damit letztlich für die deutsche Reformation unerreichbar, 1530 die Reformationsfrage im altkirchlichen Sinn entscheiden wollte, war es zu spät: Der Augsburger Reichstag von 1530 wurde nicht nur wichtig, weil die Konfessionsschrift Melanchthons von Reichs wegen zu Protokoll genommen worden war, sondern auch, weil er die Polarisierung im Reich offenkundig und den Kaiser zur Partei machte. Die evangelischen Fürsten begriffen, daß Karl V. nur noch die Wahl hatte, die Reformation anzuerkennen oder sie gewaltsam zu beseitigen. So schlossen sie sich zum Schmalkaldischen Bund zusammen und stellten damit ihrerseits das Gefüge des Reiches in Frage.

S. Skalweit, Reich und Reformation, 1967. – K. Brandi, Deutsche Geschichte im Zeitalter der Reformation und Gegenreformation, 6. Aufl. 1976. – H. Lutz, Reformation und Gegenreformation, 2. Aufl. 1982. – B. Moeller, Deutschland im Zeitalter der Reformation, 2. Aufl. 1981.

V. P.

A Kaiser Maximilian I. und die »Reichsreform«

Ohne das Wirken Kaiser Maximilians ist die Entwicklung der Reformation nicht zu verstehen. Der Herrscher, ein rastloser Geist, konfrontierte das Reich mit seinen Ansprüchen und Plänen. Damit traf er auf ein bereits verfestigtes Gefüge von Fürsten, größeren und kleineren Herren, Rittern und Städten. Der Reichstag, der diese politische Welt spiegelte und sich im Gegeneinander von Kaiser und Reich ausformte, löste sich endgültig vom Kaiserhof und wurde zum Instrument des Interessenausgleichs zwischen Reichsoberhaupt und Reichsständen. Maximilian benützte die äußere Politik als Hebel der inneren – es gelang ihm, die zunächst stark fürstlich bestimmte Reichsreformpolitik in die Defensive zu drängen und die Kurfürsten in ihrer Bedeutung zu relativieren. Das ihm aufgezwungene Reichsregiment verschwand wieder, Reichslandfrieden und Reichskammergericht blieben. So entstand ein Gleichgewicht, da die beschränkten Möglichkeiten des Kaisers und die Macht der Reichsstände die Durchsetzung einer starken Monarchie wie in Westeuropa nicht erlaubten. Des Kaisers finanzielle Nöte waren sprichwörtlich, seine Pläne – etwa der seiner eigenen Papstwahl – oft abenteuerlich. Aber Maximilian hatte die Popularität eines charismatischen Herrschers und wußte sie auch einzusetzen: Die Autoritätskrise des Reiches nach seinem Tode unterstrich noch nachträglich die integrierende Rolle des Kaisers. Er hatte dem Haus Österreich weitausgreifende Positionen in Europa gewonnen, konsequent suchte er ihm zu Ende seines Lebens auch die Nachfolge im Reich zu verschaffen. Auch wenn er starb, ohne dieses Ziel erreicht zu haben, hat sein Wirken dem Geschehen der Reformation den Rahmen gegeben: Die Kombination von europäischer Stellung und Herrschaft im Reich hat die Habsburger zu den entschiedensten Gegenspielern Luthers werden lassen; die unter Maximilian ausgeformten Reichsinstitutionen, vor allem der Reichstag, gaben dem Ringen um die reformatorische Bewegung die Plattform.

H. Ulmann, Kaiser Maximilian I., 2 Bde., 1884/91. – H. Wiesflecker, Kaiser Maximilian I., bisher 4 Bde., 1971-81. – P. Moraw, Versuch über die Entstehung des Reichstags. In: H. Weber (Hrsg.), Politische Ordnungen und soziale Kräfte im Alten Reich, 1980, S. 1-36. – H. Angermeier, Reichsreform und Reformation. In: Hist. Zs. 235, 1982, S. 529-604. V. P.

231 a

231 Die mittelalterlichen Reichsinsignien symbolisieren die sakrale Würde des Reichsoberhauptes, des Königs bzw. des Kaisers.

Die Reichsinsignien
Albrecht Dürer, um 1510/11
a Die Reichskrone
Feder in Blau, aquarelliert, auf Papier, 23,7 × 28,7 cm
b Der Reichsapfel
Feder in Blau, lichtockergelb laviert, auf Papier, 27,3 × 21 cm
c Das Reichsschwert
Feder in Blau, aquarelliert, auf Papier, 42,8 × 28,5 cm
Nürnberg, Germanisches Nationalmuseum, Hz 2574/76/75

Albrecht Dürer zeichnete diese Studien der Reichskleinodien zu seinen monumentalen Bildern Karls des Großen und Sigmunds (Nürnberg, Germanisches Nationalmuseum). Die Bilder waren für die Nürnberger Heiltumskammer bestimmt, in der die Reichskleinodien nebst den zu ihnen gehörenden Reichsreliquien alljährlich in der Nacht vor der Heiltumsweisung aufbewahrt wurden, um am zweiten Freitag nach Karfreitag zur Verehrung ausgestellt zu werden. Die der Zeit Ottos des Großen entstammende Reichskrone, der staufische Reichsapfel und das salische Reichszepter gehörten zur Krönung eines römisch-deutschen Königs. Nach wechselnden Aufenthaltsorten, die den Gang der Reichsgeschichte widerspiegelten, übergab König Sigmund die Reichskleinodien 1424 der Reichsstadt Nürnberg, wo sie in der Sakristei der Heilig-Geist-Kirche aufbewahrt wurden. Die Heiltumsverehrung wurde 1523 eingestellt, aber es zeigte sich ein fortwährendes Interesse für die Reichssymbole – äußerer Ausdruck für den Zusammenhalt des Reichsverbandes. Wahl und Krönung des Königs waren durch die Goldene Bulle von 1356 genau geregelt: Die Wahl sollte in Frankfurt, die Krönung in Aachen erfolgen; mit dem Vollzug dieser Akte war der neue König Oberhaupt des Reichsverbandes, zugleich designierter Kandidat für die Kaiserwürde, die durch die päpstliche Krönung errungen werden konnte.
Der Reichsverband war ein feudales Gebilde im Wortsinn; der Kaiser war oberster

Lehensherr der Fürsten und Reichsstände, Stadtherr der Reichsstädte, Vogt der Reichskirche. Er war oberster Richter im Reich und hatte damit die Chance, durch Einflußnahme auf die Konflikte seine Stellung auszubauen.

H. Fillitz, Die Insignien und Kleinodien des Heiligen Römischen Reichs, 1954. – F. Zink, Kataloge des Germanischen Nationalmuseums Nürnberg: Die Handzeichnungen bis zur Mitte des 16. Jahrhunderts, 1968, Nr. 53, 55, 54. – Kat. Ausst. Dürer, Nr. 254, 255, 256. – K. Löcher, Dürers Kaiserbilder. In: R. Pörtner (Hrsg.), Das Schatzhaus der deutschen Geschichte, 1982, S. 305-330. V. P.

232 Die Verbindung des Reichsadlers mit den in Vierzahl dargestellten Wappen einzelner Stände, der Quaternionenadler, zeigt die hierarchische Struktur des Reiches.

›Das hailig Römisch reich mit seinen gliedern‹ (Quaternionenadler)
Hans Burgkmair, 1510. Wiederholung von 1511
Holzschnitt mit Typendruck, 23,7 × 38,7 cm
Nürnberg, Germanisches Nationalmuseum, H 1 549

Der gekrönte Doppeladler ist besetzt mit einem Kruzifix als Zeichen der sakralen Verankerung des Reiches. Ganz oben die Wappen der Kurfürsten, rechts die weltlichen, links die geistlichen, die durch die Beifügung des Wappens des Podestá von Rom auf eine Vierzahl gebracht werden; darunter auf den Schwungfedern von oben nach unten angeordnet in Vierzahl die zehn Gruppen der Stände.
Die Herkunft des kurz vor 1400 entstandenen Quaternionenadlers ist ungeklärt; ihm liegt, vielleicht ausgehend von der Vierzahl der weltlichen Kurfürsten oder der Reichsheerschildordnung, ein Zahlenspiel zugrunde. Wenngleich der Zusammenhang mit der konkreten Reichsverfassung teils nur mit Mühe, teils gar nicht herzustellen war, hatte dieses Bild doch eine beachtliche Popularität. Es zeigte augenscheinlich den Zusammenhang von geistlicher und weltlicher Ordnung, die Einbindung der Stände in das durch den Adler symbolisierte Gefüge des Reiches: dabei war man freilich offenbar bemüht, möglichst viele Vierergruppen zusammenzubringen. Die ständische Schichtung von Adel, Bürgern, Bauern spiegelt sich hier, während die Geistlichkeit vernachlässigt wird. Interessant ist für das Bewußtsein die Vertretung der Bauern durch vier Bischofsstädte, der Dörfer durch drei Reichsstädte und eine Bischofsstadt.
Der politisch dominierende Stand war der Adel. Seine soziale Schichtung spiegelte sich in der Zusammensetzung des Reichstags. Vertreten war vor allem der hohe Adel – die Fürsten persönlich, die Grafen und Herren mit zwei Kuriatstimmen im Fürstenrat. Die geistlichen Fürsten waren den weltlichen gleichgeordnet, die Prälaten mit einer Kuriatstimme den Grafen. Der niedere Adel, der zumeist den Landesfürsten unterworfen war, fehlte auf dem Reichstag, während die Städte vertreten waren. Natürlich gab es keine Repräsentation der Bauern.
Dieses ständisch formierte Reich stand dem Kaiser gegenüber: Kurfürsten und Fürsten mit größerer Selbständigkeit, Prälaten, Grafen, Herren, Ritter und Städte, vor allem im habsburgischen Einflußbereich, in stärkerer Abhängigkeit vom Reichsoberhaupt, auf dessen Schutz – symbolisiert durch die Flügel des Adlers – sie angewiesen waren.

A. Werminghoff, Die Quaternionen der deutschen Reichsverfassung. In: Archiv für Kulturgeschichte 3, 1905, S. 288-300. – Kat. Ausst. Hans Burgkmair, Augsburg 1973, Nr. 42. V. P.

233 Überfälle bewaffneter Adeliger auf Bürger und Bauern waren häufig in einer Zeit der Unsicherheit und Fehden.

Raubritter überfällt einen Kaufmann
Petrarca-Meister, um 1520
Holzschnitt, 9,7 × 15,5 cm. Aus: ›Von der Artzney bayder Glůk, des guten und widerwårtigen‹, Augsburg: Sigismund Grimm und Marx Wirsung 1532. Erste deutsche Ausgabe der Schrift Francesco Petrarcas, ›De remediis utriusque fortunae‹
Stuttgart, Staatsgalerie, Graphische Sammlung, Inv. Nr. A 2679

Ein Raubritter läßt sich von einem Kaufmann den Beutel übergeben; in dem sehr vegetationsreichen Wald lauern die Spießgesellen; im Hintergrund sieht man eine Burg.
Der Ausbau der Landeshoheit, die Durchsetzung von Macht und Herrschaft führten zu einer Fülle von Konflikten; durch die Abwesenheit Kaiser Friedrichs III. vom Reich war die Durchsetzung regionaler Vormachtspositionen begünstigt worden. Vor allem aber geriet der niedere Adel, die Ritter, unter Druck. Der Adel beanspruchte für sich die Fehde als Standesprivileg: also die legitime Gewaltanwendung zur Durchsetzung von Rechtsansprüchen. Dies bedeutete nicht nur die Durchkreuzung des staatlichen Friedenswahrungs- und Gewaltmonopols, wie es sich gerade herausbildete, sondern auch eine empfindliche Störung für Handel und Ackerbau. Viele Ritter benützten das Instrument der Fehde und schoben willkürlich Rechtstitel vor, um sich zu bereichern. Die Grenze zwischen Fehde und »Heckenreiterei« (Raub) war allzu fließend. Vielfach benützten die Ritter Konfliktzonen gegensätzlicher fürstlicher Ansprüche, um zu Fehdeaktionen zu schreiten – so waren Zonen ungeklärter Herrschaft, wie Franken, Gebiete häufiger Fehden. Der Beseitigung der Fehde stand in weiten Kreisen des Adels ein Festhalten an überkommener Autonomie und ein enormes Mißtrauen gegen die Fürsten mit ihren Gerichten und gelehrten Juristen im Wege.

H. Angermeier, Königtum und Landfriede im deutschen Spätmittelalter, 1966. – O. Brunner, Land und Herrschaft. Grundfragen der territorialen Verfassungsgeschichte Österreichs im Mittelalter, 6. Aufl. 1973. – W. Scheidig, Die Holzschnitte des Petrarca-Meisters, 1955, S. 226. V. P.

234 Maximilian I. – die Wahl eines dynamischen Herrschers bedeutete eine neue Herausforderung für den Reichsverband.

Bildnis König Maximilians
Ambrogio de' Predis, 1502
Gemälde auf Eichenholz, 44 × 30,3 cm. Bezeichnet links unten: MAX(imilianus). RO(manorum). REX, darunter: Ambrosius de p̄dis. m̄lanen (mediolanensis). pinxit. 1502
Wien, Kunsthistorisches Museum, Gemäldegalerie, Inv. Nr. 4 431

Das Bild zeigt Maximilian im Profil nach links blickend mit einer schwarzen Mütze. Der König, im brokatenen Gewand mit Pelzkragen, trägt die Kette des Goldenen Vlieses, des 1429 in Anlehnung an die Argonautenfahrt gegründeten Hausordens der Herzöge von Burgund, als deren Nachfolger er die Großmeisterwürde innehatte.

Die Königswahl Maximilians I. im Jahr 1486 brachte noch zu Lebzeiten Kaiser Friedrichs III. ein neues Element in die Reichspolitik. Der Vater war durch die Auseinandersetzungen innerhalb der Dynastie, die Kämpfe mit Ungarn und Böhmen auf die Probleme der östlichen Erblande Habsburgs zurückgeworfen worden. So erschien er zwischen 1444 und 1471 27 Jahre nicht im Reich. Mit dem Vorrang erbländischer Territorial- und Kirchenpolitik kann seine Regierung gekennzeichnet werden. Aber nicht nur eine Konsolidierung Österreichs als wichtige Voraussetzung späterer kaiserlicher Reichspolitik, sondern auch das Festhalten an Reichsrechten und Ansätze zu einer ausgreifenden Politik, wie die Vermählung seines Sohnes Maximilian mit Maria, der Tochter und Erbin Karls des Kühnen von Burgund, waren entscheidende Züge habsburgischer Reichspolitik. Auf dieser Grundlage konnte Maximilian die burgundischen Reichslehen und Herrschaften (Niederlande, Franche Comté) im Frieden von Arras 1482 behaupten. 1490 konnte er sich die von Ungarn besetzten Erblande sichern, nicht jedoch die angestrebte St. Stephans-Krone. Vor allem gewann Maximilian gegen wittelsbachische Ambitionen das Erbe der Tiroler Habsburger, die österreichischen Besitzungen in Tirol, Schwaben und im Elsaß, zurück, die zum entscheidenden Sprungbrett für seine künftige Reichspolitik wurden.

Das Bild Maximilians ist faszinierend und zwiespältig: einerseits ein unsteter Projektmacher, eine Art fahrender Ritter, in steten Finanznöten, andererseits ein geschickter Taktiker, der Gegensätze im Reich auszunützen verstand, ein fähiger Territorialpolitiker und Organisator, gebildet, Mäzen von Künstlern, Literaten und Dichtern. Durchdrungen vom hohen Rang seiner Dynastie, den er geschickt auszunützen verstand, zeigte der König eine ausgeprägte Fähigkeit, seine Popularität zu sichern, sich in immer neuen, dem jeweiligen Publikum gefälligen Rollen zu präsentieren, ständische Körperschaften zu mobilisieren. Ihm eigneten offenbar starke charismatische Züge, die ihn zu einem König machten, der das in 50jähriger Königsferne von den Fürsten beherrschte Reich herausforderte und zur Reaktion zwang.

H. Ulmann, Kaiser Maximilian I., 2 Bde., 1884/91. – H. Wiesflecker, Kaiser Maximilian I., bisher 4 Bde., 1971-81. – L. v. Baldass, Die Bildnisse Kaiser Maximilians I. In: Jb. der Kunsthist. Sammlungen des Allerhöchsten Kaiserhauses 31, 1913/14, S. 247-334. V. P.

234

235 Die Belehnung des Herzogs Lodovico il Moro mit Mailand demonstrierte die Inanspruchnahme der Reichsrechte in Italien, auch gegen den wachsenden Druck Frankreichs.

Maximilian I. belehnt Lodovico il Moro mit Mailand
Hans Springinklee, 1515
Holzschnitt, ca. 20 × 17 cm. Aus: Die Ehrenpforte Kaiser Maximilians I., Gesamtausgabe IV, 1799
München, Staatliche Graphische Sammlung, Inv. Nr. 211 838

Maximilian sitzt vor dem Hintergrund eines städtischen Platzes auf einem mit einem Adler gekrönten Thron. Um ihn (stehend) drei geistliche Kurfürsten mit Schriftrollen und drei weltliche mit den Insignien Reichsapfel, Schwert und Zepter. Ein gelehrter Rat verliest den Text der Belehnung; der Kaiser, hinter dem die Reichsfahne aufgesteckt ist, überreicht einem nicht in fürstliche Tracht gekleideten Mann die Lehensfahne mit dem Wappen Mailands. Die Belehnungsvorgänge von 1494 bzw. 1495 sind somit stark stilisiert dargestellt.

Durch die Tradition der römischen Kaiserkrone und durch die Reichslehen war Italien dem Reich formal eng verbunden. Seit der Katastrophe der Staufer und der Schwächung der königlichen Lehensrechte in Italien hatte sich ein italienisches Staatensystem in fortwährenden Kämpfen und Konzentrationsprozessen ausgebildet und verfestigt. Erst der Vorstoß König Karls VIII. nach Italien zerstörte 1494 dieses Staatensystem – der Franzose beanspruchte nicht nur das Erbe Neapels, sondern er propagierte auch einen Kreuzzug. Das drohende französische Übergewicht bedeutete eine Herausforderung der Reichsrechte, eine Prestigeminderung für den königlichen Oberlehensherrn, vor allem aber eine erhebliche Verschiebung im entstehenden europäischen Mächtesystem. So setzte Maximilian auf den Herrscher Mailands, Lodovico il Moro aus dem Hause Sforza; er belehnte ihn und heiratete 1496 seine Nichte Bianca Maria. Es zeigt, welch hohen Stellenwert Maximilian politischer Opportunität einräumte, daß er, obgleich er sich als Angehöriger der ersten Dynastie Europas fühlte, sich mit einem Emporkömmling und Usurpator verwandtschaftlich verband. Um die Franzosen aus Italien zu vertreiben, war Maximilian auf die Unterstützung einer europäischen Koalition, aber auch auf die Hilfe des Reiches angewiesen – die finanziellen Mittel der Erblande reichten nicht aus. Der Angriff auf die Reichsrechte in Italien legitimierte den Appell an die Steuerbewilligung des Reichstags.

Der Holzschnitt stammt aus der »Ehrenpforte Kaiser Maximilians«, einem von 192 Holzstöcken gedruckten Triumphbogen, der die Taten des Kaisers rühmend vor Augen stellt. Johannes Stabius verfaßte das literarische Programm, Willibald Pirckheimer bereicherte es um horapollinische Bildsymbole. Den Gesamtentwurf lieferte der Innsbrucker Hofmaler Jörg Kölderer. Mit der Holzschnittausführung wurde 1512 Albrecht Dürer betraut, der sich mehrerer Mitarbeiter bediente. Die erste Gesamtausgabe lag 1517/18 vor. Trotz ihres überdimensionalen Formates ist die Ehrenpforte nicht auf Gesamtschau konzipiert, sondern für die nahsichtige Betrachtung der einzelnen Szenen und Figuren.

H. Wiesflecker, Kaiser Maximilian I., Bd. 1 und 2, 1971/75. – E. Chmelarz, Die Ehrenpforte des Kaiser Maximilian I. In: Jb. der Kunsthist. Sammlungen des Allerhöchsten Kaiserhauses 4, 1886, S. 289-319. – Kat. Ausst. Maximilian I., Wien 1959, S. 114, Nr. 374. – Kat. Ausst. Dürer, Nr. 261. V. P.

237

236 Mit dem Ewigen Landfrieden und der Reichskammergerichtsordnung gingen aus dem Ringen zwischen Kaiser und Reichstag zu Worms 1495 zwei bedeutende Grundgesetze des Reiches hervor.

›Disz bůchlin sagt von dem landtfryde, Cammergericht Gemeynen pfening unnd von der hanthabung des frydens rechts unnd ordnung wie die dann uff der versamlung des heyligen Reichs tag zu Wormß im jor. M.ccccxcv durch unseren allergenedigsten herrn Maximilian, römischer künig, die Churfürsten und gemein versamlung des heyligen Ryches geordnet, gesetzt und beschlossen seint‹
Basel: Michael Furter 1495
8°. 20 Bll. Aufgeschlagen: a III (Verbot der Fehde)
Nürnberg, Germanisches Nationalmuseum, Inc. 8° 5 941

In Worms fand 1495 der erste Reichstag des neuen Königs statt. Der Appell König Maximilians an das Reich führte zu einer Abfolge von Reichstagen – der Reichstag bildete sich damals als Institution heraus und verfestigte sich. Dabei ging es um den Interessenausgleich zwischen einem erstarkenden Kaiser und einem Reich, das lange den Fürsten überlassen worden war. Aus dem Ringen beider erwuchs eine organisatorische Verdichtung des Reichskörpers – die Reichsstände benützten die Geldbedürfnisse des Königs, um ihre eigene Position gegen eine allzu starke Expansion königlichen Machtanspruchs zu verteidigen. Dies führte zu einer verstärkten institutionellen Ausformung des Reichsverbandes, zur Reichssteuer des Gemeinen Pfennigs, zu einem Reichskammergericht, zu einem Reichsregiment – also 1. zu einer kombinierten Kopf- und Vermögenssteuer, 2. einem vom königlichen Hof losgelösten Reichsgericht und 3. einer stellvertretenden Reichsregierung unter der Kontrolle der Stände. Maximilian dagegen suchte in der ihm eigenen Art immer wieder die Errungenschaften der ständischen Politik zu unterlaufen, wobei er den Vorteil des ungeteilten Willens hatte – bei den Ständen gab es ausgeprägte Interessengegensätze. Am Ende konnte sich der Kaiser als oberster Lehensherr und oberster Richter des Reiches durchaus behaupten. Der Wormser Reichstag führte nicht nur zu einer neuen Qualität dieser reichsständischen Versammlung, sondern auch zu wichtigen Reichsgrundgesetzen. Ein »Ewiger Landfriede« sprach das Fehdeverbot aus. Stattdessen sollte zur Konfliktlösung ein Reichskammergericht errichtet werden, dessen Beisitzer vom Kaiser, vor allem aber von den Fürsten benannt wurden. Beides stieß zunächst auf die Ablehnung vor allem des niederen Adels – erst allmählich, auch unter dem wachsenden Druck des gemeinen Mannes, kam es hier zu einem dauernden Ausgleich zwischen Fürsten und Adel, setzten sich Landfrieden und Kammergericht durch.

R. Smend, Das Reichskammergericht, Geschichte und Verfassung, 1911. – H. Angermeier, Begriff und Inhalt der Reichsreform. In: Zs. der Savigny-Stiftung für Rechtsgeschichte, Germ. Abt. 75, 1958, S. 181-205. V. P.

237 Die Familie Kaiser Maximilians I. – durch seine geschickte Heiratspolitik sollten drei seiner Enkelkinder eine bedeutende Rolle in der europäischen Geschichte spielen.

Kaiser Maximilian I. und seine Familie
Unbekannter Künstler, 2. Hälfte 16. Jahrhundert, nach Bernhard Strigel
Gemälde auf Holz, 65 × 78 cm. Die Dargestellten werden inschriftlich benannt: Maximilianus I. Imp. Archidux Austriae. Dux Burgundiae; Maria Ducissa Burgundiae Max. Uxor; Philippus Hisp. Rex I. Archidux Austriae; Ferdinandus I. Imp. Archidux Austriae; Carolus V. Imp. Archidux Austriae; auf der Schriftrolle: Ludovicus Rex Hung. et Bohemiae
Brüssel, Privatbesitz

Dargestellt sind Maximilian und – bezeichnenderweise – seine erste Frau Maria von Burgund (1457-1482), dazu ihr gemeinsamer Sohn Philipp der Schöne, König von Kastilien (1478-1506), dessen Söhne Karl (1500-1558), und Ferdinand (1503-1564), die späteren Kaiser, sowie ihr Schwager Ludwig II. König von Ungarn (1506-1526). Maximilian und Karl tragen die Kollane des Ordens vom goldenen Vlies, die jüngeren Knaben Brautkränze. Das Originalgemälde von Bernhard Strigel befindet sich im Kunsthistorischen Museum in Wien. Es bildete den Flügel eines Diptychons, dessen Gegenstück die Familie des Humanisten Johannes Cuspinian (Privatbesitz) zeigt, und trägt auf der (abgesägten) Rückseite eine Darstellung der Familien Christi und Johannes des Täufers. Man nimmt allgemein an, der Kaiser hätte das Bild anläßlich der Doppelverlobung im Hause Habsburg in Auftrag gegeben; später wäre es an Cuspinian gekommen, der es mit dem 1520 entstandenen Porträt seiner eigenen Familie vereinte, die Angehörigen der Sippe Christi auf die Rückseite des Kaiserbildes malen und alle Dargestellten mit biblischen Namen versehen ließ. Thümmel, der sich auf die Inschrift auf der Rückseite des Cuspinian-Bildnisses beruft, datiert demgegenüber beide Bilder in das Jahr 1520 und führt das kaiserliche Familienbild auf eine oder mehrere ältere Vorlagen zurück. Nach 1558 wurden die biblischen Namen durch die historischen ersetzt. Damals entstand die hier gezeigte Kopie.

Die Doppelverlobung der Enkel Maximilians 1515 in Wien, die nach kaiserlich-ungarisch-polnischen Verhandlungen zustande kam, wurde mit ungeheurem Prachtaufwand gefeiert, der freilich nur durch Fuggersche Kredite möglich war. In gemeinsamer Abwehrhaltung gegen die Türken nahm der Kaiser, der einst selbst nach der ungarischen Krone getrachtet hatte, den Sohn König Wladislaws von Ungarn und Böhmen, Ludwig (II.), an Sohnes Statt an und stellte ihm die Unterstützung bei einer deutschen Königswahl in Aussicht. Vor allem wurde eine Doppelhochzeit zwischen Ludwig und Maria von Österreich einerseits, seiner Schwester Anna mit Erzherzog Karl oder Erzherzog Ferdinand andererseits vereinbart. Schon am 22. Juli 1515 kam es zur Trauung, wobei Maximilian »stellvertretend« Anna heiratete – sie wurde dann die Frau des Erzherzogs Ferdinand. Diese Trauung war der Schlußstein einer großangelegten Heiratspolitik – Heiratsprojekte waren bei Maximilian wie schon bei seinem Vater ein wichtiges politisches Mittel gewesen; deutlich erweist sich der dynastische Charakter der europäischen Politik.

Maximilian selbst hatte einst durch die Heirat mit Maria von Burgund mehr als die Hälfte von deren Landen erworben. Die Koalitionsbildung gegen Frankreich stand dann Pate bei der Hochzeit Philipps des Schönen, Maximilians Sohn, und der Infantin von Kastilien und Aragon, Juana, während bald darauf ihr Bruder, der spanische Thronfolger Juan, Philipps Schwester Margarethe heiratete (1496 bzw. 1497). Natürlich waren diese Eheschließungen keine planvollen Erwerbungsaktionen, sondern Rückversicherungen mit der Chance eines Erbanfalls. Der Tod Juans ließ Philipps und Juanas Sohn Karl 1506 die Länder der Krone Kastilien mit den neuen überseeischen Besitzungen, 1516 Aragon erben. Karls Bruder Ferdinand sollte nach dem Tode seines Schwagers Ludwig von Ungarn, der in der Schlacht von Mohács gegen die Türken 1526 gefallen war, das Erbe in Böhmen völlig, in Ungarn teilweise in Besitz nehmen. Überdies löste die maximilianeische Heiratspolitik mit ihren europäischen Verflechtungen die Habsburger konsequent aus dem Kreis der deutschen Fürsten.

238

H. Wiesflecker, Kaiser Maximilian, Bd. 3 und 4, 1977/81. – G. Otto, Bernhard Strigel, 1964, S. 2, 65, 101 f. – Kat. Ausst. Maximilian, Nr. 553. – H. G. Thümmel, Bernhard Strigels Diptychon für Cuspinian. In: Jb. der Kunsthist. Sammlungen Wien 76, 1980, S. 97-110. V. P.

238 1519 starb Kaiser Maximilian I.

Totenbildnis Kaiser Maximilians I.
Monogrammist A.A. (Andre Astel?), 1519
Tempera auf Pergament, 43 × 28,4 cm.
Oben Inschrift: (Maximil)IAN REM.SCHER KAISER./GEPOREN. 1459. AM. 22.TAG. MARCI/VERSCHIDEN. 1519. AM. 12.TAG. IANVARI. VND./DARNACH CONTERFET. WORDEN.
Unten das Monogramm des Künstlers
Graz, Alte Galerie am Landesmuseum Joanneum, Inv. Nr. 392

Von dem Totenbild sind mehrere Wiederholungen erhalten. Das Monogramm des Malers A.A. wurde zuletzt als Andre Astel identifiziert, dessen Werkstatt sich in Wels befand. Das Bild ist »ein Dokument von erschütterndem Naturalismus. Das Haupt war von einer großen roten Kappe bedeckt, das Antlitz fahlgelb, die Augenlider zugedrückt, die Wangen tief eingefallen, die große Nase noch mehr hervortretend als zu Lebzeiten, der Mund leicht geöffnet; die Brust mit einem weiß gesäumten Bahrtuch und dem roten Kreuz des Georgsordens bedeckt« (Wiesflecker).
Der Kaiser war schon lange leidend gewesen, auch verbraucht durch seinen anstrengenden Regierungs- und Lebensstil; er erwartete seinen Tod seit längerem. Der Versuch, noch zu Lebzeiten mit dem Gewicht der kaiserlichen Autorität die Wahl seines Enkels Karl durchzusetzen, gelang nicht mehr. Was die rechtswahrende Autorität des Kaisers bedeutete, zeigten die allenthalben nach dem Tode Maximilians aufflakkernden Krisenerscheinungen: Tiroler Bauern fischten die herrschaftlichen Teiche aus, in Regensburg kam es zum Judenpogrom und zur Zerstörung der Synagoge, der Herzog Ulrich von Württemberg bemächtigte sich in einem schnellen Handstreich der schutzlosen Reichsstadt Reutlingen. Auffällig ist, daß sich die Konflikte vor allem in jenen Gebieten häuften, die besonders stark der kaiserlichen Autorität offen gewesen waren: in den Erblanden, in Schwaben und Franken.

H. Wiesflecker, Kaiser Maximilian, Bd. 4, 1981, S. 420-432. – H. Ankwicz, Das Totenbild Kaiser Maximilians I. In: Wiener Jb. für Kunstgeschichte 11, 1937. S. 59-68. – Kat. Ausst. Maximilian, Nr. 259. V.P.

239 Der habsburgfreundliche Schwäbische Bund war ein Element der Stabilität in Süddeutschland.

Aufruf des Schwäbischen Bundes an Vasallen und Landschaft des Herzogs von Württemberg, 24. März 1519
Druck auf Papier, 45 × 21,5 cm
Stuttgart, Hauptstaatsarchiv, H 53 (Schwäbischer Bund) Bü 108

Als Herzog Ulrich von Württemberg 1519 das Machtvakuum nach Kaiser Maximilians Tod auszunützen suchte und die Reichsstadt Reutlingen überfiel, marschierte gegen den Friedensbrecher der Schwäbische Bund auf. In diesem Manifest forderte der Bund die württembergischen Landstände und Untertanen auf, dem Herzog den Gehorsam zu verweigern: Ulrich habe nicht nur den Landfrieden gebrochen und sei wegen seiner Taten vom Kaiser geächtet worden, er habe überdies den Tübinger Vertrag von 1514 verletzt und das darin festgelegte Mitspracherecht der Landschaft übergangen. Damit aber sei die Landschaft in ihren Handlungen frei. Bemerkenswert, daß der Bund sich beim Vollzug der Reichsacht auf die Autorität des verstorbenen Kaisers Maximilian berief.
Es war kein Zufall, daß sich der Schwäbische Bund in der Krise nach Maximilians Tod als stabilisierender Faktor erwies. Er war 1488 – gegen die Expansionspolitik der bayerischen Wittelsbacher – unter dem Protektorat Friedrichs III. und Maximilians I. gegründet worden, als ein Bündnis der Kleinen – Prälaten, Grafen und Herren, Ritter, Reichsstädte – des deutschen Südwestens. Der Bund diente dem Interessenausgleich und der Friedenserhaltung in einem territorial stark zersplitterten Raum, der aber für das Reich traditionell eine zentrale Bedeutung hatte. Als System der kollektiven Sicherheit vermochte der Schwäbische Bund auch den Rittern die Angst vor Fürstenwillkür zu nehmen. Mit einer von den drei »Bänken« der Fürsten, der Prälaten, Grafen, Herren und Ritter sowie der Reichsstädte getragenen Verfassung kam er ihren Bedürfnissen entgegen; durch eigene Steuern, Bundeshauptleute, Bundesräte und ein eigenes Bundesgericht erlangte die Einung ein hohes Maß an Organisation und die Fähigkeit zu einem eigenständigen Handeln. Dank der zahlreich vertretenen habsburgischen Parteigänger war der Schwäbische Bund aber auch ein Instrument der habsburgischen Reichspolitik und vermochte sich in Schwaben durchzusetzen, so daß dieses Vorfeld der kaiserlichen Politik abgesichert war. Auch nach dem Tode Kaiser Maximilians konnte sich der Schwäbische Bund durch seine Intervention gegen den Friedensbruch Herzog Ulrichs als stabilisierender Faktor im Südwesten des Reiches behaupten. Er vertrieb den württembergischen Herzog – in der Überlassung des eroberten Württemberg an die Habsburger zeigte sich seine österreichische Ausrichtung. Bei der Königswahl von 1519 war der Bund ein gewichtiger Machtfaktor zugunsten der habsburgischen Kandidatur.

H. Ulmann, Fünf Jahre Württembergischer Geschichte unter Herzog Ulrich 1515-1519, 1867. – E. Bock, Der Schwäbische Bund und seine Verfassungen 1488-1534. Ein Beitrag zur Geschichte der Reichsreform, 1927, Neudruck 1968. – A. Laufs, Der Schwäbische Kreis. Studien über Einungswesen und Reichsverfassung im deutschen Südwesten zu Beginn der Neuzeit, 1971, S. 58-155. V.P.

B Die Königswahl von 1519

Die Königswahl von 1519 war eine Weichenstellung der europäischen Geschichte; als Folge der internationalen Unternehmungen Maximilians I. wurde die Stellung des deutschen Königs für die europäischen Mächte interessanter – die Kandidatur Karls von Spanien provozierte die seines französischen Rivalen Franz I., der damit einer gefährlichen Umklammerung entgehen wollte. Beide Kandidaten schienen jedoch eine bedenkliche Bedrohung der fürstlichen Stellung im Reich darzustellen; andererseits hätte die Kandidatur eines Dritten, eines deutschen Reichsfürsten, ihm zumindest die bedrohliche Gegnerschaft Österreichs auf den Hals gezogen. Die letztere Kandidatur war jedoch nicht nur im Interesse der deutschen Fürsten, sondern auch in dem der Kurie gelegen, die sich ihrerseits von den beiden europäischen Mächten eingeengt fühlte.
Seit dem Mittelalter hatte sich eingebürgert – und die Goldene Bulle von 1356 schrieb es fest –, daß die sieben Kurfürsten den Kaiser zu wählen hatten. Daraus schien sich zeitweilig eine Beherrschung des Reiches durch die Kurfürsten zu entwickeln. Nach dem Tode Maximilians I. 1519 wählten nur sechs Kurfürsten persönlich – Böhmen war durch einen Gesandten vertreten. Maximilian hatte bereits 1517 die Wahlkampagne eröffnet; seine Politik war nicht ohne sprunghafte Projekte, aber am Ende zielte der alte Kaiser doch auf die Wahl seines Enkels Karl. Die erbitterte Konkurrenz Frankreichs brachte die Kurfürsten in eine außerordentlich starke Schlüsselposition, die zu einem kräftigen Tauziehen mit mehrfachen Frontwechseln, vor allem aber zu bis dahin unerhörten Geldzuwendungen führte. Die sechs waren bereits alle bedeutende Reichsfürsten.

P. Kalkoff, Die Kaiserwahl Friedrichs IV. und Karls V., 1925 (problematisch). – G. Kleinheyer, Die kaiserlichen Wahlkapitulationen. Geschichte, Wesen und Funktion, 1968. – E. Laubach, Wahlpropaganda im Wahlkampf um die deutsche Königswürde 1519. In: Archiv für Kulturgeschichte 53, 1971, S. 207-248. V. P.

240-245 Die Wahl des Königs oblag den Kurfürsten.

240

240 Bildnismedaille Albrecht von Brandenburg
Peter Vischer d. J., 1515
Bronze, gegossen, Dm 5 cm. Vorderseite: ALB. ARCHI. PRI. ET. PRIN. ELEC. MAR. BRA. Brustbild von rechts, Birett und Kette. Rückseite: IN. POTENTATIBVS. S-ALVS-DEXTERA. DOMINI AN-NO-M.D-X.V. –. Das achtfeldige brandenburgische Wappen, belegt mit den Schilden der drei Stifte Mainz, Magdeburg und Halberstadt, aufgelegt auf Krummstab und zwei Kreuzstäben
Nürnberg, Germanisches Nationalmuseum, Med. 6 966

Albrecht von Brandenburg, Erzbischof von Mainz und Magdeburg, Bischof von Halberstadt (1490-1545). Als Bruder des brandenburgischen Kurfürsten vereinigte er schon als junger Mann drei Bistümer in seiner Hand; seine Stellung in der Reichsverfassung als Kurerzkanzler brachte ihn in ein enges Verhältnis zu den Habsburgern. Der humanistisch interessierte Prälat schlug sich erst 1523/25 entschieden auf die Seite der Gegner der Reformation.

G. A. Benrath. In: TRE 2, 1978, S. 184-187. – J. May, Der Kurfürst, Cardinal und Erzbischof Albrecht II. von Mainz u. Magdeburg, 1865/75. – Habich, Bd. I, 1, Nr. 9. V. P.

241

241 Bildnismedaille Hermann von Wied
Friedrich Hagenauer, 1537
Abschlag, Dm 41-43 mm. Vorderseite: HERMANNVS DEI GRATIA ARCHIEPISCOPVS. COLONIENSIS. Brustbild von rechts, langbärtig, Mütze und Talar. Rückseite: S.ROM./IMP.PER.ITAL/ARCHIC: PRIN.EL./WEST: E ANG.DVX/LEG: NAT S ADMI./PAD:/M.D. XXXVII. Profilierter Rand
Köln, Kölnisches Stadtmuseum, KSM 477

Hermann von Wied, Erzbischof von Köln (1477-1552). Aus dem Kreis der wetterauischen und westfälischen Grafen stammend, die das Kölner Domkapitel trugen, war Hermann in geistlichen und weltlichen Dingen ein engagierter Reformer – anfangs entschiedener Gegner der Reformation, wandte er sich ihr schließlich über eine Zwischenphase der Ausgleichspolitik zu, so daß ihn Karl V. nach seinem Sieg über die Schmalkaldener 1547 absetzte.

R. Stupperich. In: NDB 8, 1969, S. 636 f. – A. Franzen, Bischof und Reformation. Erzbischof Hermann von Wied vor der Entscheidung zwischen Reform und Reformation, 1971. – Habich, Bd. I, 1, Nr. 617. V. P.

242 Bildnismedaille Richard von Greiffenklau
Messing, Guß, Dm 2,7 cm. Vorderseite: RICHARDVS:D:G:ARCHIEPVS:TRE: A: AE: 55. Brustbild von links mit Barett. Rückseite: MONETA: NOVA: ANNO: DVI: 15[22]. Das gevierte Wappen von Trier, Greiffenklau, Ippelbrunn und Trier
Trier, Rheinisches Landesmuseum, Inv. Nr. 00,364

Richard von Greiffenklau, Erzbischof von Trier (1467-1531). Der rheingauische Ritter stieg im Trierer Domkapitel auf. Er erwies sich als umsichtiger Organisator des Stifts und war an den Niederlagen Sickingens, der seine Herrschaft bedroht hatte, und der Bauern maßgeblich beteiligt. Auf dem Wormser Reichstag spielte Greiffen-

242 244 243 245

klau eine entscheidende Rolle für die altkirchlichen Versuche, Luther zur Umkehr zu bringen. Stets stellte sich der Erzbischof entschieden gegen die Reformation. Er pflegte gute Beziehungen zu Frankreich, dessen Sache er 1519 vertrat.

M. Bär. In: Allgemeine Deutsche Biographie 28, 1889, S. 413-418. – H. Dannenberg, Nachträge zu Bohls Buche über die Trierischen Münzen. In: Numismatische Zs. 3, 1871 (1872), S. 546-556, Nr. 12 (Vergleichsbeispiel; die Medaille ist unediert). V. P.

243 Münzbildnis Ludwig V. von der Pfalz
Guldiner, 1525
Vorderseite: LV-D-G CO PA-G B PR-E 1525. Halbfigur von links mit Reichsapfel und Schwert. Rückseite: MON CAR V CES ET ROM IMP. Doppeladler
Nürnberg, Germanisches Nationalmuseum, Mü 1 404

Ludwig V., Kurfürst von der Pfalz (1478-1544). Geschwächt durch die katastrophale Niederlage der Pfalz 1503/04, suchte der Wittelsbacher dem Kurstaat wieder seinen Platz in der Reichsverfassung zu schaffen – durch die Erfahrungen vorsichtig geworden, setzte er sich in der Folge stets für eine Ausgleichspolitik im Reich ein, ohne je die alte Kirche zu verlassen.

M. Steinmetz, Die Politik der Kurpfalz unter Ludwig V. (1508-1544). Teil I. Die Grundlagen. Die Zeit vor der Reformation, Diss. Freiburg 1942. – D. S. Madai, Vollständiges Thaler-Cabinet ..., Bd. I, 1765, Nr. 455. V. P.

244 Münzbildnis Friedrich III. der Weise von Sachsen
Reichsstatthalter-Taler (2 Guldengroschen)
Silber, geprägt, Dm 4,45 cm, gehenkelt. Vorderseite: FRID(ericus) DV(x) SAX(o)N-(iae) – E-LECT(or) I(m)PERI(i) QVE L-OC(um) TENE(n) S GENE(ralis). Brustbild von rechts. Rückseite: MAXIMILIANVS ROM(a)NORVM REX AVGVSTVS. Adler mit Wappen auf der Brust
Nürnberg, Germanisches Nationalmuseum, Mü 1 500

Friedrich der Weise, Kurfürst von Sachsen (1463-1525). Ältester Kurfürst und selbst zeitweilig Königskandidat, verband er in seiner Person die Traditionen der »Reichsreform« und die Konzeption eines ständischen Reiches auf der einen, die neuaufkommenden Probleme der Reformation auf der anderen Seite.

P. Kirn, Friedrich der Weise und die Kirche, 1926. – F. H. Schubert. In: NDB 5, 1961, S. 568-572. – P. Grotemeyer, Die Statthaltermedaillen des Kurfürsten Friedrich des Weisen von Sachsen. In: Münchner Jb. der bildenden Kunst 21, 1970, S. 143-166. V. P.

245 Bildnismedaille Joachim von Brandenburg
Friedrich Hagenauer, 1530
Bronze, gegossen. Dm 7,1 cm. Vorderseite: EFFIGIES DOMINI IOACHIMI.MARCHIONIS. BRANDENBVRGEN. PRIN ELECTORIS.ETAT: XXXXVI.ANNO SAL.M.D.XXX. Brustbild von links, verbrämter Hut, Pelzkragen, Kette mit Kleinod. Im 1. Feld unten Monogramm des Künstlers. Rückseite: SCEPTRIGER/IMPERII IOACHIMVS/MARCHIO PRINCEPS BRANDENBVRGEN(sis).EMI/CAT HISTE MODIS
Nürnberg, Germanisches Nationalmuseum, Med. 1 297

Joachim I. Kurfürst von Brandenburg (1484-1535). Der humanistisch gebildete Fürst war ein konsequenter Territorialpolitiker und Organisator. Zeitlebens hielt er an der alten Kirche fest. Bei der Wahl Anhänger Frankreichs.

J. Schultze. In: NDB 10, 1974, S. 434-436. – Insgesamt: B. Weicker, Die Stellung der Kurfürsten zur Wahl Karls V. im Jahre 1519, 1901. – Habich, Bd. I, 1, Nr. 560. V. P.

246 Franz I. war der Gegenspieler der Habsburger bei der Königswahl von 1519.

Bildnis des Königs Franz I. von Frankreich
Daniel Hopfer
Kupferstich, 13,5 × 8,6 cm. Unten Inschrift: FRANCISCVS, darüber das Monogramm des Künstlers
Nürnberg, Germanisches Nationalmuseum, K 720

Franz I. (1494-1547) war als Vetter zweiten Grades, nächster Agnat und Schwiegersohn des französischen Königs Ludwig XII. 1515 auf den französischen Königsthron gekommen. Er wird als ein typischer Renaissancefürst geschildert, als schöner und ritterlicher Herrscher, der einen bewußt adeligen Stil pflegte und diesen in Krieg und Turnier kultivierte; aber der König besaß auch einen lebendigen Geist und engagierte sich für Kunst und Literatur, in mancherlei Hinsicht Maximilian I. nicht unähnlich. Seiner Umgebung räumte er durchaus Einfluß ein, ohne die Staatsgeschäfte aus der Hand zu geben. Er präsentierte sich als starker Herrscher, der gewillt war, den schon relativ ausgebildeten französischen Staat noch weiter zu stärken. Andererseits suchte er durch eine ausgeprägte höfische Kultur, den Adel an sich zu ziehen. Der Sieg über die Schweizer bei Marignano 1515 hatte diese von ihrer europäischen Großmachtstellung herabgestürzt und zum »Ewigen Frieden« genötigt. Dieser räumte dem französischen König das Monopol ein, Söldner aus dem Land zu ziehen. 1516 konnte Franz I. durch das Konkordat mit Papst Leo X. die bereits weitgehende königliche Kontrolle über die französische Kirche festigen und ausbauen. Als Kandidat für das deutsche Königtum präsentierte sich ein attraktiver und selbstbewußter Herrscher, der über ein nahes und gefestigtes Territorium verfügte; mit seiner Wahl wären nicht nur die Konflikte um Italien erledigt gewesen, sondern das Reich hätte auch das Experiment mit einem starken Herrscher machen müssen. Daß ihm ein Territorium im Reich fehlte, bildete eine Schwäche, diskreditierte ihn auch in den Augen vieler.

Ch. Therasse, François Ier, 2 Bde., 1942-49. – E. Eyssen, Daniel Hopfer, Diss. Heidelberg 1904, Nr. 85. V. P.

246

247

247 Friedrich der Weise war als Kurfürst von Sachsen Erzmarschall des Reiches.

Kurfürst Friedrich der Weise von Sachsen im Gebet mit dem Rosenkranz
Unbekannter Künstler, Ende 16. Jahrhundert, nach Lukas Cranach d. Ä.
Gemälde auf Lindenholz, 111 × 88 cm. Unten vierzeilige Inschrift
Nürnberg, Germanisches Nationalmuseum, Gm 223

Der Kurfürst kniet gläubig aufblickend am Betpult und betet den Rosenkranz. In der Inschrift wird der Titel des Erzmarschalls hervorgehoben, an dem die sächsische Kurwürde haftete. Das Bildnis überliefert ein verlorenes Gemälde Lukas Cranachs d. Ä. von 1507.

Aus Bedenken gegen die beiden auswärtigen Kandidaturen erwuchs jene des sächsischen Kurfürsten Friedrich des Weisen (1463-1525); Friedrich der Weise war als Erzmarschall des Reiches einer der Kurfürsten und ein erfahrener Reichspolitiker; im Jahr der Wahl Maximilians I. als Landesherr der 1485 abgeteilten ernestinischen Lande an die Regierung gekommen, hatte er die Zeit der »Reichsreform« begleitet. Als hochgebildeter, politisch versierter und besonnener Mann hatte er für das Ringen zwischen König und Ständen eine beträchtliche Rolle gespielt und 1500 sogar an der Spitze des Reichsregiments gestanden. Er hatte stets entschieden eine gemäßigte ständische Reformpolitik unterstützt und durch seinen Gerechtigkeitssinn hohes Ansehen errungen. Nach dem Tode des Mainzer Erzbischofs Berthold von Henneberg war er der unbestrittene Wortführer der Kurfürsten und hatte Maximilian oft mit kühler Überlegenheit gebremst – als Exponent fürstlicher Autonomie. Nach dem Tode Maximilians 1519 übernahm er das an Kursachsen haftende Reichsvikariat in den Ländern sächsischen Rechts. Für ein ständisch aufgefaßtes Reich wäre Friedrich der ideale Kandidat gewesen – schon durch die bisherige Linie seiner Politik. Auch spätmittelalterlichem Brauch hätte die Wahl eines Fürsten mit großer politischer Erfahrung, verbunden mit einem Dynastiewechsel, durchaus entsprochen – die Wahl Friedrichs lag auch im Interesse des Papstes, für den der deutsche Reichsfürst keine Bedrohung darstellte. Friedrich lehnte die Kandidatur jedoch ab, wohl vor allem aus Furcht vor den Schwierigkeiten, die kaiserliche Position gegen den Widerstand Österreichs zu behaupten. Gerüchte, er sei bereits gewählt gewesen und habe erst dann abgelehnt, haben sich bis heute nicht ausreichend erhärten lassen.

F. H. Schubert, Friedrich III., der Weise, Kurfürst von Sachsen. In: NDB 5, 1961, S. 568-572. – Kat. Ausst. Cranach, Bd. 1, Nr. 32. V. P.

248 Karl von Spanien wurde 1519 zum römischen König gewählt.

Bildnis Kaiser Karls V.
Hans Weiditz, 1519
Holzschnitt, 39,5 × 20,4 cm. Unten achtzeilige Inschrift
Wien, Graphische Sammlung Albertina, Inv. Nr. 1949/369

Die Hände des Königs, der ein Barett und über dem pelzbesetzten Mantel die Kollane des Goldenen Vlieses trägt, ruhen auf einer Brüstung. In der Hand hält er einen Granatapfel. Um ihn ein Bogen, auf dessen Säulenbasis sich Embleme finden, an den Säulen Fackelträger und Posaunenbläser, am Bogen aufgehängt zwischen Früchten und Blüten Joch und Pfeile, die Symbole der katholischen Könige Spaniens. In der Mitte einköpfiger Reichsadler für die römische Königswürde mit einem Wappenschild, symbolisierend Kastilien, Aragon, Österreich und Burgund. Darunter die Säulen des Herkules – für die bis zu den Entdeckungen als Ende der Welt geltenden Felsen von Gibraltar, die zwischen den Worten *Noch Weiter* stehen, der deutschen Übersetzung von Karls Wahlspruch *Plus ultra,* in Abwandlung des bislang mit Gibraltar verbundenen *Non plus ultra.* Unter dem Bild der große Titel Karls V. als römischer König. Es handelt sich um den dritten einer deutlich politisch bestimmten Abfolge von Holzschnitten im Umkreis der Königswahl Karls V. Der erste schildert ihn als einen »gewaltigen Herrn und König«. Möglicherweise wurde er dann bewußt abgeschwächt, da eine so selbstbewußte Darstellung nicht der habsburgischen Wahlpolitik entsprach – der Meister wirkte in Augsburg, dem Zentrum der Fuggerschen Wahlaktionen. Im zweiten Bild wird zwar bereits der Reichsadler mit dem spanischen und burgundischen Wappen sowie Joch und Pfeilen und den sonstigen Wappen der Erblande gezeigt, aber es ist deutlich bescheidener als das erste gehalten. Das vorliegende Bild zeigt Karl nach vollendeter Wahl.

Der Habsburger Karl (1500-1558), Herr der burgundischen Lande, Aragons und Kastiliens samt den überseeischen Besitzungen, Neapels, Siziliens und Sardiniens, war bereits von seinem Großvater Maximilian I. favorisiert worden, ohne daß es zu einer Wahl bei dessen Lebzeiten kam. Karl war für die deutschen Wähler noch eine relativ unbekannte Größe. Stark geformt von der burgundisch-niederländischen Umge-

248

249

bung, in der er unter der Aufsicht seiner Tante Margarethe, des Wilhelm von Croy, Herrn von Chièvre, und des Adrian von Utrecht, des späteren Papstes Hadrian VI., aufgewachsen war, war er vom burgundischen Zeremoniell geprägt und hatte frühzeitig Distanz und Majestätsbewußtsein gezeigt. Karl war erfüllt von der Sendung seiner Dynastie. Beim Regierungsantritt in Spanien 1516 hatte er freilich wenig Fingerspitzengefühl gezeigt und durch die Bevorzugung seiner niederländischen Umgebung die einheimischen Großen provoziert. Karl war vor allem Niederländer, sprach flämisch und französisch, jedoch kaum deutsch, aber die Statthalterin Margarethe und die niederländischen Räte hatten frühzeitig begriffen, daß ohne die Klammer des Kaisertums die bloß dynastische Kombination der deutschen Erblande mit den süd- und westeuropäischen Besitzungen nicht halten würde. Die Alternative, die dann erst 1556 realisiert wurde, wurde damals bereits als Möglichkeit diskutiert, die Stimmen der Kurfürsten leichter zu gewinnen – die Wahl des jüngeren Bruders Ferdinand wurde jedoch von Karl V. entschieden abgelehnt, der sich als ältester habsburgischer Agnat zur Kaiserwürde berufen fühlte. Nicht nur machtpolitisches Kalkül oder Prestigebewußtsein, sondern eine ganz persönliche Identifikation mit der Kaiserwürde, als der höchsten der Christenheit, die er in europäischen Dimensionen verstand, prägten das künftige Handeln Karls.

Brandi, Bd. 1 und 2. – A. Kohler, Karl V. In: NDB 11, 1978, S. 191-211. – C. Dodgson, Eine Gruppe von Holzschnittporträten Karls. V. um die Zeit der Kaiserwahl. In: Jb. der Kunsthist. Sammlungen des Allerhöchsten Kaiserhauses 25, 1905, S. 238-244. V. P.

249 Der Augsburger Großkaufmann Jakob Fugger galt den Zeitgenossen als Inbegriff von Macht und Reichtum.

Der Reichtum huldigt Jakob Fugger
Sebastian Loscher, um 1520
Relief. Lindenholz, 8,9 × 5,4 cm. Das ehemals in den Fußboden eingeritzte Monogramm SLB (Sebastian Loscher Bildhauer?) wurde später entfernt
Berlin, Staatliche Museen Preußischer Kulturbesitz, Skulpturengalerie Nr. M 98

Die halboffene Hallenarchitektur gibt seitlich den Blick auf ein hohes Gebirge frei; rechts sitzt ein antikisierend dargestellter Mann mit Kniehosen, Harnisch, Netzhaube und Umhang. Der Thron trägt die Worte VIS QVIS (welche Macht). Ein Herold führt ihm die Fortuna mit Füllhorn zu, ein anderer bewacht die rechte Seite des Thrones. Die Allegorie gilt Jakob Fugger und seiner Stellung in Augsburg, der römischen Augusta Vindelicorum.
Mit der Gestalt Jakob Fuggers (vgl. Kat. Nr. 198) kam eine neue Größe in das Spiel um die Kaiserwahl. Er war Sproß einer Handwerkerfamilie, die über die Weberei zu Reichtum und in die Kaufmannszunft

gelangte. Jakob Fugger sollte Geistlicher werden, begann aber 1478 eine Ausbildung in Rom und Venedig, um 1485 an die Spitze der wichtigen Innsbrucker Niederlassung des Hauses zu treten. 1494 schloß er mit seinen Brüdern den ersten Gesellschaftsvertrag und übernahm nach deren Tod (1506/10) die Leitung des Hauses allein. Damit stand er an der Spitze eines erstaunlichen Finanzimperiums, das sogar mit den Päpsten enge Beziehungen hatte.
Die Lage Augsburgs im Vorfeld Tirols hatte die Fugger auf eine enge Symbiose mit den Habsburgern verwiesen: sie waren schon Mitte des 15. Jahrhunderts am Schwazer Edelmetallbergbau beteiligt; das gab die Grundlagen für den Geldhandel, den sie zur Warenspekulation ausweiteten. Jakob Fugger hatte bereits vielfach Maximilian mit Darlehen unterstützt; das Interesse des Hauses war aufs engste mit dem Österreichs verbunden: Die Fuggerschen Geschäfte begleiteten das Ausgreifen Österreichs nach Spanien und Ungarn. Mit seinem Geldimperium verkörperte Fugger eine neuartige, selbständige, schwer einzuordnende Macht in der deutschen Politik, die Furcht, Ängste und Widerwillen erregte. Fugger besaß in Augsburg einen beträchtlichen Arealbesitz und einen großen Anhang. Sein Landerwerb zielte gleichermaßen auf wirtschaftliche Vorteile, Besitzsicherung und die Grundlagen für den Weg in den Adel. 1514 erhielt Fugger den Reichsadel, 1516 den Grafenstand.

G. Frhr. v. Pölnitz, Jakob Fugger, Bd. 1-2, 1949/51. – G. Habich, Exkurs zu Sebastian Loscher. In: Jb. der Preuss. Kunstsammlungen 49, 1928, S. 19-23. – Kat. Ausst. Welt im Umbruch, Bd. 2, Nr. 568, S. 194. V. P.

250 Die Finanzkraft Jakob Fuggers trug entscheidend zur Wahl Karls V. bei.

›Antzaigung der Handlung Einemens vnnd Ausgebens. So von der Römischen vnd Hispanischen kunigklichen Mayestatt etc., vnsers aller gnedigisten Herren wegen, durch vnd auf seiner kn. Mtt. Commissarien vnd Gwalthaber Verordnung vnd Bevelch in der Handlung der Election, wie vnd wan, auch durch wen dieselb beschechen ist, aufs kurtzist vnd grundtlichist auszogen.‹
Wahlkostenrechnung für die Wahl Karls V. zum römischen König am 28. Juni 1519
Zeitgenössische Niederschrift, Orig. Papier, ca. 31,5 × 22,5 cm. 13 Bll., 11 mit Text versehen. Aus einem Sammelband mit getrennter Foliierung
Augsburg, Staats- und Stadtbibliothek, 2° Cod. Aug. 126

Der finanzielle Aufwand des Hauses Österreich für die Wahl Karls V. ergibt sich aus der Wahlkostenrechnung des kaiserlichen Generaleinnehmers Jakob Lukas. Sie zeigt die Formen fürstlicher Buchführung am Anfang des 16. Jahrhunderts. Das vorliegende Exemplar konnte der Augsburger Stadtschreiber Conrad Peutinger vom Original kopieren, da der Generaleinnehmer in seiner Heimatstadt als dem zentralen Finanzplatz für die österreichischen Erblande weilte. Mit 851 918 Gulden mußten die Habsburger eine ungeheuere Summe aufwenden, um der Konkurrenz der überlegenen Finanzkraft Frankreichs Herr zu werden. Dazu brachten die Fugger 543 585 Gulden, das andere Augsburger Haus Welser 143 333 Gulden auf. Jeweils 55 000 Gulden wiesen italienische Bankhäuser über ihre Agenten am Wahlort Frankfurt an. Das Jahresgehalt eines fürstlichen Rates in Höhe von 80-200 Gulden macht die Dimensionen dieser Aktion deutlich.
Im Anteil des Jakob Fugger spiegelt sich die überaus enge, durch das Montangeschäft begründete Verflechtung dieses Mannes mit dem Hause Österreich wider, die durch persönliche und soziale Beziehungen längst ergänzt worden war. Der finanziell ausgeblutete Kaiser Maximilian, dem die erbländischen Landstände die Hilfe verweigerten, war schon für den Reichstag von 1518 und für die projektierte Kaiserwahl von 1519 auf die Hilfe der Fugger angewiesen gewesen. Nach seinem Tode ergaben sich Schwierigkeiten zwischen dem jungen spanischen König Karl und Jakob Fugger, der von Frankreich und Papst umworben wurde. Widerstände spanischer und italienischer Konkurrenten der Fugger, Reserven der spanischen Stände, Unkenntnis der Verhältnisse im Reich ließen Karl die Bedeutung des Augsburger Hauses zunächst unterschätzen. Dies zeigte sich in der anfänglichen Haltung der spanischen Emissäre; erst der Statthalterin der Niederlande, Erzherzogin Margarethe, gelang die Vermittlung, da sie mit Recht die Finanzkraft der Fugger als unentbehrlich für die Wahl einschätzte. Andererseits konnte auch Jakob Fugger angesichts der engen Verbindungen zum Hause Österreich schwerlich auf eine andere als auf die habsburgische Richtung setzen. Die Hinterlegung von 30 000 Gulden spanischer Obligationen bei den Fuggern, für die Jakob auf der Gegenzeichnung des kastilischen und des aragonesischen Generalschatzmeisters bestand, hob schlagartig Kredit und Wahlchancen des spanischen Königs. Die rücksichtslose finanzielle Ausnützung ihrer Schiedsrichterstellung durch die Kurfürsten und die französische Konkurrenz schraubten den Geldbedarf ständig höher und vermehrten damit die Bedeutung des Augsburger Finanzhauses für die Wahl. Jakob Fugger, der beinahe an die Grenzen seiner Möglichkeiten stieß, hatte durch seinen finanziellen Einsatz schließlich maßgeblichen Anteil an der Wahl Karls V. Die Anspannung des Jahres 1519 verstärkte jedoch die bisherigen Bande des Hauses Fugger an Österreich, so daß die Augsburger Familie seither beträchtlich an Manövrierfähigkeit verlor und auf Gedeih und Verderb der habsburgischen Politik verbunden wurde. Selbst bei den Fuggern zeigte sich, daß die Verbindung zwischen frühmodernem Staat und Privatkapital stets eine einseitige war.

Druck: B. Greiff, Was Kayser Carolus dem Vten die Römisch Künigliche Wal cost im 1520 Jar. In: Jahresber. des Hist. Kreis-Vereins in Schwaben 34, 1868, S. 9-50. – G. Frhr. von Pölnitz, Jakob Fugger, Bd. 1, 1949, S. 418-441; Bd. 2, 1951, S. 407-435. – Kat. Ausst. Welt im Umbruch, Bd. 1, Nr. 30 mit Abb. V. P.

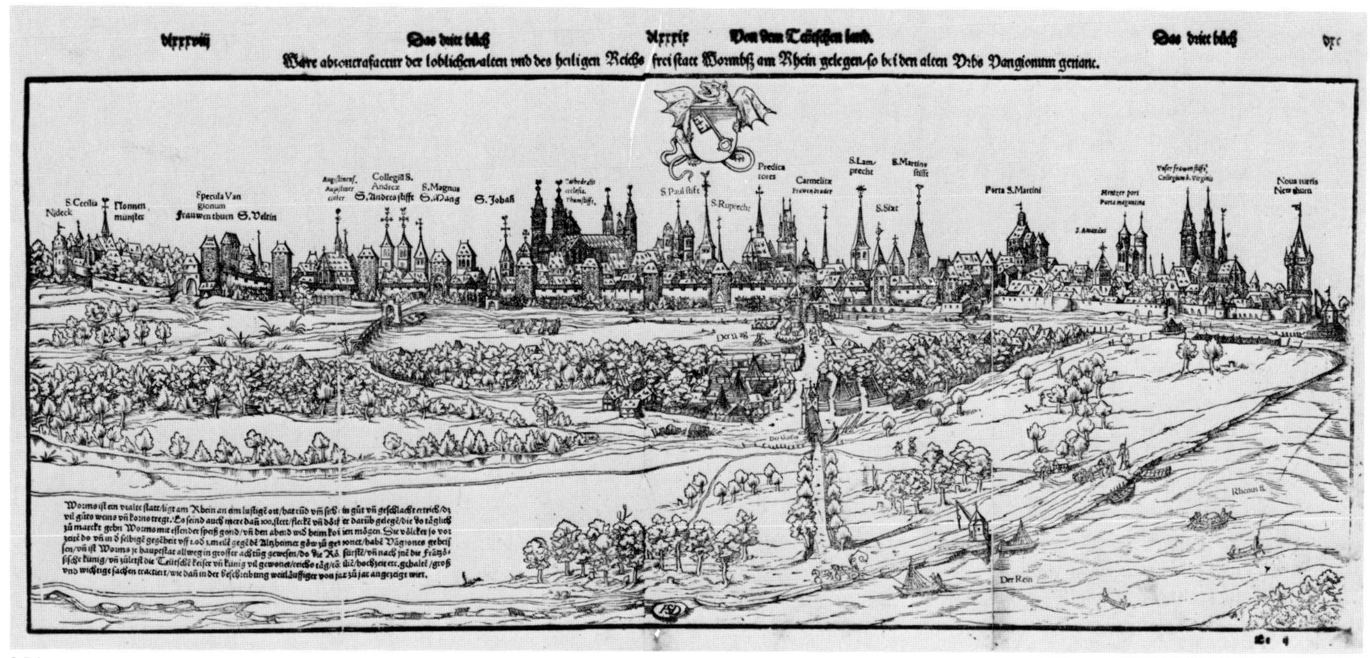

251

C Der Wormser Reichstag von 1521

Die Wahl Karls V. war nicht ohne Bedenken erfolgt. Die hohen Bestechungssummen konnten jedoch die fortwirkenden Interessen der Fürsten nicht verändern; aus der Furcht vor einer allzu starken Machtstellung war der neue König – nach dem Vorbild geistlicher Wahlen – an eine Wahlkapitulation gebunden worden: die Achtung der Reichstraditionen, die Errichtung eines Reichsregiments, die Mitsprache der Kurfürsten bei Bündnissen und Verpfändungen, der Kurfürsten und des Reichstags bei Kriegen, die Besetzung der Reichsämter mit Deutschen, vor allem das Verbot von Reichstagen außerhalb der Reichsgrenzen – was zur Verfestigung des Reichstags beitragen sollte. Der König verpflichtete sich, möglichst bald ins Reich zu kommen.

Als Karl im Herbst 1520 diese Reise antrat und den Rhein hinaufzog, um nach der Krönung in Aachen in Worms seinen ersten Reichstag zu halten, war er nicht nur mit dem Programm der Wahlkapitulation oder den Forderungen nach einer Reform des Reichsverbandes konfrontiert, sondern auch mit der Luthersache, die Deutschland zutiefst aufgewühlt hatte. Sie war so sehr eine Sache der deutschen Nation geworden, daß sie fast zwangsläufig – trotz der überkommenen Trennung des geistlichen und weltlichen Bereichs – zum Thema des Reichstags wurde, ohne daß sich dagegen Protest erhob. Dies wurde für den Gang der deutschen Reformation eine entscheidende Weichenstellung.

P. Kalkoff, Der Wormser Reichstag von 1521, 1922. – Reuter. V.P.

251 Die Stadt Worms war der Schauplatz des ersten Reichstags, den der neugewählte König Karl V. hielt.

Ansicht von Worms
Monogrammist HSD, um 1550
Holzschnitt, 29 × 71,5 cm. Aus: Sebastian Münster, ›Cosmographey‹
Worms, Stadtarchiv, 6/23 d

Es war Brauch, eine Reichsstadt zum Sitzungsort eines Reichstags zu machen – eine solche unterstand dem Kaiser unmittelbar, wie die Freie Stadt Worms, in der schon 1495 Maximilian I. seinen ersten Reichstag gehalten hat: gegen die reichsrechtliche Ordnung, die den ersten »Hof« in Nürnberg vorsah.

Worms hatte um 1520 unter 7 000 Einwohner, von denen ca. 10% Kleriker waren – die Stadtsilhouette in Münsters Cosmographey zeigt viele Türme. Auch gab es eine berühmte Judengemeinde. Die wirtschaftliche Bedeutung war begrenzt. Zahlreiche Bürger trieben Wein- und Ackerbau, der Weinhandel stellte die wichtigste Einnahmequelle dar. Auch suchte die Stadt ihre Lage am Rhein zu nutzen, um durch Holzumschlag und Stapel ihre Einkünfte zu steigern. Voraussetzung für die Übertragung eines Reichstags waren vor allem ausreichende Räumlichkeiten für die Gäste und Areal für Behelfsbauten. Für die Tagungen stellte neben dem Bischof auch die Stadt ihre Gebäude zur Verfügung. Trotz einer langfristigen Organisation herrschte immer wieder qualvolle Enge in Worms, trotz Preisregulierungen wurden Wucherpreise gefordert – man muß eine zusätzliche Belegung der Stadt mit 10 000 Personen während des Reichstags annehmen. Unzulängliche hygienische Verhältnisse, Kriminalität gehören ins Bild: »man sticht, man huret, man frist fleisch, schobsen, hüner, tauben, eier, milch, käse, und ist ein solch wesen wie in fraue Venus berg« (Reuter, S. 44).

Reuter, S. 13-58, Abb. 1. V.P.

252

252 Bischof und städtischer Rat waren gemeinsame Gastgeber von Kaiser und Reich.

Die Kaiserstube im Bürgerhof zu Worms vor 1689
Peter Hamman, 1690
Sepia auf Papier, 20,1 × 31,6 cm. In: Album mit einer Ansicht der Stadt Worms und Aufnahmen mehrerer Baudenkmäler von demselben Künstler
Worms, Stadtarchiv

Die Darstellung aus dem späten 17. Jahrhundert bildet den Zustand Wormser Bauwerke unmittelbar vor der Zerstörung im Orleans'schen Krieg 1689 ab. Sie wurde vom Wormser Schreiner und Baumeister Peter Hamman gefertigt und nach der Zerstörung dem Rat überlassen. Die Zeichnungen geben ein Bild, wie sich die Reichstagsstätten 1521 dargestellt haben mögen; vom Bischofshof, wo Karl V. – Erinnerung an die traditionellen Gastungspflichten der Reichskirche – wohnte und wo Luther auftrat, gibt es keine Abbildung. Dies lag an der Tendenz der Stadt Worms, die bischöflichen Positionen in ihrem Areal herunterzuspielen.

Reuter, S. 13-58, Abb. 3. – F. Reuter, Peter Hamman und seine Karte der Landschaft um Worms von 1690. In: Jb. zur Geschichte von Stadt- und Landkreis Kaiserslautern, 1974/75, S. 267 f. V. P.

253 Nach dem Wormser Reichstag von 1495 bewirkte auch derjenige des Jahres 1521 einen wichtigen Schub zur Modernisierung des Reiches.

›Romischer kayserlicher Maiestat Abschiedt auff dem Reichstag zu Worms etc. Anno MV^c xxj. Cum Privilegio speciali Imperatoris Caroli. V.‹ Reichsabschied von Worms vom 26. Mai 1521
Mainz: Johann Schöffer 1521
31 × 20,5 cm. Aufgeschlagen: links Druckprivileg Karls V. für Schöffer in Mainz, Mainz 1521, Juni 4: Eingang des Abschieds und Errichtung des Reichsregiments in Nürnberg
Esslingen, Stadtarchiv, Reichstagsakten 1521 Nr. 9

Der Reichsabschied war der formale Abschluß des Reichstages – eine Urkunde des Kaisers mit dem Konsens der Reichsstände: Er hieß Abschied, weil man danach auseinanderging. Die Initiative beim Reichstag hatte der Kaiser. Er lud ein und ließ seine Anliegen in einer Proposition vortragen. Danach verhandelte der Reichstag getrennt in den drei Kurien der Kurfürsten, der Fürsten und der Städte. Nun bemühte man sich zunächst um einen Vergleich zwischen den Kurfürsten und den Fürsten; erst dann wurde mit den Reichsstädten verhandelt, die so starkem Druck zum Konsens unterlagen. Der mindere Rang der Städte und damit der aristokratische Charakter des Reichstages traten somit klar zutage.
Man darf den Wormser Reichstag nicht allein unter dem Gesichtspunkt der Reformation sehen; es standen eine ganze Reihe zentraler Probleme der Reichsverfassung zur Entscheidung an, die in zähem Ringen zwischen Kaiser und Ständen mit Kompromissen geregelt wurden: Karl V. mußte für seine Abwesenheiten ein mehrheitlich von den Ständen besetztes Reichsregiment als Vertretung zugestehen, das 1519 suspendierte Kammergericht wurde reformiert und endgültig auf eine solide Grundlage gestellt; die Stände bewilligten eine Hilfe für den bevorstehenden Rom-Zug. In einer Reichsmatrikel sollten die Steuern geregelt werden. Der Wormser Reichstag traf somit weitreichende reichsrechtliche Entscheidungen, wenngleich sein Abschied erst zustande kam, als bereits viele Reichsstände abwesend waren.

Druck: DRTA, Jüngere Reihe 2, 1896, Nr. 101, S. 729-743. V. P.

254 Der 1521 festgelegte Schlüssel für die Verteilung der Reichssteuern blieb bis 1806 im Prinzip in Kraft.

Reichsmatrikel von Worms 1521
Abschrift, 21 × 32 cm. Mit Moderationen auf dem Wormser Reichstag von 1544/45. Aufgeschlagen: Die Reichsstädte von Regensburg bis Kaufbeuren
Esslingen, Stadtarchiv, Reichsstadt, Fasc. 301

Die Reichsmatrikel von 1521 wurde zu einer lange wirkenden Ordnung für die Reichssteuer. Die Stände hatten die kaiserlichen Steuerforderungen mit der Bitte um Errichtung von Regiment und Kammergericht beantwortet – sie bewilligten schließlich 4 000 Reiter und 20 000 Mann zu Fuß auf sechs Monate, deren Kosten einzeln auf die Reichsstände aufgeschlüsselt wurden. Damit hatte man einen Verteilungsraster gewonnen, nach dem man jede Reichssteuer proportional aufteilen konnte – der Matrikel lag nach Vorläufern, die bis ins frühe 15. Jahrhundert zurückreichen, der Konstanzer Anschlag von 1507 zugrunde. Dieses sehr praktikable Verfahren führte dazu, daß man sich im Prinzip bis zum Ende des Alten Reiches 1806 der Wormser Reichsmatrikel als Grundlage für die Reichssteuern bediente.
Aber die Reichsmatrikel bedeutete auch eine politische Weichenstellung – sie setzte sich durch gegen das alternative Prinzip des »Gemeinen Pfennigs«, einer kombinier-

ten Kopf- und Vermögenssteuer, die den direkten Zugriff des Reichstages auf die Untertanen der Territorien bedeutet hatte. »Gemeine Pfennige« wurden nach Vorläufern 1495 und 1512, dann wieder 1542, 1544 bzw. 1551 bewilligt. Eine direkte Reichssteuer widersprach jedoch der territorialen Struktur des Reiches, da sie die gewachsenen Rechte der Landesherren überging. Der »Gemeine Pfennig« half allerdings 1542 vielfach, strittige territoriale Positionen zu klären. Er war geeignet, die Finanzkraft nicht nur jedes einzelnen, sondern auch vieler Territorien aufzudecken. Es erwies sich, daß die Reichsmatrikel eindeutig die Größeren gegenüber den Kleineren, die Fürsten gegenüber den Städten begünstigte, die untereinander wiederum unterschiedliche Gewichte hatten. Hier zeigte sich, daß nicht Finanz- oder Wirtschaftskraft, sondern der Grad der Abhängigkeit des Reichsstandes von Kaiser und Reich über die Höhe des Reichsanschlags entschieden.

Die linke Kolumne der Seite zeigt den ursprünglichen Anschlag von 1521 in Reitern und Fußvolk, umgerechnet in Geld. Rechts die Moderationen von 1545 für die einzelnen Reichsstädte. Der zuweilen erhebliche Unterschied zwischen der Summe von 1521 und jener von 1545 wird deutlich; auch wenn spezielle Katastrophen wie Brände oder wirtschaftliche Krisen eine Rolle spielten, so zeigt sich doch, wie grob 1521 die Veranlagung vorgenommen worden war. Es war somit kein Zufall, daß auf die »Gemeinen Pfennige« der Jahre 1542 und 1544, die die Finanzkraft der einzelnen Stände offenlegten, der Moderationstag im Rahmen des Wormser Reichstags 1544/45 folgte. Die Beauftragten der Reichskreise, der seit 1512, besonders seit 1530 sich ausformenden regionalen Organisationen der Stände, überprüften und korrigierten damals die Anschläge von 1521.

Druck: DRTA. Jüngere Reihe 2, 1896, Nr. 56, S. 424-449. – J. Sieber, Zur Geschichte des Reichsmatrikelwesens im ausgehenden Mittelalter (1422-1521), 1910. – R. Wohlfeil, Der Wormser Reichstag von 1521 (Gesamtdarstellung). In: F. Reuter (Hrsg.), Der Reichstag zu Worms von 1521 – Reichspolitik und Luthersache, 1971, S. 59-154. V. P.

255 Seine spektakuläre Bedeutung erhielt der Wormser Reichstag durch das Auftreten Luthers, durch die Konfrontation von Reich und Reformation.

Luther vor dem Reichstag zu Worms
Unbekannter Künstler
Titelholzschnitt zu: ›Doctor Martini Luthers offenliche Verhör zů Worms im Reichstag, Red und Widerred Am 17 tag Aprilis im jar 1521. Beschechen‹
Erlangen, Universitätsbibliothek, Thl. V, 4/10

Das Titelblatt einer Beschreibung der Wormser Handlungen zeigt links eine Gruppe gelehrter Räte, denen zwei Mönche mit Begleitung gegenübertreten. Zwischen ihnen liegen Bücher. Im Hintergrund sitzt der Kaiser inmitten der sechs Kurfürsten. Sicher ist der erste Mönch keine authentische Darstellung Luthers, handelt es sich nicht um eine getreue Wiedergabe der Wormser Vorgänge. Aber der Augsburger Druck zeigt, wie stark das Auftreten des Wittenberger Mönchs vor Kaiser und Reich die Phantasie beflügelte.

Das Auftreten Luthers überschattete auch für die Zeitgenossen die beträchtliche reichspolitische Bedeutung des Wormser Reichstages. Zwar waren auf Betreiben Herzog Georgs von Sachsen auch die »Gravamina der Deutschen Nation«, also die Beschwerden gegen die römische Kurie, zum Thema des Reichstags geworden. Aber auf Drängen Friedrichs des Weisen, der Luther nicht ungehört verurteilt wissen wollte, wurde dieser von Karl V. geladen; der Kaiser erwartete freilich den Widerruf. Am Tag nach seiner Ankunft, am 17. April 1521, erschien Luther bereits vor Kaiser und Reich und erbat unter Berufung auf sein Seelenheil Bedenkzeit. Am folgenden Tag lehnte er nach einer differenzierten Erklärung den Widerruf ab: »Wenn ich nicht durch Schriftzeugnisse oder einen klaren Grund widerlegt werde – denn allein dem Papst oder den Konzilien glaube ich nicht, da es feststeht, daß sie häufig geirrt und sich auch selbst widersprochen haben –, so bin ich durch die von mir angeführten Schriftworte bezwungen. Und solange mein Gewissen durch die Worte Gottes gefangen ist, kann und will ich nichts widerrufen, weil es unsicher ist und die Seligkeit bedroht, etwas gegen das Gewissen zu tun. Gott helfe mir. Amen« (Übersetzung nach Selge). Nach dieser Erklärung brach der Kaiser die Verhandlungen ab, wobei Durcheinander entstand. Aber es bedeutete nicht das Ende der Besprechungen, sondern Luther wurde noch zu einer weiteren Anhörung vor einen Ausschuß gebeten – seine Sache war Gegenstand eines Tauziehens der Stände geworden.

Der Wormser Auftritt Luthers hatte Reichstag und Reformation verbunden und beiden Auftrieb gegeben. Das Bekenntnis des Mönches vor Kaiser und Reich unterstrich die charismatische Rolle Luthers in jenen Jahren. Der Kaiser hatte offenbar mit der Ladung Luthers in einer schwierigen Situation den Ständen entgegenkommen wollen – ohne an der Gültigkeit des päpstlichen Spruchs zu zweifeln. Die Stände standen aber unter dem Druck der Volksstimmung. Sie relativierten das päpstliche Urteil – nicht seine Exekution, sondern die inhaltliche Überprüfung der Lehre Luthers vollzog sich auf dem Reichstag.

W. Borth, Die Luthersache (Causa Lutheri) 1517-1524, 1970. – G. Pauli, Hans Sebald Beham. Ein kritisches Verzeichnis seiner Kupferstiche, Radierungen und Holzschnitte, 1901, S. 391, Nr. 7. V. P.

256 Zwischen seinen Auftritten in Worms berichtete Luther dem Humanisten Cuspinian in Wien über seine Absicht, nicht zu widerrufen.

Martin Luther an Johannes Cuspinian, Worms, 17. April 1521
Eigenhändig, Orig. Papier
Wien, Österreichische Nationalbibliothek, Autogr. 13/43-2

»Dem hochberühmten und hochgebildeten Manne, Herrn Cuspinianus, Kaiserlicher Majestät Bibliothekar, in Wien, seinem ehrwürdigen Freunde im Herrn.

Jesus.

Heil! Dein Bruder nach dem Fleisch (Gal. 4,23), hochberühmter Cuspinian, hat mich leicht dazu überredet, es zu wagen, mitten aus diesem Tumult an Dich zu schreiben, da ich schon früher wegen der Berühmtheit Deines Namens den Wunsch gehegt hatte, Dir persönlich bekannt zu sein. Nimm denn auch mich in das Verzeichnis der Deinen auf, damit ich die Wahrheit dessen erfahre, was mir Dein Bruder mit so vollem Munde gesungen hat. In dieser Stunde habe ich vor dem Kaiser und dem römischen Senat gestanden und bin gefragt worden, ob ich meine Bücher widerrufen wolle. Darauf habe ich geantwortet, die Bücher seien tatsächlich mein;

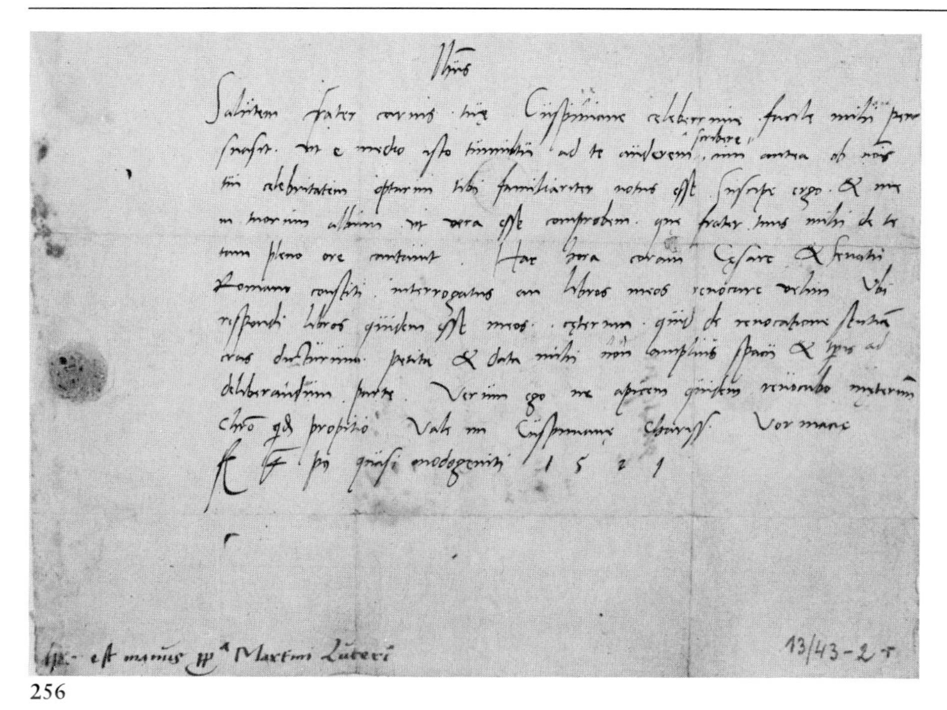

256

257

was ich aber von einem Widerruf hielte, wolle ich morgen sagen – mehr Zeit zum Überlegen habe ich nicht erbeten noch auch erhalten. Aber nicht ein Jota werde ich in Ewigkeit widerrufen, wenn Christus mir gnädig ist. Lebe wohl, mein liebster Cuspinian. Worms, am Mittwoch nach Quasimodogeniti 1521.«

Das Schreiben entstand in einem historischen Augenblick – zwischen den beiden Auftritten Luthers vor Kaiser und Reich. Der Reformator appellierte an die Solidarität eines der bedeutendsten deutschen Humanisten. Der vielseitige Cuspinian (1473-1529) wurde 1492 von Maximilian I. zum Dichter gekrönt und 1500 zum Rektor der Universität Wien gewählt. Er gehörte zum Humanistenkreis um den Kaiser, der ihn auch öfter zu politischen Missionen, vor allem mit Ungarn, verwendete. Nach Maximilians Tod wirkte der Humanist seit 1522 in der engsten Umgebung Erzherzog Ferdinands. Damit aber hat Luther in seinem eindrucksvollen Brief nicht nur einen möglichen Gesinnungsgenossen angesprochen, sondern auch freimütig seine Ansichten in den Kreis des jüngeren Habsburgers hineingetragen. Möglicherweise spielte dabei eine zufällige Wormser Bekanntschaft mit Cuspinians Neffen, Stiftsherrn im Stift Haug in Würzburg, eine Rolle. Cuspinian allerdings blieb trotz aller reformerischen Ansätze der alten Kirche stets treu.

Deutsche Übersetzung nach: Martin Luther, Ausgewählte Schriften, hrsg. von K. Bornkamm u. G. Ebeling, Bd. 6: Briefe, hrsg. v. J. Schilling, 1982, Nr. 15, S. 33 f. – Druck: WA Br. 2, Nr. 397, S. 299-301. – H. Ankwicz-Kleehoven, Der Wiener Humanist Johannes Cuspinian, 1959. V. P.

257 Hieronymus Aleander war als päpstlicher Legat auf dem Reichstag zu Worms.

Bildnis des Nuntius Hieronymus Aleander
Agostino dei Mesi (Musi), genannt Veneziano, 1536
Kupferstich, 32,9 × 22,3 cm. Unten Inschrift: HIERONYMVS ALEANDER ARCHIEPISCOPVS BRVNDVSINVS ET ORITANVS ETC/M D XXXVI. Aleander ist in Kardinalstracht dargestellt
Berlin, Staatliche Museen Preußischer Kulturbesitz, Kupferstichkabinett, Inv. Nr. 6028-1877

Hieronymus Aleander (1480-1542), Dichter und bedeutender Gräzist, war vom Humanismus geprägt und hatte als bischöflich-lüttichischer Kanzler Verwaltungserfahrung gesammelt. 1517 päpstlicher Bibliothekar geworden, wurde er 1520 nach Deutschland geschickt, wo er neben dem Nuntius Carraciolo auf dem Reichstag wirken sollte; 1524 Erzbischof von Brindisi und 1538 Kardinal, verrichtete Aleander 1531 und 1538 noch zwei weitere wichtige Missionen in Deutschland.

Aleander war als konsequenter Gegner Luthers nach Deutschland gekommen. Leo X. hatte ihn – offenbar wegen seiner Lütticher Erfahrung – beauftragt, die Bannandrohungsbulle am Hofe Karls zu verbreiten, d. h. die Exekution des Urteils durchzusetzen, nach Möglichkeit Luther gefangen nach Rom zu bringen. Nach anfänglichem Optimismus bemerkte Aleander die außerordentlich kritische Stimmung im Reich und die breite Zustimmung zu Luther, doch war die Kurie in Unkenntnis der deutschen Situation nicht in der Lage, angemessen zu reagieren. Aleander vermochte es nicht, das Verhör eines gebannten Ketzers auf dem Reichstag, durch das Prestige und Rechtsposition der Kurie schwer erschüttert wurden, zu verhindern. Er ließ sich überdies auf die taktischen Spiele des Reichstages ein; nach dem Erlaß des Wormser Edikts setzte er große Erwartungen in dessen Erfolge.

G. Müller, Girolamo Aleandro. In: TRE 2, 1978, S. 227-231. – P. Kristeller, Kupferstich und Holzschnitt in vier Jahrhunderten, 1905, S. 263. V. P.

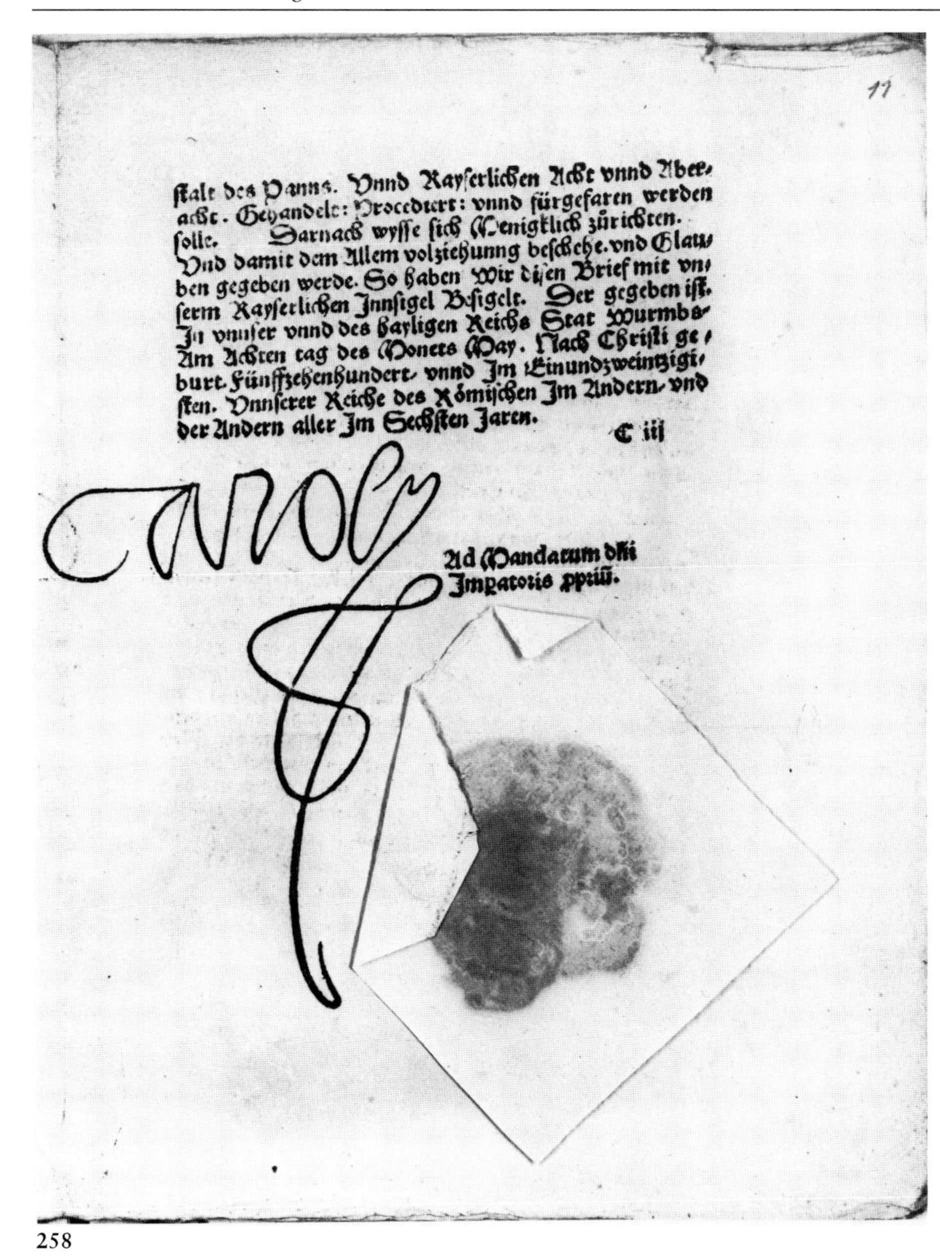
stalt des Panns. Vnnd Kayserlichen Acht vnnd Aber-
acht. Gehandelt: Procediert: vnnd fürgefaren werden
solle. Darnach wysse sich Menigklich zürichten.
Vnd damit dem Allem volziehunng beschehe. vnd Glauben gegeben werde. So haben Wir disen Brief mit vn-
serm Kayserlichen Innsigel Besigelt. Der gegeben ist.
In vnnser vnnd des hayligen Reichs Stat Wurmbs-
Am Achten tag des Monets May. Nach Christi geburt. Fünffzehenhundert. vnnd Im Einundzweintzigi-
sten. Vnnserer Reiche des Römischen Im Andern. vnd
der Andern aller Im Sechsten Jaren.
C iii

Ad Mandatum dñi
Impatoris pprium.

258

258 Mit dem Wormser Edikt wandte sich Karl V. entschieden gegen die Reformation.

›Der Römischen Kaiserlichen Maiestat Edict wider Martin Luther Bücher und lere seyne anhenger Enthalter und nachvolger vnnd Etlich annder schmeliche schrifften. Auch Gesetz der Druckerey.‹
Worms: Hans von Erfurt 1521
21,5 × 17 cm. 5 Bll. Aufgeschlagen: fol. 10^{v}-11^{r} mit faksimilierter Unterschrift des Kaisers und Papiersiegel
Straßburg, Archives Municipales, AA 374^{b}n° 2

Die Luthersache hatte keinen Eingang in den Reichsabschied gefunden. Der Kaiser beschritt demgegenüber den Weg eines aus eigener Machtvollkommenheit erlassenen Edikts, das vom Reichsvizekanzler Niklas Ziegler gegengezeichnet war. Als Ergebnis des Verhörs und als Konsequenz des päpstlichen Banns tat Karl V. Luther in die Reichsacht. Das Edikt beruhte auf Entwürfen Aleanders. Es liegen mehrere Fassungen vor, die dazu dienten, die kaiserliche Autorität neben der päpstlichen zu behaupten. Luther wurde nicht nur als Ketzer, sondern auch als Aufrührer dargestellt. Die Reichsacht enthielt das Gebot für jedermann, daß er *Martin Luther nit hauset, hoffet, etzt, drenket, noch enthaltet, noch ime mit worten oder werken haimlich noch offenlich kainerlai hilf, anhang, beistand noch fürschub beweiset.* Er sollte vielmehr dem Kaiser gefangen übergeben werden. Zugleich wurde eine Zensur über seine Schriften verhängt. Karl ließ das Edikt noch vor dem Reichstag verlesen, als bereits viele abgereist waren. Es wurde jedoch von Kurfürst Joachim I. von Brandenburg einfach im Namen aller rezipiert.

Das Edikt entsprach der konsequenten Parteinahme des Kaisers, der an der päpstlichen Autorität und an der Tradition der katholischen Kirche festhielt. Demgegenüber wurde der deutsche Charakter der Reformation deutlich, zu dem weder Kaiser noch Papst einen Zugang hatten. Aleander machte sich die Verbreitung des Edikts in den Niederlanden zu eigen – davor floh Erasmus nach Basel; aber es zeigte sich bald, daß die Wirkung des Wormser Edikts von der Bereitwilligkeit der deutschen Fürsten abhing, zumal der Kaiser 1522 Deutschland wieder verlassen mußte. Es erwies sich, daß zahlreiche Fürsten und Städte das Edikt nicht publizierten oder die Publikation ostentativ verzögerten. Nur wenige entschieden katholische Reichsstände setzten das Edikt mit eigenen Mandaten in Kraft.

Druck: DRTA. Jüngere Reihe 2, 1896, Nr. 92, S. 640-659. – J. Kühn, Zur Entstehung des Wormser Edikts. In: Zs. für Kirchengeschichte 35, 1914, S. 372-392, 529-547. – W. Borth, Die Luthersache (Causa Lutheri) 1517-1524, 1970, S. 99-143. V. P.

259 Der Reichsherold Kaspar Sturm wachte über das freie Geleit Martin Luthers auf seinem Weg nach Worms und auf seiner Rückreise.

Schwert des kaiserlichen Herolds Kaspar Sturm
Zweihänder, Stahl, Gesamtlänge 190 cm, Parierstange 40 cm, Gewicht 4 kg
Friedberg/Hessen, Wetterau Museum

Der »Zweihänder« des kaiserlichen Herolds gelangte nach einer Friedberger Tradition über dessen Sohn, den Friedberger Apotheker Philipp Jakob Sturm, in die Reichsstadt; die Nachfahren lebten dort bis zum Ende des 18. Jahrhunderts und genossen als Besitzer des Schwertes Freiheit von den »Fronfasten«, einer Stadtsteuer, und von den Wachen.

Kaspar Sturm (ca. 1475-ca. 1548) aus Oppenheim erschien 1515 in Diensten Kurfürst Albrechts von Mainz. Am 27. Oktober 1520 hatte ihn Karl V. zum *Erenhold des Reiches* bestallt und *ym den namen Teutschland geschöpft.* Dies entsprach einer weitverbreiteten Praxis, nach der Herolden der Name des Landes (oder sogar die Devise des Herrschers) beigelegt wurde. Ein Herold hatte über das Hofzeremoniell oder die Turniere zu wachen, führte Chroniken und Wappenbücher und nahm in feierlicher Form die Verkündigung oder Vertretung des herrscherlichen Willens vor. Sturm galt schon frühzeitig als ein geschworener Feind der Kurie. Aleander, der ohnehin eine formlosere Lösung gewünscht hätte, kritisierte die Betrauung dieses Mannes mit dem Geleit Luthers heftig – der Reformator bekam einen Anhänger als Weggenossen. Dies mag dazu beigetragen haben, daß die Reise einem Triumphzug glich. Aber Luther hielt sich, in Erinnerung an den Geleitsbruch Kaiser Sigmunds gegenüber Hus (gest. 1415) strikt an den Geleitsweg, um sich nicht durch einen formalen Verstoß ins Unrecht zu setzen – so schlug er die vom kaiserlichen Beichtvater Glapion veranlaßte, etwas undurchsichtige Einladung Sickingens zu einem Gespräch auf der Ebernburg ab. Auf der Rückreise entließ Luther Sturm am 28. April in Friedberg. Vielleicht ist Sturm der Verfasser des ersten Berichts über die Vernehmung Luthers. Der kaiserliche Herold tat sich danach durch Berichte über die Sickingen-Fehde und die Reichstage sowie populäre Schriften über das Reich hervor. 1522 wurde Sturm unter Beibehaltung des Heroldenamtes Pfälzer Diener und nahm am Zuge gegen Sickingen teil. Auf den Reichstagen 1530 und 1532 versah er wieder das Heroldenamt, seit 1538 lebte er in Nürnberg.

Th. Kolde, Der Reichsherold Caspar Sturm und seine literarische Tätigkeit. In: ARG 4, 1906/7, S. 117-161. – F. Dreher, Das Bindernagel'sche Schwert im Friedberger Museum. Eine Erinnerung an Luther und den Reichsherold Kaspar Sturm. In: Friedberger Geschichtsblätter 2, 1910, S. 64-66. V. P.

259

260 Als »Junker Jörg« lebte Luther unter dem Schutz Friedrichs des Weisen zurückgezogen auf der Wartburg.

Bildnis Martin Luthers als Junker Jörg
Lukas Cranach d. Ä., 1522
Holzschnitt, 28,3 × 20,4 cm. Oben Inschrift: IMAGO MARTINI LVTHERI, EO HABITV EXPRESSA, QVO REVERSVS EST EX PATHMO VVITTENbergam. Anno Domini. 1522. (Bildnis Martin Luthers, so dargestellt, wie er aus seinem Patmos nach Wittenberg zurückkehrte). Unten vierzeilige Inschrift
Bamberg, Staatsbibliothek, I L. 44

Der unmittelbar nach der Rückkehr Luthers nach Wittenberg im Frühjahr 1522 entstandene Holzschnitt zeigt Luther erstmals nicht als Augustinermönch, sondern mit Wams, Vollbart und dichtem Haupthaar – so wie er auch während seines Aufenthalts auf der Wartburg beschrieben wird. Cranachs Holzschnitt bezeugte, daß der totgeglaubte Luther als ein Neuer dem Volk wiedergegeben war.
Am 4. Mai 1521 wurde Luther nach einem fingierten Überfall bei Altenstein in Thüringen auf die Wartburg geführt und dort zunächst in strikter Verborgenheit gehalten. Nur wenige Vertraute wußten von diesem Aufenthalt, der Luther der Reichsacht entziehen und die sächsische Regierung politisch entlasten sollte. Die Nachricht erregte ungeheures Aufsehen – man wähnte Luther tot –, führte zu Zornesausbrüchen gegen die Nuntien und da und dort zu Aufläufen. Der Mönch verwandelte sich auf der Wartburg in den adeligen Junker Jörg, den man freilich in den neuen ritterlichen Lebensstil förmlich einüben mußte. Die Umstellung brachte gesundheitliche Probleme, auch die »Anfechtungen« der früheren Jahre kehrten wieder. Aber Luther begann zugleich eine rege literarische Tätigkeit, beginnend mit dem »Büchlein von der Beicht«, endend mit den Anfängen der Übersetzung des Neuen Testaments. Auch zahlreiche Streitschriften verfaßte Luther in dieser Zeit. Kurfürst Friedrich, der den Vorgang noch in Worms abgestritten hatte, sah mit Interesse der Tätigkeit Luthers zu, wenn auch der Hof immer wieder unvorsichtige Schritte kritisierte – die Verbindungen liefen über den Sekretär Spalatin. Am Ende seines Aufenthalts hatte sich Luther immer weiter hervorgewagt: am 3. Dezember sogar nach Wittenberg und Leipzig. Als seine Warnungen von der Wartburg aus die Kirchenkrise in Witten-

IMAGO MARTINI LVTHERI, EO HABITV EXPRES-
SA, QVO REVERSVS EST EX PATHMO VVITTEN-
bergam. Anno Domini. 1 5 2 2.
Quæſitus toties, toties tibi Rhoma petitus,
En ego per Chriſtum viuo Lutherus adhuc.
Vna mihi ſpes eſt, quo non fraudabor, Ieſus,
Hunc mihi dum teneam, perfida Rhoma vale.

260

berg nicht beilegen konnten, begab sich Luther am 13. Januar 1522 in die Stadt.

H. Lietzmann, Luther auf der Wartburg. In: Luther-Jb. 4, 1922, S. 30-44. V. P.

D Die ritterschaftliche Bewegung

Der niedere Adel war durch die Intensivierung des Fürstenstaats, die Anpassung der politischen Strukturen des Reiches an diese, das Eindringen bürgerlicher Juristen in die fürstlichen Räte, den durch die Feuerwaffen bedingten Wandel im Kriegswesen und die aufkommende Geldwirtschaft unter Druck geraten. Die Reichsreformen sah er als Einengung seiner Freiheit; gegen den Gemeinen Pfennig opponierten die Ritter. Unter dem Eindruck von Maximilians I. Kaisertum und Ritterfreundlichkeit suchte sich der Adel noch einmal zu formieren: Sickingen als selbstbewußter Fürstengegner, Hutten als Propagandist adeligen Selbstverständnisses, Berlichingen als erfolgreicher Fehdeunternehmer erlangten unter den Rittern eine hohe Popularität. Zugleich häuften sich Unruhen und Fehdeaktionen des Adels, die die allgemeine Krisenstimmung im Reich verschärften; ob es sich um eine breite Adelsrevolte handelte, erscheint zweifelhaft – aber die Strafaktionen des Schwäbischen Bundes gegen fränkische Ritter und einer Fürstenkoalition gegen Sickingen 1523 führten schließlich zur Domestizierung des Adels. Das Trauma des Bauernkriegs trieb die Ritter vollends zum Ausgleich mit den Fürsten: Das Ergebnis war die Formierung einer quasi-staatlich organisierten Reichsritterschaft unter kaiserlichem Protektorat.

V. Press, Führungsgruppen in der deutschen Gesellschaft im Übergang zur Neuzeit um 1500. In: H. H. Hofmann u. G. Franz (Hrsgg.), Deutsche Führungsschichten in der Neuzeit, Bd. 12, 1980, S. 29-77. – V. Press, Adel, Reich und Reformation. In: W. Mommsen (Hrsg.), Stadtbürgertum und Adel in der Reformation, 1979, S. 330-383. V. P.

261 Die Rittergesellschaft mit Sankt-Jörgen-Schild in Schwaben bereitete den Adel auf eine gewandelte Ordnung vor.

Bundesbrief der Grafen, Herren und Ritter der Gesellschaft mit Sankt-Jörgen-Schild im Hegau vom 26. Juni 1482 (Verlängerung bis 26. Juni 1488)
Orig. Perg., 59 × 58,5 cm. Mit 24 anhängenden Siegeln, eines fehlt
Donaueschingen, Fürstlich Fürstenbergisches Archiv, Ritterschaft Vol. 1, Fasc. 2a

Die Adelsgesellschaften waren ein Produkt der territorialen Bewegungen im späten Mittelalter; sie sollten durch gemeinsames Handeln die Autonomie des Adels sichern; sie erreichten unterschiedliche Grade der Organisation, meist trugen sie auch Züge einer religiösen Bruderschaft. Außerdem aber entwickelten sie einen ganz besonderen Stil adeliger Selbstpräsentation. Viele Gesellschaften waren geradezu als Turniergesellschaft organisiert. Dabei wurde gerne der ritterliche St. Georg als Patron gewählt, vor allem bei dem schwäbischen Adel. Die schwäbische Gesellschaft mit Sankt-Jörgen-Schild wurde zur wichtigsten deutschen Adelseinung; sie wurde nach 1488 in den Schwäbischen Bund hineingeführt und gewöhnte so unter österreichischem bzw. kaiserlichem Protektorat den Adel an eine territoriale Existenz. Ihre Organisationsformen wirkten auf die Ausbildung der späteren Reichsritterschaft in Schwaben und auf den Schwäbischen Bund weiter; die bereits 1407 gegründete Gesellschaft war zuletzt in die vier Viertel Donau, Hegau, Neckar-Schwarzwald und Kocher unterteilt. Hier verbriefen 25 Grafen, Herren und Ritter des Hegaus die Verlängerung auf 6 Jahre – in den anderen Vierteln wurden gleichlautende Dokumente ausgefertigt. Zugleich wurden festgelegt: das Fehdeverbot unter den Mitgliedern, das Schiedsgericht und die Organisationsformen unter einem Hauptmann.
In der Regel konservierten die Ritter lange Zeit vorreformatorische Formen der Frömmigkeit. Dies hing zusammen mit geringer Bildung, Ferne von den städtischen Zentren, aber auch wegen ihrer Bindung an die Adelskirche erwiesen sich die Ritter vielfach wenig empfänglich für die Reformation: Die Besetzung von Pfründen in Domkirchen, Stiften und Klöstern war wichtig für die Unterbringung nachgeborener Kinder und damit für die Besitzerhaltung der Familie, verlieh Macht und Einfluß, ein Ritter im geistlichen Gewande konnte zum Bischof oder Reichsfürsten werden.

H. Obenaus, Recht und Verfassung der Gesellschaften mit St. Jörgenschild in Schwaben, 1961. – V. Press, Kaiser Karl V., König Ferdinand und die Entstehung der Reichsritterschaft, 2. Aufl. 1980. V. P.

262 Mit seiner Publizistik gehört der wortgewandte Ritter und Humanist Ulrich von Hutten zu den wichtigsten Wegbereitern der Reformation.

Ulrich von Hutten, Fehdebrief an die »Kurtisanen« in den deutschen Landen
Worms: Hans von Erfurt 4. April 1522
Quer – 4°. Einblattdruck, 22 Zeilen
Straßburg, Archives Municipales, Serie IV, 105 B

Hutten sagt den römischen Kurtisanen in Deutschland, also jenen Höflingen, die über die Kurie zu einer deutschen Pfründe gelangt sind, die Fehde an – Ausdruck nicht nur seiner scharfen »Pfaffenfeindschaft«, sondern auch sichtlich Antwort auf die päpstliche Bannbulle.
Ulrich von Hutten (1488-1523), Sohn eines fuldischen Stiftsritters, zum Geistlichen bestimmt, kam frühzeitig mit der Welt der Universitäten und des Humanismus in Berührung. Nach einem unsteten Vagantenleben brachte ihn die Ermordung seines Vetters Hans von Hutten durch Herzog Ulrich von Württemberg an die Spitze einer publizistischen Auseinandersetzung, die ihm bei seinen Standesgenossen hohes Prestige einbrachte. Im Streit Reuchlins mit den Kölner Dominikanern verband er 1514 abermals humanistische Gelehrsamkeit und ritterliche Kampfeslust. Frühzeitig war Hutten in den Bannkreis des Kaisers Maximilian geraten, der ihn 1517 in Augsburg zum Dichter krönte. Nach längerem Aufenthalt am Hofe Kurfürst Albrechts von Mainz begab er sich zu Franz von Sickingen auf die Ebernburg. Längst verbanden sich seine nationalen Töne mit scharfer Kirchen- und Kurienkritik. Für sein Ziel, deutsche Freiheit gegen Rom zu erkämpfen, suchte er 1520 – naturgemäß vergeblich –, den jungen Karl V. zu gewinnen. Dafür begann er, sich publizistisch immer stärker für Luther einzusetzen und appellierte für ihn an Adel, Städte und Volk – bis hin zur spektakulären Demonstration einer Pfaffenfehde, die den Nuntius Aleander 1521 in Worms förmlich einen Anschlag Huttens fürchten ließ. Vor der drohenden Katastrophe seines Gönners Sickingen floh Hutten in die Schweiz, wo sich Erasmus von ihm distanzierte. Von der Syphilis frühzeitig ruiniert, starb er 1523 einsam auf der Insel Ufenau im Zürichsee. Hutten war gescheitert an dem Versuch, ritterliche und humanistische Ideale zu verbinden. Obwohl nicht frei von heidnisch-humanistischen Zügen, wurde er durch seine scharfe Polemik gegen Rom und für Luther, die ihn in die Bannandrohungsbulle brachte, einer der wichtigsten Wegbereiter der Reformation.

Druck: G. Knod. In: Zs. für Kirchengeschichte 14, 1894, S. 128 f. – J. Benzing, Ulrich von Hutten und seine Drucker, 1956, Nr. 180. – H. Grimm, Ulrich v. Hutten, 1971. – V. Press, Ulrich v. Hutten – Reichsritter und Humanist, 1488-1523. In: Nassauische Annalen 85, 1974, S. 71-86. V. P.

263 Der Ritter Franz von Sickingen baute frühzeitig ein evangelisches Kirchenwesen in seinen Herrschaften auf.

Der Sickingen-Becher
Speyer, 1519
Silber, teilweise vergoldet. Höhe 26,4 cm. Beschauzeichen von Speyer, Inschriften am oberen Rand der Einzelbecher: ARCTVUM. ANVLVM.NE.GESTATO.IGNEM.GLADIO.NE.FODITO (Man muß nicht zu enge Ringe tragen; man soll das Feuer nicht mit dem Schwert suchen) – IN.EXTREMO.MALO. AVDENDVM.ATQUE.AGENDVM.NON.CONSVLTANTANDUM.EST (In der äußersten Not soll man wagen und handeln, nicht lange überlegen) – MORS.FOEDA.IN.FVGA.IN.VICTORIA.GLORIOSA (Schimpflich ist der Tod auf der Flucht, ruhmvoll beim Siege) – CONSILIO.DVO.MAXIME.CONTRARIA.SVNT. FESTINCIO.ET.IRA (Unmäßiger Zorn und schnelle Tat verhindern allen guten Rat) – AD.FINEM.VBI.PERVENERIS.NE.VELIS.REVERTI (Wer bis ans Ende gegangen, soll nicht nach Anfang verlangen) – COSILIVM.SALVTARE.NON.SPETIO.SUM.SVADENDVM.EST (Heilsamen Rat, nicht solchen, der nur schön lautet, soll man geben) – GLADIVM. ACVTVM.AVERTAS.TV.TE.CONSVLE (Gib acht, daß du ein scharf Schwert meidest) – EX-.MILITA.PARTIS.FRANCISCVS.DE.SICKINGEN-.ME.FIERI.FECIT. 1519 (Aus der Kriegsbeute ließ Franz von Sickingen mich fertigen 1519)
Kassel, Staatliche Kunstsammlungen, Inv. Nr. B II. 18

Der aus acht Einzelbechern zusammengesetzte Häufebecher fiel bei der Eroberung der Ebernburg an Philipp von Hessen. Sikkingen hatte ihn nach dem siegreichen Feldzug des Schwäbischen Bundes gegen Herzog Ulrich von Württemberg, wie die Inschrift des untersten Bechers besagt, im Jahre 1519 aus seiner Kriegsbeute anfertigen lassen. Auch bei den Inschriften der an-

263

deren Einzelbecher handelt es sich um Wahlsprüche des Siegers; auf dem Deckelknauf das Wappen Sickingens.

Franz von Sickingen (1481-1523), aus einer kraichgauischen Ritterfamilie, erbte einen weitgestreuten Besitz, der ihn mit unterschiedlichen Gruppen des deutschen Adels in Verbindung brachte. Eine Karriere am Heidelberger Hof schien vorgezeichnet, aber nach dem Bruch mit dem Pfälzer Kurfürst Ludwig V. begann Sickingen 1515 eine Serie von Fehden, die ihn bald zu einer selbständigen und gefürchteten Kraft der Reichspolitik machten. Vielfach umworben, trat er schließlich 1517 in die Dienste Kaiser Maximilians, was sein Prestige bei den kaisertreuen Standesgenossen beträchtlich erhöhte. Für die Sache Österreichs übte er mit seinen Reitern 1519 massiven Druck auf die Kaiserwahl aus und beteiligte er sich bei der Vertreibung Herzog Ulrichs aus Württemberg. Angeregt durch Hutten wandte er sich dessen Ideen zu. Sickingen gewährte den Reformatoren Bucer und Oekolampad Zuflucht auf seiner Ebernburg und baute frühzeitig ein evangelisches Kirchenwesen in seinen Herrschaften auf; trotz seiner bescheidenen Bildung gibt es keinen Anlaß, an seinem entschiedenen Engagement für die Reformation zu zweifeln. Seine Vermittlungsversuche in Worms 1521 blieben ergebnislos, durch sein Engagement in den Kriegen Karls V. gegen Frankreich ruinierte sich Sickingen finanziell.

Er suchte Rückhalt beim rheinischen Adel, der ihn 1522 zum Hauptmann wählte – die Ziele seiner Fehde gegen Trier, unter offensichtlicher Rückendeckung Albrechts von Mainz begonnen, bleiben im Dunkeln; sie galten jedenfalls der Durchsetzung der Reformation (»dem Evangelium eine Öffnung machen«) und dem Ausbau seiner eigenen territorialen Herrschaft. Das Bild einer allgemeinen Adelsrevolte unter seiner Führung entsprang der gegnerischen Propaganda; Sickingen unterlag schließlich der Koalition der verbündeten Fürsten von

Trier, Pfalz und Hessen und kam bei der Eroberung seiner Ebernburg ums Leben. Der vielleicht einzige deutsche Condottiere konnte zeitweilig eine Schlüsselrolle in der deutschen Politik spielen und verkörperte die Wünsche des niederen Adels; er scheiterte an der Realität eines territorial ausgeformten Reiches und an der Distanz Kaiser Karls zu Ritterschaft und Reformation.

H. Ulmann, Franz von Sickingen, 1872. – W. Friedensburg, Franz von Sickingen. In: Morgenrot der Reformation, 5. Aufl. 1928, S. 557-666. – J. Polke, Das Ende der Ebernburg 1523 im Spiegel hessischer Dokumente. In: Blätter für Pfälzische Kirchengeschichte 41, 1974, S. 133-197. – Kat. Ausst. Spätgotik, Nr. 240. V. P.

E Der Aufstieg Kaiser Karls V.

Die Weite seiner europäischen Reiche, vor allem die bewußt gewählte Priorität seiner imperialen Italienpolitik bedingten eine ständige Abwesenheit Karls V. vom Reich; dies reduzierte die Möglichkeiten des Kaisers, der reformatorischen Bewegung Einhalt zu gebieten. Nach der Wahl von 1519 schienen sich die Gewichte in der europäischen Politik eindeutig zugunsten Karls verändert zu haben – aber der französische König konnte die überdehnten Linien der habsburgischen Position und die Spielregeln des entstehenden europäischen Mächtesystems ausnützen. 1524 kam es zum Zusammengehen Frankreichs mit dem Papst. Die neuen Kämpfe brachten Karl zwar einen spektakulären Erfolg durch den Sieg bei Pavia 1525, der das drohende französische Übergewicht beseitigte; aber die übertriebenen Forderungen Karls V. ließen den Konflikt mit Frankreich weitergehen. Mittlerweile zur stärksten italienischen Macht geworden, stieß der Kaiser auch auf erhebliche Widerstände des Papstes, zu dem politischen Konflikt kam noch die unterschiedliche Einschätzung der Bedeutung eines Konzils zur Lösung der deutschen Kirchenkrise – beides verhinderte ein gemeinsames Vorgehen von Kaiser und Papst gegen die Reformation. Diese grundsätzlichen Gegensätze konnten auch nicht durch den zeitweiligen Ausgleich 1529 aufgehoben werden, nachdem Karl V. sich wieder ins Reich begab. Aber auch die deutsche Politik des Kaisers blieb unter dem Druck seiner auswärtigen Verflechtungen – die von den deutschen Fürsten anfangs befürchtete Machtentfaltung wurde zu großen Teilen wieder aufgehoben durch die zahlreichen Probleme, die eine solche Vielzahl der Beziehungen brachte.

Brandi, Bd. 1 und 2. – G. Müller, Die römische Kurie und die Reformation 1523-1534. Kirche und Politik während des Pontifikates Clemens' VII., Quellen und Forschungen zur Reformationsgeschichte 38, 1969. V. P.

264 1522 überließ Karl V. seinem Bruder Ferdinand seine ständige Vertretung im Reich – die langjährige Abwesenheit Karls V. war eine wichtige Voraussetzung reformatorischer Entwicklungen.

Vertrag zwischen Kaiser Karl V. und Erzherzog Ferdinand über die Abtretung der österreichischen Erblande vom 7. Februar 1522

Orig. Perg., 43 × 73 cm. 2 Hängesiegel aus rotem Wachs, Majestätssiegel Karls V. (restauriert) mit Rücksiegel (Wappensiegel). Reitersiegel Erzherzog Ferdinands

Wien, Österreichisches Staatsarchiv, Haus-, Hof- und Staatsarchiv, Familienurkunde Nr. 1151

Dynastischem Denken und praktischer Vernunft widersprach es, daß Karl V. ein so ausgedehntes Reich allein beherrschte und sein jüngerer Bruder Ferdinand leer ausgehen sollte. Dieser, in Spanien erzogen, war der Lieblingsenkel Ferdinands von Aragon gewesen; auch Maximilian I. hatte bereits Pläne für den jungen Enkel geschmiedet, dessen ungarische Braut eine angemessene Ausstattung verlangte. In engstem Zusammenhang mit der Heirat wurden Ferdinand nach provisorischen Lösungen 1522 in Gent die deutschen Erblande des Hauses Österreich einschließlich des okkupierten Württemberg übertragen, das Elsaß jedoch nur auf Lebenszeit. Bemerkenswert ist, daß die Abmachung sechs Jahre oder bis zur Kaiserkrönung Karls geheim bleiben sollte – Karl V. wollte wohl die Autoritätsminderung durch den völligen Verzicht auf die österreichischen Erblande vermeiden. Ferdinand wurde zum Stellvertreter und Statthalter Karls im Reich eingesetzt, wodurch das Reichsregiment erheblich eingeengt wurde. Aber jung und unerfahren, in der Wahrnehmung der Landesherrschaft gehemmt durch die Vorbehalte Karls V., sah sich der Erzherzog ohne Autorität und Charisma des gewählten und gekrönten Königs einer Fülle von krisenhaften Entwicklungen gegenüber, die ihn in schwere Bedrängnis brachten. Die Position der Fürsten verstärkte sich, sogar die Bayerns im nächsten Umfeld Österreichs. So dauerte es einige Zeit, bis Ferdinand eine eigenständige Position gewann. Aber mit dem Vertrag von 1522 wurde das Auseinandertreten der beiden habsburgischen Linien eingeleitet. 1525 vereinbarten die beiden Fürsten seine Publikation.

W. Bauer, Die Anfänge Ferdinands I., 1907 (Text: Beilage II a, S. 249-253). – H. van der Linden, Le traité de Bruxelles concernant le partage du patrimoine des Habsbourgs (1522). In: Bulletin de la Commission Royale d'histoire 102, 1937, S. 211-222. V. P.

265

265 Karls V. Sieg bei Pavia gab dem Kaiser ein Übergewicht in Italien.

Die Schlacht bei Pavia
Wolf Huber, bald nach 1530
Feder auf Papier, 28,2 × 43 cm
München, Staatliche Graphische Sammlung, Inv.Nr. 34 793

Die Zeichnung beruhte vermutlich auf dem Bericht des Grafen Niklas von Salm (1459-1530), der als Reiterführer die Schlacht mitgefochten hatte, und war offenbar eine Vorarbeit für sein Grabmal (heute in der Wiener Votivkirche). Das von Gestalten wimmelnde Schlachtfeld wird aus der Vogelperspektive dargestellt. Links die kaiserlichen Landsknechte und Reiter mit den Bannern des Goldenen Vlieses mit Andreaskreuz und Feuerzeichen bzw. dem Reichsadler an den Zelten. Rechts die Franzosen mit den Lilien. In der Mitte die Stadt Pavia mit ihren Vorwerken, deren augenblickliche Besitzer mit Wappen symbolisiert sind. Das Bild zeigt Kampfszenen, Belagerungsmaßnahmen und die beiden Feldlager.

Der vernichtende Sieg der deutschen Landsknechte und spanischen Soldaten Karls V. über die Franzosen bei Pavia am 24. Februar 1525 schien eine Wende der deutschen Politik zu bezeichnen. Karl V. hatte sich in den ersten Jahren, auch durch sein Einvernehmen mit Papst Leo X. und England, gut behaupten können. 1522 siegte sein Landsknechtführer Georg von Frundsberg bei Bicocca über die Franzosen; Genua wurde kaiserlich, Karls Erzieher Adrian von Utrecht Papst. Aber der Medici-Papst Clemens VII. (seit 1523) schwenkte auf die französische Seite; das prokaiserliche Komplott des Herzogs Karl von Bourbon zerbrach an der Geschlossenheit des französischen Staates. Da der französische König Franz I. in Pavia in kaiserliche Kriegsgefangenschaft geriet, schien die für Karl günstige Wende gesichert, doch scheiterte der Friede an Karls Maximalforderungen. Der gefangene König gestand zwar 1526 in Madrid alles zu, widerrief den Frieden aber sofort als erzwungen und den französischen Staatsinteressen abträglich. Bald verband sich der Papst mit Frankreich, Mailand und Venedig, um die drohende kaiserliche Hegemonie in Italien abzuwehren. Das daraufhin in Oberitalien versammelte kaiserliche Heer meuterte und wälzte sich gegen Rom; es erstürmte am 6. Mai 1527 die Heilige Stadt, nahm den Papst gefangen und plünderte Rom. Der Sacco di Roma bedeutete nicht nur das Ende der römischen Renaissance, sondern wurde auch vielfach als ein Strafgericht über das weltliche Treiben der römischen Kurie gewertet.

M. Jähns, Geschichtliche Aufsätze, 1903, S. 224-330. – F. Winzinger, Wolf Huber. Das Gesamtwerk, 1979, Bd. 1, S. 207 f.; Bd. 2, Nr. 85.
V. P.

266 Die Kaiserkrönung Kaiser Karls V. in Bologna 1530 war die Folge seiner Hegemonie in Italien.

Feierliche Prozession Kaiser Karls V. und Papst Clemens' VII. in Bologna am 24. Februar 1530 nach der Kaiserkrönung
Engelbert Bruining und Nikolaus Hogenberg, 1532
Radierung, koloriert, auf Pergament. Aus einer 38 numerierte Radierungen umfassenden Buchausgabe. 2°. Auf dem letzten Blatt bezeichnet »Pictor Hoghenbergus«
Wolfenbüttel, Herzog August Bibliothek, 2° 4.1 Historica

Der Kaiser dominiert vor dem Papst, als beide in Bologna einreiten. Zwar überragt der Medici Clemens VII. mit Tiara Karl V. mit der Kaiserkrone. Aber vorne und oben auf dem Baldachin und auf dem Mantel des Kaisers wird der Doppeladler des Reiches sichtbar. Überdies werden beide von einem Wald von Lanzen geleitet, die die gekrönten Säulen des Herkules zeigen, das Symbol Karls V. Die politische Situation von 1530 wird hier deutlich.
Die Kaiserkrönung Karls V. schien auch die Krönung seiner italienischen Politik der 1520er Jahre. Schon am 6. Dezember 1527 wurde Clemens VII. restituiert gegen die Zusage von Neutralität und gegen Garantien; in Oberitalien erneut in Bedrängnis geraten, mußte jedoch Karl weitere Zugeständnisse machen, die Position des Papstes in Italien respektieren und auf manche Vorteile verzichten (Friede von Barcelona am 29. Juni 1529). Durch die Vermittlung von Franz' I. Gattin, Luise von Savoyen, und Karls Tante Margarethe, Statthalterin der Niederlande, kam der für Karl relativ günstige neuerliche Friede zustande (Damenfriede von Cambrai am 3. Oktober 1529). Damit hatte Karl die Führungsrolle in Italien gewonnen, und der Weg zur Kaiserkrönung war frei. Karl V. reiste von Barcelona über See nach Genua, von da in das päpstliche Bologna, das ihn mit renaissancehafter Pracht empfing. Der Kaiser hielt sich vier Monate in Bologna auf, führte zahlreiche Gespräche mit dem Papst und überdachte seine Position. Karl wurde an seinem dreißigsten Geburtstag, dem 24. Februar 1530, gekrönt, in einer rein spanisch-italienischen Umgebung; deutsche Fürsten fehlten ganz – deutliches Zeichen der Bewertung seiner Kaiserwürde durch Karl und ihrer Ablösung von dem deutschen Königtum. Diese Krönung war die letzte durch einen Papst – fortan setzte sich der 1507 bei Maximilian und 1520 bei Karl praktizierte Brauch durch, den Titel eines »Erwählten Römischen Kaisers« zu führen.

266

M. J. Friedländer, Nicolas Hogenberg und Franc Crabbe, Die Maler von Mecheln. In: Jb. der Preuss. Kunstsammlungen 42, 1921, S. 161-168. – Kat. Ausst. Karl V., Wien 1958, Nr. 144.
V. P.

267 Karl V. und Isabella – die Ehe mit einer portugiesischen Prinzessin macht deutlich, daß der Schwerpunkt der kaiserlichen Politik nicht in Deutschland lag.

Karl V. und Isabella von Portugal
Jan Mone, 1526
Relief, Alabaster, 37 × 29 cm. Oben auf einer Tafel datiert
Gaasbeek (Belgien), Kasteel-Museum

»Ein Denkmal zärtlicher Liebe« (Glück). Der mächtig wirkende, bärtige Kaiser umfaßt mit der Linken die Schulter seiner zierlichen Gattin und hält mit der Rechten ihre Linke fest; sie überreicht ihm eine Blume oder Frucht. Dahinter ein Triumphbogen mit dem kaiserlichen Wappen links und dem portugiesischen Isabellas rechts; am Bogen aufgehängt die Jahreszahl 1526, das Datum der Hochzeit.
Die Eheverbindung Karls V. überschritt ebenfalls den Rahmen des Reiches. Der Kaiser hatte 1526 seine Cousine, die 23jährige Isabella von Portugal (1503-1539), gleichfalls eine Enkelin der katholischen Könige Ferdinand und Isabella geheiratet. Die Stände der spanischen Reiche hatten für diese Hochzeit Geld gegeben; sie baten mit Erfolg darum, während Karls häufiger Abwesenheit eine Regentin im Lande zu haben.
Die Ehe war glücklich, nach dem frühen Tod Isabellas 1539 heiratete Karl nicht wieder. Das Ehepaar hatte drei überlebende Kinder. Auch die Ehen von Karls Geschwistern wiesen über die Reichsgrenzen hinaus und zeigten eine deutliche Distanz zum Familienverband der deutschen Fürsten; zugleich zeichnete sich eine Schwerpunktverschiebung von Karls Herrschaften aus den Niederlanden nach Spanien ab, das immer mehr zum eigentlichen Zentrum seiner Position wurde. Dies bedeutete eine weitere Betonung der peripheren Situation Deutschlands.

G. Glück, Bildnisse aus dem Hause Habsburg. I.: Kaiserin Isabella (Gemahlin Karls). In: Jb. der Kunsthist. Sammlungen Wien NF 7, 1933, S. 183-210.
V. P.

267

F Kaiser, Reich und das Fortschreiten der Reformation

Die Entwicklung der deutschen Reformation stand zunächst unter den Bedingungen der kaiserlichen Abwesenheit; es zeigte sich rasch, daß das Wormser Edikt weithin nicht befolgt wurde. Das Reichsregiment, das 1521 in Nürnberg zusammentrat und nach mehreren Zwischenstationen 1530 in Speyer auseinanderging, vermochte sich in Vertretung des Kaisers gegen die Politik der großen Territorien nicht durchzusetzen, seine oft weitreichenden Pläne nicht zu realisieren. Deutlich zeigte sich die Schwäche des Herrschaftssystems im Reich an der Katastrophe des Bauernkriegs. Hier wurde ebenso wie zuvor durch die Wittenberger Unruhen die Reformation in den Augen vieler Fürsten als bedrohlich für die Herrschaft angesehen – mit unmittelbaren Konsequenzen für ihre Ausgestaltung, ohne daß sie – vor allem in den Städten – ihre Popularität verlor. Bereits der Nürnberger Reichstag von 1523 hatte sich gegen eine Unterbindung der Reformation und für ein von Kaiser und Papst in deutschen Landen einberufenes Konzil ausgesprochen – Karl V. war jedoch gegen ein Nationalkonzil gewesen. Damit aber begann sich ein legaler Freiraum für die Anhänger der Reformation zu bilden, in dessen Schutz sich in immer mehr Gebieten evangelisches Kirchenwesen ausformte – es kam zu ersten Zusammenschlüssen evangelischer Reichsfürsten.

Der Speyerer Reichstag von 1526 hatte in einer für die evangelische Sache sehr günstigen Atmosphäre stattgefunden. Der Druck Frankreichs und des Papstes auf Karl V. hatte sich verstärkt. Ferdinand hatte die Angriffe der Türken auf das benachbarte Ungarn vor Augen, allenthalben fanden sich neue Anhänger der Reformation. In Speyer suchte man bei den Reformforderungen anzuknüpfen, ohne die Einheit der Kirche aufzugeben; Karl hatte in seiner Instruktion Ferdinand gegen eine zu weitgehende Aufweichung der katholischen Position festgelegt. So kam schließlich der Kompromiß zustande, die Stände »wollen mit ihren Untertanen also leben, regieren und sich halten, wie ein jeder solches gegen Gott und kaiserliche Majestät hofft und vertraut zu verantworten«.

Dieser Kompromiß begünstigte zwar die Fortentwicklung der Reformation, konnte aber nicht die reichsweite Krisenstimmung abbauen. Das Dilemma verhärtete die Position des Kaisers, drängte auf eine Regelung: Die katholische Mehrheit wurde sich ihrer Macht bewußt. Das wiederum zwang die evangelischen Reichsstände, auf dem Speyerer Reichstag 1529 in der Verteidigung des gemeinsamen Glaubens öffentlich hervorzutreten. Unter Führung des Landgrafen Philipp von Hessen bestimmte immer stärker ein ausgeprägtes Sicherheitsbedürfnis die sich zunehmend defensiv verstehende evangelische Politik. Seiner Befriedigung diente auch der fehlgeschlagene Versuch einer Verständigung mit der Schweizer Reformation. In dieser Situation war Karl V., scheinbar auf dem Höhepunkt seiner Macht, nach neunjähriger Abwesenheit ins Reich zurückgekehrt und entschlossen, die Reformationsfrage zu lösen. Zunächst schien die erasmianische Haltung mancher seiner Räte wirksam zu werden. Aber auf dem Augsburger Reichstag 1530 zeigten sich doch die Gegensätze zum evangelischen Lager als unüberbrückbar. Nachdem sich der Kaiser schließlich, wie nicht anders zu erwarten war, für die katholische Sache entschieden hatte, beantworteten dies die aktiven Teile der Evangelischen mit einem politisch und sozial erstaunlich ausgreifenden Bündnis, das schließlich eine erhebliche Festigkeit erlangte.

Luther selbst hat diese Entwicklung nur am Rande erlebt. Durch die Reichsacht und das Wormser Edikt war er auf den Schutz seines Landesherrn angewiesen und konnte sich nicht mehr auf die Schauplätze der Reichspolitik begeben wie einst in Worms. Dies begünstigte die zunehmende Steuerung der Religionsentwicklung durch die Politiker.
V. P.

268 Die Speyerer Protestation – Ausdruck der evangelischen Ablehnung einer Kompetenz des Reichstags in Glaubensdingen.

Erweiterte Protestation der evangelischen Stände auf dem Speyerer Reichstag. 20. April 1529
Abschrift, Papier, 32,5 × 22 cm. Mit Originalunterschriften
Marburg, Hessisches Staatsarchiv, Best. 3 (Pol. Arch.) Nr. 235, fol. 285-296.

Das Marburger Original wurde nachträglich hergestellt und durch die Unterschriften der beteiligten Fürsten: Kurfürst Johann von Sachsen (1468-1532), Markgraf Georg von Brandenburg-Ansbach (1484-1543), Herzog Ernst von Braunschweig-Lüneburg (1497-1546), Landgraf Philipp von Hessen (1504-1567) und Fürst Wolf (gang) von Anhalt (1492-1566) autorisiert. Die ursprüngliche Protestation, die König Ferdinand übergeben und zurückgeschickt worden war, liegt im Staatsarchiv Weimar. Sie trägt statt der Unterschrift des in Speyer gerade abwesenden Herzogs Ernst die seines Kanzlers.
Der Speyerer Reichstag von 1529 war nach der ersten ernsten Gefahr eines Konfessionskrieges und im Zeichen fortwirkender Spannungen zusammengetreten. Ferdinand hatte als Stellvertreter die Proposition seines Bruders nicht in Händen und gab dafür seine eigene als die kaiserliche aus: Sie zielte auf eine stärkere Absicherung des Bestehenden. Ferdinand traf dabei auf die Unterstützung einer sich ihrer selbst bewußt werdenden katholischen Mehrheit der Fürsten, so daß im Ausschuß des Reichstags die Gültigkeit des Wormser Edikts, die Eindämmung der Reformation unter Ausschluß der Zwinglianer im Mittelpunkt der Überlegungen stand. Es zeigte sich, daß die Befassung des Reichstags mit Reformationsfragen, die bisher ihr Vorteil gewesen war, sich nun gegen die Evangelischen zu richten begann. Unter Führung des Landgrafen Philipp von Hessen wandten sich die evangelischen Stände am 19. April 1529 protestierend gegen die Majorisierung ihrer Gewissen in Religionsfragen und beriefen sich auf ihre eigene christliche Obrigkeit. Angeführt von Straßburg schlossen sich einige evangelische Städte an. Als sich der Reichsabschied über diese Bedenken hinwegsetzte, wurde von fünf Fürsten und vierzehn Städten der Protest schriftlich formuliert. Man lehnte die Aufhebung des einstimmig gefaßten Abschieds von 1526 ebenso ab, wie man die Verantwortung der einzelnen Fürsten vor Gott forderte. Mit der Speyerer Protestation aber hatte sich die evangelische Gruppe auf dem Reichstag offiziell als Partei formiert.

gnaden Philips Landtgraffe zu Hessen/Graffe zu Katzenelnbo
gen/Dietz/Ziegenhayn/vnd Nydda etc.
Hans Guldenmundt.

269

Druck: DRTA. Jüngere Reihe 7, 1935, Nr. 143, S. 1273-1288. – J. Kühn, Geschichte des Speyerer Reichstags von 1529, 1929. – H. Bornkamm, Die Geburtsstunde des Protestantismus: die Protestation von Speyer. In: H. Bornkamm (Hrsg.), Das Jahrhundert der Reformation, 2. Aufl. 1966, S. 112-125. V. P.

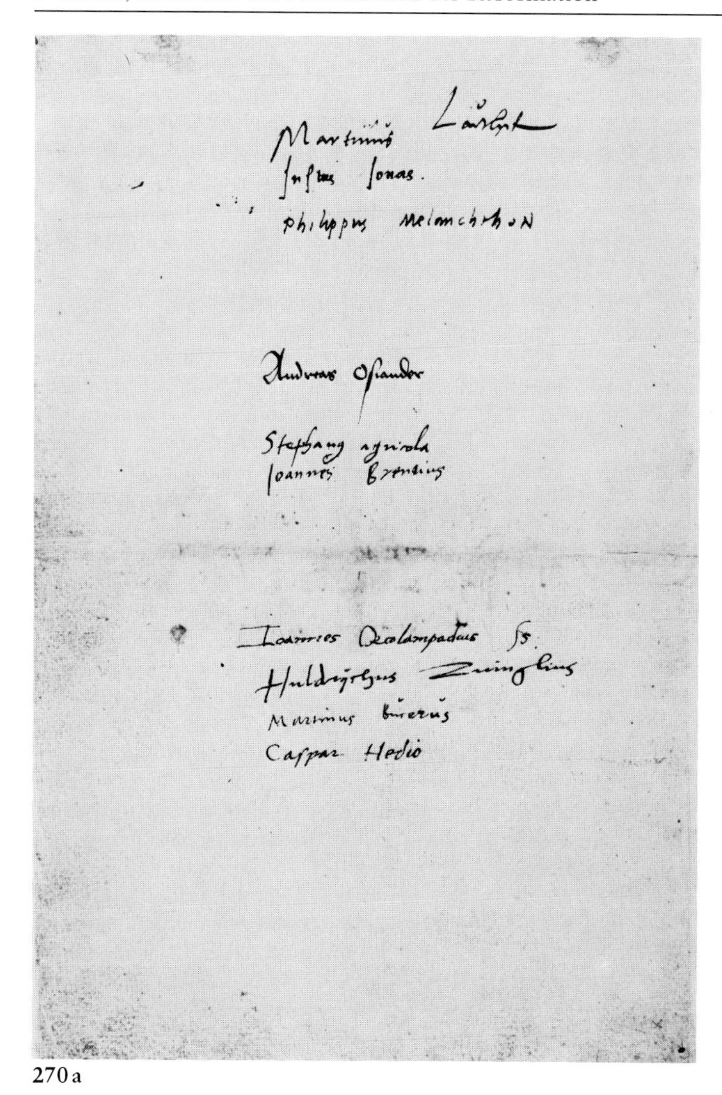

Martinus Luther
Justus Jonas.
Philippus Melanchthon

Andreas Osiander
Stephanus agricola
Joannes Brentius

Ioannes Oecolampadius ss.
Huldrychus Zwinglius
Martinus Bucerus
Caspar Hedio

270 a

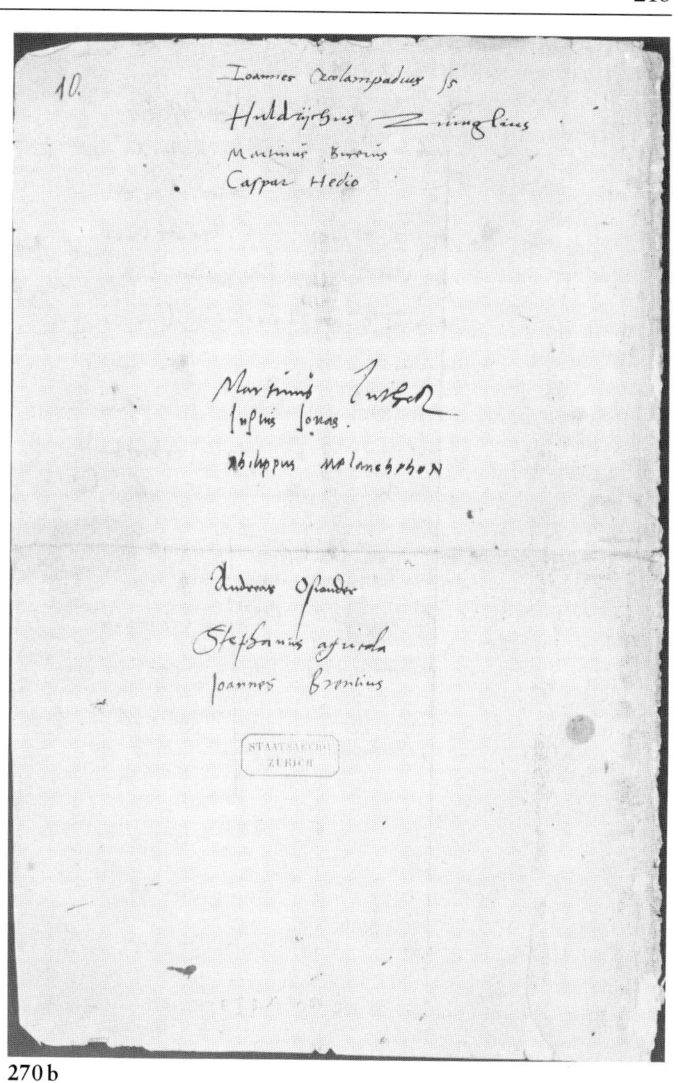

10.

Ioannes Oecolampadius ss
Huldrychus Zwinglius
Martinus Bucerus
Caspar Hedio

Martinus Luther
Justus Jonas.
Philippus Melanchthon

Andreas Osiander
Stephanus agricola
Joannes Brentius

STAATSARCHIV ZÜRICH

270 b

269 Landgraf Philipp von Hessen – der politisch agilste Kopf des deutschen Protestantismus.

Bildnis des Landgrafen Philipp von Hessen
Hans Brosamer, um 1546
Holzschnitt, 36,2 × 25,7 cm. Oben rechts das landgräfliche Wappen
München, Staatliche Graphische Sammlung, Inv.Nr. 119067

Landgraf Philipp von Hessen (1504-1567) war der profilierteste unter den ersten typisch evangelischen Landesfürsten. In jungen Jahren hatte er in Gestalt eines ständischen Regiments (1509-1514) und der Aktionen Sickingens die Bedrohung seines Landesstaates miterleben müssen. Bereits mit 14 Jahren für mündig erklärt, wuchs er frühzeitig in seine Herrscherrolle hinein, in der ihm die Sicherung seiner Herrschaft ein zentrales Anliegen war. Nach dem Ausgleich mit den Nachbarn spielte er bei den Aktionen gegen Sickingen 1522/23, gegen die mitteldeutschen Bauern 1525 und gegen die Täufer in Münster 1534/35 jeweils eine entscheidende Rolle. 1521 war er in Worms mit Luther in Berührung gekommen; 1524 wandte er sich unter dem Eindruck von Melanchthons Werken der Reformation zu. Dabei spielten bei dem hochgebildeten Fürsten eigenes Bibelstudium und theologisches Urteil eine beträchtliche Rolle – Philipp machte sich die von Lambert von Avignon entwickelte Konzeption einer auf die Gemeinden aufgebauten Landeskirche zu eigen, gab sie jedoch auf, als Luther widersprach. Der Gründer der ersten evangelischen Universität Marburg (1527) verstand es, den Aufbau einer Landeskirche und die Durchsetzung seiner Obrigkeit zu verbinden. Ein glänzender politischer Instinkt kam ihm hier ebenso zugute wie bei seinen reichspolitischen Aktivitäten. Frühzeitig gelang ihm über alle Gegensätze hinweg ein Brückenschlag zu den evangelischen Reichsstädten: Er setzte die Notwendigkeit von Solidarität und Absicherung der Reformation über die traditionellen ständischen Gegensätze zwischen Fürsten und Städten. Bis zu Anfang der 1540er Jahre prägte er die evangelische Politik entscheidend. Es wurde seine Tragödie, daß ihn die mit persönlicher Gewissensnot verbundene Doppelehe schließlich hilflos den Pressionen des Kaisers auslieferte.

V. Press, Landgraf Philipp der Großmütige von Hessen (1504-1567). In: K. Scholder (Hrsg.), Protestantische Profile. Lebensbilder aus fünf Jahrhunderten, 1983. – Geisberg, Nr. 414. V. P.

270 Im Marburger Religionsgespräch von 1529 versuchte Landgraf Philipp von Hessen, die Sammlung der Kräfte des Protestantismus vorzubereiten.

Artikel des Marburger Religionsgesprächs von 1529
a Ausfertigung der deutschen Delegation
Orig. Papier, 31 × 20,5 cm. Aufgeschlagen: fol. 4v-5r
Marburg, Hessisches Staatsarchiv, Best. 3 (Pol.Arch.) Nr. 245
b Ausfertigung der Schweizer Delegation
Orig. Papier, 32 × 21,3 cm. Aufgeschlagen: S. 10
Zürich, Staatsarchiv, E I 3.1 Nr. 54

Die Schweizer Reformation hatte Ende der 20er Jahre einen Höhepunkt erreicht; Zwingli stand auf dem Gipfel seines politischen Einflusses, auch bei den oberdeutschen Reichsstädten (vgl. Kat. Nr. 437). Philipp von Hessen, der in dem Kaiser den eigentlich gefährlichen Gegner sah und die Solidarität gegen die drohende Gefahr über die theologischen Diskrepanzen stellte, steuerte auf einen Ausgleich zwischen sächsischer und Schweizer Reformation hin. Das Problem lag in der Distanzierung von Sachsen und Brandenburg-Ansbach, die sich unter dem Einfluß Luthers von den Schweizern abgegrenzt hatten. So veranstaltete der Landgraf das Marburger Religionsgespräch zwischen Luther und Zwingli im Oktober 1529, dem auch Vertreter Straßburgs und Basels beiwohnten. Die Verhandlungen scheiterten an den unvereinbaren Gegensätzen in der Abendmahlslehre, die von Luther im Unterschied zum konzilianteren Zwingli in aller Deutlichkeit betont wurden. Ein Kompromiß kam somit nicht zustande, und die Abendmahlsgemeinschaft scheiterte. Philipp freilich gab seine Pläne einer ausgreifenden Bündnispolitik nicht auf; er sah die Reformation weiterhin durch Karl V. bedroht, während Luther und Melanchthon das Recht auf Widerstand gegen den Kaiser zunächst verneinten.
Erstmals seit 1529 liegen in unserer Ausstellung das hessische und das Schweizer Exemplar der Marburger Artikel wieder nebeneinander, in denen Gemeinsamkeiten und Gegensätze dargelegt wurden. Unter dem hessischen Exemplar der Artikel stehen zunächst die Unterschriften von Luther, dem Wittenberger Juristen und Theologen Justus Jonas (1493-1555), der vielfältig im mitteldeutschen Raum für die Reformation wirkte, und Melanchthon. Es folgt die Gruppe der Vertreter der lutherfreundlichen städtischen Reformationen: der Nürnberger Andreas Osiander (1498-1552), der Augsburger Stephan Agricola (1491-1547), der Schwäbisch Haller Johannes Brenz (1499-1570), der spätere Reformator Württembergs. Auf Seiten der schweizerisch-oberdeutschen Gruppe unterzeichneten der Baseler Johannes Oekolampad (1482-1531) vor dem Zürcher Zwingli und den beiden Straßburgern Martin Bucer (1491-1551) und Caspar Hedio (1494-1552), die sich somit äußerlich eng an die Schweizer anschlossen (vgl. Abt. XII). Auf dem Zürcher Exemplar rückte diese Vierergruppe nach vorn, während die lutherfreundlichen städtischen Theologen hinter den Wittenberger Reformatoren am Ende standen.

Druck: WA 30 III, S. 160-171. – W. Köhler, Das Marburger Religionsgespräch. Versuch einer Rekonstruktion, 1929. – Ders., Zwingli und Luther, 2 Bde., 1924/53. V. P.

271 Die Augsburger Konfession wurde von den evangelischen Ständen dem Kaiser auf seinem ersten Reichstag nach seiner Rückkehr ins Reich präsentiert.

›Confessio oder Be/kanntnus des Glau/bens etlicher Fürsten und Stedte: Uber/antwort keiserlicher Majestat zu Augspurg. Anno M.D.XXX.‹ (beigebunden) Apologia der Confessio
Zürich: Christoph Froschauer 1530. Erstdruck
8°. 30 Bll. Aufgeschlagen: Kapitel ›Von der Meß‹
Nürnberg, Germanisches Nationalmuseum, 8° Rl. 2567 Postinc.

In der Augsburger Konfession formulierte die deutsche Reformation ihre erste große Bekenntnisschrift, die reichsrechtliche Bedeutung über die Jahrhunderte hinweg erlangen sollte. Karl V. hatte in Augsburg die streitenden Religionsparteien anhören wollen – auch aus politischem Kalkül, denn seit Worms war klar, daß der Kaiser den Boden der alten Kirche nicht verlassen würde. Dennoch bestimmte Rücksichtnahme auf ihn die Formulierung der Augsburger Konfession, die der Feder Melanchthons entstammte und auf deren Vorwort die sächsischen Juristen Einfluß genommen hatten. Die Konfession suchte nach Möglichkeit darzutun, daß die Evangelischen auf der Grundlage der überkommenen Kirche standen. So sollte die Reformation gegen den Vorwurf der Ketzerei und Sektiererei verteidigt werden. Luther, der an der Formulierung der Vorrede beteiligt gewesen war, weilte als Geächteter auf der sächsischen Coburg und sah von ferne die Ausklammerung und Verharmlosung entscheidender Fragen mit Bedenken. So suchte sich Melanchthon geschickt von dem Vorwurf zu reinigen, man habe die Messe abgetan; es handele sich vielmehr um die Rückkehr zu den ursprünglichen christlichen Bräuchen. Auch der Kaiser hatte auf Abmilderung der von katholischen Theologen unter Führung Johann Ecks und Johann Fabris verfaßten ›Confutatio‹ – in der Hoffnung auf eine Annäherung der Parteien und die Wirkungen eines Konzils – bestanden. Aber er stellte sich doch die »Rückkehr« der Evangelischen in ganz engen Grenzen vor. Die Positionen erwiesen sich als unüberbrückbar. Die ›Apologie‹ Melanchthons wurde schon nicht mehr angenommen – Philipp von Hessen verließ nach der Confutatio Augsburg. Karl V., der sich über das Scheitern der Verhandlungen sehr enttäuscht zeigte, erklärte die Augustana für widerlegt. Der Abschied wurde nur von den katholischen Fürsten beschlossen. Die sächsische Konzessionsbereitschaft hatte das Auseinandertreten der Religionsparteien nicht verhindern können – ein gemeinsames Reformstreben reichte zum Konsens nicht mehr aus. Freilich waren auch die evangelischen Stände nicht einig gewesen, denn die vier Reichsstädte Straßburg, Konstanz, Memmingen und Lindau hatten eine eigene Bekenntnisschrift, die ›Confessio Tetrapolitana‹, überreicht.

Druck: P. Tschackert, Die unveränderte Augsburgische Konfession, Kritische Ausgabe, 1901. – H. Immenkötter, Um die Einheit im Glauben. Die Unionsverhandlungen des Augsburger Reichstages im August und September 1530, 1973. – B. Lohse u. O. H. Pesch (Hrsgg.), Das Augsburger Bekenntnis von 1530 – damals und heute, 1980. – E. Iserloh (Hrsg.), Confessio Augustana und Confutatio, 1980. V. P.

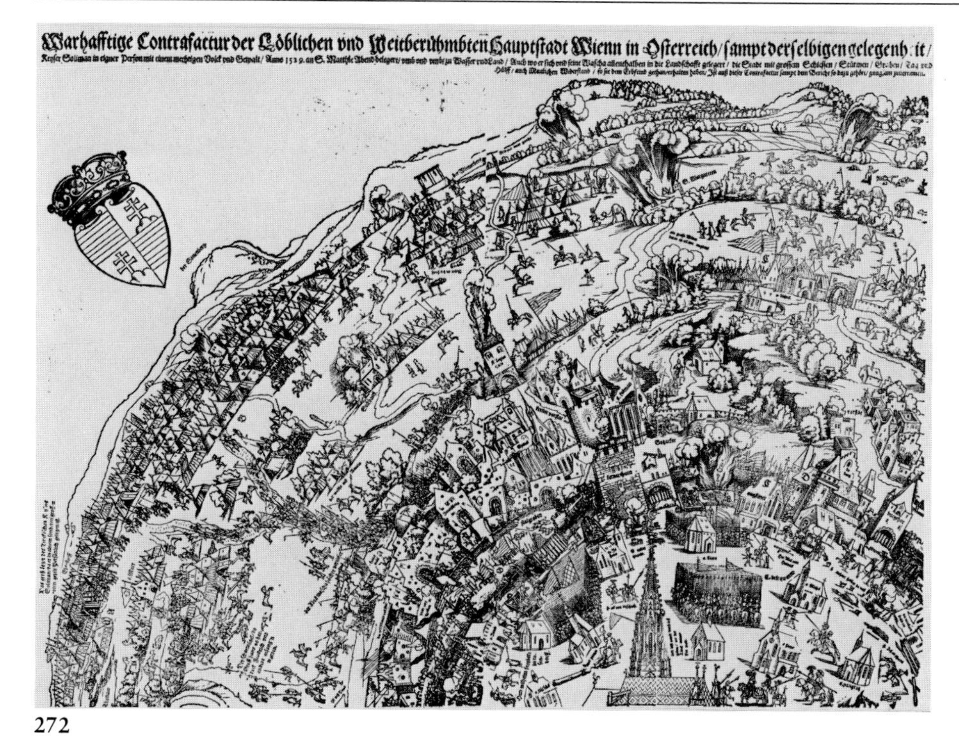

Warhafftige Contrafactur der Löblichen vnd Weitberümbten Hauptstadt Wienn in Osterreich/sampt derselbigen gelegenh it/

272

272 Nach der Katastrophe Ungarns in der Schlacht von Mohács zog Sultan Suleiman gegen Wien. Seither wurde die Türkengefahr zu einem dauernden Problem des Reiches.

Die Belagerung Wiens 1529
Sebald Beham, 1529/30
Holzschnitt aus 6 Stöcken, 81,2 × 85,6 cm.
Ausgestellt: Abdruck der Stöcke 1 und 2 (G. 283/84). Ohne Schrifttafel
Nürnberg, Germanisches Nationalmuseum, HB 215

Die seit dem 13. Jahrhundert einsetzende Expansion der Türken gegen das byzantinische Reich gipfelte im Fall Konstantinopels 1453; zugleich drangen sie auf dem Balkan vor. Das Bewußtsein einer ungeheueren Gefahr mobilisierte in Europa alte Kreuzzugsideen – aber erst der Zusammenbruch des Königreichs Ungarn, das durch Ständekämpfe und durch den Bauernaufstand von 1514 geschwächt war, ließ die Türkengefahr für das Reich ganz unmittelbar werden: König Ludwig II., Schwager Karls V. und Ferdinands I., verlor auf der Flucht nach der katastrophalen Niederlage bei Mohács 1526 sein Leben, der ungarische Staat zeigte deutliche Auflösungserscheinungen, aber noch einmal räumten die Türken das verwüstete Land. Trotz der ernsten Bedrohung kam es zu einer doppelten Königswahl. Als Repräsentant der dominierenden Adelspartei wurde Johann Zápolya präsentiert, der noch über eine intakte Streitmacht verfügte. Eine Minderheit votierte für die dynastischen Ansprüche von Ludwigs II. Schwager Erzherzog Ferdinand. Seine Wahl zum König von Ungarn und Böhmen bedeutete eine Schwergewichtsverlagerung des Habsburger Reichs nach Osten, aber zugleich auch eine doppelte Frontstellung gegen die ungarische Adelsopposition und gegen die Türken. Mit seiner Person zog Ferdinand somit die Türkengefahr auf das Reich. Die Bedrohung konzentrierte sich, als Suleiman auf seinem dritten Ungarnfeldzug vom 21. September bis zum 15. Oktober 1529 auch die Stadt Wien belagerte.
In der schematisierten Stadt Wien wird das kleine Häuflein der Verteidiger dargestellt. Rings um die Stadt in den abgebrannten Vorstädten das riesige Türkenlager mit seinen Zelten – die Übermacht des Sultans wird deutlich sichtbar. Er konnte die Artillerie ganz nahe an die Stadt fahren.
Die Bedrohung der österreichischen Hauptstadt mobilisierte das Reich – in ihrem Gefolge kam es nach 1529 zu einer allgemeinen Reichssteuer. Zwar mußte der Sultan nach beträchtlichen Menschenverlusten, vor allem durch Seuchen, die Belagerung wieder aufgeben, ohne daß das Ersatzheer des Reiches zum Einsatz kam. Fortan aber blieben Türkenkriege und Türkensteuern ein zentrales Thema der Reichstage, beeinflußte die jeweils akute Bedrohung durch die Türken die Politik im Reich mit, entlastete sie die evangelische Partei vom habsburgischen Druck: Die Türken wurden gleichsam stille Teilhaber an der Reichsverfassung. So war der Nürnberger Anstand von 1532 nicht denkbar ohne die akute Bedrohung.

S. A. Fischer-Galati, Ottoman imperialism and German Protestantism, 1521-1555, 1959. – W. Steglich, Die Reichstürkenhilfe in der Zeit Karls V. In: Militärgeschichtliche Mitteilungen 11, 1972, S. 7-55. – M. Csáky, Karl V., Ungarn, die Türkenfrage und das Reich (Zu Beginn der Regierung Ferdinands als König von Ungarn). In: H. Lutz (Hrsg.), Das römisch-deutsche Reich im politischen System Karls V., 1982, S. 223-237.
V. P.

273 Sultan Suleiman der Prächtige wurde zum Symbol der expansiven türkischen Machtausdehnung.

Bildnisse des Sultans Suleiman, König Franz' I. von Frankreich und der Roxelane, Gemahlin des Sultans Suleiman
Sebald Beham, um 1530/35
Holzschnitt, 6,6 × 21,7 cm. Ausgestelltes Exemplar: zerschnitten und von der originalen Abfolge abweichend montiert
Nürnberg, Germanisches Nationalmuseum, St. Nbg. 773-775

Die Gestalt Suleimans des Prächtigen markierte nach Mehmed II. (1430-1481), dem Eroberer Konstantinopels, den Höhepunkt der türkischen Großmachtstellung und damit den Beginn der unmittelbaren Bedrohung des Reichsbodens – das christliche Europa war über Glanz und Unternehmungsgeist des osmanischen Herrschers erschrocken und davon fasziniert. Suleiman eroberte Syrien, Palästina und Ägypten und drängte die Perser zurück. Unter seinen Fahnen kämpfte der Admiral Chaireddin Barbarossa gegen die Flotten Karls V. im westlichen Mittelmeer. Die Belagerung von Wien 1529, die endgültige Eroberung von Budapest 1541 und schließlich sein spektakulärer Tod während der Belagerung von Szigétvar 1566 machten den »Großtürken« zum drohenden Symbol einer gefährlichen Macht. Sie gründete auf religiösem Engagement, einer effektiven Militär- und Verwaltungsstruktur, auf strategischer und logistischer Überlegenheit. Die Zeitgenossen machten

den Osmanenherrscher gleichsam zum Gegenbild des westlichen Imperators Karls V. und billigten ihm stillschweigend den Titel Kaiser zu – im westlichen Mittelmeer und in Ungarn stießen die beiden Großreiche aufeinander. Dies führte 1535/36 zum türkisch-französischen Bündnis – der gemeinsame Gegensatz Suleimans und Franz' I. von Frankreich zu Karl V. integrierte die Osmanen in das europäische Mächtesystem.
Der türkische Sultan und der französische König wurden im Reich als die gemeinsamen Gegner des Kaisers empfunden. Deshalb stellte sie auch Beham zusammen – durch Suleimans Frau Roxelane wurde die Dreizahl ergänzt, ursprünglich eine russische Sklavin, die großen Einfluß auf den Sultan übte und wie ihr Gemahl die Phantasie Europas anregte.

R. B. Merriman, Suleiman The Magnificent, 1520-1566, 1966. V. P.

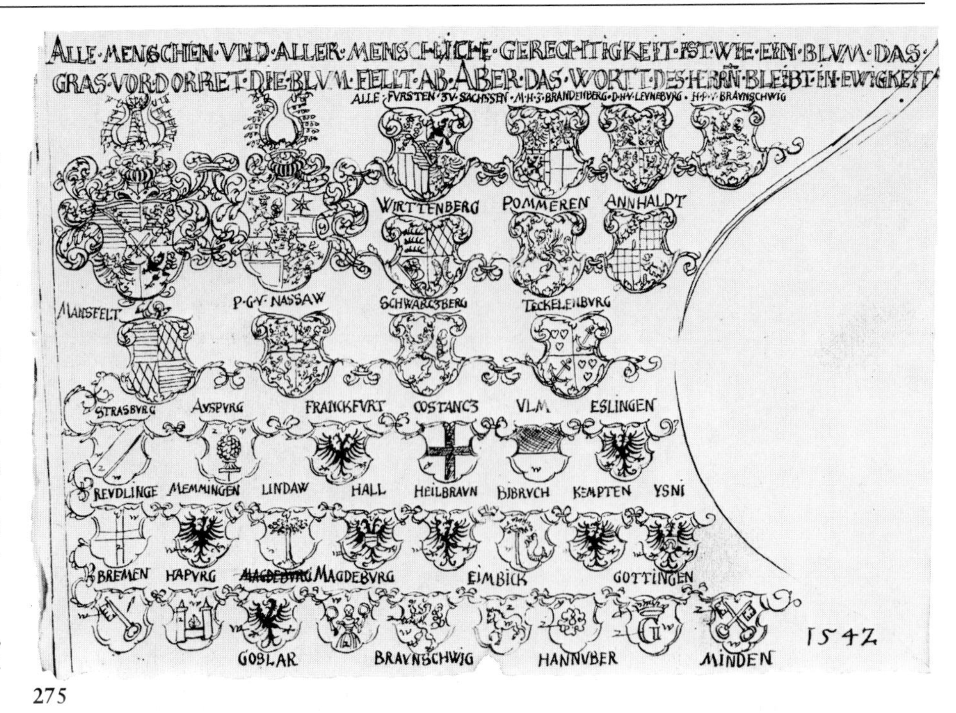

275

274 Der Schmalkaldische Bund wurde von den evangelischen Ständen gegen die drohende Gefahr eines kaiserlichen Angriffs gegründet.

Gründungsurkunde des Schmalkaldischen Bundes. 27. Februar 1531
Konzept, Papier, 31 × 21,5 cm. Mit eigenhändigen Randglossen Landgraf Philipps von Hessen. Aufgeschlagen: fol. 4v-5r
Marburg, Hessisches Staatsarchiv, Best. 3 (Pol. Arch.) Nr. 272, fol. 1-6

Aus Furcht vor der konsequent katholischen Haltung des Kaisers schlossen sich am 27. Februar 1531 Sachsen, Hessen, Braunschweig-Lüneburg, Braunschweig-Grubenhagen, Anhalt, Mansfeld sowie die Städte Magdeburg und Bremen in dem in Thüringen gelegenen, aber hessischen Städtchen Schmalkalden zu einem Bündnis zusammen. Bald vergrößerte es sich um ober- und niederdeutsche Städte. Aus Rücksicht auf den Kaiser blieben Brandenburg-Ansbach und Nürnberg formal fern, nahmen jedoch Anteil an der Entwicklung des Bundes; Zürich hielt man aus religiösen Gründen heraus. Damit hatte sich das Selbstverständnis der evangelischen Stände konkretisiert, als Obrigkeit auch zum Widerstand gegen den Kaiser berechtigt zu sein – dies wurde inzwischen auch von den Reformatoren bestätigt. Der Schmalkaldische Bund bedeutete einen starken Schutz für die evangelischen Stände und eine mächtige Komponente der Reichspolitik. Versuche zu Bündnisbildungen auf katholischer Seite oder unter kaiserlichem Einfluß erreichten wegen des habsburgisch-wittelsbachischen, aber auch des geistlich-weltlichen Gegensatzes keine entsprechende Bedeutung, nachdem 1534 der Schwäbische Bund aus den gleichen Gründen und unter dem Einfluß der Reformation nicht mehr verlängert werden konnte. Das politische Gewicht des Schmalkaldischen Bundes zeigte sich vor allem bei der Durchsetzung des Nürnberger Religionsfriedens, den Karl im Zeichen der Türkenbedrohung 1532 gewährte, und bei der Rückführung Herzog Ulrichs von Württemberg 1534.
Das Konzept der Gründungsurkunde zeigt den tätigen Anteil des Landgrafen Philipp an der Gründung des Bundes, der sich in seinen eigenhändigen Glossen äußert. Die Solidarität der Evangelischen wird von ihm zur konfessionellen Ausschließlichkeit erweitert, als er durch Einfügung den Kreis der Aufzunehmenden auf denjenigen beschränkt, *der das hailig evangelion angenommen.* Ausdrücklich fügt er auch die Bindung der Untertanen und »Verwandten« ein und die nochmalige Verpflichtung, Konflikte mit den Institutionen und Mitteln des Bundes zu lösen.

E. Fabian, Die Entstehung des Schmalkaldischen Bundes und seiner Verfassung 1524/29-1531/35, 2. Aufl. 1962 (Abdruck des Textes S. 347-353). V. P.

275 Von Anfang an hatte der Schmalkaldische Bund auch eine militärische Zielsetzung.

Entwurf der Schmalkaldischen Bundesfahne
Michael Müller, 1542
Federzeichnung, 30,5 × 42 cm
Marburg, Hessisches Staatsarchiv, Best. 3 (Pol. Arch.) Nr. 616, f. 73

Die Fahne zeigt den Bund als Summe seiner Glieder: Sie nimmt alle Wappen auf, die in traditioneller ständischer Reihenfolge geordnet sind. Die beiden Bundeshäupter Kursachsen und Hessen sind besonders hervorgehoben, danach in mittlerer Größe Fürsten und Grafen, kleiner die Reichsstädte, zu denen auch Bremen, Hamburg, Magdeburg, Braunschweig, Einbeck, Hannover, Göttingen und Minden treten. Die Umschrift lautet: ALLE.MENSCHEN.VND.ALLER.MENSCHLICHE.GERECHTIGKEIT.IST.WIE.EIN.BLVM.DAS.GRAS.VORDORRET.DIE.BLVM.FELLT.AB.ABER.DAS.WORTT.DES.HERREN.BLEIBT.IN.EWIGKEIT. Als sich der Schmalkaldische Bund im Dezember 1531 in Frankfurt eine Bundesverfassung gab, schwebte ihm als Modell der Schwäbische Bund vor. Sachsen und Hessen waren gleichberechtigte Bundeshauptleute: Sie führten im Bundesrat je zwei, die ober- und niederdeutschen Städte gleichfalls je zwei Stimmen, die übrigen Fürsten je eine. Bundessteuern wurden erhoben, eine Bundes-

276

kasse errichtet, für die Aufstellung von 12 000 Mann für den Ernstfall sogar ein Vorrat angestrebt. Die Verbindung von Reichsfürsten und Reichsstädten unter konfessionellem Vorzeichen war eine beachtliche Leistung Philipps von Hessen und des Straßburger Stettmeisters Jakob Sturm. Eine noch stärkere Zusammenfassung, wie sie vor allem Philipp von Hessen anstrebte, gelang freilich nicht – die geographische Ausdehnung, aber auch die unterschiedlichen reichspolitischen Tendenzen bei dem vorsichtigeren Sachsen und dem offensiveren Hessen behinderten das Bündnis. In Norddeutschland war der Bund stark genug, 1542 die Vertreibung des katholischen Herzogs Heinrich von Braunschweig-Wolfenbüttel, eines entschiedenen kaiserlichen Anhängers, durchzusetzen und in seinen Landen die Reformation einzuführen. Der Bund zeigte deutliche Ansätze zu einer Sondergewalt im Reich; aber sie prägten sich nicht mehr so aus wie auf dem Höhepunkt des Schwäbischen Bundes. Dies lag nicht nur am Respekt einzelner Stände vor dem Kaiser, der hier im gegnerischen Lager stand, sondern auch an der Verfestigung der Reichsverfassung: In den 1540er Jahren tagten die Schmalkaldischen Bundesglieder häufig parallel zum Reichstag, dessen Gewicht sie nicht einfach ignorieren konnten.

F. Petri, Nordwestdeutschland im Wechselspiel der Politik Karls V. und Philipps des Großmütigen von Hessen. In: Zs. des Vereins für hessische Gesch. und Landeskunde 71, 1960, S. 37-60.

V. P.

276 Erzherzog Ferdinand steht seit 1531 als römischer König neben Karl V.

Bildnis König Ferdinands
Barthel Beham, 1531
Kupferstich, 20,5 × 13,1 cm. Oben rechts Monogramm BB (ligiert), unten auf einer gerahmten Tafel die Inschrift: PROXIMVS.A.SVMMO.FERDINANDVS.CESARE.CARLO/ REX.ROMANORVM.SIC.TVLIT.ORA.GENAS/ AET.SVAE.XXIX/ANN.M.D.XXXI (Dem allerhöchsten Kaiser Karl der Nächste, Ferdinand, Römischer König. So waren jetzt seine Züge im Alter von 29 Jahren im Jahre 1531)
Nürnberg, Germanisches Nationalmuseum, St. Nbg. 486

Die Wahl Erzherzog Ferdinands 1531 war belastet durch die konfessionellen Konflikte. Das evangelische Sachsen erkannte sie nicht an, aber auch das katholische Bayern suchte sie zu verhindern. Es war in der Tat etwas Neues, daß der Bruder eines Kaisers die römische Königswürde erhielt, zumal Karl V. seit 1527 einen Sohn, Philipp, hatte. Aber die Notwendigkeit eines voll legitimierten Vertreters hatte sich herausgestellt – und dazu war der kleine Sohn nicht brauchbar. Inzwischen hatte sich auch Ferdinands Stellung verstärkt, nicht nur, daß er als Erbe seines 1526 gefallenen Schwagers Ludwig zum König von Ungarn und Böhmen gewählt worden war – in Ungarn freilich um den Preis langjähriger Auseinandersetzungen mit den opponierenden Adelsgruppen. Damit war Ferdinand zugleich mit dem Problem der Türkenkriege befaßt, die im Reich immer mehr Furcht erregten. Vor allem aber war der neue König immer stärker in den Kreis der deutschen Fürsten hineingewachsen, stand ihren Interessen näher als der Kaiser und spielte so eine Mittlerrolle. Als Kenner der deutschen Verhältnisse errang er eine Sonderstellung, die er allmählich ausbaute. Beham zeichnete König Ferdinand und Kaiser Karl V. womöglich 1530 in München, als sie sich auf dem Weg zum Augsburger Reichstag dort aufhielten. Die Kupferstichporträts beider Potentaten entstanden im folgenden Jahr. Gemalte Varianten kommen vor, so in den Bayerischen Staatsgemäldesammlungen (Inv.Nr. 6832). Im Bildtypus verwandt sind die von dem Niederländer Jan Vermeyen geschaffenen Porträts König Ferdinands, vgl. dazu Hilger.

A. Kohler, Antihabsburgische Politik in der Epoche Karls V. Die reichsständische Opposition gegen die Wahl Ferdinands I. zum römischen König und gegen die Anerkennung seines Königstums (1524-1534), 1982. – W. Hilger, Ikonographie Kaiser Ferdinands I. In: Österreichische Akademie der Wissenschaften, Veröffentlichungen der Kommission für Gesch. Österreichs 3, 1969, Nr. 85. V. P.

277 Nach glanzvoller Präsentation verließ Kaiser Karl V. 1532 wieder Deutschland und weilte bis 1541 außerhalb des Reiches.

Bildnis Kaiser Karls V.
Jakob Seisenegger, 1532
Gemälde auf Leinwand, 205 × 123 cm. Zwischen Bein und Degen des Dargestellten Monogramm des Künstlers und Jahreszahl 1532
Wien, Gemäldegalerie des Kunsthistorischen Museums, Inv.Nr. A 114
Farbtafel Seite 81

Die erneut drohende Belagerung Wiens durch die Türken führte zum vorzeitigen Abbruch des Regensburger Reichstags am 1. September 1532. Da sich die Türken zurückzogen, ging Kaiser Karl V. über Wien weiter nach Bologna. Dort entstand sein Bildnis, das der österreichische Hofmaler Seisenegger im Auftrag König Ferdinands malte. Es ist das Muster eines Hofporträts: Marmor, Seidenvorhang und Jagdhund als wertsteigernde Beigaben, der Kaiser in ganzer Figur zugleich respektheischend und gelassen posierend, das Bild in venezianischer Öltechnik auf Leinwand gemalt. Kein Geringerer als Tizian fand hier die Vorlage für ein eigenes Werk (Madrid, Prado).
1532 schien Karl V. auf dem Höhepunkt seiner Macht zu stehen – aber zugleich zeigten sich deutlich ihre Grenzen. Er hatte die deutsche Situation nicht in seinem Sinne bereinigen können, ja sogar den Evangelischen eine Atempause zugestehen müssen, die sie zur inneren Konsolidierung nützten. Die zweite, diesmal neunjährige Abwesenheit vom Reich begünstigte die konfessionelle Verfestigung, die Ausbildung der evangelischen Landeskirchen, die Stabilisierung des großen Schmalkaldischen Bundes. Für den Kaiser standen bis 1541 die mediterran-westeuropäischen Probleme im Mittelpunkt seiner Politik. Gegen die Türken folgte dem siegreichen Angriff auf Tunis 1535 der mißlungene auf Algier 1541; der Feldzug in der Provence 1536/38 endete mit einem Kompromiß zwischen Karl V. und Franz I. Gegen Ende der 1530er Jahre setzte eine Rückwendung zur Reichspolitik ein – immer deutlicher wurde, daß die Zeit gegen Karl arbeitete, daß er nicht endlos zuwarten konnte, ohne daß mit der Stellung der alten Kirche die eigene entscheidend geschwächt wurde, die er so eng mit jener verbunden hatte. Diese Konstellation führte den Kaiser schließlich dazu, den Weg einer kriegerischen Entscheidung zu suchen.

H. Lutz (Hrsg.), Das römisch-deutsche Reich im politischen System Karls V., 1982. – A. P. Luttenberger, Glaubenseinheit und Reichsfrieden. Konzeptionen und Wege konfessionsneutraler Reichspolitik (1530-52) (Kurpfalz, Jülich, Kurbrandenburg), 1982. – K. Löcher, Jakob Seisenegger, 1962, S. 32-40, Kat. Nr. 35. – H. Froning, Die Entstehung und Entwicklung des stehenden Ganzfigurenporträts in der Tafelmalerei, Diss. Würzburg 1971 (1973). V. P./K. L.

VIII. Die reformatorische Volksbewegung im Bilderkampf

Konrad Hoffmann

Seit Luthers Ablaßthesen und verstärkt seit seinem Auftreten vor dem Wormser Reichstag wurde sein tiefgreifender Angriff auf die Kirche zur entscheidenden politischen und gesellschaftlichen Auseinandersetzung in Deutschland. Das aktive Interesse an den allgemeinen Fragen der Zeit stieg bei weiten Volksschichten, vor allem dem Stadtbürgertum, gewaltig an. So erhöhte sich das Bedürfnis nach informierender, bekenntnishafter und mobilisierender Artikulation einer öffentlichen Meinung. Von den städtischen Zentren der Periode aus – von Basel, Augsburg, Nürnberg, Straßburg, Wittenberg, Erfurt und weiteren Orten – kamen geistliche und nichtgeistliche Autoren und Künstler diesem Bedürfnis entgegen und fanden für ihre Arbeiten bei den großen Verlags- oder Druckhäusern und vielen handwerklichen Werkstätten, bei Buchmalern und Formschneidern bereitwillige Aufnahme. In rascher Folge und mit aktuellem Situationsbezug publizierten sie eine Flut von Einblattdrukken und Broschüren, sogenannte Flugschriften und Flugblätter.
Bei der Ausbreitung der Reformation griffen mündliche, schriftliche und bildliche Formen der Vermittlung in neuartiger Weise intensiv ineinander. Am deutlichsten ist die Veränderung bei den Druckerzeugnissen quantitativ zu fassen. Zusammen mit der Ablösung des Lateinischen durch Deutsch kennzeichnen die anwachsende Zahl der Titel und die Erhöhung der Auflagenzahlen die Entwicklung. So wurden zu Beginn des 16. Jahrhunderts im Jahr durchschnittlich 40 deutsche Titel gedruckt, wogegen sich für 1519 schon mindestens 111 und für 1523 sogar mindestens 498 nachweisen lassen. In der von Rolf Engelsing erarbeiteten Statistik bezeichnen die Jahre 1523-24 den Höhepunkt. Hier ist eine etwa tausendfache Steigerung der Bücherzahlen gegenüber 1517 erreicht. Darin sind alle Erscheinungsformen des Tagesschrifttums umfaßt. Im Rahmen der damaligen Gebrauchsliteratur waren dies vornehmlich Flugschriften und Flugblätter mit einem breiten Spektrum literarischer Gattungen, Muster und Stilmittel: neben Predigten besonders Prosadialoge in Gesprächsbüchlein, Briefe, Sendschreiben, Spruchgedichte, politisches Lied, Pasquille und Satire, Parodie und Fabel u. a.
Bei der Meinungsbildung und Verständigung innerhalb der reformatorischen Bewegung sind die wichtigsten Literaturformen, Flugschrift und Flugblatt, nach der Gebrauchssituation zu einem großen Teil aus mündlicher Vermittlung hervor- und wieder in sie eingegangen. Dieser Sachverhalt wurde erst in jüngster Zeit, vor allem von Robert Scribner, detailliert dargelegt. Predigt und Lied stehen dabei nur stellvertretend für den weitverzweigten Bereich dieser Kommunikation in geselligem Gespräch und öffentlicher Disputation an den verschiedensten Treffpunkten im städtischen Alltagsleben, im Gasthaus und beim Kirchgang, auf Marktplatz und Straße, bei der Arbeit gleicherweise wie durch Ausruf und Verkündigung von Rathaus und Kanzel.
Die Lektüre des Tagesschrifttums beschränkte sich daher keinesfalls auf stilles Lesen durch einzelne, sondern war weitgehend Vorlesen und forderte die inhaltliche Diskussion in größeren Zuhörergruppen. Diese zeitgenössische Verwendung wird in den Veröffentlichungen selbst mehrfach angesprochen.
Mit der Massenproduktion der Gebrauchsliteratur, der Verwendung der Volkssprache, der Verschränkung zwischen gedrucktem und gesprochenem Wort hängt der andere große Wirkungsfaktor der Reformationspropaganda vielfältig zusammen, das Bild. Ja, innerhalb der reformatorischen Öffentlichkeit und für das Verständnis der neuen Lehre beim Gemeinen Mann spielte die Illustration des Titelblattes in einer Flugschrift und vor allem der graphische Bestandteil eines Flugblattes, die Bebilderung durch einen Holzschnitt, eine entscheidende Rolle. Die visuelle Erfassung des im Text ausgeführten Gedankens durch Betrachten und »Lesen« des Bildes war bei einer wesentlich breiteren Bevölkerungsschicht eingeübt als die Lesefähigkeit, die für unseren Zeitraum mit fünf bis höchstenfalls zehn Prozent angenommen wird. Hierin wirkte sich die kirchliche Überlieferung aus. Denn die meisten Menschen waren im Lesen verschlüsselter Bildzeichen, mit der Umsetzung geläufiger Erfahrungsgegenstände in Allegorien, in der Kirche unterwiesen worden. Mit der Wendung an den Gemeinen Mann aber unterstützte das Bild als situationsbezogenes Kampfmittel der Massenkunst in der Reformationsphase von 1517-1525 eine negative Charakterisierung dieser alten Kirche selber.
Der Einsatz signifikanter Bildzeichen wurde im komplexen Zusammenspiel von Sprechen, Hören, Schauen, Lesen, Streitgespräch und Handeln zu einem wesentlichen Instrument der reformatorischen Propaganda. Schlagwort und »Schlagbild« (Warburg) ergänzten sich in der Breitenwirkung auf den Gemeinen Mann. Dabei traten die zentralen theologischen Gehalte der evangelischen Lehre zunächst zurück hinter der erhöhenden Darstellung Luthers als Leitfigur und als Antipode des Papstes, des zum Antichrist mythisch gefaßten Feindbildes. Aus der aktuellen Frontstellung der Evangelischen zur römischen Kirche erklärt es sich, daß Kritik und Selbstdarstellung zugleich in antithetischen Bildkonzepten vorgetragen wurden. Mit schematisch vereinfachten Gegenüberstellungen konnte das Verhältnis zwischen altem und neuem Glauben, ein theologisch differenzierter Komplex, propagandistisch wirksam vermittelt werden. Die Bilderfindungen nahmen in vielerlei Weise Rücksicht auf den Erwartungshorizont des Gemeinen Mannes: mit der Darstellung der gegenwärtigen Auseinandersetzungen im biblischen Gleichnis, durch die Nutzung mittelalterlicher und aktuell geläufiger Vorlagen, bei der Aufnahme bildhafter Vorstellungen und Zeichen aus der Laienfrömmigkeit und der Volkskultur. Darin traf sich der Motivkreis der »Verkehrten Welt«, des Narren und des Karneval mit der breit verwendeten Bildtechnik der Satire.
Nach diesen Themenschwerpunkten: Luther, Kirchenkritik, alter und neuer Glaube, Gemeiner Mann ist die Abteilung untergliedert. Die ausgestellten Flugblätter und -schriften sind notwendig aus ihrem spezifischen Entstehungs- und Gebrauchszusammenhang gelöst; neben der historischen Distanz insgesamt verhindert es die beschriebene Verzahnung der Medien, daß

man Reformationspropaganda adäquat ausstellen kann. Zur gegenständlichen Ergänzung sind andere Bildträger des Glaubenskampfes wie die Medaillen (vgl. Kat. Nr. 635/36) und Maskeraden (Schembartlauf: vgl. Kat. Nr. 577) mit heranzuziehen. Bei der Graphik selbst war auch ihre ursprüngliche Verbreitung als Massenware kaum zu vermitteln. Innerhalb der einschränkenden Bedingungen jedoch kann die reformatorische Bildpropaganda mit ihrer optisch suggestiven Durchdringung religiöser und aktuell-gesellschaftskritischer Thematik auch heute vergegenwärtigen, welche Anstöße von Luthers Auftreten in die Öffentlichkeit ausgingen. K. H.

A Luther im Kampfbild

Die frühe Reformationspropaganda konzentrierte sich stark auf die Person Luthers. Zahlreiche Bildnisse zeigen ihn als Mönch, als Doktor oder als Bibelübersetzer. Im Umkreis des Wormser Reichstags wird der Reformator, öfters zusammen mit Hutten, als Vorkämpfer »christlicher Freiheit« hingestellt. Wegen seiner Rückwendung zur evangelischen Lehre verklärt man ihn mehr und mehr zum »göttlichen Boten« oder »Propheten« in größerem heilsgeschichtlichem Rahmen.
Mit dem Zitat überlieferter Darstellungsformen legitimiert die Bildpublizistik den Wittenberger »Mann Gottes« und wirbt so im Meinungskampf um das altkirchlich geprägte Publikum. Andererseits führt die Personalisierung des Kampfes zunehmend zur Bildkarikatur der Gegner als Tiere und dämonische Monstren. Entsprechend werden auch Motive der zeitgenössischen Narrenliteratur und das mythische Teufelsbild zu einer satirischen Hauptwaffe der papstkirchlichen Reaktionen: Hier will man vor allem durch Aufdecken innerer Widersprüche den Reformator als verderblichen Irrlehrer und politisch gefährlichen Aufrührer erscheinen lassen. K. H.

278 Wie Luther ging Hutten 1521 dazu über, Schriften zu aktuellen Fragen in deutscher Sprache zu veröffentlichen. Die Übersetzung seiner lateinischen Streitgespräche löste die bald unübersehbar anschwellende Publikationsflut reformatorischer Dialoge aus.

Ulrich von Hutten, ›Gesprächbüchlin‹
Straßburg: Johann Schott 1521
4°. 90 Bll. Mit Titelblatt von Hans Baldung Grien
Straßburg, Bibliothèque Nationale, R 102759

Luthers Lehre wurde zuerst in humanistischen Gruppen lebhaft aufgenommen und verbreitet. Ulrich von Hutten verknüpfte dabei die politische Freiheitsparole seines antirömischen und ritterschaftlichen Kampfes mit Luthers geistlichem Freiheitsbegriff. Diese Verbindung hat in Huttens schriftstellerischem Eintreten für Luther besonders um den Wormser Reichstag eine breite Wirkung erzielt. War ein Doppelbildnis, das Luther und Hutten als *Propugnatores Christianae et Germanicae libertatis* (Vorkämpfer christlicher und deutscher Freiheit) darstellt, für die Humanisten bestimmt, so nutzt Huttens ›Gesprächsbüchlin‹ gezielt die Volkssprache.
Hutten war bei einem Aufenthalt in Italien und mit der Entdeckung von Lorenzo Vallas Nachweis der »Konstantinischen Schenkung« als mittelalterlicher Fälschung in seiner Kirchenkritik bestärkt worden. In den im April 1520 ursprünglich lateinisch erschienenen ›Dialogi‹, deren einzige deutsche Ausgabe hier vorliegt, prangerte er den üppigen Lebenswandel und die Unsittlichkeit der Geistlichen wie besonders die Korruption an der römischen Kurie an. Bei Baldung rahmen vier Holzschnitte mit lateinischer Beschriftung die aufgeführten deutschen Titel. Denkmalhaft ganzfigurig erhöht erscheinen Luther und Hutten als Sprachrohr und Werkzeug des göttlichen Zorns, den die Landsknechte im Angriff auf die Kirchenführung »der Übeltäter« (ecclesia malignantium) umsetzen als Vorwegnahme des mit Franz von Sickingen geplanten »Pfaffenkrieges«. Die bildliche Unterscheidung, daß Luther unter Gott, Hutten unter David gerückt erscheinen, entspricht der Selbsteinschätzung in Huttens Brief vom 17. August 1521 an Luther: »darin unterscheiden sich unser beider Gedanken, daß die meinigen menschlich sind, während Du, als ein schon Vollkommener, ganz in Gottes Diensten stehst«. Mit dem die Zornespfeile schleudernden Gottvater zitierte Baldung das spätmittelalterliche Pestbild (vgl. Kat. Nr. 42). Während dort aber Maria und Christus dem Rachewillen Gottes an der schuldigen Menschennatur fürbittend entgegentreten, ist David hier anspornend mit Ps. 92,4 eingesetzt: »Steh auf, Du Weltenrichter, und strafe die Hochmütigen«. Das gemeinschaftliche Anliegen Huttens und Luthers wurde in der gleichzeitigen Tagesliteratur unterstützt. So formulierte Eberlin von Günzburg im 1. ›Bundtsgenosz‹ angesichts des Wormser Reichstags *Ein klägliche Klag an den christlichen Römischen Kayser Carolum, von wegen Doctor Luthers und Ulrich von Hutten* und erörtert er im 8. »Bundtsgenosz‹ *Warumb doctor Luther und herr Ulrich von Hutten teutsch schreiben.*

Ulrich von Hutten, Deutsche Schriften, hrsg. v. P. Ukena, 1970, Nachwort von D. Kurze. – Scribner, S. 34 f. K. H.

279

279

279 Die Ausbreitung der evangelischen Lehre erfolgt anfangs besonders in den Städten. Die Bildpresse verklärt diesen Vorgang allegorisch als triumphale Rückführung des Evangeliums durch Christus und die Reformatoren.

Hans Heinrich Freiermut, ›Triumphus Veritatis. Sick der warheyt‹
Flugschrift Zürich (?) 1524
4°. 32 Bll. Aufgeschlagen: Titelholzschnitte
Nürnberg, Germanisches Nationalmuseum, 8° Rl. 1713 Postinc. und HB 10931

Im Nürnberger Exemplar sind die beiden aneinandergeklebten Titelholzschnitte von der Flugschrift losgelöst, auf die sich die in die breitformatige Hauptdarstellung eingefügten Buchstaben A – L beziehen. Der 2034 Verse umfassende Text wurde 1524 in Zürich nach Selbstzeugnis von einem sonst nicht bekannten Nürnberger Hans Heinrich Freiermut geschrieben, dessen Familienname wahrscheinlich als Pseudonym und reformatorisches Freiheitsbekenntnis zu verstehen ist. Im hochformatigen Außenbild wird der durch Teufel gestützte Papst von Engeln aus dem Himmel heruntergestürzt und von der Halbfigur Christi als Antichrist verdammt; der Illustrator rezipierte über Cranachs Schlußbild im ›Passional‹ die zugrundeliegenden Muster des gestürzten Endchrist (Schedelsche Weltchronik), des eschatologischen Engelkampfes (Michaels Drachensieg in Dürers »Apokalypse«) und der Versuchung durch tierische Dämonen (Schongauers »Versuchung des hl. Antonius«). Die zweite Darstellung zeigt den Siegeszug Christi: Patriarchen, Propheten und Apostel tragen das als gotischen Schrein gebildete *Grab der heyligen Schrifft* unter dem Posaunenschall von Engeln und der *Dancksagung des gemeynen volcks* in eine Stadt. Rechts dahinter ziehen die von Luther und Karlstadt begleiteten Evangelistensymbole den Siegeswagen Christi, dem die *Dancksagung der heyligen Marterer* folgt, während vor ihm der reitende Hutten die in einer Kette gefangenen Kleriker als Beute präsentiert: hinter Papst und Kardinal die Front der Gegner Luthers in den publizistisch eingeführten Tiermasken: der Franziskaner Thomas Murner als Kater, Johannes Eck als Eber, Hieronymus Emser als Bock; dazu Lemp als Hund, Alveld als Esel, Hochstraten mit Ratte und der Konstanzer Generalvikar Johann Fabri als Hensel Schmidtknecht mit Hammer und Blasebalg. Die Anspielungen der Bildkomposition auf eine Herrscherankunft (»Adventus«), einen »trionfo« der zeitgenössischen Panegyrik, Christi Einzug in Jerusalem und die Rückführung der Bundeslade in die Heilige Stadt erklären sich aus einem unmittelbaren Vorbild, dem ›Triumphus Capnionis‹. Jene bekannte humanistische Glorifikation Reuchlins nach dem Dunkelmännerstreit war 1518 von Hutten und/oder Hermann von dem Busche unter dem lutherischen Pseudonym »Eleutherius Bizen« publiziert worden. Werden dort vor Reuchlin die gefangenen Feinde und ihre erbeuteten Waffen einhergeführt, so bezieht sich im ›Triumphus Veritatis‹ der Lobpreis auf Christus und das »Grab der Hl. Schrift«, das nach Ansicht des Dichters vom Papst, dem »römsch Türk«, heimlich den Christen gestohlen und ihnen von Luther zurückerobert wurde (V. 370-374):
Ich mein das grab die heilig Schrift, Die unser selen heil an trifft Das alt und auch neu

testament, Das billich würt ein grab genent Dan warlich drin vergraben ist Das götlich wort das Got selbs ist.

Die alte Christusbezeichnung als »Wort« wird in humanistischer Konzentration dem antiken Triumphbild zugeordnet und in der zweizeiligen Widmungsunterschrift Hermann von dem Busches als die unbesiegbare, vielmehr mit ihren Anfeindungen wachsende Kraft gefeiert. In der Erfindung des Titelholzschnittes ist das ikonologische Zitat des Reuchlin-Triumphs auf einen Gedanken Luthers angewendet, der der Flugschrift zugrunde liegt. Der Reformator hatte 1521 in seinem Traktat ›De abroganda missa privata‹ erzählt, er habe als Kind die Prophezeiung gehört, ein Kaiser Friedrich werde das Heilige Grab erlösen, und sie sei nun erfüllt worden durch seinen Kurfürsten Friedrich, der in Frankfurt einträchtig zum Kaiser erwählt worden sei, wenn er auch die Wahl abgelehnt habe, denn unter ihm sei die Heilige Schrift, in der die Wahrheit Christi lange begraben lag, wieder aufgetan worden, und dies sei geschehen in dem unscheinbaren Orte Wittenberg oder Weissenberg, dem deutschen Libanon (»Weisser Berg«). Diese Luthersche Allegorese wurde in der frühreformatorischen Publizistik intensiv aufgenommen und auch in der Bildpolemik rezipiert (vgl. Kat.Nr. 291). Von da her läge es nahe, die Stadt, die den Siegeszug des *Grabs der heyligen Schrifft* mit der *Dancksagung des gemeynen Volcks* empfängt, konkret auch als Wittenberg mitzuverstehen, um so mehr als in dem retrospektiven Bild der Wagen Christi ja von Luther und Karlstadt gemeinsam flankiert und unter dem äußeren Titelbild die Sachs'sche ›Wittenbergisch Nachtigall‹ (1523) programmatisch zitiert ist. Die Frage nach dem künstlerischen Entwerfer der komplexen Darstellung ist (wie für den ›Triumphus Capnionis‹) offen, seitdem die alte Zuschreibung an Urs Graf kaum mehr aufrecht erhalten wird.

O. Schade, Satiren und Pasquille aus der Reformationszeit, 2. Aufl. 1863, Bd. 2, S. 196-251 mit Anm. S. 352-373. – G. Stuhlfauth, Die beiden Holzschnitte der Flugschrift »Triumphus Veritatis. Sick der Warheyt« von Hans Heinrich Freiermut (1524). In: Zs. für Bücherfreunde, NF 13, 1921, S. 49-56. – Kat. Ausst. Reformation in Nürnberg, Nr. 155. – Scribner, S. 63-65.

K. H.

280

280 Zur frühesten und wirksamsten Gefolgschaft Luthers gehören Künstler. Ihre Lutherbilder gehen bald über den Porträtanspruch hinaus und erhöhen den Reformator mit Motivzitaten der Heiligendarstellung als den neuen Verkünder der Schrift.

Martin Luther unter der Taube
Hans Baldung Grien, 1521
Holzschnitt, 15,5 × 11,5 cm. Oben Inschrift: Martinus Luther ein dyener Jhesu Christi vnd ein widervffrichter Christlicher leer
Nürnberg, Germanisches Nationalmuseum, Mp 14682

Baldung, der sich in Straßburg früh der evangelischen Bewegung anschloß, steigerte in diesem ungewöhnlich erfolgreichen Holzschnitt ein Lutherbildnis Cranachs durch den betonten Himmelsblick und Be-

Außfürung der Christglaubigen auß Egyptischer finsterniß
menschlicher lere in das gnadenreich liecht des heyligen Euangelij / götlicher lere vnd warheyt.
D
G
F
H
E
INRI
A
C
B

281

teuerungsgestus des Reformators über der geöffneten Bibel, vor allem aber durch die Lichtglorie und die Geisttaube. Die ikonographischen Vorprägungen aus der mittelalterlichen Heiligendarstellung (besonders auch aus Baldungs früheren Illustrationen zu Erbauungsbüchern wie Ulrich Pinders ›Beschlossen gart‹, dabei einem Beter, der im Lichtstrahl unter der Geisttaube den Kruzifixus verehrt) setzen hier gegen die altkirchliche Praxis der Bibelverwaltung das neue evangelische Selbstbewußtsein unmittelbarer Erleuchtung der Glaubenden aus persönlicher Verbindung zum Gotteswort. Die Komposition wurde für Titel sowohl von Lutherschriften als auch von Berichten über sein Auftreten vor dem Wormser Reichstag mehrfach wiederverwendet, so auch zu Michael Stifels Schrift ›Von der christförmigen Lehre‹, die Luther in volksliedhaften Versen als den vom Sonnenaufgang her emporsteigenden Engel preist, der in der Vision der »Geheimen Offenbarung« (14,6) den Erdbewohnern das »Ewige Evangelium« verkündet. Die Darstellung Luthers als eines in göttlichem Auftrag handelnden Sendboten wurde in der Publizistik nach dem Reichstag zu einer Waffe im Kampf der Glaubenslager. So wollte eine nach Verkündigung des Wormser Edikts 1521 anonym herausgegebene Flugschrift als ›Ain schöner newer Passion‹ in Luthers Erscheinen vor den Fürsten die biblische Leidensgeschichte als den eigentlichen Gehalt des aktuellen Vorgangs sichtbar machen.

Ähnlich sprach wenig später Dürer von Luther als *dem frommen, mit dem heyligen Geist erleuchteten Mann ..., der do war ein nachfolger Christi und des wahren christlichen glaubens.* Explizit auf Baldungs Bild bezieht sich die Klage des Nuntius Aleander aus Worms: »So hat man ihn denn auch neuerdings mit dem Sinnbild des heiligen Geistes über dem Haupte und mit dem Kreuz oder auf einem anderen Blatt mit der Strahlenkrone dargestellt: und das kaufen sie, küssen es und tragen es selbst in die kaiserliche Pfalz« (Kalkoff, S. 58).

P. Kalkoff, Die Depeschen des Nuntius Aleander vom Wormser Reichstage 1521, 2. Aufl. 1897. – K. Schottenloher, Zs. für Bücherfreunde 4, 1912, S. 221-231. – Kat. Ausst. Baldung, S. 375 f. – Scribner, S. 18 ff. K. H.

281 Zwischen 1521 und 1525 prägten ein Flugschriftenkrieg und die entsprechende Verbreitung von Flugblättern die öffentliche Meinung. Bei dieser Publikationsdichte konnte man in einem einzigen Blatt Luther zugleich zum universellen Befreier heilsgeschichtlich mythisieren und eine lokal begrenzte Personalpolemik austragen.

Luther als Befreier
Monogrammist H, 1524
Flugblatt mit Holzschnitt und Typendruck, 59,1 × 24 cm
Speyer: Jakob Schmidt (Fabri) 1524
Berlin, Staatsbibliothek Preußischer Kulturbesitz, YA 128 gr

In Wort und Bild, die hier durch die Buchstaben A-H miteinander verklammert sind, wird Luther als Befreier des Volkes aus der »ägyptischen Finsternis« der alten Kirche gefeiert. Während das Volk, vom Reformator aus der Höhle geführt, den gekreuzigten Christus verehrt, wenden sich drei Herrschergestalten von Luther fort ins Dunkel; im Text wird dafür der Papst verantwortlich gemacht, der über der Höhle mit den Luthergegnern Eck, Emser, Cochlaeus, Fabri, Murner, Alveld und Lemp erscheint. Neben diesen zeitgeschichtlich bekannten Figuren, deren Tiermaskierung aus der evangelischen Bildpolemik vertraut ist, fällt wegen der ausführlichen Polemik im Text das Eichhorn auf, das auch in der Illustration direkt neben dem Kruzifix hervorgehoben ist. Wie in der gleichzeitigen Flugschrift ›Die Lutherisch Strebkatz‹ (O. Schade, Satiren und Pasquille aus der Reformationszeit, Bd. 3, S. 112-135, vgl. 123 f.) spielt das Tier auch hier auf Eucher, d. h., Eucharius Henner an, den geistlichen Richter des Speyerer Bischofs. Von der Druckerüberlieferung her läßt sich das Blatt nach Speyer in die Produktion Jakob Schmidts einordnen; von den reformationsgeschichtlichen Verhältnissen her ist es mit einem entschiedenen Gegenspieler Henners in Verbindung zu bringen und Johann Bader zuzuschreiben, dem 1523 von Henner verfolgten Reformator der nahegelegenen pfälzischen Stadt Landau. Im Text des Flugblattes entspricht der mehrfach verwendete Ausdruck *verleut, verschossen* der Verkündigung des gegen Bader erlassenen Bannbriefes, der am 17. April 1524 an den Speyerer Kirchentüren angeschlagen wurde. Zu den Böllerschüssen und Glockengeläut dabei bemerkt Bader in einer ›Appellation‹, daß er in drei

Wochen mehr als dreihundertmal »verläutet und verschossen« worden sei, während doch der Türke, der allerblutdürstigste Feind des Kreuzes Christi, in Rom nur einmal im Jahr »verläutet und verschossen« werde. In der weiteren Auseinandersetzung berührt der Text mit beißendem Hohn die Schwächen der altgläubigen Selbstverteidigung, das Fehlen publizistischer Reaktionen, die Verhinderung öffentlicher Dispute (wie in Basel mit Farel). Der Autor verbindet drastische Wortspiele *(Hans Schmydt der vicker von Costentz der vickt den Zwinglin mit fuchsschwentz)* mit humanistischer Belesenheit (z.B. *das d'warheyt neyd und hass gebiert:* nach Terenz *veritas odium parit;* bzw. *D'warheyt die verborgen lag: Veritas filia temporis*). Das Schlußmotto unter dem Text selber *Nolle mecum vaca* (sic!) ist als Aufforderung an den Leser zur Weitergabe bzw. zur Beherzigung des Gelesenen gemeint. In der Bildform erscheint das Modell der Höllenfahrt eingesetzt, bei der Christus die in der Hölle wartenden Menschen des Alten Bundes mit einem Griff an ihr Handgelenk befreit. Die Gleichsetzung der evangelischen Seite mit dem biblischen Prototyp der Offenbarung bezieht hier in der breit entwickelten Lichtmetaphorik Altes und Neues Testament gleichermaßen mit ein.

Geisberg, Nr. 927. – O. Clemen, Ein Spottgedicht aus Speier von 1524. In: ARG 5, 1907/08, S. 77-86. – Meuche-Neumeister, S. 116, zu Textabb. 11. K.H.

283

282 Nach zwei Generationen und abgeschlossener Konfessionsbildung kann die evangelische Seite auf Luther als Kirchenvater zurückblicken und ihn als »hl. Hieronymus« darstellen lassen.

Luther als Hieronymus im Gehäus
Monogrammist WS (Wolfgang Stuber?), um 1580
Kupferstich, 13,8 × 12,6 cm
Nürnberg, Germanisches Nationalmuseum, St.N 4493

Das Blatt vertritt die spätere Heraushebung Luthers unter den Hauptaspekten seiner Bibelübersetzung und des antipäpstlichen Kampfes. Der Künstler hat in einer seitenverkehrten und wesentlich verkleinerten Kopie nach Dürers Meisterstich den Reformator als hl. Hieronymus im Gehäuse dargestellt. In der Übernahme des berühmten künstlerischen Vorbildes wird Luther mit dem lateinischen Kirchenvater verglichen, der die maßgebliche Sprachfassung der mittelalterlichen Bibel schuf. Die Gestalt des Hieronymus war im deutschen Humanismus als die eines vorbildlichen Gelehrten zu Luthers Lebzeiten u.a. von Erasmus von Rotterdam und von Albrecht von Brandenburg beansprucht worden, der sich um 1525 von Cranach in Anlehnung an Dürers Stich porträtieren ließ (vgl. Kat.Nr. 164). Der angestrebten Beziehung zu Hieronymus wie zu Dürer wegen wurde es hingenommen, daß Luther in vorliegendem Stich von altkirchlichen Gegenständen wie einem Kardinalshut und Rosenkranz umgeben erscheint. Das Monogramm WS wird zumeist auf Wolfgang Stuber bezogen, einen schwer greifbaren Künstler, dem man zwischen 1547 und 1587 datierte Werke zugewiesen hat. Auch wenn man die Identifizierung mit Wolfgang Stuber offen läßt, kann man den Stich des WS gegen 1580 entstanden denken. Zwischen dem Wappen Luthers und dem des sächsischen Fürstenhauses ist das Wort des Reformators zitiert: »Im Leben war ich für Dich, o Papst, eine Pest, im Sterben werde ich Dein Tod sein« (WA 35, S. 597 f.), das in der späteren Lutherverherrlichung häufig sein Bildnis begleitet (in Nikolaus Reusners ›Icones‹ 1587 mit der zweiten Zeile: »Tritt jetzt ab und überlasse Christus Deine Stelle«: *I nunc, et Christum te super ipse loca*) und das die vom alternden Reformator angesichts seines Todes pointierte Frontstellung zum Papsttum weitergibt (vgl. Kat.Nr. 296 mit Luthers Selbstbezeichnung als *Antipapa,* 1538).

Kat. Ausst. Freiheit eines Christenmenschen, Nr. 152. – Kat. Ausst. Dürer through other eyes, Williamstown 1975, Nr. 22, S. 38-40. – Kat. Ausst. Vorbild Dürer, Nürnberg 1978, Nr. 186. – R. Jungblut, Hieronymus. Darstellung und Verehrung eines Kirchenvaters, Diss. Tübingen 1967. K.H.

283 In den Auseinandersetzungen der frühen Reformation werden die Hauptvertreter der altkirchlichen Opposition nachhaltig mit satirischen Tiervergleichen abgestempelt, die meist aus dem Namen oder dem Wappenbild hergeleitet sind.

Spottbild auf Luthers Gegner
Unbekannter Künstler, um 1521
Flugblatt mit Holzschnitt und Typendruck, 27 × 39,2 cm
Nürnberg, Germanisches Nationalmuseum, HB 15 079

Das nur in diesem Exemplar bekannte Blatt vereinigt die (mit Ausnahme Lemps) bedeutsamsten Gegner Luthers zur Zeit des römischen Prozesses in lange nachwirkenden Tiermasken: der Franziskaner Thomas Murner als Kater, Hieronymus Emser als

LVTHERVS.
In die illo uisitabit dominus in gladio suo duro & grandi & forti, super Leuiathan serpentem uectem,& super Leuiathan serpentē tortuosum,& occidet cetum qui est in mari.
Super aspidem & basiliscum ambulabis,& conculcabis leonem & draconem.
Abducas draconem in hamo, circumdabis capistrum naribus eius.
Leuiathan,de cui9 ore procedit ignis fumus,& sulphur.

284

Bock, Johannes Eck als Schwein und Johannes Lemp als Hund flankieren Papst Leo X. als Löwen vor einer prächtigen Bogenstellung, die hier wie in Behams »Höllenfahrt« (Kat.Nr. 290) die vatikanische Repräsentationsarchitektur kritisiert. Nach dem Textdialog lockt der Papst Eck mit Geld und Kardinalshut zur Niederwerfung Luthers und überreicht ihm, in einer Parodie feierlicher Belehnungsbilder, eine Münze. Mit dem Tod Papst Leos X. 1521 wird die Entstehungszeit des Blattes als aktualitätsbezogene Satire eingegrenzt. Die Gruppierung der Tiermaskierungen bildet den motivischen und kompositorischen Ausgangspunkt für mehrere polemische Illustrationen von 1524, das Flugblatt »Luther als Befreier«, das Titelbild der Flugschriften ›Triumphus Veritatis‹ und ›Lutherisch Strebkatz‹. Die Tiervergleiche, die in einem deutschsprachigen Vierzeiler unter jedem Dargestellten ausgeführt werden, gehen bei Emser vom Wappen, bei Eck von der Etymologie (Ecker-Eichel-Schweinefutter) und bei Murner von der Klangmalerei (Murnar-Miau-Kater) aus. Die für die reformatorischen Auseinandersetzungen insgesamt folgenreiche Tiersatire wird von zeitgenössischen Autoren z.B. in der ›Lutherisch Strebkatz‹ vor dem Hintergrund der Fabel- und Metamorphosenliteratur und nach biblischen Vorbildern gerechtfertigt (O. Schade, Satiren und Pasquille aus der Reformationszeit, Bd. 3, S. 112-114): *Verwunder dichs nit, lieber leser, dass du hie wilde und unflätige thiere siehst, als ein wolf, sau, bock, hunt, katz, schneck, rattenkönig, und hörest sie zu unsern zeiten reden – es seind leut irer natur, wesen, geberd und sitten nach abkonterfeiet, die des creuzes Christi, ja gemeines christelichen nutzes hauptfeind sind, die da wolten daß got nit wer, darmit nur ires gottes des bapstes und irer falsch ertichter gewalt sampt irer viehischen wollust beharren möcht.* Gegen diese tierisch maskierten bzw. entlarvten *gottlosen* ist am unteren Blattrand das lateinische Psalmzitat 118,89-90 als Bittruf um göttlichen Beistand gesetzt: die Perspektive des verfolgten Luther auf die Benutzer des Flugblatts solidarisierend übertragen.

Scribner, S. 74. – Kat. Ausst. Reformation in Nürnberg, Nr. 113. K.H.

284 Biblische Tierbilder verstärken die geläufigen Spottvergleiche. So macht das Leviathanzitat den Kater Murner zum Drachen der Endzeit.

Matthias Gnidius, ›Murnarus Leviathan vulgo dictus Geltnarr‹
Straßburg: Johann Schott 1521
4°. 16 Bll. 6 Holzschnitte. Aufgeschlagen: fol. Dii^{v}
Nürnberg, Germanisches Nationalmuseum, 8° Rl. 1728 Postinc.

Die Flugschrift gehört in einen weiteren Umkreis oberrheinischer Satiren gegen den Franziskaner Thomas Murner, die 1520/21 unter verschiedenen Pseudonymen (Matthias Gnidius, Raphael Musäus) erschienen. Trotz der deutlichen Verbindungen zur »Dunkelmänner«-Fehde haben sich die Drucke bisher nicht schlüssig bestimmten Verfassern zuweisen lassen. Aus der Umgebung von Reuchlin und Hutten spielen in der literaturgeschichtlichen Forschungsdiskussion die Namen von Nikolaus Gerbel und Crotus Rubeanus eine besondere Rolle.
Im ›Murnarus Leviathan‹ werden mit derbem Spott die Geldgier, der Lebenswandel und Predigtstil des prominenten Straßburger Luthergegners verhöhnt. Neben kleineren Textillustrationen weist die Schrift einen anspruchsvollen Titelholzschnitt auf: Mit vorgehaltener Bibel triumphiert Luther über Murner, der als Drache Leviathan mit Katzenkopf unter ihm Gift und Feuer speit. Mit bildlicher Anspielung auf die traditionelle Siegesgruppe der Apokalyptischen Frau über dem Drachen und mit

mehreren lateinischen Bibelzitaten wird der Konflikt der beiden Theologen nachdrücklich stilisiert. Der hier wiederverwendete Typus der ganzfigurigen Lutherdarstellung (vgl. Huttens »Gesprächbüchlin«, Kat.Nr. 278) entspricht einer in vielen frühreformatorischen Flugschriften verfolgten Tendenz zur Heroisierung des Reformators. Die Darstellung Murners als des endzeitlichen Drachens konnte an seine von dem Mönch selbstironisch aufgebrachte klangmalerische Namensparodie als Kater anknüpfen.

O. Clemen (Hrsg.), Flugschriften aus den ersten Jahren der Reformation, Bd. 4, 1911. – P. Merker, Der Verfasser des Eccius dedolatus und anderer Reformationsdialoge. Mit einem Beitrag zur Verfasserfrage der Epistolae obscurorum virorum, 1923, S. 32-49. – G. Hess, Deutsch-lateinische Narrenzunft, 1971, S. 110, 137-140. – Scribner, S. 24. K. H.

285 Die altkirchliche Verteidigung benutzt die verbreitete Narrenliteratur, um ein breites Spektrum aktueller Verunsicherung gegen Luther als falschen Propheten und Umstürzler zu mobilisieren.

Thomas Murner, ›Von dem großen Lutherischen Narren wie in doctor Murner beschworen hat‹
Straßburg: Johann Grüninger 1522
4°. 112 Bll. 58 Holzschnitte (unvollständig)
Nürnberg, Germanisches Nationalmuseum, 8° L. 1967 Postinc.

Der oberrheinische Franziskaner Thomas Murner (1475-1537) hatte als weitgereister Gelehrter und »poeta laureatus« (lorbeergekrönter Dichter) erfolgreiche Werke besonders der Narrenliteratur veröffentlicht (›Narrenbeschwörung‹; ›Geuchmatt‹), bevor er zum wortgewaltigsten Verteidiger der alten Kirche gegen Luther wurde. Mit dem Blick auch auf ein künftiges Konzil plante er eine Sammlung von 32 lateinischen und deutschen Schriften gegen die Reformation, von denen er jedoch nur sechs deutsche Titel bei Grüninger in Straßburg publizieren konnte. Im schnell verschärften frühreformatorischen Meinungskampf hatte sich der Widerstand gegen ihn in einer solchen Dichte anonymer Flugschriften und Spottbilder entladen, daß er keinen Verleger mehr fand und sogar mit seinem Anerbieten zu öffentlichen Disputationen ignoriert wurde. In der Vorrede des ›Lutherischen Narren‹ erwähnte Murner die vielfältigen satirischen Feldzüge, die gegen ihn geführt wurden: *Deßgleichen haben auch gethon on zweiffel im (sc. Luther) zu gefallen unzeliche büchlinschreiber mit verborgnem namen und mir so vil schand und laster in aller tütschen nation zu gelegt mich für des babsts geiger uß geben ein katz und ein drachen uß mir gemacht ein bruch in beide hend geben gemalen behoblet das ich kum glaub das ein glid an meinem leib sei das sie nit glosiert und beschriben haben mit anzögung aller meiner daten, so ich je begangen hab, seit ich in der wagen lag.* So erzielte denn seine satirische Hauptschrift ›Von dem großen Lutherischen Narren‹ wegen der sofort bei ihrem Erscheinen Dezember 1522 erlassenen Zensurmaßnahmen nicht die erwartete große Wirkung auf beiden Glaubensseiten. Die umfangreiche Dichtung (c. 4 800 Verse) ist bei aller lockeren Bilderfülle in drei sich überlagernde Handlungsschichten gegliedert: 1. der an sein früheres Werk anknüpfenden Beschwörung des allegorischen ›Großen Narren‹ – eine Aufnahme magischen Rituals in die Satire bei anschaulichster Vergegenwärtigung eines Fastnachtspopanz, 2. der Parodie der ›Fünfzehn Bundtsgenossen‹ des ehemaligen Ulmer Franziskanerpredigers Eberlin von Günzburg und dem daraus entwickelten kriegerischen Erzählschema von Sturm und Fahnenraub (der berühmten, immer wieder reproduzierten Verspottung der evangelischen Ziele in den »Spruchfahnen« mit »Evangelium«, »Wahrheit« und »Freiheit«) mit konkreten Repliken auf die evangelischen Gegner, auch Michael Stifel, 3. der anspielungsreichen Familienkomödie, in deren Verlauf Murner als erfolgreichster Narr durch die Vermählung mit Luthers Tochter belohnt wird! Die durch den Druck hervorgehobenen Zwischenüberschriften der Kapitel bzw. im letzten Drittel der Szenen werden durch Illustrationen begleitet, die Murner wie in anderen Werken selber entworfen hat – ein Hinweis auf die vielseitige Persönlichkeit und sein als kulturgeschichtliche Quelle unerschöpfliches Buch.

Ausgabe: Th. Murners Deutsche Schriften, hrsg. v. P. Merker, Bd. 9, 1918. – J. Schutte, »Schympff red«. Frühformen bürgerlicher Agitation in Thomas Murners »Großem Lutherischem Narren« (1522), Germanistische Abhandlungen 41, 1973. – M. Sondheim, Die Illustrationen zu Thomas Murners Werken. In: Elsaß-Lothringisches Jb. 12, 1933, S. 5-81. K. H.

285

286 Beide Glaubensparteien nähern den Gegner den zeitgenössischen Teufels- und Höllenvorstellungen an und schüren damit Angst und Endzeitstimmung. Vor diesem Hintergrund können sie sich nachdrücklich als Bewahrer, Warner oder Retter empfehlen.

Luthers Ketzerspiel
Unbekannter Künstler und Textverfasser, 1520 oder etwas später
Flugblatt mit Holzschnitt und Typendruck, 38,8 × 27,7 cm
Zürich, Zentralbibliothek, PAS II 7/1

Der unbekannte Textautor warnt als »treuer Eckart« vor den religiösen, sozialen und politischen Folgen aus Luthers Auftreten, die er als Verachtung von Gott und Obrigkeit, Ausbruch der Zwietracht und Herrschaft des Eigennutzes vorhersagt. Die Illustration zeigt den Reformator im Pakt mit dem Teufel als Koch zu Seiten eines auf dem Höllenfeuer mit allen Listen, Todsünden und Lastern dampfenden Topfes. Die Selbstbezeichnung des Schreibers als »einfältig« ist ebenso ein verbreitetes publizistisches Wirkungsmittel wie die Anfügung zusammenfassender Sentenzen in lateinischer Sprache, die ihr widerspricht. Auch die in der ersten Zeile auffällig hervorgehobene Jahreszahl, die zumeist unbesehen als Entstehungsdatum des Blattes gilt, kann ähnlich verstanden werden, als Rück-

286

datierung. Denn ein Zustand, der angeblich *on alles gefar* war, hebt sich von der aktuellen Beunruhigung des Publikums, mit der der Text ja rechnet, nostalgisch ab und gibt der eigenen Warnung den Anschein gereifter Erfahrung. In jedem Falle aber vertritt das Flugblatt eine frühe Phase in der publizistischen Reaktion der alten Kirche auf Luther. Das Titelthema »Ketzerspiel« ist in dem graphischen Hauptmotiv ebensowenig entfaltet wie umgekehrt der schwarze Vogel auf Luthers Schulter im Text aufgegriffen erscheint. Raben als Unglücksboten stellen ein geläufiges Motiv dar, und die sinnverwandten Elstern dienen in der Reformationspolemik (eines Gothaer Flugblatts von 1524) zur Verspottung der Mönche als Folie zu Luther, der ›Wittenbergisch Nachtigall‹ (1523): *Eyn ander vogel yetzund singtt In aller welt seyn thon erklingtt* (Meuche, T. 38). In einer Variante unseres Blattes (in Berlin) ist Luther bärtig gezeigt, als Verweis auf »Junker Jörg« von 1521-22, und der Rabe durch eine Heuschrecke ersetzt, womit wohl auf die in der »Geheimen Offenbarung«, Kap. 9 geschilderte Plage angespielt und Luthers Ritterrüstung mit dem dort betonten Eisenpanzer der Heuschrecken verglichen wird (vgl. Cranachs Illustration im ›Septembertestament‹ 1522).

Geisberg, Nr. 1579. – Scribner, S. 229 ff. K. H.

287 Mit Hilfe von Zitatmontagen weist man dem Gegenlager Widersprüche nach und diffamiert man den Konkurrenten in den Augen des umworbenen Publikums.

Martinus Luther Siebenkopff
Hans Brosamer, 1529
Titelholzschnitt zu: Johannes Cochlaeus, ›Sieben Köpffe Martini Luthers‹, Leipzig: Valentin Schumann 1529. 4°. 26 Bll.
Nürnberg, Germanisches Nationalmuseum, 8° Rl. 2773 Postinc.

Cochlaeus, einer der Wortführer der altkirchlichen Opposition gegen Luther, hat in der 1529 zugleich lateinisch und deutsch herausgegebenen Schmähschrift den Reformator als vielköpfigen Irrlehrer mit zahlreichen Widersprüchen hingestellt. Der Titel der Schrift ›Martinus Lutherus Septiceps‹ bzw. ›Martin Luther Siebenkopff‹ erscheint in der Illustration wirksam umgesetzt. Dem aus der evangelischen Darstellungsweise Luthers ironisch entnommenen Bild des Mönchs mit Buch sind sieben verschiedene Gesichter mit Benennung zugeordnet: der *Doktor* mit Hut; *Martinus* in Mönchskutte (in satirischer Abweichung von dem altkirchlichen Heiligen, einem Bischof); *Lutther:* ein Türkenkopf, zur Verspottung des »Ungläubigen«; *Ecclesiast:* mit Priesterbarett; *Schwirmer:* ein aufgewühlter, von Wespen umschwärmter Kopf; *Visitirer:* als Hohn auf den gegenpäpstlichen Kirchenführer; *Barrabas:* der Vergleich mit dem Räuber, den Pilatus auf den Wunsch des Volkes an Stelle Christi begnadigte, als Faun-Typus mit Keule, im Sinne der verbreiteten Beschuldigung Luthers als Anstifters der Bauernerhebung.
Der Hinweis auf die Widersprüche beim Gegner spielt in der antilutherischen Propaganda eine zentrale Rolle bis hin zur gegenreformatorischen Publizistik der Ingolstädter Jesuiten.
Cochlaeus nutzt Erinnerungen an klassische und biblische Monstren zur Diffamierung Luthers. Das Bild eines vielköpfigen Riesendämons, wie es Holbein in einer Randzeichnung zum ›Lob der Torheit‹ des Erasmus von Rotterdam aufgegriffen hatte, überlagert sich mit dem siebenköpfigen

Tier der Apokalypse, das in einem wenig später veröffentlichten Flugblatt von evangelischer Seite antipäpstlich verwendet wurde (vgl. Kat. Nr. 294). Wie dieses Blatt als Reaktion auf Cochlaeus' ›Siebenkopff‹ gilt, finden sich daneben auch ausdrückliche reformatorische Personalinvektiven gegen den altkirchlichen Theologen (Scribner, S. 85), der im gleichen Jahr auch einen »Martinus Lutherus Biceps« auf das Titelbild einer anderen Streitschrift setzen ließ, den ›Dialogus de bello contra Turcas‹ und dabei in den Kopftypen und der Keule (»Palinodus Lutherus«) den »Siebenkopff« variierte.

F. Machilek, Johannes Cochlaeus. In: G. Pfeiffer (Hrsg.), Fränkische Lebensbilder 8, 1978, S. 51-69. – R. Bäumer, Johannes Cochläus, 1980. – Scribner, S. 232 f. K. H.

287

B Kritik an der römischen Kirche

Für die lutherische Seite wird die Kritik an der römischen Kirche zu einem hauptsächlichen Thema der Bildpolemik. Aus evangelischer Grundorientierung setzt man hierbei demonstrativ biblische Vergleichsrahmen ein. Damit soll die zeitgenössische Lage der Kirche vor dem Hintergrund ihrer Frühzeit beleuchtet werden. Ikonographische Überlieferungen der spätmittelalterlichen Kirche und Frömmigkeit werden daher satirisch gegen Rom und vor allem gegen die Situation des Papsttums aktualisiert; so will man die alte Kirche mit deren eigenen Waffen angreifen. Die Publizistik bezieht in ähnlicher Weise die beim umworbenen Publikum geläufigen astrologischen Endzeiterwartungen ein und verbreitet politisch lesbare Ausdeutungen ungewöhnlicher Naturerscheinungen (Mönchskalb). Bei der graphisch vielfältigen Auseinandersetzung mit der Ablaßpraxis und dem kirchlichen, vor allem klösterlichen Lebenswandel artikulieren die Flugblätter konkrete wirtschaftliche und soziale Probleme der damaligen Stadtbürgerschaft im Blick zumeist auf die Ordnungsinteressen ihrer Obrigkeit. K.H.

288

288 Bei den Reformbestrebungen des späten Mittelalters unterstützten allegorische Bilddrucke die Tendenz, zwar die Kirche moralisch zu erneuern, das Leiden unter der herrschenden Ungerechtigkeit aber als eine von Gott verhängte Strafe zu ertragen.

Der Papst als Fuchs und Antichrist
Unbekannter Künstler, 3. Viertel 15. Jahrhundert
Einblattholzschnitt, 52,6 × 35 cm
Wien, Graphische Sammlung Albertina, Inv. Nr. 1957/24, S.D. 61

Die ikonographisch ungewöhnliche Darstellung verschmilzt in Auseinandersetzung mit der hussitischen Kirchenkritik die verbreiteten Bildvorstellungen des Fortunarads und der Tiersatire zu einer geistlichen Allegorie. Die Personifikation der »gedultikeyt« hält hierbei verbundenen Auges das Schicksalsrad vor sich, stillgestellt als Schauplatz einer Antithese von Bosheit und Leiden, Oben und Unten. Der als Reineke Fuchs in Herrscherpose mit Zepter auf dem Rad thronende Papst wird von einem Dominikaner-Wolf und einem Barfüßer-Bären begleitet und in den Beischriften seiner weltlichen Herrschaft ebenso bezichtigt wie die Ordensgeistlichen der Habsucht. Zusammen mit Hoffart und Neid, in den beiden Reiterfiguren am äußeren Rand des Rads, unterdrückt und verrät die mörderische Falschheit (mit Sichel) des gegenwärtigen Weltregiments die in ihrem Elend klagend vorgeführten Tugenden der *Stetikeit* (unbekleidet liegender Mann unten im Rad), Glaubenstreue (Priester mit Kelch), Liebe und Demut. Die in der bildbestimmenden Rolle der Geduld zusammengefaßte Aussage des Blattes wendet die biblische Verheißung, daß »Geduld und Glaube der Heiligen« (patientia et fides sanctorum) (Apok. 13, 10) den verfolgten Menschen ein Überdauern bis zum Sturze ihrer Unterdrücker gewährleisten, auf die Situation der Kirche an. Der Bezug auf die Schilderung, die im 13. Kapitel der »Geheimen Offenbarung« von der Herrschaft des Antichrist gegeben wird, ist in dem komplexen Bildaufbau nicht anschaulich entfaltet wie in der reformatorischen Kampfpresse (vgl. Kat. Nr. 294). Das Moment der glaubenszuversichtlichen Geduld im ungerechten Weltzustand hat der Illustrator von der apokalyptischen Vision und ihrer Auslegung gelöst und mit den ähnlich isolierten Motivzitaten von Fortunarad und Reineke Fuchs spezifisch zusammengefügt.

W. Harms, Reinhart Fuchs als Papst und Antichrist auf dem Rad der Fortuna. In: Frühmittelalterliche Studien 6, 1972, S. 418-440. – Hoffmann, S. 202 f. – Scribner, S. 119-121.

K. H.

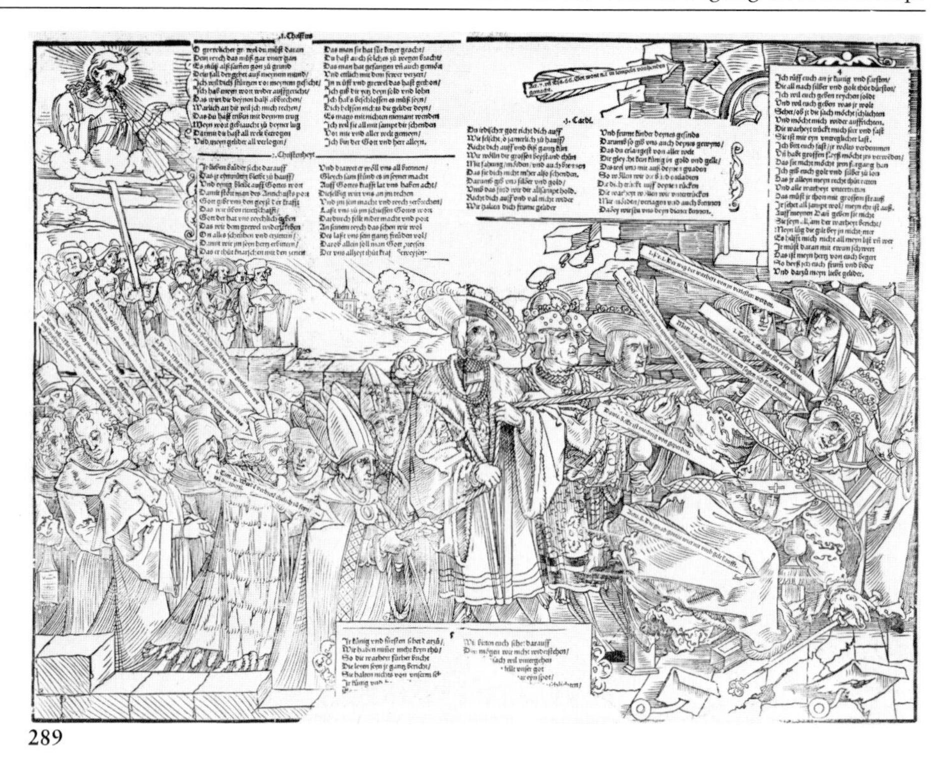

289

289 Als meinungsbildender Faktor ist die Bildpublizistik der Frühreformation nicht nur an ein breites, überwiegend städtisches Publikum, sondern auch gezielt an die Obrigkeit in Reich und Territorien gerichtet.

Der Sturz des Papsttums
Sebald Beham, 1524/25
Flugblatt mit Holzschnitt und Typendruck, 34,3 × 47 cm
Berlin, Staatsbibliothek Preußischer Kulturbesitz, 2° YA 273 gr

Das in einem einzigen Exemplar bekannte Flugblatt kontrastiert das unter Gottes Schutz und Luthers Führung stehende evangelische Volk – Geistliche, Gelehrte, Bürger, Bauern – mit der kirchlichen und weltlichen Obrigkeit. Die auch im Text angesprochenen *künig und fürsten,* in deren Gesichtszügen man die Habsburger Karl V. und seinen Bruder Ferdinand wiedererkennen kann, versuchen mit Seilen den Thron des Papstes zu stützen, der unter den Pfeilen des Wortes Gottes inmitten der berstenden Kirche niederstürzt. Wie das Bild mit den zerrissenen Ablaßbriefen betont der Text des unbekannten Verfassers die Habgier als Motiv der Kardinäle und Herrscher zur Hilfestellung für den Papst. Als zeitgeschichtliche Voraussetzung der ungewöhnlichen Bildformulierung hat man den sogenannten Regensburger Konvent (Sommer 1524) erwogen, eine Separatversammlung altgläubiger Fürsten und süddeutscher Bischöfe mit dem päpstlichen Legaten Campeggio. Ziel war die Verhinderung eines im Nürnberger Reichstagsabschied vom 18. April 1524 in Aussicht genommenen Nationalkonzils und die verstärkte Durchsetzung der römisch kurialen Ansprüche. In der Gruppierung des Volks um Luther und unter die Halbfigur Gottes variierte Beham seine gleichzeitige Komposition »Luther und die Handwerker« (Kat. Nr. 318). Bei anderen Motiven folgte er signifikanten Bildprägungen: Luther mit Kreuz als Zeichen der »Nachfolge Christi«, die Rachepfeile des Gotteszorns aus spätmittelalterlichen Pestallegorien (vgl. Kat. Nr. 42); der zusammenbrechende Papst in der antiken Pathospose besiegter Helden zugleich gerettet durch den »Griff an das Handgelenk«.

Geisberg, Nr. 223. – Zschelletzschky, S. 267-279. – Meuche-Neumeister, S. 114 f. – Scribner, S. 161-163.

K. H.

290 Bei der Kritik am Papsttum werden häufig die traditionellen Inszenierungen seiner weltlichen Macht und die künstlerische Repräsentation im zeitgenössischen Rom parodiert.

Die Höllenfahrt des Papstes
Sebald Beham, 1524
Flugblatt mit Holzschnitt und Typendruck, 37,4 × 47,4 cm
Nürnberg: Jobst Gutknecht 1524
Nürnberg, Germanisches Nationalmuseum, HB 26 537

In der Darstellung verschmilzt Beham, der Anfang 1525 zusammen mit seinem Bruder Barthel und dem Maler Georg Pencz wegen »Gottlosigkeit« angeklagt wurde und vorübergehend Nürnberg verlassen mußte, ikonographische Zitate aus konträren Bereichen zu einer beißenden Kritik an der geistlichen Obrigkeit. Das mittelalterliche Bild des reitenden Papstes, das traditionell der Repräsentation der weltlichen Herrschaft der Kirche diente, der humanistisch-gelehrte Triumphzug und die beim Nürnberger Karneval (Schembartlauf) durch die Stadt gezogene »Hölle« erscheinen satirisch überlagert. Die prunkvolle Fahrt des Papstes in den Untergang und die ewige Verdammung sticht ab von der Höllenfahrt des erniedrigten Christus, in der

290

für die reformatorische Kreuzestheologie die Erlösungstat gipfelte.
Nach der Antichrist-Thematik konkretisiert Beham die seit Wiclif und Hus geläufige Polemik, indem er die Hölle mit den zeitgenössisch verwendeten Bauformen einer tempelähnlichen Kirchen- oder Palastanlage kennzeichnet. Die ironische Durchdringung von klassischem »trionfo«, Fastnachtsbrauchtum und theologischer Bildersprache liegt auch der linken Blatthälfte mit der Einzelgestaltung des Wagens zugrunde; der Triumphwagen bringt einen Fastnachts- oder Maibaum mit Papstbulle und Ablaßbriefen in die Hölle als Hohn auf die altkirchlichen Ablaßversprechungen auf Minderung der Höllenstrafen. Die darunter gesetzte Vision des Propheten Jeremias, Kap. 14, behandelt die göttliche Rache an den Unterdrückern des auserwählten Volkes; das biblische Modell wird durch die einleitenden Verse auf die gegenwärtige Unterdrückung der »Evangelischen« durch den »Antichrist« und sein *geystlich heer* bezogen. Die deutsche Sprachfassung des alttestamentlichen Textes weicht von Luthers erst später veröffentlichter Übersetzung deutlich ab.

Geisberg, Nr. 224. – Zschelletzschky, S. 259-262. – Scribner, S. 71 K. H.

291 Luther verglich seine reformatorische Entdeckung der Heiligen Schrift mit der Befreiung des Heiligen Grabes und regte dadurch kirchenkritische Allegorien der Auferstehung des Wortes Gottes an.

Auferstehung Christi mit Mönchen als Grabwächtern
Cranach-Werkstatt, um 1520/30
Einblattholzschnitt, 21 × 24,8 cm. Die Szenen durch Inschriften bezeichnet.
Nürnberg, Germanisches Nationalmuseum, HB 15 096

291

Das bisher nur in einem Abzug nachgewiesene Blatt spitzt die satirische Kontrastierung zwischen »evangelischem« Christus und kirchlicher Umgebung mit den die Auferstehung verschlafenden Klosterleuten zu. Am Rand des Sarkophagdeckels wird die *beschwer menschlicher leer gesetz und gebot* vermerkt; der schwere Grabverschluß der Bibelschilderung drückt damit aus, daß *Christus das wort gottes* unterdrückt ist. Die Mönche, die das Grab mit einer Mahlzeit gegen ihre eigenen *gesetz und gebot* pervertieren, erscheinen beischriftlich als *Die knecht des hohenpriesters.* Die spätmittelalterliche Frömmigkeitsform der »fortwährenden Passion« war in der Reformationspropaganda in Wort und Bild eindringlich genutzt worden, auch legitimierend wie in dem Bericht über Luthers Auftreten in Worms als seine »Passion« (O. Schade, II, S. 108-113). Die vorliegende Darstellung jedoch entspricht konkret Luthers allegorischer Übertragung der Kaisersage, wonach das Heilige Grab von einem Kaiser Friedrich befreit werden sollte, auf seine von Wittenberg aus unter Friedrich dem Weisen eingeleitete Anstrengung, die das Grab der Heiligen Schrift befreit habe (vgl. Kat. Nr. 279). 1523 hat Haug Marschalck in einer Flugschrift ›Von dem weyt erschollen Namen Luther: was er bedeut‹ davon ausgehend geschildert, wie Mönche und Kleriker das Grab Christi bewachen um seine Auferstehung zu verhindern, aber sie seien von Luthers Schutzherrn Friedrich überwunden worden: das Grab sei geöffnet und Christus in Form des Wortes Gottes wieder erstanden. Heinrich von Kettenbach identifizierte in einer ähnlichen Auslegung die drei Marien, die – wie in vorliegendem Holzschnitt nach dem Bibelbericht illustriert – mit ihren Salbgefäßen zum Grab gehen und vom Engel dort mit der Verkündigung der Auferstehung Christi beauftragt wurden, mit Luther, Melanchthon und Karlstadt. In der Cranach-Werkstatt, der vorliegendes Blatt zugeschrieben wird, war die bildkompositorisch zugrundeliegende »Auferstehung« aus Dürers »Großer Holzschnittpassion« von 1510 als Titelbild für Luthers Ausgabe der ›Theologia Deutsch‹ 1518 (vgl. Kat. Nr. 141) adaptiert worden; die dabei eingeführte Antithese zwischen Christi Auferstehung und dem Begräbnis Adams bereitet als heilsgeschichtlich-paulinische Typologie die polemische Konkretisierung der Bildvorstellung vor.

P. Drews, Der evangelische Geistliche, 1905, S. 7. – Hoffmann, S. 209. – Scribner, S. 44. K. H.

292

Eine Wunder Schöne Figur/in welcher die Ware vnd Falsche Christi

293

292 Der evangelische Angriff nutzt die spätmittelalterliche Frömmigkeitsvorstellung einer »fortwährenden Passion Christi«, um einen scharfen Kontrast zwischen dem gegenwärtigen Zustand der Kirche und ihrem Ursprung aufzuzeigen.

Neue Passion
Peter Flötner, um 1530/35
Holzschnitt, 13,4 × 57,4 cm
Nürnberg, Germanisches Nationalmuseum, H 7320

Die Bildfolge hat bei Flötner ein Gegenstück in der satirischen Klerikerprozession (Kat. Nr. 299) und war wie jenes Blatt wohl ursprünglich mit einem Textstreifen ergänzt. Beide Darstellungen entstanden in den 1530er Jahren. Im ausgeglicheneren Konfessionsklima des Augsburger Reichstags 1530 hatte Flötner das Thema der Geistlichenmoral in einem individuell gegen Johannes Eck gerichteten Spott-Triumphbogen (Meuche-Neumeister, Blatt 8) aufgenommen. Demgegenüber sind in der satirischen Passion keine solcherart konkreten Einzelanspielungen auszumachen. Die Gegenüberstellung des leidenden Christus und des sündigen Menschen beruht auf der spätmittelalterlichen Frömmigkeitsvorstellung von einer »fortwährenden Passion«. Bei Flötner sind es statt der römischen Soldaten und jüdischen Knechte des biblischen Berichts aber ausschließlich der Papst und Mönche, die Christus martern in der Szenenfolge von Verhör, Geißelung, Dornenkrönung, Kreuzigung und Auferstehung. Während die einleitende Darstellung des jüdischen Hohenpriesters mit Bischofsmitra der mittelalterlichen Bildkonvention anachronistischer Vergegenwärtigung entspricht, betont in den drei folgenden Szenen die Einfügung des Papstes neben den leidenden Gottessohn die aktuelle Antichristpolemik; der dürre Baum bei der Geißelung unterstreicht als allegorisches Zeichen die Klerikerattacke ebenso wie der dem dornengekrönten Christus entgegengestreckte Bierkrug als Grobianismus. Im Kreuzigungsbild erscheinen Maria und Johannes beibehalten – als positiv verstandene biblische Zeugen im Gegensatz zu den in den Geistlichen sich fortsetzenden Peinigern. Bei der »Auferstehung« ließ Flötner von der offensichtlich zugrundegelegten Darstellung der Cranach-Werkstatt (Kat. Nr. 291) den Bezug auf Luthers Allegorese von Hl. Grab und Hl. Schrift außer Betracht. Etwa gleichzeitig mit Flötner zeichnete Hans Holbein d. J. in England eine satirische Passion in 22 Szenen, die in Nachstichen Wenzel Hollars überliefert ist. Eine größere Verbreitung solcher Darstellungen läßt sich aus Nachrichten der Zensoren über *schändlich Gemäl* erschließen (z. B. 1558: K. Schottenloher, Flugblatt und Zeitung, 1922, S. 208 ff.)

Geisberg, Nr. 823-824. – Scribner, S. 99 f. K. H.

293 Die Reformationspropaganda macht die polemische Gleichsetzung, z. B. des Papstes mit dem »bösen« Schächer im Kreuzigungsbild, visuell schlagkräftiger als die Identifikation der eigenen Seite mit positiven Vorbildern.

Der Papst als »böser« Schächer im Kreuzigungsbild
Monogrammist IW, gegen 1550
Einblattholzschnitt mit Typendruck, 29 × 33 cm
Nürnberg, Germanisches Nationalmuseum, HB 24 938

Das Kreuzigungsbild dieses Blattes ersetzt die Figur des »bösen« Schächers durch den Papst als Antichrist, dessen Kreuz als unfruchtbares Holz von einem Teufel gefällt und in Brand gesetzt wird. Die nach dem Bibelbericht zu Seiten Christi mitgekreuzigten Schächer waren in der spätmittelalterlichen Frömmigkeit und Ikonographie als Vorbild des Gläubigen bzw. als Warnfigur des Sünders eine geläufige moralische Antithese. Aus dieser Motivüberlieferung ist hier auch die Darstellung von Engel und Teufel genommen, die die in Kindesgestalt beim Tod aus dem Mund entschwebenden Seelen der Schächer in Empfang nehmen – für das »Paradies«, das Christus dem bußfertigen Schächer ankündigte, bzw. für die »Hölle«.
Die Komposition des nicht sicher identifizierbaren Monogrammisten liegt in einem weiteren Exemplar (Gotha: Meuche-Neumeister, Blatt 49) mit einem Verstext vor, der schon im Typensatz die Gleichsetzung des *gerecht Schecher* mit den Evangelischen und des *ungerecht Schecher* mit der römischen Kirche zu beiden Seiten des Gekreuzigten anschaulich macht. Das Nürnberger Blatt weist einen abweichenden Prosatext auf, dessen Verteilung nicht mit der visuellen Gliederung der Darstellung zusammengeht, und bringt am Schluß mit

der Kontrafaktur des verbreiteten Liedes »O du armer Judas« einen ironischen Abgesang auf die ins Höllenfeuer versetzten »Römischen«. Das seit Cranachs »Passional« (Kat. Nr. 302) in der reformatorischen Bildpolemik bestimmende Thema des Papst-Antichrist ist mit satirischer Schärfe in Wort und Bild durchgefeilt bis zu Details wie dem (zusammen mit dem Vier-Nagel-Typ der Kreuzanheftung) nur dem Papst vorbehaltenen Suppedaneum (als speiendes Monstrum eines Kleriker-Teufels) und dem Übergang vom »Armen Judas« zum »Argen Bapst«. Die im Text zitierte spirituelle Vorstellung der Mitkreuzigung des Menschen mit Gott ist ähnlich in Holbeins satirischer Passion mit der Kennzeichnung des »bösen« Schächers als Mönch konfessionspolemisch aktualisiert. In unserem Blatt wird wie in vielen parallelen Kampfbildern der Papst mit Juden und Türken als endzeitlicher Feind der Evangelischen gleichgestellt. Zu berichtigen ist die ikonographische Beschreibung bei Meuche-Neumeister, S. 110 f., insofern der Engel dem »guten« Schächer keinen Kelch reicht, sondern dessen Seele empfängt.

W. L. Strauss, The German Single-Leaf Woodcut 1550-1600, Bd. 3, 1975, S. 1270, Nr. 1. – Scribner, S. 100. K. H.

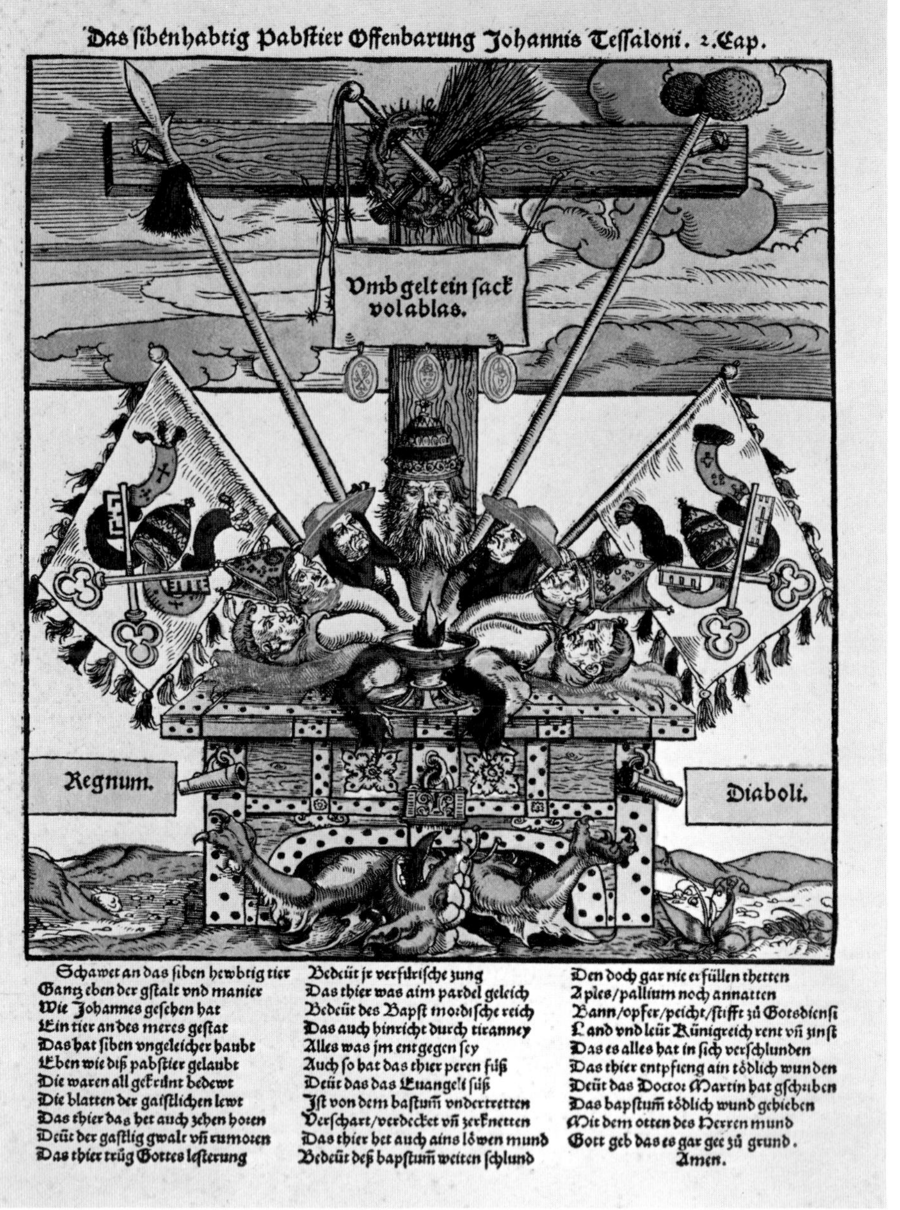

294

294 Im Kampf gegen den Ablaß werden Bildgebräuche und theologische Paradoxe der spätmittelalterlichen Privatandacht satirisch mitverwendet.

Das siebenhäuptige Papsttier
Unbekannter Künstler, um 1530
Flugblatt mit Holzschnitt und Typendruck, 34,8 × 25,4 cm. Text von Hans Sachs
Berlin, Staatliche Museen Preußischer Kulturbesitz, Kupferstichkabinett, Inv. Nr. 282-10

Das spätmittelalterliche Andachtsbild des auf dem Altar inmitten seiner Leidenswerkzeuge erscheinenden Schmerzensmannes, wie es vor allem als Vision Papst Gregors d. Gr. in der frühen Graphik mit Ablaßgebeten immens verbreitet war (vgl. Kat. Nr. 463), ist hier als Muster zu einer Attacke auf Papst und Ablaß mitbenutzt worden. Der siebenköpfige Drache der Apokalypse (Kap. 13) wird mit einem Papstkopf zwischen je zwei Kardinälen, Bischöfen und Mönchen an Stelle Christi, eine große Geldtruhe, unter der der Teufel liegt, als Altar mit Ewigem Licht gezeigt, mit dessen Vorhängeschloß der Betrachter das päpstliche Wappen der gekreuzten Petrusschlüssel verbindet. Inmitten der Waffen Christi hängt am Kreuz ein übergroßer Ablaßbrief mit der Aufschrift *Umb gelt ein sack vol ablas.* Der Illustrator bringt hierin eine paulinische Bildvorstellung von der Erlösungstat Christi gegen den Papst als Antichrist zum Tragen: Kol. 2, 14 f.: »und (er) hat den gegnerischen Schuldschein, der mit seinem Inhalt gegen uns lautete, vernichtet und gelöscht, indem er ihn ans Kreuz geheftet hat. Er hat die Mächte und Gewalten entwaffnet und öffentlich zum Spott gemacht und durch ihn über sie triumphiert«. Die Darstellung, die auch in Drucken ohne Text bzw. als Buchillustration bezeugt ist, weist mit dem bärtigen Papstkopf und dem Mediciwappen (am mittleren Siegel des Ablaßbriefes) auf Clemens VII. (1523-1534) und wird als evangelische Antwort auf den ›Martin Luther Siebenkopff‹ des Cochläus (Kat. Nr. 287) betrachtet. Motivisch weicht die Bildgestaltung des unbekannten Künstlers in mehreren Einzelpunkten von der Apokalypsen-Anwendung des Sachs-Textes (Werke Bd. XXII, S. 279 f. mit den im Flugblatt fortgelassenen Versen 6/7, in denen sich Sachs als Verfasser nennt) ab. Ungewöhnlich ist der doppelte Quellenhinweis in der Überschrift auf »Offenbarung« und Thessalonicherbrief; die bei diesem gemeinte Stelle (2. Thess. 2, 4) schildert den »Widersacher, der über alles sich erhebt, was Gott heißt oder Heiligtum, so daß er sich selbst in den Tempel Gottes setzt und sich damit zum Gott erklärt.«

Geisberg, Nr. 1575. – Meuche-Neumeister, Textabb. 17, S. 119. – Scribner, S. 100-104. – Kat. Ausst. Freiheit eines Christenmenschen, S. 74, Nr. 104. K. H.

295 Zu den wirksamsten Kampfschriften gehören die Wittenberger Deutungen ungewöhnlicher Naturerscheinungen. Im Gewand aktueller Informationen werden antike Weissagung, biblische Prophetie und mittelalterliche Schöpfungstheologie dazu verwendet, bildhafte Gottesurteile gegen die alte Kirche zu begründen.

Papstesel und Mönchskalb
Lukas Cranach d. Ä., 1523
Holzschnitt, je 14,6 × 9,6 cm. In: Philipp Melanchthon und Martin Luther, ›Deuttung der zwo grewlichen Figuren Bapstesels zu Rom und Munchskalbs zu freyberg in Meyssen funden‹. Wittenberg: Johann Grunenberg 1523
Nürnberg, Germanisches Nationalmuseum, 8° Rl. 2082 Postinc.

Die Mißgeburt eines Kalbes in Sachsen (8. Dezember 1522) und die bereits 1496 in Rom bei einer Tiberüberschwemmung aufgefundene antike Statue eines Tiermonstrums dienten den Wittenberger Reformatoren zum Anlaß und Vehikel einer ausgreifenden Polemik gegen Mönchtum und Papst. Die Illustrationen Cranachs beruhen auf Bildvorlagen, zum Papstesel auf einem kirchenkritischen Stich des Böhmen Wenzel von Olmütz, zum Mönchskalb auf einer aktuellen Flugblattdarstellung (in Gotha: Meuche-Neumeister, Blatt 37), die ihm die Menschenähnlichkeit der polemisch aufgefaßten Monstren in aufrechter Haltung und Redegestik vorprägten. Cranach, dessen Darstellungen als Holzschnitte einzeln und zusammen wie vermutlich als Flugblätter bis 1535 verwendet und sehr häufig kopiert wurden, hatte bereits im ›Septembertestament‹ das »Tier aus dem Abgrund« zu Offenbarung 13 im Mönchshabit gezeigt. Melanchthon wie Luther werten die Erscheinungen vor dem Hintergrund biblischer Weissagungen (beide Autoren zitieren Daniel) als göttliche Warnungen und gehen in ihren Auslegungen auf die körperlichen Mißbildungen einzeln ein mit der Absicht, das von Gott den Zwittern gegebene *scheusslich, häßlich, grewlich Aussehen,* bei dem *die ganze Welt sich dafür entsetzte und erzittern muss,* über die konkrete Entschlüsselung gegen die alte Kirche zu verwenden. Für das genaue Verständnis der Bilder mit ihrer Kurzdeutung in der Überschrift war schon der zeitgenössische Benutzer auf die Kommentare angewiesen. In der Tradition mittelalterlicher Dingauslegung deuten die Reformatoren den »Papstesel« mit Eselskopf, Hahnenschweif, menschlicher und Elefantenfußhand sowie das Kalb mit seinem *beschornen Kopff, mit eim kräntzlein, blatten, iugeln und kappen* als *eines schwartzen Münchs haupt* (Pamphilus Gengenbach). Der Anschluß an zirkulierende polemische Blätter gehört zur propagandistischen Kalkulation, mit der von Wittenberg her in Fortsetzung der Flugblattpublizistik eines Sebastian Brant zeitgenössisches Interesse an kurioser Anatomie, die christliche Vorstellung einer göttlichen Zeichensprache in der geschaffenen Natur und die humanistische Aufmerksamkeit für antike Wundergläubigkeit, Divination und Prodigienliteratur angesprochen wird und die zugleich auch mit grotesken Wortspielen den theologischen Bildkampf gegen Papst und Mönche unterstützt, *die durch yhr fleyschlich lere den glauben vertilget und die wellt zu kalbfleisch gemacht haben.*

F. Saxl, Illustrated Pamphlets of the reformation. In: F. S., Lectures, London, 1957, S. 255 ff. – Meuche-Neumeister, S. 102 f., 118 f. – Kat. Ausst. Cranach, Bd. 1, Nr. 246-249. K. H.

296 In die Abwehr päpstlicher Macht und Geldforderungen schaltet sich Luther selbst besonders in seinen letzten Lebensjahren als parodistisch einfallsreicher »Antipapa« ein.

Satirisches Papstwappen
Lukas Cranach d. Ä., 1538
Einblattholzschnitt mit Typendruck, 27,7 × 32,2 cm
Coburg, Kunstsammlungen der Veste Coburg (Coburger Landesstiftung), Inv. Nr. XIII, 42, 73 – K 833

Mit der Zerstörung der gekreuzten Petrusschlüssel im herkömmlichen Amtswappen, der Darstellung praller Geldbeutel neben Kronen, Kardinalshüten und Bischofsmitren im Wappenschild und der Umfunktionierung der Schlüsselstiele als Galgen für Judas und den Papst prangert das Blatt das Papsttum als Nachfolger des geldgierigen Christusverräters an. Bildlich sind diese Vorwürfe formuliert, indem der Künstler den in druckgraphischen Satiren geläufigen Typus des Spottwappens mit dem Genre der Schandbilder verband, mit denen Gläubiger damals ihre »Scheltbriefe« gegen säumige Schuldner visuell unterstützten. Die Cranachwerkstatt hat in den Einzelblättern, die Luthers Schrift ›Wider das

Papsttum zu Rom, vom Teufel gestiftet‹ 1545 begleiteten und die später als Folge unter dem Titel ›Abbildung des Papsttums‹ herausgebracht wurden, diese beiden Bildformen separat aufgegriffen, eine Besudelung des Papstwappens durch Landsknechte und eine Darstellung von Papst und Kardinälen am Galgen. Zum vorliegenden Spottwappen entwickelt der von *Luther Antipapa* signierte Text die Kritik an der Kurie als dramatisierte Gerichtsszene, in der der Papst seinem Richter Christus vorgeführt wird. Einem Tagebucheintrag Anton Lauterbachs zum 17. Februar 1538 läßt sich ein Datierungshinweis und eine ausführlichere Stellungnahme Luthers entnehmen. Zu der ihm vorgelegten »pictura suspensi Papae cum Juda et loculo Iudae« (Bild des gehängten Papstes mit Judas und seinem Beutel) bemerkt er: *Das wird dem bapst weh tun. Er hat mich verbant und verbrandt und dem Teuffel in hindern gesteckt, so will ich in an seinen eigen schlüßel hangen* (WA, Tischreden III, Nr. 3749). Die erwartete Wirkung des Blattes, von dem 1539 eine überarbeitete zweisprachige Fassung mit einer langen »Elegia« erschien, läßt sich an der Ablehnung durch Cochlaeus (Brief vom 19. 2. 1538) ebenso wie am Verbot durch die Nürnberger Zensur ermessen.

Geisberg, Nr. 922. – Meuche-Neumeister, S. 119 f., Textabb. 18. – Scribner, S. 80. – W. Harms, M. Schilling u. A. Wang, Die Sammlung der Herzog August Bibliothek in Wolfenbüttel, Bd. 2: Historica. Deutsche illustrierte Flugblätter des 16. und 17. Jh., 1980, Nr. 2, S. 4 f. K. H.

S. Petrus ad Christum.
HErr Jhesu Christ Richter gerecht/
Der ists/der dich sehr grewlich schmecht/
Dein Stathalter sich rhümet hoch/
Vnd ist des Teufels Diener doch.
Wil auch dazu mein Erbe sein/
Die Schlüssel haben gar allein.
Ein handel hat daraus gemacht/
Geitzt/Stilt/Raubt damit tag vnd nacht.
Er Bindet/Löset was er wil/
Auff das er geldes kriege viel/
Verkeufft/verteusscht/beid sund vnd recht/
Dem gantzen Menschlichem geschlecht.
Wohin die arme seele kom/
Da fragt sein Geitz vnd Stoltz nichts vmb.
Nichts denckt/denn wie er möchte sich/
Zum Gott erheben vber dich.
Die Schlüssel fürt er fur der welt/
Darunter nimpt des Judas gelt.
Las sehn man finds gewis also/
Vnder seinem Mantel aldo.

Gabriel ad Papam.
Wie pausst dir der Mantel so sehr/
Vnd ist der Zipffel dran so schwer.
Du wirst zu viel gestolen han/
Las hie/das sehn fur jederman.

Papa ad Gabrielem.
Ah nicht mein lieber Gabriel/
Ich hab ein grosse beul vnd feil.
Da mir gros angelegen ist/
Das ja nicht seh der HErre Christ.

Gabriel ad Christum.
HErr Jhesu Christ Richter gerecht/
Die sach ist offenbar vnd schlecht.
Es ist Judas Beutel fürwar.
Das sehn wir alhie offenwar.

Christus.
Lasst jn mit Ketten binden an/
Vnd behalten neben Satan.
Bis so lang ich kom zum Gericht/
Da sol als denn der Bösewicht/
Empfahen seinen rechten lohn/
Fur alles was er hat gethan.

Chorus XII. Apostolorum.
Nicht mehr sol er die Schlüssel furn/
Welch der Kirchen allein gehörn.
Des Judas Beutel sol er han/
Hinfort jnn seinem Wapen stan.

Der Bapst zwen Schlüssel hat gefürt/
Die Welt mit solchem schein bethört.
So nu der schein dauon verschwind/
So siht man/das zwen schwengel sind.
Gemacht den Bapst zu hengen dran/
Mit Judas nemen gleichen lohn.

Der Ebt vnd Bisschoff hüt so viel/
Jnn den Beutlin stecken on zil.
Annat vnd Pallia die sind/
Die er mit schalckheit fast geschwind.
Ertícht/geraubt/gestolen hat/
Vnd noch nicht kan des werden sat.

Wil dazu mit der Könge Kron/
Sein Judas Beutel auch vol hon.
Damit er seine Cardinal/
Zu Herrn mache vberal.

M. Luther Antipapa curauit f.

296

297 Neben den theologischen Argumenten der Ablaßkritik treten in der Werbung für die Reformation kaufmännische Warnungen vor Übervorteilung hervor.

›Des Bapst ermanung zu seinen Tempelknechten‹
Unbekannter Künstler, um 1530
Flugblatt mit Holzschnitt und Typendruck, 31 × 48 cm. Text von Hans Sachs
Wien, Graphische Sammlung Albertina, Inv. Nr. 1965/19 D I 14 p 45

Wie in anderen antipäpstlichen Flugblättern der gleichen Jahre verzichtete Hans Sachs hier auf die Signierung seines Textes (Werke, Bd. XXII, S. 276) und ist der Illustrator unbekannt. Wie in Jörg Breus gleichzeitiger »Frag an einen Müntzer« (Kat. Nr. 321) entwarf er ein genrehaftes Situationsbild: Der Papst sitzt als Kaufmann am Tisch und zählt die Einnahmen, während vier angestellte Mönche Lämmer scheren. Die nach damals geläufigem Wortspiel »Beschorenen«, d. h. tonsurierten Mönche werden ihrerseits als »Bescherer« der frommen Schafe verspottet. Im Schlußvers greift Sachs das Wort auf, wenn er mit dem Wunsch an den Benutzer, sich vom Papst zu Christus hinzuwenden, die Aussicht verbindet *So beschert im Gott ein selig end.* Die publizistische Tendenz des Blattes richtet sich auch an die weltliche Obrigkeit, deren Vertreter hier nach dem in der satirischen Tradition in Wort und Bild oft verwendeten Motiv durch die Finger sehen und so als mitschuldige Narren angesichts des kirchlichen Ablaßgeschäfts angeprangert werden. Unter diesem Gesichtspunkt ist eine Gegenüberstellung mit Behams »Sturz des Papsttums« (Kat. Nr. 289) von 1524 aufschlußreich.

Geisberg, Nr. 1576. – H. Röttinger, Die Bilderbogen des Hans Sachs, 1927, S. 72, Nr. 1223 erwähnt zwei in der Albertina erhaltene Blätter mit gleicher Illustration, aber unterschiedlichen Titeln; vgl. Röttingers Tafel IX und Geisberg. K. H.

So sie die Menschen sollen leren, Thünd sis bis an d haut bschere
Der Babst zu seinen Tempel Knechten ain vermanung thůt

297

298 Die vorreformatorische Bildsatire geißelte am zeitgenössischen Klosterwesen hauptsächlich moralisches Fehlverhalten nach dem Maßstab kirchlicher Tugendlehre.

Der Abt auf dem Eis
Unbekannter Künstler, Mitte 15. Jahrhundert
Holzschnitt, 24,1 × 34,8 cm
Wien, Graphische Sammlung Albertina, Inv. Nr. 1930/217

Im Rahmen der mittelalterlichen Ständesatire war die Kritik am Klerus eine ausgeprägte Gattung in Literatur und Bildkünsten, die mit Parodien und Drolerien auch in der Ausstattung der Kirchen und der gottesdienstlichen Bücher wirksam wurde. Sie konzentrierte sich vornehmlich auf die Diskrepanz zwischen geistlichem Amt und ausschweifender Lebensweise. Als Beispiel der vorreformatorischen Kirchenkritik verdeutlicht das gezeigte Spottbild, wie die geläufigen Tiervergleiche und grotesken Motive auf die optische Wirklichkeitserfahrung des zeitgenössischen Betrachters Bezug nehmen. Thematisch folgt die Darstellung des Abtes, der sich von Essen und Trinken erschöpft in einem übergroßen Backenknochen als Schlitten von Nonnen zur Abkühlung über eine Eisdecke ziehen läßt, dem traditionellen Katalog der »Mönchslaster«: Völlerei, Trunksucht, Unkeuschheit.
Das ironische Spiel mit dem Durst und der Gefahr, ihn beim jederzeit drohenden Einbruch im Eiswasser stillen zu müssen, wird durch die Attribute (leere Flaschen), derb karikierende Physiognomie und den spöttischen Dialog in den Beischriften unterstützt. Darüber hinaus bezieht sich das paradoxe Hauptmotiv, ein tierisches Kauwerkzeug als Hohn auf mönchische Tischzucht, auf ein bekanntes biblisches Gegenbild: Nach Richter 15 konnte der vom Kampf gegen die Philister ermüdete Simson seinen Durst in der Wüste dadurch stillen, daß Gott ihm aus seiner Waffe, dem Kinnbacken eines Esels, Wasser hervorsprudeln ließ. Parodistische Umkehrungen biblischer Figuren und ihrer geistlichen Auslegung waren in ähnlicher Art bei kirchenkritischen Texten der Zeit üblich. Handelt es sich bei Simson um den Kinnbacken eines Esels, so konnte der Betrachter den Abt auch von einem verbreiteten Sprichwort aus begreifen: als den Esel, der auf das Eis geht, wenn es ihm zu wohl wird.

Schreiber, Bd. 4, Nr. 1960. – Hoffmann, S. 195. – Scribner, S. 37 f. K. H.

299

299 Die evangelische Bildpolemik verwendet Motive der seit dem hohen Mittelalter geläufigen Moralsatire auf Kleriker, um altkirchliche Festbräuche zu kritisieren.

Die Pfaffenkirmes
Peter Flötner, um 1535
Flugblatt mit Holzschnitt und Typendruck, 14,9 × 55,8 cm
Nürnberg, Germanisches Nationalmuseum, H 7320

Mit der Verspottung einer altkirchlichen Prozession als Kirmes, wie sie in der ersten Textzeile genannt wird, entspricht Flötners Flugblatt antirömischen Karnevalsveranstaltungen, die aus verschiedenen Städten zwischen 1525 und den 1540er Jahren bezeugt sind. Die Gesamtkomposition verhöhnt den Brauch, bei Umzügen in mehreren Kirchen Stationsgottesdienste abzuhalten, als den Umzug von Klosterleuten aus dem schlichten gotischen Bettelordensbau in eine prächtige Renaissanceanlage. Der von einem Schwein angeführte Zug begleitet anstatt des »corpus Christi« (Fronleichnam) den überschweren Leib des Abtes mit allen Abzeichen eines ausschweifenden Lebens, die parodistisch das kirchliche Schaugerät ersetzen: Fahnen und Kreuze als Wurstspieß und Heugabeln mit Unterwäsche; Reliquiar als Gänsebraten; Kelch als Bierhumpen; Rauchfaß als Hose; Gesangbuch als Spielbrett – entsprechend der Gesang als Bierspeien, »das uns die Noten zum Hals ausspringen«; die Tragleuchter, beischriftlich als *lux mundi* höhnisch gegen die Mönche metaphorisiert, als Abort nach einem Sprichwort, das Luther 1524 polemisch aufgriff: *Sitzt der Bapst an Christus stet in der Kirchen und leuchtet wie dreck in der latern* (›Ain Sermon, von der beschneydung am newen Jars tag‹ 1524. WA 15, S. 804). Im Gegensatz zur Realität beschränkt die evangelische Propaganda den Kreis der Prozessionsteilnehmer auf Klosterangehörige, abgesehen von der Konkubine mit dem Weihwasser (als Pendant zur Klosterfrau, die am Zugende ihr Wickelkind im Arm trägt). Sie kann so die altgläubige Praxis diffamieren und zugleich das städtische Publikum werbend ansprechen, ohne es wegen seiner Beteiligung zu kompromittieren. Der Text berücksichtigt die Interessenlage des »gemeinen Mannes« auch mit der betonten Abwertung der klösterlichen Laienbrüder, die als Narren erscheinen, mit dem satirischen Einsatz des Kirchenlateins bei der Parodie einer Litanei und mit der Übertragung von bürgerlichen Negativbildern, die gleichzeitig in vielen »Tischzuchten« der Zeit mit Wort und Bild erscheinen, auf das religiöse Gegenlager. Die genaue Entstehungszeit des Flugblattes, das als Gegenstück zu der ohne Begleittext überlieferten »Satirischen Passion« aufgefaßt wird (Kat. Nr. 292), ist ebenso unbekannt wie der Verfasser der Verse.

Geisberg, Nr. 825-826. – Meuche-Neumeister, Textabb. 21, S. 120 f. – Scribner, S. 96-99. K. H.

300 Bei der Attacke gegen das Mönchtum werden vornehmlich Trägheit, Bettelei und Unkeuschheit ausgemalt. Das Feind- und Schandbild soll gleichermaßen durch Unterhaltung und Abschreckung zur Erziehung und Konsolidierung der reformatorischen Gemeinde beitragen.

Jagd auf Mönche und Pfaffen
Erhard Schön, um 1525
Flugblatt mit Holzschnitt und Typendruck, 44,8 × 50 cm. Text von Hans Sachs
Coburg, Kunstsammlungen der Veste Coburg (Coburger Landesstiftung), Inv. Nr. VI, 457, 124 – K 824

Die Verdammung der Kleriker wird in dem Gedicht von Hans Sachs (Werke Bd. XXII, S. 316-318; Bd. XXV, Re. Nr. 1576) als Traum geschildert. Der Illustrator setzt die Vision als zeitgenössische Jagddarstellung um und kann mit der realistischen Einkleidung die satirische Schlagkraft der mitvorgeführten Höllenszenerie drastisch erhöhen.
Im offenen Höllenrachen zusammengetriebene Kleriker begegnen in mittelalterlichen Darstellungen des Jüngsten Gerichts. Veranschaulichten die Geistlichen dort allgemein eine moraldidaktische Ständekritik, so aktualisiert das reformatorische Flugblatt den Topos zum Kampfbild: der Lebenswandel der Kleriker, der im Text breiter angeprangert wird als in dem bildlichen Hinweis auf die »Mönchshuren«, erscheint dem »Träumer« bzw. Betrachter als Feindmilieu. Der Künstler nimmt mit dem vom Teufel noch über das Netz verfolgten Mönch Bezug auf die Schlußzeilen: *Wer noch aus dem geystlosen netz entrinnt und sich begibt zuletz auf gottes wort in werck und leben Dem will Got ein erlösung geben.* Mit dem Eindruck des vorliegenden Flug-

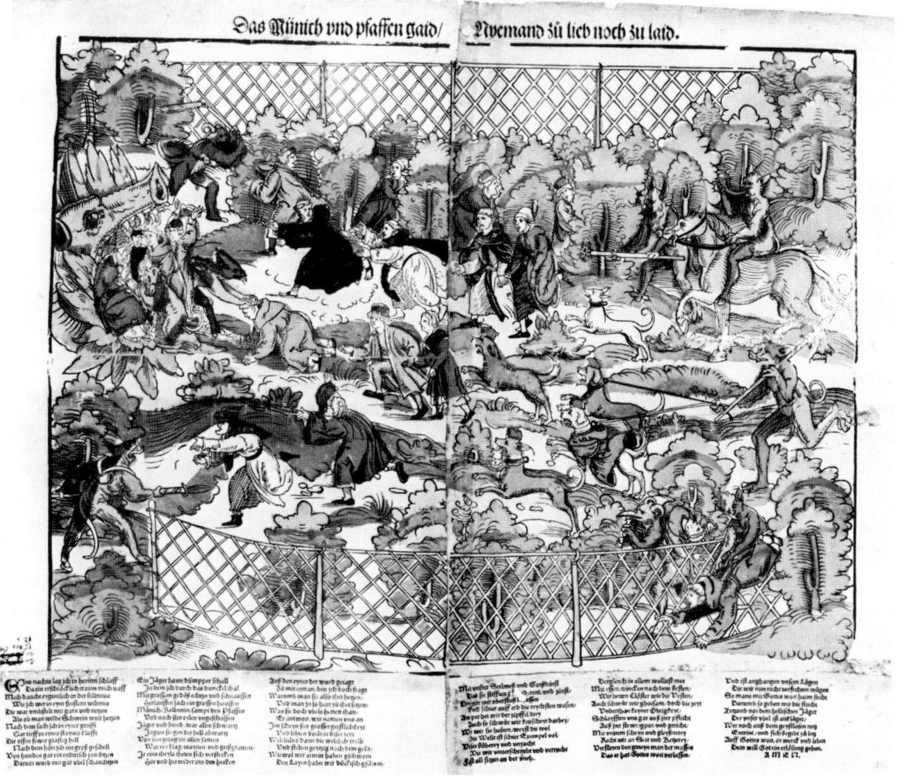

300

301

blattes hat man ein Zwickauer Fastnachtsspiel vom 28. Februar und 1. März 1525 erklärt: *Sie haben etzliche Hasennetze uffm Markt allhie aufgestellt, do haben sich etzliche wie Munche, etzliche wie Nonnen bekleidt, die haben sie also in die Netze gejagt mit grossem Geschrei, wie man sonst pflegt uff der Jagd* (zit. nach O. Clemen. In: Gutenberg-Jb. 1933, S. 115). Ob hier eine direkte Einwirkung der Graphik auf das Karnevalsspiel vorliegt, kann allerdings angesichts der vielen gemeinsamen Voraussetzungen beider Gattungen bezweifelt werden.

Geisberg, Nr. 1143. – Scribner, S. 62 f. – Meuche-Neumeister, S. 115. K. H.

301 Mit der »Verteufelung« des Gegners soll auch die eigene Teufelsangst überwunden werden.

Teufel mit Sackpfeife
Erhard Schön, um 1530
Einblattholzschnitt mit Typendruck, 32,2 × 24,7 cm
London, The British Museum, Department of Prints and Drawings

Das bis vor kurzem nur in einem Abzug (Gotha) nachgewiesene Bild wurde in kulturgeschichtlichen Darstellungen des Reformationszeitalters unzählige Male als eindrucksvolle Frühform physiognomischer Karikatur reproduziert und dabei bezeichnenderweise ebenso als Verspottung des altkirchlichen Mönchswesens wie auch als »beste und bösartigste Luther-Karikatur« aufgefaßt. Die antirömische Zielrichtung der Satire ergibt sich nicht nur aus der Person des Künstlers Erhard Schön, der sich mit vielen Arbeiten maßgeblich an der reformatorischen Bildpropaganda beteiligte, sondern auch aus der Beischrift. Der Teufel erwähnt hier *vil fabel trewm und Fanthasey,* die er *vor zeytten* aus solchen *Pfeiffen* pfiff. Er beklagt damit einen vergangenen Zustand, von dem er aber im Vertrauen auf die menschliche Schwäche hofft, daß er bald wieder eintrete. In der bildlichen und literarischen Motivgeschichte war der Dudelsack überwiegend der dionysischen Welt von Rausch, Begierden und Leidenschaft zugeordnet worden. Nach der dabei überwiegenden moralisch negativen Bewertung greift die Polemik beider Glaubensseiten das Musikinstrument früh auf für die Darstellung des Teufels (in »Luthers Ketzerspiel«: Kat. Nr. 286 rechts oben) oder Mönchs (mit anderen Begleitungen im Titelholzschnitt der Flugschrift ›Das Wolffgesang‹ des ›Judas Nazarei‹, Augsburg, 1522: Scribner, Abb. 52). Erhard Schön steigert die Wirkung des Motivs dadurch, daß er das Instrument als Mönchskopf (bzw. umgekehrt) ausgestaltet und über die zähnefletschende Maske des Teufelsbauches setzt, und suggeriert so die Verschlingung von Mönch und Teufel zu einem einzigen zweiköpfigen Monstrum (vgl. Cochlaeus, ›Lutherus Biceps‹ bei Kat. Nr. 287).

Geisberg, Nr. 1144. – Meuche-Neumeister, Blatt 16. – Scribner, S. 134. K. H.

C »Alte und neue Lehre«

Im öffentlichen Werbefeldzug für die neue Lehre konnten Anhänger besonders dadurch gewonnen und motiviert werden, daß man sich deutlich von der altkirchlichen Seite absetzte. Mit Rücksicht auf die beim Publikum verbreiteten Geschichtsauffassungen suchte man den Eindruck der Neuerung zu vermeiden und stellte die eigene Position weithin als Rückkehr zum »guten Alten« dar. Demgegenüber sollte die mittelalterliche Amtskirche als die eigentliche »Neuerung«, nämlich als der Abfall von ihrer göttlichen Gründung und Bestimmung, erscheinen. Von Wittenberg her nutzte man die didaktischen Wirkungsmöglichkeiten plakativer Antithesen gleich zu Beginn der reformatorischen Bilderkampagne. So wurde mit dem ›Passional Christi und Antichristi‹, der wohl erfolgreichsten Einzelveröffentlichung, die typologische Kontrastierung der Stufen der biblischen Offenbarung auf die Gegenwart als Schauplatz fortdauernder heilsgeschichtlicher Entscheidungskämpfe übertragen. Dabei zog die Gegenüberstellung der konkurrierenden Glaubenslager den Benutzer der Bildpamphlete in eine persönliche Entscheidungssituation hinein. K.H.

302 Luther identifiziert das Papsttum mit dem Antichrist der Bibel. Cranachs Gegenüberstellung von Christus- und Papstszenen, die hussitischen Vorlagen folgt, wurde mit Melanchthons antithetischen Zitaten aus Bibel und Kirchenrecht zur erfolgreichsten Waffe im reformatorischen Bilderkampf.

Dornenkrönung Christi und Papstkrönung
Lukas Cranach d.Ä. und Werkstatt, 1521
Holzschnitt, je 12 × 9,6 cm. In: ›Passional Christi und Antichristi‹. Wittenberg: Johann Grunenberg 1521. 4°. 14 Bll., 26 Holzschnitte
Nürnberg, Germanisches Nationalmuseum, 8° Rl. 3429 Postinc.

Die erste reformatorische Bilderkampfschrift erschien ohne Angabe von Datum, Drucker und Künstler kurz nach dem Wormser Reichstag, wohl noch im Mai 1521. In 13 Bildpaaren wird das Beispiel Christi als Urbild des geistlichen Lebens dem weltlichen Machtanspruch des Papsttums entgegengesetzt. Unter Luthers Augen, aber vermutlich ohne seine aktive Beteiligung schuf Cranach die Bildfolge in Abstimmung mit Melanchthon und dem Juristen Schwertfeger, die die kurzen Zitate unter jeder Darstellung aus dem Neuen Testament (vereinzelt den Propheten) bzw. den päpstlichen Dekretalen zusammenstellten. Die mythische Vorstellung des vor dem Endgericht die Heilsordnung umkehrenden, die Welt verführenden und vorübergehend beherrschenden Bösen (Dan. II 12 Thess. II; Apk. 13) war in den kirchenkritischen Bewegungen Englands und Böhmens seit dem späten 14. Jahrhundert auf die Institution des Papsttums bezogen worden. Bildliche Ausführungen dieser Gedanken konfrontierten als »Vergleich« oder »Antithese« Christus- und Papstszenen (»Comparatio Christi et Antichristi«; »Antithesis Christi et Antichristi«; »De Christo et adversario suo Antichristo« und ähnliche Titel) und haben für signifikante Bildmotive, so den Kontrast Einzug Christi in Jerusalem – Reitender Papst; Fußkuß vor dem Papst u.a. Cranachs ›Passional‹ ikonographisch vorgeprägt. Der Zusammenhang der Wittenberger Streitschrift mit den in Schriftquellen und späteren Kopien (Jenaer Kodex) überlieferten böhmischen Antithesen gilt daher als wahrscheinlich. Eine breitere Kenntnis dieser Bildvorlagen bezeugt z.B. eine Flugschrift, die 1521 in Augsburg unter dem Titel erschien: ›Beclagung eines leyens genannt Hans Schwalb über vil mißbreuch Christliches lebens und darin begriffen kürtzlich von Johannes Hussen‹. Über Luthers Weg zur Gleichsetzung des Papsttums mit dem Antichrist wirkten sich in der Konzeption des ›Passional‹ neben der hussitischen Literatur auch die von Hutten in Deutschland bekanntgemachten Enthüllungen des italienischen Humanisten Lorenzo Valla über die »Konstantinische Schenkung« aus. Für die Entstehung des antithetischen Bildzyklus liegen dabei die unmittelbaren Impulse in Luthers Adels-Schrift von 1520 (Kat. Nr. 208). Aktuell aber reagiert das ›Passional‹ mit der besonderen Hervorhebung kanonistischer Zitate auf Luthers kirchenrechtlich sanktionierte Bedrohung nach dem päpstlichen Bannspruch (Kat. Nr. 228). Das Büchlein, von dem 1521 außer sechs deutschen Neuauflagen auch eine lateinische Ausgabe erschien, hat in Nachdrucken, Imitationen, literarischen Bearbeitungen und beispielsweise auch einer Umsetzung als Freskenfolge im Torgauer Schloß eine breite und anhaltende Nachwirkung ausgeübt und damit Luthers lebenslange Behauptung vom Papsttum als Antichrist begleitet und überdauert.

Kat. Ausst. Cranach, Bd. 1, Nr. 218, S. 330; Bd. 2, S. 778 (Anm. VII, 39) führt die umfangreichen bibliographischen Nachweise auf. K.H.

303 Die Evangelischen verstehen ihre Lehre weithin als Rückkehr zum »guten Alten« und bekämpfen an der römischen Kirche das »schlechte Neue«.

Judas Nazarei, ›Vom alten und nüen Gott, Glauben, und Ler‹
Basel: Adam Petri 1521
4°. 40 Bll. Titelholzschnitt
Nürnberg, Germanisches Nationalmuseum, 8° Rl. 1745^z Postinc.

Der Titelholzschnitt der unter einem bis heute noch nicht schlüssig aufgedeckten Pseudonym publizierten Flugschrift faßt die in einem ausgreifenden geschichtstheologischen Durchgang begründete dualistische Gegenwartsdeutung in der Antithese des Papstes als neuen irdischen und der Trinität als des alten Gottes zusammen. Links wird der Papst nach dem Brauchtum von Karnevalspuppen an Tragestangen emporgehalten. Ein Kardinal, Thomas von Aquino und Aristoteles bilden neben den zeitgenössischen Gegnern Luthers, Ambrosius Caterinas, Johann Fabri, Eck und Silvester Prierias, die Gemeinde des »neuen Gottes«, der mit Schwert, Schlüssel, Rute, Rüsselnase und Teufelsklaue gekennzeichnet und – ebenso wie die beiden links begleitenden Kleriker – vom Teufel gekrönt wird. Gegenüber steht der auferstandene Christus unter Gottvater und der Geisttaube zwischen Moses und Aaron, den Evangelistensymbolen sowie Paulus und einem lehrenden Mönch, bei dem es sich um Luther handeln soll. Als Parallelfigur zu Paulus mit gezogenem Schwert illustriert der Mönch den heilsgeschichtlichen Rahmen, der in der Schrift den Kampf der wahren gegen die falsche Kirche ausmacht. Der Verfasser des Büchleins, der auch weitere Veröffentlichungen wie die bekannte Satire ›Wolffgesang‹ mit seinem anspielungsreichen Pseudonym signierte, gehört dem Umkreis der oberdeutschen und Schweizer Humanisten an und macht nicht nur mit der Hervorhebung der Luther-Gestalt seine Übereinstimmung mit der Wittenberger Reformation deutlich. Anhaltspunkte zur näheren Bestimmung des Bildgestalters ließen sich nicht ermitteln.

304

Ausgabe von E. Kück, Flugschriften aus der Reformationszeit, Bd. 12, Neudrucke dt. Literaturwerke 142/43, 1896. – H. G. Hofacker, »Vom alten und nüen Gott, Glauben und Ler«. Untersuchungen zum Geschichtsverständnis und Epochenbewußtsein einer anonymen reformatorischen Flugschrift, und H. Scheible, Das reformatorische Schriftverständnis in der Flugschrift »Vom alten und nüen Gott«. In: J. Nolte (Hrsg.), Kontinuität und Umbruch. Theologie und Frömmigkeit in Flugschriften und Kleinliteratur an der Wende vom 15. zum 16. Jahrhundert, 1978, S. 145-188. K. H.

304 Die Bildpublizistik überträgt biblische Antithesen positiv und negativ bewerteter Beispielfiguren auf die konkurrierenden Glaubensgruppen. Zugleich wird die Christusnähe der gläubigen Laien als geistliches Ziel hervorgehoben.

Der Schafstall Christi
Kopie nach einem verlorenen Flugblatt Sebald Behams von 1524
Einblattholzschnitt mit Typendruck, 34,6 × 24,5 cm. Text von Hans Sachs
Augsburg: Heinrich Steiner 1524
Berlin, Staatsbibliothek Preußischer Kulturbesitz, YA 121 m (1)

Das ausgestellte Blatt ist die einzige erhaltene Kopie nach einem verlorenen Flugblatt, das zu Beginn der Zusammenarbeit zwischen Hans Sachs und Sebald Beham entstand. Auf Grund der ornamentierten Rahmenleisten läßt sich der Nachschnitt, der auf den im Original vorauszusetzenden Titel verzichtete, nach Augsburg lokalisieren.
Text und Bild beziehen das biblische Gleichnis Joh. 10 auf den zeitgenössischen Glaubenskampf: Christus erscheint in der (und als die) Tür zum Schafstall und empfängt die von rechts herankommenden Gläubigen, an ihrer Spitze einen Bauern mit der Rodeaxt auf der Schulter. Im Gegensatz dazu versuchen Mönche, Nonnen und Priester über das Dach in den Stall zu gelangen und sind so den »Dieben und Räubern« des Evangeliums gleichgesetzt. Im Text läßt Sachs neben Christus und dem *gotloß hauff* der Altkirchlichen nicht die Evangelischen zu Wort kommen, sondern den Engel, wie er im Holzschnitt den »Dieben und Mördern« aus der Bibel vorliest. In Text und Bild vertreten Christus und der Engel die Luthersche Lehre, deren Konzentration auf Gotteswort und Glauben polemisch von der gegnerischen Betonung der Tradition und der Werkfrömmigkeit abgesetzt wird. Die bildwirksame Gleichsetzung der evangelischen Seite mit Christus kann die intensive Rezeption des Blattes im 16. Jahrhundert erklären. In abgewandelter Form liegt Behams Erfindung Darstellungen des Monogrammisten MS und Pieter Bruegels ebenso zugrunde wie dem Entwurf einer Kabinettscheibe des Schweizer Malers Thomas Schmid (Kunsthaus Zürich Z. Inv. 1938/585).

Geisberg, Nr. 221. – B. Balzer, Bürgerliche Reformationspropaganda. Die Flugschriften des Hans Sachs in den Jahren 1523-1525, 1973, S. 80-85. – Scribner, S. 51-53. – Zschelletzschky, S. 250-254. – Meuche-Neumeister, Textabb. 12, S. 116 f. K. H.

305 Mit der Aktualisierung von Gleichnissen Jesu legitimieren sich reformatorische Propagandabilder vor dem Laien als Quellen von Glaubensgewißheit und »Weisheit«.

›Das Hauß des Weysen und das haus des unweisen manß. Math. VII‹
Erhard Schön, 1524
Flugblatt mit Holzschnitt und Typendruck, 28,8 × 37,5 cm. Text von Hans Sachs
Nürnberg: Hans Hergot 1524
Berlin, Staatsbibliothek Preußischer Kulturbesitz, YA 123 m (1)

305

In der Überschrift gibt sich der von *Hans Sachs Schuster 1524* signierte und datierte Spruch (Werke, Bd. XXV, Reg. Nr. 526) als Bibelparaphrase aus. Das Gleichnis am Schluß der Bergpredikt wird jedoch in Text und Bild aktuell verstanden und polemisch gegen die römische Kirche verwendet. Der Holzschnitt zeigt das »Haus des weisen Manns« als Zufluchtsort der evangelischen Christen auf einem Fels, gestützt von den Eckpfeilern des Gotteslamms und der beiden Testamente sowie mit einem Kreuz bezeichnet. Zu beiden Seiten des Hauses veranschaulichen gegnerische Figuren die fortdauernde Bedrohung durch die päpstliche Kurie (links ein Kardinal mit Bulle), das Klosterwesen (Mönch mit Pfeil und Bogen) und die kirchliche Jurisdiktion (Advokat neben Scheiterhaufen für Ketzerverbrennung). Gegenüber bricht das auf Sand gebaute Haus des »unweisen Manns« auseinander; der Strom des Wortes Gottes unterspült sein Fundament und reißt die Stützen fort, den siebenköpfigen Drachen (Apok. 13; vgl. Kat. Nr. 295) sowie die Bände der *Dekretalen* und *Scotus.* Graphisch ist das Blatt streng antithetisch aufgebaut, bis in die Symmetrie der beiden Häuserstützen: ein Tier zwischen zwei Büchern. Der Text stellt als zentrales Thema das unbedingte Vertrauen auf das »Wort« heraus. In den Kolumnen des Streitgesprächs setzt Sachs dieses Bekenntnis mit den Passagen dreier Dialogpartner (Christus, Christen, Engel) der polemischen Kennzeichnung des *gottlos hauffen* entgegen. Mit geradezu philologischer Akribie sind am Textrand die Belegstellen für die aneinandergereihten Bibelzitate vermerkt. Die formale Textgestaltung ist wie ihr theologischer Gehalt auf das Wort bezogen. Sachs will mit der Autorität der Schrift die propagandistische Wirkung eschatologischer Vorstellungen gegen die Altgläubigen richten und zugleich die evangelische Seite im Ausharren unter den chaotischen Zuständen ihrer gegenwärtigen Umgebung bestärken. Die scharnierhaft in die Bildmitte gesetzte Figur des »gemeinen Mannes« mit dem Schwert läßt sich wohl als Verteidiger der Evangelischen auffassen inmitten der Feinde.

G. Stuhlfauth, Das Hauß des Weysen und das Haus des unweisen manß. Math. VII. Ein neugefundener Einblattdruck des Hans Sachs vom Jahre 1524. In: Zs. für Bücherfreunde, NF 11, 1919-20, S. 1-9. – Geisberg, Nr. 1139. – Scribner, S. 193-195. – B. Balzer, Bürgerliche Reformationspropaganda. Die Flugschriften des Hans Sachs in den Jahren 1523-1525, 1973, S. 76-80. K. H.

306 Die Bildwerbung nimmt die entscheidende Bedeutung der Predigt für die Ausbreitung der Reformation auf.

›Inhalt zweierley predig, yede in gemein in einer kurtzen summ begriffen‹
Georg Pencz, 1529
Flugblatt mit Holzschnitt und Typendruck, 30,5 × 40,9 cm. Text von Hans Sachs
Wien, Graphische Sammlung Albertina, Inv. Nr. 1961/70

In der zeitgenössischen Gattung der Predigtsumma stellt Hans Sachs, der aus Vorsicht gegenüber der Zensur bei diesem Blatt nicht namentlich in Erscheinung tritt (Werke Bd. I, S. 397-400; Bd. XXV, Reg. Nr. 286), die reformatorische Lehre unter dem Hauptgesichtspunkt des den Sünder allein rechtfertigenden Glaubens und der ausschließlichen Gottesoffenbarung in der Schrift gegen die altkirchliche Werkfrömmigkeit, die in einer rhetorischen Aufzählung (vgl. ›Wittenbergisch Nachtigall‹ v. 120-145) vieler Anlässe, Bräuche und Gegenstände ebenso wie mit dem Erklärungshinweis auf Habgier und Papstherrschaft diffamiert wird. Während die in den Titelversen zitierte alttestamentliche Hirtenbildlichkeit nicht in die Illustration einging, charakterisiert Pencz den Gegensatz zwischen beiden Predigern und Gemeinden

307

anschaulich durch Körperhaltungen, Kleidung und Attribute (Buch gegen Rosenkranz) als Indizien unterschiedlicher Einstellungen und Besitzverhältnisse. Von früheren Bildantithesen zweier Kanzelprediger, wie sie in der Antichrist-Illustration der Schedelschen Weltchronik 1493 und bei einer Titelrahmung Behams 1526 vorliegen, unterscheidet sich Pencz, indem er mit dem in die Mitte neben die Säule gestellten alten »Rufer« und den analog plazierten Versen am unteren Textrand *(Hierin urteil du frumer Christ Welche leer die warhaffts ist)* den Betrachter in eine fiktive Entscheidungssituation miteinbezieht, um damit die Wirkung seiner scheinbar »objektiv« offenen Gegenüberstellung zu steigern. Zschelletzschky hat die unterschiedlichen Handhaltungen des »Rufers« als Verspottung des altgläubigen und als »Daumendrücken« für den evangelischen Prediger aufgefaßt. Pencz' Bildantithese der beiden Prediger wurde in Nachschnitten rezipiert und war der Ausgangspunkt für die nach 1545 entworfene Polemik in dem bekannten Doppelblatt des jüngeren Cranach »Unterscheid zwischen der waren Religion Christi und falschen Abgöttischen lehr des Antichrists in den fürnemsten Stücken«.

Geisberg, Nr. 997. – Scribner, S. 196-205. – Zschelletzschky, S. 284-290. – Meuche-Neumeister, Textabb. 14, S. 117 K. H.

307 In großem Umfang werden biblische Sprachbilder zur Darstellung und Beeinflussung der eigenen Gegenwart benutzt.

Klage Gottes über seinen Weinberg
Erhard Schön, 1532
Flugblatt mit Holzschnitt und Typendruck, 39,5 × 36,5 cm. Text von Hans Sachs
Berlin, Staatliche Museen Preußischer Kulturbesitz, Kupferstichkabinett, Inv. Nr. 613-24

Das Blatt ist um die in der Überschrift und den Versen von Hans Sachs (Werke, Bd. I, S. 252-255; Bd. XXV, Reg. Nr. 529) angeführten alt- und neutestamentlichen Bildworte vom Weinberg, Pflanzen und Hirtenamt (bes. Jerem. 12; Jes. 3, 14; Jes. 56, 9-10; Jerem. 23; Matth. 15, 13; Luk. 13, 6-9; Matth. 21, 1) als Gegensatz zwischen evangelischer Gemeinde und römischer Kirche angelegt. In dem umzäunten und von einem Hund bewachten Garten verweist das weit geöffnete Tor auf den evangelischen Prediger links; er unterrichtet eine Bürgergruppe nach der Beischrift im Gotteswort und deutet auf den nach Joh. 15 als Rebe am Weinstock gekreuzigten Christus. Im weit größeren rechten Teil erscheinen Gott und Papst einander als gute und schlechte Weingärtner gegenübergestellt. Gottvater und Engel hacken dürre Bäume aus, verbrennen das tote Holz des alten Glaubens und pflegen fruchttragende Pflanzen. Demgegenüber bemühen sich Papst und Klerus um abgestorbene Bäume, die mit zahlreichen Requisiten altkirchlichen Gottesdienstes behängt sind (Reliquien, Monstranz, Rosenkranz, Bilder, Ablaß, Meßgerät und Priesterornat). Während die Hauptgruppe der drei toten Bäume die ikonographisch überlieferte Bildformel der drei Kreuze des Kalvarienbergs (mit dem Priestergewand der Totenmesse an der Stelle von Christus im Zentrum) parodiert und dem reformatorischen Rebstock-Kruzifix entgegensetzt, erscheint entsprechend der Geistliche, der *in aygen zisteren gräbt* (nach Jerem. 2 in der zweiten Verskolumne), als Verräter am *lebendig wasser prunnen,* der vom Gekreuzigten ausgeht. Bei der Konzeption des Blattes griff der Illustrator nicht nur auf Gartenallegorien und eucharistische Kreuzigungsbilder des späten Mittelalters, sondern auch auf den Titelholzschnitt Behams zu einer Flugschrift Thomas Stoers ›Von dem christlichen Weingarten‹ (1524) und auf ein eigenes Frühwerk zurück, ein reformatorisches Blatt der 1520er Jahre, in dem er das biblische Gleichnis von den Weingärtnern (Mark. 12) polemisch auf Papst und Mönchtum angewendet hatte (Gotha: Meuche-Neumeister, Blatt 15).

Geisberg, Nr. 1140. – Meuche-Neumeister, Textabb. 15. – Scribner, S. 190-193. K. H.

308 Zu Beginn der Reformationspropaganda arbeitete Cranach mit Karlstadt zusammen. Die theologisch komplexe Allegorie des »Fuhrwagens« diente der Vorbereitung der Leipziger Disputation und wurde durch einen eigenen gedruckten Kommentar erschlossen.

»Fuhrwagen« des Andreas Bodenstein von Karlstadt (»Himmelwagen und Höllenwagen«)
Lukas Cranach d. Ä., 1519
Einblattholzschnitt mit zahlreichen Inschriften, 29,9 × 40,7 cm. Wittenberger Druck 1519
Hamburg, Hamburger Kunsthalle, Inv. Nr. 12 794

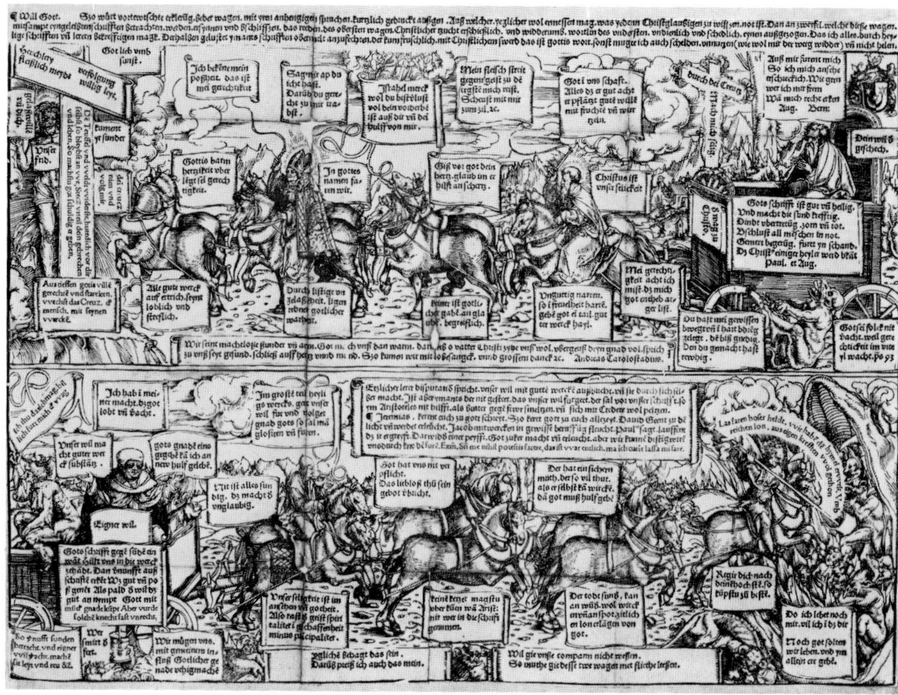

308

Das von Geisberg wiederentdeckte Flugblatt wurde gegen Ende 1518 als Kampfmittel gegen Johannes Eck zur Vorbereitung der Leipziger Disputation von Andreas Bodenstein in Auftrag gegeben. Die von Cranach nach Karlstadts Wünschen und programmatischen Angaben ausgeführte Darstellung bezeichnet die Abwendung des Wittenberger Theologen von der Scholastik, wie er sie 1517 in einer Sammlung von 151 Thesen eingeleitet hatte. In dem Bild, das als diagonale Kontrastierung angelegt ist, wird oben ein Wagen mit Führern des Gottesglaubens von rechts nach links achtspännig zu Christus am Himmelstor gezogen, unten in entgegengesetzter Richtung ein siebenspänniger Wagen mit Vertretern der scholastischen Lehre in den Höllenrachen. Karlstadt will durch den unteren Wagen den falschen Weg der Glaubenslehre vom freien Willen verurteilen und demgegenüber seinen Grundsatz von der absoluten Passivität des menschlichen Willens in der Buße umschreiben. Kronzeugen seiner Auffassung sind der Apostel Paulus und der Kirchenvater Augustinus, die man in den beiden nimbierten Vorreitern des oberen Wagengespanns wiedererkannt hat. Wie schwierig die Umsetzung der theologischen Lehraussage in eine Bildform war, verrät eine Bemerkung Karlstadts in einem Brief (v. 14. 1. 1519) an Spalatin (über die *impedimenta celeberrimi nostri Pictoris* – die Arbeitsrückschläge unseres hochberühmten Malers). Als ikonographischen Ausgangspunkt konnte Cranach zwei Illustrationen Hans Schäufeleins zu einem 1517 in Augsburg veröffentlichten Traktat ›Hymelwag ... Hellwag‹ (des Hans von Leonrodt) verwenden. Angesichts der heiklen Aufgabe, Wort und Bild zu integrieren, geht man davon aus, Karlstadt habe zunächst einigen Freunden Probeabzüge des »Wagens« vorgelegt, in deren leergelassene Felder er die Sprüche erst handschriftlich eingetragen hatte. Bei der endgültigen typographischen Redaktion des Holzschnitts war der Theologe bereits, wie die Ankündigung in den breiten Überschriftszeilen zeigt, mit einer deutschsprachigen Erklärung des Bildinhalts beschäftigt. Diese Schrift erschien am 18. April 1519 unter dem Titel: ›Außlegung und Lewterung etzlicher heyligenn geschrifften, So dem Menschen dienstlich und erschliesslich seint zu Christlichem leben. Kurtzlich berürt und angetzeichet in den figurn und schrifften der wagen Insonderheit des creutzes, tzu welchem unser goth und herr, den menschen berufft‹. Die große Wirkung des Blattes zeigte sich gleich in der Reaktion einiger Leipziger Theologieprofessoren: Einer zerriß den Holzschnitt öffentlich auf der Kanzel; andere fragten Studenten im Beichtstuhl, ob sie über den »Wagen« gelacht hätten, und erlegten den Geständigen harte Bußen auf. Johannes Eck beschwerte sich nach der Leipziger Disputation bei dem Kurfürsten darüber, daß Karlstadt in dem Wagen ihn *ganz spöttisch mit ausgedrucktem Namen verschmähet.* Auf seine anschließende Bemerkung: *Ich könnte auch wohl einen Wagen machen, aber ich wollte ihm nicht Roß drein setzen; aber das ist keine Kunst* gab Karlstadt bissig zurück: *Zum andern läßt er sich meinen Wagen verdrießen, und meinet auch wohl, einen zu machen, aber nicht Roß, sondern vielleicht Esel drein zu setzen. Ich hab niemand genennet noch ausgemalet in den Bildern des Wagens, sondern die gemeine Irrtum von Theologen angezeigt ... Ich laß ihn Wagen machen und Esel drein setzen, wie er will, vielleicht findet man einen Treiber dazu.* Das auch in Süddeutschland (Augsburg, Nürnberg) sogleich mit großer Anteilnahme beachtete Werk ist auch in einer Ausgabe mit lateinischem Text verbreitet worden, wovon sich vor kurzem ein Fragment in Nordhausen fand.

H. Barge, Andreas Bodenstein von Karlstadt, Bd. 1, 1905, S. 146 f., 464 f. (noch ohne Kenntnis eines Abzuges nur anhand der literarischen Quellen). – Geisberg, Nr. 612. – H. Zschelletzschky, Vorgefecht des reformatorischen Bilderkampfes. Zu Cranachs Holzschnitt »Himmelwagen und Höllenwagen« des Andreas Bodenstein von Karlstadt von 1519. In: Lucas Cranach. Künstler und Gesellschaft. Colloquium Wittenberg, 1973, S. 102 ff. – Kat. Ausst. Cranach, Bd. 2, Nr. 351. – Meuche-Neumeister, Textabb. 5, S. 113 f. K. H.

309

309 Zur reformatorischen Lehrverkündigung werden didaktische Diagramme der spätmittelalterlichen Unterweisungsliteratur verwendet, im Unterschied zur Scholastik jedoch in direkten Zusammenhang mit der zeitgeschichtlichen Lage gebracht.

Alte und neue Kirche
Monogrammist H, 1524
Einblattholzschnitt mit Inschriften, 53,3 × 34,4 cm
Nürnberg, Germanisches Nationalmuseum, HB 25

Das bisher nur in diesem Exemplar nachgewiesene Flugblatt bezieht sich auf eine im Februar 1524 in Jena veröffentlichte Flugschrift ›Ein gesprech auff das kurtzt zwischen eynem Cristen und Juden ... den Eckstein Christum betreffend‹. Das Bildprogramm der Darstellung ist in Fortsetzung spätmittelalterlicher Didaktik wie der Armenbibel als Antithese angelegt. Um den gekreuzigten Christus als Eckstein wird im zentralen Quadrat die Erfüllung des Alten im Neuen Testament vergegenwärtigt: den Symbolen der vier Evangelisten erscheinen David, Jesaia, Moses und Hiob zugeordnet. Während sich nach oben und unten die zwei weiteren Personen der Trinität und die »Welt« mit Sünde und Hölle gegenüberstehen, ist die traditionelle Unterscheidung der beiden Schächer neben Christus zu einer aktuellen Kontrastierung genutzt. Dem reuigen Schächer entspricht die evangelische Seite mit Prediger (»Evangelischer Prediger als Luther und andere«) und Bürgergemeinde, dem »bösen« Schächer ein »Ablaßprediger als Eck, Emser und Cocleus« mit der geistlichen und weltlichen Herrschaftshierarchie. Wenn auch viele dogmatische Aussagepunkte der geometrischen Bildorganisation abgelesen werden können (z.B. der Gegensatz zwischen dem geöffneten und dem geschlossenen Grab, Nr. 4,5, mit Christi Auferstehung bzw. dem »Ewigen Tod«), so bleiben doch einzelne Bestandteile der komplexen Allegorie nur mit Hilfe der Flugschrift zu entschlüsseln. So soll der Reiter unter dem evangelischen Prediger zwar nach Apok. 19, 11 den Reiter »Treu und Wahrhaftig« darstellen, aber nicht wie dort für das Wort Gottes stehen, sondern generell den evangelisch gesinnten Herrscher bezeichnen. Ikonographisch folgenreiche Bildformulierungen wie die Gegenüberstellung zweier Kanzelprediger oder das antithetische Kreuzigungsschema begegnen hier erstmals in der lutherischen Publizistik. Andererseits gruppierte der Illustrator für die altgläubige Obrigkeit über der Babylonischen Hure Cranachs Bild zu Apok. 17 aus dem September-Testament um und nahm dabei mangels einer entsprechenden Vorlage für die Gegenseite eine Störung der insgesamt angestrebten Motivsymmetrie in Kauf. In der zugehörigen Flugschrift wird die Gebrauchssituation des Holzschnittes an der Unterhaltung anschaulich, in der ein Evangelischer einem Juden anhand dieser Illustration die Hauptpunkte der Lehre darlegt. Ein Gastwirt, der dem Gespräch folgte, verspricht, die Diskussion zu veröffentlichen, und verrät damit – bei aller literarischen Stilisierung – eindrucksvoll, wie bei der Ausbreitung der Reformation mündliche, schriftliche und bildliche Übermittlung wechselseitig verschränkt waren.

Der Dialog von 1524 wiederabgedruckt bei O. Clemen (Hrsg.), Flugschriften aus den ersten Jahren der Reformation, Bd. 1, 1907, S. 375-422. – Geisberg, Nr. 926. – O. Clemen. In: Gutenberg-Jb. 1933, S. 144 f. – Scribner, S. 211-216. K.H.

310 In der frühen Reformation stellen sich die Evangelischen häufig als Erneuerer der Urkirche dar und wenden sich an das Mitgefühl für den verfolgten Luther.

Die päpstlichen Wölfe
Unbekannter Künstler, Kopie nach einem Flugblatt um 1521
Holzschnitt, 22,5 × 32,5 cm. Unvollständig
Berlin, Staatliche Museen Preußischer Kulturbesitz, Kupferstichkabinett, Inv. Nr. 614-24

Die von der reformatorischen Selbstdarstellung in Wort und Bild oft herangezogene Klage über die in den göttlichen Weinberg eingedrungenen Wölfe (vgl. Kat. Nr. 307) bezeichnet zusammen mit dem neutestamentlichen Gleichnis vom guten und bösen Hirten die Grundvorstellung dieses frühen Kampfblattes, das nur in einer unvollständigen Kopie verfügbar ist. Auf dem »Original« (Halle, Graphische Sammlung Moritzburg) ist neben dem zugehörigen Text in der rechten Bildecke Luther als Mönch mit Buch und Schreibfeder der entscheidende Punkt der angestrebten Bildaussage. Der Reformator, der nach der direkt unter ihm plazierten Schlußzeile *predigt, lehrt und schreibt Solts auch kosten meinen leib,* erscheint in der Lichtseite des kompositorisch zweigeteilten Blattes Christus, den Lämmern und den (gleichfalls mit Buch gezeigten) Aposteln Petrus und Paulus zugeordnet. Demgegenüber vertreten die als Papst (mit geraubtem Lamm) und Kardinal gekennzeichneten Wölfe und die von den Lämmern im biblischen Strafgericht abgesonderten Böcke (im Original ein Wolf dabei) in der dunklen Zone die durch das Gebäude im Hintergrund angedeutete mittelalterliche Kirche. Zur graphischen Umsetzung der auf mehreren Ebenen anspielungsreichen Antithetik kombinierte der unbekannte Illustrator die altchristliche Allegorie von Lamm und Kreuz mit dem zeitgenössischen Bildtypus des Gekreuzigten, der sowohl zum Naturhintergrund (Sonne – Nimbus) als auch zu einer meditierenden Figur, hier Luther gegen-

Jn götlicher schrifft find man klar
Das Christus vnd Propheten zwar
Vnd die Apostel han geklagt
Vnd von den wölffen klar gesagt
Auch von den falschen Hirten zwar
Das findet man lauter vnd klar
Durch Ezechiel sich Gott beklagt
Am vier vñ dreissigsten Capitel sagt
Das sich die hirten selber weyden
Vnnd sich von der schaff wollen kleydē
Vnnd die faisten ermörden sie
Vnnd den schwachen hülffens nie.
Er sagt auch durch Hieremiam
Damit er sie nur gar bescham
Sagt wehe jhr hiten die do weissen
Vnd die Schaff der herd zu reissen
Meiner waid vnd meiner lern
Darmit jhr sie von mir thut keren
Mit ewr lüg vnd argen list
Die diesem volck nit nütze ist
...umb er solchs thut bescheyden

Das jm sein Schaff nit sollen weyden
Vnd sie erlöst von disen wölffen
Jst auch verkündigt võ den zwölffen
Petrus der selbig einer ist
Hat gesehen jhren argen list
Vnd verboten durch guten syn
Nit zu weiden vmb schnöden gwyn
Jnn der ersten Epistel drat
Am 5. Capitel es geschriben stat
Vnd in der andern Epistel
Sagt er mit hellen worden schnel
Das sich sole geben zur letzten zeyt
Das die warheit vertriben weyt
Solt von disen wölffen werden
Das man kein fund auff diser Erden
Denn glauben Christi vnd seiner leer
Vnnd sagt es wer von jhnen fer
Der weg der warheit gantz verspott
Vnd werden auch verlaugnen gott
Der sie erkaufft mit seinem Blut
...ß leben achten gut

Vnd mit lügen vnd mit geytz
Felschlich sagen siech da leytz
Du must erkauffē von mir vmb gelt
Wiltu im hymel sein gezelt
Solchs werden sie all treyben
Vnd kein warheit bey jhn bleyben
Vnd alle mit erdichten worten
Greülich füren zur hellen porten
Vnd Christus gsagt von dē zwölffē
Wir sollē vns hüten vor dē wölffen
Die verderben Christus wayden
Vñ sich mit schaffen gstalt bekleydē
Jnnen seind es reissend wölff
Das han kund gethan die zwölff
Jahannes sagt auch hell vnd klar
Jnn seinner Epistel offenbar
Das sie mit lüg vnd argen list
Der Antchrist schon mit krefften rüst
Zu seiner zeit sey schon verhanden
Das er schon far in allen landen
Vnd steet gar lauter vnd auch klar

Der ersten Epistel offenbar
Am andern Capitel ists geschriben
Vnd wirt mit lüg nit abtriben
Er sagt jhr brüter ich thu euch kund
Es ist gar naher die letzte stund
Vnd wie jhr von mir habt gehört
Das der glauben wirt zerstört
Vom Antchrist wie jhr dan wist
Der yetzund schon in der welt ist
Sie sein von vns außgangen
Hüt euch nach jhn habt kei verlãgen
Het sie der Sathan nit getrieben
So weren sie bey vns bliben
Auff das sie weren offenbar
So sein sie nit in vnser schar
Sant Paulus gibt jm dē rechtē titel
Actum am zwaintzigsten Capitel
Sagt er mit warung offenbar
Das balt nach jhm in seiner schar
Vnd so er wirt von jhnen scheyden
Schwere wölff sie würdē beleyden

311

über dem biblischen Johannes in der zeitgenössischen Ikonographie (Altdorfer, Cranach, Holbein), in Beziehung gesetzt ist. Das sprichwörtlich geläufige Bild vom habgierigen Wolf wurde schon vor der Reformation in den Bilderkreis der Kirchenkritik einbezogen; so erscheint in dem Einblattdruck mit »Reineke Fuchs als Papst« (Kat. Nr. 288) ein Dominikaner in Wolfsgestalt beischriftlich als Ablaßprediger gegeißelt.

Kat. Ausst. Freiheit eines Christenmenschen, Nr. 103. – Scribner, S. 55 f. – Zum Exemplar in Halle: Meuche-Neumeister, Textabb. 13. – Scribner, S. 29. K.H.

311 Luther sah in Johann Hus einen Vorläufer seiner Überzeugungen. Schriften und andere Überlieferungen der Hussitenbewegung wurden herangezogen. Auch wird Hus gelegentlich dargestellt, um die Reformation zu legitimieren.

Luther und Hus als gute Hirten
Unbekannter Künstler, um 1530/40
Holzschnitt, 21,8 × 28,3 cm. Unvollständig
Berlin, Staatliche Museen Preußischer Kulturbesitz, Kupferstichkabinett, Inv. Nr. 37-1889

312

312 Die reformatorische Bildpropaganda berücksichtigt den traditionellen Erfahrungshorizont des Publikums. So kann sie altkirchliches Brauchtum wie das Pilgerwesen in Allegorien aufheben und zugleich polemisch aktualisieren.

›Sibnerley Anstöß der welt, so dem menschen der Christum suchet begegnen‹
Georg Pencz, 1529
Flugblatt mit Holzschnitt und Typendruck, 41 × 38 cm. Text von Hans Sachs
Berlin, Staatliche Museen Preußischer Kulturbesitz, Kupferstichkabinett, Inv. Nr. 833-10

Das nur in diesem fragmentarischen Exemplar überlieferte Flugblatt stellt eine Fortbildung der »Päpstlichen Wölfe« dar. Es greift den dort zu Ende des Textes zitierten Passus von Ezechiel als Titel auf, der den Leser eine Bibelparaphrase erwarten läßt, und gruppiert zu der linken Hälfte der Bildkomposition Luther und Johannes Hus, letzteren außerhalb des Schafspferchs in seiner Rolle als Wegbereiter der Reformation charakterisierend. Angesichts der weiten Verbreitung sowohl der legitimierenden Rückbezüge auf Hus und das Erbe der böhmischen Bewegung wie auch der aufgegriffenen literarischen und ikonographischen Bildvorstellungen (vgl. Kat. Nr. 302) in der frühen Reformationszeit läßt sich weder theologiegeschichtlich noch kunsthistorisch eine genauere Einordnung des Holzschnittes begründen. Auch unabhängig von der vorgeschlagenen Zuschreibung der Bilderfindung an den Monogrammisten MS ist das Fragment – oder sein Prototyp – wohl um 1530-40 zu datieren.

Kat. Ausst. Freiheit eines Christenmenschen, Nr. 151. – Scribner, S. 27 mit Abb. 19; Appendix, S. 276, Nr. 40. K. H.

Im alten Bild des Weges hat Pencz hier reformatorische Grundgedanken als Gegenüberstellung von Sinai und Zion, Altem und Neuem Bund, Gesetz und Evangelium formuliert. Der Weg von Moses zum Christuslamm ist zunächst heilsgeschichtlich und die aus der Sicht eines Pilgers geschilderte Überwindung der dabei auftretenden Hindernisse als geistliche Ermutigung zu lesen; in der Hauptsache bezieht sich die Abkehr vom Gesetz und Hinwendung zu Christus aber explizit auf die Ablösung der Evangelischen von der alten Kirche, die als *gottlos hauffen* mit *menschengsatz* u. a. in den gefährlichen Tieren und anderen *Anstoeß* bildhaft geschildert wird. Zeitgeschichtlich bedeutete im Entstehungsjahr 1529 des Flugblatts die Aufhebung des Speyerer Reichstagabschiedes von 1526 auf dem 2. Speyerer Reichstag eine akute Bedrohung der evangelischen Bewegung. Auf der moralisch-asketischen Ebene individueller Frömmigkeit akzentuieren Sachs und Pencz das mittelalterliche Thema der Christussuche beim Pilger einerseits mit der Übernahme bedeutungsgeprägter Formen (Gegensatz zwischen dürrem Baum auf dem felsigen Sinai und grünendem Laub auf Zion; das Bild der Wüste als Ort der Einsamkeit und lauernder Versuchung; Christus in der Kelter), andererseits mit reformatorischen Schwerpunkten wie der Hervorhebung des Apostels Paulus und der Bürgergemeinde um Christus. Sachs war 1527 wegen einer antipäpstlichen Kampfschrift mit der Nürnberger Zensur zusammengestoßen. Man hat daher in dem Flugblatt von 1529 eine persönliche Aktualität des Themas von Hindernis und Unterdrükkung angenommen. Dafür spricht neben der abgekürzten Namensunterschrift auch der ungewöhnliche Verfasserhinweis auf einen (angeblichen?) Bayreuther Prediger,

Johan Behem, mit Rücksicht auf den er zu Beginn des Gedichts *die obgemalt christlich figur* als *zweyerley predig werck* einführt, unter Anspielung auch auf das gleichzeitig von ihm mit Pencz herausgebrachte Flugblatt der »Zweyerlei Predigt« (Kat. Nr. 306). Sachs hat Pencz zur Illustration wohl auf das Titelbild seiner ›Wittenbergisch Nachtigall‹ (1523) verwiesen: mit dem Gotteslamm auf dem Berg gegenüber den der Nachtigall auflauernden wilden Tieren (z.B. Löwe und Wolf wie 1529).

W. Kawerau, Hans Sachs und die Reformation, 1889, S. 79. – Kat. Ausst. Cranach, Bd. 2, S. 509. – J. Wirth, Le dogme en image: Luther et l'iconographie. In: Revue de l'art, 52, 1981, S. 15. – Geisberg, Nr. 985. – Zschelletzschky, S. 290-298. K.H.

313 Darstellungen fiktiver Schlachten verbreiten Wunschbilder im aktuellen Glaubensstreit.

Kampf zwischen Evangelischen und Päpstlichen
Erhard Schön, um 1530
Einblattholzschnitt, 23,1 × 69,1 cm
Berlin, Staatliche Museen Preußischer Kulturbesitz, Kupferstichkabinett, Inv. Nr. 605-24

Im Typus einer zeitgenössisch aktuellen Bildreportage wird der Glaubenskampf als Schlacht vorgeführt. Die in drei Ebenen übereinander gestaffelte Aufreihung evangelischer Landsknechte, bäuerlich-bürgerlicher Infanterie und Reiterei trifft auf die altkirchlichen Truppen der Mönche, Domherren und Priester, die vom reitenden Papst befehligt und von Teufeln als Helfershelfern unterstützt werden. Nach Röttinger bedienten die Kanonen der evangelischen Seite ursprünglich Engel, die »noch vor der Mitte des Jahrhunderts« vom Holzstock entfernt und durch die jetzt sichtbaren Landsknechte ersetzt wurden. Mit der Bildgruppe des reitenden Papstes geht die Darstellung von einem Hauptmotiv der frühreformatorischen Agitation aus. Wenn auch die Datierung des Holzschnitts nicht genau festgelegt werden kann, ob mit Geisberg um 1525 oder mit Neumeister auf 1528, die geschlossene Kampffront der Evangelischen vom Bauern bis zum Fürsten war in jedem Falle gegenüber der zeitgenössischen Wirklichkeit ebenso ein Wunschbild wie das Eingreifen der Engel in den Sturm auf die römische Phalanx. Die innenpolitische Stabilisierung nach dem Bauernkrieg erscheint somit als ein Hauptziel solcher Blätter, über die konfessionellen Auffassungsunterschiede werden hier kaum inhaltliche Anhaltspunkte vermittelt.

Geisberg, Nr. 1142 (nur die linke Hälfte). – Kat. Ausst. Freiheit eines Christenmenschen, Nr. 108, – Meuche-Neumeister, Textabb. 6, S. 114. – Zum allegorischen Thema: A. Wang, Der »miles christianus« im 16. und 17. Jahrhundert und seine mittelalterliche Tradition. Mikrokosmos. Beiträge zur Literaturwissenschaft und Bedeutungsforschung 1, 1975. K.H.

D »Gemeiner Mann«

Der Angriff auf das Papsttum und die weltliche Obrigkeit ging zusammen mit kritischen Betrachtungen der städtischen Wirklichkeit, in der das überwiegend bürgerliche Publikum der Reformationspropaganda lebte. Parallel dazu verlief die Erhöhung des Bauern, der in der Publizistik der Frühreformation weithin als der »gemeine Mann« und Träger einer evangelischen Volksbewegung erscheint. Die Zuwendung des Gemeinen Mannes zur Lutherschen Lehre wird in der Dialogliteratur werbend vorgestellt. Während die Titelblätter dieser Schriften sich überwiegend auf die Gesprächspartner beschränken, benennen gleichzeitige Flugblätter oft deutlich die sozialen und wirtschaftlichen Probleme. Die politische Akzentuierung der Aussage vergegenwärtigt Forderungen im Zusammenhang des Bauernkriegs. Die literarischen und bildlichen Zeugnisse überliefern hier ebenso wie beim Flugschriftentopos vom bibelkundigen, selbstbewußten lutherischen Bauern Wünsche und Hoffnungen. Darin spiegeln sie nur bedingt die soziale Wirklichkeit wieder, in hohem Maße aber die mündliche Kommunikation der Rezipienten. K.H.

314 Das frühreformatorische Tagesschrifttum wendet sich an den bibelkundigen Laien, der häufig in einem Streitgespräch vorgeführt ist. Zugleich trennt es den geistlichen Freiheitsbegriff Luthers von den konkreten politischen Erwartungen des »gemeinen Mannes«.

›Karsthans‹
Flugschrift Straßburg: Johann Prüss d. J. 1521
4°. 16 Bll.
Frankfurt a. M., Stadt- und Universitätsbibliothek, H. 3897

Die berühmte Flugschrift ist mit dem Titelwort, das im oberdeutschen Sprachgebrauch den Bauern nach seinem Arbeitsgerät, der Feldhacke, bezeichnete, zum programmatischen Zeugen des religiös erwachten Laien geworden. »Karsthans« bezieht aus der evangelischen Lehre vom allgemeinen Priesterum aller Gläubigen den geistlichen Rechtstitel für das Aufstreben der unteren Stände. In dem Dialog erweist sich der Bauer als bibelfester, in Luthers

314

Schriften belesener wortgewandter Mann, der sich durch den Reformator in seiner direkt zugreifenden Empörung ablenken und zu einem ausschließlich mit friedlichen Mitteln geführten Kampf gegen die römische Kirche bestimmen läßt. Der unbekannte Autor beantwortete mit der Satire die Angriffe, die Thomas Murner im Herbst 1520 gegen Luthers Sendschreiben an den Adel geführt hatte, und setzte der altkirchlichen Beanstandung, es gebühre Luther nicht, »hans karsten und die unverstendig gemein« aufrührig zu machen, die vorbildhafte Gestalt des reformatorisch gesinnten Bauern entgegen. Gleichzeitig verkleidete sich in der Schweiz auch Zwingli mit städtischen Anhängern als »Bauer« bei der Abfassung der ›Göttlichen Mühle‹, und den Namen »Karsthans« borgten sich Laienprediger und Publizisten in einer Weise, daß Luther im Mai 1521 zu Melanchthon äußern konnte: *Habet Germania multos Karsthansen* (Deutschland hat viele Karsthansen). Die Ausbreitung der Reformationsdialoge, die den »gemeinen Mann« in einem dem Publikum vorbildlichen Prozeß des Überzeugens und Überzeugtwerdens vorstellen, ging oft mit der Rezeption des Bildes von Karsthans zusammen. Im Titelholzschnitt der Straßburger Ausgabe läßt der unbekannte Illustrator die Gesprächspartner auf die Bühne treten; dabei ist Murner mit dem Katzenkopf und der Bauer mit dem Karst kenntlich. In vielen Übernahmen (Diepold Peringer, Bauer von Wöhrd u.a.) wird wie in der Illustration zur ›Göttlichen Mühle‹ (Kat.Nr. 315) der Flegel zum Hauptattribut des Bauern.

H. Burckhardt (Hrsg.), Karsthans 1521, 1910.

K.H.

315 Die in den Flugschriften erhobenen Forderungen werden oft in einem Titelholzschnitt programmatisch zusammengefaßt. Zu Beginn der reformatorischen Bewegung hat sich Zwingli an der Herausgabe einer Flugschrift »zweier Schweizer Bauern« beteiligt und die allegorische Titelgraphik entworfen.

›Göttliche Mühle‹
Flugschrift Augsburg: Melchior Ramminger 1521. 4°.
Augsburg, Staats- und Stadtbibliothek, 4° LD Eckstein 1521

Die in 6 Ausgaben überlieferte Flugschrift, eine der frühesten Vers-Satiren gegen die römische Kirche, geht auf eine Idee des Maienfelder Stadtvogts Martin Seger zurück, der sich damit an Zwingli wandte. Einem Brief Zwinglis an Myconius vom 25.5. 1521 ist zu entnehmen, daß der Zürcher Reformator den Entwurf redigierte, die Gestaltung des Titelbildes anregte, die Titelverse dazu verfaßte, die übrige Versausführung aber dem Glockengießer Hans Füssli übertrug. Im Titelbild ist das der scholastischen Ikonographie der spätmittelalterlichen Kunst vertraute Motiv der Hostienmühle, das die alte Kirchendoktrin der Sakramente als institutionalisiertes Gnadenmittel umschrieb, zum allegorischen Bild einer Predigt- oder Verkündigungsmühle umgeformt: Christus, der Müller, schüttet als Korn die Evangelistensymbole und den Apostel Paulus in den Mühltrichter. Das unten auslaufende »Mehl« sind statt der Hostien die drei theologischen Tugenden Glaube, Liebe und Hoffnung, die der vom hl. Geist inspirierte Erasmus von Rotterdam in einen Sack füllt (mit einem vom Kreuz bekrönten Mühlrad als »Firmenzeichen«) und der Bäcker Luther zu Heiligen Schriften verarbeitet. Der danebenstehende Papst und seine geistlichen Begleiter lehnen die Schriften, die ihnen Luther anbietet, ab, wozu darüber ein Vogeldämon *banban* krächzt und ein bewaffneter Bauer mit dem Dreschflegel ausholt.
Die Bezugnahmen der Illustration auf die unmittelbare Zeitsituation sind deutlich: die Edition des ›Neuen Testaments‹ durch Erasmus 1516; die päpstliche Bannandrohung gegen Luther vom Sommer 1520; den ›Karsthans‹, zu dem es in dem als »Dialog« gemeinten Text Zeile 209/210 heißt: *Karsthans seinen Flegel noch hat der die heilig gschrift iez auch verstat.* Als Bild der

»zwei Schweizer Bauern«, die das Werk verfaßt haben sollen, unterstützt Karsthans Luther in der Situation vor dem Wormser Reichstag. Die Flugschrift verarbeitete die jüngsten Publikationen aus Wittenberg und spielt gleich anfangs auf den Reformator als *den andren Danielem* an, *ein waren propheten, auß dem ungezweifelt der heilig geist redt.* Die Motivkombination des Titelbildes der verbreiteten Schrift regte Beham angesichts der zeitgeschichtlich veränderten Lage nach dem Ausgang des Bauernkriegs dazu an, in einem kleinen Holzschnitt 1525 einen Bauern das Mühlwasser dreschen zu lassen als Sprichwortillustration eines närrischen »Unmöglich«.

Ausgabe: O. Schade, Satiren und Pasquille aus der Reformationszeit, 2. Aufl. 1863, Bd. I, S. 19-26. – P. Hegg, Die Drucke der »Göttlichen Mühle« von 1521. In: Schweizerisches Gutenbergmuseum 40, 1954, S. 135-150; dazu J. Benzing, ebd. 42, 1956, S. 45 f. – W. H. Neuser, Die reformatorische Wende bei Zwingli, 1977, S. 127-138. K. H.

316

316 In einzelnen Illustrationen verknüpfen Künstler die Forderung nach religiöser Befreiung mit direkter Sozialkritik und gehen damit über die lutherische Position hinaus.

Allegorie auf das Mönchtum
Sebald Beham, 1521
Holzschnitt, 9,5 × 16,4 cm
München, Staatliche Graphische Sammlung, Inv. Nr. 819 400

Der mit lateinischen Beischriften versehene Holzschnitt, der vermutlich für eine Veröffentlichung als Flugblatt geplant war, stellt einem von den personifizierten Lastern Hoffart, Wollust und Habgier gegängelten Mönch einen von der Armut angetriebenen Bauern entgegen, der ihn an der Stirn packt und zum Aufessen eines aufgeschlagenen Buches zwingt. Da noch ein geschlossenes Buch vor dem Klostergeistlichen auf der Erde liegt, das ihm anscheinend gerade aus den Händen gefallen oder geschlagen ist, bestehen zwei Erklärungsmöglichkeiten für das Hauptmotiv. Entweder verschlingt der Mönch das Evangelium, nach den biblischen Schilderungen Ezechiels (Kap. 31) und der Apokalypse (Kap. 10,9), oder wendet der Bauer hier die »Marter des Briefessens« an, einen Brauch, einen Boten, der eine unangenehme oder unwillkommene Nachricht überbracht hat, zu zwingen, daß er den Brief selber aufißt – in diesem Falle also eine altkirchliche Fassung des Gotteswortes oder die Klosterregel. Unabhängig von dieser ikonographischen Nuancierung ist deutlich, daß die Darstellung damit nachdrücklich den Standpunkt vertritt, der Laie solle den Kleriker in seiner vernachlässigten Aufgabe, das Wort Gottes zu verkünden, ablösen. Mit der Bloßstellung des Mönchs wird nicht wie in der vorreformatorischen Satire die Laster- bzw. Sündhaftigkeit ins Zentrum gerückt, sondern der Zusammenprall zwischen Armut der Bauern und klösterlicher »Avaritia«. Die im Spätmittelalter verbreiteten Klagen über den Bildungsstand und Sittenverfall der Geistlichen erscheinen in Behams Allegorie zugespitzt zu einer Kritik, die den von Luther 1520 in der Schrift ›An den christlichen Adel deutscher Nation‹ eindringlich proklamierten Gedanken des Laienpriestertums zu Grunde legt und zugleich in der Anklage konkret benannter sozialer Ungerechtigkeit über Luthers Schriften hinaus politische Forderungen umschreibt. Der Künstler, der später mit Hans Sachs zusammen die publizistische Reformationspropaganda mittrug, ist schon zur Entstehungszeit des Blattes 1521 wegen öffentlicher Kritik an einem Ordensprediger und 1525 als »Gottloser« vom Nürnberger Rat bestraft worden.

Geisberg, Nr. 225. – Zschelletzschky, S. 222-230. – Scribner, S. 42-44. K. H.

317 Die Bildpresse setzt in breitem Umfang die Lehre vom allgemeinen Priestertum der Gläubigen in die Antithese städtischer Reformations- oder Christusanhänger und verspotteter Kleriker um.

Christus als evangelisches Licht
Hans Holbein d. J., 1523/24
Holzschnitt, 8 × 27,7 cm
Berlin, Staatliche Museen Preußischer Kulturbesitz, Kupferstichkabinett, Inv. Nr. 86-3

Das Blatt konkretisiert die biblische Metapher Luk. 11, 33 zeitgeschichtlich: »Niemand, der ein Licht anzündet, stellt es in einen Winkel oder unter einen Scheffel, vielmehr auf einen Leuchter, daß man den hellen Schein beim Eintreten leicht sehe«. Christus führt eine Schar von Bürgern und Bauern zum Licht, einem auf den Evangelistensymbolen aufruhenden Leuchter mit brennender Kerze, während sich ein Zug altkirchlicher Würdenträger davon abwendet und seine Blindenführer Plato und Aristoteles in eine Grube stürzen (Matt. 15, 14; Luk. 6, 39). Die geläufige Benennung der Darstellung geht auf die Beschreibung im Amerbachschen Inventar des 17. Jahrhunderts zurück: *Christus vera lux, philosophi et papa in foveam cadentes* (Christus als wahres Licht, die Philosophen und der Papst beim Sturz in die Grube). Der Holzschnitt wurde für Johannes Copps ›Evangelischen Kalender‹ 1527 verwendet, auf den Thomas Murner mit einem ›Kirchendieb- und Ketzerkalender‹ reagierte. Hol-

317

bein schuf die Illustration aber zusammen mit einem wohl zugehörigen Spottblatt gegen den römischen Ablaßhandel vermutlich bereits um 1523-24; wahrscheinlich war sie für ein Flugblatt bestimmt, dessen Text jedoch nicht bekannt ist.
In den beiden Darstellungen hebt Holbein die Offenbarung Gottes an den einfachen Gläubigen gegen die päpstliche Kirche ab. Im »Evangelischen Licht« findet sich Karsthans, der Bauer mit Dreschflegel nach der verbreiteten Flugschrift (vgl. Kat. Nr. 314) von 1521. Das Motiv der Blindheit setzt Haug Marschalck 1523 in Titel und Illustration einer Flugschrift ›Ain Spiegel der Blinden‹ ein, um die altkirchliche Gelehrsamkeit der »hochweisen«, scholastisch verblendeten Theologen, im Gegensatz zur Heilsverkündung Gottes an »die Kleinen« (nach den biblischen Zitaten der Titelformulierung), zu kennzeichnen. Holbein selber hat 1522 die reformatorische Kritik an der scholastischen Theologie und an ihrer Autorität Aristoteles auch mit dem Flugblatt »Luther als Hercules Germanicus« eindringlich formuliert. Weist das Herculesblatt auf Holbeins Verbindung zu Erasmus, so wurde die Konzeption des »Evangelischen Lichtes« mit Guillaume Farel in Beziehung gebracht und von dessen 1523 in Basel besorgter Ausgabe der ›Oeconomia Christiana‹ des niederländischen Sakramentaristen Hinne Rode her erklärt. Die Rezeption des Blattes bezeugt eine niederländische Zeichnung der Jahrhundertmitte (Kat. Ausst. Coll. F. Lugt ›L'Epoque de Lucas de Leyde et Pierre Bruegel‹, Florenz-Paris 1980/81, S. 141 ff., Nr. 100, Taf. 20).

H. Koegler, Kleine Beiträge zum Schnittwerk Hans Holbeins d. J. In: Monatshefte für Kunstwissenschaft 4, 1911, S. 398. – F. Saxl, Holbein and the Reformation. In: F. S., Lectures, 1957, S. 277-285. – Scribner, S. 45-47. K. H.

318 Die evangelische Seite beantwortet Klagen einzelner Handwerke über wirtschaftliche Einbußen im Gefolge der neuen Lehre.

›Ein neuwer Spruch wie die Geystlichkeit und etlich Handwerker über den Luther clagen‹
Sebald Beham, um 1524
Flugblatt mit Holzschnitt und Typendruck, 34,9 × 26,1 cm
Nürnberg: Hieronymus Höltzel, wohl 1524
Nürnberg, Germanisches Nationalmuseum, HB 26
Farbtafel Seite 82

Waren von evangelischer Seite die finanziellen Interessen und Gewinnmethoden der Kirche angeprangert worden, so wendet sich Sachs hier gegen Beschwerden über wirtschaftliche Einbußen, die die Einführung der Reformation verursachte. Im Schema der seit dem Mittelalter beliebten Streitgedichte mit Einleitung, Rede, Gegenrede und Entscheidung des Streits mit einer Schlußmoral setzt sich der Nürnberger Schuster-Dichter also mit der Umkehrung des wichtigsten stadtbürgerlichen Arguments der Kirchenkritik auseinander. Um die Vorwürfe einiger Handwerkerkreise zu entkräften, setzt er die für ihren Lebensunterhalt auf die alte Kirche angewiesenen Berufsgruppen (Glockengießer, Maler, Goldschmiede, Steinmetzen, Paternostermacher, Paramentensticker, die im Bild jeweils durch Arbeitsgerät gekennzeichnet erscheinen) moralisch mit der Geistlichkeit auf eine Stufe als »geitzig« und »gottlos«. Der Holzschnitt macht die Polarisierung der Papstkirche und der Evangelischen in der betonten Kontrastierung der vorgestreckten Advokatenhand des Klerikers und des von Luther gehaltenen (Evangelien-)Buchs anschaulich. Der Bauer mit Dreschflegel, der in der reformatorischen Publizistik als »Karsthans« die Forderungen des »gemeinen Mannes« vertritt, steht hinter Luther den Angehörigen der wichtigsten Zünfte gegenüber, die Sachs im Interessenbündnis mit der Geistlichkeit als die »Gottlosen« denunziert.
Für den Maler und Graphiker Beham war der Wegfall kirchlicher Aufträge ein spürbareres Problem als für den Textautor Sachs, der mit seiner Handwerksarbeit nicht von der Kirche lebte. Mit der Darstellung eines Malers in der Gruppe der »Gottlosen« betont Beham sein Bekenntnis gegen konservativ orientierte Zunftgenossen.
Das um die Halbfigur Gottes in optisch strenger Symmetrie komponierte Bild unterstreicht die antirömische Polemik und die Lutherverherrlichung des Dichters, auch wenn die visuellen Figurenkolumnen nur auf der linken Seite mit denen des Textes zur Deckung kommen.

Zschelletzschky, S. 230-234. – Scribner, S. 30-32. K. H.

319

319 Dürer bearbeitet 1526 einen etwa 30 Jahre früher entstandenen Bildteppich zu einer sozialkritischen Allegorie auf den Ausgang des Bauernkriegs.

Der »Teppich von Michelfeld«
Albrecht Dürer zugeschrieben, 1526
Holzschnitt in drei Teilen von sechs Holzstöcken, linker Teil 13,5 × 30,8 cm; mittlerer Teil 13,5 × 32,5 cm; rechter Teil 13,6 × 26,5 cm. Die Teile ursprünglich nebeneinander als Fries angeordnet. Ausgestellt: Abdruck von 1550/60, 16,7 × 88,6 cm
Nürnberg, Germanisches Nationalmuseum, St. N. 12 373

Der Holzschnitt ist laut Inschrift die graphische Reproduktion eines am 26. März 1524 im Schloß Michelfeld am Rhein entdeckten angeblich etwa 100 Jahre alten Bildteppichs. Einige Fragmente dieses Teppichs wurden vor 50 Jahren tatsächlich in einer Privatsammlung wiedergefunden. Entgegen der Inschrift im Holzschnitt stammte der Teppich jedoch vom Ende des 15. Jahrhunderts. Aus dieser also nur eine Generation älteren Vorlage entwickelte Dürer, dem der Holzschnitt in der neueren Forschung überwiegend zugeschrieben wird, unter leichten Veränderungen das Bildprogramm einer Rechtsallegorie, die von links nach rechts durchgehend verläuft. Vom Schicksalsrad, das die personifizierte »Zeit« und ein Fuchs inmitten von sechs Vögeln drehen, die für schlechte Eigenschaften stehen (Pfau, Adler, Häher, Elster, Fasan und Falke), wendet sich ein Zug der Ständevertreter erwartungsvoll der »Frommheit« zu, einem vor dem Thron des betrügerischen Richters in einer Wiege schlafenden Kind. Mit dem ungerechten Richter, der Gerechtigkeit, Vernunft und Wahrheit gefangen hält, und den anschließenden Repräsentanten der weltlichen und geistlichen Jurisprudenz wird die Zeitkritik zugespitzt. Die als Zielpunkt plazierte Gottesgestalt der *ewig fursehung* umschreibt als Sinnträger die Kampfesforderung der Bauern nach »göttlicher Gerechtigkeit«. In dieser Ausrichtung verrät sich der direkte Zeitbezug Dürers ebenso wie in der Kennzeichnung des Bauern mit Dreschflegel (»Karsthans«) und des Schmieds mit Hammer und Zange. Dem Zeitgenossen der Bauernerhebung sollten die Szenen im Gerechtigkeitsbild des vorgefundenen Teppichs aktuell und bestätigend anzeigen, *was die alten der jetzigen leufft halben so sich teglich ereygenen in ihrem verstand gehabt und heimlich bey sich behalten haben.*

W. Fraenger, Der Teppich von Michelfeld. In: Deutsches Jb. für Volkskunde 1, 1955, S. 183-211. – Kat. Ausst. Dürer, 1971, Nr. 441. K. H.

320 Unter der Kontrolle der evangelischen Obrigkeit überweist die Bildpublizistik uneingelöste sozialpolitische Forderungen des Gemeinen Mannes zunehmend dem Glauben an eine jenseitig ausgleichende Gerechtigkeit.

Tyrannei, Wucher und Gleisnerei auf dem »arm gemein esel«
Peter Flötner, 1525
Flugblatt mit Holzschnitt und Typendruck, 27,2 × 39,5 cm. Text von Hans Sachs
Nürnberg: Hans Guldenmund 1525
Hamburg, Hamburger Kunsthalle

Das Flugblatt ist seit langem als zeitgeschichtliche Allegorie erkannt worden. Nach dem Ausgang des Bauernkrieges erscheint der »gemeine Mann« hier als Esel, der zwar die »Gleissnerei«, d. h. die Geistlichkeit in Gestalt eines Barfüßermönchs, abgeworfen hat, aber weiter vom »Wucher« geschunden und vom »Tyrannen« bedrückt wird. Die Texte klären das Verhältnis der drei Personifikationen rechts daneben zu dieser Gruppe: die »Vernunft« rät dem Esel, sich auch seiner beiden anderen Peiniger zu entledigen, während die im Block gefangene »Gerechtigkeit« mit der Klage über ihre eigene Hilflosigkeit den »gemeinen Mann« an das »Wort Gottes« verweist. Indem Sachs so den Esel, als »gemeinen Mann«, und das »Wort Gottes« als Verbündete gegen den falschen Gottesdiener hinstellt, aktualisiert er ein von ihm bereits 1524 in der ›Disputation zwischen einem Chorherren und einem Schuchmacher‹ beanspruchtes Bibelmodell: »Strafet doch ein Esel den Propheten Balaam, Numeri XXII, warum sollt dann nicht einem Laien ziemen, ein Geistlichen zu strafen?« Der Hinweis auf den durch Israels Feinde bestochenen Propheten Balaam, dem ein Engel den Weg verstellte, um ihm wie dem Esel die Augen zu öffnen und ihn in göttlichem Auftrag zur Segnung des auserwählten Volkes zu bringen, war in den kirchenkritischen Auseinandersetzungen der Reformation ein häufig benutztes Exemplum. Im Frühjahr 1525 beruft sich die Flugschrift ›An die Versammlung gemeiner Bauernschaft‹ (Kapitel 7) bei der Frage, *Ob eyn Gemayn ir oberhaupt möge entsetzen oder nit,* darauf, um die Berechtigung des Widerstandes gegen ungerechte Obrigkeit biblisch zu belegen. Nach der Niederwerfung der Bauern im Sommer 1525 dagegen mahnt Sachs zur Geduld in dem von Gott verhängten Leiden: Der Trost, von dem geistlichen Peiniger befreit zu sein, soll den »gemeinen Mann« im Vertrauen auf Gottes gerechte Heilsführung darin bestärken, die beiden anderen »Balaamsknechte«, den mit dem gelben Ring als Juden gekennzeichneten »Wucher« und die »Tyrannei« des Landesherren, zu ertragen.

G. Stuhlfauth, Drei zeitgeschichtliche Flugblätter des Hans Sachs mit Holzschnitten des Georg Pencz. In: Zs. für Bücherfreunde NF 10, 1918-19, S. 233-248, cf. 244-248. – Hoffmann, S. 196-203. K. H.

320

321 Die reformatorische Satire geißelt an der alten Kirche vorrangig den Ablaß auch unter wirtschaftlich-zeitkritischen Gesichtspunkten des »gemeinen Mannes«.

›Ein Frag an eynen Müntzer‹
Jörg Breu, um 1530
Einblattholzschnitt, 18,9 × 27,3 cm
Berlin, Staatliche Museen Preußischer Kulturbesitz, Kupferstichkabinett, Inv. Nr. 44-1909

In dem Dialog beklagt der unbekannte Autor den zunehmenden Geldschwund in Deutschland als Folge des römischen Ablaßwesens und der gesteigerten Einfuhr von Luxusgütern und Modeartikeln aus Nachbarländern. Die Überwindung der »käuflichen Kirche« wird zum Anstoß für die Warnung genommen, die neu erreichte Freiheit nicht über Konsum und Prestige an ausländische Geschäftsleute zu verspielen. In der zeitkritischen Diskussion ist der Text des Flugblattes Veröffentlichungen wie der Flugschrift des Johann Eberlin von Günzburg ›Mich wundert das kein gelt ihm land ist‹ von 1524 zu vergleichen, wo einer der vier Dialogpartner *gibt die schuld den kauffleuten und sagt von unnützer böser ware, damit teutsch land bereubt wirt,* und ein weiterer *legt allen schaden zu dem, das Got und seine heiligen zu betler gemacht seien, als mönch und pfaffen fürgeben, darumb wir so williglich unser gut und hab von uns werffendt.* Auch hier erkennt man die Ursachen der damals allgemein beklagten Geldnot in Entwertung und damit notwendig verbundener Preissteigerung noch nicht und greift zur Erklärung mit Kriegen, Einfuhr von ausländischer Luxusware und kirchlicher Ausbeutung. Die Illustration stellt eine Ablaßverkündigung in einer Marktszene mit einem Münzer und einem Geldverleiher zusammen. In der Bildgestaltung kombinierte Breu den Genre-Typus einer Ständedarstellung mit Rückgriffen auf das polemische Repertoire: Der höhnisch übergroß am Kreuz aufgehängte Ablaßbrief entspricht motivisch dem »Siebenhäuptig Papsttier« (Kat. Nr. 294), und im Reiterbild des Kardinals wird der im reitenden Papst formulierte Angriff auf Lebensführung und Herrschaftsanspruch der Kirchenhierarchie zitiert. Röttinger identifizierte den Kardinal mit dem päpstlichen Legaten Campeggio auf dem Augsburger Reichstag 1530. Breu geht insgesamt von der Augsburger Situation einer der Reformation zuneigenden und als Handels- und Finanzzentrum in Europa führenden Stadt aus. Für die Sozialgeschichte der reformatorischen Bildpropaganda ist es dabei aufschlußreich, daß der Künstler eine Chronik seiner Heimatstadt geschrieben und darin aus eigener Anschauung die Auseinandersetzungen um die Reformation geschildert hat. Das um 1530 anzusetzende Flugblatt ist auch in einem vollständigen Exemplar in Gotha und in einer wenig späteren Kopie in Nürnberg erhalten. Die drei Zweizeiler unter dem Holzschnitt in Gotha weichen von den Antworten des Münzers ab und können daher nicht (wie bei Neumeister) als inhaltliche Zusammenfassung des Blattes insgesamt gelten.

Geisberg, Nr. 353. – Hollstein, Bd. 4, S. 179, Nr. 408. – Kat. Ausst. Freiheit eines Christenmenschen, S. 21, Nr. 11. – Gotha: Meuche-Neumeister, Blatt 6, S. 79. – Nürnberg: GNM, HB 15 080: Kat. Ausst. Welt im Umbruch, Bd. 1, Nr. 89. – J. Guey, Le Monnayeur de Jorg Breu l'ancien. In: Revue numismatique 11, 1969, S. 20 ff. – Die Chronik des Augsburger Malers Georg Breu des Älteren 1512-1537. In: Die Chroniken der deutschen Städte 29, hrsg. von F. Roth, 1906, bes. S. 24-47 für die Jahre 1523-1530. – Eberlin von Günzburg: Neudruck in: A. E. Berger (Hrsg.), Die Sturmtruppen der Reformation. Flugschriften der Jahre 1520-1525, 1964, S. 243. K. H.

321

IX. Bauernkrieg und radikale Reformation

Volker Press, Gottfried Seebaß

A Der Bauernkrieg

»Revolution des Gemeinen Mannes« (Blickle)? Oder Bauernkrieg, wie die Sieger die Erhebung von 1525 nannten? Das Ereignis gehört in eine Kette europäischer Bauernaufstände, die vom späten Mittelalter bis an die Schwelle der Gegenwart heranreichen. Dennoch hat der deutsche Bauernkrieg seinen unverwechselbaren historischen Stellenwert: Er erfaßte weite Teile des Reiches, einschließlich der habsburgischen Erblande, und war die einzige derartige Erhebung in Deutschland, die überregionalen Charakter erlangte. Die Aufständischen schienen für ein paar Wochen die feudal-ständische Gesellschaft ernstlich zu gefährden; die dörflichen Gemeinden, die territorialen Untertanen, die sich oft als »Landschaften« bezeichneten, fanden zu einer erstaunlichen Aktionsfähigkeit: Sie hatten Zuzug von Geistlichen, Bergknappen, Bürgern bis hin zu Mitgliedern der städtischen Räte, ja sogar von einzelnen Adligen.
Der Bauernkrieg kam nicht überraschend; Vorläufer kündigten ihn an; Prophezeiungen spiegelten vielfältige Ängste. Die Spannungen in Dörfern und Städten, zwischen Herren und Untertanen waren unverkennbar. Die Bevölkerungsvermehrung hatte den sozialen Druck und die Konflikte im Dorf gesteigert, vor allem zwischen Arm und Reich; Herrschaftsintensivierung, verstärkte Eingriffe in die dörfliche Autonomie, Steigerung der Abgaben, die den Prozeß der Staatwerdung begleiteten, stießen auf überkommene Freiräume und dörflichgemeindliche Traditionen. Ausbau der Geldwirtschaft, Ausweitung des Römischen Rechts vermehrten das Konfliktpotential. Der Kampf der Bauern war ein Kampf um das alte Recht, um die Positionen der Gemeinden, um ein Stück Autonomie also, so wie 1523 Teile der Ritterschaft um ihre Autonomie gekämpft hatten.
Daß die Aufstandsgebiete in den kleingesplitterten Kerngebieten des Reiches und in den Erblanden lagen, Gebieten also, die traditionell dem Kaiser offen waren, mag auf die Bedeutung seiner Abwesenheit für den Ausbruch der Erhebung hinweisen. Diese ist jedoch nicht denkbar ohne die reformatorische Predigt Luthers, aber auch schon diejenige Zwinglis. Die Kirchenkritik hatte das Prestige der geistlichen Herren längst ruiniert – Luthers Wirken, seine Betonung des Evangeliums verliehen der bäuerlichen Bewegung eine tragende Idee: Die Bibel, das göttliche Recht, überhöhte die konkreten Beschwerden und Forderungen. Das Evangelium gab den Rahmen ab für die soziale Utopie, für den revolutionären Schwung: Die Zwölf Artikel der oberschwäbischen Bauern haben dies in unvergleichlicher Weise manifest gemacht. Die Bauern beriefen sich auf die Lehre und das Charisma Martin Luthers.
Luther aber versagte sich der Umdeutung seiner Predigt, zumal er in seiner nächsten Nähe das Wirken Thomas Müntzers vor Augen hatte. Die Distanz Luthers zur bäuerlichen Bewegung war von Anfang an da. Sein Ruf nach unerbittlicher Härte im Vorgehen gegen die Störung hallte schon in die bäuerliche Niederlage – eine Koalition mit den unkontrollierbaren Kräften der Bauern wollte Luther nicht eingehen. Die populäre Wirkung seiner Lehre blieb zwar, aber seine Reformation wurde eine Reformation der Fürsten und der städtischen Magistrate und blieb so in kontrollierbaren Bahnen.

M. Bensing u. S. Hoyer, Der deutsche Bauernkrieg 1524-1526, 2. Aufl. 1970. – G. Franz, Der deutsche Bauernkrieg, 10. Aufl. 1975. – P. Blickle, Die Revolution von 1525, 2. Aufl. 1981. V.P.

322 Die Predigt des Pfeifers von Niklashausen hatte 1476 eine Wallfahrt mit sozialkritischen Zügen ausgelöst.

Predigt des Pfeifers von Niklashausen
Michael Wolgemut und Werkstatt, 1493
Holzschnitt aus: Hartmann Schedel, ›Das buch der Cronicken vnd gedechtnus wirdigern geschihten von anbegym der werlt bis auf dise unßere Zeit ...‹ Nürnberg: Anton Koberger 1493. 2°. 296 Bll.
Nürnberg, Germanisches Nationalmuseum, Inc. 2° 5 539

Das Bild zeigt ein mit einem Flechtzaun und einem Tor umgebenes Dorf mit strohgedeckten Häusern, darin eine Kirche, vor der ein Altar mit drei Heiligen steht, an die riesige Wallfahrtskerzen angelehnt sind. Aus einem Fenster predigt der Pfeifer von Niklashausen, hinter dem eine Person im Mönchsgewand (die Zeitgenossen sprachen von einem »Einbläser«) steht. Vor ihm sind zahlreiche Männer und Frauen versammelt.
Es war gar nicht so selten, daß im Jubiläumsjahr 1475 Laien dem Volke predigten. Eine Ausnahmestellung nahm jedoch der Pfeifer von Niklashausen ein, der junge Hans Böhm, der bei dörflichen Festen aufzuspielen pflegte. Seine Marienpredigten in Niklashausen, einem Liebfrauen-Wallfahrtsort in der Nähe von Würzburg, zeigten eine scharfe Tendenz gegen Papst und Klerus, Steuern und Lasten, Dienste und Abgaben. Die utopischen Vorstellungen seiner Predigten steigerten die Wallfahrt zur Marienkirche nach Niklashausen in solche Ausmaße, daß sie den benachbarten Fürsten Furcht einflößten. Am 12. Juli 1476 ließ daher der Bischof von Würzburg den Pfeifer verhaften; Ansätze zum Aufruhr konnte er abwehren; bereits am 14. Juli wurde der Pfeifer hingerichtet. Die Niklashausener Wallfahrt ist das Beispiel eines noch ganz in den religiösen Formen des 15. Jahrhunderts eingebundenen, jedoch deutlich obrigkeitsfeindlichen Massenauflaufs.

K. Arnold, Niklashausen 1476, 1980, S. 5-13, Abb. 9. – E. Rücker, Die Schedelsche Weltchronik, 1973. V.P.

322

323

323 Die Bundschuh-Fahne wurde zum Symbol der bäuerlichen Aufstandsbewegungen.

Bauern schwören auf die Bundschuh-Fahne
Unbekannter Künstler
Titelholzschnitt zu: Pamphilus Gengenbach, ›Der Bundschuch dieß Biechlin, sagt von der bösen Fürneme der Bundschuer, wie es sich angefangt, gewendet und abkommen ist‹. Basel: Pamphilus Gengenbach 1514
Göttingen, Niedersächsische Staats- und Universitätsbibliothek, H. ger. un. VII 2548

Ein mit einem Schwert umgürteter Mann in bäuerlicher Tracht, begleitet von zwei Bauern mit einer Hacke bzw. einem Rechen, trägt eine Bundschuhfahne. Sie zeigt das Kreuz Christi mit den Assistenzfiguren Maria und Johannes, dahinter – in Nachahmung adeliger Stifterfiguren – zwei betende Bauern. Das Kreuz steht auf einem Bundschuh. Im Hintergrund zwei Bauern bei der Ernte und die Opferung Isaaks, Maria und ein Engel in den Wolken.
Der Bundschuh im Gegensatz zum Stiefel des Ritters war ein Symbol der Bauern. Er gab daher auch bäuerlichen Aufstandsbewegungen den Namen; 1493 gab es eine Bundschuhverschwörung um Schlettstadt. Am stärksten verbindet sich der Name des Bundschuhs mit dem jungen Bauern Joß Fritz aus Untergrombach bei Bruchsal. Wie die Bundschuhfahne schon zeigt, war die Verschwörung stark in religiöse Formen gekleidet; eine mißdeutete Schweiz sollte das Vorbild sein. Die Verschwörung gegen den Bischof von Speyer 1502 wurde bekannt und Fritz mußte fliehen. 1513, in dem Jahr der großen Stadtunruhen, organisierte er eine neue Verschwörung; 1517 folgte die dritte, die den ganzen Oberrhein umspannte. Aus seiner heimatlichen Umgebung abgedrängt, suchte Fritz immer stärker Rückhalt in den Randgruppen der Gesellschaft – ehemaligen Landsknechten, wandernden Gesellen, Vaganten, Gauklern. Auch diese Verschwörung wurde erneut entdeckt. Die Ziele des Joß Fritz radikalisierten sich immer mehr in Richtung auf einen allgemeinen Umsturz der politischen und kirchlichen Verhältnisse. Der Typ der Verschwörung wurde in den Bundschuhbewegungen des Joß Fritz am stärksten verkörpert.

K. Goedecke (Hrsg.), Pamphilus Gengenbach, 1856, S. 23-31, 386-392 (Textabdruck). – A. Rosenkranz, Der Bundschuh, 2 Bde., 1927. – U. Steinmann, Der Bundschuh – Fahnen des Joss Fritz. In: Dt. Jb. für Volkskunde 6, 1960, S. 243-284. – G. Franz, Der deutsche Bauernkrieg, 10. Auflage 1975, S. 56-79. V. P.

324 Der Tübinger Vertrag zwischen Herzog Ulrich von Württemberg und seinen Ständen demonstrierte die Möglichkeit, eine bäuerliche Erhebung durch Kompromiß abzufangen.

Der Tübinger Vertrag vom 8. 7. 1514
Pergamentlibell, 38,5 × 27,5 cm, 6 Bll.
Druck vom 23. April 1515
Stuttgart, Hauptstaatsarchiv, A 34 U 2

Der Tübinger Vertrag liegt hier in einer der für die vertragsschließenden Städte und Ämter gefertigten Originalfassungen vor – das herzogliche Original, wahrscheinlich eine handgeschriebene Pergamenturkunde, ist verloren.
Der Tübinger Vertrag steht für den ständisch regulierten Konflikt. Wegen des steilen Aufstiegs des Herrscherhauses (Herzogswürde erst 1495) und der ungeklärten Situation des Adels hatten sich in Württemberg relativ spät Landstände ausgebildet. Sie waren sozial getragen von der sogenannten Ehrbarkeit, d. h., der oligarchischen Oberschicht der württembergischen Städte, vor allem Stuttgarts und Tübingens. Ihre Mitglieder stellten zugleich in großer Zahl die Beamtenschaft des Herzogs. Vor den Prälaten und dem sich mit Erfolg dem württembergischen Territorium entziehenden Adel spielten sie auf dem Landtag politisch die erste Rolle. Die Stadtgemeinden und Bauern waren nicht vertreten.

Practica vber die grossen vnd manigfeltigen Coniunction der Planeten/die im
jar M. D. XXiiij. erscheinen/vñ vngezweiffelt vil wunderparlicher
ding geperen werden.
Auff Rö.Kay.May.Gnaden vnd Freihaiten/Hüt sich menigklich/diese meine Practica in zwayen jaren nach zůtrucken bey verliesung.4.Marck lötigs Golts.

325

Die Finanzkrise des Herzogtums, durch den Krieg von 1503/04, durch die Verschwendung und häufigen Kriegsdienste Herzog Ulrichs, aber auch den staatlichen Verdichtungsprozeß verschärft, wollte der Herzog mit Billigung der Stände durch eine Verbrauchssteuer bewältigen, d.h., zu Lasten der einfachen Untertanen. Als die Steuer überdies mit denkbar unglücklichen Methoden eingeführt wurde, kam es im Remstal zum Aufstand des armen Konrad, der neben den Dörfern auch die städtischen Unterschichten erfaßte. Trotz der Zurücknahme der Steuern ging der Aufstand weiter; die Bauern forderten eine Vertretung auf dem Landtag. Herzog Ulrich rief den Landtag in der alten Form nach Tübingen zusammen und ließ die bäuerlichen Vertreter in Stuttgart tagen.
Die hohe politische Bedeutung der Ereignisse zeigte sich darin, daß die Beauftragten der Lehensherren, des Kaisers und mehrerer Fürsten, auch der Württemberg verbundenen Grafen und Herren an den Verhandlungen beteiligt waren. Dies wiederum sollte die geschwächte herzogliche Autorität stärken. Die Furcht vor dem Druck von unten führte schließlich zu einem Kompromiß zwischen Landesfürst und Ehrbarkeit. Die Stände übernahmen 920000 Gulden herzoglicher Schulden. Dafür mußte der Herzog den Ständen garantieren: »das Recht der Steuerbewilligung, das Vetorecht bei Veräußerung von Landesteilen, die Befugnis, über Krieg und Frieden mitzureden, Rechtssicherheit in Strafsachen, das Recht freier Auswanderung und eine gewisse Mitwirkung an der Gesetzgebung« (W. Grube). Damit wurde für Württemberg frühzeitig das Miteinander von Fürst und Ständen in feste Spielregeln gefaßt. Der Tübinger Vertrag war aber auch eine typische Regelung im Rahmen der ständisch-feudalen Gesellschaft: ein Stabilisierungsversuch durch Kompromiß zwischen dem Fürsten und der Oberschicht des Landes. Er ermöglichte zunächst die Niederschlagung des wiederaufflammenden Bauernaufstandes und eine Reihe von Bluturteilen; die ständische Verfassung erwies sich als eine Möglichkeit zur Steuerung von Untertanenunruhen. Freilich vollzog danach der Herzog eine Schwenkung zu den Unterschichten. Dagegen verband sich nun die Ehrbarkeit mit dem auf Beherrschung Württembergs zielenden Kaiser.

Druck: Württembergische Landtagsakten 1498-1515, 1913, Nr. 72, S. 225-233. – Der Tübinger Vertrag vom 8. Juli 1514, Faksimile-Ausgabe hrsg. von W. Grube, 1957 (darin Text des Vertrags S. 23-30). – W. Grube, Der Stuttgarter Landtag 1457-1957. Von den Landständen zum demokratischen Parlament, 1957, S. 74-107. – J. Sydow, Zum Problem kaiserlicher Schiedsverfahren unter Maximilian I. Der Tübinger Vertrag von 1514, 1973. V. P.

325 Astrologische Prophezeiungen artikulieren eine allgemeine Furcht vor einem großen sozialen Umsturz.

Die Konjunktion der Planeten im Zeichen der Fische
Erhard Schön, 1523
Titelholzschnitt zu: Leonhard Reinmann, ›Practica vber die grossen vnd manigfeltigen Coniunction der Planeten, die imm jar M.D.XXiiij. erscheinen, vnd vngezweiffelt vil wunderparlicher ding geperen werden‹. Nürnberg: Hieronymus Höltzel 1523. 4°
Nürnberg, Germanisches Nationalmuseum, 8° Nw. 2858 Postinc.

Der Fisch steht groß in der Mitte und spült mit einer Flut Dorf und Einwohner hinweg. Im Fisch werden fünf Planeten nebst Sonne und Mond symbolisiert. Unter dem Fisch stehen sich Saturn (links) und Jupiter gegenüber, die Konjunktion, die 1524 eintreten würde, ein alle 960 Jahre auftretendes Ereignis, in dem man die Ankündigung von Gefahr für Staat und Kirche, vor allem die Prophezeiung eines großen Bauernaufstandes vermutete. Der behindert dargestellte Saturn galt als Symbol der Armen und Bedrängten; mit Sense und Fahne führt er eine Schar bewaffneter Bauern an. Hinter dem gekrönten Jupiter mit Zepter folgen der Papst und der hohe Klerus, im Hintergrund Trommler und Pfeifer, die zum Kampf aufspielen: Die astrologische Prophezeiung spiegelt die Ängste, die sich angesichts der wachsenden Konflikte allenthalben verbreiteten.

Scribner, S. 124 f. – H. A. Strauss, Der astrologische Gedanke in der deutschen Vergangenheit, 1926. – Kat. Ausst. Dürer, Nr. 435. V. P.

326 Altgediente Landsknechte mit ihren Erfahrungen geben den Bauernhaufen einen Rückhalt.

a Acker Koncz und Klos Wuczer im Bauernkrieg 1525
Sebald Beham, 1544
Kupferstich 7,2 × 4,9 cm
Nürnberg, Germanisches Nationalmuseum, St. N. 665 b
b Fähnrich, Trommler und Pfeifer
Sebald Beham, 1543
Kupferstich, 7 × 4,9 cm
Nürnberg, Germanisches Nationalmuseum, St. N. 664 b

Beide Kupferstiche sind etwa 20 Jahre nach dem Bauernkrieg entstanden. Die Umschrift des einen: ACKER CONCZ.KLOS WUCZER.IM BAVEREN KRIEG. 1525 (mit Monogramm HSB 1544) weist auf Ackerbau und Viehzucht als hauptsächliche bäuerliche Tätigkeit hin. Der linke Bauer, mit pelzbesetztem Wams und mit Stiefeln, mit dem Schwert umgürtet, schlägt die Trommel. Der rechte, gleichfalls mit Schwert, trägt die Fahne.
Der andere Kupferstich zeigt drei Männer in »zerschnittenen« Landsknechtsgewändern. Der rechte, barhäuptig, schlägt die Trommel, der andere, mit einem Federhut, trägt die eingerollte Fahne, der dritte, halb verdeckt, spielt die Pfeife. Alle drei haben ein Schwert umgegürtet. Aufschrift: »WV NVN HINAVS – DER KRIEG HAT EIN LOCH«, dazu die Jahreszahl 1543 und Monogramm HSB.
Die Umschrift sagt, daß ein Krieg zu Ende gegangen ist. Ausgediente Landsknechte spielten im Bauernheer eine deutliche Rolle; auch die Bildung von Haufen und Rotten war an die Landsknechtstaktik angelehnt. Die Bauernhaufen erzielten in ihren ersten Aktionen beträchtliche Erfolge. Dabei kam ihnen zugute, daß der Kaiser mit

326a

326b

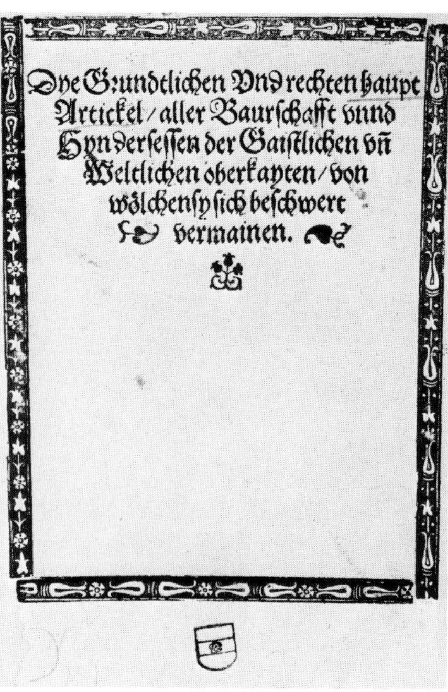

Dye Grundtlichen Vnd rechten haupt Artickel / aller Baurschafft vnnd Hyndersessen der Gaistlichen vñ Weltlichen oberkaytten / von wölchen sy sich beschwert vermainen.

327

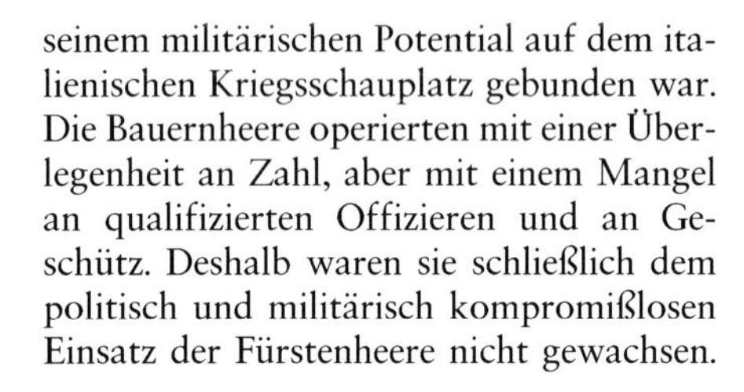

seinem militärischen Potential auf dem italienischen Kriegsschauplatz gebunden war. Die Bauernheere operierten mit einer Überlegenheit an Zahl, aber mit einem Mangel an qualifizierten Offizieren und an Geschütz. Deshalb waren sie schließlich dem politisch und militärisch kompromißlosen Einsatz der Fürstenheere nicht gewachsen.

H. M. Möller, Das Regiment der Landsknechte. Untersuchungen zu Verfassung, Recht und Selbstverständnis in deutschen Söldnerheeren des 16. Jahrhunderts, 1976. – G. Pauli, Hans Sebald Beham, 1901. – Zschelletzschky, S. 317-319. V. P.

327 Mit den Zwölf Artikeln bekam der Bauernkrieg seine weit wirkende programmatische Schrift.

›Dye Grundtlichen vnd rechten haupt Artickel aller Baurschafft und Hyndersessen der Gaistlichen vnd Weltlichen oberkayten, von wölchen sy sich beschwert vermainen‹
Augsburg: Melchior Ramminger 1525 (Erstdruck)
4°. 6 Bll.
Nürnberg, Germanisches Nationalmuseum, 8° G. 3112 Postinc.

Die Zwölf Artikel wurden zum »Manifest des Bauernkriegs« (Blickle) – sie erzielten eine mächtige Wirkung, obgleich sie völlig dem oberschwäbischen Raum entstammten. Auf die Forderungen der dortigen Bauernhaufen zurückgehend, verbanden sie Beschwerden und Reformvorschläge. Die Kombination von göttlichem und altem Recht machten sie zu einem zündenden Aufruf: Das Evangelium wurde als Maßstab bäuerlicher Forderungen betont. Diese glänzend formulierte Schrift war vor allem das Werk des Memminger Kürschners Sebastian Lotzer, der sie aus früheren Beschwerdeschriften kombinierte. Die Zwölf Artikel wurden weit über ihr schwäbisches Ursprungsgebiet hinaus wirksam, auch in Gebieten, auf deren soziale Verhältnisse ihre Forderungen nicht mehr paßten. Ohne sie hätte der Bauernkrieg wohl kaum eine solche Ausdehnung gewinnen können.

M. Brecht, Der theologische Hintergrund der Zwölf Artikel der Bauernschaft in Schwaben von 1525. Christoph Schappelers und Sebastian Lotzers Beitrag zum Bauernkrieg. In: Zs. für Kirchengeschichte 85, 1974, S. 174-268. – G. Vogler, Der revolutionäre Gehalt und die räumliche Verbreitung der oberschwäbischen Zwölf Artikel. In: P. Blickle (Hrsg.), Revolte und Revolution in Europa, Hist. Zs., Beiheft NF 4, 1975, S. 206-231. – P. Blickle, Die Revolution von 1525, 2. Aufl. 1981, S. 32-104 (Druck: S. 289-295). V. P.

328 Die vom Schwäbischen Bund erbeutete Kanzlei der württembergischen Bauern zeigte ein erstaunlich hohes Maß an Organisation – unverkennbar ist die Mithilfe versierter Kräfte aus dem Bürgertum.

a Urkunde von Matern Feuerbacher und Hans Wunderer, Obersten, zugleich allen Hauptleuten des hellen (württembergischen) Haufens bei Waiblingen, 23.-29. April 1525
Orig. Papier, 24,7 × 21,1 cm. Mit aufgedrücktem Papiersiegel des Bauernhaufens
Augsburg, Stadtarchiv, Reichsstadt, Literaliensammlung, 1525 April 23-29
b Hauptleute und geordnete Ausschüsse der württembergischen Bauern, die sich als Landschaft Württemberg bezeichnen, an den Schwäbischen Bund, 1525
Orig. Papier, 30,9 × 21,5 cm
Augsburg, Stadtarchiv, Reichsstadt, Literaliensammlung, 1525 April 30

Die beiden württembergischen Hauptleute nehmen den Pfarrer zu Bittenfeld bei Waiblingen Matheus Gydell in den Schutz und Schirm ihrer Bruderschaft. Das Dokument zeigt die gute Kanzleiorganisation dieses gemäßigten Bauernhaufens, die offenbar durch Rekrutierung von Schreibern und Bürgern aus den württembergischen Landstädten erreicht wurde. Sie führen ein eigenes Siegel – ja, sie erklären sich als »zu dem Regiment verordnet«. Daß sie Schutz

329

und Schirm aussprechen, zeigt ebenfalls die Inanspruchnahme obrigkeitlicher Funktionen. Bezeichnend für die stark antikirchliche Stimmung des Bauernkriegs, daß ein Geistlicher gezwungen ist, sich unter den Schutz des Bauernhaufens zu stellen.
Der württembergische Haufe unter Matern Feuerbacher hielt streng auf eine gemäßigte Linie. In einem Rechtfertigungsschreiben an den Schwäbischen Bund distanzierte man sich von der Tat von Weinsberg, der Ermordung des Grafen von Helfenstein; der Neckartaler Haufe habe in Württemberg einbrechen wollen. Man selbst wollte den vorauszusehenden Kampf mit dem Schwäbischen Bund verhindern. Unter Berufung auf Kaiser und Reich habe man sich zu einem eigenen Haufen zusammengetan. Das bemerkenswerte Dokument ist unterzeichnet von den *Underthenigen Houptleyt sampt geordneten Ausschutz der Landtschafft Wirtenberg yezo zue Eberspach versamlet.* Die Führer des Haufens berufen sich also auf die Autorität der württembergischen Landschaft; das Schreiben ist aber bewußt anonym gehalten, offenbar weil seine Verfasser einem Zugriff des Bundes entgehen wollten. Trotzdem wurde dieser gemäßigte Bauernhaufen vom Schwäbischen Bund angegriffen und am 12. Mai 1525 vernichtend geschlagen. Dabei wurde die Kanzlei der Bauern erbeutet. Bezeichnend ist jedoch, daß ihrem Führer, dem Großbottwarer Wirt Matern Feuerbacher, nichts geschah.

G. Franz, Aus der Kanzlei der württembergischen Bauern im Bauernkrieg. In: Württembergische Vierteljahreshefte, NF 41, 1935, S. 83-108, 281-305; 42, 1936, S. 377 f. V.P.

330

329 Christoph Schappeler – der Memminger Prediger verkörpert die Wirkung der reformatorischen Predigt und den Schweizer Einfluß auf Oberdeutschland

Bildnis des Christoph Schappeler
Schweizer Künstler, um 1551
Gemälde auf Holz, 57,5 × 62 cm. Oben rechts: D. D. CHRIST.SCHAPPELERVS.OBYT. AN.M.DLI.ETATIS.LXXX
St. Gallen, Kantonsbibliothek Vadiana

Christoph Schappeler (1472-1551), gebürtiger St. Gallener, promovierter Jurist, hatte zuerst an der Lateinschule zu St. Gallen gewirkt; 1513 wurde er auf eine von der Handelsfamilie Vöhlin gestiftete Predigerpfründe in Memmingen berufen. Seit 1507 mit Karlstadt in Verbindung, schloß er sich 1520 der Reformation an; als Freund Zwinglis präsidierte er dem zweiten Zürcher Religionsgespräch. Seine sozialkritischen Predigten führten zu Zehentverweigerungen auf dem Land und zu Tumulten in der Stadt Memmingen. Schappelers Predigt schlug so die Brücke zwischen Stadt und Land. Seine Position war so stark geworden, daß der Rat ihn stützte, obgleich ihn der Bischof von Augsburg exkommuniziert hatte.
Schappelers Schüler war der Kürschner Sebastian Lotzer, dem man den entscheidenden Anteil an den Zwölf Artikeln zumißt, während man Schappelers Beitrag gering achtet. Es war jedoch Schappelers Verdienst, daß die bäuerlichen Forderungen evangelische Begründungen erhielten. Dem Bauernaufstand blieb er als Gegner des gewalttätigen Aufruhrs fern, während Lotzer eine Art Kanzler des Baltringer Haufens wurde. Schappeler hatte Anteil am Vergleich der Stadt Memmingen mit den Bauern, mußte aber nach dem Ende des Bauernkrieges nach St. Gallen fliehen, ohne wieder zurückkehren zu können.

J. Maurer, Prediger im Bauernkrieg, 1979. S. 386-399. V.P.

330 Götz von Berlichingen – ein erfolgreicher Reiterführer wurde von den Bauern zum Hauptmann gewählt.

Bildnis des Götz von Berlichingen
Unbekannter Künstler, um 1560
Gemälde auf Erlenholz, 32,3 × 44,5 cm.
Auf der Rückseite: Götz von Berlichingen 1535, Nr. 64
Privatbesitz

Die Bildniszüge und der noch nicht ergraute Bart lassen den Dargestellten kaum älter als fünfzigjährig erscheinen, doch spricht die spanische Tracht mit dem hochgezogenen Kragen für eine Entstehung des Porträts um 1560.
Der alte Götz von Berlichingen (ca. 1480-1562) schilderte seine Taten in einer Autobiographie und wurde dadurch berühmt; dabei spielte die Rechtfertigung seines Verhaltens im Bauernkrieg eine entscheidende Rolle. Berlichingen wurde (vermutlich am 28. April 1525) von den Bauern gedrängt, das Amt eines Hauptmanns des Odenwälder Haufens zu übernehmen. Man wollte mit Götz den erfahrenen Fehdeführer und »Raubunternehmer«, einen auch im Volk populären Hauptmann gewinnen. Das Motiv des Götz war offensichtlich das Bestreben, an einer wichtigen Bewegung Anteil zu haben, vielleicht auch die Hoffnung auf eine vermittelnde Rolle des Adels zwischen Fürsten und Bauern.

H. Ulmschneider, Götz von Berlichingen. Ein adeliges Leben der Renaissance, 1974. – Kat. Ausst. Götz von Berlichingen 1480-1562, Jagsthausen 1980, Nr. 16, Abb. S. 30. – V. Press, Götz von Berlichingen (ca. 1480–1562) – vom »Raubritter« zum Reichsritter. In: Festschr. H. Decker-Hauff, Bd. 1, 1982, S. 305-326. V.P.

331 Götz von Berlichingen verkörperte die gemäßigten Kräfte im Bauernlager.

Schutzbrief des Götz von Berlichingen, Jörg Metzlers von Ballenberg, Oberster Feldhauptmänner, Hans Reuter von Bieringen, Schultheiß, und anderer Verordneter des hellen lichten Haufens für Friedrich Weygandt, kurmainzischen Keller zu Miltenberg, 3. Mai 1525
Orig. Papier, 21,5 × 21 cm
Stuttgart, Hauptstaatsarchiv, H 53 Bü 168

Nicht nur aus seiner Autobiographie wird deutlich, daß Götz zum gemäßigten Flügel im Bauernlager gehörte; er traf sich darin auch mit anderen Wortführern, die ehemalige fürstliche Beamte waren, wie dem früheren hohenlohischen Sekretär Wendel Hipler und dem mainzischen Keller zu Miltenberg Friedrich Weygandt, die sogar Reichsreformpläne formulierten und damit die Brücke zum Adel zu schlagen trachteten. Götz suchte nicht nur den Bauern eine militärische Ordnung zu geben, sondern auch den Weg zu einem friedlichen Kompromiß offen zu halten. Damit geriet er in Gegensatz zu Radikalen wie Jäklein Rorbach, der mit einer Gewalttat wie der Ermordung des Grafen von Helfenstein in Weinsberg die Brücken hinter sich abbrach – hier kam es zu offenkundigen Spannungen. Dennoch suchte es Götz noch lange zu rechtfertigen, daß er nach Ablauf seines einmonatigen Kontrakts angesichts des Heranziehen des schwäbischen Bundesheeres die Bauern verließ.

Druck: F. W. G. Graf Berlichingen-Rossach, Geschichte des Ritters Götz von Berlichingen mit der eisernen Hand und seiner Familie, 1861, Nr. 121, S. 235. – Kat. Ausst. Götz von Berlichingen 1480-1562, Jagsthausen 1980, Nr. 87, S. 68. V. P.

332 Mit seiner ›Ermahnung zum Frieden‹ wollte Luther zunächst einen Ausgleich herbeiführen.

›Martin Luther, Ermanunge zum frid, auff die zwölf artickel der baurschafft in Schwaben‹
Nürnberg: Hans Hergot 1525
8°. 16 Bll.
Nürnberg, Germanisches Nationalmuseum, 8° G. 3120 Postinc.

Die Reformation Martin Luthers war zweifellos ein wichtiger Katalysator des Bauernkrieges gewesen; seine Kirchenkritik nährte die Pfaffenfeindschaft der Bauern. Auch hatte Luther den Fürsten immer wieder mit dem Aufruhr des Gemeinen Mannes gedroht, hielt er doch einzelne Forderungen der Bauern für berechtigt. Aber die eindringliche Kraft der Zwölf Artikel, ihre Berufung auf das Evangelium zwangen Luther zur Stellungnahme. In der Ermahnung zum Frieden hoffte Luther noch sichtlich auf die Wirkung seines Worts, nachdem die aufständischen Bauern ja auch an ihn appelliert hatten. Luther warnte vor den zerstörerischen Folgen des Aufruhrs: Die Herren mahnte er zur Mäßigung, den Bauern aber hielt er das Widerrechtliche ihres Tuns vor. Sie dürften sich nicht zum Richter in eigener Sache machen. Mit seinem Angriff auf die »falschen Propheten« wandte sich Luther ausdrücklich gegen die Berufung auf das Evangelium in einem solchen Zusammenhang. Die Schrift ist vor dem Hintergrund seiner Auseinandersetzungen mit Thomas Müntzer zu sehen. Konsequenterweise kam Luther zum Vorschlag eines Schiedsverfahrens durch Adelige und Ratsherren der Städte, also einer Konfliktlösung im Rahmen der bestehenden Gesellschaft. In diesem Sinne schrieb er auch ein lobendes Vorwort zu einem Druck des Weingartener Vertrags vom 17. April 1525, den die Bauern am Bodensee und im Allgäu mit dem schwäbischen Bundesfeldherrn Georg Truchseß geschlossen hatten. Die steigende Gewalttätigkeit der Bauern machte jedoch einen friedlichen Ausgleich immer mehr zunichte.

Druck: WA 18, S. 279-343. – H. Bornkamm, Martin Luther in der Mitte seines Lebens, 1979, S. 314-353. – G. Maron, Niemand soll sein eigener Richter sein – eine Bemerkung zu Luthers Haltung im Bauernkrieg. In: Luther 46, 1975, S. 60-75. V. P.

333 Die lange Liste zerstörter Schlösser und Klöster in Franken zeigt die elementare Kraft der Erhebung von 1525.

›Verbrantte vnnd abgebrochne Schlosser vnnd Clöster, So durch die Bawerschafft yhn Würtzburger vnd Bamberger Stifften beschehen Im M.D.XXV. Jar‹
Altenburg: G. Kantz 1525
4°. 4 Bll.
Berlin, Evangelische Kirche der Union, 8° 1508

Die Liste enthält 262 Schlösser, davon namentlich genannt 50 im Stift Würzburg, 25 im Stift Bamberg, meistenteils Besitzungen des Adels, dazu 52 Klöster. Die ungeklärten territorialen Verhältnisse Frankens leisteten offenbar einer weitreichenden Zerstörung stärker Vorschub als in Schwaben und in Thüringen. Diese Aktionen zeigten die ganze Stoßrichtung der Erhebung gegen Adel und adelige bzw. grundbesitzende Kirche. Nicht das vielfach gemäßigte Vorgehen der schwäbischen Bauern, sondern die Bluttat von Weinsberg, die Kloster- und Schlösserbrände in Franken und die radikalen Predigten Thomas Müntzers bestimmten das Bild der Fürsten von der Bauernerhebung und ihrer Unvereinbarkeit mit der ständischen Gesellschaft.

R. Endres, Probleme des Bauernkriegs in Franken. In: R. Wohlfeil (Hrsg.), Der Bauernkrieg 1524-26. Bauernkrieg und Reformation, 1975, S. 90-115. V. P.

334 Thomas Müntzer sieht im Bauernkrieg den letzten Kampf der Frommen gegen die Gottlosen vor der Wiederkunft Christi.

Thomas Müntzer an die Erfurter. Frankenhausen, 13. Mai 1525
Eigenhändig, Orig. Papier, 31,5 × 21,5 cm
Marburg, Hessisches Staatsarchiv, Best. 3, (Pol. Arch.) Nr. 209, fol. 24

Seit seiner Wendung zur Reformation war Müntzer, der sich selbst in besonderer Weise von Gott beauftragt wußte, auf der Suche nach denjenigen, die die »wahre Christenheit« heraufführen würden. Seine Hoffnungen auf die Böhmen und die sächsischen Fürsten waren enttäuscht worden. Mit dem Ausbruch des Bauernkrieges sah er in den Bauern die rechten Gottesstreiter. Daß er sich darin irrte, weil die Bauern

nicht für das Reich Gottes, sondern für die Verbesserung ihrer sozialen Lage zu den Waffen griffen, hat er selbst noch ausgesprochen.
Der vorliegende Brief ist zwei Tage vor der den Thüringer Aufstand entscheidenden Schlacht im Lager von Frankenhausen geschrieben. Müntzer gibt der Hoffnung Ausdruck, daß die Erfurter sich nicht von lutherischen Predigern vom Kampf abhalten lassen werden, sondern mit ›Volk und Geschütz‹ den Frankenhäusern zu Hilfe kommen. Die verschiedenen Hinweise auf die Bibel zeigen, daß Müntzer in diesem Kampf die Erfüllung endzeitlicher Weissagungen, den Untergang der Gottlosen, besonders der Herren, der *grossen Henße* (Hansen), sieht.
Das Selbstverständnis Müntzers, das sich oft in den Zusätzen zu seinem Namen in den Unterschriften zeigt, tritt auch hier heraus: Er schreibt im Auftrag und im Interesse der gesamten (gemeinen = allgemeinen) Christenheit.
Zwei Tage später wurde Müntzer nach der Schlacht gefangen genommen und am 25.5. 1525 im Lager der Fürsten vor Mühlhausen hingerichtet.

Druck: Thomas Müntzer, Schriften und Briefe, hrsg. von G. Franz, Quellen und Forschungen zur Reformationsgeschichte 33, 1968, Nr. 91, S. 417 f. – W. Elliger, Thomas Müntzer, Leben und Werk, 3. Aufl. 1976. – E. Wolgast, Thomas Müntzer, ein Verstörer der Ungläubigen, 1981.
G. S.

335 Die steigende Gewalttätigkeit der Bauern machte einen friedlichen Ausgleich immer mehr zunichte.

Martin Luther, ›Wider die sturmenden Bawren, und wider die reubischen und mörderischen rotte der andern Bawren‹
Erfurt: Mathes Maler 1525
4°. 16 Bll.
Nürnberg, Germanisches Nationalmuseum, 8° G. 3118 Postinc.

Die allgemeine Krisensituation in Müntzer gleichsam personalisierend und aufgrund der Zerstörungen des Krieges und der Vorwürfe seiner Gegner, Reformation und Aufruhr hingen eng zusammen, griff Luther schließlich die aufständischen Bauern auf das schärfste an und drängte die Fürsten zum härtesten und schonungslosen Vorgehen. Der sterbenskranke Friedrich der Weise hatte schon resigniert und war bereit, sich in Gottes Willen zu ergeben,

336

wenn der Gemeine Mann siegen sollte. An die Adresse der zögernden Obrigkeiten veröffentlichte Luther nun abermals seine Friedensmahnung und fügte ihr die Streitschrift ›Wider die räuberischen und mörderischen Rotten der Bauern‹ an. Erst später erschien sie selbständig. Luther, um das Schicksal der Reformation in einer sich auflösenden Ordnung besorgt, den sozialen Druck, den die Bewegung ausübte, vor Augen, blieb bei seiner bisherigen Position, schritt aber fort zu einer radikalen Handlungsanweisung an die Fürsten, mit denen er sich auf diese Weise identifizierte. Man hat Luther diese Entscheidung und seine radikalen Worte oft vorgeworfen, auch daß er in diesen stürmischen Zeiten unbekümmert heiratete. Aber Luther dachte wohl auch politisch genug, um die Gefährdung seines Werks zu sehen; dennoch bleibt der schrille Ton der Aufforderung, zu schlagen und zu töten.

Druck: WA 18, S. 344-361. – B. Lohse, Luther und Müntzer. In: Luther 45, 1974, S. 12-32. – L. Grane, Thomas Müntzer und Martin Luther. In: B. Moeller (Hrsg.), Bauernkriegs-Studien, 1975, S. 69-97.
V. P.

336 Georg Truchseß von Waldburg – als Führer des Schwäbischen Bundesheeres warf er den Aufstand in Schwaben nieder.

Georg III. Truchseß von Waldburg
Christoph Amberger, nach 1536
Holzschnitt, koloriert, 34 × 25 cm. Unten rechts Monogramm des Künstlers. Eingeklebt in: Pappenheimsche Familienchronik der Truchsessen zu Waldburg
Privatbesitz

Die Chronik der Familie schrieb 1526/27 auf Wunsch des Georg von Waldburg der Augsburger Domherr Reichserbmarschall Mathäus von Pappenheim. Georg ließ Holzschnittillustrationen mit den Bildern seiner Vorfahren nebst ihren Wappen anfertigen, die in die handgeschriebenen Textfassungen eingeklebt werden sollten. Die Vorlagen für 80 Holzschnitte zeichnete mit Hilfe seiner Werkstatt Hans Burgkmair. Von den letzten drei Holzschnitten, die eine eigene Gruppe bilden, ist der hier gezeigte CA monogrammiert. Die Kolorierung war von Anfang an eingeplant.
Georg Truchseß von Waldburg (1488-1531) erscheint in voller Ritterrüstung mit einem Schwert umgürtet und mit Sporen, zu seinen Füßen links das Wappen seiner zweiten Frau Maria von Oettingen (1498-1555). Rechts das Wappen der Truchsessen von Waldburg.
Mit dem Namen des Georg Truchseß verbindet sich der Siegeszug des Schwäbischen Bundes gegen die Bauern. Nach einem Erfolg gegen die oberschwäbischen Bauern bei Wurzach schloß er mit diesen am 17. April den Waffenstillstand des Weingartener Vertrages, der ihm den Rücken freihielt. In ständigem Kontakt mit den Räten des Schwäbischen Bundes, vor allem dem bayerischen Bundesrat Leonhard von Eck, ging der Truchseß konsequent gegen die Bauern vor. Seine bedeutendsten Siege waren die gegen die Württemberger am 12. Mai bei Böblingen und gegen die fränkischen Bauern am 2. bzw. 4. Juni bei Königshofen und bei Ingolstadt. Seine Politik nach dem Krieg ist einerseits gekennzeichnet durch harte Strafgerichte, andererseits dann durch den Versuch, Konfliktpunkte zu vermeiden und die Schäden zu mildern. In einer Verbindung von Abschreckung und späterem Ausgleich sollte eine Befriedung erreicht werden.
Aus einer oberdeutschen Herrenfamilie, die traditionell dem Hause Österreich eng verbunden war, hatte Georg Truchseß von

Waldburg nacheinander in württembergischen und bayerischen Diensten militärische Erfahrungen gesammelt; er war bei der Vertreibung Herzog Ulrichs von Württemberg maßgeblich beteiligt, wurde 1520 österreichischer Rat, 1524 Feldherr Erzherzog Ferdinands. 1525 übergab ihm der Schwäbische Bund das Kommando gegen die Bauern. Nach seinen Erfolgen im Bauernkrieg machte ihn Erzherzog Ferdinand zum Statthalter Württembergs, offenbar als lebendige Drohung gegen weitere Unruhen – 1529 verpfändete er ihm die Landvogtei in Schwaben, ein beträchtlicher Vertrauensbeweis des Hauses Österreich. Georg Truchseß war auch ein sehr erfolgreicher Politiker, der die Interessen des Grafenstandes entschlossen zu wahren wußte, ohne es auf einen Bruch mit den Fürsten ankommen zu lassen.

J. Vochezer, Geschichte des fürstlichen Hauses Waldburg in Schwaben, Bd. 2, 1900, S. 422-768. – Kat. Ausst. Hans Burgkmair, Augsburg 1973, bei Nr. 220-221. V. P.

337 Das Strafgericht über die Bauern war von abschreckender Grausamkeit.

Hinrichtung des Jäklein Rorbach
Zeichnung, koloriert, 21,5 × 19 cm. In: Peter Harer, ›Beschreibung des Bauernkriegs‹. 1551. Orig. Papier, 21,5 × 16 cm, 190 Bll., fol. 129
Karlsruhe, Badische Landesbibliothek, Hs K 2476

337

Jäklein Rorbach, ein leibeigener, aber wohlhabender Bauer aus dem heilbronnischen Dorf Böckingen, war schon vor dem Bauernkrieg als streitfreudig hervorgetreten. Am 2. April 1525 hatten ihn Bauern der Stadt Heilbronn und des Deutschen Ordens zum Hauptmann gewählt; er verpflichtete sie auf die Zwölf Artikel. Der Neckartaler Haufen vereinigte sich mit dem Odenwälder. Nach dem Fall von Weinsberg im April war Rorbach der Hauptverantwortliche dafür, daß die Bauern die kapitulierenden Verteidiger, mit dem Grafen Ludwig von Helfenstein an der Spitze, durch die Spieße jagten und ermordeten. Die Bluttat erregte ungeheures Aufsehen; sie sollte offensichtlich dem gemäßigten Teil der Bauern einen Kompromiß mit der Obrigkeit unmöglich machen. Im Odenwälder Haufen zählte Rorbach zu den Opponenten der gemäßigten Führer und wurde abgeschoben. Nach der Niederwerfung des württembergischen Haufens bei Böblingen wurde er gefangen und bereits am 21. Mai 1525, wie die Malerei zeigt, angesichts der Stadt Heilbronn im heilbronnischen Dorf Neckargartach an einen Pfahl gebunden und langsam zu Tode geröstet.
Aber nicht nur so herausgehobene Aufrührer der Bauern wie Rorbach erlagen dem Strafgericht der Sieger; die Berichte über die grausamen Vergeltungsaktionen sind zahlreich, Hinrichtungen und Verstümmelungen waren an der Tagesordnung, hinzu kamen Landesverweisungen und Besitzkonfiskationen – alles offensichtlich mit dem Ziel, von künftigen Aufständen abzuschrecken.

H. Riesser u. J. Lachmann, Kat. Ausst. 450 Jahre Reformation in Heilbronn, 1980, Nr. 107, S. 167-169. – M. v. Rauch, Der Bauernführer Jäklein Rorbach von Böckingen. In: Württembergische Vierteljahreshefte NF 32, 1926, S. 22-35. V. P.

338 Im allgemeinen Bewußtsein bedeutete der Bauernkrieg bis heute die endgültige Niederlage des »gemeinen Mannes«.

Gedächtnissäule für den Bauernkrieg
Albrecht Dürer, 1525
Holzschnitt in: Albrecht Dürer, ›Vnderweysung der messung ...‹, Nürnberg: Hieronymus Andreae 1525
Nürnberg, Germanisches Nationalmuseum, Dürer 4° Ct 152/2 Postinc.

Das Denkmal dient als Exempel bei einer Typenlehre der Denkmäler und ist in Dürers Lehrbuch der Geometrie – auf zwei Seiten verteilt – abgebildet. Der Sockel (auf einer anderen Seite) stellt Haustiere (Ochsen, Schafe, Schweine) dar, darauf türmen sich bäuerliche Geräte; zuoberst sitzt auf einem Hühnerstall ein gramgebeugter Bauer, von einem Schwert durchbohrt. *Weli-*

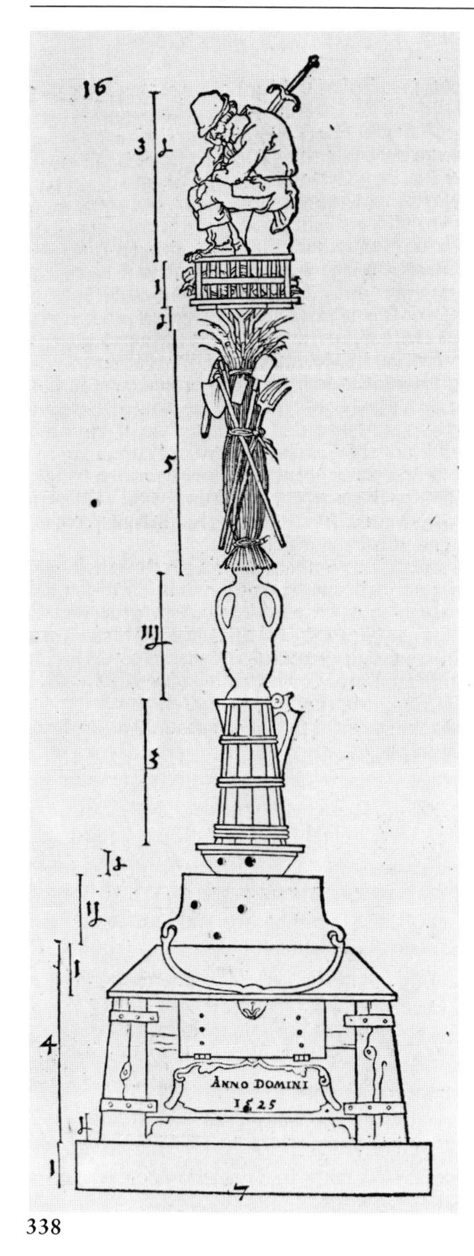

338

cher ein victoria auf richten wolt darumb das er die aufrürischen bauren vberwunden het der moecht sich eins solichen gezeugs darzuo gebrauchen, wie jch hernach leren wil ..., schrieb Dürer. Sympathie und Mitleid des Künstlers sind unverkennbar. Der Entwurf muß direkt nach der Niederschlagung der fränkischen Bauern im Juni 1525 entstanden sein. Nach den unabhängig voneinander durchgeführten Untersuchungen Wilhelm Fraengers und Jan Białostockis ist er als bittere Anspielung auf einen unrühmlichen Sieg der Fürsten und als Parteinahme für die Besiegten zu verstehen. Die Haltung des gemeuchelten Bauern ähnelt der des Schmerzensmannes auf dem Titelblatt (1511) von Dürers großer Holzschnittpassion.

Es scheint, daß sich hier auch eine allgemeine Stimmung spiegelt. Die Niederlage der Bauern wurde als total empfunden. Trotz weiterwirkender Bauernkriegsfurcht ist dieses Bild bis heute in die Geschichte eingegangen.

W. Fraenger, Dürers Gedächtnissäule für den Bauernkrieg. In: Beiträge zur sprachlichen Volksüberlieferung, 1953, S. 126-40. – J. Białostocki, La mélancolie paysanne d'Albrecht Dürer. In: Gazette des Beaux-Arts VI 50, 1957, S. 195-202. – F. Schnelbögl, Dürers Gedächtnissäule auf den Bauernkrieg. In: Altnürnberger Landschaft 19, 1970, S. 77-80. – Kat. Ausst. Dürer, Nr. 440. V. P./N. G.

339 Der Bauernkrieg ließ wie zuvor die Wittenberger Unruhen vielen Fürsten die Reformation als Triebkraft des Umsturzes erscheinen – sie suchten die Bewegung entweder abzuwehren oder zu kanalisieren. Ihre Popularität – vor allem in den Städten – verlor sie jedoch nicht.

Memminger Vertrag 1525
Orig. Pergamentlibell, 37 × 29 cm. 24 Bll.
München, Bayerisches Hauptstaatsarchiv, Fürststift Kempten Urk. 2 320/1

Der Memminger Vertrag ist das Beispiel einer Konfliktbereinigung zwischen Bauern und Herrschaft nach dem Bauernkrieg. Wie die meisten Allgäuer Bauern hatten sich auch die Untertanen des Abts von Kempten, die schon 1491/92 mit dem Stift in Konflikt geraten waren, den Bauernhaufen angeschlossen. Die Auseinandersetzungen mit dem Abt waren bis an die Schwelle des Bauernkriegs relativ stark, da die Intensivierung der stiftischen Herrschaft in einer Zone extremer Streulage zu erheblichem Druck auf Gemeinden und Individuen geführt hatte. Man erklärte noch vor dem Bauernkrieg die Bereitschaft, dem Abt Gehorsam zu leisten, wenn die bäuerlichen Verpflichtungen fixiert wären. Nach dem Krieg suchte der Abt mit den Gerichten einzeln zu verhandeln – aber das geschlossene Handeln der Kemptener Untertanen, die sich als Landschaft bezeichneten, erreichte unter dem Schiedsspruch des Schwäbischen Bundes, der auch den Konflikt von 1491/92 beigelegt hatte, einen Vertrag, der in den strittigen Fragen Rechtssicherheit herstellte und die Position der Bauern verbesserte. Aufgrund von Unstimmigkeiten riefen diese abermals den Schwäbischen Bund an, unter dessen Vermittlung 1527 ein Ergänzungsvertrag zustande kam.

Die Vorgänge im Stift Kempten sind nicht untypisch. Auf die drakonischen Strafmaßnahmen folgten zahlreiche Versuche, das mögliche Konfliktpotential durch Beilegung strittiger Fragen zu reduzieren. Aus den Erfahrungen des Bauernkriegs erwuchs eine Verstärkung des Rechtssystems, die Kanalisierung von Konflikten, die durch die Gerichte beigelegt wurden. Der Weg, den Luther in seiner ›Ermahnung zum Frieden‹ vorgeschlagen hatte, sollte die Realität des Alten Reiches im 17. und 18. Jahrhundert bestimmen.

Druck: P. u. R. Blickle, Schwaben von 1268 bis 1803, Dokumente zur Geschichte von Staat und Gesellschaft in Bayern II,4, 1979, Nr. 81, S. 292-304. – P. Blickle, Landschaften im Alten Reich, 1973, S. 316-342. V. P.

B Das Täufertum

Die durch Predigten und Flugschriften entstandene evangelische Bewegung der ersten Jahre der Reformation schuf eine Art von »offener Situation«, in der sich, noch nicht deutlich gegeneinander abgehoben, unterschiedlichste theologische Ansätze und ihnen entsprechende Reformkonzeptionen zu Wort melden konnten. Luther und die ihm folgenden städtischen Prediger waren – jedenfalls in den ersten Jahren – der Überzeugung, man dürfe Reformen im Äußeren erst durchführen, wenn der Einzelne aufgrund der Predigt von ihrer Berechtigung in seinem Gewissen überzeugt sei, da man sonst eine neue Gesetzlichkeit aufrichten würde. Darin aber sahen andere nur eine »falsche Schonung der Schwachen«, derer also, die noch am Althergebrachten hingen. Kompromisse seien an dieser Stelle nicht möglich. Die äußere Ordnung müsse unabdingbar der Verkündigung entsprechen. Auch der Schweizer Reformator Zwingli war der Auffassung, Luther gehe in seinem Bruch mit der sakramentalisierten Kirche nicht weit genug. Er mußte aber bald erleben, daß auch er als »halber Reformator« galt, als er Zeit und Durchführung der Reformen dem Rat der Stadt Zürich überlassen wollte.
So kam es denn vielerorts zum Bruch mit den Verfechtern einer »weitergehenden Reformation«, die meist mit einem scharfen Antiklerikalismus verbunden eine völlig gereinigte, wahre Christenheit wiederherstellen wollten. Das aber schien nur möglich, wenn die Taufe im bewußten Alter aufgrund eines Bekenntnisses vollzogen und über die christliche Lebensführung durch strenge Gemeindezucht gewacht wurde. Die Vertreter dieser Konzeption konnten sich freilich nur in der ungeklärten Situation der ersten Hälfte der 20er Jahre und oft vor dem Hintergrund bestehender sozialer oder gesellschaftlicher Gegensätze in einzelnen Dörfern oder Städten durchsetzen und dort Gesamtreformen einführen. In Mitteldeutschland sind Andreas Bodenstein von Karlstadt in Orlamünde und Thomas Müntzer in Allstedt als Beispiele hierfür zu nennen. Für die Schweiz und ihr Umland ist auf die Radikalen in den Dörfern des Zürcher Landgebiets sowie auf Balthasar Hubmaier in Waldshut hinzuweisen. Freilich waren diese Reformationen immer nur von kurzer Dauer, weil die Obrigkeiten, ob sie nun der alten oder der »neuen« Kirche anhingen, solche lokal unterschiedlichen und nicht selten gegen sie gerichteten Reformen mit Gewalt beseitigten, wobei ihnen die führenden Reformatoren zustimmten.
Wo man der Überzeugung war, in der Endzeit zu leben, rechnete man im Kreise der Radikalen mit der baldigen, die ganze Welt umgreifenden Aufrichtung des Reiches Christi. Das war sowohl die Erwartung Thomas Müntzers als auch des von Hans Hut und Melchior Hoffman bestimmten Täufertums. Sie fand ihre vorläufige und furchtbar endende Verwirklichung im Täuferreich von Münster. Andere Gruppen nahmen den Gedanken, die reine Christenheit zu verwirklichen, auf die kleine Gemeinschaft zurück und bildeten Kennzeichen wahrer Christlichkeit aus, die sie von anderen abgrenzten und für die man auch bereit war, das Martyrium auf sich zu nehmen. Es gab eine Fülle sich gegenseitig befehdender Gruppierungen, von denen nur zwei genannt sein sollen: die vom Humanismus bestimmten Schweizer Brüder, deren Nachfolge sich vor allem an der Bergpredigt orientierte und die Eid und Waffengebrauch verwarfen, sowie die stärker von den Traditionen der deutschen Mystik geprägten hutterischen Täufer, deren Lösung von der »Welt« sich in erster Linie in der Aufgabe jeglichen Eigentums und der Gütergemeinschaft verwirklichte. Eine dritte, geschichtlich am wirksamsten gewordene Gestalt gewann das Täufertum unter Menno Simons nach der Katastrophe des Täuferreichs in Münster.

H.-J. Goertz, Die Täufer, 1980. G.S.

340 Die Handschriftenbände der hutterischen Brüder aus Ost- und Südosteuropa bieten die wertvollste Überlieferung für viele frühe Schriften der Täufer.

Hutterische Sammelhandschrift, 1573
Orig. Papier, 16 × 11 cm. Ledereinband
Nürnberg, Stadtbibliothek, Cent. V, App. 78

Eine eigene Gruppe innerhalb der Täufer bildeten die nach Jakob Huter genannten hutterischen Brüder. Auf dem Hintergrund spätmittelalterlicher Mystik und des mystischen Spiritualismus wurde für sie neben der Wehrlosigkeit vor allem die Gütergemeinschaft zum Kennzeichen wahren Christentums. Als Landwirte und Handwerker gleichermaßen geschätzt, wurden sie von mährischen und später ungarischen Adeligen zunächst gern geduldet, im 17. und 18. Jahrhundert jedoch vertrieben und gelangten über Rußland nach Kanada und in die USA, wo es heute noch »Bruderhöfe« gibt. Die größte Zahl ihrer Handschriftenbände, von denen viele durch die Verfolgungen vernichtet wurden, stammen aus der »goldenen Zeit« in Mähren zwischen 1565 und 1592; so auch der vorliegende Band. Er enthält viele kleine Schriften aus den Anfangsjahren des süddeutschen und österreichisch-mährischen Täufertums, oft anonym überliefert, aber auch solche von Hans Denck u.a. Der schöne Ledereinband zeigt neben der Jahreszahl 1573 im inneren Rechteck umlaufend den Wahlspruch Balthasar Hubmaiers, der die erste Täufergemeinde in Mähren gründete: DIE WARHEIT IST VNDETLICH EBIG (untötlich, ewig; das letzte Wort ist ein Zusatz von hutterischer Seite).

R. Friedmann, Die Schriften der huterischen Täufergemeinschaften, 1965. – G. Seebaß, A Recently Discovered Hutterite Codex of 1573. In: The Mennonite Quarterly Review 48, 1974, S. 255-264. G.S.

341 Noch vor dem Vollzug der ersten Wiedertaufe bildete sich in Zürich eine Gruppe, die eine wahrhaft christliche Gemeinde verwirklichen wollte.

Konrad Grebel u.a. an Thomas Müntzer, Zürich 5. September 1524
Eigenhändig, Orig. Papier, 32,4 × 22,1 cm.
Aufgeschlagen: Nachschrift zu dem Brief
St. Gallen, Kantonsbibliothek Vadiana, Ms 40, XI/97

Konrad Grebel stammte aus angesehener Zürcher Familie. 1522 erlebte er die Wende zur Reformation Zwinglis und gehörte seitdem mit mehreren der Mitunterzeichner dieses Briefes zu denen, die sich durch provokatorisches Verhalten zu Konsequenzen aus der »neuen Lehre« bekannten. Als Zwingli die Durchführung der Reformation dem Rat überlassen wollte, kam es über der Frage des Zehnten, der Beseitigung der Bilder und der Meßreform zum Bruch. Im Laufe des Jahres 1524 sammelten sich die von Zwingli enttäuschten Radikalen und vollzogen mit der Wiedertaufe Anfang 1525 die endgültige Trennung. Als Täuferprediger wirkte Grebel in der Nordschweiz bis zu seiner Verhaftung. Freigekommen starb er 1526 an der Pest.
Der Brief formuliert bei aller grundsätzlichen Zustimmung zu Müntzer und Karlstadt scharf die eigene Position: Irgendwelche Rücksichten dürften bei der Durchführung der Reformation nicht genommen werden. Das Wort der Schrift allein solle Richtschnur sein. Für den Gottesdienst gelte nur das urkirchliche Vorbild. Aus dem gleichen Grund dürften keine Bilder geduldet werden. Erzwungene Abgaben zur Besoldung von Predigern seien unzulässig. Eine wirklich christliche Gemeinde, in der es keine Unterschiede, sondern nur noch Brüder gebe, könne nur entstehen, wenn ausschließlich Erwachsene getauft würden und man den Ausschluß aus der Gemeinde praktiziere. Die Folgen dieses Gemeindeverständnisses waren Grebel klarer als vielen anderen Täufern damals: Es konnte nur bei einer kleinen und verfolgten, nach Christi Vorbild ohne jede Gegenwehr duldenden Gruppe bleiben.

H. Fast, Der linke Flügel der Reformation, 1962, S. 9-28. – J. M. Stayer, Die Anfänge des schweizerischen Täufertums. In: H.-J. Goertz (Hrsg.), Umstrittenes Täufertum, 1975, S. 19-49. G. S.

342 Balthasar Hubmaier gehört zu den wenigen geschulten Theologen, die sich dem Täufertum zuwandten und in die Diskussion mit den Reformatoren eintraten.

Balthasar Hubmaier, ›Von dem Christenlichen Tauff der gläubigen. Durch Balthasarn Hüebmör von Fridberg: yetz zu waldshut, außgangen. Die warheit ist vntödtlich. M.D.XXV. Die lieb freüwet sich der warheit. i. Corin. xiij. cap.‹
[Straßburg: Matthias Schürer Erben] 1525
8°. Aufgeschlagen: 5. Kapitel
Augsburg, Staats- und Stadtbibliothek, 4° Aug 664

Balthasar Hubmaier (1485-1528), der noch unmittelbar vor der Reformation als Prediger der Schönen Maria von Regensburg hervorgetreten war (vgl. Abt. II G), wurde in den 1520er Jahren eine der großen Gestalten des Täufertums. Freilich ging er dessen Weg in die Absonderung nicht mit. Vielmehr gelang es ihm, sowohl in Waldshut wie im mährischen Nikolsburg, mit Hilfe der Obrigkeit eine Täuferreformation durchzusetzen, die aber in beiden Fällen von kurzer Dauer war und gewaltsam beendet wurde. Ausgeliefert an Ferdinand von Österreich wurde er 1528 in Wien verbrannt.
Mit dem vorliegenden Werk bekannte sich Hubmaier gegen den Zürcher Reformator Huldrych Zwingli offen für die Wiedertaufe, die ihm neben der Kirchenzucht allein die wahre christliche Gemeinde verbürgte. Die aufgeschlagenen Seiten zeigen, wie Hubmaier an den einschlägigen Texten des Neuen Testaments auf der rechten »Ordnung« des christlichen Lebens bestand: Wort, Hören, Glaube, Taufe, Werk. Aus der gehörten Predigt geht der Glaube hervor. In der Taufe verpflichtet sich der Mensch, mit seinem Handeln der Regel Christi zu folgen und unterwirft sich dem Urteil der Brüder, mit denen er sich im Abendmahl im Gedächtnis an Christus verbindet.
In Straßburg konnten zu dieser Zeit solche Schriften noch erscheinen. Später stand Hubmaier in Nikolsburg die Druckerei Simprecht Sorg zur Verfügung, so daß es zwischen ihm und Zwingli zu einer öffentlich geführten Debatte über die Taufe kommen konnte.

G. Westin u. T. Bergsten (Hrsgg.), Balthasar Hubmaier, Schriften, 1962, S. 116-163. – Chr. Windhorst, Balthasar Hubmaier. In: Goertz, S. 125-136 und 248. G. S.

343 Das schweizerisch-oberdeutsche Täufertum stellte als erste Täufergruppe die Merkmale bekenntnisartig zusammen, die ihre Gemeinschaft von anderen trennten.

Michael Sattler, ›Brüderliche vereynigung etzlicher kinder Gottes siben Artickel betreffend. Item. Eyn sendtbrieff Michel satlerß an eyn gemeyn Gottes sampt kurtzem, doch warhafftigem anzeyg, wie er seine leer zů Rottenburg am Necker mitt seinem blůt bezeuget hat. M.D.XXvij.‹
1527. 8°
München, Bayerische Staatsbibliothek, Mor. $\frac{2}{135}$

Anfang 1527 wurde die Täuferbewegung in der Schweiz und Oberdeutschland nicht nur durch die Verfolgung durch die Obrigkeit von außen, sondern durch libertinistische Ausschreitungen auch von innen bedroht. In dieser Situation legte man auf einer Versammlung bei Schleitheim in der Nähe von Schaffhausen in 7 Artikeln die Trennung der Gemeinde von den falschen Brüdern und der »Welt« fest. Man verwarf erstens die Kindertaufe und einigte sich zweitens auf die Anwendung des Ausschlusses aus der Gemeinschaft vor dem Abendmahl. An ihm konnte drittens nur teilnehmen, wer zur Gemeinde gehörte. Das bedeutete viertens auch die Absonderung von den kirchlichen und bürgerlichen Gemeinden. Außerdem einigte man sich fünftens über Person und Pflichten des Gemeindeleiters. Mit dem sechsten Punkt lehnte man es ab, ein obrigkeitliches Amt zu übernehmen oder Recht zu sprechen. Im siebten untersagte man jede Form des Eides.
Die Artikel selbst, auf jeden Fall aber der Brief, in dem sie enthalten sind, stammen von Michael Sattler (ca. 1490-1527). Sattler war Prior des Klosters St. Peter im Schwarzwald gewesen, hatte sich dann aber der Reformation geöffnet und schließlich in Zürich den Täufern zugewandt. Nachdem er kurze Zeit auch in Straßburg gewirkt hatte, wurde er in Rottenburg gefangengenommen und im Mai 1527 verbrannt. Sofort nach dem Bekanntwerden der Artikel veröffentlichte Zwingli eine ausführliche Widerlegung.

H. Fast, Der linke Flügel der Reformation, 1962, S. 58-71. – Goertz, S. 115-124. G. S.

344 Kennzeichen des von Hans Hut begründeten Täufertums ist die Hoffnung auf die baldige endzeitliche Vernichtung aller Gottlosen.

Hans Hut, ›Missionsbüchlein‹
1526/27
Wohl teilweise eigenhändig, Papier, 8,5 × 10,7 cm. Einbanddecken in Pergamentblätter einer Bibelhandschrift gebunden. Aufgeschlagen: fol. 3v-4r, Abschrift von Luthers Lied über die Zehn Gebote
Augsburg, Stadtarchiv, Reichsstadt, Wiedertäufer-Select I

Als Buchführer zwischen Wittenberg und Nürnberg wurde Hut (ca. 1490-1526) für die Reformation gewonnen, schloß sich aber bald an Müntzer an, von dem er eine Schrift in Nürnberg zum Druck brachte. Nach dem Bauernkrieg verstand er die 1526 empfangene Taufe als Versiegelung der endzeitlichen Gerechten, die am göttlichen Strafgericht über Pfaffen und Fürsten teilnehmen sollten. Wegen dieser Erwartung wurden seine Anhänger in Franken, Süddeutschland und Österreich hart verfolgt; er selbst, wegen Teilnahme am Bauernkrieg zum Tode verurteilt, kam bei einem Fluchtversuch ums Leben.
Das Büchlein, das seine Anhänger verschiedentlich erwähnen, wurde bei Hut nach seiner Gefangennahme gefunden und nach seinem Prozeß – mit Ausnahme der leeren Seiten zerrissen – zu den Akten genommen. Es enthielt Drohworte gegen die Geistlichkeit, eine Abschrift von Luthers Lied über die Zehn Gebote, eine Verteidigungsrede gegen den Vorwurf des Aufruhrs, eine Art Katechismus sowie eine Belehrung über die endzeitlichen Ereignisse. In der Abfolge der Stücke könnte es durchaus den Hauptpunkten der Missionspredigt Huts entsprochen haben.

G. Seebaß, Hans Hut. In: Goertz, S. 44-50. G. S.

344

345 Der Kürschner Melchior Hoffman gewann durch sein Wirken in Nordwestdeutschland und Holland weitreichende Bedeutung für das Täufertum.

Melchior Hoffman, ›Worhafftige zeucknus gegen die nachtwechter vnd sternen, Das Der Dott mensch Jhesus Christus am kreuz vnd im grab nit ein angenommen fleisch vnd blut aus maria sey, sunder allein Das pawre vnd ewige wortt vnd Der vnendliche sun Des allerhochsten‹
Eigenhändig, Orig. Papier, 21 × 16 cm. 12 S. Aufgeschlagen: Abschnitt »Und ist auch gewiss ...«
Straßburg, Archives Municipales, Thomas-Archiv. 76, Nr. 39, Hoffmaniana Nr. 2

Soziale Spannungen, die sich mit den religiösen Gegensätzen im Zusammenhang der Reformation verbanden, verschafften dem Laienprediger Melchior Hoffman (um 1495-1543) kurze Erfolge in den Städten Livlands, in Stockholm, Schleswig-Holstein und Ostfriesland. Sie endeten stets dann, wenn sein mit dem Haß auf alle »Pfaffen« verbundener Spiritualismus erkannt wurde. Ein Straßburger Aufenthalt führte zur Aufnahme der Erwachsenentaufe und einer Vorstellung von den Endzeitereignissen, die den Münsteraner Täufern unmittelbar vorarbeitete. Nach erfolgreichem Wirken in Friesland und Holland wurde Hoffman in Straßburg gefangengesetzt und starb im Gefängnis.
Die vorliegende Handschrift ist das einzige von ihm erhaltene Autograph. Es ist Zeugnis für die spiritualistische Auffassung Hoffmans von der Gestalt Jesu. Um der Einheit Gottes und der völligen Erlösung des Menschen willen darf Christus nicht das sündhaft irdische Fleisch Adams, sondern nur ein himmlisch reines Fleisch gehabt haben, das auch in uns durch sündlosen Wandel verwirklicht werden muß. Unter den Nachtwächtern und Sternen, die im Titel genannt sind, versteht Hoffman die falschen Lehrer, das sind letzten Endes alle, die seine Auffassungen nicht teilen.

K. Deppermann, Melchior Hoffman, 1979. – W. J. Leendertz, Melchior Hofmann, 1883, S. 386-392. G. S

346

346 Das Täuferreich von Münster unter dem König Jan van Leiden galt vielen Zeitgenossen als konsequenteste Ausprägung des Täufertums.

Bildnis des Jan van Leiden
Heinrich Aldegrever, 1536
Kupferstich, 31,8 × 22,8 cm. Oben Inschrift: IOHAN VAN LEIDEN EYN KONINCK, über dem Porträt als Überschrift: IOHAN VAN LEIDEN EYN KONINCK DER WEDERDOPER THO MONSTER WAERHAFTICH CONTER[FEIT], unten auf der Schrifttafel: HAEC FACIES, HIC CVLTVS ERAT, CVM SEPTRA TENEREM, REX αναβαπτιστῶν, SED BREVE TEMPVS EGO. HENRICVS ALDEGREVER SVSATIE FACIEBAT ANNO M.D.XXXVI. (Dies war mein Antlitz, dies mein Aufzug, während ich das Zepter als König der Wiedertäufer führte, aber freilich nur für eine kurze Zeit. Heinrich Aldegrever aus Soest fertigte den Stich im Jahr 1536). GOTTES MACHT IST MYN CRACHT (Kraft). 2. Zustand
Nürnberg, Germanisches Nationalmuseum, K 15 396

Jan (Bockelson) van Leiden (um 1510–1536) hatte nach kurzer Schulzeit ein unstetes Leben geführt. Er erlernte das Schmiedehandwerk, machte als Kaufmann Reisen nach Lissabon, London und Lübeck und lebte dann in seiner Heimatstadt Leiden als Wirt, Bänkelsänger und Schauspieler. Durch Jan Matthys für die Täufer gewonnen, missionierte er zunächst in Holland, folgte dann dem Propheten nach Münster und konnte sich nach dessen Tod in der belagerten Stadt zum König des »neuen Jerusalem« erklären. Er vervollkommnete die radikale, vermeintlich die Endzeit eröffnende Herrschaftsordnung in der Stadt. Nach der Erstürmung Münsters gefangengenommen, führte man ihn im Land umher – in dieser Zeit konnte Aldegrever ihn zeichnen – und ließ ihn schließlich mit zwei anderen führenden Täufern im Januar 1536 grausam hinrichten.
Der König schaut in fein gefälteltem Hemd, seidenem Obergewand und weiter Schaube im Dreiviertelporträt am Beschauer vorbei. Ob der ins Leere gehende, sinnende Blick die Vergänglichkeit irdischer Macht demonstrieren soll, die in der Unterschrift zum Ausdruck kommt, oder bei Übertragung der in diesem Punkt besseren Vorlage unbeabsichtigt entstand, kann dahingestellt bleiben. Jedenfalls läßt das betont echte Porträt erkennen, daß Jan van Leiden durchaus die Überzeugungskraft, das Durchsetzungsvermögen und auch die äußerliche Erscheinung besaß, die ihn für sein Amt qualifizierten. Aldegrever hat den König wohl nicht mehr im Hofstaat gesehen, da die literarische Überlieferung zu den dargestellten Schmuckstücken nicht paßt. Sie bestehen aus verschiedenen Ringen und zwei Halsketten. An der einen, um deren unteres Ende vier Wiedertäufermünzen gebogen sind, hängen ein Trillerpfeifchen und ein Toilettenservice (vergleichbar unseren Taschenmessern). Vor dem unteren Ende der großen Kette hängt, merkwürdig unverbunden, das Wappen Jan van Leidens, das auf die Kombination der Zweischwertertradition mit einer von ihm geschauten Vision zurückgeht: Es zeigt – als Anspruch der Weltherrschaft – die Weltkugel mit dem Kreuz, durchbohrt von zwei Schwertern, dem Schwert des Geistes und dem der Rache. Dieses Wappen findet sich wieder auf dem Zepter, für das es in dieser Form keine schriftliche Bestätigung gibt und das möglicherweise erst mit der Unterschrift ins Bild kam, da es auf der Vorlagezeichnung fehlt. Es ist links oben wiederholt, darüber eine Krone, die für Aldegre-

ver typisch ist. Die alphabetische Reihenfolge von Buchstaben auf dem Band hinter dem Wappen und auf der Rolle in der linken Hand des Königs geht darauf zurück, daß dieser den unter seiner Herrschaft geborenen Kindern Namen mit alphabetischer Folge des ersten Buchstabens gab. Der letzte Satz auf der Schrifttafel bringt den Wahlspruch des Königs.

M. Geisberg, Die Münsterischen Wiedertäufer und Aldegrever, 1907. – Kat. Ausst. Die Wiedertäufer in Münster, 1982, S. 178 f., Nr. 118; S. 182-184, Nr. 120 f. G. S.

347, 348 Das in Münster errichtete Königtum des »neuen Jerusalem« verwendet die üblichen Kennzeichen herrschaftlicher Macht und Würde.

347 Halskette aus dem Besitz (des Königs?) der Täufer in Münster
Gold, Länge 120 cm
Anhänger: Goldabschlag einer in Münster 1534 geprägten Täufermünze, Dm. 4,8 cm. Inschrift Vorderseite Mittelfeld: Der bewußt mit »in« übersetzte Text aus Joh. 1,14. DAT WORT IS FLEISCH GEWORDEN VN WANET IN VNS. Umschrift Vorder- und Rückseite: Text aus Joh. 3,5: WE[R] NICHT GEBORE[N] IS VTH DE[M] WAT[ER] VN GEIST, MAC NICH – IN GAEN INT RIKE GADES. EIN KONINCK VPREG O[VER] A[LL]. Innere Umschrift Rückseite: Der etwas veränderte Text aus Eph. 4,5: EIN GODT, EIN GELOVE, EIN DOEPE, im inneren Feld: THO MVNSTER, darüber 1534
Privatbesitz

Jan van Leiden soll als König viele goldene Ketten um den Hals getragen haben. Die vorliegende stimmt zwar mit keiner der literarisch oder bildlich belegten überein, kann aber durchaus aus dem Besitz des Königs stammen. Auch dessen Beamte trugen silberne Ketten und solche aus anderem Material. Da eine in der Art der breiten ovalen Glieder ganz gleiche Kette vorhanden ist, darf man annehmen, daß diese Ketten für den König (oder die Königin?) angefertigt wurden.

347

348 Halskette aus dem Besitz (des Königs?) der Täufer in Münster
Gold, Länge 142 cm
Anhänger: Goldene Filigrankugel, Dm. 3,7 cm und kugelförmiger, golden granulierter Anhänger mit Perlen, Rubinen und emaillierten Zierstücken, Dm. 2,7 cm. Ein ursprünglich wohl weiterer Anhänger fehlt
Privatbesitz

Für die Kette ist keine direkte Beziehung zu den Täufern bezeugt, doch gehört sie nach der Machart der Glieder deutlich mit der vorigen zusammen. Man darf vermuten, daß die angehängten Schmuckstücke älteren Datums sind und nicht eigens für die Kette angefertigt wurden. Vor allem durch sie eignet sie sich zur Entfaltung und Dokumentation königlicher Pracht.

Kat. Ausst. Die Wiedertäufer in Münster, 1982, S. 169, Nr. 112; S. 192 u. 130. G. S.

349

C Die Auseinandersetzung mit den Täufern

Luther hatte in seiner Frühzeit die These vertreten, daß man der Ketzerei nicht mit Gewalt wehren könne, sonst »wäre der Henker der allergelehrteste Doktor«. So haben sich die Reformatoren nachdrücklich um eine theologische Auseinandersetzung mit den Thesen der Täufer bemüht. Freilich diskutierte man dabei oft ausschließlich über das Recht von Kinder- und Bekenntnistaufe, ohne den tiefer liegenden Unterschied in der Verwirklichung des Christentums und im Kirchenbegriff in den Blick zu nehmen. Doch haben besonders die oberdeutschen Reformatoren den Ernst der Nachfolge bei den Täufern auch als eine Frage an die eigene kirchliche Ordnung empfunden und sich bemüht, durch strenge Sitten- und Kirchenzucht einen Hauptanstoß der Täufer an den reformatorischen Gemeinden zu beseitigen.

Die Wiederholung der Kindertaufe und manche die Pflichten von Untertan und Bürger tangierenden Überzeugungen der Täufer führten aber schon bald zum Eingreifen und zur Verfolgung durch die Obrigkeiten. In den altgläubigen Territorien ging man aufgrund des Verbots der Wiedertaufe durch die römisch-christlichen Kaiser und entsprechender Mandate mit der Todesstrafe gegen die Täufer vor. Die Jahre zwischen 1528 und 1530 sahen den Höhepunkt der Täuferverfolgungen. Die evangelischen Städte und Territorien reagierten nicht in gleicher Weise. Zwar wurden – vor allem in Kursachsen – gelegentlich Todesurteile vollstreckt, die man mit Aufruhr und Gotteslästerung begründete, und diesen Aufruhrverdacht sah man später durch das Münsteraner Täuferreich voll bestätigt. Im übrigen aber versuchten die evangelischen Obrigkeiten die Täufer zum Widerruf zu bewegen, wiesen die Widersetzlichen aus dem Land oder hielten die Täuferführer zum Schutz der Christen in Dauerhaft. Wenn die Reformatoren der Verfolgung der Täufer zustimmten, so geschah das zum großen Teil aus den gleichen Gründen, die sie auch für das reformatorisch-kirchenordnende Wirken der Obrigkeit ins Feld führten.

J.S.Oyer, Lutheran Reformers Against Anbaptists, 1964. – G.Seebaß, An sint persequendi haeretici? In: Blätter für Württembergische Kirchengeschichte 70, 1970, S.40-99. – C.P.Clasen, Anabaptism. A Social History, 1525-1618, 1972. G.S.

349 In der Auseinandersetzung mit den Täufern wurde die biblische Szene der Kindersegnung durch Jesus als ein Beweis für das Recht der Kindertaufe angesehen.

Christus segnet die Kinder
Lukas Cranach d.Ä., um 1540
Gemälde auf Holz, 72,2 × 121,5 cm. Am oberen Bildrand die Inschrift: LASSET DIE KINDLEIN ZV MIR KOMMEN VND VERET INEN NICHT DEN SOLCHER IST DAS HIMMELREICH. MAR[CUS] X [14]. Zitat aus Matth.19,14 und Mark.10,14
Privatbesitz
Farbtafel Seite 83

Das Bild zeigt in Dreiviertelgröße der Personen die Anrührung der Kinder durch Jesus: In der Mitte Christus, dem von Frauen rechts und links Säuglinge zugereicht werden. Auf der linken Hälfte des Bildes sieht man eine Gruppe unmutiger Jünger, rechts zwei Gruppen von Frauen mit Kleinkindern. Das Thema begegnet in der vorreformatorischen Tafelmalerei nicht, war aber, wie die vielen, auch unterschiedlichen Repliken und eine Zeichnung für einen Teppich belegen, in den späteren Jahren der Reformation sehr beliebt.

Die Illustration der biblischen Geschichte (Matth. 19,13-15; Mark. 10,13-16 und Luk. 18,15-17) ist in diesem Fall deutlich von der liturgischen Tradition der Kirche seit dem frühen Mittelalter geprägt, in der die Erzählung bei der Taufe verlesen wurde. Von daher ist es zu verstehen, daß Christus auf dem Bild nur Säuglinge, aber nicht die ebenfalls abgebildeten beiden größeren Kinder berührt, obwohl der biblische Bericht über das Alter der Kinder schweigt. Es handelt sich also um ein Taufbild, das freilich gleichzeitig auf dem Hintergrund von Mark. 10,15 ein Bekenntnis zum reformatorischen Glauben darstellt: Wie ein Kind sein Leben nur von der liebenden Zuwendung der Eltern empfängt, so auch der Mensch von Gott. Luther konnte die Kinder als die wahrhaft Glaubenden bezeichnen.

In dem Bild liegt auch eine indirekte Polemik gegen die Täufer, zumal wenn man, wie auf dieser Fassung des Bildes, nicht Mark. 10,13, sondern den folgenden Vers zitiert. Allerdings sollte man diesen polemischen Charakter nicht überbetonen; denn als das Thema in der reformatorischen Tafelmalerei aufkam, hatte die Täuferbewegung längst ihren Höhepunkt überschritten.

Friedländer-Rosenberg, 1979, Nr. 217. – Andersson, S. 43-98. – V. Westphal, Zum Gemälde des Lucas Cranach d. Ä. »Christus segnet die Kinder«. In: Die Weltkunst 41, 1971, S. 226, Abb. S. 181. G. S.

350 Luther lehnte die Bekenntnistaufe der Täufer ab, weil er den bedingungslosen Empfang und die Gewißheit des Heils im Handeln Gottes gewahrt wissen wollte.

Martin Luther, ›Von Der Widdertauffe an zween Pfarherrn. Ein brieff Mart. Luther. wittemberg. M.D.XXVIII‹
Wittenberg: Hans Lufft 1528
4°. 24 Bll. Aufgeschlagen: D4v
Augsburg, Staats- und Stadtbibliothek, 4° Th. H. 1700-580

Luther richtete diesen offenen Brief an zwei uns unbekannte Pfarrer, die ihn im Blick auf Balthasar Hubmaiers (vgl. Kat. Nr. 342) Schriften um eine Stellungnahme gebeten hatten. Dabei führte er eine Reihe historischer Argumente für die Säuglingstaufe ins Feld. Wesentlich aber war für Luther, daß der Glaube das Sakrament nicht mache, sondern empfange, und Gottes Handeln am Menschen in Wort und Sakrament dem Glauben vorausgehe. Weil an der Taufe kein, am Glauben aber immer Mangel sei, meinte er, man solle nicht Wiedertäufer sondern »Wiedergläubler« sein.

Benzing, Nr. 2480, 1966. – WA 26, S. 137-174. – L. Grönvik, Die Taufe in der Theologie Martin Luthers, 1968. G. S.

351 Altgläubige und reformatorische Obrigkeiten gehen, wenn auch mit unterschiedlicher Begründung, hart gegen die Täufer vor.

Mandat des Zweiten Speyerer Reichstags gegen die Täufer, Speyer 23. April 1529
Orig. Papier, Doppelfolio
Marburg, Hessisches Staatsarchiv, Best. 3 (Pol. Arch.) Nr. 243, f. 3

Mit dem Auftreten der Hutschen Täufer setzte vor allem in Süddeutschland eine systematische Verfolgung der Täufer ein, an der sich vor allem der Schwäbische Bund beteiligte. Nachdem schon vorher in verschiedenen Städten und Territorien Mandate gegen die Täufer verkündet worden waren, verabschiedete der Zweite Speyerer Reichstag ein Mandat, das im ganzen Reich gelten sollte. Da man sich auf das Verbot der Wiedertaufe im römisch-kaiserlichen Recht bezog, konnte empfohlen werden, ohne Einschaltung geistlicher Gerichte gegen die Täufer vorzugehen. Dabei wurde für Täuferführer, Täufer und Getaufte, die den Widerruf verweigerten, sowie für Rückfällige die Hinrichtung vorgeschrieben. Nur wer Widerruf leistete, konnte begnadigt werden. Als Täufer sollte auch gelten, wer die sofortige Taufe seines Kindes verschob oder ablehnte. Das Mandat richtete sich also nicht nur gegen die vollzogene Wiedertaufe, sondern ebenso gegen den Taufaufschub. Den Obrigkeiten wurde die Einhaltung für alle in ihrem Gebiet Lebenden, nicht nur für eigene Untertanen, streng eingeschärft.

Vor allem in altgläubigen Gebieten hat das Mandat seine Wirkung nicht verfehlt. In evangelischen Gebieten und Städten wurde es nirgends in voller Schärfe durchgeführt, zumeist überhaupt nicht angewandt.

DRTA, Jüngere Reihe, Bd. 7, II, 1935, S. 1325-1327, Nr. 153. – H.-J. Goertz, Ketzer, Aufrührer und Märtyrer. In: Mennonitische Geschichtsblätter 36, 1979, S. 7-26. G. S.

352 Die Anwendung der Folter gegen die Täufer vollzieht sich im Rahmen der damaligen Prozeßordnung.

a Conrad Peutinger, Interrogatorium für ein Verhör des Täufers Hans Hut, Augsburg vor 5. Oktober 1527
Eigenhändig, Orig. Papier, 30,6 × 22 cm. Aufgeschlagen: fol. 41v
Augsburg, Stadtarchiv, Reichsstadt, Wiedertäufer-Select I

Der Prozeß gegen Hans Hut (vgl. Kat. Nr. 344) in Augsburg vom September bis Dezember 1527 zeigt, daß die Räte von Reichsstädten im evangelischen Einflußbereich im Sinne der damaligen Gerichtspraxis »korrekt« gegen die Täufer vorgingen. Der Stadtschreiber Conrad Peutinger (1465-1547) selbst stellte die Artikel zusammen, auf die Hut verhört werden sollte. Das geschah zunächst ohne Anwendung der Folter. Für das Verhör Huts am 5. Oktober 1527 jedoch zog Peutinger aus dessen Missionsbüchlein die Lehren über die Endzeit heraus, die im einzelnen nur als aufrührerisch betrachtet werden konnten. Da Hut in der Aussage Müntzer und den Bauernkrieg erwähnte, lagen genügend Gründe vor, nunmehr die Folter anzuwenden.

Vgl. auch zu Kat. Nr. 344. – Chr. Meyer, Zur Geschichte der Wiedertäufer in Oberschwaben 1. In: Zs. des hist. Vereins für Schwaben und Neuburg 1, 1874, S. 248-258, bes. S. 243 f. G. S.

b Protokoll über ein Verhör Hans Huts, Augsburg 5. Oktober 1527
Kanzleiausfertigung, Papier, 30,7 × 22 cm. Aufgeschlagen: fol. 37v
Augsburg, Stadtarchiv, Reichsstadt, Wiedertäufer-Select I

Das vorliegende Protokoll bezieht sich auf die Aussagen, die Hans Hut zu den von Peutinger aufgestellten Frageartikeln machte. Es vermerkt am Anfang, auf welche Fragen es sich bezieht und daß es sich um *ernstliche frag*, also um ein Verhör mit

Anwendung der Folter handelt. Danach sind die Grade der Folter aufgeführt. Anschließend folgen die Aussagen Huts.
Hut hatte genau erkannt, daß ihm seine Endzeitlehre und die Verbindung zu Müntzer gefährlich werden konnten. Er gab daher – trotz der Folter – beidem einen ganz harmlosen Anstrich. Er stellte die Beziehung zu Müntzer als rein beruflich dar und verschwieg seine Teilnahme an der Schlacht von Frankenhausen im Mai 1525. Spätere Verhöre brachten weiteres belastendes Material, so daß schließlich das Todesurteil gefällt wurde. Hut kam aber noch vor seiner Vollstreckung bei einem Fluchtversuch ums Leben.

G. Seebaß, Bauernkrieg und Täufertum in Franken. In: Zs. für Kirchengeschichte 85, 1974, S. 140-156. – Chr. Meyer, Zur Geschichte der Wiedertäufer in Oberschwaben 1. In: Zs. des hist. Vereins für Schwaben und Neuburg 1, 1874, S. 248-258, bes. 229-231. G. S.

353 Die Wittenberger Reformatoren empfehlen in späterer Zeit ein scharfes Vorgehen gegen die Täufer, können sich aber damit nur teilweise durchsetzen.

Martin Luther, Caspar Cruciger, Johannes Bugenhagen und Philipp Melanchthon an Landgraf Philipp von Hessen, Wittenberg 5. Juni 1536
Kanzleiausfertigung, Papier, 33,4 × 24,4 cm. Mit eigenhändigen Unterschriften
Marburg, Hessisches Staatsarchiv, Best. 3 (Pol. Arch.) Nr. 2687

Schon im Jahr 1531 wurde vergeblich versucht, die in Kursachsen übliche harte Verfolgung der Täufer für die im Schmalkaldischen Bund zusammengeschlossenen evangelischen Obrigkeiten verbindlich zu machen. Als dann im Mai 1536 Philipp von Hessen fragte, wie er mit Täufern verfahren solle, die trotz Landesverweisung zurückkehrten, sandten die Wittenberger ein Gutachten, in dem sie die Hinrichtung aller nichtwiderrufenden Täufer empfahlen. Der vorliegende Begleitbrief sagt eindeutig, *das weltlicher oberheyt gebur, offentliche vnrechte lahr zu weren, vnnd die halstarrigen in Ihren gebieten zu straffen.* Man kannte aber offenbar die abweichende Meinung des Landgrafen. Tatsächlich hat Philipp von Hessen sich auch nicht nach diesem Gutachten gerichtet.

G. Seebaß, Luthers Stellung zur Verfolgung der Täufer. In: Mennonitische Geschichtsblätter 35, 1983, S. 7 ff. – WA 50, S. 6-15. G. S.

354 Landgraf Philipp von Hessen blieb zeitlebens dabei, daß niemand um seines Glaubens willen hingerichtet werden dürfe.

Testament des Landgrafen Philipp von Hessen, 25. Februar 1539
Entwurf mit eigenhändigen Korrekturen und Randbemerkungen, Papier, 33,4 × 24,4 cm
Marburg, Hessisches Staatsarchiv, Urkunden SA 88, 10

Als gut gebildeter Laienchrist war Landgraf Philipp von Hessen der Überzeugung, *das dem euangelio nicht alleine mit den [Worten], sondern mit den wercken nachgelebt* werden müsse. Diese Überzeugung kommt auch in der ersten seiner eigenhändigen Korrekturen, die wir hier zeigen, zum Ausdruck. Er wollte deswegen alle theologischen Auseinandersetzungen auf friedlichem Weg und in brüderlicher Liebe geklärt wissen. Aus den frühen Schriften Luthers gewann er die Überzeugung, daß in Glaubensfragen jeder Zwang verwerflich sei und hielt daran auch gegen die späteren Ratschläge der Wittenberger Theologen fest. So hat er sich unermüdlich dafür eingesetzt, die Täufer durch Gespräch für die Kirche zurückzugewinnen. Im Testament verband er mit der Aufforderung, die »Sekten« nicht groß werden zu lassen, sogleich die Mahnung: *Es ist auch unser will und meinung, das niemants umb keinerlei sachen willen den glauben betreffen gestraft werden soll.* Eigenhändig fügte er hinzu: *Sie sollen auch mit den deuffern mit allem fleis in gleichen, wie wir gethan, handeln, das sie bekert werden.* Nur offensichtliche Aufrührer wollte er davon ausgenommen wissen.

W. Maurer, Kirche und Geschichte, Bd. 1, 1970, S. 292-318. – G. Franz (Hrsg.), Urkundliche Quellen zur hessischen Reformationsgeschichte, Bd. 2, 1954, S. 242-244, Nr. 319. G. S.

355 In evangelischen Gebieten wird versucht, in einem abgestuften System die Täufer zum Widerruf zu bewegen.

Wiedertäufer-Kalender des Amtes Cannstatt, 1570
Orig. Papier, 31,6 × 32,5 cm
Stuttgart, Hauptstaatsarchiv, A 63, Bü 42

Der »Kalender« stammt zwar erst aus dem Jahr 1570, belegt aber ein Verfahren, das in Württemberg schon viel früher angewandt wurde. Die Spalten zeigen von rechts nach links die verschiedenen Stufen des Verfahrens: Zunächst wurden die Täufer durch ihre Pastoren ermahnt. War das vergeblich, so kam es zur Verhaftung und einer Ermahnung durch den Superintendenten. Dem folgte dann eine letzte Verwarnung in der Kanzlei. Hatte sich auch das als fruchtlos erwiesen, so beklagte man die Betreffenden als verlorene Glieder der Kirche und sprach die Landesverweisung aus. Es gab freilich auch – wie die vorletzte Spalte *Ausgetrettne* zeigt – diejenigen, die von sich aus das Land verließen. Sehr genau aber achtete man auf solche, die trotz Landesverweisung zurückkehrten. Erst wenn das wiederholt geschah, hatten sie mit strengerer Strafe zu rechnen. Das abgestufte, vergleichsweise milde Verfahren wurde übrigens auch beibehalten, als in den 70er Jahren die Zahl der Täufer in manchen württembergischen Ämtern auffällig anstieg.

C. P. Clasen, Die Wiedertäufer im Herzogtum Württemberg und in benachbarten Herrschaften, 1965. – H.-M. Maurer u. K. Ulshöfer, Johannes Brenz und die Reformation in Württemberg, 1975, S. 173-178. G. S.

D Die Spiritualisten

Nicht alle, denen es um die Wiederherstellung der wahren Christenheit ging, schlossen sich den Täufern an. Vielmehr gab es eine Reihe von Einzelgängern, die in der täuferischen Forderung der Bekenntnistaufe sowie der Herausstellung besonderer, als allein christlich geltender Verhaltensmuster eine falsche Hochschätzung des Äußerlichen, der Heiligen Schrift und der Sakramente und das Zerreißen der christlichen Liebesgemeinschaft sahen. Sie waren überzeugt, daß nicht Predigt und Auslegung der Heiligen Schrift, sondern allein der durch das innere Wort wirkende Geist Gottes selbst den im Menschen eingeschlossenen göttlichen Lebensfunken befreien, den Menschen verwandeln und zur christlichen Nachfolge in wahrer Liebe ermächtigen könne. Eben aus diesem Grunde war ihnen auch der Glaubenszwang verhaßt. Gelegentlich verbanden sich diese Überzeugungen auf dem Hintergrund eines neuplatonischen und dualistischen Denkens mit einer asketischen Abwertung des Leibes und einer einseitigen Hervorhebung der göttlichen Natur Christi und seines himmlischen Fleisches. Man polemisierte gegen die reformatorische Rechtfertigungslehre, die den Menschen mit dem Hinweis auf Christi stellvertretendes Leiden darüber hinwegtäusche, daß Christus im Menschen selbst Gestalt annehmen müsse.

Die so dachten, schlossen sich gelegentlich auf kurze Zeit der einen oder anderen evangelischen Gruppierung an, blieben aber letzten Endes bei keiner. Sie sammelten auch selbst keine Gruppen von Anhängern mehr, um in ihnen die wahre Kirche zu organisieren. Allenfalls bildeten sich miteinander korrespondierende Kreise von Lesern ihrer Schriften. Die Christenheit war für sie nur noch die rein geistige Gemeinschaft derer, die, vom Geist neu geboren, über alle Länder verstreut sind.

Gelegentlich wurden die Spiritualisten ihrer toleranten Haltung wegen geduldet, meist aber abgelehnt und verfolgt. Keine Gruppe pflegte ihr Andenken und keine bekannte sich zu ihnen. Gleichwohl haben die Verächter des äußeren Wortes über ihre Schriften eine bedeutende Wirkungsgeschichte vor allem im 17. Jahrhundert, aber auch darüber hinaus gehabt.

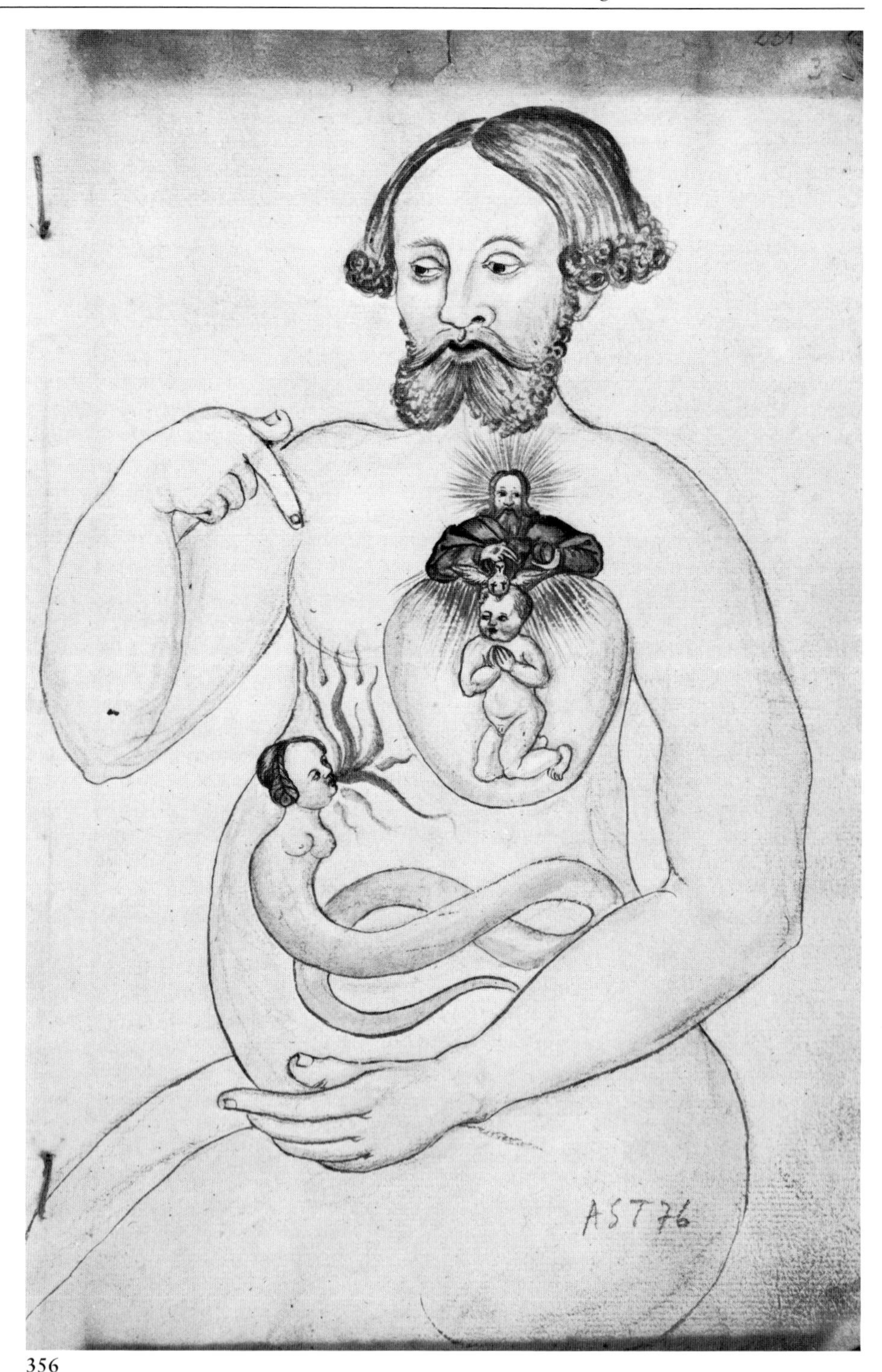

356

G. A. Benrath, Die Lehre außerhalb der Konfessionskirchen I. In: C. Andresen (Hrsg.), Handbuch der Dogmengeschichte, Bd. 2, 1980, S. 560-591. G. S.

356 Bildliche Darstellung des Spiritualismus: Der Leib wird mit der Sünde, die Seele mit dem Geist Gottes verbunden.

Der alte Mensch und die Geburt des neuen Menschen
Clemens Ziegler, 1532
Eigenhändige Zeichnung, 32 × 21 cm. In: Clemens Ziegler, ›Ein mercklichen verstant iber das geschriben biechlin von der sellickkeit aller menschen selen‹, Straßburg, Dezember 1532
Straßburg, Archives Municipales, AST 76

Im Dezember 1532 vollendete der Straßburger Gärtner Clemens Ziegler (ca. 1480, nach 1535 nicht mehr erwähnt) seine Schrift ›Ein merklicher Verstand über das geschriebene Büchlein von der Seligkeit aller Menschen‹, mit der er ein früher von ihm geschriebenes Büchlein erläutern wollte. Sie enthält verschiedene Zeichnungen, die den Spiritualismus Zieglers deutlich erkennen lassen.
Das hier gezeigte ist das erste Bild, bei dem es sich möglicherweise um ein Selbstbildnis handelt. Im Leib des Menschen wohnt die Sünde und das Böse, von Ziegler auf dem Hintergrund der biblischen Erzählung vom Sündenfall als Frau mit Schlangenleib dargestellt. Aus dem Mund gehen Feuerflammen. Sie richten sich gegen das Herz des Menschen als den Sitz der Seele. In dieser wird der neue Mensch von Gott dem Vater, der in seiner Hand die Weltkugel hält, durch den Heiligen Geist geboren. Damit wird der neue Mensch zugleich mit Christus dem Sohn identifiziert, so daß die Seele als Teil Gottes und die Geburt des neuen Menschen als Bild der Trinität erscheinen. Damit kommt zum Ausdruck, daß es ausschließlich um den Christus »in uns« geht. Auf einem der folgenden Blätter zeigt Ziegler dann den Kampf des neuen Menschen mit dem Bösen. Auf dem Kreuz stehend erwürgt dieser die Schlange, die jetzt mit gekröntem Drachenhaupt dargestellt ist. In seinem Herzen, von dem aus die Strahlen den Leib durchdringen, kniet das Kind, in der einen Hand das Kreuz, in der andern die Taube des Geistes. Darüber thront Gott der Vater.

M. Krebs u. H.G. Rott, Quellen zur Geschichte der Täufer, Bd. 7 (Elsaß 1. Teil), 1959, S. 563-574, Nr. 346, und S. 578-583, Nr. 350. – K. Deppermann, Melchior Hoffman, 1979, S. 155-158; Abb. zwischen S. 144 und 145. G.S.

357 Ohne Rücksicht auf die Folgen für seine Person legt Johann Denck in einem Bekenntnis sein spiritualistisches Glaubensverständnis nieder.

Johann Denck, Bekenntnis für den Nürnberger Rat, zwischen 11. und 16. Januar 1525
Eigenhändig, Orig. Papier, 31,5 × 21 cm
Nürnberg, Staatsarchiv, Reichsstadt Nürnberg, A-Laden-Akten, S I L 78, Nr. 14 (Bll. 1-4)

Johann Denck kam nach dem Studium in Ingolstadt über den Humanismus zur Reformation. Beziehungen zwischen Pirckheimer und Oekolampad brachten ihn von Basel nach Nürnberg. Hier gehörte er zu jenen, denen die städtische Reformation nicht weit genug ging. Er öffnete sich dem mystischen Spiritualismus Müntzers, ohne freilich dessen Endzeitgedanken zu übernehmen. Aus Nürnberg vertrieben, schloß Denck sich auf der Suche nach den wahren Jüngern Christi den Täufern an, bewahrte aber eine weitgehende Selbständigkeit. Er durchzog die Schweiz und hielt sich in Augsburg, Straßburg und Worms auf, ohne irgendwo auf Dauer geduldet zu werden. Von den Schweizer Brüdern gemieden, sagte er sich von den Täufern los. Die Zuflucht, die ihm Oekolampad in Basel gewährte, war kurz: Die Pest setzte dem ruhelosen Leben des Mannes, der stets nur ein fleißiger Schüler Christi sein wollte, schon 1527 ein Ende.
Das hier ausgelegte ›Bekenntnis‹ schrieb Denck auf Verlangen des Nürnberger Rates zu verschiedenen, von den städtischen Predigern aufgestellten Artikeln im Januar 1525. Es zeigt an manchen Stellen deutlich den Einfluß der Gedanken Thomas Müntzers. Der aufgeschlagene und hervorgehobene Text (Denck, Schriften 2, S. 25, 9-20) zeigt die spiritualistische Interpretation des Abendmahls durch Denck. Obwohl er sein Bekenntnis als Wiedergabe derzeitigen, vorläufigen Erkenntnisstandes bezeichnete, wurde er ausgewiesen.

W. Fellmann (Hrsg.), Hans Denck, Schriften, Bd. 2, 1956, S. 20-26. – G. Seebaß, Hans Denck. In: G. Pfeiffer u. A. Wendehorst (Hrsgg.), Fränkische Lebensbilder 6, 1976, S. 107-129. G.S.

358 Von der Fruchtlosigkeit der eigenen Predigt überzeugt, gibt Sebastian Franck das Pfarramt auf: Nur der im Innern unmittelbar wirkende Geist Gottes kann den Menschen erneuern, nicht das Wort der Predigt oder der Heiligen Schrift.

Sebastian Franck, Gruntliche anweiszung, erleuterung und declaration etlicher puncten und articulen von Sebastian Francken an stat einer apology und schirmred gestelt und den schwachen zů gůt weiter auszgefůrt, vor 3. September 1535
Eigenhändig, Orig. Papier, 21,5 × 15 cm. Aufgeschlagen: »So ist nun ... orn thut.«
Ulm, Stadtarchiv, A 1208/II, Bl. 735-766

Wie Johann Denck hat auch Sebastian Franck (1499-1542) das Schicksal derer erfahren, die sich im Glaubensstreit frei zur eigenen Überzeugung bekannten. Seiner Schriften wegen, in denen er die eigene Theologie offen darlegte, aber auch vor scharfen Angriffen auf Kaiser und Adel nicht zurückschreckte, wurde er 1531 aus Straßburg, 1539 aus Ulm ausgewiesen. Wie vor ihm Denck fand er in Basel eine letzte Zuflucht. Hier starb er 1542.
Als in den Jahren 1534/35 schon einmal seine Ausweisung aus Ulm drohte, schrieb Franck auf Verlangen des Rates seine ›Declaration‹ über verschiedene, ihm vorgelegte Fragen. Die erste und wichtigste war die nach dem Verhältnis von innerem und äußerem Wort. Seine Antwort darauf erklärt, warum Franck, der ursprünglich an die Möglichkeit einer sittlich erneuerten Christenheit geglaubt hatte, immer skeptischer wurde, sich keiner der reformatorischen Gruppen anschloß, sondern nur mit der Bekehrung weniger einzelner rechnete: Der im Menschen verborgene, von Gott stammende geistliche Seelenfunke kann nur von diesem selbst durch das »innere Wort« erreicht und entfacht werden. Das zeigt auch die hier aufgeschlagene Stelle: *So ist nun und bleibt got allein desz innern menschens vater, lerer und prediger durch sein gleich inner wort, wie der euszer diener durch Christum im h. geist desz eussern. Soll aber der euszer zeug und diener Christi etwz schaffen und sein wort frucht pringen, so můsz alweg der inner prediger mit predigen dem hertzen und innern menschen, wie der euszer diener dem euszern menschen und orn, auf dz got sein wort in unser hertz truck, sein sun in uns gepere und ja sich selbs in unserer seel spreche, wie der euszer zeug disz alles den euszern orn thut.* Der

Gegensatz von Innerlich und Äußerlich, Geist und Fleisch, prägte Francks Auffassung von Gott und Welt, vom Menschen und seiner Erlösung durch Christus sowie von der Geschichte, die er als Abfalls- und Veräußerlichungsprozeß verstand.
Die Gleichgültigkeit gegen das Äußere ermöglichte es Franck, sich äußerlich der reformatorischen Kirche einzuordnen; doch forderte er gleichzeitig nachdrücklich Toleranz für die verschiedenen inneren Glaubensüberzeugungen. Für seine Theologie berief er sich nicht nur auf die spätmittelalterliche Mystik, sondern ausdrücklich auch auf die frühen Schriften Luthers und wurde der erste, der einen Widerspruch zwischen diesen und der antischwärmerisch entfalteten Theologie des Wittenberger Reformators konstatierte.

A. Hegler, Beiträge zur Geschichte der Mystik in der Reformationszeit, 1906, S. 140-179. – H. Weigelt, Sebastian Franck und die lutherische Reformation, 1972. – K. Kaczerowsky, Sebastian Franck, Bibliographie, 1976, S. 162, D5.
G. S.

359 Caspar Schwenckfeld von Ossig glaubte, den »mittleren Weg« zwischen Papsttum und Reformation gefunden zu haben.

Bildnis des Caspar Schwenckfeld von Ossig
Balthasar Jenichen, 1565
Kupferstich, 8,5 × 7 cm. Inschrift rechts und links neben dem Kopf: CASPAR SCHWENCKFELT. AETATIS SVE XLVI (seines Alters 46 Jahre – irrtümlich für LXVI, 66 Jahre). Am rechten Rand das Entstehungsdatum des Stiches: 1·5·6·5. Unter dem Porträt eine Tafel mit der Inschrift: SCHWENCKFELT · HAT · NIT · RECHT · STVDIRT · GOTES · wort · DA[S] · MAN · FINT · GSCHRIB[EN] · AN · GAR · MANCHEM · ORT · AUSM · GHÖR · GOTES · WORT · KOM[MT] · DER · HEILIG · GEIST · DARWIDER · HAT · STENCKFELT · GLERT · ALLRMEIST · SEIN · LEHR · IST · VOR · DIE · BŐSEN · BVBEN · SCHON · DIE · DA · NIT · GERN · ZV · DER · KIRCHEN · GON · B · (althasar) I · (enichen)
Nürnberg, Germanisches Nationalmuseum, P. 19739

359

Nachdem Schwenckfeld (1489-1561) das übliche Leben eines jungen Adeligen an verschiedenen herzoglichen Höfen in Schlesien geführt hatte, vollzog sich über der Lektüre der frühen Schriften Luthers bei ihm eine völlige Wandlung. Privat und öffentlich setzte er sich als Laienprediger für die Reformation ein. Sehr bald aber kritisierte er – enttäuscht darüber, daß die erwartete sittliche Erneuerung ausblieb – die bedingungslose Rechtfertigung, die Leugnung der Willensfreiheit und die Geringschätzung der Werke in der lutherischen Lehre. Vom Abendmahl ausgehend entwickelte er einen konsequenten Spiritualismus, der vor allem seine Lehre vom Menschen und von Christus prägte. Das zwang ihm ein ruheloses Leben auf. Er verließ Schlesien und fand, in Straßburg nur kurze Zeit geduldet, Schutz im Haus des Ulmer Bürgermeisters Bernhard Besserer. Als dann auch die Ulmer Prediger auf seiner Ausweisung bestanden, bot ihm das Schloß der Herren von Freyberg eine Zuflucht, die der Schmalkaldische Krieg ihm nahm. Unerkannt und unbehelligt lebte er die letzten Jahre seines Lebens im Franziskanerkonvent zu Esslingen. Eine Gemeinde sammelte er nicht, korrespondierte aber stets mit einem Kreis verstreut lebender Freunde, die er auf seinen Reisen besuchte. Seine Schriften haben bis ins 17. Jahrhundert eine große Wirkung gehabt. Es ist charakteristisch, daß unter den frühen Vertretern des »linken Flügels« der Reformation nur der Adelige Caspar von Schwenckfeld mit einem zweifellos echten Porträt vertreten ist. Das Gemälde, ein nach links gewendetes Halbporträt, das auch die Vorlage für den Stich Jenichens bildete, entstand im Jahre 1556 und befindet sich heute im Besitz der kleinen Schwenckfelder Kirche in Pennsylvania. Allerdings ist von dem gelassenen Gesicht mit den großen, klaren Augen, das wir auf dem Gemälde finden, bei Jenichen kaum etwas erhalten. Auch die Unterschrift, in der sogar der von Luther geprägte Spottname *Stenckfeld* aufgenommen wird, bringt die Ablehnung der Lehre Schwenckfelds vom »inneren Wort« zum Ausdruck, sieht darin freilich – ganz unzutreffend – einen Vorwand, dem Gottesdienst fernzubleiben.

H. Weigelt, Caspar von Schwenckfeld. In: Goertz, S. 190-200.
G. S.

X. Die Bibel

Karl Stackmann, Johannes Schilling

A Luthers Übersetzungswerk

Im Mittelpunkt der Lutherschen Theologie steht die Autorität der Heiligen Schrift. Von entsprechend großer Bedeutung für die Ausbreitung seiner Lehre war daher die Bibelübersetzung. Sie hatte einen überwältigenden Erfolg. Er läßt sich am einfachsten durch ein paar Zahlen verdeutlichen. Zwischen 1522, dem Jahr, in dem das Neue Testament zum ersten Mal gedruckt wurde, und 1546, dem Todesjahr Luthers, erschienen weit über 300 hochdeutsche Ausgaben von Teilen der Bibel oder der ganzen Bibel. Rechnet man mit einer durchschnittlichen Auflagenhöhe von etwa 2 000 Exemplaren, so darf man annehmen, daß eine Gesamtzahl von einer Dreiviertelmillion erreicht oder gar überschritten wurde. Bei Einbeziehung der niederdeutschen Drucke steigt die Zahl der Ausgaben auf etwa 430, die Schätzzahl für die Exemplare nähert sich dann der Millionengrenze. Das sind für die Frühzeit des Buchdrucks gewaltige Zahlen; sie werden von keinem andern Buch auch nur annähernd erreicht.

Diese Zahlen sind umso erstaunlicher, als die Preise für Bücher großen Umfangs, um die es sich hier – abgesehen von den Einzelausgaben kleinerer Stücke aus dem Alten Testament – handelt, während des 16. Jahrhunderts noch recht hoch waren. Die Angaben über Preise für das Septembertestament schwanken in der Überlieferung. Genannt werden ein halber Gulden, ein Gulden und anderthalb Gulden. Dabei könnte es eine Rolle spielen, ob ein ungebundenes oder ein gebundenes Exemplar gemeint ist. Für die erste hochdeutsche Foliobibel von 1534 wurden zwei Gulden acht Groschen verlangt, für die größeren Medianbibeln von 1541 und 1545 volle drei Gulden, und zwar für das ungebundene Exemplar. Zur Veranschaulichung dieser Preisangaben mögen folgende Vergleichswerte aus Quellen der Zeit um 1520 dienen: Für anderthalb Gulden bekam man zwei geschlachtete Kälber oder auch sechs Pflüge; eine Dienstmagd erhielt anderthalb Gulden als Jahreslohn, ein Schulmeister dreidreiviertel Gulden.

Unter diesen Umständen ist es verständlich, daß bei Luthers Entschluß, das Alte Testament nicht wie das Neue auf einmal erscheinen zu lassen, auch ökonomische Gesichtspunkte eine Rolle gespielt haben. Die Zerlegung in mehrere Teilausgaben erlaubte es, den Preis für den einzelnen Band so festzusetzen, daß der Absatz nicht unnötig darunter zu leiden hatte.

Es waren aber keineswegs nur Erwägungen dieser Art, die dazu führten, daß nach dem Erscheinen des September-Testaments von 1522 volle zwölf Jahre vergingen, bis die Gesamtbibel von 1534 vorlag. Luther hat schon während der Arbeit am Neuen Testament, ehe er noch die Schwierigkeiten ganz ermessen konnte, die ihm das hebräische Alte Testament bereiten würde, die Bibelübersetzung als eine Last bezeichnet, die seine Kräfte übersteige (*onus supra vires*, WA BR 2, Nr. 449), und im Jahre 1532, als die deutsche Bibel fast fertiggestellt war, hat er in einem Gespräch geäußert: *Ich habe mit dem vertiren* [übersetzen] *solche muhe gehabet! Es solte michs niemandt mit gunst vnd golde vermocht haben, ein buch tzu transferiren, wan ichs nicht vmb meines Herrn Christi willen gethan hette* (WA TR 2, Nr. 2623 b).

Die Schwierigkeiten ergaben sich nicht nur aus der Menge dessen, was zur Übersetzung anstand. Da Luther von den Grundsprachen ausgehen wollte, mußte er sich zureichende Kenntnisse des Griechischen und Hebräischen verschaffen, und das war zu seiner Zeit alles andere als einfach. Denn das Studium sowohl des Griechischen als auch des Hebräischen steckte an den deutschen Universitäten noch in den Anfängen. Luther mußte sich mit überaus bescheidenen Hilfsmitteln begnügen. Kaum etwas von dem gelehrten Handwerkszeug, über das man heutzutage verfügt, stand ihm zu Gebote. So blieben Zweifelsfragen genug, die nur unter den größten Mühen zu klären waren. Man versteht es wohl, daß Luther nach den ersten praktischen Erfahrungen bekannte: *ich hab myr fürgenommen, die Biblia tzuverteutschen, das ist myr nott geweßen, ich hette sunst wol sollen ynn dem yrthumb gestorben seyn, das ich wer gelert geweßen. Es solten solichs werck thun, die sich lassen duncken, gelert seyn* (WA 10, II, S. 60).

Um sich vor unnötigen Fehlern zu bewahren, holte Luther regelmäßig den Rat sachkundiger Freunde ein und überprüfte auch mit ihnen zusammen die Entwürfe seiner Übersetzungen. Er hielt es für unmöglich, daß ein einzelner allein der Aufgabe, die Bibel zu übersetzen, gewachsen sein könnte. Bei aller Anerkennung für die Leistung des hl. Hieronymus, der um das Jahr 400 ohne fremde Hilfe die Übersetzung ins Lateinische bewerkstelligt hatte, sagte Luther doch unter Anspielung auf Matth. 18,20 (»denn wo zwei oder drei in meinem Namen versammelt sind ...«): *hette er zween oder drey zu sich genommen, die yhm geholfen, so wäre der heilige geist auch kräftiger darbey gewesen* (WA TR 1, Nr. 961).

Dennoch, mochte Luther auch Gelehrte aus seiner Umgebung zur Mitwirkung heranziehen, die Übersetzung war und blieb sein ganz persönliches Werk. Darin, in der festen Bindung an die eine große Übersetzerpersönlichkeit, unterscheidet sich die Wittenberger von der Zürcher Bibel. Zur Abspaltung einer eigenen schweizerischen Bibel kam es während der langen Stockung im Erscheinen von Luthers Altem Testament (vgl. Kat. Nr. 364).

Die 1524 vorhandenen Teilübersetzungen Luthers wurden schweizerdeutschem Sprachgebrauch angepaßt. 1529 wurden sie durch die Prophetenübersetzung der Zürcher Prädikanten und die Apokryphenübersetzung Leo Juds ergänzt. Dies alles ist schon auf die Wirksamkeit der »Prophezei« zurückzuführen, einer von Zwingli begründeten regelmäßig stattfindenden Lehrveranstaltung, die der Bibelexegese diente. Von Angehörigen der »Prophezei« wurden dann auch die Vollbibeln Froschauers betreut, aus denen die moderne Zürcher Bibel hervorgegangen ist. Sie darf als eine letztlich anonyme Gemeinschaftsarbeit gelten. Daher konnte sie ohne Schwierigkeit einer Revision unterzogen werden, wenn eine verbesserte Kenntnis der Grundtexte oder das Bedürfnis nach sprachlicher Modernisierung dies erforderlich machten.

In Wittenberg verlief die Entwicklung ganz anders. Mit dem Tode Luthers endete die regelmäßige Revision des Bibeltextes. Für die Erben war der letzte von ihm autorisierte Text unantastbar.

H. Volz, Hundert Jahre Wittenberger Bibel-

Johannis.
Das Eylfft Capitel.

Vnd es wart myr eyn rhor gebē/eynem stecken gleych/vñ sprach/stand auff vnnd missz den tempel Gottis vnd den alltar vnd die drynnen anbeten/vñ den ynnern Chor des tempels wirff hynaus vnd missz yhn nicht/vnd er ist den heyden geben/vnnd die heylige stadt werden sie vertretten zween vnnd viertzig monden/vnnd ich will meyne zweenen zeugen geben/vnnd sie sollen weyssagē tausent zweyhundert vñ sechtzig tage/angethan mit secken/dise sind zween olebawm vñ zwo fackeln/stehend fur dem Gott der erden.

Vnd so yemand sie will beleydigen/so gehet das fewr aus yhrem mund vnd vertzeret yhre feynde/vnnd so yemand sie wil beleydigen/der mus also todtet werden/dise habē macht den hymel zu verschliessen/das es nicht regene ynn den tagen yhrer weyssagung/vnd haben macht vber das wasser/zu wandeln ynn blut/vnnd schlahen die erde mit allerley plage/so offt sie wollen.

Vnnd wenn sie yhr zeugnis endet haben/so wirt das thier/das aus dem abgrund auffsteyget/mit yhn eynen streytt hallten vnd wirt sie vbirwindē/vñ wirt sie todten/vñ yhre leychnam werden liegē auff der gassen der grossen stad/die da heyst geystlich die Sodoma vnnd Egypten/da vnser herr creutzigt ist/Vnnd es werden yhre leychnam ettlich von den volckern vnd geschlechten vnd zungen drey tage vnnd eynen halben sehen/vnd werden yhre leychnam nit lassen ynn greber legen/vnd die auff erden wonen werden sich frewen vber yhn/vnnd wol leben vnnd geschenck vnternander senden/denn dise tzween propheten/queleten die auff erden woneten.

Vnd nach dreyen tagen vnd eyn halben/fur ynn sie der geyst des lebens von Gott/vnd sie tratten auff yhre fussz/vnnd eyn grosse furcht fiel vber die sie sahen/vnnd sie horeten eyne lautte stym vom hymel zu yhn sagen/steyget herauff/vnd sie stygen auff ynn den hymel ynn eyner wolcken/vnnd es sahen sie yhre feynde/vnnd zu der selben stund ward eyn groszerdbeben/vnd das zehende teyl der stad fiel/vnd wurden ertodtet ynn der erdbebung/sieben tausent namen der menschē/vnd die andern wurden furchtig/vnd gaben preys dem Gott des hymels/Das ander weh ist dahyn/sihe/das dritt weh kompt schnell.

cc ij

360

druck 1522-1626, 1954. – Ders., Martin Luthers deutsche Bibel, 1978. – O. Farner, Huldrych Zwingli, Bd. 3, 1954, S. 554-63. – G. W. Locher, Die Zwinglische Reform im Rahmen der europäischen Kirchengeschichte, 1979. – S. Meurer (Hrsg.), Eine Bibel – viele Übersetzungen, 1978. – W. I. Sauer-Geppert, Bibelübersetzung III. In: TRE 6, 1981, S. 228-47. – W. Krieg, Materialien zu einer Entwicklungsgeschichte der Bücher-Preise und des Autoren-Honorars vom 15. bis zum 20. Jahrhundert, 1953, S. 19–22. K.S.

360 Ende 1521 und Anfang 1522 übersetzt Luther auf der Wartburg in wenigen Wochen das Neue Testament.

›Das Newe Testament Deutzsch‹
Wittenberg: Christian Döring und Lukas Cranach d. Ä. September 1522: Melchior Lotter d. J.
2°. 222 Bll. Der Name des Übersetzers ist nicht genannt. Zur ›Offenbarung des Johannes‹ 21 ganzseitige Holzschnitte von Lukas Cranach und Gehilfen, viele davon in Anlehnung an Dürers Holzschnitte zur Apokalypse (1498)
Nürnberg, Germanisches Nationalmuseum, 4° N. 271

Die Übersetzungsarbeit begann vermutlich Mitte Dezember 1521 und war schon Ende Februar 1522 beendet. Nach Wittenberg zurückgekehrt, ging Luther das Manuskript mit Melanchthon zusammen noch einmal durch, und im Mai begannen die Arbeiten in der Druckerei. Der fertige Band konnte auf der Leipziger Herbstmesse vorgelegt werden, die am 29. September begann.
Aufgeschlagen: Bl. 201ᵛ/202ʳ, Anfang von Kap. 11 der ›Offenbarung‹. Der Text berichtet zunächst vom Auftrag an Johannes, den Tempel Gottes zu vermessen, dann von den zwei Zeugen Gottes, die vor dem Ende aller Dinge 1260 Tage lang weissagen werden, bis das Tier aus dem Abgrund sie verschlingt.
Markierter Text (Offenb. 11,7 f.): *Vnnd wenn sie yhr zeugnis endet haben / so wirt das thier / das aus dem abgrund auffsteyget / mit yhn eynen streytt hallten vnd wirt sie vbirwinden / vnd wirt sie todten / vnd yhre leychnam werden liegen auff der gassen der grossen stad.* Der Holzschnitt zeigt im Hintergrund die Vermessung des Tempels; im Mittelgrund links die beiden Zeugen in der Gestalt von Gelehrten oder vornehmen Bürgern des frühen 16. Jahrhunderts. Das Tier aus dem Abgrund im Vordergrund rechts, das die Zeugen der Wahrheit vernichten wird, trägt die dreifache Krone des Papstes. Dieser Holzschnitt stammt von Cranach selbst, ein Dürersches Vorbild gibt es in diesem Fall nicht.

WA DB 2, S. 201, Nr. *1. – Luther (Volz), Bd. 1, S. 45*-62*. – Kat. Ausst. Cranach, Bd. 1, S. 336-40. K.S.

361

361 Um die Wirkung von Luthers Übersetzung einzudämmen, läßt Herzog Georg von Sachsen 1527 ein deutsches Neues Testament für die Altgläubigen herstellen.

›Das naw testament nach lawt der Christlichen kirchen bewerten text / corrigirt / vnd wider umb zu recht gebracht‹
Dresden: Wolfgang Stöckel 1527
2°. 200 Bll. 19 von 21 Holzschnitten Cranachs zur ›Offenbarung‹ in Luthers Testament wiederholt; die beiden übrigen (Nr. 5 und 6) von Georg Lemberger; von ihm Titelholzschnitt sowie weitere 6 Holzschnitte zu anderen Büchern sowie Initialen
Nürnberg, Germanisches Nationalmuseum, 4° Rl. 421 Postinc.

Herzog Georg (vgl. Kat. Nr. 211) gab dem Band ein Vorwort bei. Luther, so sagt er darin, habe *durch seyn vermessen Dolmatschung* den Text *gar an vil orten verkert / zu vnd abgethan.* Deshalb habe Hieronymus Emser (1478-1527), der schon 1523 mit einer Streitschrift gegen Luthers Übersetzung hervorgetreten war (vgl. Kat. Nr. 387), das Neue Testament in deutscher Sprache *von newem emendirt / allenthalben restituirt / vnd widderumb zu recht gebracht.* In seinem Nachwort rät Emser vom Bibellesen ab. Er teilt also im Grunde die Bedenken gegen die Bibellektüre der Laien, die in der mittelalterlichen Kirche niemals verstummt waren. Die Ausgabe wurde, rechnet man die Übernahme in die Bibeln Dietenbergers und Ecks mit ein, bis ins 18. Jahrhundert fast hundertmal gedruckt.
Emser lieferte keine eigene Übersetzung. Er überarbeitete Luthers Text, soweit es ihm nötig schien, mit Hilfe der Vulgata oder der vorlutherischen deutschen Bibel, gelegentlich auch unter Heranziehung des griechischen Textes. Luther quittierte diesen Raub an seinem Eigentum in seinem ›Sendbrief vom Dolmetschen‹ mit bissigen Bemerkungen über den *Sudler in Dresen* [Dresden], der sich schulmeisternd über sein *New Testament* hergemacht habe: Er wolle den Namen dieses Mannes in Zukunft nicht mehr nennen. Das heutige Urteil über Emsers Neues Testament ist differenzierter; man sieht es auch als Zeugnis für die Bemühungen des altgläubigen Lagers um einen modernisierten deutschen Bibeltext und sucht ihm in dieser Hinsicht gerecht zu werden (Mälzer).
Aufgeschlagen: Bl. 182v/183r, Anfang Kap. 11 der ›Offenbarung‹.
Markiert ist der gleiche Textausschnitt wie bei Luthers Septembertestament. Der Wortlaut unterscheidet sich nur unwesentlich von demjenigen der Lutherschen Übersetzung: *Vnd wenn sie yhr zewgnis vollendet* [Luther: *endet*] *haben / so wirt das thier / das aus dem abgrund auffsteyget / mit yhnen streyt* [Luther: *eynen streytt*] *halten vnd wirt sie vberwinden / vnd wirt sie tôdten / vnd yhre leychnam werden ligen auff der gassen der grossen stadt.*
Emser verwendete den Text von Luthers Septembertestament. Die Holzstöcke für die Illustrationen zur ›Offenbarung‹, die Cranach für 40 Taler an Emser verkaufte, sind dagegen diejenigen des Dezembertestaments (Kat. Nr. 386). Hier war – wohl mit Rücksicht auf das Verbotsmandat Herzog Georgs und anderer Fürsten, das ausdrücklich auf die antipäpstliche Bildpolemik im Septembertestament Bezug nahm – die Tiara des Tieres aus dem Abgrund in eine einfache Krone abgeändert. Darin unterscheidet sich der aufgeschlagene Holzschnitt von seinem Gegenstück im Septembertestament.

Luther (Volz), Bd. 1, S. 61* f.; S. 84*. – G. Mälzer, Hieronymus Emsers deutsche Ausgabe des Neuen Testaments. In: Die Bibel in der Welt 14, 1973, S. 40–54. K.S.

362 Das Neue Testament wird auch in Landschaften nachgedruckt, deren Sprache sich nicht unbeträchtlich von derjenigen Luthers unterscheidet.

›DAs neuw Testament recht grüntlich teutscht [...] Die außlendigen wôrtter / auff vnser teutsch angezeygt‹
Basel: Adam Petri 1523
2°. 202 Bll.
München, Universitätsbibliothek, 2° Luth. 43

Der Basler Drucker Adam Petri (1454-1527) hatte noch im Jahre 1522 einen Nachdruck des Septembertestaments veranstaltet. Da die Lektüre seinen Landsleuten Schwierigkeiten bereitete, gab er der zweiten Auflage, wie auf dem Titelblatt angekündigt, ein kleines Glossar bei, das für 199 mitteldeutsche Wörter Luthers eine oberdeutsche Entsprechung bereitstellte.
Aufgeschlagen: Bl. Aiijv/Aiiijr. Auf dem linken Blatt ist in der linken Spalte Petris Vorrede zu dem Glossar markiert: *Lieber Christlicher Leser / So ich gemerckt hab / das nitt yederman verston mag ettliche wôrtter im yetzt gründtlichen verteutschten neuwen testament / doch die selbigen wôrtter nit on schaden hetten môgen verwandlet werden / hab ich lassen die selbigen auff vnser hoch teutsch außlegen vnd ordenlich in ein klein register wie du hie sihest / fleißlich verordnet.* In der rechten Spalte des gleichen Blattes ist die letzte Eintragung zum Buchstaben *F* markiert: *Fûlen* [fühlen] *empfinden.* Den Oberdeutschen der Reformationszeit war demnach das Verbum »fühlen« unbekannt. Es mußte ihnen durch »empfinden« erklärt werden. Wenn »fühlen« heute zum festen Bestand der Hochsprache gehört, so ist das auf den Einfluß der Luthersprache zurückzuführen.
Für die Verbreitung der Luther-Bibel im Bereich des Niederdeutschen genügte die Beigabe eines Glossars nicht. Hier waren die sprachlichen Unterschiede so groß, daß eine förmliche Übersetzung aus dem Hochdeutschen angefertigt werden mußte. Dennoch wurde auch Niederdeutschland sogleich von Luthers Übersetzung erreicht. Eine erste niederdeutsche Version des Neuen Testaments wurde bereits 1523 bei Melchior Lotter in Wittenberg gedruckt. Die niederdeutsche Vollbibel von 1534 (Kat. Nr. 368) ging der ersten hochdeutschen sogar um einige Monate voraus.

WA DB 2, S. 237, Nr. 12. – F. Dauner, Die oberdeutschen Bibelglossare des 16. Jahrhunderts, 1898. K.S.

363 Nach der Rückkehr Luthers von der Wartburg entsteht in der Cranach-Werkstatt ein neues Lutherbildnis, das letzte, das ihn als Mönch zeigt.

Bildnis Martin Luthers als Augustinermönch
Lukas Cranach d.Ä., um 1522/24
Gemälde auf Pergament, auf Buchenholz aufgezogen. 43,4 × 29,5 cm
Nürnberg, Germanisches Nationalmuseum, Gm 1570. Leihgabe Paul Wolfgang Merkelsche Familienstiftung

Das Gemälde verbindet zwei populäre Darstellungen des frühen Luther zu einem neuartigen Typus: Das erste »offizielle« Bildnis Luthers, das Cranach in seinem Kupferstich von 1520 (Kat.Nr. 215) schuf und die Darstellung als »Junker Jörg« (Kat. Nr. 260), die unmittelbar nach Luthers Rückkehr von der Wartburg im Jahre 1522 entstand. Während die Kutte des Augustinermönchs, das Buch des Gelehrten und der Gestus der rechten Hand von dem genannten Kupferstich übernommen werden, erscheint Luther nun mit vollem Haupthaar, das ihm auf der Wartburg gewachsen war. Zusammen mit dem auf dem Ordensgewand zunächst befremdlich erscheinenden Gürtel ist dies in Cranachs Bildnisaufnahme des »Junker Jörg« vorgebildet, und auch die Haltung der linken Hand über dem Buch geht auf Cranachs in Weimar erhaltenes Gemälde dieses Typus' zurück. Die dort durch die Umklammerung des Schwertknaufs bedingte Fingerstellung findet sich – etwas unmotiviert erscheinend – über dem Buchrücken wieder. Diese formalen Übernahmen aus den bis 1522 geschaffenen Bildnissen Cranachs und die Tatsache, daß Luther im Jahre 1524 das Ordensgewand endgültig ablegte, lassen für die unsignierte und undatierte Tafel eine Entstehungszeit zwischen 1522 und 1524 annehmen.
Die Verbindung des durch Drucke und Kopien weit verbreiteten Kupferstichs mit der Darstellung des »Junker Jörg« zu einem neuen Bildtypus mochte den allgemeinen Vorstellungen entsprechen, die sich in diesen Jahren mit der Person Luthers verbanden.

Kat.Ausst. Aus der Frühzeit der evangelischen Kirche, München 1959, Nr. 4, Abb. 2. J.Z-S.

363

364 Umfang und Schwierigkeit der Texte nötigen Luther, das Alte Testament in mehreren Abschnitten zu übersetzen.

›Die Propheten alle Deudsch D. Mart. Luth.‹
Wittenberg: Hans Lufft 1532
2°. 193 Bll.
Nürnberg, Stadtbibliothek, Solg. 78. 2°

War schon die Übersetzung des Neuen Testaments aus dem griechischen Urtext zu Beginn des 16. Jahrhunderts ein ungewöhnliches Wagnis, so stellten sich demjenigen, der das Alte Testament aus dem Hebräischen übersetzen wollte, noch viel größere Schwierigkeiten entgegen. Trotzdem wandte sich Luther dieser Aufgabe bereits im Sommer 1522 zu, als er noch mit der Drucklegung seines Neuen Testaments be-

schäftigt war. Der große Umfang des Textes legte eine Aufteilung in mehrere Abschnitte nahe. Zunächst ging die Arbeit zügig voran. Der erste Teil des Alten Testaments (Pentateuch) erschien bereits 1523, der zweite (Geschichtsbücher) und dritte (poetische Bücher) im folgenden Jahre 1524. Dann aber geriet die Arbeit ins Stokken. Zwischen 1526 und 1530 wurden einzelne Propheten übersetzt, dazu auch die ›Weisheit Salomos‹. Erst 1532 konnten die sämtlichen Propheten in einem einzigen Band veröffentlicht werden. Im Jahre 1533 kamen der ›Jesus Sirach‹ und das 1. ›Makkabäer‹-Buch als Einzeldrucke heraus. Die restlichen Apokryphen wurden 1534 fertiggestellt. An ihrer Übersetzung haben neben Melanchthon vermutlich auch Justus Jonas und Caspar Cruciger selbständigen Anteil.
Aufgeschlagen: Bl. 1^v/2^r, Anfang des Propheten Jesaja.
Markierter Text (Jes. 2,4): *Vnd er wird richten vnter den heiden / vnd straffen viel vôlcker / da werden sie jre schwerdter zu pflugscharen / vnd jre spiesse zu sicheln machen / Denn es wird kein volck widder das ander ein schwerd auffheben / vnd werden fort nicht mehr kriegen lernen.* (Vgl. auch Kat. Nr. 366).

WA DB 2, S. 512, Nr. *38. – Luther (Volz), Bd. 1, S. 62*-83*. K.S.

365 Bei der Herstellung des zweiten Teils seiner Übersetzung des Alten Testaments läßt Luther erstmals Schutzmarken zur Kennzeichnung des von ihm selbst betreuten Originaldrucks anbringen.

›Das Ander teyl des alten testaments‹
Wittenberg: Christian Döring und Lukas Cranach d. Ä. 1524
2°. 217 Bll.
Nürnberg, Germanisches Nationalmuseum, 4° Rl. 389 Postinc.

Die Wittenberger Erstdrucke der Schriften Luthers wurden unverzüglich von Druckern außerhalb Wittenbergs nachgedruckt. Das war von nicht zu unterschätzender Bedeutung für die Ausbreitung Lutherscher Gedanken, hatte aber auch seine bedenklichen Seiten. Die Nachdrucker verfuhren nicht immer mit der nötigen Sorgfalt, außerdem mußten die Wittenberger Drucker beträchtliche finanzielle Einbußen hinnehmen. Im Jahre 1524 erreichte das Unwesen der Nachdrucke seinen Höhepunkt. In diesem Jahr stehen 38 auswärtigen ganze 8 Wittenberger Drucke von Bibeltexten gegenüber. Das veranlaßte Luther zu dem Versuch, den Originaltext durch eine besondere Kennzeichnung zu schützen.
Aufgeschlagen: Bl. 215^v/216^r. Ende des Buches Esther und zugleich des zweiten Teiles von Luthers Übersetzung des Alten Testaments. Auf Bl. 216^r die beiden Schutzmarken: Links ein Wappenschild, darin das Lamm mit Kelch und Kreuzesfahne. Rechts das Luther-Wappen (ein Kreuz in einem Herzen von einer Rose eingefaßt) mit Luthers Initialen. Darunter ein kurzer erläuternder Text: *Dis zeichen sey zeuge / das solche bucher durch meine hand gangen sind / denn des falschen druckens vnd bucher verderbens / vleyssigen sich ytzt viel.*
In vielen Wittenberger Drucken erscheint bis in die dreißiger Jahre hinein das Lutherwappen – in manchen Fällen auch weiterhin zusammen mit dem Lamm – als Schutzmarke, jetzt freilich in der Titeleinfassung. Die Nachdrucker respektierten dieses Kennzeichen der Originaldrucke und übernahmen sie nicht in ihre Nachdrucke, die freilich auch weiterhin hergestellt wurden. Es sind nur zwei Fälle einer unberechtigten Verwendung des Lutherwappens bekannt.

WA DB 2, S. 272, Nr. *11. – J. Luther, Das luthersche Familienwappen, 1954. – H. Volz, Das Lutherwappen als ›Schutzmarke‹. In: Libri 4, 1954, S. 216-25. K.S.

366 Das langsame Fortschreiten von Luthers Übersetzung des Alten Testaments begünstigt das Erscheinen von Teilübersetzungen anderer Übersetzer und von ›kombinierten‹ Vollbibeln.

›Alle Propheten nach Hebraischer sprach verteutscht‹
Worms: Peter Schöffer 19. Juni 1528
8°. 308 Bll.
Pommersfelden, Dr. Karl Graf von Schönborn-Wiesentheid, LIX 55

Die Übersetzer der ›Wormser Propheten‹, Ludwig Hätzer (ca. 1500-1529) und Johann Denck (ca. 1495-1527), gehörten zu den radikalen Spiritualisten. Hätzer mußte 1526 Zürich verlassen; er wurde 1529 in Konstanz wegen Bigamie und Unzucht hingerichtet. Denck wurde 1525 im Zusammenhang mit dem Prozeß gegen die »drei gottlosen Maler« aus Nürnberg ausgewiesen. Er schloß sich den Täufern unter Balthasar Hubmaier an. 1527 starb er an der Pest.
Aufgeschlagen: Bl. 3^v/4^r, Prophet Jesaja, Kap. 2. Die Verse 4/5 lauten hier (markierter Text): *Er aber wirt zwüschen den Heyden richten / vnd vil vôlcker straffen / sie aber werden jre schwerter zů hawen* [Hakken] *verschmiden / vnd jre spieß zů rebmessern / Es wird keyn volck wider das ander eyn schwert zucken / vnd werden fortan nit mer kriegen lernen.* Die Übersetzung kann mit ihrer klaren, kraftvollen Sprache neben der Lutherschen bestehen. Das lehrt schon ein Vergleich dieses kleinen Ausschnitts mit der Parallelstelle bei Luther (Kat. Nr. 364).
Im Jahre 1527 wurden neben dem Erstdruck vom 13. April noch 11 weitere Nachdrucke hergestellt.
Zwei Jahre nach den ›Wormser Propheten‹ erschien die Apokryphenübersetzung Leo Juds. Damit war die Möglichkeit geschaffen, durch die Kombination dieser Teilübersetzungen mit den von Luther übersetzten Texten eine Vollbibel herzustellen. Eine solche »kombinierte« Bibel druckte Wolfgang Köpfel 1529/30 in Straßburg.
In Zürich, wo Leo Jud seine Apokryphenübersetzung geschaffen hatte, war die »Prophezei« mit der Überarbeitung und Vervollständigung der Lutherschen Übersetzung beschäftigt. Aus ihren Bemühungen ging eine eigene schweizerische Bibel in der Volkssprache hervor.

WA DB 12, S. LV, Anm. 113 (Aufzählung der ›kombinierten‹ Bibeln). – W. O. Packull, Denck. In: TRE 8, 1981, S. 488-90. – K. Guggisberg, Hätzer. In: NDB 7, 1966, S. 455. K.S.

367 Im Jahre 1534 erschien die erste Vollbibel in Luthers Übersetzung.

›Biblia / das ist / die gantze Heilige Schrifft Deudsch. Mart. Luth.‹
Wittenberg: Hans Lufft 1534
2°. 908 Bll. 118 Holzschnitte – außer dem Titelbild zum 2. Teil des Alten Testaments, das von Lukas Cranach stammt – von dem Monogrammisten MS, einem Angehörigen der Cranach-Werkstatt, zum Teil in Anlehnung an Holzschnitte anderer Meister. 3 Holzschnitte doppelt, 1 Holzschnitt viermal verwendet. Für die Herstellung der Illustrationen, die seit 1532 im Gang war, mußten mehr als 500 Gulden aufgewendet werden. Es ist bezeugt, daß Luther selbst auf die Illustrierung der Bibel von 1534 Einfluß genommen hat. Sie kehrte in fast allen Wittenberger Bibeln bis 1546 wieder.

Eine Ausnahme macht nur die Bibel von 1540 mit Holzschnitten Georg Lembergers und Hans Brosamers sowie des Monogrammisten AW.
Nürnberg, Stadtbibliothek, Solg. 85-86. 2°
Einb. 129

Die Vollbibel entstand durch die Zusammensetzung der bereits veröffentlichten Teilübersetzungen zu einem einzigen Band. Neu kamen nur die noch fehlenden Stücke aus den Apokryphen hinzu. Die 5 Teile des Alten Testaments und das Neue Testament behielten nicht nur ihre eigene Titelei, sondern auch eine eigene Blattzählung.
Aufgeschlagen: der Anfang des 2. Bandes mit dem Titelbild des 4. Teils, der Propheten. Der Holzschnitt wiederholt im wesentlichen das Titelblatt der Gesamtbibel. Er stellt ein Renaissanceportal dar. Der Eingang ist durch eine Pergamentrolle mit dem Titel verdeckt, sie wird von Engeln angebracht. Auf dem Balkon darüber ein alter Mann in einer Aureole, schreibend. Neben ihm Engel mit Büchern und einer Urkunde. Vor dem Eingang weitere Engel, um einen lesenden Engel gruppiert. Auf den Pilastern neben dem Eingang zwei Engel als Fahnenträger, die rechte Fahne zeigt das sächsische Wappen, die linke das Wappen mit den Kurschwertern, Zeichen des Erzmarschallamtes, das der Kurfürst von Sachsen innehatte. – Ein weiteres Mal erscheint dieser Holzschnitt als Titelbild zum Neuen Testament.
An die Stelle der Sechsteilung trat in der Bibel von 1540 durch die Vereinigung der drei ersten Teile des Alten Testaments eine Vierteilung. Die Bibel von 1541 faßte dann auch Propheten und Apokryphen zusammen, so daß nur noch drei gesonderte Teile übrig blieben. Von der Ausgabe 1543 an ist die Bibel in zwei Bände mit je eigener Blattzählung eingeteilt. Der zweite Band beginnt auch hier mit den Propheten.

WA DB 2, S.545, Nr.*50; S.720. – WA 60, S.383. – Luther (Volz), Bd. 1, S. 109*. K.S.

368 Schon ein halbes Jahr vor dem Erscheinen der hochdeutschen Vollbibel veröffentlichte Ludwig Dietz in Lübeck die niederdeutsche Fassung.

›De Biblie vth der vthlegginge Doctoris Martini Luthers yn dyth důdesche vlitich vthgesettet / mit sundergen vnderrichtingen / alse men seen mach‹
Lübeck: Ludwig Dietz 1. April 1534
2°. 626 Bll. 59 Holzschnitte von Erhard Altdorfer
Nürnberg, Germanisches Nationalmuseum, 4° Rl. 308 Postinc.

Die niederdeutsche Fassung der Lutherbibel wurde unter der Leitung Johann Bugenhagens (vgl. Kat. Nr. 432) hergestellt. Seiner Vermittlung ist es wohl zuzuschreiben, daß der – namentlich nicht bekannte – Übersetzer die Manuskripte der noch nicht im Druck erschienenen Apokryphen benutzen konnte.
Aufgeschlagen: Bl. 5ᵛ/6ʳ mit dem Schluß der Vorrede Luthers zum Alten Testament und der Vorrede Bugenhagens (links) sowie dem Anfang des 1. Buches Mose. Der markierte Text aus Bugenhagens Vorrede lautet in neuhochdeutscher Wiedergabe: »Die Auslegung Doktor Martin Luthers, meines lieben Herren und Vaters in Christo, ist in dieses sächsische Deutsch aus dem Hochdeutschen sorgsam übersetzt worden nach seinem Befehl. Ergänzend habe ich zu den Erzählungen des Alten und Neuen Testaments einige Erklärungen geschrieben und außerdem auch gelegentlich angegeben die Anwendung der Erzählungen, damit man daraus erkennt, daß uns auch diese alten Erzählungen nützlich sind. Dieses habe ich aber getan mit Wissen und Zustimmung desselben Doktors Martin. Denn er hat so große Gelehrsamkeit und Mühe durch Gottes Gnade an seine Auslegung (wie offen zu Tage liegt) gewandt, daß billigerweise niemand anders nächst [außer] Gott davon einen [rühmlichen] Namen haben soll, sondern sie soll Luther-Bibel heißen.«

C. Borchling u. B. Claussen, Niederdeutsche Bibliographie, Bd. 1, 1931-36, Sp. 529-31, Nr. 1182. – WA 59, S. 797, Nr. 42. – J. Benzing, Die Buchdrucker des 16. und 17. Jahrhunderts, 1963, S. 285, Nr. 8 und S. 369, Nr. 3. – H. H. Holfelder, Bugenhagen. In: TRE 7, 1981, S. 354-63. K.S.

369 Im Jahre 1534 erschien auch eine Vollbibel aus dem Lager der Altgläubigen.

›Biblia / beider Allt vnnd Newen Testamenten / fleissig / treülich vnd Christlich / nach alter / inn Christlicher kirchen gehabter Translation / mit außlegunng etlicher dunckeler ort / vnnd besserung viler verrückter [veränderter] wort vnd sprůch / so biß anhere inn andernn kurtz außgangnen theutschen Bibeln gespůrt vnd gesehen. Durch D. Johan Dietenberger / new verdeutscht. Gott zů ewiger ehre / vnnd wolfahrt seiner heiligen Christlichen Kirchen‹
Köln: Peter Quentel; Mainz: Peter Jordan 1534
2°. 582 Bll. 109 Holzschnitte von Anton Woensam von Worms und Sebald Beham
Nürnberg, Germanisches Nationalmuseum, 2° Rl. 309 Postinc.

Johannes Dietenberger (geb. um 1475), um 1500 in den Dominikanerorden aufgenommen, wurde 1515 in Mainz zum Doktor der Theologie promoviert. Auf dem Augsburger Reichstag 1530 trat er als Mitverfasser der ›Confutatio‹ hervor. 1532 wurde er Professor der Theologie in Mainz. Dort starb er 1537. Dietenberger veröffentlichte 1529 eine deutsche Teilbibel bestehend aus dem Neuen Testament und den Perikopen des Alten Testaments (2. Aufl. 1532). Im Jahre 1534 folgte dann die vollständige Bibel. Ähnlich wie bei der Teilbibel griff Dietenberger auf bereits vorhandene Übersetzungen zurück. Für das Alte Testament benutzte er außer Luther auch die Prophetenübersetzung von Hätzer und Denck, die Apokryphenübersetzung Leo Juds und schließlich auch die vorlutherische Bibel. Beim Neuen Testament hielt er sich an Emser, eigentlich also wiederum an Luther (vgl. Kat. Nr. 361).
Dietenbergers Bibel, mit kaiserlichem Privileg gedruckt, war außerordentlich erfolgreich. Sie wurde im 17. Jahrhundert zweimal überarbeitet (Ulenberg 1630, Mainzer Theologen 1662). Vogel weist 41 Ausgaben der Dietenberger-Bibel nach, die letzte aus dem Jahre 1776.
Aufgeschlagen: Bl. 519ᵛ/520ʳ, Kap. 3 des Römerbriefs. Markiert im Text: (Röm. 3,28) *Dann wir haltens da für / daß der mensch gerechtfertiget werde durch den glaubenn / on die werck des gesetzs.* Markiert bei den *Annotationes* die zugehörige Anmerkung: *(On die werck des gesetz) Da mit sagt aber Paulus nit dz* [daß] *der mensch auch selig werd durch den glauben allein / vnnd on gůte werck / sonnder wol on die werck des gesetzs / das ist / on die eusserlichen beschneydung / vnd andere Judische Ceremonien / darauff die Juden all jr datum gesetzt hetten* (vgl. dazu Kat. Nr. 388/89).
Im Jahre 1537 erschien die deutsche Bibel des Ingolstädter Theologen Johannes Eck, die ebenfalls für den Gebrauch der Altgläubigen bestimmt war. Auch Eck bediente sich der älteren Übersetzungen.

W. Walther, Luthers deutsche Bibel, 1917, S. 119-128. – W. Trusen, Dietenberger. In: NDB

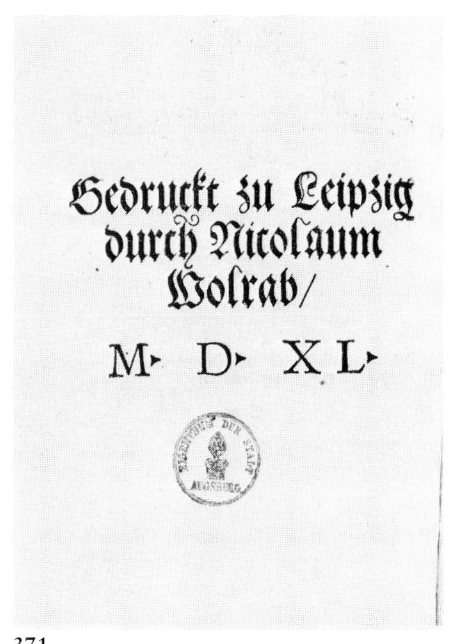
Gedruckt zu Leipzig
durch Nicolaum
Wolrab/
M. D. XL.

371

3, 1957, S. 667 f. – P. H. Vogel, Die Bibeldrucke von Dietenberger und Ulenberg in ihrem Verhältnis zur Mainzer Bibel. In: Gutenberg-Jb. 1964, S. 227-233. – Ders., Europäische Bibeldrucke des 15. und 16. Jahrhunderts in den Volkssprachen, 1962, S. 42 ff. K.S.

370 Der Wortlaut der Lutherschen Übersetzungen wird regelmäßig auf mögliche Verbesserungen durchgesehen.

›Biblia: Das ist: Die gantze Heilige Schrifft: Deudsch / Auffs New zugericht. D. Mart. Luth.‹
Wittenberg: Hans Lufft 1543
2°. 764 Bll. Illustrationen im wesentlichen mit denen der Vollbibel von 1534 übereinstimmend
Stuttgart, Württembergische Landesbibliothek, Bb deutsch 1543 01

Luther pflegte die Manuskripte seiner Übersetzungen mit befreundeten Gelehrten kritisch durchzuarbeiten. Für das Septembertestament des Jahres 1522 zog er Melanchthon heran; beim Alten Testament wirkte außerdem der Wittenberger Hebraist Matthäus Aurogallus (um 1490-1543) mit. Auch die bereits veröffentlichten Texte wurden vor einem Neudruck auf mögliche Verbesserungen durchgesehen. In den späteren Jahren, erstmals 1531 bei der Neugestaltung der Psalter-Übersetzung, rief Luther förmliche Revisionskommissionen zusammen, deren Arbeitsergebnisse in die weiteren Auflagen der Bibel oder einzelner Bibelteile eingingen.
Die Protokolle dieser Revisionskommissionen führte Georg Rörer (1492-1557), der in Luthers letzten Lebensjahren als oberster Korrektor der Bibel tätig war. Er hat den Bibelausgaben seit 1541 Nachworte beigegeben, in denen er unter anderm auch auf die aus der Revision hervorgegangene veränderte Übersetzung der einen oder anderen Stelle hinweist.
Aufgeschlagen das Nachwort der Bibel von 1543, Bl. 409^{v}/410^{r} des 2. Bandes. Zunächst werden einige Druckfehler der Bibel von 1541 korrigiert. Dann heißt es weiter (markierter Text): *ES sind auch etliche wörter / zu weilen auch Sententz / liechter* [klarer] *vnd deutlicher / durch den Herrn D. Mart. sint* [seit] *der zeit / gegeben. Als zu sehen ist / Leui. 15. parag. 5.* [3. Mos. 15,20] *ist vor gestanden / So lang sie beseit gethan ist / stehet itzt / So lang sie jre zeit hat. Vnd bald hernach* [3. Mos. 15,24] */ Vnd es kömpt sie jre zeit an bey jm. Item Prouerb. 18.* [Spr. 18,22] *Ist vor gestanden / Bekompt wolgefallen vom HErrn / stehet itzt / Kan guter ding sein im HERrn.*

WA DB 2, S. 660, Nr. *75. – Luther (Volz), Bd. 1, S. 88* f.; S. 104*-118*. – B. Klaus, Georg Rörer, ein bayrischer Mitarbeiter D. Martin Luthers. In: Zs. für bayerische Kirchengeschichte 26, 1957, S. 113-145. K.S.

371 Die Wittenberger Lutherbibel ist durch ein kurfürstliches Privileg geschützt, jedoch endet die Wirksamkeit dieses Privilegs an den Grenzen der kurfürstlich sächsischen Herrschaft.

›Das Newe Testament. D. Mart. Luther.‹
Leipzig: Nicolaus Wolrab 1540
4°. 548 Bll. 34 Holzschnitte z. T. von alten Druckstöcken des 1524 von Lotter gedruckten Neuen Testaments in 8°, in einigen Fällen auch Nachschnitte zu den Illustrationen des 1530 von Lufft, ebenfalls in 8°, gedruckten Neuen Testaments
Augsburg, Staats- und Stadtbibliothek, 4° Th B VII, 12

Anders als Quentel und Jordan, die für die Dietenberger-Bibel ein kaiserliches, also allgemeingültiges Privileg besaßen, konnten die Wittenberger Drucker nur im Kurfürstentum Sachsen besonderen Schutz in Anspruch nehmen. Als 1539 Herzog Heinrich, Bruder und Nachfolger Herzog Georgs, mit der Einführung der Reformation im Herzogtum Sachsen begann und der Leipziger Drucker Nicolaus Wolrab Vorbereitungen zum Druck der Lutherbibel traf, entstand für die Wittenberger eine gefährliche Konkurrenzsituation. Denn das nahegelegene Leipzig war ein bedeutender Handels- und Messeplatz. Sie wandten sich also mit der Bitte um Beistand an Luther, den er ihnen auch – wie schon in früheren Fällen – gewährte. Er bat den Kurfürsten, gegen Wolrab, der bisher für die Gegner der Reformation gearbeitet habe, tätig zu werden. Es gelte nicht nur, die ökonomischen Interessen der Wittenbergischen *vnderthanen* zu schützen, ihn schmerze es auch, sagt Luther in seinem Brief vom 8. Juli 1539, daß *der lesterer vnd schmachdrucker meiner sauren erbeit so misbrauchen, vielleicht dazu auch spotten sol.* Um ihre Sache zu befördern, richteten die Wittenberger Drucker ein Gesuch um ein Privileg für ihre Erzeugnisse unmittelbar an Herzog Heinrich. Er gestand ihnen einen einjährigen Schutz für die Vollbibel zu. Wolrab nutzte das Jahr, das er bis zur Veröffentlichung der vollständigen Lutherbibel warten mußte, für den Druck des Psalters und des Neuen Testaments.
Aufgeschlagen: Bl. A 2^{r} von Wolrabs Neuem Testament mit Luthers Bitte, sein Eigentum an der Übersetzung nicht zu kränken. Markierter Text: *Aber dis Testament sol des Luthers Deudsch Testament sein / Denn meisterns* [Schulmeistern] *vnd klügelns* [spitzfindiges Kritisieren] *ist jtzt / wedder masse* [Maß] *noch ende. Vnd sey jederman gewarnet fur andern Exemplaren / Denn ich bisher wol erfaren / wie vnfleissig vnd falsch vns andere nachdrücken.* – Die erste Vollbibel Wolrabs erschien im Jahre 1541.

WA DB 2, S. 628, Nr. 209. – WA DB 8, S. LV-LXI. K.S.

372 Aus Sorge um die Reinerhaltung seiner Übersetzung gibt Luther den Bibeln seit 1541 eine ›Warnung‹ vor den Nachdruckern bei.

›Biblia: Das ist: Die gantze Heilige Schrifft / Deudsch / Auffs new zugericht. D. Mart. Luth.‹
Wittenberg: Hans Lufft 1545
2°. 772 Bll. 2 Bände. Illustrationen im wesentlichen mit denen der Vollbibel von 1534 übereinstimmend
Nürnberg, Germanisches Nationalmuseum, 2° Rl. 316 Postinc.

373

Im Streit um die letztwillige Fassung des Lutherschen Bibeltextes, der nach dem Tode des Reformators entbrannte, setzte sich schließlich die Auffassung durch, die Bibel von 1545 habe als die maßgebliche zu gelten. Eine kurfürstliche Weisung von 1579 erklärte ihren Text für verbindlich. Er liegt der sächsischen ›Normalbibel‹ zugrunde.
Aufgeschlagen: Bl. A 2ᵛ mit dem Text des kurfürstlichen Privilegs und Bl. A 3ʳ mit Luthers ›Warnung‹. Luther führt darin bewegte Klage über die *öffentliche Reuberey* der Nachdrucker, die sich aus Habsucht an seiner Bibelübersetzung vergreifen. Markierter Text: *Denn weil sie allein jren Geitz suchen / fragen sie wenig darnach / wie recht oder falsch sie es hin nach drücken / Vnd ist mir offt widerfaren / das ich der Nachdrücker druck gelesen / also verfelscht gefunden / das ich meine eigen Erbeit / an vielen Orten nicht gekennet / auffs newe habe müssen bessern. Sie machens hin rips raps / Es gilt gelt.*

WA DB 2, S. 675, Nr. *79. – H. Volz, Hundert Jahre Wittenberger Bibeldruck, 1954, S. 108-114. K. S.

373 Die Bibel von 1546 erschien erst nach Luthers Tod, enthält aber seine letzten Korrekturen.

›Biblia: Das ist: Die gantze Heilige Schrifft / Deudsch / Auffs new zugericht. D. Mart. Luth.‹
Wittenberg: Hans Lufft 1546
2°. 766 Bll. 2 Bände, 129 Holzschnittillustrationen im wesentlichen mit denen der Vollbibel von 1534 übereinstimmend
Nürnberg, Stadtbibliothek, Solg. 97. 2°

Diese Ausgabe der Bibel wurde in der Verantwortung von Georg Rörer hergestellt. Eine größere Zahl von Korrekturen geht jedoch noch auf Luther selbst zurück. Das wurde lange Zeit bestritten, da kein dokumentarischer Beweis für die Authentizität der Rörerschen Korrekturen vorlag. Er

konnte erst gegen Ende des vorigen Jahrhunderts geführt werden. Daher hat nicht diese, sondern die Ausgabe von 1545 (Kat. Nr. 372) ein fast kanonisches Ansehen erlangt.
Aufgeschlagen Bl. 400v/401r des 2. Bandes, Offenbarung des Johannes 9,16-10,11. Auf dem linken Blatt der Holzschnitt zu Kap. 11,1-7. Die Anknüpfung an den Holzschnitt Cranachs (vgl. Kat. Nr. 360, 361) ist unverkennbar. Das Tier aus dem Abgrund trägt wieder – wie im Septembertestament von 1522 – die Tiara (so seit der Vollbibel von 1534). Über die beiden Zeugen, die von dem Tier vernichtet werden, sagt eine Randglosse Luthers zu Vers 11,1: *Das sind alle rechte frume Prediger die das wort rein erhalten / Zu trost den Christen.* Eine Randglosse zu Vers 7 erklärt das Tier als: *der weltliche Bapst.*
Auf der rechten Seite sind 2 Majuskeln in Fraktur sowie eine in Antiqua (beides markiert) gesetzt. Das beruht auf einer merkwürdigen Einrichtung, die Georg Rörer in seiner Eigenschaft als oberster Korrektor der Bibel getroffen hatte. Er wollte durch diese Unterscheidung auf Stellen hinweisen, an denen *von gnade / trost etc.* (Fraktur) oder *von zorn / straffe etc.* (Antiqua) die Rede sei. Diese Scheidung hat sich nur gewaltsam durchsetzen lassen. Auf einen so dunklen Text wie die ›Offenbarung‹ angewandt, stiftet sie mehr Verwirrung, als daß sie dem Leser zum richtigen Verständnis hilft.

WA DB 2, S. 688, Nr. ★82. – Luther (Volz), Bd. 1, S. 118★. K. S.

374 Nach dem Tode des Reformators tritt Christoph Walther beharrlich für die kanonische Geltung der Wittenberger Lutherbibel ein.

Christoph Walther, ›Bericht von vnterscheid der Biblien vnd anderer des Ehrnwirdigen vnd seligen Herrn Doct. Martini Lutheri Bůcher / so zu Wittemberg vnd an andern enden gedruckt werden / dem Christlichen leser zu nutz.‹
Wittenberg: Hans Lufft [?] 1563
8°. 16 Bll.
Wolfenbüttel, Herzog August Bibliothek, 342. 2 Th. (6)

Christoph Walther (um 1515-1574), seit 1535 Unterkorrektor zunächst unter Caspar Cruciger, dann unter Georg Rörer, trat 1551 als Oberkorrektor an Rörers Stelle. Er wurde in langwierige Auseinandersetzungen über die Authentizität der Wittenberger Ausgabe von Luthers Werken verwickelt. In einigen Streitschriften nahm er den Bibeltext, wie er unter Luthers Aufsicht gedruckt worden war, gegen Veränderungen und Verfälschungen in Schutz. Der ›Bericht von vnterscheid‹ gehört in den Zusammenhang von Walthers Auseinandersetzung mit Sigmund Feyerabend, der seine in Frankfurt gedruckten Bibeln auch auf dem sächsischen Markt absetzen wollte.
Aufgeschlagen: Bl. A 2v/A 3r. Walther hat einleitend Luther als denjenigen gepriesen, der die dunkle und verworrene Muttersprache *sehr schőn polirt vnd geschmůckt* habe. Dabei sei ihm *Caspar Creutziger* behilflich gewesen, *der erst őberster Corrector der Biblien vnd ander Bůcher Lutheri.* Dann heißt es weiter (A 2v, markierter Text): *Diese beide hochbegnadete Menner / haben alle wőrter in der Biblia / vnd zwar auch in allen andern Bůchern Lutheri / mit rechten / eigenen vnd gebůrlichen Buchstaben / zudrůcken geordnet. Vnd haben jren Nachkomenen ernstlich befohlen / solche ordnung vnd Orthographiam / stets vnd mit allem vleis zuhalten / Wie denn bisher trewlich geschehen ist / auch főrder ernstlich darůber gehalten sol werden.* Walthers Standpunkt kommt in diesen Worten mit aller Deutlichkeit zum Ausdruck: Nach seiner Überzeugung haben die Nachfahren die Verpflichtung, den Lutherschen Bibeltext bis zum letzten Buchstaben unverändert zu bewahren. Im Schlußteil der Schrift wirft er den auswärtigen Druckern vor, daß sie von der Wittenberger Art der Bibelillustration abwichen. Luther habe einen Teil der Wittenberger Bilder selbst angegeben und im übrigen befohlen, *das man auffs einfeltigst den inhalt des Texts solt abmalen vnd reissen* [zeichnen] */ Vnd wolt nicht leiden / das man vberley vnd vnnůtz ding / das zum Text nicht dienet / solt dazu schmiren.*

H. Volz, Hundert Jahre Wittenberger Bibeldruck, 1954, S. 61, Anm. 20; S. 91-93, 101 f., 107. – E. Wolgast, Der Streit um die Werke Luthers im 16. Jahrhundert. In: ARG 59, 1968, S. 177-202. K. S.

B Deutsche Bibeln vor Luther

Luthers Bibelwerk ist, seiner Bedeutung und Wirkung nach, »die« deutsche Bibel. Doch die Anfänge der volkssprachigen Aneignung der heiligen Schrift reichen bis in die literarischen Anfänge der deutschen Sprache in der Karolingerzeit zurück. In zahlreichen Übersetzungen und Buchtypen (z. B. Evangelienharmonien, Historienbibeln, Perikopenbüchern, Vollbibeln) waren deutschsprachige Bibeltexte im Mittelalter verbreitet. Das erste große Vorhaben der Frühdruckzeit war ein lateinischer Bibeldruck, die 42-zeilige Bibel Johannes Gutenbergs (um 1455).
Gedruckte deutsche Bibeltexte gab es seit 1466 in Plenarien und Vollbibeln: zwischen 1466 und 1522 wurden in Deutschland 18 deutsche Vollbibeln, 14 hochdeutsche und 4 niederdeutsche, gedruckt. Ihre Entstehungsorte (Straßburg, Augsburg, Köln, Nürnberg, Lübeck u. a.) zählen zu den bedeutendsten Druckorten der Frühdruckzeit; ihre Drucker (Mentelin, Zainer, Quentell, Koberger, Sorg, Arndes u. a.) zu den leistungsfähigsten Vertretern ihres Gewerbes.
Allmählich lösen sich die Bibeldrucke von ihren handschriftlichen Vorbildern, doch behalten sie deren Zweispaltigkeit bei. Während die ersten deutschen Bibeln, darin den Vulgata-Ausgaben verwandt, keinerlei gedruckten Buchschmuck aufweisen, treten im Lauf der Zeit neben den Textdruck zunächst gedruckte Bildinitialen und später größere Holzschnitte, die in den Kölner Bibeln (Kat. Nr. 378) erstmals zu einem umfassenden Bildzyklus erweitert werden. Freilich haben diese Bilder nicht nur illustrativen Charakter, sondern sind, ebenso wie die beigegebenen Vorreden und Glossen, Mittel zum Verständnis des Textes.
Die Texte sind allesamt Übersetzungen aus der Vulgata; erst Luther wird auf die hebräischen und griechischen Grundtexte zurückgehen. Sie stehen nicht auf der Höhe der Zeit: Mentelin druckte eine ungefähr hundert Jahre alte Übersetzung nach, die ihrer schweren Verständlichkeit wegen in den späteren hochdeutschen Drucken laufend verbessert wurde. »Moderner« sind die niederdeutschen Übersetzungen, die sich, stärker als die hochdeutschen, von der lateinischen Vorlage befreiten.
Die Volkssprache allein macht indes noch kein »Volksbuch« – nach Format, Ausstattung und Preis kann man sich nur einen be-

grenzten Käufer- und Benutzerkreis vorstellen; in breite Kreise der Laien gelangten diese Bände vermutlich nicht. Abgesehen davon betrachtete die Kirche die Bibellektüre der »ungebildeten und neugierigen« Laien stets mit einem gewissen Mißtrauen. Wenn es auch kein eigentliches Bibelverbot gegeben hat, so ist doch durch andere Verlautbarungen immer wieder betont worden, das Wort Gottes in der Volkssprache gehöre nicht in Laienhand. Innerkirchliche Reformbestrebungen, zum Beispiel aus Kreisen der Devotio moderna, vermochten an der offiziellen Haltung nichts zu ändern. Erst die Reformation sollte hierin einen grundlegenden Wandel herbeiführen.

H. Rost, Die Bibel im Mittelalter, 1939. – F. Geldner, Inkunabelkunde, 1978. – H. Kunze, Geschichte der Buchillustration in Deutschland. Das 15. Jh., 1975. – Eichenberger-Wendland. – Texte: W. Kurrelmeyer, Die erste deutsche Bibel, Bd. 1-10, 1904-1915. – G. Ising, Die niederdeutschen Bibelfrühdrucke, Bd. 1-6, 1961-1976.
J. S.

375 Im Jahre 1466 wurde die Bibel erstmals in deutscher Sprache gedruckt.

›Deutsche Bibel‹
[Straßburg: Johann Mentelin vor 27. Juni 1466]
2°. 405 Bll.
Erlangen, Universitätsbibliothek, Inc. 30

Unter den 127, überwiegend lateinischen Bibeldrucken des 15. Jahrhunderts ist die Mentelinbibel die erste deutsche. Johann Mentelin (gest. 1478), der seit 1458/59 in Straßburg druckte, war zuvor (mindestens seit 1444) als lateinkundiger Bücherschreiber und Kalligraph tätig und stieg vom Lohnschreiber zum Druckherrn und zu einem der reichsten Mitglieder der Straßburger Zunft auf. Der Text der Mentelin-Bibel geht auf eine um 1350 im Bayerischen entstandene, später vielfach überarbeitete Übersetzung zurück. Er kann nicht als repräsentativ für die vorlutherischen deutschen Bibelübersetzungen gelten, die auch nach Erfindung des Buchdrucks weiterhin handschriftlich verbreitet wurden.
Im Verhältnis zur 42zeiligen Bibel Gutenbergs mit über 600 Blättern ist der Umfang deutlich geschrumpft (bei 61 Zeilen pro Spalte). Der Preis konnte dadurch erheblich verringert werden. In der typographischen Anordnung ist der Druck den Bibelhandschriften in ihrer Zweispaltigkeit nachgebildet; Kolumnentitel, Buch- und Kapitelüberschriften sowie Initialen sind nachträglich von einem Rubrikator eingefügt. Figürlichen Bildschmuck enthält die Bibel nicht; in einzelnen Exemplaren wurden Randmalereien angebracht, die jedoch in der Regel keinen Bezug zum Inhalt des Bibeltextes haben.
Aufgeschlagen: Bl. 3ᵛ/4ʳ (Ende der Vorrede/Beginn des 1. Buches Mose). Die Kolumnentitel (links) *Prologus* und (rechts) *Genesis* sowie die Überschrift *Hie hebt an das buch Genesis,* Initialen *An dem anegang* ... und die Kapitelzählung *I* sind vom Rubrikator eingetragen. Majuskeln sind durch rote Zierstriche ausgezeichnet. Die Übersetzung ist umständlich und folgt recht sklavisch der lateinischen Vorlage (markierter Text): *Vnd got der sprach. liecht werde gemacht Vnd das liecht ward gemacht. vnd got der sache dz liecht das es ward gůt* (Lat.: *dixitque Deus fiat lux et facta est lux et vidit Deus lucem quod esset bona*).

Gesamtkatalog der Wiegendrucke, 1925 ff., Nr. 4295. – Geldner, Bd. 1, S. 55-59. – D. Mertens, Eine Mentelin-Handschrift. Zu Johannes Mentelins Aufstieg vom Lohnschreiber zum Druckherrn. In: Landesgeschichte und Geistesgeschichte. Festschr. für Otto Herding, 1977, S. 169-187.
J. S.

376 Schon bald muß der schwer verständliche Text revidiert werden. Außerdem erhalten die Bibeldrucke reichen Buchschmuck. Sie finden auch im Gottesdienst Verwendung.

›Deutsche Bibel‹
Augsburg: [Günther Zainer 1475/76]
2°. 534 Bll., 73 Bildinitialen
Nürnberg, Germanisches Nationalmuseum, Inc. 2° 513

Günther Zainer aus Reutlingen (gest. 1478) druckte seit 1467 als erster Drucker in Augsburg mehr als 100 z. T. reich illustrierte Werke in hervorragender Qualität. Zainers Bibel ist die erste illustrierte vorlutherische Ausgabe. 73 Bildinitialen, die auf den Inhalt des Bibeltextes Bezug nehmen, stehen an den Anfängen der einzelnen Bibelbücher; daneben sind zum Schmuck und zur Gliederung kleinere Maiblumeninitialen verwendet. Der aufwendige Druck ist in schwarz und rot ausgeführt; Kolumnentitel und Blattzählung, die in der Mentelin-Bibel noch handschriftlich eingefügt worden waren, werden erstmals mitgedruckt. Altes und Neues Testament sind durch gesonderte Blattzählung voneinander getrennt.

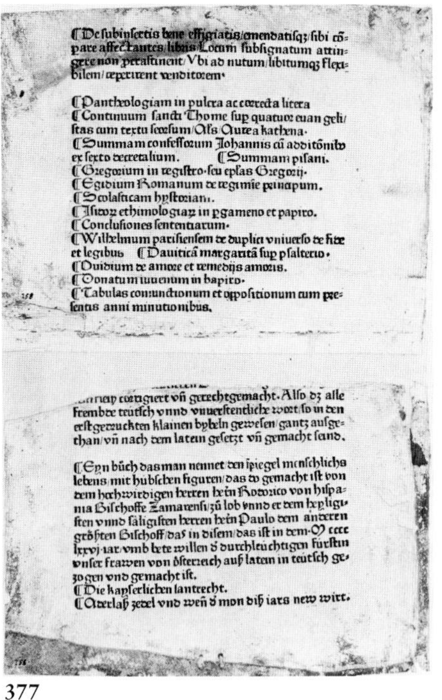
¶ De subinsertis bene effigiatis/emendatisqz/sibi cōpare affectantes libris Locum subsignatum attingere non pertaesuerint/ Vbi ad nutum/libitumqz flexibilem/ reperient venditorem.

¶ Pantheologiam in pulcra ac correcta litera
¶ Continuum sancti Thome sup quatuor euangelistas cum textu seorsum/ Als Aurea kathena.
¶ Summam confessorum Johannis cū additōnibꝰ ex sexto decretalium. ¶ Summam pisani.
¶ Gregorium in registro. seu eplas Gregorij.
¶ Egidium Romanum de regimie principum.
¶ Scolasticam hystoriam.
¶ Isidoꝝ ethimologiaꝝ in pgameno et papiro.
¶ Conclusiones sententiarum.
¶ Wilhelmum parisiensem de duplici vniuerso de fide et legibus ¶ Dauiticā margaritā sup psalterio.
¶ Ouidium de amore et remedijs amoris.
¶ Donatum iuuenum in bapiro.
¶ Tabulas coniunctionum et oppositionum cum presentis anni minutionibus.

... corrigiert vñ gerechtgemacht. Also dz alle frembde teütsch vnnd vnuerstentliche wort/so in den erstgedruckten klainen bybeln gewesen/gantz außgethan/vñ nach dem latein gesetzt vñ gemacht seind.

¶ Eyn bůch das man nennet den spiegel menschlichs lebens mit hubschen figuren/das do gemacht ist von dem hochwirdigen herren hern Roderico von hispania Bischoffe Zamarensi/zů lob vnnd er dem heyligisten vnnd säligisten herren hern Paulo dem anderen gröhsten Bischoff/das in disem/das ist in dem. M cccc lxxvj. iar/vmb bete willen d durchleüchtigen fürstin vnser frawen von österreich auß latein in teütsch gezogen vnd gemacht ist.
¶ Die kayserlichen lantrecht.
¶ Aderlaß zedel vnd weñ d mon diß iars new wirt.

377

Das ausgestellte Exemplar stammt vermutlich aus dem Besitz des Hochstifts Bamberg. Es enthält am Ende ein 1477 angefertigtes handschriftliches *register ... der epistel vnd ewangilg* [!] *die man list oder singt in den messen durch das gancz iare noch ornung des stiftes zu bamberg.*
Aufgeschlagen: Bl. iiijᵛ/Vʳ (Ende der Vorrede/Beginn des 1. Buches Mose). Der Kolumnentitel *Das bůch ter Geschöpff* zieht sich über alle vier Spalten. Das Explicit/Incipit ist durch Rotdruck vom übrigen Text abgesetzt. Die *I*-Initiale (*IN dem anfang* ...) ist figürlich gestaltet. Gott der Schöpfer hält in seinen Händen die Welt: am Himmel Sonne, Mond und Sterne, darunter trockenes Land mit einer Stadt, Bäume, Vögel und andere Tiere. Abgeschlossen rechts vorn das Paradies mit Adam und Eva unter dem Baum der Erkenntnis, um den sich die Schlange windet.
Der Text ist gegenüber Mentelins Bibel durch die veränderte Wortstellung bereits stärker eingedeutscht: *Vnd got der sprach. Es werde das liecht. Vnd das liecht ward gemachet. vnd got der sach das liecht das es gůtt ward.*

Gesamtkatalog der Wiegendrucke, 1925 ff., Nr. 4298. – Geldner, Bd. 1, S. 132-137. – H. Kunze, Geschichte der Buchillustration in

378

Deutschland. Das 15. Jh., 1975, S. 233-238, 251 (Lit.) – Eichenberger-Wendland, S. 29-38. J. S.

377 In einer Buchhändleranzeige weist Zainer auf die Textrevision in seiner Bibel hin.

›Buchhändleranzeige‹
[Augsburg: Günther Zainer 1476]
4°. 1 Bl.
Göttingen, Niedersächsische Staats- und Universitätsbibliothek, 4° Hll I, 7304 Inc.

Buchhändleranzeigen gibt es als Werbemittel seit dem Aufkommen des Buchdrucks. Von den zahlreichen Anzeigen sind nur noch wenige vorhanden; die meisten stammen aus Deutschland. Sie dienten zur Anzeige der Geschäftseröffnung, zur Vorankündigung von im Druck befindlichen Werken oder – so zumeist – als Verzeichnis erschienener Werke. Daneben gab es regelrechte Verlagskataloge sowie Lagerkataloge der Buchführer (Buchhändler).
Zainer brachte bereits um 1474 eine Bücheranzeige mit 15 Verlagswerken heraus. Die ausgestellte, 1476 gedruckte Anzeige enthält 14 lateinische und 4 deutsche Verlagswerke, die zwischen ca. 1471 und 1476 gedruckt wurden. »Aus der Ausführlichkeit, mit der die Bibel hier angezeigt wird, ist mit Sicherheit anzunehmen, daß sie eins der letzten vor Abfassung der Anzeige hergestellten Verlagsunternehmen ist« (Burger). Die Bibel wird darin wie folgt angekündigt (Textverlust ergänzt): [*Das bůch der teutschen Bibel mit figuren / mit grösstem fleiß*] *corrigiert vn̄ gerechtgemacht. Also dz* [daß] *alle frembde teutsch vnnd vnuerstentliche wort / so in den erstgedruckten klainen bybeln gewesen / gantz ausgethan / vn̄ nach dem latein gesetzt vn̄ gemacht seind.* Damit wird auf die Initialholzschnitte, die monumentale Größe und den korrigierten Text hingewiesen.

K. Meyer, Eine Bücheranzeige des 15. Jahrhunderts. In: Centralblatt für Bibliothekswesen 9, 1892, S. 130-134. – K. Burger, Buchhändleranzeigen des 15. Jahrhunderts, 1907. J. S.

378 An die Stelle der Holzschnittinitialen treten in den Kölner Bibeln erzählende Holzschnitte. Sie werden später mehrfach wiederverwendet oder nachgeschnitten. Noch die Lutherbibeln greifen auf dieses Bildprogramm zurück.

›Deutsche Bibel‹
Köln: [Heinrich Quentell und/oder Bartholomäus von Unckel? um 1478]
2°. Unvollst., nur Teil 1, Bl. 2-270
Nürnberg, Germanisches Nationalmuseum, Inc. 2° 521 a

Die Kölner Bibeln sind die ersten gedruckten Bibeln mit einem umfangreichen Holzschnittzyklus. Er stellt innerhalb der Buchillustration des 15. Jahrhunderts einen Höhepunkt dar. Entsprechend ihrer Vorlage (vgl. Kat. Nr. 379) liegen die Illustrationsschwerpunkte in erzählenden Büchern des Alten Testaments (1.2. Buch Mose, Könige, Daniel, Makkabäer) und der Apokalypse. Neben dem narrativen Bildtypus gibt es »Autorenbilder« (Evangelisten, König David am Psalteranfang), die auf die Zainer-Bibel zurückgehen, sowie einen kleinen, mehrfach wiederholten Holzschnitt vor den Paulusbriefen. Große Holzschnittrandleisten finden sich auf dem ersten bedruckten Blatt, am Anfang des ersten Buches Mose, vor den Sprüchen Salomos und auf der ersten Seite der Apokalypse. Vielleicht wurden die erst nacheinander fertiggestellten Teile einzeln verkauft.
Außer in der ausgestellten niederrheinischen erschien die Kölner Bibel noch in einer niederdeutschen Fassung. Der kostspielige Druck ist wohl von mehreren Geldgebern finanziert worden. Unter ihnen befand sich vermutlich auch der Nürnberger Drucker Anton Koberger, der nach der Fertigstellung der Bibeln die Bildstöcke erhielt und in seinem Bibeldruck (Kat. Nr. 380) wieder verwendete.
Der Bibeldruck steht vielleicht im Zusammenhang mit Bestrebungen der Devotio moderna, den Laien das Wort Gottes nahezubringen. Die Kölner Universität stand dem Unternehmen unfreundlich gegenüber. 1479 verlieh ihr Papst Sixtus IV., vielleicht durch den Druck der Bibeln veranlaßt, das Zensurrecht.
Aufgeschlagen: Bl. $127^v/128^r$ (David und Goliath; 1. Sam. 17). Die Darstellung entspricht bis ins Detail der biblischen Schilderung. Das Bild ist in zwei Szenen aufgeteilt und von links nach rechts erzählt. In dem burgähnlichen offenen Gemach jenseits eines Baches will Saul seinen Schild David übergeben, doch dieser lehnt die ungewohnte Kleidung ab (V. 38 f.). Nur mit einem Stecken und seiner Steinschleuder ausgerüstet stellt David sich dem furchterregend bekleideten (vgl. V. 4-7) Riesen entgegen, den er anschließend töten wird (V. 49).

Gesamtkatalog der Wiegendrucke, 1925 ff., Nr. 4308. – S. Corsten, Die Kölner Bilderbibeln von 1478. Neue Studien zu ihrer Entstehungsgeschichte. In: Gutenberg-Jb. 1957, S. 72-93. – Die Kölner Bibel 1478/1479, 1981 (Kommentarband zum Faksimile 1979). J. S.

379 Die frühen Holzschnitte in gedruckten Bibeln gehen auf Miniaturen in Bibelhandschriften zurück.

379

›Historienbibel des Alten Testaments‹
Niederrhein um 1460
Papier und Pergament. 2°. 349 Bll., 27,5 × 20 cm
Berlin, Staatsbibliothek Preußischer Kulturbesitz, Ms. germ. fol. 516

Die Illustrationen der Inkunabeln beruhen in den wenigsten Fällen auf eigens für die Druckvorlagen hergestellten Originalzeichnungen, sondern haben zumeist bereits vorhandene handschriftliche Vorlagen zum Vorbild.
Historienbibeln sind freie Prosabearbeitungen der erzählenden Bücher der Bibel, die durch apokryphe oder profangeschichtliche Zutaten aus verschiedenen Quellen erweitert wurden. Sie waren außerordentlich verbreitet, wurden aber nach dem Aufkommen des Buchdrucks durch die Bibeldrucke verdrängt und verschwanden endgültig nach der Reformation, die den Laien den authentischen Bibeltext zugänglich gemacht hatte.
Die ausgestellte Handschrift bietet außer einer Paraphrase von erzählenden Büchern des Alten Testaments Übersetzungen des Hohenlieds, des Psalters, der Apokalypse u.a.m. Sie ist vielleicht franziskanischen Ursprungs und wurde wohl für einen adligen Laien hergestellt; für klösterlichen Gebrauch war sie jedenfalls, nach Ausweis der einleitenden Bemerkung zum Psalter, nicht bestimmt. Der Text ist dem Schreiberdialekt zufolge nach Köln zu lokalisieren; die 100 Miniaturen von hoher künstlerischer Qualität sind von der nordniederländischen und flämischen Buchmalerei beeinflußt.
Aufgeschlagen: Bl. 118v/119r (David und Goliath; 1. Sam. 17). Im Gegensatz zu den Holzschnitten der Kölner Bibel sind die Miniaturen der Handschrift ungerahmt. Dennoch entsteht durch die Architekturdarstellungen (links ein Torturm, rechts im Hintergrund Zelte des Heeres) ein geschlossener Eindruck. Die Aufmerksamkeit richtet sich auf die im Zentrum dargestellten überproportional großen Menschengestalten.

C. Gerhardt, Historienbibeln (deutsche). In: Verfasserlexikon 2. Aufl. Bd. 4, 1982, Sp. 67-75. – H. Jerchel, Die niederrheinische Buchmalerei der Spätgotik (1380-1470). In: Wallraf-Richartz-Jb. 10, 1938, S. 65-90. – Die Kölner Bibel 1478/1479, 1981 (Kommentarband zum Faksimile 1979). – Zimelien. Abendländische Handschriften des Mittelalters aus den Sammlungen der Stiftung Preußischer Kulturbesitz Berlin, 1975, S. 154 f. Nr. 110. J.S.

380 Durch den Nürnberger Drucker und Verleger Anton Koberger werden deutsche Bibeln in großer Auflage verbreitet.

›Deutsche Bibel‹
Nürnberg: Anton Koberger, Montag nach Invocavit [17. Februar] 1483
2°. 586 Bll., 109 Holzschnitte
Nürnberg, Germanisches Nationalmuseum, Inc. 2° 117013 c

Der Nürnberger Drucker und Verleger Anton Koberger (gest. 1513) zählt zu den bedeutendsten Inkunabeldruckern. In seinem vorindustriellen Großbetrieb beschäftigte er bis zu 100 Gesellen und druckte auf 24 Handpressen. Er vergab aber auch Aufträge an auswärtige Drucker, so z. B. nach Basel und Lyon. Unter seinen mehr als 200 Drucken finden sich so bedeutende Werke wie die Schedelsche Weltchronik (1493) und Dürers Apokalypse (1498). Koberger war wohl schon am Druck der Kölner Bibeln durch finanzielle Unterstützung beteiligt gewesen. In seinem eigenen Bibeldruck verwendete er die Bildstöcke der Kölner Holzschnitte; seine Ausgabe bietet darüber hinaus 7 zusätzliche Holzschnitte zur Apokalypse.
Über die Auflagenhöhe der Koberger-Bibel sind genaue Daten nicht bekannt. Da sich aber ca. 150 Exemplare erhalten haben, wird die Auflage auf 1 000 oder gar mehr Exemplare geschätzt – für Bücher solcher Art in diesen Jahren eine ungewöhnlich hohe Zahl.
Aufgeschlagen: Bl. IV^v/V^r (Beginn des Alten Testaments). Ein kolorierter und vergoldeter Schöpfungsholzschnitt eröffnet das Erste Buch Mose. Die vergoldete Initiale und die Rankenornamente zeigen, daß kostbare Frühdrucke wie Handschriften ausgestattet wurden.

Gesamtkatalog der Wiegendrucke, 1925 ff., Nr. 4303. – O. Hase, Die Koberger, 2. Aufl. 1885. – Geldner, Bd. 1, S. 162-167. – H. Kunze, Geschichte der Buchillustration in Deutschland. Das 15. Jh., 1975, S. 226-230. J. S.

381 Auch in niederdeutscher Sprache wird die Bibel erneut gedruckt – 1494 in Lübeck, in überarbeiteter Übersetzung und mit neuen Holzschnitten.

›Deutsche Bibel‹
Lübeck: Steffen Arndes 19. November 1494
2°. 492 Bll., 152 Holzschnitte, zum Teil doppelt verwendet
Nürnberg, Germanisches Nationalmuseum, Inc. 2° 35865

Steffen Arndes stammte aus Hamburg, hatte wohl in Mainz das Druckerhandwerk erlernt und in Italien gedruckt, bevor er gegen 1485 nach Deutschland zurückkehrte. Seine ersten Lübecker Drucke stammen aus dem Jahre 1486.
Der Text ist aus der Kölner Bibel übernommen, aber teilweise überarbeitet. Daneben enthält die Bibel in Übersetzung auch die Glosse des Nikolaus von Lyra (gest. 1349) aus Paris, des einflußreichsten Bibeltheologen im späteren Mittelalter (vgl. Kat. Nr. 99).
Die Holzschnitte stammen von zwei Meistern: Die 49 künstlerisch hochstehenden Darstellungen zu den fünf Büchern Mose gehören einem unbekannten Künstler franko-flämischer Herkunft; sie dürften schon 1492 wenigstens im Entwurf fertig gewesen sein. Die übrigen 103 Holzschnitte stammen von einem ebenfalls unbekannten Meister.
Hinter dem Bibeldruck stehen vielleicht Angehörige des Lübecker Franziskanerklosters, die auch andere Werke (z. B. Reynke de Vos) zur Erbauung der Laien bearbeiteten.
Aufgeschlagen: Bl. 116^v/117^r (David und Goliath; 1. Sam. 17). Im Gegensatz zu den Kölner Holzschnitten, die auf Kolorierung angelegt sind, gewinnen die Lübecker Holzschnitte durch Schraffuren eine Plastizität und Räumlichkeit, die auf Farbe verzichten kann. Die Gesichter der Personen sind stärker individualisiert, die Handlung ist detaillierter und bewegter dargestellt, die Landschaft hat an Tiefe gewonnen. Gleichwohl bleiben die Kölner Vorlagen unverkennbar.

Gesamtkatalog der Wiegendrucke, 1925 ff., Nr. 4309. – F. Anzelewsky, Der Meister der Lübecker Bibel von 1494. In: Zs. für Kunstgeschichte 27, 1964, S. 43-59. – O. Schwencke, Ein Kreis spätmittelalterlicher Erbauungsschriftsteller in Lübeck. In: Niederdeutsches Jb. 88, 1965, S. 20-58. J. S.

382 Mit der Zeit entwickeln sich die Bibeln von aufwendigen, handschriftenähnlichen Repräsentationsdrucken zu schlichteren Gebrauchsbüchern.

›Deutsche Bibel‹
Augsburg: Silvan Otmar 1518
4.° 400 + 402 Bll., 109 Holzschnitte
Nürnberg, Germanisches Nationalmuseum, 4° Rl. 298 Postinc.

Silvan Otmar, der auch als Drucker von Reformationsschriften hervorgetreten ist, brachte 1518 die letzte hochdeutsche vorlutherische Bibel heraus. Schon 1507 hatte sein Vater Hans eine deutsche Bibel gedruckt, für die er die Holzschnitte aus den Bibeln des Augsburger Druckers Johann Schönsperger (Gesamtkatalog der Wiegendrucke 4305.4306) übernahm. Diese wurden auch 1518 wiederverwendet. Da sie für den Satzspiegel zu schmal waren, wurden am Rand Leistenstücke angesetzt, um die volle Breite des Satzspiegels zu erreichen. Die Otmar-Bibeln waren vermutlich weit verbreitet und unterlagen stärker als ihre wertvolleren Vorgänger dem Verschleiß. Vielleicht haben sich deshalb nur wenige Exemplare erhalten.
Aufgeschlagen: Bl. 180^v/181^r (David und Goliath; 1. Sam. 17). Die Kolorierung ist wenig sorgfältig und nimmt keine Rücksicht auf Details der Holzschnittzeichnung.

J. Benzing, Die Buchdrucker des 16. und 17. Jahrhunderts im deutschen Sprachgebiet, 1963, S. 14 f. – Eichenberger-Wendland, S. 135-142. J. S.

383 Die letzte vorlutherische Bibel erschien im Juli 1522 in Halberstadt – nur zwei Monate vor Luthers ›Septembertestament‹.

›Deutsche Bibel‹
Halberstadt: [Lorenz Stuchs] 8. Juli 1522
2°. 562 Bll., 119 Holzschnitte
Nürnberg, Germanisches Nationalmuseum, 2° Rl. 301 Postinc.

112 der 119 Holzschnitte sind von den Kölner Holzstöcken gedruckt, die Lorenz Stuchs, Sohn des Nürnberger Druckers Georg Stuchs, aus seiner Heimatstadt mitgebracht hatte. Mehrere der neuen Holzschnitte eines unbekannten Meisters CD sind auf 1520 datiert; der Künstler ist vielleicht in einer Werkstatt des Cranach-Umkreises zu suchen.

Große Teile des Alten Testaments sind neu übersetzt, die Psalterübersetzung ist aus der Kölner Bibel, die übrigen Texte sind aus der Lübecker Bibel übernommen. Die Übersetzung hat sich von der lateinischen Vorlage bereits weitgehend befreit und hätte vielleicht größere Wirkung gehabt, wäre sie nicht durch Luthers Übersetzung verdrängt worden.
Aufgeschlagen: Bl. mm 4^{v} (Kolophon). Der Text lautet in hochdeutscher Übertragung: »Hier endet das Buch der heimlichen Offenbarung St. Johannis des Apostels und Evangelisten, womit auch beendet wird und beschlossen dies hochberühmte und köstliche Werk der ganzen heiligen Schrift, genannt die Bibel, vor allen anderen deutschen Bibeln lauterer und klarer nach rechtem, wahrem Deutsch und sächsischer Sprache mit großem Fleiß gegenüber dem lateinischen Text recht gefertigt, unterschiedlich punktiert, mit Überschriften bei dem meisten Teil der Kapitel und Psalmen, die ihren Inhalt und Ursache erklären und anzeigen, und mit Figuren [Bildern], die die Historien darstellen. Gedruckt und vollendet in der Stadt Halberstadt nach der Geburt Christi 1522 Jahre auf den achten Tag im Juli. Hierum wir Lob sagen und danken der ungeschaffenen, unbegreiflichen und allerheiligsten Dreifaltigkeit, Gott dem Vater und dem Sohne und dem Heiligen Geiste, der da ist, der da war und der da kommen wird, dem sei Ehre und Lob in Ewigkeit, Amen.«

C. Borchling u. B. Claussen, Niederdeutsche Bibliographie Bd. 1, 1931-36, Nr. 704. – G. Ising, Die niederdeutschen Bibelfrühdrucke. In: Beiträge zur Gesch. der deutschen Sprache und Literatur (Halle) 79, 1957, S. 438-455. – Eichenberger-Wendland, S. 143-152. J. S.

C Luthers Übersetzungsleistung

Herzog Georg von Sachsen soll über Luther gesagt haben: *Wenn doch der monch die bibell vol* [fertig] *deutschet vnd gieng darnach, wo er hin solt.* Er wünscht den verhaßten Luther dahin, wo der Pfeffer wächst, aber doch erst nach Fertigstellung der deutschen Bibel. Diese Anekdote, die Luther zugetragen wurde (WA TR 2, Nr. 2790 a), mag sie wahr sein oder nicht, sie bringt eines zum Ausdruck, was unbestreitbar den Tatsachen entspricht: Trotz aller Polemik respektierte auch die Gegenseite Luthers Bibelübersetzung als eine große Leistung, wie hätte sie sich sonst dieser Übersetzung für ihre eigenen Zwecke bedienen können (Kat. Nr. 361, 369).
Als bedeutendes sprachliches Kunstwerk ist Luthers Bibelübersetzung durch die Jahrhunderte gepriesen worden, als solches lebt sie noch heute im Bewußtsein des gebildeten Deutschen. Nicht zu Unrecht schreibt man ihr auch wesentlichen Einfluß auf die Ausbildung unserer modernen Schrift- und Literatursprache zu. Sicherlich trifft man mit einer solchen Würdigung der Lutherbibel unter sprachlich-ästhetischen Gesichtspunkten auch etwas von dem, woran Luther selbst gelegen und worauf er stolz war. *Ich kan dolmetzschen / dz* [das] *können sie nicht* sagt er im Blick auf seine Widersacher, und weiter: *Ich hab mich des geflissen ym dolmetzschen / das ich reyn vnd klar teutsch geben möchte* (WA 30, II, S. 635 u. S. 636).
Aber es genügt nicht, nur die sprachliche Schönheit der Übersetzung zu rühmen, wenn man Luther wirklich gerecht werden will. Man muß mitbedenken, daß er die rastlose Mühe, die ihn die Suche nach der besten Wiedergabe des Grundtextes kostete, aufgewandt hat, um das Wort Gottes in aller Reinheit zum Erklingen in seiner Muttersprache zu bringen. Die sprachliche Form war ihm nur Mittel für den eigentlichen Zweck, die Verkündigung der biblischen Botschaft. Luther hat ihn mit aller Gewissenhaftigkeit verfolgt. Nicht nur nach bestem Können habe er seine Übersetzung angefertigt, so sagt er, sondern *auff meyn gewissen* (WA 30, II, S. 633). So verhält es sich ohne Zweifel. Er war aufs sorgfältigste darum bemüht, den objektiven Sinn des Grundtextes unverkürzt im Deutschen wiederzugeben. Wenn ihm dabei die Wahl zwischen mehreren Möglichkeiten der Verdeutschung blieb, wählte er diejenige, die den Sinn des Originals am deutlichsten auszudrücken vermochte. Dies liegt seiner Übersetzung von Röm. 3,28 (vgl. Kat. Nr. 389) zugrunde.
In der Forschung der letzten Jahre ist betont worden, Luthers Übersetzung habe eine Aktualisierung der biblischen Texte bedeutet. Damit ist etwas Richtiges, im Grunde freilich auch Selbstverständliches bewußt gemacht worden. In jede Übersetzung fließt zwangsläufig etwas von der Zeit und der Person des Übersetzers mit ein. Das ist vor allem dann der Fall, wenn Jahrhunderte oder gar Jahrtausende zwischen dem Grundtext und der Übersetzung liegen. Luthers Übersetzung macht da keine Ausnahme. Durch den Wortschatz des frühen 16. Jahrhunderts, den er gebrauchte, wurden die hebräischen und griechischen Originale an vielen Stellen auf Verhältnisse der deutschen Gegenwart hin durchsichtig. Gerade darauf, auf der Einpassung in zeitgenössische Denk- und Vorstellungsgewohnheiten, beruhte der Erfolg der Bibel Luthers.
Dies ist die eine Seite der Aktualisierung. Hier folgt sie aus der Verwendung einer allen Mittel- und Oberdeutschen im großen und ganzen gemeinsamen Sprache mit ihren allen Sprachteilhabern geläufigen Inhalten. Andererseits spielt aber auch Persönliches eine Rolle bei der Aktualisierung. Natürlich hat Luthers Gesamtauffassung von der Heiligen Schrift auf seine Übersetzung eingewirkt. Von ihm selbst hören wir, daß er in Zweifelsfällen bei der Übersetzung des Alten Testaments von seinem Verständnis des Neuen Testaments ausgegangen ist. Im übrigen zeigt das Beispiel von Röm. 3,28, daß ein Zusammenhang bestehen kann zwischen einer fundamentalen theologischen Wahrheit, die Luther vertrat, und der Wahl unter den Möglichkeiten zur Übersetzung einer bestimmten Stelle.
Man weiß heute noch nicht sehr viel über die allgemeinen Bedingungen, unter denen die Luthersche Übersetzungstätigkeit zu sehen ist. Eines freilich dürfte feststehen: Luther hat nicht etwa seine Lehre und seine Übersetzung miteinander vermischt. Vielmehr hat er auf strenge Trennung geachtet. Die Lehre, ohne die er seine Übersetzungen nicht ans Publikum hinausgehen lassen wollte, ist in besonderen Vorreden enthalten, die er den meisten Büchern der Bibel beigegeben hat, auch in Randglossen, die an vielen Stellen seiner Übersetzungen erscheinen.
Als Übersetzer war und blieb Luther auf das eine Ziel eingeschworen, die *meinung*

des Textes unverfälscht zu übertragen. Vom Buchstaben des Grundtextes machte er sich frei, wenn er sicher sein konnte, damit die *meinung* einer Stelle besser herauszubringen. Waren letzte Zweifel nicht zu beheben, dann entschied er sich für den Buchstaben. Das hat er ausdrücklich im ›Sendbrief‹ festgestellt (WA 30, II, S. 640).
Das eigentliche Geheimnis der Lutherschen Übersetzung dürfte darin bestehen, daß sie – von solchen Ausnahmen abgesehen – die möglichen Konflikte zwischen Forderungen des Buchstabens, des Sinnes und einer würdigen, dem Wort Gottes angemessenen deutschen Redeweise zu vermeiden gewußt hat. Darauf gründet sich ihr bleibender Rang.

S. Raeder, Voraussetzungen und Methode von Luthers Bibelübersetzung. In: Geist und Geschichte der Reformation, 1966, S. 152-178. – B. Lohse, Die Aktualisierung der christlichen Botschaft in Luthers Bibelübersetzung. In: Luther, 1980, S. 9-25. K. S.

384 Die älteste gedruckte deutsche Bibel bietet eine Übersetzung, die sich eng an den Text der für die Kirche verbindlichen lateinischen Bibel anlehnt.

›Deutsche Bibel‹
[Straßburg: Johann Mentelin vor 27. Juni 1466]
2°. 406 Bll.
Nürnberg, Germanisches Nationalmuseum, Inc. 2° 88392

Aufgeschlagen: Bl. 336^{v}/337^{r}. Auf Bl. 336^{v} endet in der linken Spalte oben die Vorrede zum Lukas-Evangelium. Das erste Kapitel beginnt unmittelbar darunter mit der Initiale *E*, das zweite Kapitel schließt auf Bl. 337^{r} in der linken Spalte unten mit der Initiale *UU* an.
Markiert ist der Anfang der Weihnachtsgeschichte (Luk. 2, 1-5): [1] *UUann es wart gethan in den tagen · ein gebot gieng aus von dem keiser august: das al= | ler d'* [der] *vmbring wůrd beschriben.* [2] *Dise erste | beschreibung wart gethan von syri dem richter der | cyrener.* [3] *Vnd sy giengen all das sy begechē: ein ieg | licher in sein stat.* [4] *Wann auch ioseph der staig auf | von galilee von d'* [der] *stat nazareth in iude in die stat | dauids die do ist geheissen bethleem · dorumb das er was | von dem haus vñ von dem ingesinde dauids: |* [5] *daz er veriech mit maria im gemechelt ein weip per | hafftig.* Der Text der lateinischen Bibel, die hier übersetzt ist, lautet: *Factum est autem, in diebus illis exiit edictum a Caesare Augusto, ut describeretur universus orbis. Haec descriptio prima facta est a praeside Syriae Cyrino. Et ibant omnes, ut profiterentur singuli in suam civitatem. Ascendit autem et Joseph a Galilaea de civitate Nazareth in Judaeam in civitatem David, quae vocatur Bethlehem; eo quod esset de domo et familia David, ut profiteretur cum Maria desponsata sibi uxore praegnante* (Luk. 2, 1-5).
Der Übersetzer hält sich an das einzelne Wort seiner Vorlage und gibt es in einer ihm geläufigen Bedeutung wieder. So steht im 1. Vers *es wart gethan* für das lateinische *factum est* und *wůrd beschriben* für das lateinische *describeretur;* denn man kann *facere* mit »tun« und *describere* mit »beschreiben« wiedergeben. Ähnlich verhält es sich mit *vmbring* [zu lat. *orbis*], *begechen* [bekennen] in Vers 3 [zu lat. *profiteri*] und *veriech* [von *verjehen*, bekennen, versprechen] in Vers 5 [ebenfalls zu *profiteri*]. Auch der lateinische Satzbau wird nachgebildet: (v. 5) *mit maria im gemechelt ein weip perhafftig* [schwanger] entspricht dem *cum Maria desponsata sibi uxore praegnante* der Quelle. Aufgrund all dieser Entscheidungen des Übersetzers entsteht ein Text, der ohne seine lateinische Vorlage nur schwer verständlich ist.

Zur Bibel Mentelins vgl. Kat. Nr. 375. – F. Tschirch, 1200 Jahre deutsche Sprache in synoptischen Bibeltexten, 1969. K. S.

385 Es gibt in der Zeit vor Luther auch freiere Übersetzungen biblischer Texte.

›Deutsches Plenar‹
Augsburg: Johann Schobser 1497
2°. 184 Bll., Holzschnitte und Holzschnittinitialen dieser Ausgabe sind schon früher in Plenarien Schobsers und seines Schwiegervaters Anton Sorg verwendet worden.
Wolfenbüttel, Herzog August Bibliothek, 11.6 Theol. 4°.

Biblische Texte wurden nicht nur durch die Vollbibeln für den Gebrauch in der Volkssprache verfügbar gemacht. Die Plenarien enthalten die Perikopen des Kirchenjahres, dazu kurze Auslegungen und weitere zur Messe gehörige Texte.
Aufgeschlagen: Bl. 10^{v}/11^{r} mit Texten zum Weihnachtsfest. Markiert ist, wie in der Bibel Mentelins (vgl. Kat. Nr. 375, 384), der Anfang der Weihnachtsgeschichte (Luk. 2, 1-5): [1] *In der zeyt Gienng auß ein ge- | pot von dem keyser Augusto das | beschriben wurd alle dyse wellte · |* [2] *Die erst beschreibung beschahe vō | dem richter Cirino in syria* [3] *vnnd | gieng alles volck in sein stat yeg= | klicher zůuerjehen ·* [4] *Vnd gieng Jo | seph auff von galilea auß der stat | nazareth vnd gieng in judeam in | dauids stat die da heißt bethleem · | wann er was von dauids haußs | vnd seines geschlăchts* [5] *das er au= | ch verjăhe mit Maria die jm ver | măhelt wz zů einem gemahel die | auch schwanger was.* In Vers 1 ist das lateinische *factum est in diebus illis* vereinfachend, aber sinngemäß richtig wiedergegeben mit *In der zeyt.* Das ist weniger umständlich ausgedrückt und daher leichter zu verstehen als das *UUann es wart gethan in den tagen* der Mentelin-Bibel. Besser dem deutschen Sprachgebrauch angepaßt ist auch die Übersetzung der Partizipialkonstruktionen in Vers 5 *(cum Maria desponsata sibi uxore praegnante);* jedes der beiden Partizipien ist durch einen Relativsatz vertreten: *die jm vermăhelt wz*

[war] *zů einem gemahel,* und: *die auch schwanger was.* –
Der Text der Mentelin-Bibel wurde 1475 von Günter Zainer in einer verbesserten und sprachlich geglätteten Fassung gedruckt (vgl. Kat. Nr. 376). An der Stelle des lateinischen *factum est in diebus illis* (Vers 1) erscheint in Zainers Druck *Und es geschah in den tagen,* d.h. *factum est* ist hier, wie selbstverständlich richtig, zu *fieri* und nicht zu *facere* gestellt. Die beiden Partizipien von Vers 5 sind in einer Apposition zu dem Namen Maria zusammengefaßt: *mit maria seiner vermåhelten vnd schwangern haußfrawen.* Hauptziel der Bearbeitung ist es, die Übersetzung stärker deutschem Sprachgebrauch anzunähern und damit leichter verständlich zu machen.

P. Pietsch, Evangely und Epistel Teutsch. Die gedruckten hochdeutschen Perikopenbücher 1473-1523, 1927, S.29f. – Geldner, Bd.1, S.257. – Schramm, Bd.4, 1921, S.48f. und Taf.377 [Nr.3041 der Holzschnitt zu Lukas 2,1 ff. aus einem Plenar Sorgs von 1493]. K.S.

386 Luther nutzt die Möglichkeit guten und genauen Sprechens in der Muttersprache, um den Bibeltext zum Besitz des Volkes zu machen.

›Das Newe Testament Deůtzsch‹
Wittenberg: Melchior Lotter d. J. 1522
2°. 204 Bll. Es handelt sich um den zweiten, im Dezember fertiggestellten Druck (›Dezembertestament‹). Ebensowenig wie beim ›Septembertestament‹ ist hier der Name des Übersetzers genannt.
Nürnberg, Stadtbibliothek, Solg. 79. 2°

Luther hat den Text in den wenigen Wochen, die zwischen dem ›Septembertestament‹ (Kat. Nr. 360) und dem ›Dezembertestament‹ lagen, an vielen Stellen überarbeitet und dabei vor allem die Wortstellung geändert.
Aufgeschlagen Bl. 38v/39r. Markiert ist wie bei der Mentelin-Bibel und dem Schobser-Plenar der Anfang der Weihnachtsgeschichte (Lukas 2, 1-5). Er lautet hier, und zwar im wesentlichen übereinstimmend mit dem ›Septembertestament‹: [1] *Es begab sich aber zu der zeyt / das eyn gepott von dem key= | ser Augustus aus gieng / das alle wellt geschetzt wurde /* [2] *vnd | dise schetzung war die aller erste / vnnd geschach zur zeyt / da | Kyrenios landpfleger ynn Sirien war /* [3] *vñ gieng yderman | das er sich schetzen lies / eyn iglicher ynn seyn stadt.* [4] *Da macht sich | auff / auch Joseph von Gallilea / aus der stad Nazareth / yn das Ju= | disch land / zur stad Dauid / die da heyst Bethlehem / darumb das er | von dem hauße vnd geschlecht Dauid war /* [5] *auff das er sich schetzen | ließe mit Maria seynem vertraweten weybe / die gieng schwanger.*
Luther verwendet *schetzung* (Vers 2) und *schetzen* (Vers 1 und 3) an Stelle des griechischen *ἀπογραφή* und *ἀπογράφεσθαι* [lat. *descriptio, describere/profiteri*]. Damit ist der Vorgang, über den der Evangelist berichtet, für einen deutschen Leser der Lutherzeit erklärt: *schetzung* heißt »Erhebung von Steuern« und *schetzen* »besteuern«. Die Sacherläuterung, die dieser Übersetzung zugrundeliegt, stammt aus gelehrter Kommentartradition. Luther konnte sie in den »Adnotationes« finden, die Erasmus seiner Ausgabe des Neuen Testaments beigegeben hatte. – In Vers 1 wählt er für *ἐγένετο* [lat. *factum est*] nicht wie die Zainer-Bibel das einfache *es geschach,* sondern das ausdrucksstärkere *es begab sich.* Damit hebt er die Bedeutung dessen, was hier zu berichten ist, gleich durch die einleitenden Worte hervor.
Er nutzt auch den Spielraum, den ihm die Verfügbarkeit verschiedener Arten der Satzverknüpfung läßt, um den Gedankengang möglichst deutlich herauszuarbeiten. So ersetzt er in Vers 1 die Reihung zweier unverbunden nebeneinander stehender Hauptsätze (in der lateinischen Bibel: *Factum est ... exiit edictum ...*) durch ein Gefüge aus Haupt- und Nebensatz. Auf diese Weise wird das, was den Inhalt der Begebenheit ausmacht, in Form eines »daß«-Satzes aus der bloßen Ankündigung dieser Begebenheit abgeleitet: *Es begab sich ..., das eyn gepott von dem keyser Augustus aus gieng.* Umgekehrt wählt er in Vers 5, wo Maria zwei verschiedene Eigenschaften attribuiert erhält, weder, wie es im Schobserschen Plenar der Fall ist, zwei parallel angeordnete Relativsätze, noch faßt er wie der Zainer-Druck (vgl. Kat. Nr. 385) die beiden Eigenschaften in einer zweigliedrigen Apposition zusammen. Er gibt nur die erste durch eine Apposition wieder, die zweite, wichtigere drückt er durch einen eigenen Hauptsatz aus: *mit Maria seinem vertraweten* [ihm angetrauten] *weybe,* und: *die gieng schwanger.* Das *gieng* hat er später (in der zweiten Ausgabe des Jahres 1527) zu *war* vereinfacht: *die war schwanger.*

WA DB 2, S.206f., Nr.*2. – F. Tschirch, 1200 Jahre deutsche Sprache in synoptischen Bibeltexten, 1969. K.S.

387 Der Erfolg der Lutherschen Übersetzung ruft Widerspruch und Gegenwehr der altkirchlich Gesonnenen hervor.

Hieronymus Emser, ›Auß was grund vnnd vrsach Luthers dolmatschung / vber das nawe testament / dem gemeine̅ man billich vorbotten worden sey‹
Leipzig: Wolfgang Stöckel 1523
4°. 158 Bll.
Nürnberg, Germanisches Nationalmuseum, 8° Rl. 226 Postinc.

Hieronymus Emser (1478-1527) hielt im Sommer 1504 an der Erfurter Universität eine Vorlesung über Reuchlins Komödie ›Sergius‹. Unter seinen Hörern befand sich auch Luther. Emser wechselte noch im gleichen Jahr von Erfurt nach Leipzig über. Dort wurde er zum Baccalaureus der Theologie und zum Lizentiaten des Kanonischen Rechts promoviert. Herzog Georg von Sachsen (vgl. Kat. Nr. 211) machte ihn zu seinem Geheimsekretär, später auch zu seinem Hofkaplan. Bis 1518 lebte Emser in ungestörten Beziehungen zu Luther. 1519 nahm er dann auf Seiten Ecks an der Leipziger Disputation (vgl. Kat. Nr. 212, 218) teil. Im gleichen Jahre brachte er Luther in einem offenen Brief an einen Prager Kleriker polemisch mit Hus in Verbindung. Luther ließ eine heftige Antwort drucken. Daraus entwickelte sich ein vor allem im Jahre 1521 mit Erbitterung geführter Streitschriftenkrieg. Als Herzog Georg im Jahre 1523 die Verbreitung von Luthers Übersetzung des Neuen Testaments in seinen Landen durch Verbot zu unterbinden versuchte, kam ihm Emser mit der Schrift ›Auß was grund vnnd vrsach‹ publizistisch zu Hilfe. Schon das Titelblatt bezichtigt Luther, er habe den Text *vorkert* [verkehrt]. Vier Jahre später veröffentlichte Emser auf Wunsch des Herzogs sein Neues Testament in deutscher Sprache (vgl. Kat. Nr. 361).
Aufgeschlagen: Bl. av/aijr. Die Rückseite des Titelblatts zeigt unten das Familienwappen Emsers mit dem Kopf eines Steinbocks im Wappenschild und als Helmzier. Darüber stehen Verse, die Emser seiner Schrift zum Geleit mitgegeben hat. Sie richten sich an sein Wappentier, den Bock *(Far hyn / mein Bock / in gots geleyt. | Laß dir die reyß nit wesen leydt).* Emser nimmt damit Luthers Herausforderung auf, der ihn als *bock zu Leypczick* zu titulieren pflegte. Rechts ist die Vorrede aufgeschlagen; sie beginnt mit der Behauptung, man könne nicht damit

prahlen, man sei evangelisch, wenn man sich gleichzeitig beklage, daß dem *gemeynen man* die Lektüre oder der Besitz von Luthers Neuem Testament verboten werde. Zur Begründung heißt es (markierter Text): *Dann | gleych wie Christus den Judenn (die sich sel= | ber ouch rômeten* [rühmten] */ das sie Abrahams kinder we | ren) zu antwort gab. wo sie seine kinder weren / so | thetten sie seine werck / Also mag man ouch zu di | sen sprechen / wo sie Euangelisch weren / so thet= | ten sie ouch die werck des heyligē Euangelions | das ist / sie vorkertenn* [verkehrten] *das jhenig / so jr / von got | vorordnete / herrschafft / im besten* [in bester Absicht] *thon* [tun] *vn̄ schaf | fen / nit zum ergisten* [zum ärgsten] */ vnd sagten nit das die fur | sten / die Luthers ketzerische vnnd falsche bûcher | nit annhemen* [sich zu eigen machen] *wôllen / das Euangelion oder den | glouben darumb / tilcken* [vertilgen] */ oder mit dem schwert | außlôschen wôlten.* Im folgenden wirft Emser Luther dann vor, seine Übersetzung enthalte etwa 1400 *ketzerlicher jrthumb vnd liegē* [Lügen]. Er bezieht sich dabei auf Abweichungen vom lateinischen Text der Vulgata, auch auf Druckfehler, vor allem aber auf die nach seiner Auffassung zu freie Wiedergabe einzelner Stellen.

H. Grimm, Emser. In: NDB 4, 1959, S. 488 f. – W. Klaiber (Hrsg.), Katholische Kontroverstheologen und Reformer des 16. Jahrhunderts, 1978, Nr. 989. K.S.

388 Luthers Übersetzung von Röm. 3,28 (»allein durch den Glauben«) hat ihre lateinische Entsprechung in der Formel *sola fide*, die 1530 bei den Verhandlungen des Augsburger Reichstags über die Rechtfertigungslehre sehr umstritten war.

Philipp Melanchthon an Martin Luther, Augsburg 22. August 1530
Abschrift von Veit Dietrich, Papier. In Sammelhandschrift
Nürnberg, Stadtbibliothek, Solg. 38. 4°

Da Luther in Acht und Bann lebte, konnte er nicht auf dem Augsburger Reichstag erscheinen. An seiner Stelle führte Melanchthon die Sache der Protestanten. Luther befand sich währenddessen im äußersten Südwesten des Kurfürstentums Sachsen auf der Veste Coburg. Dort stand er unter dem Schutz seines Landesherrn. Über die Vorgänge in Augsburg wurde er durch briefliche Nachrichten auf dem laufenden gehalten.
Veit Dietrich, der in Wittenberg bei Luther und Melanchthon studiert hatte, war als Amanuensis auf der Coburg ständig in der Umgebung Luthers. Er hat von großen Teilen der Korrespondenz Luthers Abschriften genommen, und in nicht wenigen Fällen muß seine Kopie das verlorene Original vertreten, so auch bei diesem Melanchthon-Brief. Der Codex, in dem sich die Kopie heute befindet, ist aus Papieren Veit Dietrichs zusammengestellt, die über die Sammlung des Nürnberger Predigers und Bibliothekars Adam Rudolf Solger im Jahre 1766 an die Stadtbibliothek in Nürnberg kamen. Die Aufzeichnungen überliefern auch den größten Teil dessen, was an Vorarbeiten Luthers zu der von ihm geplanten Schrift ›De iustificatione‹ erhalten ist. Veit Dietrich selbst, 1506 in Nürnberg geboren, war von 1536 bis zu seinem Tode im Jahre 1549 in seiner Vaterstadt Prediger an St. Sebald.
Im Text des Briefes sind auf Bl. 199^v die entscheidenden Sätze markiert. Sie lauten: *De dogmatibus sic se res habet. Cauillabatur Eccius vocem / Sola / cum dicimus sola fide iustificari homines. Neque tamē rem damnabat, Sed dicebat imperitos offendi Nam ego coegi eum fateri recte à nobis tribui iusticiam fidei voluit tamen nos ita scribere quod iustificemur per graciam et fidem Non repugnavi / Sed ille stultus nō intelligit vocabulum gracie.* [In den Fragen der Glaubenslehre verhält es sich folgendermaßen. Eck bekrittelte das Wort »allein«, wenn wir sagen, die Menschen werden »allein« durch den Glauben gerechtfertigt. Gleichwohl verurteilte er nicht die Sache, sondern sagte nur, die theologisch nicht Gebildeten würden daran Anstoß nehmen. Denn ich habe ihn gezwungen zuzugestehen, daß es richtig ist, wenn von uns die Gerechtigkeit dem Glauben zugeschrieben wird. Trotzdem wollte er, wir sollten so schreiben: »Durch Gnade und Glaube werden wir gerechtfertigt«. Dem habe ich nicht widersprochen, aber dieser Narr versteht das Wort »Gnade« nicht.]

WA Br 5, S. 554, Nr. 1691. – H. Immenkötter, Um die Einheit im Glauben. Die Unionsverhandlungen des Augsburger Reichstages im August und September 1530, 2. Aufl. 1973, S. 37-39. K.S.

389 Luther verteidigt seine Art des Übersetzens und insbesondere seine Übersetzung von Röm. 3,28 im ›Sendbrief vom Dolmetschen‹.

›Ein sendbrieff D. M. Lutthers. Von Dolmetzschenn vnd Fürbit der heiligenn‹
Nürnberg: Georg Rottmaier 1530
4°. 10 Bll. Luther schickte das Manuskript des Sendbriefs am 12. September von der Veste Coburg an Wenzel Link in Nürnberg, der ihn mit einem auf den 15. September 1530 datierten Vorwort drucken ließ. Noch im gleichen Jahr folgten sieben weitere Drucke, je einer in Nürnberg und Magdeburg, die anderen in Wittenberg.
Nürnberg, Germanisches Nationalmuseum, 8° Rl. 228 Postinc.

Seit dem Mai des Jahres 1530 war Luther, während er von der Veste Coburg aus die Augsburger Ereignisse verfolgte, mit der Vorbereitung einer Schrift ›De iustificatione‹ [Über die Rechtfertigung] beschäftigt. Dieser Plan trat zurück, als er sich, veranlaßt vielleicht durch Melanchthons Bericht über die Verhandlungen mit Eck, der Abfassung des ›Sendbriefs‹ zuwandte. Er behandelt darin ausführlich die Übersetzung von Röm. 3,28, der Sendbrief gehört also in unmittelbaren Zusammenhang mit ›De iustificatione‹. Diese – niemals fertig ausgearbeitete – Schrift wird im ›Sendbrief‹ sogar ausdrücklich erwähnt (WA 30, II, S. 643).
Luther wählte die Form eines Briefes an einen namentlich nicht genannten Herrn und Freund. Dieser Unbekannte wünschte eine Antwort auf zwei Fragen. Die eine betraf die Übersetzung von Röm. 3,28, die andere die Lehre von der Fürbitte der Heiligen. Diese zweite Frage ist im ›Sendbrief‹ nur am Rande abgehandelt. Im Mittelpunkt der Erörterungen stehen die Prinzipien des Übersetzens. Aufgeschlagen ist Bl. aiiij^v/b^r. Luther erklärt, weshalb er Röm. 3,28 übersetzt hat: *So halten wyrs nu / das der mensch gerechtfertiget werde / on zu thun der werck des gesetzs / alleyn durch den glawben,* obwohl das Wort *allein* weder im griechischen noch im lateinischen Text steht. Er beruft sich dabei auf die besonderen Erfordernisse der deutschen Sprache. Das ist in dem markierten Textabschnitt näher ausgeführt: *den̄ | ich habe deutsch / nicht lateinisch noch kriegisch reden wôllen / da | ich teutsch zu reden ym dolmetzschen furgenomen hatte. Das ist | aber die art vnser deutschen sprache / wenn sie ein rede begibt / von | zweyen dingen /*

der man eins bekennet / vñ das ander verneinet / | so braucht man des worts solum (allein) neben dem wort (nicht | oder kein) Als wenn man sagt / der Baür bringt allein korn vñ | kein geldt / Nein / ich hab warlich ytzt nicht geldt / sondern allein | korn. Ich hab allein gessen vnd noch nicht getruncken. Hastu al= | lein geschrieben vnd nicht vberlesen? Vnd der gleichen vnzeliche | weise yn teglichen brauch.

In disen reden allẽ / obs gleich die lateinische oder kriechische | sprach nicht thut / so thuts doch die deutsche / vnd ist yhr art / das | sie das wort (allein) hinzu setzt / auff das das wort (nicht odder | kein) deste volliger vnd deutlicher sey / Denn wie wol ich auch sa= | ge / Der Baür bringt korn vñ kein geld / So laut doch das wort | (kein geldt) nicht so vollig vnd deutlich / als wenn ich sage / Der | Baür bringt allein korn vnd kein geldt / vnd hilfft hie das wort | (Allein) dem wort (kein) so viel / das es ein vollige Deutsche klare | rede wird / den man mus nicht die buchstaben inn der lateinischẽ | sprachen fragẽ / wie man sol Deutsch redẽ / wie diese esel thun / son | dern / man mus die mutter jhm hause / die kinder auff der gassen / | den gemeinen mã auff dem marckt drumb fragen / vñ den selbigẽ | auff das maul sehen / wie sie reden / vnd darnach dolmetzschen / so | verstehen sie es den / vñ mercken / das man Deutsch mit jn [ihnen] *redet.* Die Beispiele zeigen, wie Luther das *allein* seiner Übersetzung verstanden hat. Er verwendet es gleichbedeutend mit »nur«: »Der Bauer bringt »nur« Korn und kein Geld« usw. Damit bedient er sich lediglich einer in der deutschen Sprache angelegten Möglichkeit, um den Sinn des Originaltextes unmißverständlich wiederzugeben. Ein zweigliedriger Ausdruck von der Art »das eine – nicht das andere« gewinnt durch die Hinzufügung von »nur« erheblich an Klarheit: »nur das eine – nicht das andere«.

WA 30, II, S. 627-646 (›Sendbrief‹) und S. 652-657 (›De iustificatione‹). – W. I. Sauer-Geppert, Bibelübersetzung III. In: TRE 4, 1981, S. 228-246. K. S.

XI. Kirchenlied, Gesangbuch und Kirchenmusik

Markus Jenny

Gemeinhin wird Luther als »Vater des evangelischen Kirchenliedes und Schöpfer des evangelischen Kirchengesangbuches« angesehen. Bei oberflächlicher Betrachtungsweise trifft das zu. Von Luther ist in dieser Hinsicht direkt und indirekt zweifellos eine fast unüberschaubare Wirkung ausgegangen. In zweierlei Hinsicht ist er auch mit einem schöpferischen Impuls führend vorausgegangen: Biblische Psalmen zu Liedern umzuformen, hat vor ihm keiner unternommen, und alle seit 1524 entstehenden Psalmlieder anderer sind eindeutig auf den von Wittenberg ausgehenden Anstoß hin geschaffen worden. Und: Ein deutsches Kirchengesangbuch im heutigen Sinne hat es nicht gegeben, ehe Luther 1529 das Wittenberger Gemeindegesangbuch schuf. Beides aber, das Psalmlied und das Gemeindegesangbuch, ist für die evangelische Gottesdienstgestaltung und Frömmigkeit weit über Deutschland hinaus prägend geworden. Ja, auch andere Konfessionen konnten sich dem Einfluß dieser beiden »Erfindungen« Luthers nicht entziehen. Gerade die römisch-katholische Kirchenlied- und Gesangbuchgeschichte wäre ohne Kenntnis von Luthers Initialzündung nicht zu verstehen.

Luther selbst war sich freilich dieser Tatsache nicht im vollen Ausmaße bewußt. Außerdem darf nicht übersehen werden, wie stark er mit seinem Beitrag zur Entwicklung des liturgischen und kirchlichen Singens und der damit zusammenhängenden Publizistik in einem geschichtlichen Zusammenhang steht, den er kannte und auch ausdrücklich bejahte.

Das deutsche Gemeindelied gibt es seit dem zwölften Jahrhundert. Luther kannte diese mittelalterlichen »Leisen«, die kurzen, in den Ruf »Kirieleis« ausmündenden Gemeindestrophen, die an Festtagen in die vom Klerus gesungene Sequenz eingefügt, aber auch sonst bei Wallfahrten, Prozessionen und anderen Gelegenheiten gern angestimmt wurden. Seit seiner Jugend, da er mit seinen Schulkameraden als Kurrendesänger von Haus zu Haus zog, waren ihm mancherlei volkstümliche geistliche Lieder vertraut. Und selbstverständlich kannte er den lateinischen Kirchengesang in allen seinen Formen genau. Auch hier knüpft Luther in seinem liturgisch-musikalischen Schaffen mehrfach an. Doch hatte er auch für die Art dieser Anknüpfung Vorbilder: Die Erweiterung von einstrophigen Leisen zu mehrstrophigen Liedern finden wir bei der von ihm so hoch geschätzten Osterleise »Christ ist erstanden« schon im 15. Jahrhundert. Übertragung von lateinischen Hymnen ins Deutsche (Kat. Nr. 412) gab es schon im 14. Jahrhundert. Luther unmittelbar vorangegangen war hierin Thomas Müntzer 1523; wahrscheinlich war sein Versuch für Luthers Hymnenübertragungen von 1523/24 auslösend. Und den Ersatz lateinischer Ordinariumsstücke durch deutsche Gemeindelieder hatte Nikolaus Decius in Braunschweig schon um Ostern 1523 versucht, als Luther noch kein einziges Lied geschrieben hatte. Auch die Verfahrensweise der Kontrafaktur, der wir zwei der besten und wichtigsten Lieder Luthers verdanken (Kat. Nr. 391, 409), war längst vor Luther bekannt, und ebenso hat Luther die poetische Form des heute so genannten historischen Volksliedes (Kat. Nr. 392) samt der Publikationsweise desselben als »fliegendes Blatt« oder Einzeldruck von wenigen Blättern bei seinen Zeitgenossen vorgefunden.

Neu war, daß er dies alles als Gefäß und Vehikel für die Verkündigung des von ihm neu auf den Leuchter gestellten Evangeliums und die Ausbreitung der neuen Lehre verwandte.

War Luther ein großer Dichter? Daß ihm eine geniale Sprachbegabung eigen war, steht außer Zweifel. Das läßt sich nicht nur an seiner Bibelübersetzung (Abteilung X), sondern auch an vielen seiner Prosaschriften zeigen. Es wird aber auch in vielen Fällen spürbar, wenn er Verse und Reime schreibt. Doch hatte Luther nie die Absicht, Dichter zu sein. Er war nahezu vierzigjährig, als er seine ersten Strophen schrieb (sofern nicht frühere spurlos verschwunden sind). Die Möglichkeit, das, was er als Verkünder des Evangeliums sagen mußte, auf diese Weise am wirksamsten zu sagen, brachte ihn dazu. So ist Luther ein – wenn auch hochbegabter und teilweise genialer – Gelegenheitsdichter gewesen. Das erklärt auch die Tatsache, daß es keine im eigentlichen Sinne »freien« geistlichen Lieder oder Kirchenlieder von ihm gibt, wie andere zu seiner Zeit und später sie in Menge geschaffen haben.

War Luther Komponist? Hier gilt dieselbe Antwort. Er beherrschte das Handwerk des Melodieschöpfers und des Tonsetzers. Für eine der Melodien zu seinen Texten ist seine Verfasserschaft durch das Zeugnis eines zuverlässigen Zeitgenossen belegt, und eine weitere (von ihm allerdings wieder verworfene) ist von seiner eigenen Hand überliefert. Ein von ihm verfertigter vierstimmiger Tonsatz hat sich erhalten (Kat. Nr. 423). Bei zwölf weiteren der mit seinen Texten überlieferten Melodien ist seine Verfasserschaft durch die Forschung mit nahezu völliger Sicherheit erwiesen worden. Aber Luther hat sich nur ganz gelegentlich dieser seiner Fähigkeiten bedient. Umso erstaunlicher bleibt die Qualität dessen, was dabei zustande kam.

Während nur noch verhältnismäßig wenige Menschen heute die wichtigsten Schriften Luthers lesen und kennen, haben einige der Liedtexte und Melodien Luthers heute noch den Rang echter geistlicher Volkslieder. »Vom Himmel hoch, da komm ich her« (Kat. Nr. 409) gehört zu den für ein Weihnachtsliederprogramm beinahe unentbehrlichen Stücken, und von »Ein feste Burg ist unser Gott« (Kat. Nr. 427) hat jeder einigermaßen gebildete Mitteleuropäer zumindest einmal gehört. Und das Kirchengesangbuch ist für Millionen heute lebender Christen ein nahezu selbstverständlicher Gebrauchsgegenstand. Daß sie ihn Luther und der von ihm ausgehenden Reformation in Deutschland verdanken, sollte den Besuchern dieser Ausstellung zum Bewußtsein gebracht werden.

F. Blume, Geschichte der evangelischen Kirchenmusik, 1965. – Preuß. – Ch. Mahrenholz, Luther und die Kirchenmusik, 1937. M. J.

A Luther als Liedschöpfer

Luthers Autorschaft ist für den Text von 34 Strophenliedern, zwei gereimten und zwei nicht gereimten liturgischen Gesängen, vier nicht zum Singen, sondern als Sprüche für Grabsteine bestimmten Bibelwort-Bereimungen und eine gereimte Gesangbuch-Vorrede gesichert. Zwei fremde Lieder hat er überarbeitet. Es ist unwahrscheinlich, daß er wesentlich mehr Lieder geschrieben hat. Die vorliegenden Stücke füllen fast alle Sparten eines Gesangbuches, obwohl Luther höchstens für die Katechismuslieder (und auch da sehr spät) Vollständigkeit angestrebt hat. Für die Melodie seiner Bearbeitung von Jesaja 6, 1-4 (»Jesaja, dem Propheten, das geschah«) als Ersatz für das Sanctus der Messe ist Luthers Autorschaft durch seinen musikalischen Mitarbeiter Johann Walter belegt. In anderen Fällen kommt kaum jemand anders als er selber als Autor in Frage. Für fünf Melodien darf man mit ziemlicher Sicherheit Johann Walter als Melodieschöpfer, in einem Fall (Kat. Nr. 393) als Überarbeiter einer von Luther stammenden Melodie vermuten. Gültige Lösungen hat Luther aber mit der mehr oder weniger eingreifenden Überarbeitung von fünf überlieferten Weisen geleistet.
Alle Liedschöpfungen Luthers gelten direkt oder indirekt der Verkündigung des Evangeliums. Zunächst jedoch war es nicht die liturgische Verwendung, die er im Auge hatte. Seine wahrscheinlich frühesten Lieder galten in einem viel weiteren Horizont solchem Heroldsdienst: Das Lied von den Brüsseler Märtyrern (Kat. Nr. 392) sollte wie andere derartige »Neue Lieder« von den Straßensängern verbreitet werden und wurde dafür einzeln gedruckt. Auch mit seinem autobiographischen Lied »Nun freut euch, lieben Christen gmein« (Kat. Nr. 391) hatte Luther zunächst keine andere Absicht. Es sollte Zeuge sein von der neu entdeckten Gnade. Als Erzähllied bedient es sich im Grunde derselben Form wie das zuvor genannte. Möglicherweise noch vor diesem höchst vollendeten Kunstwerk, sogar vielleicht noch vor dem Märtyrerlied, dichtete Luther einige Klagepsalmen in deutsche Lieder um. Unter ihnen findet sich die zentrale Bereimung von Psalm 130 (»Aus tiefer Not schrei ich zu dir«). Typisch ist für alle diese frühen Stücke die Anwendung des Kunstmittels der Kontrafaktur: Der Dichter wählt das Metrum, die Melodie und die Grundhaltung des Textes eines bekannten anderen Liedes, an welches er sein neues Lied sozusagen »anhängt«.
Im gleichen Jahre 1523 ergeben sich für Luther wesentliche neue Erkenntnisse bezüglich der Reform des Gottesdienstes. So heißt es gegen Ende des Jahres in der ›Formula missae et communionis‹: »Ich möchte, daß wir möglichst viele Lieder in der Volkssprache hätten, welche die Gemeinde in der Messe singen könnte, sowohl zum Graduale als auch zu Sanctus und Agnus Dei ... Aber es fehlen uns die Dichter oder sind noch nicht bekannt geworden, die uns fromme und geistliche Lieder (wie Paulus sagt) sängen, die es wert wären, in der Gemeinde Gottes in Gebrauch zu stehen.« Als Zwischenlösung empfiehlt Luther dann einige der mittelalterlichen Leisen und Cantionen. Kurz darauf versucht er brieflich einige Freunde zum Übertragen von Psalmen anzuregen und teilt jedem einen der sieben Bußpsalmen zu.
Damit und mit den um dieselbe Zeit entstandenen Hymnen- und Leisenbearbeitungen ist die liturgische Verankerung von Luthers frühem Liedschaffen gegeben. Eine weitere Ausrichtung kommt wohl schon zeitig im Jahre 1524 hinzu: die katechetische. Luther überträgt die Zehn Gebote und das Credo in Liedform. Und damit ist auch die Ausrichtung auf die Schule gegeben: Luther veranlaßt den Hofkomponisten des sächsischen Kurfürsten, Johann Walter, eine für die mehrstimmige Musikausübung an den Schulen bestimmte Vertonung der bis dahin entstandenen Lieder zu schaffen, die noch im Jahre 1524 in Wittenberg erscheint (Kat. Nr. 425). In diesem Werk stehen 24 Lieder Luthers. Die späteren Jahre haben wohl noch einzelne Ergänzungen dieses Liedbestandes gebracht, aber etwas grundsätzlich Neues kam dort nicht mehr hinzu. Hingegen hat Luther in den Jahren 1526 und 1529 sein liturgisch-musikalisches Schaffen auch noch auf nicht liedmäßige Formen ausgedehnt (Litanei [siehe Kat. Nr. 394], Gemeindepsalmodie u. a.) und damit für die spätere Entwicklung des Kirchengesangs in den lutherischen Gebieten weitere wichtige Anstöße gegeben.

L. Cordier, Der deutsche evangelische Liedpsalter, ein vergessenes evangelisches Liedergut, 1929. – W. Blankenburg, Die Entwicklung der Hymnologie seit etwa 1950. In: Theologische Rundschau, NF 42, 1977, S. 131-170, 360-405; 44, 1979, S. 36-69, 239-279, 319-349. – WA 35 und M. Jenny: Revisionsnachtrag. In: AWA (in Vorbereitung). – Hahn. M. J.

390 Luther in seinem fünfzigsten Lebensjahr 1533.

Bildnis Martin Luthers
Lukas Cranach d. Ä., 1533
Gemälde auf Buchenholz, 21 × 15 cm. Am linken Bildrand datiert 1533, darunter das Signet des Künstlers
Nürnberg, Germanisches Nationalmuseum, Gm 216. Leihgabe Bayerische Staatsgemäldesammlungen

Lutherbildnisse des vorliegenden Typus sind mit nur geringfügigen Veränderungen und in unterschiedlicher Qualität ab 1532 in großer Zahl aus der Werkstatt Cranachs hervorgegangen. Nach dem Augustinermönch und Gelehrten der ersten Jahre, dem Junker Jörg der Wartburgzeit und dem Luther der Ehebildnisse fand mit dem Porträt des inzwischen 50jährigen erstmals der Typus des »Reformators« in die Bildnis-Ikonographie Cranachs Eingang. Die in Abgrenzung zu Mönchs- und Priestergewand der bürgerlichen Kleidung entlehnte schwarze Schaube, Barett und Buch werden Grundelemente des Porträts des evangelischen Geistlichen, bei dem die Person des Dargestellten in der Folgezeit immer mehr hinter den Attributen des Amtes zurücktritt. Das an Luther selbst ausgebildete Bildnisschema, bei dem der Bildausschnitt variieren kann, wird auch für die Bildnisse anderer Reformatoren verbindlich. Der neben Luther am häufigsten dargestellte Philipp Melanchthon erscheint bereits 1532 als Gegenstück.

Friedländer-Rosenberg, 1979, Nr. 314 D. – Kat. des Germanischen Nationalmuseums Nürnberg. Die Gemälde des 13.-16. Jh., 1936, Nr. 216. J. Z-S.

390

391 Luther stellt seinen Durchbruch zur reformatorischen Erkenntnis und das persönliche Erleben der Gnade Gottes für jedermann verständlich in einem kühnen Erzähllied dar.

Martin Luther, ›Nun frewdt euch lieben Christen gmayn‹
Einblattdruck. Augsburg: Philipp Ulhart 1524
Papier, 20,1 × 31,7 cm
Heidelberg, Universitätsbibliothek, Cod. Pal. Germ. 793

In dieser Form wurden die ersten Lieder Luthers verbreitet. Kein Wunder, daß nicht ein einziges Exemplar eines Wittenberger Urdrucks sich erhalten hat und auch von den vielen Nachdrucken, die es anderswo gab, nur ganz wenige Exemplare auf uns gekommen sind.
Luther hat das Lied als Kontrafaktur auf die Melodie des Osterprozessionsliedes *Nun freut euch, Frauen unde Mann, / daß Christ ist auferstanden* (heute zu *Es ist das Heil uns kommen her* geläufig) geschrieben, ihm aber schon bald danach die hier erstmals vorliegende, »fröhlich springende« Melodie beigegeben, die von ihm selbst stammen dürfte.
Nach einer Einleitungsstrophe, die den Hörer und Leser wie bei den historischen Volksliedern zum Mitgehen aufmuntert, erzählt Luther seinen Weg durch den peinvollen Versuch der Selbsterlösung hin zur Erkenntnis, daß nur die Gnade Gottes uns retten kann. Dabei wird die Heilsgeschichte, ausgehend von einer schon bei Bernhard von Clairvaux bezeugten Vorstellung von einem himmlischen Ratschluß Gottes zur Erlösung der Menschheit, als Gespräch zwischen Gott Vater und Gott Sohn und dann zwischen Gott Sohn und dem Reformator selbst dargestellt.
Das Lied ist als Solo-Lied konzipiert, hat aber sofort den Weg in den Gemeindegesang gefunden und gehört heute zu den evangelischen Kernliedern.

DKL, Nr. 1524[10]. – Hahn, S. 104-106, 109-133.
M. J.

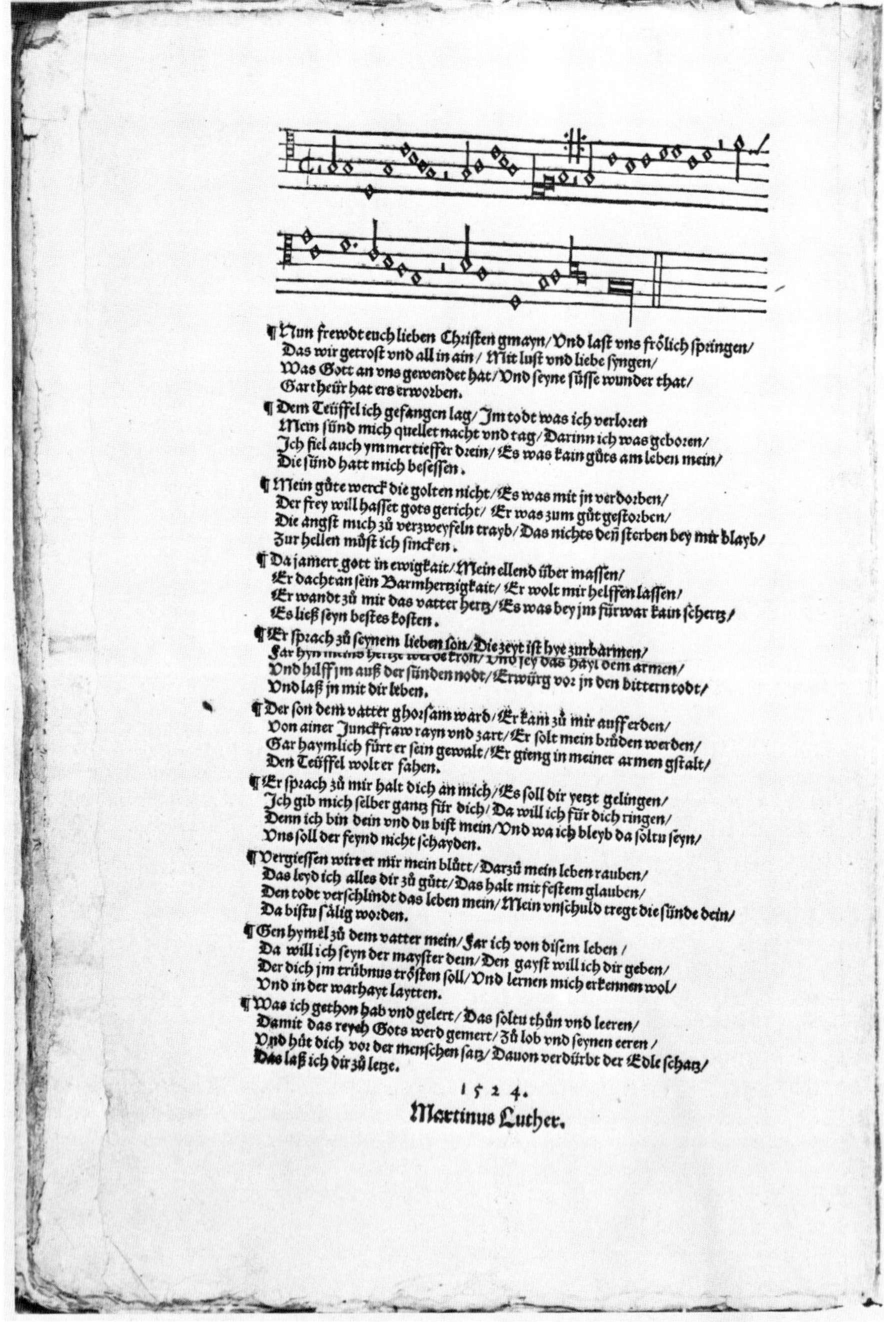
¶ Nun frewdt euch lieben Christen gmayn/ Vnd last vns frölich springen/
Das wir getrost vnd all in ain/ Mit lust vnd liebe syngen/
Was Gott an vns gewendet hat/ Vnd seyne süsse wunder that/
Gar theür hat ers erworben.
¶ Dem Teüffel ich gefangen lag/ Jm todt was ich verloren
Mein sünd mich quellet nacht vnd tag/ Darinn ich was geboren/
Jch fiel auch ymmer tieffer drein/ Es was kain gůts am leben mein/
Die sünd hatt mich besessen.
¶ Mein gůte werck die golten nicht/ Es was mit jn verdorben/
Der frey will hasset gots gericht/ Er was zum gůt gestorben/
Die angst mich zů verzweyfeln trayb/ Das nichts den sterben bey mir blayb/
Zur hellen můst ich sincken.
¶ Da jamert gott in ewigkait/ Mein ellend über massen/
Er dacht an sein Barmhertzigkait/ Er wolt mir helffen lassen/
Er wandt zů mir das vatter hertz/ Es was bey jm fürwar kain schertz/
Es ließ seyn bestes kosten.
¶ Er sprach zů seynem lieben son/ Die zeyt ist hye zurbarmen/
Far hyn [illegible] / Vnd sey das hayl dem armen/
Vnd hilff jm auß der sünden nodt/ Erwürg vor jn den bittern todt/
Vnd laß jn mit dir leben.
¶ Der son dem vatter ghorsam ward/ Er kam zů mir auff erden/
Von ainer Junckfraw rayn vnd zart/ Er solt mein brůder werden/
Gar haymlich fürt er sein gewalt/ Er gieng in meiner armen gstalt/
Den Teüffel wolt er fahen.
¶ Er sprach zů mir halt dich an mich/ Es soll dir yetzt gelingen/
Jch gib mich selber gantz für dich/ Da will ich für dich ringen/
Denn ich bin dein vnd du bist mein/ Vnd wa ich bleyb da soltu seyn/
Vns soll der feynd nicht schayden.
¶ Vergiessen wirt er mir mein blůtt/ Darzů mein leben rauben/
Das leyd ich alles dir zů gůtt/ Das halt mit festem glauben/
Den todt verschlindt das leben mein/ Mein vnschuld tregt die sünde dein/
Da bistu sälig worden.
¶ Gen hymel zů dem vatter mein/ Far ich von disem leben /
Da will ich seyn der mayster dein/ Den gayst will ich dir geben/
Der dich jm trůbnus trösten soll/ Vnd lernen mich erkennen wol/
Vnd in der warhayt laytten.
¶ Was ich gethon hab vnd gelert/ Das soltu thůn vnd leeren/
Damit das reych Gots werd gemert/ Zů lob vnd seynen eeren /
Vnd hůt dich vor der menschen satz/ Dauon verdürbt der Edle schatz/
Das laß ich dir zů letze.

1 5 2 4.
Martinus Luther.

391

[Martin Luther], ›Ein neu Lied von den zweyen märterern Christi, zů Brüssel von den Sophisten zů Lŏwen verbrannt. Diß Lied zeyget an, warumb die gotlosen Sophisten die rechten Christen umbpringen‹
Nürnberg: Georg Wachter um 1530
8°. 4 Bll. Einzeldruck von Luthers »Ein neues Lied wir heben an« (1523)
München, Bayerische Staatsbibliothek, P.O. germ 1691/22

392 Der Märtyrertod zweier Gesinnungsgenossen in Brüssel ließ Luther zum Lied als dem besten Medium der Propaganda für den neuen Glauben greifen.

Man nimmt gewöhnlich an, die Erschütterung über den Flammentod zweier Ordensbrüder, die am 1. Juli 1523 in Brüssel als erste Opfer der durch Karl V. eingesetzten Inquisition hingerichtet wurden, hätte Luther zum Dichter werden lassen. Zu beweisen ist indes diese zeitliche Abfolge der Entstehung seiner ersten Lieder nicht. Es ist durchaus möglich, daß einige der frühen Psalmlieder vorher entstanden. Auf jeden Fall aber gehört dieses Lied in die Zeit, da

Der erſt Chor
Der ander Chor
Chriſte/
Erhöre vns
Kyrie/
Eleyſon
Chriſte/
Eleyſon
Beyde Chör zuſamen
Kyrie/
Eleyſon
Amen.

Da pacem dñe. zu Teütſch.

¶ Verley vns fryden gnediglich/ herr Gott zu vnſern zeytten/ es iſt doch hie kein ander nicht/ der für vns künde ſtreytten/ on dich vnſer Got alleyne.

Verſickel.

Got geb fryd in allen landen.
Glück vnd hayl zu allen ſtanden.

Herr Gott hymliſcher vater der du heyligen mut guten radt/ vñ rechte werck ſchaffeſt/ gib vns deinen diener den fryden welchen die welt nicht kan geben/ auff das vnſer hertzen an deinen gebotten hangen/ vñ wir vnſer zeyt durch deinen ſchutz für feynden ſtille vñ ſicher leben. Vmb Jeſus Chriſtus vnſers Herren willen.

Jobſt Gutknecht.

394

Luther die gottesdienstliche Verwendung seiner Liedschöpfungen noch nicht im Auge hatte. Luther benützt das Muster des »Zeitliedes«, des später so genannten historischen Volksliedes, eine der anspruchlosesten literarischen Gattungen der Zeit (Hahn). Auf eine meist allgemein gehaltene Eingangsstrophe, die höchstens das Thema des Liedes noch nennt (hier: *Ein neues Lied wir heben an / – das walt Gott, unser Herre –, / zu singen, was Gott hat getan / zu seinem Lob und Ehre ...*), folgt eine ausführliche Schilderung des Ereignisses, häufig abgeschlossen mit einem ermahnenden Schlußreim oder einem Wunsch (hier: *Der Sommer ist hart vor der Tür, / der Winter ist vergangen; / die zarten Blümlein gehn herfür. / Der das hat angefangen, / der wird es auch vollenden.*). Die Melodie wird allgemein Luther zugeschrieben.
Luther wollte mit diesem allbekannten publizistischen Mittel auf seine Zeitgenossen einwirken. Mit scharfem Blick erkannte er in dem Brüsseler Ereignis einen höchst geeigneten Anlaß für ein Zeitlied und damit eine glänzende Gelegenheit zu reformatorischer Propaganda. Mehr wollte er nicht. Aber was dabei entstand, zeugt von hohem poetischem Geschick, das dem Autor selbst jedoch kaum bewußt war.

Benzing, Nr. 3646. Hahn, S. 106-109. M. J.

393 Zu Ostern 1524 verfaßte Luther zwei neue Gemeindelieder, die sofort als Einzeldrucke verbreitet wurden.

Martin Luther, ›Ain lobgesang auff das Osterfest‹ [und] ›Der lobesang Christ ist erstanden, g[ebessert]‹
Einblattdruck. Augsburg: Heinrich Steiner 1524
München, Bayerische Staatsbibliothek, 4 Mus. Pr. 45 009

Von den frühen Wittenberger Urdrucken der Lieder Luthers und seiner Gesinnungsgenossen ist nicht ein einziges Exemplar erhalten geblieben. Daß es sie gegeben haben muß, geht mit aller Eindeutigkeit aus den Nachdrucken hervor, die ihre Vorlage z. T. sehr genau nachgeahmt haben, aber auf Grund der verwendeten Typen als solche erkannt worden sind.
Dieser Fall liegt auch hier vor. Dieser Druck sollte nachher in zwei kleinere Blätter auseinandergeschnitten werden. Er hat aber (als Makulatur, nachdem die Lieder durch umfangreichere Publikationen verbreitet waren?) als Deckblatt im Innern eines Buches Verwendung gefunden, das später in die Bayerische Staatsbibliothek gelangte. Dort wurde das Blatt vor einem guten Jahrzehnt entdeckt.
Das Lied links weist eindeutig die Form der Leise auf. Ein mittelalterliches Vorbild konnte bisher nicht gefunden werden, doch hat Luther wahrscheinlich auch hier eine aus der mittelalterlichen Tradition stammende Strophe mitsamt der Melodie übernommen und die zwei weiteren Strophen hinzugedichtet, wie er es wenige Monate zuvor mit der Weihnachtsleise *Gelobet seist du, Jesu Christ* gemacht hatte.
Anders liegt der Fall bei dem Osterlied rechts: Hier ist Luther von der bekannten und von ihm hochgeschätzten Osterleise *Christ ist erstanden* ausgegangen, die im Text und in der Melodie mehrfach anklingt. Daneben hat er auch die Ostersequenz *Victimae paschali laudes,* zu welcher die Leise gehört, mit herangezogen (besonders deutlich in der 4. Strophe). Aus diesen Anklängen hat Luther ein völlig neues Lied geschaffen, das geeignet war, an die Stelle der mittelalterlichen Leise zu treten. (1529 hat er sie dann allerdings neben diesem seinem Lied in sein Gesangbuch aufgenommen).
Die Melodie stammt ohne Zweifel von Luther. Johann Walter hat sie schon 1524 in ihrer etwas ungelenken zweiten Hälfte überarbeitet, und Luther hat ihm recht gegeben.
Das zweite Liedblatt hat bei der sekundären Verwendung die Schlußstrophe und am rechten Rand etwa 2 cm der beiden Notenzeilen und des Textes eingebüßt.

DKL, Nr. 1524[19] und [20]. G. Hahn, Ein bisher nicht bekannter Druck mit Luthers Osterliedern. In: JLH 17, 1973, S. 213-216. M. J.

394 Luther führt den 1520/21 von Karlstadt abgeschafften liturgischen Brauch des Litaneisingens 1529 angesichts der Türkengefahr wieder ein; damit im Zusammenhang steht seine Friedensbittstrophe.

[Martin Luther], ›Teütsche Letaney, umb alles anligen der Cristenlichen gemayn‹
Nürnberg: Jobst Gutknecht 1529 (?)
12°. 8 Bll. Einzeldruck der Litanei mit angefügtem »Verleih uns Frieden gnädiglich«.
Aufgeschlagen: Die beiden letzten Seiten mit Schluß der Litanei, Liedstrophe, Gebet, Druckervermerk
Basel, Universitätsbibliothek, F k V_{32}

Die Kriegszüge der Türken rücken dem Reich immer näher. 1529 kommt es sogar zur Belagerung von Wien. 1528 beginnt Luther seine Schrift ›Vom Krieg wider die Türken‹; sie erscheint im Frühjahr 1529. In ihr empfiehlt Luther ausdrücklich das Singen oder Lesen der Litanei, insbesondere durch die Jugend. Am 13. März sendet er einen Wittenberger Einzeldruck mit seiner deutschen Bearbeitung der Litanei an seinen Freund Nikolaus Hausmann in Zwikkau. Bald darauf erscheint sie in überarbeiteter Fassung auch im Wittenberger Gemeindegesangbuch von 1529. Die Ausführung geschah so, daß die Schüler sich in zwei Chöre teilten, deren erster die einzelnen Bitten sang, während der zweite die Antworten der Gemeinde anführte. Luther hat also nicht nur den Liedgesang, sondern auch andere Formen des liturgischen Singens gefördert. Das Besondere an dem hier gezeigten und erst 1965 entdeckten Nürnberger Litanei-Druck ist, daß die Liedstrophe *Verleih uns Frieden gnädiglich* angefügt ist, die ohne Zweifel von der Gemeinde gesungen werden soll. Sie gibt der Litanei erst die Ausrichtung auf die weltpolitische Lage. Und dieser Zusammenhang sagt uns auch Wesentliches für das Verständnis der Liedstrophe. Als Melodie dafür wählte Luther die des ambrosianischen Hymnus *Veni redemptor gentium,* die er in freier Weise auch 1543 für das Kinderlied *Erhalt uns, Herr, bei deinem Wort, / und steur des Papsts und Türken Mord* verwendete, als die Türkengefahr nochmals akut wurde (vgl. Kat. Nr. 399).

WA 30 III, S. 1-42 und Revisionsnachtrag. – DKL, Nr. 1529[05]. – M. Jenny, »Verleih uns Frieden gnädiglich«. In: Basler Nachrichten. Sonntagsblatt vom 5. November 1967, S. 23. – Ch. Mahrenholz, Zur musikalischen Gestaltung von Luthers deutscher Litanei. In: Luther-Jb. 1937, S. 1-31 (Wiederabdruck in: Ch. Mahrenholz, Musicologica et Liturgica, 1960, S. 169-195). M. J.

395 Teils vor, teils nach seinen beiden Katechismus-Erklärungen schrieb Luther zu den einzelnen Katechismus-Stücken auch Lieder; deren bekanntestes ist die gereimte Paraphrase des Vaterunser.

Martin Luther, ›Das Vater unser, Kurtz Außgelegt, unnd in gesangweiß gebracht. Durch Doctor M. Luther. [Ziertype] Unnd mag gesungen werden, wie der Hymnus vom Nachtmal: Wir dancksagen dir Herr Gott der eeren. Oder, Wie der Zehend Psalm, in dem Ton, Pange lingua.‹
Augsburg: Melchior Krießstein 1539 oder 1540
8°. 4 Bll. Einzeldruck des Lutherliedes »Vater unser im Himmelreich« mit einem dreistimmigen Satz von Hans Kugelmann
München, Bayerische Staatsbibliothek, Liturg. 1531/16

Schon 1524 hat Luther die Zehn Gebote in einem 12strophigen Lied knapp erläutert und in einem 5strophigen noch kürzer zusammengefaßt. Auch eine Credo-Paraphrase findet sich bereits unter den ersten 24 Liedern. Von der gereimten Vaterunser-Erläuterung hat Carl von Winterfeld 1840 Luthers ursprüngliche Niederschrift mitsamt einer von diesem selbst notierten Melodie (die er allerdings dann wieder durchgestrichen hat) in Lichtdruck wiedergegeben, leider ohne ihren Fundort zu nennen. Gedruckt finden wir das Lied erstmals in dem unmittelbar nach Einführung der Reformation in Leipzig 1539 gedruckten Schumann'schen Gesangbuch, das höchstwahrscheinlich aus einer kurz zuvor erschienenen, aber heute verschollenen Auflage des Wittenberger Gesangbuchs schöpft. Der vorliegende Augsburger Nachdruck geht offenbar auf den Wittenberger Urdruck zurück, allerdings nicht in der Tonangabe, die auf Augsburger Lokaltradition verweist. Der Druck enthält das Lied mit Luthers Melodie in einem dreistimmigen Satz, der mit demjenigen in den ›Concentus novi‹ des Königsberger Hofkomponisten, Hofkapellmeisters und Trompeters Hans Kugelmann (gest. 1542), Augsburg 1540, identisch ist. Da ein Einzeldruck dieses Satzes nach Erscheinen der Sammlung kaum veranstaltet worden ist, muß dieser 1539 oder 1540 erschienen sein.

DKL, Nr. 1539[05], 1540[05]. – C. v. Winterfeld, Dr. Martin Luthers deutsche Geistliche Lieder, 1840. – Ch. Mahrenholz, Auswahl und Einordnung der Katechismuslieder in den Wittenberger Gesangbüchern seit 1529. In: Gestalt und Glaube, Festschr. für O. Söhngen, 1960, S. 123-132 und 237 f. – M. Jenny, Die beiden Weisen zu Luthers Vaterunser-Lied. In: JLH 6, 1961, S. 115-118. – G. Schuhmacher, Aspekte der Choralbearbeitung in der Geschichte des Liedes »Vater unser im Himmelreich«. In: Sagittarius 4, 1973, S. 111-136. M. J.

396 Als letztes großes Lied schrieb Luther 1541 sein Tauflied und machte damit den Zyklus seiner Katechismus-Lieder vollständig.

Martin Luther, ›Ein geystlich lied, Von unser heyligen Tauf, darin fein kurtz gefasset, Was sie sey, Wer sie gestifftet habe, Was sie nutze, etc.‹
Regensburg: Hans Khol nach 1541
12°. 4 Bll. Nachdruck des Wittenberger Urdrucks von Luthers »Christ, unser Herr, zum Jordan kam«, mit der Melodie Luthers
München, Bayerische Staatsbibliothek, Res. Liturg. 1351/15

Daß es sich hier weniger um ein liturgisches und mehr um ein Lehrlied handelt, läßt schon allein der Titel erkennen. Luther hat damit den Liedern zu den Zehn Geboten und zum Glaubensbekenntnis samt den beiden Abendmahlsliedern von 1524 sowie dem Vaterunser-Lied aus den späteren dreißiger Jahren (Kat. Nr. 394) noch eines zum Katechismus-Stück »von der Taufe« beigefügt. Zu einem vollständigen Liedkatechismus würde nun bloß noch ein ausdrückliches Lied von der Beichte fehlen. Der Erstdruck von 1541 ist durch einen späteren Nachdruck bezeugt, aber auch in diesem Fall nicht erhalten, wohl aber eine ganze Reihe früher Nachdrucke wie der vorliegende.
Luther hat für dieses Lied das Strophenmaß und die Melodie seines Psalmliedes *Es woll uns Gott genädig sein* (siehe Kat. Nr. 402) verwendet. Nachdem sich dort die Greiter'sche Melodie durchgesetzt hatte, war Luthers eigene Weise »herrenlos«. Nun erhielt sie ihren festen Ort. Seit 1543 steht das Lied im Wittenberger Gesangbuch.

DKL, Nr. 1542[06]. – H.-J. Laubach, Luthers Tauflied. In: JLH 16, 1972, S. 134-154. – Hahn, S. 147-162. M. J.

397 Luther gab noch drei Jahre vor seinem Tode ein von ihm neugeschaffenes Lied anonym in Druck.

Martin Luther, ›Vom Himmel kam der Engel Schar‹, wohl 1542
Eigenhändig, Orig. Papier, 17 × 22 cm. 2 Bll. Für den Druck bestimmte Originalhandschrift
Wien, Österreichische Nationalbibliothek, Autogr. 13/43-1

397

Durchaus zu Unrecht ist dieses Weihnachtslied Luthers weniger bekannt als »Vom Himmel hoch, da komm ich her« (Kat. Nr. 409, 426 b), ist es doch »eines seiner kraftvollsten und in knapper Schönheit vollendetsten Lieder« (Lucke). Es taucht im Druck erstmals im Wittenberger Gemeindegesangbuch von 1543 auf, woraus man schließt, es möchte auf Weihnachten 1542 entstanden sein. Am 20. September jenes Jahres war Luthers zweites Kind, Magdalena, nach mehrwöchiger Krankheit gestorben. Da Luther dieses neue Weihnachtslied mit den beiden gleichen Worten »Vom Himmel« anheben läßt wie das Kinder-Weihnachtslied von 1534 und es sich um ein ausgesprochenes Trostlied handelt, hat man daran gedacht, es habe in erster Linie in Luthers Familie jenes Spiellied ersetzen sollen (Schlißke).

Die mit nur zwei kleinen Korrekturen in der letzten Strophe zügig hingeworfene Niederschrift des Liedes bringt in den unteren beiden Dritteln der zweiten Seite zwei wichtige Angaben, zunächst die Anweisung, wie der Text zu singen ist. Für den Gebrauch im Gottesdienst (*in Ecc*[lesi]*a*) werden zwei Melodien angegeben: Die Hymnenweise »A solis ortus [cardine]«, die Luther für seine Uebertragung dieses Textes (*Christum wir sollen loben schon*) zu einer Gemeindemelodie umgearbeitet hatte, und die Melodie des Kinder-Weihnachtsliedes »Vom Himmel hoch, da komm ich her«. Für die Kinder hingegen (*Sed pro pueris sit in tono* ...) verweist Luther den Text auf die Melodie der Weihnachts-Cantio »Puer natus in Bethlehem«. Daß er in erster Linie an diese Melodie dachte, für die pro Strophe nur zwei Textzeilen benötigt werden, zeigt sich an der ganz einfachen Syntax des Textes, die nie über mehr als zwei Zeilen hin reicht und damit kindlichem Auffassungsvermögen ebenso angepaßt ist wie das frühere Kinder-Weihnachtslied. Für den Gebrauch mit dieser Melodie ist auch das Wiederholungszeichen über der jeweils drittletzten Silbe (ij = idem) und das nach jeder zweiten Zeile angefügte *Alle*[luja] bestimmt. Wohl erst nachträglich hat der Autor dann mit den Akkoladeklammern am linken Rand je vier Zeilen zu einer Strophe zusammengefaßt, um das Lied auf die beiden erstgenannten Melodien singbar zu machen. Für den Drucker sind die letzten drei Zeilen bestimmt: *Sed sine nomine meo excudatur und heist: Ein Lied auff den Christ Tag.* Damit ist der Titel angegeben und der Drucker zugleich angewiesen, das Lied ohne Autornamen erscheinen zu lassen. Luther strebt nicht nach Dichterruhm. Er will diese sehr persönliche seelsorgerliche Aeußerung, wenn er sie schon zum Dienst an anderen weitergibt, mit dem Schutzmantel der Anonymität umgeben. Beim Abdruck im Gesangbuch von 1543 wird dann der Name des Dichters doch verraten. Das Stück gibt ihn mit Form und Inhalt ja ohnehin sehr vernehmlich preis.

WA 35, S. 264-266 (mit Faksimile S. 636 f.). – O. Schlißke, Handbuch der Lutherlieder, 1948, S. 318. – M. Jenny: Luther, Zwingli, Calvin in ihren Liedern, 1983 (in Vorbereitung). M. J.

398 Luthers Lieder wurden in Kleinlieddrucken auch zusammen mit solchen anderer Dichter, die seiner Anregung folgten, verbreitet.

›Das Vatter vnser in gesangs weyß gestellet vnnd kurtz außgelegt. Ein Ander geystlich Lied, Ich ruff zu dir Herr Jhesu Christ ...‹
Nürnberg: Ludwig Ringel 1. April 1545
8°. 4 Bll.
Berlin, Staatsbibliothek Preußischer Kulturbesitz, Yp 8296/8

Waren die kleinen Drucke mit einem oder zwei Liedern zunächst die Form, in der diese Lieder überhaupt bekannt gemacht wurden, so diente diese Art der Veröffentlichung auch später, nachdem die betreffenden Lieder in einzelne Gesangbücher aufgenommen waren, zur Ergänzung älterer Sammlungen und für bestimmte praktische Zwecke. So dürfte dieser Nürnberger Zweiliederdruck im Blick auf den Katechismus-Unterricht entstanden sein, wobei das Lied Johann Agricolas möglicherweise die Rolle des bei Luther fehlenden Liedes zum Katechismus-Stück »Von der Beichte« haben könnte. In diese Richtung weist auch die Titelillustration, Johannes den Täufer als Bußprediger darstellend (Beischrift: *Esaie. am 40. capitel. Ich bin ein ruffende stim, jn der wůsten, richtet den Weg des Herren, wie der prophet Esaias gesagt hat. Jo. 1.*).
Die Verfasserschaft von Agricolas Lied war bis in die jüngste Zeit umstritten, obwohl die älteste erhaltene Quelle, ein in Hagenau um 1526/27 gedrucktes Liedblatt, ausdrücklich *Jon̄ Eyßleben des Hertzoch Hans von saschen* (!) *pridiger* als Autor nennt. Luther hat es zunächst (ohne den Verfasser zu nennen) in sein Gesangbuch aufgenommen, es aber später daraus entfernt, als er sich mit Agricola, seinem ehemaligen Schüler, theologisch überworfen hatte. Daß es sich dennoch als reformatorisches Kernlied bis heute durchsetzte, spricht für seinen hohen Wert. Daß Agricola Luther sehr nahe steht, spürte auch der Herausgeber, der die beiden Gebetslieder zu dem hier vorliegenden Zweiliederdruck zusammenfügte.

Benzing, Nr. 3665. – Kulp-Büchner-Fornaçon, S. 381 f. – DKL, Nr. 1527[01]. M. J.

399 Mit einem seiner späten Lieder begab Luther sich auf das in seinem dichterischen Werk nur ganz am Anfang betretene Gebiet der konfessionellen Polemik zurück, fügte ihm jedoch ein Zeugnis ökumenischer Gesinnung ein.

Sebald Heyden, ›Der lxxx. Psalm zu singen und zu betten für die Christliche Kirchen, wider alle Widerchristen, vnnd verfolger des gőttlichen worts, inn gesangs weyß gestelt, durch Sebald Heyden. Item ein Christliches Bittlied, in der verfolgung, vmb gnedige rettung wider die Gotlosen feynd Christi, vnnd seines worts. ...‹ –
Nürnberg: Johann vom Berg und Ulrich Neuber um 1546
8°. 8 Bll. Aufgeschlagen: Das am Schluß angehängte Lutherlied »Erhalt uns, Herr, bei deinem Wort«
Nürnberg, Germanisches Nationalmuseum, 8° M. 351 Postinc.

Der Rektor der Nürnberger Lateinschule zu St. Sebald, Sebald Heyden (1494-1561), ist heute noch in den Gesangbüchern vertreten durch die beiden Rahmenstrophen seiner Lied-Passion »O Mensch, bewein dein Sünde groß«. In dem hier vorliegenden Fünfliederdruck veröffentlicht er in der Zeit der erneuten Türkengefahr drei Psalmlieder, darunter eines über den 46. Psalm, der auch dem berühmten Liede Luthers aus der Zeit der ersten Türkengefahr um 1528, »Ein feste Burg ist unser Gott« (Kat. Nr. 427), zugrundeliegt (links ist der Schluß davon sichtbar). Diesem Druck wurde eines der neuesten Lieder Luthers angefügt, das offenbar in Nürnberg noch nicht allgemein bekannt war und das zudem inhaltlich in gleiche Richtung ging wie die Heyden'schen Psalmlieder: Angesichts der herannahenden Türkenheere läßt Luther 1543 die Kinder beten: *Erhalt uns, Herr, bei deinem Wort, / und steur des Papsts und Türken Mord, / die Jesus Christus, deinen Sohn, / möchten stürzen von deinem Thron.* Daß er damit eine Flut von gesungener konfessioneller Gehässigkeit auslöste, konnte er nicht ahnen. Bei Leisentrit (Kat. Nr. 418) wird auf die Melodie Luthers gesungen werden: *Bei deiner Kirch erhalt uns, Herr, / behüt uns vor allr Sekten Lehr.«* Und im innerevangelischen Streit wird es dann bald heißen: *Erhalt uns, Herr, bei deinem Wort / und steur der Calvinisten Mord.* Die Gesangbuch-Fassung *und steure deiner Feinde Mord* scheint von dem ersten großen evangelischen Ökumeniker Zinzendorf zu stammen. Immerhin fand Luther selbst in der dritten Strophe einen Ton, der in einem ökumenischen Sinn verstanden werden kann, wenn er die Bitte formulierte: *Gib deim Volk einrlei Sinn auf Erd.*

DKL, Nr. 1546[03]. – Kulp-Büchner-Fornaçon, S. 97 f. M. J.

400 Die geistlichen Lieder Luthers und seiner Mitstreiter wurden sofort zu begehrten Objekten des Buchdrucks und des Buchhandels.

›Etlich cristlich lider, Lobgesang und Psalm, dem rainen wort Gottes gemeß, auß der heyligen schrifft, durch mancherley hochgelerter gemacht, in der Kirchen zů singen, wie es dann zum tayl bereit zů Wittenberg in ůbung ist. wittenberg. M. D. Xiiij. [!]‹
Nürnberg: Jobst Gutknecht 1524
8°. 12 Bll. Aufgeschlagen: Schluß des Lutherliedes »Nun freut euch, lieben Christen gmein« und Anfang des Glaubensliedes von Paulus Speratus mit biblischen Belegstellen
Wolfenbüttel, Herzog August Bibliothek, 127.20 Theol./11

Der Nürnberger Drucker Jobst Gutknecht kam offenbar als erster auf den Gedanken, Einzeldrucke von Liedern Luthers und seiner Freunde zu einer Flugschrift zusammenzufassen und sie in dieser beliebten Form zur Verbreitung reformatorischer Ideen zu verwenden. In dem hier vorliegenden Heft stehen acht Lieder, vier von Luther, drei von Paulus Speratus und ein anonymes. Der Abdruck von Luthers *Nun freut euch, lieben Christen gmein* beruht offensichtlich auf dem Augsburger Einzelblattdruck dieses Liedes (Kat. Nr. 391). Im gleichen Jahr druckte Gutknecht noch zwei Auflagen dieses Liederheftes; eine weitere erschien, ebenfalls 1524, in Augsburg. Für den gottesdienstlichen Gebrauch waren diese Drucke nicht bestimmt; sie sind deshalb höchstens als Vorstufen auf dem Weg zum Gesangbuch anzusehen, eigentlich nicht einmal als dies. Schon die Tatsache, daß zu den drei Liedern des Paulus Speratus die insgesamt fünf Seiten umfassenden Nachweise der zugrundeliegenden Bibelstellen mitabgedruckt sind, zeigt das primär theologische Interesse, dem diese Drucke dienen wollten. Es sind denn auch davon wesentlich mehr Exemplare erhalten geblieben als von den frühen Gesangbuchdrucken.

DKL, Nr. 1524[12]. – K. Ameln, Das Achtliederbuch vom Jahre 1523/24. In: JLH 2, 1956, S. 89-91. M. J.

401 Die ersten gesangbuch-ähnlichen Drucke erschienen 1524 in Erfurt, nicht unter Luthers unmittelbarem Einfluß.

›Eyn Enchiridion oder Handbůchlein. eynem ytzlichen Christen fast nutzlich bay sich zuhaben, zur stetter ubung und trachtung geystlicher gesenge und Psalmen, Rechtschaffen und kunstlich verteutscht. M. CCCCC. XXiiij.‹
Erfurt: Johannes Loersfeld 1524
Goslar, Marktkirchenbibliothek, 513

Noch mehr Lieder als der Nürnberger Drucker Jobst Gutknecht hatte der Erfurter Drucker Johannes Loersfeld zusammengebracht, der ebenfalls 1524 ein Büchlein mit 25 Liedern, darunter 18 von Luther (ohne Nennung dieses Namens), drukken konnte. Wahrscheinlich hat ihm ein Theologe dabei geholfen, der auch das Vorwort beisteuerte. Darin wird mit scharfen Worten gegen die bisherige liturgische Musik protestiert. Die kirchlichen Chorsänger werden *des teuffels Corales* genannt, die *nach artt der Priester Baal mit undeutlichem geschrey gebrullt haben, und noch yn Stifft kirchen und klostern brullen, wie die Walt esel zu eynem tauben Gott* (1Kön 18). Damit *furtan das Bynen geschwurm in den tempeln eyn Ende neme* habe man diese in der heiligen Schrift gegründeten Lieder zusammengetragen. Auch sollte man sie *zur steter ubung* bei sich tragen können, vor allem aber in der Unterweisung der Jugend verwenden. Bereits werde auch *Christlicher ordnung nach, an vill ŏrdern ordentlich furgenommen, deutsche Geystliche gesenge und psalmen* [im Gottesdienst] *zu syngen.*
Luther selbst hat auch hier die Hand nicht im Spiel gehabt. Auch wenn diese Sammlung eher als die viel kleinere Gutknechts im Blick auf den Gottesdienst zusammengestellt und gedruckt wurde, so fehlt ihr doch noch vieles, was ein Kirchengesangbuch ausmacht. Vor allem sucht man darin vergeblich irgend ein Prinzip der Anordnung. Die Lieder sind vielmehr offensichtlich einfach so aneinandergereiht, wie sie dem Drucker in die Hand kamen. Das zeigt am besten das aufgeschlagene Register, welches den Inhalt des Büchleins der Reihe nach aufzählt und dazu bald die Überschrift, bald den Liedanfang zitiert: Nach dem Zehn Gebote-Lied Luthers folgen fünf zentrale reformatorische Glaubenslieder, aber das Apostolicum in Prosa (Der glaub) und das Christuslied der Elisabeth von Meseritz (*Eyn Lobsanck von Christo* [vgl. Kat. Nr. 425 a]) folgen erst nach einem Abendmahls- und einem Weihnachtslied, und danach folgt nochmals ein Abendmahlslied (Das Lied *S. Johannis Hus gebessert*). Nach den Psalmliedern, die in eine Gruppe zusammengefaßt sind und nach der Vulgata gezählt werden, aber nicht in numerischer Folge angeordnet sind, folgen weitere Lieder zum Kirchenjahr, doch in der merkwürdigen Abfolge: Ostern, Ostern, Advent, Pfingsten, Weihnachten, Pfingsten. Den Schluß macht das anonyme Lied, das auch im Nürnberger Acht-Lieder-Blatt (Kat. Nr. 400) am Schluß steht, davor Luthers Märtyrer-Lied (Kat. Nr. 392). Unter dem Register steht der Drucker-Vermerk.
Loersfeld hatte mit dem Büchlein offensichtlich Erfolg: Noch 1524 wurde eine zweite Auflage nötig, und in einem Ergänzungsdruck vom folgenden Jahr brachte er Luthers Vorrede zum Wittenberger Chorgesangbuch und fünf der sechs noch fehlenden Lutherlieder, dazu eine Neuauflage der ganzen Sammlung, 1526 zwei weitere und 1527 eine letzte heraus.
Und schon 1524 druckte ein zweiter Erfurter Drucker, Matthes Maler, das Loersfeld'sche ›Enchiridion‹ nach und konnte seinerseits davon 1525 eine erweiterte Neuauflage und 1527 eine weitere herausbringen. 1525 schaltet sich ein dritter Erfurter Drucker, Wolfgang Stürmer, in das Geschäft ein, und gleichzeitig wird die Sammlung auch in Straßburg und Nürnberg, 1526 dann auch in Breslau und 1528 in Zwickau nachgedruckt. Aber erst 1529, mit dem Wittenberger Gemeindegesangbuch Luthers, erscheint erstmals auf deutschem Boden ein Gesangbuch, das nach heutigen Begriffen diesen Namen verdient (s. Kat. Nr. 409).

DKL, Nr. 1524[03], 1524[04], 1524[05], 1525[05], 1525[06], 1525[07], 1525[08], 1525[09], 1525[10], 1526[01], 1526[02], 1526[03], 1527[03], 1527[04], 1528[04]. – Birkner, S. 118-123. – G. Birkner, Die beiden ältesten evangelischen Gesangbuch-Drucke Schlesiens 1525 und 1525/26. In: Archiv für schlesische Kirchengeschichte 26, 1968, S. 141-152. M. J.

402 Luther muß als »Erfinder« einer völlig neuen Liedgattung, des Psalmliedes, gelten.

Martin Luther, ›Ein weyse Christlich Meß zuhalten und zum tisch Gottis zu gehen. Martinus Luther. Wyttemberg. M. D. xxiiij.‹
Wittenberg: ohne Druckerangabe 1524
4°. 20 Bll. Deutsche Übersetzung von Luthers erster Schrift zur Liturgiereform mit dem ältesten erhaltenen Abdruck eines Lutherliedes
Nürnberg, Germanisches Nationalmuseum, 8° Rl. 2749 Postinc.

Gegen Ende des Jahres 1523 erscheint Luthers lateinische Schrift zur Liturgiereform ›Formula missae et communionis‹. Schon in den ersten Januartagen des folgenden Jahres ließ der damals in Wittenberg weilende Paulus Speratus die deutsche Übersetzung dieser wichtigen Schrift erscheinen, in deren zweiter Auflage hinten zwei deutsche Lieder angefügt sind: Luthers Bereimung des 67. Psalms und eine breite Paraphrase zum 117. Psalm von Johann Agricola.
Luther hatte in dieser Schrift sein Bestreben kundgetan, deutsche Gemeindegesänge in den Gottesdienst einzuführen, und gab wenig später an eine ganze Reihe von Freunden die Anregung weiter, sie möchten doch bestimmte Psalmen (in erster Linie die sieben Bußpsalmen) in die Liedform übertragen. Als Muster legte er seine Reimübertragung des 130. Psalms bei, die damals wahrscheinlich bereits im Druck vorlag. Das Psalmlied des Agricola dürfte eine Frucht dieser Bemühungen Luthers sein. Dieses wie auch Luthers hier vorliegendes Lied sind ganz offensichtlich mit der Absicht auf liturgische Verwendung geschrieben, was man von vier anderen, sehr wahrscheinlich vorher entstandenen Psalmliedern Luthers nicht sagen kann. Auf jeden Fall ist um die Wende 1523/24 der Typus des Psalmliedes geschaffen. Jener Brief Luthers an seine Freunde (erhalten in der Fassung, die an Georg Spalatin ging) zeigt mit aller wünschenswerten Deutlichkeit, daß Luther der Begründer dieser bis zum heutigen Tage so reich gepflegten Liedgattung der Psalmparaphrase ist.

Benzing, Nr. 1703. – WA BR 3, S. 220 (Nr. 698). – M. Jenny, Das Psalmlied – eine Erfindung Martin Luthers? In: IAH-Bulletin 5, 1977, S. 34 f. M. J.

403 Straßburg ist der erste Ort, an dem Luthers Anstoß zur Schaffung von Psalmliedern schöpferisch aufgenommen wurde.

›Teütsch Kirchen ampt, mit Lobgesengen und gỏtlichen psalmen, wie es die gemein zů Straßburg singt und halt, gantz Christlich‹
Straßburg: Wolfgang Köpfel 1524
Kl.-8°. 12 Bll. Ältester erhaltener liturgisch-musikalischer Druck der Straßburger Reformation
Kopenhagen, Det kongelige Bibliotek

Diese erste Frucht der reformatorischen Liturgiereform in der Reichsstadt Straßburg zeigt noch im »Liederjahr« der deutschen Reformation die ersten Auswirkungen der schöpferischen Tat Luthers. Neben drei Psalmliedern Luthers, die von den Straßburger Musikern mit eigenen Melodien versehen werden, taucht auch schon ein neues Psalmlied (Ps. 13) auf, als dessen Text- und Melodieschöpfer sich in späteren Ausgaben der Münsterkantor Matthäus Greiter (1490-1550) zu erkennen gibt.
Bereits im nächsten Jahr erscheinen in einem der Straßburger Liturgiedrucke die Bereimungen der ersten acht Psalmen von Ludwig Oeler (s. Kat. Nr. 406).
Die Titeleinfassung des vorliegenden Druckes besteht aus vier Stücken, die hier nicht richtig zusammengefügt sind: Die Leiste rechts mit der Taufe Jesu gehört nach links. In der oberen Leiste streckt nämlich Gott Vater seine Hand nach dieser Seite aus und sendet den Heiligen Geist aus mit dem Wort *Den höret* (Matth. 17,5). Das Gegenstück mit dem lehrenden Christus und der Schrifttafel *Glaubet dem Evangelio* (Mark. 1, 15) gehört auf die rechte Seite. Zu diesen drei Teilen gehört eine untere Leiste, die in den beiden Ecken als Gegenstück zur oberen Leiste mit den Evangelistensymbolen für Lukas (links) und Markus (rechts) die Symbole für Johannes und Matthäus bringt, dazwischen das Druckerzeichen Wolfgang Köpfels, den Eckstein. Weil auf unserem Titelblatt das Druckerzeichen bereits den Raum unter dem Titelwortlaut füllt, ist als untere Leiste die aus einem anderen Titelrahmen von gleichem Format gewählt, der deutlicher reformatorisch-polemischen Charakter trägt und unten die erneuerte Christusgemeinde der Papstkirche (ROMA) gegenüberstellt mit dem für Luther zentralen Pauluswort *Der gerecht uß dem glouben lebt* (Röm. 1, 17).

DKL, Nr. 1524[15]. – Birkner, S. 131-139. M. J.

404 Wahrscheinlich schon 1525 übertrug auch Zwingli in Zürich einen Psalm in ein deutsches Lied.

›Ein gmein gsangbůchle von vil vor und yetz nüwgedichten Psalmen, Hymnen und geistlichen Liedern, zůsamen gestellt durch etlich Gottsgeleerte mȧnner, zů dienst auch brauch unnd ůbung jnen unnd allen Christenlichen gmeinden. Mit einer kurtzen vorred Am[brosii] B[laurer].‹
Zürich: Christoph Froschauer um 1552
12°. (4) 346 (12) Seiten. Aufgeschlagen: Zwinglis Bereimung des 69. Psalms
Zürich, Zentralbibliothek, Zwingli 2003

Dieses Psalmlied Zwinglis findet sich hier zum ersten Mal gedruckt, weshalb immer wieder Zweifel an seiner Echtheit geäußert wurden. Seitdem aber wahrscheinlich gemacht werden konnte, daß der Konstanzer Buchhändler und Mitarbeiter Froschauers in Zürich, der auch mit Zwingli befreundet gewesene Gregor Mangolt, die Schweizer Ausgaben des Konstanzer Gesangbuches nach 1548 betreute (von denen dies die zweite sein muß), ist die Namensangabe über diesem Lied ein denkbar zuverlässiges Zeugnis.
Mehr Probleme stellt die Frage nach der Datierung. Es ist unwahrscheinlich, daß Zwingli ohne Luthers Anregung auf den Gedanken kam, einen Psalm poetisch weiterzuverarbeiten. Nachdem Zwingli in der Disputation von 1523 den überlieferten Kirchengesang mit aller Schärfe abgelehnt hatte, hat er das neue evangelische Gemeindelied, wie es die Straßburger seit 1524 kannten, als Möglichkeit immerhin anerkannt und sich in der Einleitung zu seinem neuen Abendmahlsformular vor Ostern 1525 auch öffentlich entsprechend vernehmen lassen: »Damit möchten wir aber weitere gottesdienstliche Bräuche anderer Kirchen, die dort vielleicht am Platze und der Andacht zuträglich sind, so den Gemeindegesang und anderes, keineswegs etwa verworfen haben.« Es ist somit sicher, daß Zwingli die neuen Psalmlieder Luthers und der Straßburger (s. Kat. Nr. 403) mindestens vom Hörensagen kannte, aber ebenso sicher, daß er seine Reimübertragung des 69. Psalms nicht als Gemeindelied geschaffen hat; das wäre auch vom Inhalt her kaum denkbar. Zudem ist die Liedform, die Zwingli hier verwandte, die der sogenannten Hofweise, eine solistische und in keiner Weise volkstümliche Form. Wir müssen deshalb annehmen, daß Zwingli dieses Psamlied genau wie das viel bekanntere Pestlied als Ausdruck und Mittel der Bewältigung seiner inneren und äußeren Lage in den reformatorischen Kämpfen schuf, ähnlich wie wir das bei Luther für die Entstehung der ersten Lieder, wohl auch der ersten Psalmlieder, annehmen müssen. Dann kommt für die Entstehung in erster Linie das von harten Auseinandersetzungen mit der altkirchlichen Partei wie mit den Täufern erfüllte Jahr 1525 in Frage.
Daß auch die Melodie von Zwingli stammt, ist nach allem, was wir von Zeitgenossen über seine liedschöpferische Tätigkeit wissen, klar, übrigens auch von der gewählten Liedgattung her selbstverständlich. Von dem zugehörigen vierstimmigen Satz hat sich in einer Abschrift von etwa 1574 wenigstens der Alt erhalten, sodaß eine ungefähre Rekonstruktion desselben möglich ist.
Ueber die Schweiz hinaus hat sich dieses sieben lange Strophen umfassende Lied damals nicht verbreitet, und auch in seinem Ursprungsland ist es seit dem 17. Jahrhundert aus den Gesangbüchern verschwunden. Es bleibt wertvoll als ein merkwürdiges und sinnenfälliges Zeugnis für die Verbindung zwischen den beiden gerade in Bezug auf das kirchliche Singen sonst so unterschiedlich eingestellten Reformatoren von Wittenberg und Zürich.

DKL, Nr. 1552[02]. – M. Jenny, Zwinglis Stellung zur Musik im Gottesdienst, 1966. – Ders., Die Lieder Zwinglis. In: JLH 14, 1970, S. 63-102.
M. J.

403

405 Durch Luther angeregt begannen auch andere Dichter, Psalmen für den persönlichen oder gottesdienstlichen Gebrauch zu Strophenliedern umzuformen. Nach den Straßburgern (seit 1524) ist vor allem der Nürnberger Schuhmacher-Poet Hans Sachs (1526) zu nennen.

Hans Sachs, ›Dreytzehen Psalmen zusingen, in den vier hernach genotirten thönen in welchem man wil Oder in dem thon, Nun freut euch lieben Christen gmein, einem Christen in widerwertigkait seer tröstlich‹
Nürnberg: Jobst Gutknecht 1526
8°. 16 Bll. Aufgeschlagen: die letzte Seite der vom Dichter den Texten vorangestellten eigenen vier Melodien und der Beginn der Übertragung von Psalm 9.
Nürnberg, Germanisches Nationalmuseum, M. 366 Postinc.

Der erste namhafte Dichter, der sich nach Luther an die Aufgabe wagte, eine größere Anzahl von Psalmen zu bereimen, war der Nürnberger Meistersinger Hans Sachs (1495-1576), der schon 1523 Luther als die *Wittenbergisch Nachtigall* besungen hatte. 1526 legte er ein Heft mit 13 Liedern zu den Psalmen 9, 10, 11, 13, 15, 30, 43, 56, 58, 124, 127, 146, 149 vor. Es kann kein Zweifel bestehen, daß Sachs die Reihe der Oeler'schen Psalmen (s. Kat. Nr. 403) fortsetzen wollte, wobei er außerdem auch die von Luther bereits übertragenen Psalmen 12 und 14 aussparte. So war die Reihe bis Psalm 15 vollständig. Aber auch er kam mit der großen Aufgabe einer Gesamtbereimung des Psalters nicht sofort zu Rande und ließ es bei diesem Torso bewenden, nicht zuletzt wohl auch deshalb, weil er seit 1527 vom Rat der Stadt Nürnberg mit einem Schreibverbot belegt war. Er hatte für alle Psalmen dasselbe Metrum, das von Luthers frühen Psalmliedern, die sogenannte Lutherstrophe, gewählt. Die vier Melodien, die er zu beliebiger Verwendung diesen Texten beigibt, hat er ohne Zweifel selbst geschaffen. Daß die Musik-Lexika sie unter Sachs' musikalischen Werken nicht erwähnen, ist ebenso schwer zu verstehen wie die Tatsache, daß dieser Beitrag von Hans Sachs zum Kirchenlied in der Sachs-Literatur nahezu unbeachtet geblieben ist.
Die Texte des berühmten Meistersingers konnten sich im Kirchengesang nicht halten; zu groß waren ihre sprachlichen Mängel.

DKL, Nr. 1526^{07}. – H. Husmann, Hans Sachs. In: MGG 11, 1963, Sp. 1231-1233. – Anonymus, Hans Sachs. In: M. Honegger u. G. Massenkeil (Hrsg.), Das große Lexikon der Musik 7, 1982, S. 181 f. – J. Kulp, Hans Sachs und das deutsche evangelische Kirchenlied. In: Monatschrift für Gottesdienst und kirchliche Kunst 39, 1934, S. 251-260. M. J.

406 Die wohl bedeutendste Sammlung von Psalmliedern, die zu Luthers Lebzeiten erschien, ist die der Konstanzer Reformatoren, die 1540 auf 67 Psalmbereimungen, gefolgt von 83 weiteren Liedern, angewachsen war.

›Nüw gsangbůchle von vil schönen Psalmen und geistlichen liedern, durch ettliche diener der kirchen zů Costentz und anderswo mercklichen gemeert, gebessert, und in geschickte ordnung zesamen gstellt, zů übung unnd bruch jrer ouch anderer Christlichen kirchen.‹
Zürich: Christoph Froschauer 1540
8°. 241 Seiten. Aufgeschlagen: Schluß des Autorenregisters und Anfang des Psalmteils
Klosterneuburg, Chorherrenstift, Stiftsbibliothek, Bi I 284

Die Schöpfer dieses Gesangbuches sind die Konstanzer Reformatoren, die Brüder Ambrosius und Thomas Blarer und deren Vetter Johannes Zwick. Die erste Ausgabe (verschollen) erschien um 1533/34. Die Konstanzer haben als erste versucht, die Psalmlieder der verschiedenen evangelischen Liedschöpfer aus Wittenberg, Straßburg, Augsburg, Nürnberg, Zürich, Basel, Riga ohne Rücksicht auf die konfessionelle Zugehörigkeit der Autoren (Luther und seine unmittelbaren Schüler, Niederdeutsche, Oberdeutsche, Zwinglianer, Täufer, Schwenckfeldianer, Spiritualisten) zu vereinigen. In der 3. Ausgabe von 1540 stehen 67 Psalmbereimungen zu 54 Psalmen von mindestens 23 verschiedenen Autoren. Bis Psalm 16 ist die Reihe vollständig; die Absicht, einen vollständigen Liedpsalter zu schaffen, wird deutlich. Die Psalmlieder im Gesangbuch als eigenen Teil voranzustellen, wird seit dem Konstanzer Gesangbuch zu einem Merkmal reformierter Gesangbuchgestaltung.
Die Autoren unter dem Liedtitel nur mit ihren Initialen zu nennen und diese dann in einem besonderen Register aufzuschlüsseln, ist eine originelle Idee der Konstanzer. Unter den hier sichtbaren Namen steht neben Luther Paulus Speratus, einer seiner engsten Gesinnungsgenossen. Neben Thomas Blarer, dem Konstanzer Bürgermeister, gehört auch Wolfgang Mösel (*nicht* der Augsburger und später Berner Theologe Wolfang Musculus!) dem süddeutschen Kreis an. Die Straßburger sind hier zum größeren Teil versammelt: Wolfgang Capito, einer der führenden Männer der Straßburger Reformation, die beiden Musiker Matthäus Greiter und Wolfgang Dachstein, der Pfarrer Symphorian Pollio und, gleich zuoberst, der Autor des rechts beginnenden ersten Psalmliedes, der wie Greiter aus der Nähe von Freiburg i. B. zugewanderte Ludwig Oeler, der (schon 1525!) die Bereimung der ersten acht Psalmen vorgelegt hat, ohne Zweifel der – Torso gebliebene – früheste Versuch einer Bereimung des gesamten Psalters. An so etwas hat Luther selbst offensichtlich nie gedacht; aber die Anregung dazu ist dennoch von ihm ausgegangen.

DKL, Nr. 1534^{01}, 1538^{01}, 1540^{06}. – M. Jenny, Geschichte des deutschschweizerischen evangelischen Gesangbuches im 16. Jh., 1962, S. 17, 26-48, 77-99, 178-248. – M. Schuler, Ist Wolfgang Musculus wirklich der Autor mehrerer Kirchenlieder? In: JLH 17, 1973, S. 217-221. M. J.

407 Noch zu Luthers Lebzeiten erschien die erste vollständige Psalter-Übertragung in Liedform mit Melodien.

›Psalter. Das seindt alle Psalmen Davids, mit jren Melodieen, sampt vil Schönen Christlichen liedern, unnd Kyrchen übungen, mitt seynem Register. An. M. D. XXXVIII.‹
Straßburg: Wolfgang Köpfel 1538
Kl. 8°. (8) 151) (1) Bll.
München, Bayerische Staatsbibliothek, Liturg. 1128

Luthers Anstoß zur Psalmbereimung führte schon 1537 zum (von Luther nicht ins Auge gefaßten) Ziel: Der Augsburger Schulmeister und Prediger Joachim Aberlin hat in diesem Jahr zusammen mit dem dortigen Musiklehrer Sigmund Salminger den ersten vollständigen Liedpsalter herausgebracht. Er ging so vor, daß er zunächst alle vorhandenen Psalmlieder sammelte: die Luthers und seiner Freunde, die Straßburger, Nürnberger, Konstanzer und niederdeutschen Bereimungen, und dann für die noch fehlenden Psalmen die Übertragung selber schuf oder Salminger dazu veranlaßte. Aberlin allein hat 69 Texte beigesteuert. Insgesamt kamen so 174 Lieder zusammen. Möglicherweise war an dem Werk auch Jacob Dachser beteiligt, der dann im darauffolgenden Jahr selbständig einen ähnlichen Gesamtpsalter herausbrachte. Von Salminger und Dachser weiß man, daß sie zu den Täufern gehörten und ihnen auch nach ihrem Widerruf (1530 bzw. 1531) nahestanden; von Aberlin vermutet man diese geistige Zugehörigkeit bloß. Daß aus jener geistigen Umgebung, aus welcher die erste evangelische Übersetzung der Propheten stammt (s. Kat. Nr. 366), auch der erste Liedpsalter kommt, ist gewiß kein Zufall. Die starke Betonung, die im Titel auf das hinter diesen Bereimungen stehende Studium der Bibel und der biblischen Kommentare gelegt wird, weist in dieselbe Richtung.
Für die Singweisen verweisen die Augsburger Herausgeber und Psalmdichter einfach auf bekannte »Töne«, drucken aber keine Noten ab. Der rührige Straßburger Drukker Wolf Köpfel, der schon seit 1524 die dortigen liturgisch-musikalischen Drucke herausgibt, verfügt jedoch über die nötige Einrichtung und die erforderlichen Mitarbeiter und gibt diesen Augsburger Psalter im folgenden Jahre mit den Melodien in schönerer Aufmachung neu heraus. Aus diesem Werk hat dann das berühmte und langlebige Bonner Gesangbuch (erste, verschollene Ausgabe 1544) seinen ersten Teil mit 204 Psalmliedern vor allem geschöpft. Und auch Calvins Streben nach einem französischen Liedpsalter, das im Jahre darauf zum ersten französischen Gesangbüchlein führt (s. Kat. Nr. 408), hat hier seine Wurzel. So ist dieser Straßburger Liedpsalter für das Psalmensingen der späteren Zeit zu einem wesentlichen Vermittler der im Keime auf Luther zurückgehenden Idee geworden.

DKL 1538[06]. – L. Cordier, Der deutsche evangelische Liedpsalter, ein vergessenes evangelisches Liedergut, 1929, S. 12 f. – W. Hollweg, Geschichte der evangelischen Gesangbücher vom Niederrhein im 16.-18. Jahrhundert, 1923 (Neudruck mit Literatur-Ergänzungen 1971).
M. J.

408 In Straßburg lernte Calvin den deutschen Psalmengesang kennen und legte unter diesem Einfluß den Grund zu seinem später so weit verbreiteten Genfer Psalter.

›AULCUNS pseaulmes et cantiques mys en chant. A Strasburg. 1539‹
Straßburg: [Johannes Knobloch d. J.] 1539
8°. 63 Bll. Erste Ausgabe des französischen Psalters, von Johannes Calvin 1539 in Straßburg herausgegeben. Aufgeschlagen: Anfang des 36. Psalms
München, Bayerische Staatsbibliothek, Rar. 107

Der Straßburger Gemeindegesang muß auf die von auswärts zugereisten Gäste einen großen Eindruck gemacht haben. 1545 schreibt ein in Straßburg auf der Durchreise abgestiegener Student an einen Freund: »Sie werden nie ermessen können, wie lieblich es ist und wie ruhig das Gewissen wird, wenn man da weilt, wo Gottes Wort rein verkündigt wird und die Sakramente unverfälscht ausgeteilt werden; ebenso, wenn man die schönen Psalmen und Wundertaten des Herrn singen hört. ... Anfänglich konnte ich die Freudentränen nicht zurückhalten, wenn ich singen hörte. Sie würden keine Stimme hören, die die andern übertönt. Jedermann hält ein Gesangbuch in seiner Hand. Männer wie Frauen, alle preisen den Herrn.« Ähnlich muß es Calvin ergangen sein, als er seit dem 8. November 1538 in Straßburg den Gottesdienst besuchen konnte. Wie er wenig später selbst an seinen Freund Guillaume Farel schreibt, gefielen ihm die Straßburger Melodien überaus gut, und so hat er die Straßburger Musiker Matthäus Greiter und Wolfgang Dachstein mit der Schaffung von Melodien zu Psalmübertragungen des Pariser Hofdichters Clément Marot veranlaßt und daneben sechs Psalmen nach bestehenden Straßburger Melodien selbst bereimt. Zu diesen gehört der hier aufgeschlagene 36. Psalm nach Greiters Melodie *Es sind doch selig alle, die* (auch *O Mensch, bewein dein Sünde groß*). Seinen Text hat Calvin später zugunsten eines solchen von Marot zurückgezogen. Aber die Melodie blieb im Genfer Psalter und wird noch heute zum 36. Psalm gesungen. Unter den von Calvin bereimten Psalmen findet sich auch der 46., den zehn Jahre zuvor Luther so geistesmächtig zu einem Lied umgeformt hatte (s. Kat. Nr. 427).

J. Cadier, Calvin – der Mann, den Gott bezwungen hat, 1959, S. 99-116. – R. R. Terry, Calvin's First Psalter, 1932. – P. Pidoux, Le Psautier Huguenot du XVIe Siècle, 2 Bde., 1962 (vor allem Bd. 2, S. 2 f.). – H. Hasper, Calvijns Beginsel voor den Zang in den Eredienst, 2 Bde., 1955/1976.
M. J.

B Luther als Schöpfer des evangelischen Gesangbuches

Die Geburtsstunde des evangelischen Gesangbuches schlug im Frühling 1529 zu Wittenberg.
Seit 1523 waren einzelne evangelische Lieder in der Form von Einzeldrucken hinausgegangen (Kat. Nr. 391-393). Seit 1524 hatte man begonnen, sie in Heften oder Büchlein zusammenzufassen. Es erschienen neue liturgische Drucke mit Liedern. Und das Lied der Gemeinde begann, sich einen legitimen Platz in der Liturgie zu erobern; Luther hatte auch dazu 1523 den entscheidenden Anstoß gegeben. Gegen Ende 1524 erschien in Wittenberg sogar ein Werk mit einer Vorrede Luthers, das den Titel ›Gesangbüchlein‹ trägt (Kat. Nr. 425). Es war aber nicht ein Gemeinde-, sondern ein Chorgesangbuch, und trotz seines Umfangs von 38 Liedern ist es doch noch nicht das, was wir ein Gesangbuch nennen, denn die Anordnung der Lieder darin entbehrt jeder Systematik. Dasselbe ist zu sagen von der ersten Wittenberger Liedersammlung, die für die Hand der Gemeinde bestimmt war (Enchiridion geistlicher Gesänge und Psalmen für die Laien): Dieses 1525 erstmals und 1526 zum zweiten oder dritten Mal erschienene Handbüchlein enthielt die Lieder in derselben unsystematischen Reihenfolge wie das Chorgesangbuch. Nicht viel anders sieht es in den wenigen Sammlungen aus, die an anderen Orten in diesem Zeitraum erschienen sind.
Im Frühjahr 1529 aber erscheint in Wittenberg ein Büchlein, das erstmals jene Maßstäbe setzt, die wir an ein Gesangbuch anzulegen gewohnt sind. Der Inhalt ist in einer für Luthers prophetisches Sendungsbewußtsein typischen Weise in fünf Abschnitte eingeteilt: I: Luthers eigene Lieder. II: *Andere der Unsern Lieder.* III: Lieder *von den Alten gemacht.* IV: Lieder *durch andere zu dieser Zeit gemacht.* V: Cantica. Die 26 Lieder und drei liturgischen Gesänge des I. Teils sind in sich ihrerseits in vier Abteilungen eingeordnet: 1. Kirchenjahr von Advent bis Trinitatis. 2. Katechismus (Glaubensverkündigung). 3. Psalmlieder. 4. Übrige liturgische Gesänge.
Das Büchlein wird noch im gleichen Jahr in leicht erweiterter Form ein zweites Mal aufgelegt und ist dann wohl fast jedes Jahr neu gedruckt worden. Die älteste erhaltene Ausgabe stammt von 1533. Das einzige Exemplar davon, das wir kennen, liegt seit 1932 in Wittenberg. Die letzte erhaltene Ausgabe erschien ein Jahr vor Luthers Tod, 1545. Von diesem Jahre an übernahm das von Valentin Bapst in Leipzig gedruckte Gesangbuch (Kat. Nr. 412) die Nachfolge. Beide, das Wittenberger Gesangbuch (1529-1545) und das Leipziger (seit 1545), haben eine fast unabsehbare Wirkung auf die Gesangbuchentwicklung der Folgezeit gehabt. Selbst katholische Gesangbücher zeigen sich davon beeinflußt (Kat. Nr. 417, 418).
Die Schaffung des Gemeindegesangbuchs durch Luther im Jahre 1529 ist in einem größeren Zusammenhang zu sehen. Die Visitationen der vorangehenden Jahre hatten ihm den katastrophalen Zustand der Gemeinden klar werden lassen. Es mußten Maßnahmen zum systematischen Aufbau einer evangelischen Frömmigkeit ergriffen werden. Deshalb ließ Luther im selben Frühjahr 1529 nicht nur ein Gemeindegesangbuch erscheinen, sondern auch die beiden Katechismen (Kat. Nr. 541) und eine Neuausgabe seines Betbüchleins (Kat. Nr. 411). Das Format für das Betbüchlein wurde für das Gesangbuch übernommen, und die im Gesangbuch verwendeten Illustrationen stammen mit einer Ausnahme aus einem Zyklus, der wohl eigens für das Passional hergestellt worden war, mit welchem das Betbüchlein abgeschlossen wird. Auch der kleine Katechismus ist mit Bildern versehen. Mit diesen drei Büchern ermöglicht Luther auch jenen, die aus finanziellen und anderen Gründen sich weder den Erwerb einer Bibel noch ein ausgedehntes Studium religiöser Fragen leisten können, ein Eindringen in die Grundlagen evangelischen Glaubens.
Dem Gesangbuch hat Luther in diesem Zusammenhang wohl die wichtigste Rolle zugedacht. Es ist Zusammenfassung der Bibel, Katechismus und Liturgiebuch für die Gemeinde in einem.

WA 35 und M. Jenny, Revisionsnachtrag. In: AWA (in Vorbereitung). – Hoberg. – Birkner, S. 118-140. M. J.

409 Das erste vollwertige Gemeindegesangbuch der Reformationszeit ist Luthers Werk.

[›Geistliche Lieder auffs neu gebessert zu Wittemberg. D. Mart. Luther. 1535.‹]
Wittenberg: Josef Klug 1535
Kl. 8°. 185 (5) Bll. Die zweitälteste der erhaltenen Ausgaben des Wittenberger Gemeindegesangbuchs. Aufgeschlagen: »Vom Himmel hoch, da komm ich her«, das hier erstmals überlieferte, nachmals verbreitetste Weihnachtslied Luthers
München, Bayerische Staatsbibliothek, Rar. 435

Die beiden ersten Ausgaben von Luthers Gesangbuch, im Frühjahr und Ende 1529 erschienen, sind verschollen; ihre Gestalt läßt sich aber aus Nachdrucken, Beschreibungen eines einst vorhandenen Exemplars, Akten und den späteren Ausgaben zweifelsfrei erschließen. Die älteste erhaltene Ausgabe stammt von 1533; das einzige bekannte Exemplar ist im Reformationsgeschichtlichen Museum zu Wittenberg ausgestellt.
Hier fügte Luther in die erste Gruppe seiner Lieder, diejenigen zu den Festen des Kirchenjahres, zehn Kollektegebete mit je einem vorausgehenden Versikel ein; damit sollte ein Stück kirchlicher Liturgie in die Hausandacht der Gesangbuchbenützer eindringen und in der allgemeinen Frömmigkeitsübung verankert werden. Damit wurde der Wert des Gesangbuches als Erbauungsbuch (vgl. zu Kat. Nr. 419) deutlich erhöht. Und zu den Cantica im fünften und letzten Teil des Buches druckte Luther zehn vierstimmige Psalmodiemodelle ab, als deren Autor Johann Walter ermittelt werden konnte. Damit wollte Luther einen einfachen mehrstimmigen Gemeindegesang fördern und zugleich einen ganz anderen Typus von liturgischem Vollzug durch die Gemeinde einführen als der Liedgesang ihn verkörpert. Die Ausgabe von 1535, die hier zu sehen ist, bringt als einzige Erweiterung gegenüber der vorangehenden Luthers »Kinderlied auf die Weihnacht Christi«. Es hat hier noch nicht die uns vertraute, erst von 1539 an überlieferte Originalweise Luthers, sondern diejenige eines weltlichen Spielliedes, aus welchem Luther im sogenannten Kontrafaktur-Verfahren dieses Lied über Lukas 2, 10-12, 15 gewonnen hat. Sein Luther ohne Zweifel vertrauter Text lautet in der ersten Strophe: *Aus fremden Landen komm ich her, / ich bring euch viel der neuen Mär; / der neuen Mär bring*

ich so viel, / mehr dann ich euch hie sagen will. So beginnt einer, der im Spiel Neuigkeiten singend verbreitet, seine Vorstellung. Der Engel Gabriel überbringt den Hirten die »gute« Mär, das Evangelium, in der Rolle des Nachrichtensängers. Ob Luther das Lied gespielt haben wollte oder ob er die Spielsituation nur zur Verdeutlichung benützte, ist schwer zu entscheiden.

DKL, Nr. 1535^{06}. – K. Hennig, Die geistliche Kontrafaktur im Jahrhundert der Reformation, 1909, S. 51 f. (Nr. 75) und 141. – P. Drews, Beiträge zu Luthers liturgischen Reformen II: Luthers deutsche Versikel und Kollekten, 1910. – Handbuch der deutschen evangelischen Kirchenmusik, Bd. I/1, 1941, S. 546 f. – F. Schulz, Die Gebete Luthers, 1976. – M. Jenny, Luthers Gesangbuch. In: H. Junghans (Hrsg.), Leben und Werk Martin Luthers von 1526-1546, 1983, S. 259-273. M. J.

410 Luthers Gesangbuch ist das früheste illustrierte Gesangbuch.

›Geistliche Lieder Zu Wittemberg, Anno 1543. Warnung D. Mart. Luther. Viel falscher Meister itzt Lieder tichten. Sihe dich fůr, und lern sie recht richten. Wo Gott hin bauet sein Kirch und sein wort, Da wil der Teufel sein mit trug und mord.‹
Wittenberg: Joseph Klug 1544
Kl. 8°. 191 (8) Bll. Aufgeschlagen: Das erste Bild: Einzug Jesu in Jerusalem
Göttingen, Niedersächsische Staats- und Universitätsbibliothek, 8° Poet. Germ. II 2513 Rara

Schon die erste Ausgabe von Luthers Gesangbuch aus dem Jahre 1529 war illustriert. In der ältesten erhaltenen Ausgabe von 1533 findet man an 21 Stellen 13 verschiedene ganzseitige Holzschnitte. Sie kommen (bis auf einen) auch im Passional vor, das Luther 1529 der Neuausgabe seines Betbüchleins anfügte (vgl. Kat. Nr. 411). Das Format beider Drucke ist dasselbe. In den etwas größeren Satzspiegel der vorliegenden Ausgabe von 1544 fügen sie sich nicht mehr so gut ein. Die Bilder sind nicht signiert, stehen aber (nach Hoberg) Georg Lemberger nahe; vielleicht stammen sie von einem als »Meister der Jakobsleiter« bezeichneten Anonymus. Er hat sich des öfteren (und so auch hier) an Albrecht Dürer (kleine Holzschnitt-Passion 1511) angelehnt.
Das erste Lied des Gesangbuchs, zu welchem dieses Bild hinführen soll, ist Luthers Bearbeitung des Advents-Hymnus *Veni redemptor gentium* von Ambrosius (Nun komm, der Heiden Heiland). In der Perikopenordnung, die Luther befolgte, war als Evangelium für den ersten Adventssonntag der Bericht über den Einzug Jesu in Jerusalem (Matth. 21, 1-11) vorgesehen. Nicht zuletzt durch die Gesangbuchillustration hat dann diese Perikope als »das« Advents-Evangelium auch in der Kirchenlieddichtung ein sehr starkes Gewicht bekommen.

DKL, Nr. 1544^{05}. – Hoberg, S. 12-19. – K. Ameln, Geleitwort zur Faksimilie-Ausgabe des Klug'schen Gesangbuchs 1533, 1954. – H. Werthemann, Studien zu den Adventsliedern des 16. und 17. Jahrhunderts, 1963, bes. S. 68-79 und 91-97. M. J.

411 Mit dem Gesangbuch zusammen ließ Luther 1529 in gleicher Ausstattung eine Neubearbeitung seines »Betbüchleins« erscheinen.

Martin Luther, ›Ein betbůchlin, mit eym Calender und Passional, hůbsch zu gericht‹
Wittenberg: 1529
Kl. 8°. 208 Bll. Aufgeschlagen: fol. $z6^b$-7^a aus dem Passional mit dem Einzug Jesu in Jerusalem
Lindau, Stadtbibliothek, P IV 140

Nicht zufällig erscheint neben dem Gesangbuch im selben Jahr, dem »Bilderjahr« der Reformation, eine im letzten Teil in gleicher Weise illustrierte Ausgabe von Luthers Betbüchlein.
Bei diesem Werk Luthers handelt es sich nicht, wie der Titel erwarten läßt, um eine Sammlung von Gebeten, sondern um ein Glaubensbuch. Luther will »die verbreiteten Gebetbücher aus der spätmittelalterlichen Tradition durch eine evangelische Gebetslehre ersetzen. Diesem Ziel dient der Sermon vom Gebet und die Auslegung des Vaterunser in Gebetsform« (Schulz). Das 1522 erstmals erschienene Werk enthält in dieser Neuausgabe von 1529 neben den biblischen Grundtexten (Dekalog, Credo, Vaterunser, Ave Maria) und acht Psalmen (als Muster biblischen Betens), Betrachtungen über das Beten, über die Passionsmeditation, über die Sakramente und zur Sterbensvorbereitung. An letzter Stelle folgt, mit einer besonderen Vorrede, eine kleine Bilderbibel in 50 Bildern mit ganz knappen begleitenden Bibeltexten. Das Hauptgewicht haben mit 20 Bildern die Passions- und Ostergeschichten, beginnend mit dem Einzug Jesu in Jerusalem. Zwölf dieser 50 Bilder sind auch im Gesangbuch verwendet worden, darunter das aufgeschlagene (vgl. Kat. Nr. 410).

F. Schulz, Die Gebete Luthers. Edition, Bibliographie und Wirkungsgeschichte, 1976, S. 15 f.
M. J.

412 Das schönste Gesangbuch der Lutherzeit ist das Leipziger Gesangbuch von 1545, zu welchem Luther ein Jahr vor seinem Tode seine fünfte und letzte Gesangbuchvorrede schrieb.

›Geystliche Lieder. Mit einer newen vorrhede D. Mart. Luth.‹
Leipzig: Valentin Bapst 1545
Kl. 8°. 200 Bll. Aufgeschlagen: Der Anfang von Luthers Übersetzung des Pfingsthymnus mit zugehöriger Illustration
Göttingen, Niedersächsische Staats- und Universitätsbibliothek, 8° Poet. Germ. II 2515 Rara

Die Familie der von Josef Klug in Wittenberg gedruckten Gesangbücher endet 1545, und im gleichen Jahr beginnt in Leipzig eine neue zu erscheinen, die bis 1567 nicht weniger als 10 Auflagen erleben wird. Das Buch umfaßt zwei Teile mit je eigenem Titel: Ein erster gibt im Wesentlichen das Wittenberger Gesangbuch unter Einbeziehung des Begräbnis-Gesangbuches (Kat. Nr. 413) wieder, während ein zweiter eine ziemlich unorganisch zusammengewürfelte Sammlung von Liedern enthält, die teils seit spätestens 1543 aus dem Wittenberger Liedbestand ausgeschieden, teils in diesen nie aufgenommen waren. Den ersten Teil hat der Leipziger Drucker, als er bis auf den Titelbogen ausgedruckt war, Luther vorgelegt und ihn um eine neue Vorrede gebeten. In diesem seinem letzten schriftlichen Beitrag zum kirchlichen Singen nimmt Luther denn auch ausdrücklich auf die Gestalt des Leipziger Druckes Bezug: »Darum tun die Drucker sehr wohl daran, daß sie gute Lieder fleißig drucken und mit allerlei Zierde den Leuten angenehm machen, damit sie zu solcher Freude des Glaubens gereizt werden und gerne singen, wie denn dieser Druck Valentin Bapsts sehr lustig zugerichtet ist. Gott gebe, daß damit dem Römischen Papst, der nichts denn Heulen, Trauern und Leid in aller Welt hat angerichtet durch seine verdammten und leidigen Gesetze, großer Abbruch und Schaden geschehe. Amen.«
Der Schmuck des Buches besteht in der sehr klaren Schrifttype, den sehr sauber und korrekt geschnittenen Noten, den Randleisten, die jede Seite einfassen, und den Bildern, deren Programm im wesentlichen demjenigen des Wittenberger Gesangbuches folgt. Als Künstler gibt sich im Abendmahlsbild der Ausgabe von 1553 der Monogrammist HA zu erkennen. Er zeichnet derber und mit weniger Können als derjenige des Wittenberger Gesangbuchs. Wie jener, aber unabhängig von ihm, orientiert er sich an Dürer, den er jedoch nicht von ferne erreicht.
Das aufgeschlagene Pfingstbild ist deswegen von besonderem Wert, weil es seine Vorlage ganz offensichtlich in evangelischem Sinne verändert: Maria wird aus der Mitte weggerückt; sie erscheint in einer Gruppe von zwei Frauen am linken Bildrand (vgl. Apg. 1, 14).
Das Bapst'sche Leipziger Gesangbuch wurde nach Inhalt und Ausstattung für die Folgezeit weithin vorbildlich (vgl. Kat. Nr. 418).

DKL, Nr. 1545[01]. – Hoberg, S. 17-21. – H. Zimmermann, Der Monogrammist HA. In: M. Geisberg, Die deutsche Buchillustration in der ersten Hälfte des 16. Jahrhunderts, Bd. 2, 1930, S. 8 f. – H. Zimmermann, Ein Sammelband mit Drukken des Leipziger Valentin Bapst und die Holzschnitt-Folgen des Monogrammisten H in A. In: Zentralblatt für Bibliothekswesen 48, 1931, S. 217-220. – K. Ameln, Geleitwort zur Faksimile-Ausgabe des Bapst'schen Gesangbuches von 1545, 1966. M. J.

413 Obwohl Luther nie ein Pfarramt bekleidet hat, beschäftigten ihn bis in seine letzten Jahre die Probleme der pfarramtlichen Praxis intensiv. Mit seinen »Begräbnisgesängen« leistete er einen entscheidenden Beitrag zum evangelischen Begräbniswesen.

Martin Luther, ›Christliche Geseng Lateinisch und Deudsch, zum Begrebnis‹
Wittenberg: Joseph Klug 1542
8°. 22 Bll. Aufgeschlagen: fol. D4^{v}–D5^{r}, Schluß der lateinischen Gesänge und Fortsetzung der Abhandlung Luthers zum Begräbniswesen
Neuburg a. d. Donau, Staatliche Bibliothek

Luther hat mit dieser Schrift einen noch wenig beachteten dreifachen Beitrag zum Begräbniswesen geleistet: Die Vorrede ist eine Abhandlung über die evangeliumsgemäße Bestattung bis hin zu konkreten Vorschlägen für die Gestaltung der Grabsteine. Zum andern enthält das Heft jene Lieder aus dem Gesangbuch, die sich zur Verwendung bei einer Bestattung eignen. Dazu kommen zwei eigentliche Bestattungslieder, ein deutsches und ein lateinisches, dessen hier erstmals auftretende Melodie von Luther stammen könnte. Und zum dritten hat Luther – was bisher unbeachtet geblieben ist – sieben lateinische Responsorien mit neuem (ebenfalls lateinischem) Text versehen.
Auf der linken Seite ist der Schluß eines weiteren lateinischen Gesangs sichtbar, den Luther neben seinen sieben Bearbeitungen aufnahm *(In pace simul dormiam et requiescam).* Die Melodie ist in Choralnoten aufgezeichnet. Luther hatte zur mittelalterlichen Gregorianik ein durchaus positives Verhältnis, wie gerade seine in diesem Werk enthaltene Abhandlung zum Begräbniswesen zeigt. Die Folgezeit hat denn auch in der lutherischen Kirche dem (textlich gereinigten) lateinischen Choral einen breiten Raum gewährt.
Rechts beginnt die Fortsetzung desjenigen Teils von Luthers Abhandlung, in welchem er Vorschläge für eine evangeliumsgemäße Friedhofgestaltung macht und eine größere Zahl von Bibelsprüchen anführt, die man auf die Grabmäler setzen könnte. Er gibt dann mehrere Beispiele für deren gereimte Fassung, hier für den Lobgesang Simeons aus Luk. 2, 29-32.
Da dieses Begräbnis-Gesangbuch 1545 vollumfänglich in das Bapst'sche Leipziger Gesangbuch aufgenommen wurde, hat sich die Anregung Luthers zur Schaffung eines solchen Kasualgesangbuchs nicht unmittelbar auswirken können.

M. Jenny: Sieben biblische Begräbnisgesänge – ein unerkantes und unediertes Werk Luthers. In: AWA (in Vorbereitung). M. J.

414 Die großformatige mittelalterliche Choralhandschrift wird abgelöst durch den Kantorenfolianten, die großformatige Ausgabe des Gemeindegesangbuchs, die den Schülern als Chorgesangbuch dient.

›Gesangbuch, darinn begriffen sind, die aller fürnemisten und besten Psalmen, Geistliche Lieder und Chorgesang, aus dem Wittenbergischen, Strasburgischen, und anderen Kirchen Gesangbüchlin zůsamen bracht, und mit besonderem fleis corrigiert und gedrucket. Für Stett und Dorff Kirchen, Leteinische und Deudsche Schůlen ...‹
Straßburg: Jörg Waldmüller gen. Messerschmid 1541
2°. (34) 158 Seiten. In Auftrag gegeben und mit einem Vorwort versehen von dem Straßburger Reformator Martin Bucer. Aufgeschlagen: S. 88-89 mit dem Schluß des Osterliedes »Christ ist erstanden« nach der Straßburger Sondertradition und Anfang des Psalmlieder-Teils
Westfälischer Privatbesitz

414

Die Führung des Gemeindegesangs hatte in der Reformationszeit (und noch geraume Zeit danach) niemals die Orgel; in den Dorfkirchen gab es dieses teure Instrument ohnehin noch nicht. Es waren vielmehr überall die Schüler, die unter Leitung des Kantors den Gemeindegesang anführten; in der ersten Zeit nach dessen Einführung haben sie ihn vielerorts wohl überhaupt allein ausgeführt. So sind die Schulen wahrscheinlich mit unter den wichtigsten Kunden der Gesangbuchdrucker gewesen. Im Südwesten des deutschen Sprachgebiets kam in diesem Zusammenhang eine naheliegende Praxis auf: Man schrieb die wichtigsten Gesänge aus dem Gesangbuch auf möglichst große Pergamentblätter, sodaß eine ganze Klasse aus *einem* Blatt oder Buch singen konnte. Der Straßburger Reformator Martin Bucer kam offenbar als erster auf den Gedanken, ein Gesangbuch in diesem Format *drucken* zu lassen und wurde dadurch der Schöpfer des seiner Gestalt nach repräsentativsten Gesangbuchs der Reformationszeit, Glanzstück der Straßburger Gesangbuchgeschichte. Er hat das Werk mit einem hochinteressanten Vorwort versehen und wohl auch die Liedauswahl von nur 61 liturgischen Gesängen und Liedern getroffen; fast die Hälfte davon machen diejenigen Luthers aus. (Die gleichzeitig erscheinende Handausgabe enthält insgesamt mehr als doppelt so viele Lieder.) Als Vorbild dienten die großformatigen Choralhandschriften des Mittelalters, aus denen die Schola sang. Dort hatte es sich z. B. bewährt, die Notenlinien rot und die Noten schwarz zu schreiben. Daß jedoch nicht nur praktische Gründe für die Entstehung dieses Gesangbuch-Typs maßgebend waren, zeigt sich z. B. an den prächtigen Initialen, mit denen jedes Lied beginnt. Die ganze Ausstattung will einerseits dem Gesangbuch und dem Kirchengesang ein besonderes, vorrangiges Gewicht geben und andererseits den neuen evangelischen Kirchengesang ganz auffällig an den Platz des alten Choralgesangs stellen. Deshalb wird in Straßburg auch für taktgebundene Melodien, für die es eine eigene, der heutigen nahestehende Notenschrift gab, weiterhin die alte, liturgische Choralnotenschrift (hier in der Form der sog. Hufnagelnotation) verwendet.
Links der Schluß der Osterleise *Christ ist*

erstanden (12. Jahrhundert) in der Straßburger Sondertradition, bei der statt der dritten Strophe die 1. Strophe einer Oster-Cantio gesungen wird.
Rechts beginnt der dritte Teil des Buches mit den Psalmliedern. Wie die andern beiden (Liturgische Gesänge – Lieder) wird er eröffnet durch eine Kopfleiste, die man der Werkstatt Hans Baldung Griens zuweist: Um die göttliche Dreieinigkeit singen Engel, links vierstimmig figuraliter *Herr Gott, dich loben wir,* rechts einstimmig choraliter *Gloria in excelsis deo Et in terra pax hominibus bonae voluntatis* (für den Betrachter stehen die Notenblätter auf dem Kopf). Links David mit Psalm 146,1.2 in hebräischer Sprache und rechts Paulus mit Epheser 5, 18.19 in griechischer Sprache. Luthers Lied über Psalm 12 ist mit Matthäus Greiters Melodie (1525) versehen. Auf der nächsten Seite folgt vor den übrigen Textstrophen die Wittenberger Melodie mit der Rubrik: *In etlichen Kirchen pfleget man die volgende melodei über disen Psalmen zůsingen.* Man wollte also das Buch auch für andere Kirchen brauchbar machen. Von seiner Beliebtheit zeugen die wesentlich erweiterten Neuauflagen von 1560, 1572 und 1616 und die Zeugnisse für seine Verwendung in Isny, Basel und Bern.

DKL, Nr. 1541[06]. – J. Ficker, Das größte Prachtwerk des Straßburger Buchdrucks. Zur Geschichte und Gestaltung des großen Straßburger Gesanguchs 1541. In: ARG 38, 1941, S. 198-230. – O. Michaelis, Der Anteil des Elsaßes am deutschen Evangelischen Gesangbuch. In: Elsaß-Lothringisches Jb. 19, 1941, S. 238-287. – Einführung zur Neuausgabe des großen Straßburger Gesangbuchs von 1541, 1953. M. J.

415 Die handgeschriebenen Kantorenfolianten setzen nach Herstellungsweise und liturgischer Funktion die Tradition der großen Choralhandschriften des Mittelalters fort.

Kantoren-Foliant (Fragment)
Süddeutschland, zwischen 1533/1541 und um 1600
Hs. Orig. Perg., 52 × 38 cm. Erhalten 16 Bll. aus verschiedenen Lagen.
a Aus dem älteren Teil aufgeschlagen: Schluß des Luther-Liedes »Nun freut euch, lieben Christen gmein« und Anfang des Friedens-Bittliedes »Gib Fried zu unsrer Zeit, o Herr« des Straßburger Reformators Wolfgang Fabricius Capito
b Aus dem jüngeren Teil aufgeschlagen: Schluß der deutsch-lateinischen Weihnachts-Cantio »In dulci jubilo«, deutsche Fassung der Weihnachtssequenz »Grates nunc omnes reddamus« und Anfang des Neujahrsliedes »Nun wolle Gott, daß unser Gsang« des Konstanzer Reformators Johannes Zwick
Konstanz, Rosgarten-Museum, Hs 14
Farbtafel Seite 84

In seinem Vorwort zum ersten gedruckten Kantorenfolianten (Kat. Nr. 414) schreibt der Straßburger Reformator Martin Bucer: *Als* [da] *aber nun etliche Gemeinden Christi auch für die Juget, sie desto bas* [besser] *zu gleichförmigem mensurischem Gesang zu gewehnen und anzuhalten in den heiligen Versammlungen, gemeine* [für alle Sänger gemeinsame] *große Gesangbücher zu bereiten angefangen und das Schreiben diser bücher etliche hoch bedeuren wille* [finanziell belasten könnte], *hat der Ersam buchtrukker Jörg Waldmüller, genannt Messerschmid, ... sich lassen erbetten und bestellen, ein Gesangbuch zu trucken ...* Demnach wurden diese Kantorenfolianten also zunächst handschriftlich angelegt. Solche handschriftliche Kantorenfolianten waren bis vor kurzem erst aus der 2. Hälfte des 16. Jahrhunderts bekannt. Nun hat sich aber in Konstanz ein Fragment eines solchen erhalten, auf welches man erst 1974 aufmerksam wurde, als es in Bregenz auf einer Ausstellung des dortigen Landesmuseums ›Musik im Bodenseeraum um 1600‹ gezeigt wurde. Die Handschrift kann in ihrem ersten Teil nicht vor 1533 geschrieben sein, dem Jahr, in welchem das aufgeschlagene Lied Capitos (1478-1541) erstmals gedruckt wurde. Andererseits ist der Schreiber dieses Teils der Handschrift noch ganz in der Tradition der mittelalterlichen Choralhandschriften-Herstellung verwurzelt, die er hervorragend beherrscht, so daß eine Entstehung nach 1541 auch von da her unwahrscheinlich ist. Nach Konstanz gehört die Handschrift sicher nicht, denn das aufgeschlagene Lied Capitos fehlt im dortigen Gesangbuch. Auch weist die Verwendung von gotischen Hufnagel-Choralnoten für mensurierte Melodien eindeutig auf Straßburger Einfluß hin.
Die Handschrift wurde noch in der zweiten Hälfte des Jahrhunderts benützt, was ein zweiter Teil mit Eintragungen einer späteren Hand (um 1600?) beweist. Auch das schließt konstanzische Provenienz aus; die dortige blühende evangelische Gemeinde ist 1548, weil sie das Interim nicht annehmen wollte, gewaltsam rekatholisiert worden. Doch ist das aufgeschlagene originelle Neujahrslied des Konstanzer Reformators Johannes Zwick (1496-1542) eine Frucht der dortigen Reformation, die auch nach 1548 und bis heute lebendig blieb. Die Melodie ist die des Luther'schen Weihnachtsliedes »Gelobet seist du, Jesu Christ«.

W. Pass, Ein unbekanntes Fragment eines evangelischen Gesangbuches aus dem Rosgartenmuseum in Konstanz. In: Kat. Ausst. Musik im Bodenseeraum, Bregenz 1974, S. 29-33 (nur Beschreibung des Fragments). M. J.

416 Ein Holzschnitt im ersten illustrierten Straßburger Gesangbuch (1559) zeigt, wie man die Kantorenfolianten verwendete.

›Das newer und gemehret Gesangbůchlin, Darinnen Psalmen, Hymni, Geistliche Lieder, Chorgesenge, Alte und newe Festlieder, sampt etlichen angehenckten Schrifftsprüchen und Collect gebetlin, besonders fleisses zůsamen bracht. Auch hin und wider Mit schönen Figuren gezieret und Reimensart gestellet.‹
Straßburg: Thiebolt Berger 1559
8°. (15) 347 (4) Seiten. Aufgeschlagen: Darstellung des Chorgesangs durch die Kantorei unter der Leitung des Kantors
München, Bayerische Staatsbibliothek, Liturg. 508

Das mit 17 Holzschnitten geschmückte erste illustrierte Straßburger Gesangbuch von 1559 bringt als erstes Bild zum Thema »Kirchengesang« die Darstellung einer Kantorei aus Schülern und erwachsenen Adjuvanten unter Leitung des Kantors. Dieser liturgische Chor singt aus einem einzigen großformatigen Buch, das auf einem Pult ruht (das vorreformatorische Vorbild s. Kat. Nr. 464). Der Künstler gibt damit gewissermaßen die Gebrauchsanweisung für das Straßburger Folio-Gesangbuch (Kat. Nr. 414), dessen zweite Auflage im Jahr darauf erscheinen wird. Als Eröffnungsbild des Gesangbuches steht diese Darstellung auf merkwürdige Weise in einer ikonographischen Tradition: Seit langem eröffnet die Buchillustration den Psalter gerne mit einer Darstellung Davids und der jubelnden himmlischen Chöre. Hier tritt an die Stelle Davids ein ganz irdisch-bürgerlicher Kantor und an die Stelle der Engel seine Kantorei – ein Stück reformatorischer »Entmythologisierung«.

DKL, Nr. 1559[06], 1560[12]. – Hoberg, S. 53-59, 105 f. M. J.

417 Das erste römisch-katholische Gesangbuch der Reformationszeit erschien im Wirkungskreis Luthers und war weitgehend vom Wittenberger Gesangbuch beeinflußt.

›Ein New Gesangbůchlin Geystlicher Lieder, vor alle gutthe Christen nach ordenung Christlicher kirchen ...‹
Leipzig: Nickel Wolrab 1537
Kl. 8°. 80 (7) Bll. Aufgeschlagen: Schluß der Vorrede des Herausgebers Michael Vehe in Halle und Einleitungsstrophe zu einem gesungenen Vaterunser
Hannover, Niedersächsische Landesbibliothek, CIM 1/14

In Leipzig wurde die Reformation durch den Landesfürsten Georg den Bärtigen leidenschaftlich unterdrückt. Verleger, Drukker und Verkäufer reformatorischer Schriften hatten mit der Todesstrafe zu rechnen. Die Verlockung war für den Leipziger Buchhandel aber zu groß; immer wieder wurden Versuche gemacht, das Verbot zu umgehen. So druckte Michael Blum d. J. (wahrscheinlich 1529) das Wittenberger Gesangbuch nach; es war nachweislich 1533 in Leipzig unter dem Ladentisch noch käuflich. Mit allen Mitteln förderte Georg der Bärtige (vgl. Kat. Nr. 210) darum die Gegenpartei. Und diese versuchte, den Gegner mit seinen eigenen Waffen zu schlagen. Dazu gehörte das so beliebte und gesuchte Gesangbuch. Der Hallenser Stiftspropst Michael Vehe schuf in dieser Situation das erste katholische Gesangbuch in deutscher Sprache. Wie sehr es von der jungen Errungenschaft des evangelischen Gemeindegesangs profitiert, zeigt schon die aufgeschlagene erste Seite: Die Melodie dieser das gesungene Vaterunser einleitenden Liedstrophe ist die Straßburger Melodie zu Luthers Psalmlied »Aus tiefer Not schrei ich zu dir«. Wahrscheinlich hat Vehe sie dem Konstanzer Gesangbuch (Kat. Nr. 406) entnommen. An späterer Stelle steht auch die Bereimung des 130. Psalms, der man auf den ersten Blick anmerkt, daß sie auf Luthers eben genanntem Lied in der in Straßburg verwendeten, ursprünglichen 4strophigen Fassung beruht.
Der auf der aufgeschlagenen linken Seite oben zu Ende gehende Satz der Vorrede beginnt: *Ettliche* [Melodien] *aber synt von den würdigen Herrn, und in der Musica berümpten meistern, Johanne Hoffmann, und Wolffgango Heintzen, des Hochwürdigsten durchlauchtigsten und hochgebornen* ... Daß eine Gesangbuchvorrede die Melodieschöpfer nennt, ist eine große Seltenheit.
In der Überschrift rechts oben wird der liturgische Ort für den Vollzug dieses Stükkes ausdrücklich angegeben. Das ist bei 14 weiteren Liedern ebenso der Fall. Zudem wird in der »Ordnung vom Gebrauch der Psalmen und Lieder« am Schluß des Buches, auf welche schon auf dem Titelblatt hingewiesen wird, für jedes Lied genau angegeben, wann es zu brauchen ist. Danach werden diese volkssprachlichen Lieder nur im Zusammenhang mit der Predigt und bei Prozessionen und Wallfahrten gebraucht, wie das schon vor der Reformation der Fall war, sind also keineswegs so deutlich in den liturgischen Ablauf integriert, wie das in den evangelischen Gottesdiensten der Fall war.

DKL, Nr. 1537[06]. – H. Hofmann, Das erste Leipziger Gesangbuch von Michael Blume, 1914. – W. Lipphardt, Ein New Gesangbüchlin Geistlicher Lieder, 1970. M. J.

418 Das erste große römisch-katholische Kirchengesangbuch des 16. Jahrhunderts, 1567 vom apostolischen Administrator für die beiden Lausitzen, Johann Leisentrit, herausgegeben, ist deutlich vom Babst'schen Leipziger Gesangbuch beeinflußt.

›Geistliche Lieder und Psalmen, der alten Apostolischer recht und warglaubiger Christlicher Kirchen, so vor und nach der Predigt, auch bey der heiligen Communion, und was sonst in dem haus Gottes, zum theil in und vor den Heusern, doch zu gewönlichen zeitten, durchs gantze Jar, ordentlicher weiß mögen gesungen werden, Aus klarem Göttlichem Wort, und Heiliger geschrifft Lehrern (Mit vorgehenden gar schönen unterweisungen) Gott zu lob und ehre, Auch zu erbawung und erhaltung seiner heiligen allgemeinen Christlicher Kirchen, Auffs fleissigste und Christlichste zusamenbracht. Durch Johann: Leisentrit von Olmutz, Thumdechant zu Budissin etc.‹
Bautzen: Hans Wolrab 1567
Kl. 8°. I: (12) 355 (13) Bll., II: (8) 75 (8) Bll. Aufgeschlagen: I, fol. 183[v]-183 184[r], Anfang der Pfingstleise
Tübingen, Konviktsbibliothek Wilhelmsstift, KH 4475. 8°

Luthers Wirkung als Gesangbuch-Schöpfer reichte weit über seinen unmittelbaren Einflußbereich hinaus. Ein sprechendes Beispiel dafür ist das Gesangbuch, welches der 1561 zum Administrator Ecclesiae mit bischöflicher Gewalt für die beiden Lausitzen mit Sitz in Bautzen (damals Budissin) ernannte Johann Leisentrit 1567 herausgab. Er hatte unter schwierigen Verhältnissen eine in evangelischer Umgebung katholisch gebliebene Minderheit zu betreuen. Nicht nur aus Klugheit, sondern aus innerer Überzeugung verfolgte er einen maßvollen Mittelweg und arbeitete auf einen humanistisch geprägten Reformkatholizismus hin. Dem entsprach es, daß er für seine Gemeinden ein Gesangbuch schuf, wie es die Evangelischen auch hatten, in womöglich noch reicherer Ausstattung. Er nahm sich eine der Ausgaben des Leipziger Gesangbuchs zum Vorbild. Auch sein Buch ist in zwei Teile eingeteilt (obwohl dazu keine ersichtliche Veranlassung bestand). Auch er läßt durch seinen Drucker, den Sohn desjenigen, welcher das erste katholische Gesangbuch (Kat. Nr. 417) herausgebracht hatte, jede Seite mit Randleisten schmücken, und auch er gibt dem Buche reichen Bilderschmuck bei, der allerdings aus Teilen verschiedener älterer Zyklen von unterschiedlicher Qualität und Provenienz zusammengesetzt ist, rein zahlenmäßig aber den des Leipziger Gesangbuchs übertrifft. Auch in der Liedauswahl und bei den Liedfassungen stellt man eine große Zahl von Anleihen bei evangelischen Gesangbüchern fest. Wie im Leipziger Gesangbuch wird den Noten die erste Strophe in kleineren Lettern untergelegt, danach aber in der größeren Schrift nochmals wiederholt. Damit das Gesangbuch aber, wo immer man es aufschlägt, nicht mit evangelischen verwechselt werden kann, steht durch das ganze Buch hin auf der linken von zwei aufgeschlagenen Seiten der fliegende Kolumnentitel *Gesangbuch Johan: Leisentrits.* Die aufgeschlagenen Seiten zeigen eines der beiden Pfingstbilder aus einem Zyklus evangelischer Herkunft, möglicherweise aus einer illustrierten Katechismus-Ausgabe. Die evangelische Herkunft ist daran zu erkennen, daß entgegen der Tradition die Geistesflammen den Jüngern nicht auf dem Kopfe brennen, sondern ihnen aus dem Munde hervorzüngeln. So hatte Luther es ausdrücklich verlangt, und so wurde die Szene in der ersten illustrierten Ausgabe seines Katechismus auch dargestellt. Auch fehlt auf beiden Pfingstbildern Maria in der Mitte der Jünger.
Die Pfingstleise ist ihrem Text nach aus dem Gesangbuch Michael Vehes von 1537 (Kat. Nr. 417) übernommen, die Melodie-

419

fassung jedoch stammt aus einer anderen, wohl ebenfalls evangelischen Quelle.

DKL, Nr. 1567[05]. – W. Lipphardt, Johann Leisentrits Gesangbuch von 1567, 1963. – Johann Leisentrit: Gesangbuch von 1567. Faksimileausgabe mit einem Nachwort von W. Lipphardt, 1966. – Hoberg, S. 65-72, 113-115. – Preuß, S. 30. M. J.

419 Das evangelische Gesangbuch ist von Anfang an zugleich auch Erbauungsbuch.

Gesangbuchschränkchen
Fichtenholz, 96 × 105 cm. Aus der Klaus-Kapelle zu Goslar
Goslar, Evang.-Luth. Gemeinde St. Peter und Paul auf dem Frankenberge

Der örtlichen Tradition nach haben sich die Bergleute von Goslar seit 1538 jeden Montag vor der Einfahrt in den Rammelsberg in der Klaus-Kapelle zur Morgenandacht versammelt; ihre dabei verwendeten Gesangbücher bewahrten sie in diesen beiden Kästchen auf.
Nun wurden zwar in den lutherischen Gebieten in der Regel im Gottesdienst keine Gesangbücher verwendet, sondern die Gemeinde sang auswendig. Luther beklagte sich sogar einmal nach dem Besuch eines Gottesdienstes, daß die Leute dort nicht sängen, weil sie die Lieder noch immer nicht auswendig könnten. Bei diesen Bergleuten von Goslar handelte es sich allerdings wohl weniger um eine Ausnahme von dieser Regel, als vielmehr um eine andere Funktion des Gesangbuches, nämlich seine Verwendung als Andachtsbuch, gewöhnlich in einer Hausgemeinschaft, hier offenbar in einer Arbeitsgemeinschaft.
Die Anschaffung einer Bibel kam für viele Gemeindeglieder damals aus finanziellen Gründen gar nicht in Frage; das Gesangbuch hingegen war für sie vielleicht erschwinglich. So konnte es zur »Bibel des kleinen Mannes« werden.
Die Datierung dieses merkwürdigen kirchlichen Ausstattungsstücks ist schwierig. Die beiden Kästchen – die Türen werden durch seitliches Verschieben geöffnet – weisen Renaissance-Formen auf, während der Crucifixus noch stark gotisch anmutet. Eine gleichzeitige Entstehung wäre dennoch denkbar. Möglich ist aber auch, daß ein Kruzifixus aus dem 15. Jahrhundert nachträglich mit diesen Schränkchen verbunden wurde; die Schränkchen könnten dann auch erst gegen 1600 entstanden sein. Gerade in dieser Verbindung zwischen mittelalterlich-gotischer gläubiger Tradition und neuer evangelischer Frömmigkeit, wie sie sich in der Verwendung dieses Ausstattungsstücks zeigt, liegt ein Kennzeichen Luther'scher Gesangbuchfrömmigkeit und lutherischer Kirchenmusikpflege, das sich im Frühbarock noch verstärken wird.

H.-G. Griep, Mittelalterliche Goslarer Kunstwerke, 1957, Teil D, S. 49 f. M. J./G. S.

C Luther und die Haus-, Schul- und Kirchenmusik

Luther hatte persönlich ein sehr tiefes Verhältnis zur Musik. Sie bedeutete ihm weit mehr als nur fröhlichen Zeitvertreib, humanistischen Bildungsausweis oder kirchlich-liturgisches Dekorum. Eine theoretisch-theologische Schrift oder Vorlesungsvorbereitung ›Über die Musik‹ blieb zwar im Stadium der Skizze stecken, aber die da und dort gedruckten oder durch Zeitgenossen überlieferten mündlichen Äußerungen des Reformators sagen genug. Eine einzige stehe für viele: »Wer die Musik verachtet, wie denn alle Schwärmer tun, mit dem bin ich nicht zufrieden. Denn die Musik ist eine Gabe und Geschenk Gottes, nicht ein Menschen-Geschenk. So vertreibt sie auch den Teufel und macht die Leut fröhlich; man vergißt dabei alles Zorns, Unkeuschheit, Hoffahrt und anderer Laster. Ich gebe nach der Theologie der Musik den nächsten Platz und die höchste Ehre« (WA TR 7034).
Dem entsprach Luthers persönliche Musikausübung. Johann Walter berichtet als einer, der in diesen Dingen engste Beziehung zu Luther pflegte und für Luther als erste Autorität in musikalischen Fachfragen galt: »So weiß und bezeuge ich wahrhaftig, daß der heilige Mann Gottes Lutherus, welcher deutscher Nation Prophet und Apostel gewest, zu der Musik im Choral- und Figuralgesange große Lust hatte, mit welchem ich gar manche liebe Stunde gesungen und oftmals gesehen, wie der teure Mann vom Singen so lustig und fröhlich im Geiste ward, daß er des Singens schier nicht konnte müde und satt werden und von der Musik so herrlich zu reden wußte.«
Des näheren bezeugen manche Hausgenossen Luthers, was sein Hausarzt Matthias Ratzeberger so berichtet: »Auch hatte Luther den Brauch: sobald er die Abendmahlzeit mit seinen Tischgenossen gehalten hatte, brachte er aus seinem Schreibstüblein seine partes [Stimmbücher] und hielt mit denen, so zur Musik Lust hatten, eine Musik.« Er selbst pflegte dabei den Alt zu singen.
Daß Luther der Musik als Schulfach eine weit höhere Bedeutung zumaß, als ihre Stellung im humanistischen Bildungsideal es verlangte, versteht sich demnach. Er sagt: »Die Musik habe ich allezeit lieb gehabt. Wer diese Kunst kann, ist guter Art zu allem befähigt. Man muß die Musik notwendigerweise in den Schulen beibehalten. Ein Schulmeister muß singen können, sonst sehe ich ihn nicht an. Man soll auch junge Leute zum Predigtamt nicht verordnen, sie haben sich denn in der Schule [in dieser Kunst] wohl versucht und geübt« (WA TR 6248).
So ist Luthers Hochschätzung der Musik, weitergetragen vor allem zunächst durch den schon genannten Johann Walter, zum Ausgangspunkt der mitteldeutschen Schulmusiktradition geworden. Schulmusik und Kirchenmusik aber waren für Luther und seine Zeit eines und dasselbe. Wo es Lateinschulen gab, diente der Musikunterricht mit dazu, die Schüler auf ihren liturgischen Dienst, zu dem sie verpflichtet waren, vorzubereiten. Der Schülerchor, ergänzt um einige erwachsene Personen (Adjuvanten), war zugleich Kirchenchor. Aber darüber hinaus lag es Luther am Herzen, daß die Schüler im Musikunterricht gute Lieder lernten, um damit die textlich fragwürdigen Volkslieder zu verdrängen.
Kein Jahr, nachdem der allererste Grundstock von evangelischen Liedern vorhanden war, gab Luther Johann Walter, damals Bassist der kurfürstlichen Kapelle in Torgau, den Auftrag, diese Lieder mit Figuralsätzen zu versehen. Walter machte sich sofort an die Arbeit, und noch im »Liederjahr« 1524 erschien in Wittenberg das erste Chorgesangbuch in der Geschichte der evangelischen Kirchenmusik. In seinem Vorwort dazu schreibt Luther: »Es sind diese Lieder auch in vier Stimmen gesetzt, aus keinem anderen Grunde, als daß ich gerne möchte, daß die Jugend, die ohnehin soll und muß in der Musik und anderen rechten Künsten erzogen werden, etwas hätte, damit sie die Buhllieder und fleischlichen Gesänge loswürde und statt derselben etwas Heilsames lernte und so das Gute mit Lust, wie es den Jungen gebührt, einginge. Ich bin auch nicht der Meinung, daß durchs Evangelium sollten alle Künste zu Boden geschlagen werden und vergehen, wie etliche falsche Eiferer vorgeben, sondern ich möchte alle Künste, besonders die Musik, gerne sehen im Dienste des, der sie gegeben und geschaffen hat.«
Dieser Anstoß Luthers war bei Johann Walter auf fruchtbaren Boden gefallen. Er dürfte mit der Anlaß dafür gewesen sein, daß in Torgau dann unter Johann Walter eine für den gesamten lutherischen Bereich vorbildliche kirchenmusikalische Arbeit entstand. Walter selbst wurde das, was man später den lutherischen »Ur-Kantor« nannte. Sein zwischen 1524 und 1561 in mindestens sechs Auflagen erschienenes Chorgesangbuch und Georg Rhaus breit angelegtes Editionswerk gaben dieser neu sich entfaltenden Kirchenmusik-Tradition reichlich Stoff.

J. Rautenstrauch, Luther und die Pflege der kirchlichen Musik in Sachsen bis zum 2. Jahrzehnt des 17. Jahrhunderts, 1906. – F. Blume, Geschichte der evangelischen Kirchenmusik, 1965. – H. Kätzel, Musikpflege und Musikerziehung im Reformationsjahrhundert, dargestellt am Beispiel der Stadt Hof, [1954]. – W. Steude, Untersuchungen zur mittelalterlichen Musiküberlieferung und Musikpflege im 16. Jh., 1978. – W. Blankenburg, Johann Walter (in Vorbereitung).
M. J.

420 Die Laute war neben der Querflöte das Instrument, das Luther zum Musizieren verwendete. Sie nahm damals den Platz ein, den heute das Klavier innehat.

Hans Neusidler, ›Ein Neugeordent Künstlich Lautenbuch, In zwen theyl getheylt. Der erst für die anfahenden Schuler, die aus rechter kunst und grundt nach der Tabulatur, sich one einichen Meyster darin zuüben haben . . .‹
Nürnberg: Johann Petreius 1536
Quer-4°. 88 Bll. Aufgeschlagen die beiden letzten Seiten mit der Abbildung einer Laute
Wolfenbüttel, Herzog August Bibliothek, 2.14 Musica

Die Laute war zur Zeit Luthers das Universalinstrument. Außer originaler Lautenmusik spielte man darauf Übertragungen anderer mehrstimmiger Instrumentalmusik und weltlicher und geistlicher Vokalmusik. Sie diente als Solo-Instrument, als »Orchester«-Instrument, als Begleitinstrument und für die Musiktheorie, beim gesellschaftlichen Musizieren im bürgerlichen wie im höfischen Bereich und in der Kirchenmusik. Wer Laute spielen konnte, hatte den Zugang zur gesamten mehrstimmigen Musik der Zeit, wenn er die Kunst des »Absetzens«, d.h. des Übertragens anderer Musik für die Laute, beherrschte. Als Musikfreund und -kenner war Luther auf dieses Instrument angewiesen. Der Überlieferung nach soll er das Lautenspiel im Kloster, während der Rekonvaleszenzzeit nach einem Unfall, autodidaktisch erlernt haben. Der aus Ungarn stammende, seit 1530 in Nürnberg ansässige Lautenist Hans Neusidler (1508-1563) hat mit seinen acht zwischen 1536 und 1549 in Nürnberg erschienenen Lautenbüchern die wichtigste Quelle für die Lautenmusik der Lutherzeit geschaffen. Die – wie der Titel besagt – für den Selbstunterricht bestimmte, progressiv angeordnete Sammlung bringt am Ende diesen ersten Teils die Abbildung einer Laute, auf deren Griffbrett die Buchstaben der Griffschrift (s. Kat.Nr.421) eingetragen sind. Die Laute der Lutherzeit ist sechschörig, wobei fünf Chöre mit zwei Saiten bespannt sind und nur die oberste einfach bespannt ist. Lauten aus der ersten Hälfte des 16. Jahrhunderts, die nicht später umgebaut worden sind, sind nicht erhalten, weshalb wir uns an Abbildungen wie diese halten müssen.

P. Päffgen, Laute und Lautenspiel in der ersten Hälfte des 16. Jh. Beobachtungen zu Bauweise und Spieltechnik, 1978. – K. Ragossnig, Handbuch der Laute und Gitarre, 1978. – K. Dorfmüller, Art. Neusidler. In: MGG 9, 1961, Sp. 1407-1411. M. J.

421 Luther muß des öftern Laute gespielt haben. Denn dieses Instrument kann nur befriedigend spielen, wer es häufig zur Hand nimmt.

Hans Neusidler, ›Der ander theil des Lautenbůchs. Darin sind begriffen, vil außerlesner kunstreycher stuck, von Fantaseyen, Praeambeln, Psalmen und Muteten, die von den Hochberůmbten und besten Organisten, als einen schatz gehalten, die sein mit sonderm fleyß auff die Organistisch art gemacht und coloriert, fůr die geůbten unnd erfarnen dieser kunst, auff die Lauten dargeben. Dergleichen vormals nie in Truck, aber yetzo durch mich Hansen Neusidler Lutinisten und Bůrger zu Nůrnberg, offensichtlich außgangen.‹
Nürnberg: Johann Petrejus für Hans Neusidler 1536
Quer-4°. 120 Bll. Aufgeschlagen: Eine geistliche Motette des »Niederländers« Josquin des Prés
Nürnberg, Germanisches Nationalmuseum, 3 an: quer-8° M. 261 Postinc.

Die Lautenisten verwendeten eine eigene Notenschrift, die auf dem Prinzip der Griffschrift beruht: Die Buchstaben bezeichnen die zu greifenden Stellen auf dem Griffbrett; der Rhythmus wird durch die darüberstehenden Notenhälse mit Querstrichen (entsprechend unseren Achtel- und Sechszehntelbalken) geregelt. Die deutschen Lautenisten hatten eine von derjenigen der welschen abweichende und etwas schwerer lesbare Tabulaturschrift. Nur wer in steter Übung blieb, konnte es auf der Laute zu befriedigenden Ergebnissen bringen. Eine Tabulatur von 1552 (Mus. ms. 40588 der Staatsbibliothek, Preußischer Kulturbesitz, Berlin) sagt das so: *All ding muß ein übung han, / Also auch das Luten schlan, / Luten schlahn ist eine kunst, / Wers nit vil brucht lernts umsunst.* So muß auch Luther seine Laute des öftern hervorgenommen haben. Daß er das Neusidler'sche Lautenbuch besaß, ist anzunehmen.
Wie auf der Orgel, so spielte man auch auf der Laute damals sehr oft Instrumentalbearbeitungen von Vokalmusik. So ist es auch bei den beiden hier aufgeschlagenen Stücken (Bl. Z $3^b/4^a$): »Cum sancto spiritu« ist eine geistliche Motette des zu den Niederländern zählenden Pikarden Josquin des Prés (um 1440-1521 [1524?]), eines der Lieblingskomponisten Luthers. Er sagte von ihm: *Josquin ist der Noten Meister; die haben's müssen machen, wie er gewollt. Die andern Sangmeister müssen's machen, wie es die Noten haben wollen* (überliefert von J. Mathesius 1563). Und über Tisch sagte Luther einmal: »Was Gesetz ist, führt nicht weiter; was Evangelium ist, führt weiter. So predigte Gott das Evangelium durch Musik, wie man bei Josquin sehen kann, dessen Kompositionen alle fröhlich, von selbst, milde herausfließen; sie sind nicht erzwungen und eingeengt durch Regeln, [sondern ungezwungen] wie Finkengesang« (WA TR 1258, übertragen). Ein Kenner in unserer Zeit sagt es so: »Josquin ist einer der wenigen Großen, bei denen alle Kunst ganz einfach wird, weil sie voll Menschlichkeit ist« (C. Gerhardt).
Auf der linken Seite endet ein weltliches Stück des gleichen Komponisten *(Mille regrets).*

H. Neusidler, Ein Neugeordent künstlich Lautenbuch 1536, Faksimile-Ausgabe 1974. – H. M. Brown, Instrumental Music printed before 1600, 1965. – K. Dorfmüller, Studien zur Lautenmusik in der ersten Hälfte des 16. Jh., 1976. – C. Gerhardt, Die Torgauer Walter-Handschriften, 1949, S. 110. M. J.

422 Die älteste erhaltene Orgelbearbeitung eines Kirchenliedes verwendet die Straßburger Melodie zu Luthers »Aus tiefer Not schrei ich zu dir«.

Hans Kotter, Orgeltabulatur mit der Bearbeitung von Luthers Lied zum 130. Psalm
Eigenhändig, Orig. Papier, 16 × 22,5 cm.
In Sammelhandschrift. Aufgeschlagen: fol. 84^v–85^r, Nr. 54
Basel, Universitätsbibliothek, F IX 22

Die Orgel war zur Zeit Luthers nicht das kirchliche Instrument schlechthin wie heute. Sie spielte im Gottesdienst eine untergeordnete und weithin unselbständige Rolle. Und die Werke, die von den Organisten gespielt wurden, wenn sie ausnahmsweise solo spielten, waren fast immer Übertragungen von Vokalsätzen, sogenannte Intavolierungen. Man verwendete dafür eine besondere, raumsparende Partiturschrift, bei der nur die oberste Stimme in Noten notiert war, alle übrigen in Tonbuchstaben mit Fähnchen zur Angabe des Rhythmus.

422

Kleine Orgeln (Positive, Portative, Regale) gab es auch in den Häusern vermöglicher Bürger und auf Schlössern. An ein solches Instrument ist zu denken, wenn Luther am 7. Oktober 1534 an den Freiberger Organisten Matthias Weller schreibt: *Darum, wenn ihr traurig seid und es will überhand nehmen, so sprecht: Auf! Ich muß unserm Herrn Christus ein Lied schlagen auf dem Regal (es sei Te Deum laudamus oder Benedictus etc.); denn die Schrift lehret mich, er höre gern fröhlichen Gesang und Saitenspiel. Und greifet frisch in die claves* [Tasten] *und singet drein, bis die Gedanken vergehen, wie David und Elisäus* [Elisa] *taten.*

Zu den wenigen bekannten Orgelmeistern der Reformationszeit gehört der Straßburger Hans Kotter (um 1480-1541). Sein Lehrer war 1498 bis 1500 in Torgau der damals berühmteste deutsche Organist, Paul Hofhaimer. Kotter blieb bis 1508 im Dienste des sächsischen Kurfürsten; dann zog es ihn wieder nach Süden. 1514 wurde er Organist an St. Niklaus in Freiburg i. Ü., wo er sich seit 1520 zum evangelischen Glauben bekannte und deshalb verfolgt und gefoltert wurde. 1530, als sich die Lage zuspitzte, entging er dank der Fürsprache Berns samt seinem Freunde Johannes Wannenmacher, ebenfalls Musiker, der Hinrichtung, mußte aber Freiburg verlassen. In den darauffolgenden harten Jahren des Suchens nach einer festen Anstellung entstand 1532 die für seinen Freund, den Basler Humanisten Bonifacius Amerbach, geschriebene Orgelbearbeitung des Lutherliedes »Aus tiefer Not schrei ich zu dir«, die mit einer zweiten Psalmliedbearbeitung zusammen die älteste Orgelbearbeitung eines evangelischen Kirchenliedes ist. Sehr wahrscheinlich handelt es sich dabei nicht um die Intavolierung eines Vokalsatzes, sondern um eine originale Orgelkomposition, die erste mehrstimmige Vertonung dieser Melodie Wolfgang Dachsteins von 1525, die wir kennen. Das Stück war für die Hausmusik bestimmt.

Von 1534 bis zu seinem Tode lebte Kotter dann als Schulmeister in Bern, ein Musikerschicksal aus der Reformationszeit, das nicht allein dasteht.

WA BR 7, S. 105 (Nr. 2139). – A. Geering, Die Vokalmusik in der Schweiz zur Zeit der Reformation, 1933 (zwei Briefe Kotters). – H. J. Marx (Hrsg.), Tabulaturen des XVI. Jh., Teil I: Die Tabulaturen aus dem Besitz des … B. Amerbach, 1967. – M. Jenny, Geschichte des deutschschweizerischen Gesangbuches im 16. Jh., 1962, S. 199 f. M. J.

423 Luther war nicht nur ein Musikfreund und Musikkenner, sondern er verfügte auch über satztechnische Kenntnisse; ein kurzer Tonsatz von seiner Hand ist erhalten geblieben. Dessen Überlieferung ist zugleich ein eindrückliches Zeugnis für einen besonderen Anwendungsbereich der Schulmusik: das Schuldrama.

Joachim Greff, ›Lazarus Vom Tode durch Christum am vierdten tage erwecket. Ein Geistliches schǒnes neues spiel, aus Latein in Deutsche Reim vertiert, zu sterckung des hǒchßten und nǒtigsten Artickels unsers heiligen Christlichen glaubens von der letzten aufferstehung unsers fleisches oder der todten am Jǘngsten tage andechtig, sehnlich, und trǒstlich zu lesen, durch Joachimum Greff von Czwickau, itzund Schulmeister zu Dessau, der Stad Halle in Sachssen dedicirt und zugeschrieben.‹

Wittenberg: ohne Druckerangabe 1545

8°. 308 S. Aufgeschlagen: Schluß der Regieanweisungen zur Musik mit der Nennung des Schlußstücks von Luther, das anschließend in Noten wiedergegeben wird

Pommersfelden, Dr. Karl Graf von Schönborn-Wiesentheid, LV/32 Bb. 4

Die Aufführung von geistlichen Spielen, vorzugsweise über biblische Stoffe, lief an den Schulen der Reformationszeit parallel zur älteren humanistischen Praxis, antike Dramen neu aufzuführen. Der pädagogische Wert solcher Schüleraufführungen wurde hoch veranschlagt. Nicht selten spielten Musik und Gesang bei der Wiedergabe solcher Schuldramen eine bedeutende Rolle.

Joachim Greff hatte ein lateinisches Drama seines Freundes Johannes Sapidus ins Deutsche übertragen. In der Druckausgabe nennt er am Schluß in ausführlichen Regieangaben zur Bühnenmusik die Chorsätze und Gemeindelieder, die er bei der Uraufführung verwandte. Unter den acht Chorsätzen sind solche von Philipp Verdelot, Ludwig Senfl und Johann Walter. Und dann heißt es: *Und auff den allerletzten Epilogum* [also ganz zum Schluß des Stücks], *Non moriar sed vivam D. Martini Lutheri IIII. vocum* [vierstimmig] *aus seinem schönen Confitemini. Dasselbig stücklein, weils kurtz und nicht so gar gemein ist* [nicht so allgemein bekannt ist], *hab ich's albie an diese Action auch mit drucken lassen.* Wir geben eine Übertragung des heute kaum zugänglichen Stücks in Klavierpartitur:
Folget, Non moriar sed vivam, D. M. L.

423

Hauptstimme ist der Tenor, der den 8. Ton der Introitus-Psalmodie fast unverändert wiedergibt. Ihn haben ganz ähnlich auch Senfl und Walter für ihre Vertonungen dieses Textes benützt. Und ihn hatte Luther 1530 auf der Veste Coburg an die Wand seines Zimmers geschrieben, wo ihn sein Arzt, Matthias Ratzeberger, noch 1557 gesehen haben will. Der Text stammt aus Psalm 118, dem Luther dort auf der Coburg unter dem Titel ›Das schöne Confitemini‹ (so der Anfang des lateinischen Textes) eine eigene Schrift gewidmet hatte. Eine besondere Bedeutung bekam der hier vertonte Vers 17 dieses Psalms für Luther, seitdem Ludwig Senfl ihn auf der Coburg durch seine Motette über diesen Vers in einer Anwandlung von Schwermut getröstet hatte (vgl. Kat. Nr. 426 c).

WA 35, S. 535-538. M. J.

424

424 Eine Singgemeinschaft in Luthers Haus hat man sich um einen Tisch sitzend vorzustellen, auf welchem an jeder Seite ein Stimmbuch, -heft oder -blatt liegt.

Musiktisch des Stephan II. Praun
Nußbaumplatte mit eingelegter Platte aus Solnhofener Kalkstein auf Eichenholzgestell, 106 × 106 cm, Einlage 54 × 53,5 cm, Höhe 80 cm. Mit vierstimmigem Liedsatz von Johann Schechinger zu der Hofweise »Ach hilf mich Leid und sehnlich Klag« des Adam von Fulda. Plattenätzung von Peter Utz 1567
Nürnberg, Germanisches Nationalmuseum, HG 9412. Leihgabe der Friedrich von Praun'schen Familienstiftung Nürnberg

Fast anschaulicher als die Abbildung einer Singgesellschaft läßt sich das Musizieren in Luthers Haus an diesem Musiktisch veranschaulichen: Die quadratische steinerne Tischplatte ist nämlich so verziert, daß an jeder Seite eine der vier Stimmen eines Figuralsatzes in der Art eines Holzschnittes, jedoch positiv, eingraviert ist. Vier oder mehr Sänger oder Spieler konnten, wenn sie sich um diesen Tisch setzten, gleich zu musizieren anfangen. So war das, was an diesem Tisch geschehen sollte, durch seine Gestalt bereits vorgegeben.
Eine besondere Bedeutung bekommt der Tisch in unserem Zusammenhang jedoch durch das Stück, das darauf notiert ist. Es handelt sich um den vierstimmigen Satz des Hofhaimer-Schülers Johannes Schechinger (um 1485-um 1559) über die Hofweise »Ach hilf mich Leid und sehnlich Klag« des Adam von Fulda aus Heinrich Finks Liedern von 1536, herausgegeben durch seinen Neffen Hermann Finck (Moser Nr. 5). Es ist in hohem Grade wahrscheinlich, daß Luther diesen »ausgezeichneten Satz« (Moser) gekannt und in seinem Hause mitgesungen oder -gespielt hat. Das Lied war ihm auf jeden Fall bestens vertraut.
Adam von Fulda (um 1445-1505) war als kursächsischer Hofkomponist der Lehrer Johann Walters (s. Kat. Nr. 425, 427). Er starb 1505 als Musikprofessor in Wittenberg. Luther war damals noch in Erfurt; aber er wird, als er später nach Wittenberg kam, von dem berühmten akademischen Lehrer dieser jungen Universität gehört haben. Dessen Lied »Ach hilf mich Leid und sehnlich Klag« war so bekannt, daß noch 1547 Heinrich Glarean es in seinem musiktheoretischen Kompendium, dem ›Dodekachordon‹, als *cantio elegantissime composita ac per totam Germaniam cantatissima* (ein aufs beste gesetztes und durch ganz Deutschland hin überaus gern gesungenes Lied) bezeichnet.
Adam von Fuldas Text war zunächst eine weltliche Liebesklage, wurde aber wohl noch vom Dichter selbst in ein geistliches Lied umgearbeitet. In einer zweiten Umarbeitung als geistliche Parallelkontrafaktur in reformatorischem Sinne nahm Luther es dann 1529 in sein Wittenberger Gemeindegesangbuch unter die »alten Lieder« aus vorreformatorischer Zeit auf. Dadurch war ihm eine bis ins 17. Jahrhundert reichende Ueberlieferung in den Gesangbüchern gesichert, die es wegen seiner komplizierten Text- und Melodiestruktur sonst kaum erreicht hätte. So ist es noch 1567 dem Hersteller, Auftraggeber oder ersten Besitzer des Praun'schen Musiktisches bekannt.
Die übrigen Texte auf dem Tisch (in der Mitte und zum Teil auch unter den Noten Ausschnitte aus Psalmen) haben mit dem Musikstück, von dessen Text bei allen vier Stimmen nur das Incipit als Textmarke angegeben ist, nichts zu tun. In der Ecke zwischen Diskant und Baß heißt es: *Opus. Petri Utzn Istis temporibus Cantor Wembding*[ensis]. *ANNO M.D.LXVII.* ([Dieser Tisch ist] das Werk von Peter Utz, derzeit Kantor von Wemding.) Der Tisch wurde zur Silberhochzeit von Stefan II. Praun und seiner zweiten Gattin Ursula geb. Ayrer von Roßtal angefertigt (freundliche Mitteilung von Dr. J. H. van der Meer).

DKL, Nr. 1536[04]. – H. J. Moser, Leben und Lieder des Adam von Fulda, 1929 (Neudruck 1974). – W. Ehmann, Adam von Fulda als Vertreter der ersten deutschen Komponistengeneration, 1936. – H. J. Moser, Paul Hofhaimer, ein Lied- und Orgelmeister des deutschen Humanismus, 1929, S. 185-187. M. J.

425 Schon im »Liederjahr« der Reformation (1524) erschien das bis dahin in Wittenberg vorhandene reformatorische Liedgut in einer vor allem für die Schüler bestimmten Ausgabe mit drei- bis fünfstimmigen Figuralsätzen von Johann Walter; bereits im Jahr darauf wurde das Werk in Worms nachgedruckt.

Johann Walter, ›Geystliche Gsangbüchlin, Erstlich zů Wittenberg, und volgend durch Peter schöffern getruckt, im jar. M. D. XXV‹
Worms: Peter Schöffer 1525
Quer 12°. 47 Bll. 5 Stimmbücher
a Tenor-Stimmbuch. Aufgeschlagen: Melodie und Text des ältesten von einer Frau verfaßten deutschen Kirchenliedes: »Herr Christ, der einig Gotts Sohn« von Elisabeth von Meseritz
b Discant-Stimmbuch. Aufgeschlagen: Die beiden ersten Stücke der Sammlung, zwei Heiliggeist-Lieder
c Baß-Stimmbuch. Aufgeschlagen: Titelseite
d Alt-Stimmbuch. Aufgeschlagen: Letzte Seite mit dem Namen des Komponisten
e Vagans-Stimmbuch (fünfte Stimme). Aufgeschlagen: Eine der fünf die Sammlung beschließenden Motetten
Wien, Österreichische Nationalbibliothek, SA.78.F.21

Es ist ziemlich unwahrscheinlich, daß der damals 28jährige Bassist der kursächsischen Hofkapelle und designierte Nachfolger des 1520 verstorbenen Hofkomponisten Adam Rener dieses epochale Opus aus eigenem Antrieb geschaffen haben sollte. Unter den 38 deutschen Liedern dieser Sammlung sind rund zwei Drittel (24) von Luther, darunter fünf, die in keiner anderen Quelle des Jahres 1524 nachzuweisen sind. Das Psalmlied »Aus tiefer Not schrei ich zu dir« erscheint hier überdies erstmals in einer tiefgreifenden Ueberarbeitung. Zudem hat Luther zu dem Werk eine programmatische Vorrede beigesteuert. Somit ist anzunehmen, daß Walter die Arbeit im Auftrag oder auf Anregung Luthers in Angriff genommen hat und von Luther mit dem Liedmaterial versehen wurde. Im einzelnen wird ihm der Reformator jedoch dann freie Hand gelassen haben. So hat Walter zu einer Reihe von Texten, die noch keine eigene Weise hatten, diese geschaffen, in einem Fall sogar einer wahrscheinlich von Luther stammenden Melodie eine verbesserte zweite Fassung an die Seite ge-

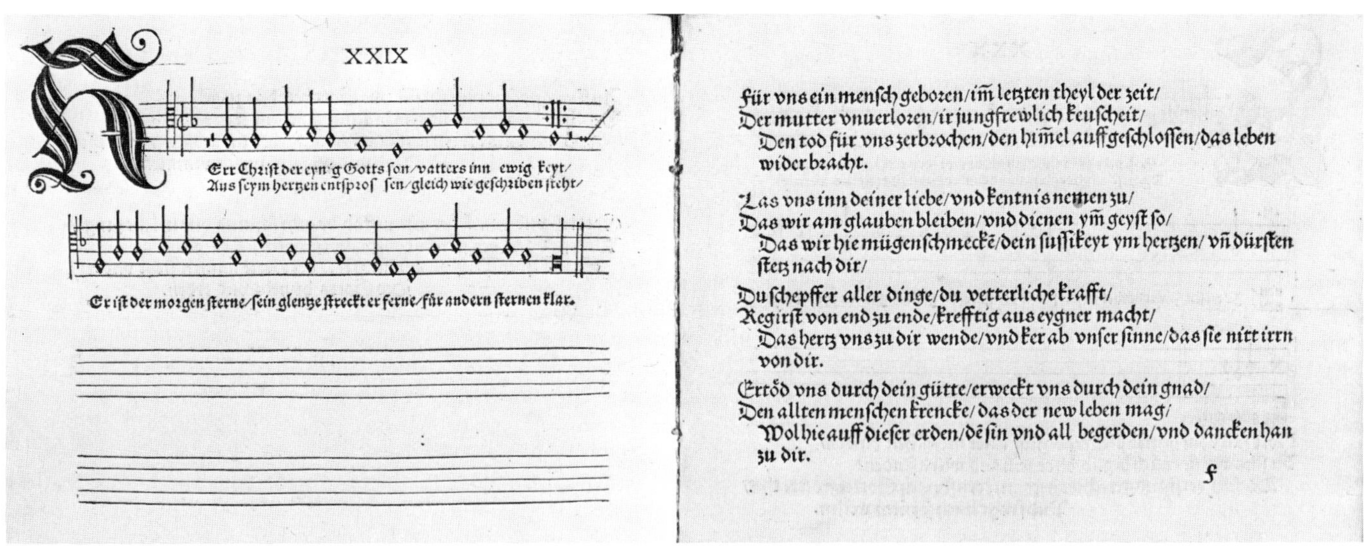

425 a

stellt, die sich später durchsetzte (vgl. Kat. Nr. 393). Das Werk, dessen Herstellung mehrere Monate in Anspruch genommen haben muß (Vertonung der Lieder, die z.T. erst Mitte 1524 entstanden sind, Schneiden der eigens dafür hergestellten Initialen, Schneiden der Noten, Setzen des Textes, Montage von Text und Noten, Druck von fünf Stimmbüchern) wird frühestens zur Herbstmesse 1524 erschienen sein. Es war ohne unmittelbares Vorbild und hat auch in den nächsten 20 Jahren keine Nachahmer gefunden. Aber es fand starke Beachtung. So hat es schon im Jahre darauf in Worms einen Nachdruck erfahren, der den Urdruck an Schönheit und Genauigkeit noch übertrifft und das Werk im evangelischen Südwesten des deutschen Sprachgebiets bekanntmachte. Möglicherweise erschien 1528 in Wittenberg eine stark veränderte und erweiterte zweite Auflage, die dann 1534 und 1537 in Straßburg vom selben Peter Schöffer, der den Wormser Nachdruck veranstaltet hatte, zwei weitere Male nachgedruckt wurde. 1544 konnte Georg Rhau in Wittenberg Walters Hauptwerk in erneut erweiterter Gestalt in sein umfassendes kirchenmusikalisches Verlagsprogramm (vgl. Kat. Nr. 426) übernehmen, wofür er die Schöffer'schen Druckstöcke erwarb. Auch in dieser auf den doppelten Umfang erweiterten Gestalt war das Chorgesangbuch so erfolgreich, daß 1551 nochmals eine leicht erweiterte Neuauflage erscheinen konnte. In diese von Luther und Walter geschaffene Tradition des mehrstimmigen evangelischen Gesangbuches ordnen sich Rhaus Schulgesangbuch (Kat. Nr. 426) und andere ähnliche Werke nahtlos ein und zeigen die Breitenwirkung, welche diese schöpferische Tat hatte.

Mehrstimmige Musik wurde damals nie in Partitur, sondern stets in Stimmen aufgeschrieben und bei größerem Umfang eines Werkes in einzelnen Stimmheften oder -Büchern niedergeschrieben oder gedruckt. Während von der Wittenberger Erstausgabe nur die Tenor- und die Baßstimme erhalten geblieben sind, ist die Wormser Ausgabe in zwei vollständigen Stimmbuchsätzen zugänglich. Wir zeigen aus den fünf Stimmbüchern dieser zweiten Ausgabe je verschiedene Stücke:

a) Da der *Tenor* in der Regel die melodieführende Stimme ist, enthält dieses Stimmbuch (es allein) auch die weiteren Textstrophen, die hier stets auf der rechten Seite gegenüber den Noten angebracht sind. Ist der Text lang, so daß auch noch die Rückseite des Blattes beansprucht werden mußte, folgt dann auf der rechten Seite die Tenor-Stimme eines Alternativ-Satzes zum gleichen Lied, damit das folgende wieder auf der linken von zwei aufgeschlagenen Seiten beginnen kann. – Das aufgeschlagene Lied ist das früheste und auf längere Zeit einzige von einer Frau gedichtete evangelische Kirchenlied. Die Autorin, Elisabeth geb. von Meseritz (1504-1535), war 1523 aus dem Prämonstratenserinnenkloster Treptow an der Rega zu Bugenhagen nach Wittenberg geflohen, wo sie am 14. Juni 1524 durch Luther dem ebenfalls erst 20jährigen Hebräisch-, Botanik- und Mathematik-Studenten Caspar Cruciger angetraut wurde. Seit 1528 lebte das Ehepaar dann dauernd in Wittenberg, wo der Ehegatte eine Professur erhalten hatte. Dieses erste freigedichtete Jesus-Lied der evangelischen Liedgeschichte gehört zu den reformatorischen Kernliedern. Die Melodie ist vielleicht einer weltlichen Weise des 15. Jahrhunderts nachgebildet und dürfte in dieser Form von der Dichterin stammen.

b) Die *Discant*-Stimmen der beiden ersten Stücke der Sammlung zeigen deshalb ein so verschiedenes Bild, weil bei Nr. II die Melodie ausnahmsweise nicht im Tenor, sondern im Discant liegt. (Hier ist das der einzige Fall, bis 1551 werden es dann deren 15 sein.) Die unregelmäßige Verteilung der Noten in Nr. I ist Absicht: Die Noten, die auf eine und dieselbe Silbe zu singen sind, werden möglichst nahe zusammengerückt; beim Silbenwechsel wird dann ein etwas größerer Abstand eingehalten. Es gibt nur sehr wenige Musikdrucke, welche die Textunterlegung so genau regeln. Der Druck erfolgte in zwei Arbeitsgängen: Die Notenlinien wurden zuerst gedruckt, darauf die in Holz geschnittenen Noten mit dem Text, ein Verfahren, das gegenüber dem Blockdruck (Linien und Noten in einem einzigen Arbeitsgang in Holz geschnitten) Vorteile bot, aber bald vom Druck mit beweglichen Metalltypen abgelöst wurde (z. B. Kat. Nr. 426).

c) Titelseite des *Baß*-Stimmhefts: Der einzige, aber auffallende Schmuck dieses ganzen Druckwerks besteht in den eigens dafür hergestellten kunstvollen Initialen auf den Titelseiten der fünf Stimmbücher und am Anfang jedes Stücks. Das entspricht einem weit verbreiteten Brauch der Drucker von Figuralmusik in dieser Zeit.

d) Nur am Schluß des *Alt*-Stimmbuches

gibt sich der Autor dieses Werkes zu erkennen. Der Alt ist im vierstimmigen Satz normalerweise die Stimme, die als letzte in die Komposition eingefügt wird. So erscheint der Name hier gewissermaßen als Unterschrift unter dem ganzen Werk.
e) Aus dem Stimmbuch, welches für die 14 fünfstimmigen Stücke den *Vagans,* die fünfte Stimme, enthält, zeigen wir eines der am Schluß beigegebenen fünf lateinischen Stücke, eine motettische Verarbeitung der Antiphon »Vivo ego, dicit Dominus« (Hes 33, 11). Bis zur letzten Ausgabe steigt die Zahl der lateinischen Stücke auf 49, was einer auch sonst zu beobachtenden Entwicklung im evangelischen kirchenmusikalischen Repertoire entspricht.

DKL, Nr. 1524^{18}, 1525^{22}, 1434^{07}, 1544^{12}, 1551^{07}. – Johann Walter. Das geistliche Gesangbüchlein, Geleitwort zur Faksimileausgabe von W. Blankenburg, 1979. – W. Blankenburg, Johann Walters Chorgesangbuch von 1524 in hymnologischer Sicht. In: JLH 18, 1974, S. 65-96. – Kulp-Büchner-Fornaçon, S. 81 f. – H. Volz, Woher stammt die Kirchenlied-Dichterin Elisabeth Cruciger? In: JLH 11, 1967, S. 163-165. M. J.

426 Der Wittenberger Musikgelehrte, Musiksammler, Verleger und Drucker Georg Rhau brachte in acht Jahren (1538 bis 1545) in 15 umfangreichen Musikdrucken ein umfassendes Kirchen-, Schul- und Hausmusikrepertoire heraus.

Georg Rhau, ›Neue Deudsche Geistliche Gesenge CXXIII. Mit vier und Fünff Stimmen, Für die gemeinen SCHULEN, Mit sonderlichem vleis aus vielen erlesen, Der zuvor keins in Druck ausgangen.‹
Wittenberg: Georg Rhau 1544
Quer 12°. 70, 80, 78, 76 Bll. 4 Stimmbücher
a Tenor-Stimmbuch. Aufgeschlagen: Bildnis des Georg Rhau und Anfang der von Luther gereimten Vorrede, die »Frau Musica« in den Mund gelegt wird
b Discant-Stimmbuch. Aufgeschlagen: Oberste Stimme aus einem Satz Georg Forsters über Luthers Weihnachtslied »Vom Himmel hoch, da komm ich her«
c Baß-Stimmbuch. Aufgeschlagen: Satz Ludwig Senfls über ein ökumenisches Bittlied
d Alt-Stimmbuch. Aufgeschlagen: Titelblatt mit zehn verschiedenen Musikinstrumenten der Zeit
Kassel, Gesamthochschul-Bibliothek, 4° Mus. 10^b 6-5

426 a

Georg Rhau (1488-1548) stammte aus Eisfeld an der Werra. Nach Universitätsstudien in Erfurt kam er 1512 an die Universität Wittenberg, wo er 1514 zum Baccalaureus artium promoviert wurde. Seit 1518 gehörte er dem Lehrkörper der Leipziger Universität an und führte 1519 anläßlich der Leipziger Disputation als Thomaskantor eine möglicherweise von ihm komponierte zwölfstimmige Messe auf. Seiner reformatorischen Gesinnung wegen mußte er aus Leipzig weichen. Seit 1523 wirkt er als Verleger und Drucker, seit 1541 auch als Ratsherr in Wittenberg. Er hat die Erstdrucke des Großen Katechismus Luthers und der Confessio Augustana herausgebracht und sein herausgeberisches Lebenswerk in seinem letzten Lebensjahrzehnt mit einer Großleistung gekrönt, die ihresgleichen bis zu Michael Praetorius nicht mehr fand: Er hat auf teilweise sehr eigenständige Weise den evangelischen Gottesdienst seiner Zeit (seiner Absicht nach vermutlich auch einen fortschrittlichen römischen!) mit der für Messe und Vesper nötigen, vorwiegend lateinischen Figuralmusik versehen (vier Drucke, drei davon mit Vorworten Melanchthons versehen, für die Messe, sechs Drucke für die Vesper, darunter zwei ausschließlich mit Werken des Konstanzers Sixt Dietrich und eines mit solchen von Balthasar Resinarius) und daneben vier Schul- und Hausmusikdrucke nebst dem Gesangbuch Johann Walters (Kat. Nr. 425 in seiner vermutlich dritten Wittenberger Auflage) herausgebracht.
Diese Großleistung wurde möglich auf Grund der reichen Begabung Rhaus als Musiker und akademisch gebildeter Pädagoge, seiner engen Beziehungen zu drei bedeutenden evangelischen Kantoren seiner Zeit (Johann Walter, Sixt Dietrich, Martin Agricola) und der hohen Wertschätzung der Figuralmusik bei Luther und in dessen Kreis, sowohl als persönliche Liebhaberei wie auch im Blick auf deren pädagogischen Wert.
Unter den eigentlichen Schulmusikwerken ist das vorliegende das wichtigste und interessanteste. Sein Repertoire ist räumlich und zeitlich sehr weitgespannt und hinsichtlich der Formen sehr vielfältig. Es ist, obwohl es auch fünfstimmige Sätze enthält, in nur vier Stimmbüchern (vgl. Kat. Nr. 425) gedruckt, aus denen wir je verschiedene Stellen zeigen:
a) Das *Tenor*-Stimmbuch wird auch hier (vgl. Kat. Nr. 421), einem auf Deutschland beschränkten Brauch gemäß, als Haupt-Stimmbuch angesehen, obwohl es durchaus nicht immer die tragende Melodiestimme enthält und hier so wenig wie die anderen Stimmbücher neben dem untergelegten Text weitere Textstrophen anbietet; hier allein stehen jedoch der Titel, die Vorrede und das Register. Aufgeschlagen ist die Rückseite des Titelblattes mit dem Holzschnitt-Porträt Rhaus aus dem Jahre 1542 (also während der Arbeit an seinem kirchenmusikalischen Riesenwerk) und das anderswo als »Vorrede auf alle guten Gesangbücher« betitelte Gedicht Luthers mit einer Darstellung der »Frau Musica«, welcher diese Verse in den Mund gelegt werden. Der Holzschnitt scheint aus der Cranach-Werkstatt zu kommen, aus der Rhau auch für die Illustration anderer Verlagswerke Bildmaterial bezog.
b) Das *Discant*-Stimmbuch zeigt links die höchste Stimme aus einem fünfstimmigen Satz des Nürnberger Arztes, Musikherausgebers und Komponisten Georg Forster (um 1510-1568), der von 1534 bis 1539 in Wittenberg Medizin studierte und bei Luther ein- und ausging, von ihm auch verschiedene Kompositions-Aufträge erhalten haben soll. Just in diesen Jahren (wahrscheinlich 1534) schrieb Luther das hier aufgeschlagene Weihnachtslied und zwar als Kontrafaktur auf die weltliche Melodie, welche hier im Discant steht (vgl. zu Kat. Nr. 409). Im Tenor erklingt gleichzeitig die von Luther selbst später geschriebene zweite Melodie, die heute zu diesem Text allgemein bekannt ist. Sie ist uns erstmals im Leipziger Gesangbuch von 1539 überliefert, muß also ebenfalls noch während Forsters Wittenberger Zeit entstanden sein.
c) Aus dem *Baß*-Stimmbuch zeigen wir das Lied »O allmächtiger Gott, dich lobt die Christenrott«, eines der wenigen ausdrück-

Fraw Musica.

Fur allen freuden auff Erden /
Kan niemand kein feiner werden.
Denn die ich geb mit meim singen /
Vnd mit manchem süssen klingen.
Die kan nicht sein ein böser mut /
Wo da singen Gesellen gut.
Die bleibt kein zorn / zanck / has noch (neid
Weichen mus alles hertzeleid.
Geitz / sorg / vnd was sonst hart anleit.
Fert hin mit aller trawrigkeit.
Auch ist ein jeder des wol frey /
Das solche Freud kein sünde sey.
Sondern auch Gott viel bas gefelt /
Denn alle Freud der gantzen Welt.
Dem Teuffel sie sein werck zerstört /
Vnd verhindert viel böser Mörd.
Das zeugt Dauid / des Königs that /
Der dem Saul offt geweret hat /
Mit gutem süssen Harffenspiel /
Das er jnn grossen Mord nicht fiel.
A iij Zum

426 b

lichen oekumenischen Bittlieder dieser von konfessionellem Streit erfüllten Zeit. Der Autor des Satzes ist (möglicherweise nicht ganz zufällig) der katholische Hofkomponist der bayerischen Herzöge in München, der Schweizer Ludwig Senfl (um 1485 bis um 1543), der schon für den Augsburger Reichstag eine auf dieselben Gedanken anspielende Motette über Psalm 133 geschrieben hatte und den Luther hoch schätzte. In eben jenem Jahre 1530 hatte der Reformator in einer Anwandlung von Todes-Sehnsucht und -Angst ihn um eine Sterbemotette über Psalm 4,9 gebeten, nebst dieser dann aber von Senfl eine »Lebe-Motette« über Psalm 118,17 (vgl. Kat. Nr. 423) erhalten: »Non moriar, sed vivam et narrabo opera Domini« (Ich werde nicht sterben, sondern des Herrn Werke verkündigen).

d) Vom *Alt*-Stimmbuch zeigen wir das Titelblatt, dessen Holzschnitt-Rahmen auch für das Discant- und Baß-Stimmbuch Verwendung fand: Oben (nach links aufwärts) ein gerader Zink und (nach rechts aufwärts) ein Pommer, unten (von links nach rechts) Trommel, Dudelsack (Sackpfeife), Blockflöte, Laute, Fidel, Querflöte, Krummhorn und Harfe, lauter Musinstrumente der geselligen und ernsten Musikpflege der damaligen Zeit. Ihr Klang mischte sich mit dem der Singstimmen, wenn die Sätze dieses Schulgesangbuches zur Ausführung gelangten, von Fall zu Fall.

DKL 1544[13]. – M. Geck, Georg Rhau. In: MGG 11, 1963, Sp. 372-376. – Blume, S. 48-57 und 68-72. – Georg Rhau: Neue deutsche geistliche Gesänge, Nachwort zum Faksimile-Neudruck von L. Finscher, 1969. M. J.

427

427 Johann Walter übertrug Luthers Musikanschauung in die Praxis.

Johann Walter, Tenor-Stimmbuch aus der Torgauer Kantorei
Eigenhändig, Orig. Papier, 16,5 × 22,5 cm. Sammelhandschrift mit 139 liturgischen Stücken. Aufgeschlagen: fol. 154[b]-156[a] mit den Liedern Luthers »Ein feste Burg ist unser Gott« und »Es woll uns Gott genädig sein«
Nürnberg, Germanisches Nationalmuseum, Hs 83795 (M 369 m)

Johann Walter war zunächst Bassist der kursächsischen Hofkapelle, wurde aber, als diese nach dem Tode Friedrichs des Weisen (5. Mai 1525) durch Johann den Beständigen aufgelöst wurde, brotlos, bis er seit 1527 vom Kurfürsten ein Lehen erhielt. Um diese Zeit muß er auch Lehrer an der Torgauer Stadtschule geworden sein, wo er die erste evangelische Kantorei aufbaute und sich Kantor nannte. (Die Straßburger Ausgabe seines Chorgesangbuches von 1537 nennt ihn *Churfürstlicher von Sachsen senger meyster.)* Damit hat er ein Urbild geschaffen, das sich bis tief ins 18. Jahrhundert hinein im lutherischen Stadtkantorat als wirksam erwies.
Das Repertoire dieser Kantorei läßt sich unter anderem aus dieser Handschrift ablesen. Von den 139 Stücken sind 104 von Walter selbst eingetragen, darunter 50, die mit Sicherheit ihm als Komponisten zuzuweisen sind. Elf weitere Schreiber haben auf leergebliebenen Seiten bis zum Ende des Jahrhunderts weitere Stücke eingetragen. Von den 139 Eintragungen sind nur 24 deutsch, die übrigen lateinisch. 20 Stücke sind Vertonungen von 17 verschiedenen Lutherliedern.
Daß der Band im wesentlichen von Johann Walter geschrieben ist, wußte oder ahnte ein Besitzer um 1870, der auf das erste Blatt in Nachahmung von Luthers Handschrift die Worte setzte: *Hat myr verehrt meyn guten freund Herr Johann Walther Componist Musices zu Torgau 1530 dem Gott gnade. Martinus Luther.* Die Handschrift war aber bestimmt nie in Luthers Besitz. Der Dresdener Verleger Heinrich Klemm kaufte die Zimelie »für eine hohe Summe« (Kade) und Otto Kade veröffentlichte »im Jahre der Wiederherstellung des deutschen Reiches 1871« eine aufwendige Monographie dazu. Nach Klemms Tode (1886) besaß H. von Below in Dresden den Band; 1893 erwarb ihn der heutige Besitzer.
Zu diesem Stimmbuch mit der zentralen Tenor-Stimme gehörten einst noch mindestens drei weitere Stimmbücher (vgl. zu Kat. Nr. 425), die jedoch leider alle verlorengegangen sind.
Wir zeigen auf der linken Seite Johann Walters Niederschrift von Luthers berühmtestem Lied »Ein feste Burg ist unser Gott«. Der Melodie sind (wie hier in den meisten anderen Fällen auch) die ungeraden Strophen untergelegt, was auf Wechselgesang zwischen Chor und Gemeinde hindeutet. Auf der rechten Seite beginnt ein weiteres Psalmlied Luthers: »Es woll uns Gott genädig sein«, mit der Melodie Matthäus Greiters (vgl. Kat. Nr. 402).

O. Kade, Der neu aufgefundene Luther-Codex, 1871. – C. Gerhardt, Die Torgauer Walter-Handschriften, 1949. – W. Gurlitt, Johannes Walter und die Musik der Reformationszeit. In: Luther-Jb. 15, 1933, S. 1-112. – W. Blankenburg, Johann Walter. In: MGG 14, 1968, Sp. 192-201. M. J.

428 Praktische Musikausübung ist bei einem Humanisten durchaus keine Seltenheit. Luther ist sie genau so vertraut wie vielen seiner Zeitgenossen.

Bildnis des Johannes Zimmermann (Xylotectus)
Ambrosius Holbein zugeschrieben, 1520
Gemälde auf Tannenholz, 57 × 43,3 cm. Oben Inschrift: MDXX PINGERE FALLACEM NON PRAVA ΦΙΛΑΥΤΙΑ FORMAN/FECIT SED PLACIDOS QVAE TERIT HORA DIES/VT VIDEAS EVI QVAM SIT MVTABILLIS AVRA/TEMPORE VEL MORBO FORMA CADATQVE BREVI/DVM SEX DIVINO COMPLEREM MVNERE LVSTRA/ TALIS IOANNES TVNC XILOTECTVS ERAM
Nürnberg, Germanisches Nationalmuseum, Gm 1195

Zeitgenössische Bildnisse des musizierenden Luther sind nicht erhalten. Daß er die Laute ordentlich hat spielen können und auch die Querflöte zu handhaben wußte, ist belegt, und für sein geselliges häusliches Musizieren gibt es sogar eine ganze Reihe von Zeugnissen. Die damalige humanistische Ausbildung ermöglichte jedem Akademiker eine praktisch-musikalische Tätigkeit, und nicht wenige haben auch nachweislich von dieser Fähigkeit Gebrauch gemacht. Luther mag sich von manchen unter ihnen dadurch unterschieden haben, daß ihm das Musikmachen mehr galt als eine Humanistenmode.
Von dem hier Dargestellten – geboren in

Luzern 1490 und 1524 seiner evangelischen Gesinnung wegen nach Basel emigriert, wo er 1526 an der Pest starb – weiß man, daß er ein begabter lateinischer und deutscher Dichter war. Die ohne Zweifel von ihm stammenden drei Distichen über seinem Porträt lauten in deutscher Übertragung (W. Brändly):

»Nicht schlimme Eigenliebe ließ malen ein trügerisch Bildnis,
  sondern die Stunde, die setzt
  freundlichen Tagen ein End,
daß, wie wandelbar ist der Hauch der Zeit, du erkennest,
  und wie durch Krankheit fällt
  alsobald die Gestalt.
Als durch göttliche Güte der Lustren sechs ich erfüllte,
  Johannes Zimmermann ich,
  so sah damals ich aus.«

Man hat angenommen, die Harfe auf dem Bilde solle den Dargestellten als Poeten ausweisen. Doch ist die Annahme, daß er sich auch mit praktischer Musikausübung befaßte, keineswegs unglaubwürdig. Den rasch verklingenden Ton der Saiten als weiteres Symbol des Todes auf diesem Gemälde zu verstehen, verbietet sich, seitdem bei näherer Untersuchung des Bildes im Streiflicht und bei Infrarotdurchleuchtung festgestellt wurde, daß das Totengerippe hinter dem Rücken des Dargestellten erst nachträglich hinzugemalt und dabei auch die Hintergrundsarchitektur verändert worden ist; erst jetzt wurde die Inschrift mit ihrem Todesbezug angebracht. Der schon früher wiederholt geäußerte Verdacht, das Bild könne nicht von Hans Holbein, sondern von seinem Bruder Ambrosius gemalt sein, der wahrscheinlich 1519 gestorben ist, verdichtet sich. Daß Hans Holbein es gewesen ist, der nach dem Tode des Bruders das Werk vollendet hat, ist nicht auszuschließen. Denn die Darstellung Simsons, der den Löwen zerreißt (links oben), findet sich in ähnlicher formaler Funktion auch auf Hans Holbeins berühmter »Anna selbfünft« aus der gleichen Zeit. Xylotectus gehörte laut Oswald Myconius (13. Dezember 1520 an Zwingli) zu den acht Männern in der Schweiz, »denen Luther gefällt«. Ein deutsches geistliches Lied von seiner Hand, das in den Gesangbüchern jener Zeit steht, zeigt, daß er auch hierin dem Wittenberger Vorbilde nachzueifern begonnen hatte.

428

Kat. Ausst. Die Malerfamilie Holbein in Basel, Basel 1960, S. 183 f. – K. Löcher, Bildnisse des 16.-18. Jahrhunderts. In: R. Pörtner (Hrsg.), Das Schatzhaus der deutschen Geschichte, 1982, S. 545 f. – W. Brändly, Das Bildnis des Johannes Ludwig Zimmermann (Xilotectus) in Luzern, gemalt von Hans Holbein d. J. In: Zwingliana 7, 1941, S. 331 f. – M. Jenny, Geschichte des deutschschweizerischen Gesangbuches im 16. Jh., 1962, S. 257 (Nr. 216) und 296. M. J.

XII. Reformatoren neben Luther

Bernd Moeller

Die Reformation war nicht allein ein Werk Luthers. Diese Feststellung, aus allgemeinen Gründen ohnehin naheliegend, erfährt in dem Zusammenhang, der in dieser Abteilung darzustellen ist, einen spezifischen Sinn: Es fanden sich von frühester Zeit, fast vom ersten publizistischen Auftreten Luthers an, Personen, die sich seine Überzeugungen und Ziele in dem Sinn zu eigen machten, daß sie zu seinen Mitstreitern wurden und über die Identifikation mit ihm und seiner Sache hinaus auch deren Umsetzung und Weiterführung in die Hand nahmen. Unter »Reformatoren neben Luther« verstehen wir hier diejenigen der Mitstreiter, die auf die Neugestaltung des öffentlichen Kirchenwesens hinarbeiteten, also in dem Ziel übereinstimmten, die »Predigt des Evangeliums« im politischen Kontext einer Stadt oder eines Territoriums durchzusetzen und weitere, entsprechende Reformen des kirchlichen Lebens einzuführen. Wir überschreiten dabei, wie in unserer Ausstellung überhaupt, die Grenzen des deutschen Sprachgebiets nicht.
In diesen »Reformatoren«, die eine beträchtliche Gruppe bildeten, verkörperte sich in besonderem Maß die geschichtliche Dynamik der Reformationsbewegung. Sie vor allem waren es, die breite geschichtliche Wirkungen hervorriefen. Hierzu waren sie nicht nur durch die Einheitlichkeit der kirchlich-politischen Willensrichtung befähigt. Vielmehr waren sie auch durch eine Reihe von Gruppenmerkmalen verbunden, die sie zum Teil von Luther selbst unterschieden.
In erster Linie ist in diesem Zusammenhang ihre gemeinschaftliche Prägung durch den Humanismus zu nennen. Bei der großen Mehrzahl der »Reformatoren neben Luther« handelt es sich, anders als bei diesem selbst, um einstmalige Humanisten, und zwar unabhängig davon, ob sie in einem kirchlichen oder in einem politischen Amt tätig wurden. Entsprechend waren sie es, die zumindest einen Teil der Impulse des Humanismus in die Reformationsbewegung hineingeleitet haben und maßgebend dafür verantwortlich waren, daß die protestantische Kirche und Gesellschaft der Zukunft sich als eine Synthese aus reformatorischen und humanistischen Elementen darstellte, wie sich nicht bloß im Ausbau und in den Divergenzen der Theologie des Protestantismus zeigte, sondern etwa auch darin, daß die Reformation zu einer »Bildungsbewegung« wurde.
Was die Gruppe weiterhin miteinander verband, war, daß ihre Mitglieder in der Regel *studiert* hatten – wenn auch das Studienfach keineswegs feststand – und in der Regel jünger waren als Luther. Die meisten von ihnen wechselten, anders als dieser, im Übergang zur Reformation zugleich ihren Beruf oder jedenfalls ihren bisherigen Lebenszusammenhang, wobei merkwürdige Überkreuzungen auftreten konnten: Der Graezist Melanchthon wurde Theologe, der Theologe Jakob Sturm Politiker.
Schließlich fällt auf, daß alle wichtigen »Reformatoren neben Luther« zumindest zeitweise in *Städten* tätig waren, auch wenn, wie im Fall von Bugenhagen, Brück oder Brenz, ihre bleibende organisatorische Leistung dem Kirchenwesen von Territorien zugute kam. Einige von ihnen gehörten, wie Luther, sozial zur Gruppe der »Aufsteiger«, durchweg aber erlangten sie hohes gesellschaftliches Ansehen, was sich in den in dieser Abteilung gezeigten Bildnissen eindrucksvoll spiegelt: Die meisten der großen Porträtisten der Zeit haben »Reformatoren« dargestellt. B. M.

Will man vom Reformatorenbildnis als »Typus« sprechen, dann muß das Hauptaugenmerk auf denjenigen Porträts liegen, die nicht dazu bestimmt waren, in die Hände einzelner zu gelangen, sondern deren Zweck sich in der und für die Gemeinde erfüllte, sei es daß sie in der Kirche, sei es daß sie im Rathaus zu sehen waren. So hat Cranach Luther 1539 mit der aufgeschlagenen Bibel in den Händen dargestellt, wobei die Schrift nicht vom Reformator eingesehen, sondern dem Betrachter vor Augen geführt wird. Auf Bildnissen des späten Mittelalters war das Buch als Gebetbuch – mehr als der Rosenkranz – Ausweis des Geistlichen, später auch des frommen Bürgers. Den humanistischen Gelehrten charakterisierten die wissenschaftlichen Bücher – selbstverfaßte Werke oder die anderer, zumeist klassischer Autoren –, wie sie Burgkmair dem Conrad Celtis, Cranach dem Johannes Cuspinian, Holbein dem Erasmus von Rotterdam in die Hand gegeben haben (Holzschnitt von 1507, Gemälde von 1503 und 1523). Aufgrund seiner Herkunft aus dem antiken Münzbild war beim Humanistenporträt das Profil beliebt. Sebastian Brant (Gemälde von Burgkmair) und Erasmus (Gemälde von Holbein) haben sich in der Seitenansicht darstellen lassen.
Von alledem ist etwas in die Bildnisse der Reformatoren eingegangen. Als Motiv neu ist das durch Cranach geläufig werdende, durch den Zürcher Hans Asper aufgenommene Predigen aus der Bibel, wobei die Textstellen der aufgeschlagenen Bücher für den Betrachter lesbar und als Worte der Heiligen Schrift ausgewiesen sind. In ähnlicher Weise präsentiert Melanchthon auf seinem 1559 von Cranach d. J. gemalten Bildnis (Frankfurt a. M., Städelsches Kunstinstitut) ein Buch, das auf der einen Seite unter der Überschrift *pagina 388* einen Originaltext des Kirchenvaters Basilius des Großen zeigt und auf der anderen Seite die Interpretation Melanchthons, der die alte Quelle der Kirchengeschichte für die reformatorische Argumentation erschloß. Neu begründet ist die Frontalität, mit der Pencz den Osiander, ein ostdeutscher Meister den Breslauer Reformator Johann Hess (1546) vorstellt. Die Prediger sperren das Bild in ganzer Breite. An dem von ihnen verkündigten Wort – so sieht es aus – führt kein Weg vorbei. Die umfangreichste Serie von Reformatorenbildnissen, diejenigen prominenter Zürcher Theologen, malte Asper im Auftrag eines Engländers 1550/51. K. L.

429 Die Politiker und Theologen, die für die Reformation in Kursachsen verantwortlich waren.

Kurfürst Johann Friedrich von Sachsen und seine Mitarbeiter an der Reformation
Lukas Cranach d.Ä. und Werkstatt, um 1532/39
Gemälde auf Holz, Fragment einer größeren Komposition, 72,8 × 39,7 cm
Toledo/Ohio, Toledo Museum of Art, Acc. No. 26,55

Dieses Gruppenporträt ist Fragment einer größeren Tafel (rechts oben ein halbierter Kopf, links unten ein abgeschnittenes Wappen [Stifter?]), die vielleicht ursprünglich einen Altaraufsatz bildete. Vermutlich schloß sich rechts eine Kreuzigungsszene oder ein anderes Christusbild an, auf das der Zeigefinger Melanchthons sowie die Blicke mehrerer der Abgebildeten gerichtet waren. Dargestellt ist der seit 1532 regierende Kurfürst Johann Friedrich von Sachsen zusammen mit Luther und Melanchthon sowie weiteren weltlichen und geistlichen Vorkämpfern der kursächsischen Reformation. Die meisten Personen sind mit Nummern versehen, zu denen jedoch die Legende verloren gegangen ist. Die Figur neben Luther dürfte Spalatin (vgl. Kat. Nr. 134), die zwischen dem Kurfürsten und Melanchthon der Kanzler Dr. Gregor Brück (vgl. Kat. Nr. 433) sein; die übrigen in der Forschung erwogenen Identifikationen (der Mann mit dem kunstvollen Bart der Wittenberger Drucker Hans Lufft, daneben Johann Forster, Georg Major, Bugenhagen, Justus Jonas, Caspar Cruciger) sind durchweg unsicher. Auch die Datierung des Bildes ist fraglich, doch spricht viel für die Zeit zwischen 1532 und 1539: Die Darstellung Luthers und Melanchthons folgt der Bildnisaufnahme der Einzelporträts von 1532/33, die für Luther nach 1539 aufgegeben wurde; auch die Form der Barette sowie der Mantel des Kurfürsten weisen in die 1530er Jahre. Das Bild wurde offenbar mit Beteiligung der Cranach-Werkstatt ausgeführt.
Trifft die Datierung zu, dann würde es sich um das älteste erhaltene Gruppenbild von Reformatoren aus der Werkstatt Cranachs handeln. Es hat repräsentative und programmatische Bedeutung, was sich vermutlich noch stärker aufdrängen würde, wenn es vollständig erhalten wäre: Der Kurfürst, allein drei Viertel der Bildbreite für sich beanspruchend, demonstriert seine Entschlossenheit zu einer reformatorischen

429

und lutherischen Politik, sein Einverständnis mit seinen berühmten Mitarbeitern und Untertanen und wohl auch Stolz auf diese.

E. Fabian, Cranach-Bildnisse des Reformationskanzlers Dr. Gregor Brück. In: Theologische Zs. 20, 1964, S. 269-278. – The Toledo Museum of Art, European Paintings, 1976, S. 45. B. M.

430 Philipp Melanchthon – Kollege, Berater und Schüler Luthers und dessen eigenständigster Freund – im Jahre 1526, als junger humanistischer Reformator und »Praeceptor Germaniae«.

Bildnis des Philipp Melanchthon
Albrecht Dürer, 1526
Kupferstich, 17,2 × 12,6 cm. Auf der Schrifttafel: 1526./ VIVENTIS.POTVIT.DVRERIVS.ORA.PHILIPPI / MENTEM.NON.POTVIT. PINGERE.DOCTA / MANVS (Das Antlitz vermochte Dürers erfahrene Hand nach dem Leben zu zeichnen, nicht jedoch seinen Geist). Unten in der Mitte Monogramm des Künstlers
Nürnberg, Germanisches Nationalmuseum, St. N. 2201

Dies ist das früheste überlieferte Bildnis Melanchthons (1497-1560). Es dürfte im Zusammenhang eines der Aufenthalte des Reformators in Nürnberg im November 1525 oder Mai 1526 entstanden sein, bei denen es um die Gründung und Gestaltung der sogenannten Oberen Schule, einer städtischen Lateinschule mit anspruchsvollem humanistisch-reformatorischen Lehrprogramm ging. Es war die erste wichtige Organisationsaufgabe im Bereich des Unterrichtswesens, die der künftige »Praeceptor Germaniae« bei dieser Gelegenheit übernahm; zahlreiche weitere, insbesondere die Reorganisation einer ganzen Reihe von Universitäten, sollten folgen.
Melanchthon war zum Zeitpunkt des Porträts knapp 30jährig. Er stammte aus Bretten, war ein Neffe des Humanisten Reuchlin, der ihm seinen Geburtsnamen Schwarzert in witziger Weise graezisiert hatte, und absolvierte in Heidelberg und Tübingen ein Studium der Artes. Bereits als ganz junger Mann fand er als humanistischer Gelehrter Aufmerksamkeit und wurde schon mit 21 Jahren 1518 als Professor des Griechischen nach Wittenberg berufen, wo er von Luther mit Begeisterung begrüßt wurde und sich diesem sogleich anschloß. In Wittenberg promovierte er 1519 zum Baccalaureus biblicus, hielt theologische Vorlesungen und verfaßte neben anderen theologischen Werken vor allem das erste und lange Zeit einzige bedeutende Lehrbuch der reformatorischen Theologie, die ›Loci communes rerum theologicarum‹ (1521).
Das Bildnis vermittelt von dieser frühen Lebensphase des Reformators eine Anschauung. Anders als Cranach, dessen erste Melanchthonbildnisse (vgl. Kat. Nr. 429) einen freundlichen, asketischen und ein wenig spitzfindigen Gelehrten zeigen, ging es Dürer darum, dem Kopf auch etwas vom Feuereifer des von seiner Sendung durchdrungenen Glaubenskämpfers mitzuteilen. Im physiognomischen Ausdruck gemildert, dafür ins Bedeutende erhöht, erscheint derselbe Kopf auf Dürers »Vier Aposteln« als der des Evangelisten Johannes wieder (1526, München, Alte Pinakothek), doch gibt es in der Forschung keine Einigkeit darüber, ob und wieweit Dürer diese Ähnlichkeit als gezielte lutherische Deutung der »heiligen Männer« ins Spiel bringen wollte.

W. Maurer, Der junge Melanchthon zwischen Humanismus und Reformation, Bd. 1-2, 1967/69. – O. Thulin, Melanchthons Bildnis und Werk in zeitgenössischer Kunst. In: W. Elliger (Hrsg.), Philipp Melanchthon, 1961, S. 180-193. – Kat. Ausst. Dürer, Nr. 409. B. M./K. L.

431 Holbeins Porträt Melanchthons steht mit dessen kirchenpolitischen Aktivitäten in Zusammenhang.

Bildnis des Philipp Melanchthon
Hans Holbein d. J., um 1533/35
Gemälde auf Eichenholz, Dm 9 cm. Inschrift im zugehörigen Deckel: QVI CERNIS TANTVM NON, VIVA MELANTHONIS ORA, HOLBINVS RARA DEXTERITATE DEDIT. (Wenn du die lebendigen Züge Melanchthons siehst, siehst du nicht soviel, wie Holbein mit seltenem Geschick gezeigt hat)
Hannover, Niedersächsische Landesgalerie, PAM 798

Das kleine Format des Medaillon-Porträts, die intime Auffassung und feinmalerische Durchführung, die humanistisch formulierte lateinische Inschrift sowie die exquisite Ornamentmalerei auf dem Deckel der Kapsel machen Holbeins Melanchthon-Bildnis zu einer sammlerischen Kostbarkeit. Aller Wahrscheinlichkeit nach ist das Bildnis nicht nach dem Leben gemalt, sondern beruht auf Dürers Kupferstich; doch gibt gerade dieser Umstand ihm, neben dem künstlerischen, historisches Gewicht. Der Auftraggeber des Bildes ist in England zu suchen, wo der Maler seit September 1532 dauerhaft ansässig war. Reinhardt nimmt Erzbischof Thomas Cranmer an, vermutet den Bibelübersetzer Miles Coverdale als Empfänger des Geschenks und sieht in der Annahme der Reformation 1535 das auslösende Moment für den Auftrag an Holbein. Gleichwohl ist zu erwägen, daß auch einer der französischen Gesandten am englischen Hof, Jean de Dinteville oder Georges de Selve, Auftraggeber oder Empfänger des Porträts gewesen sein könnte. Holbein porträtierte die Edelleute, die der Reformation zuneigten und eine Verständigung zwischen den Kirchen suchten, in einem großen repräsentativen Doppelbildnis (1533, London, National Gallery), das deutliche Anspielungen auf Luthers Lehre enthält. Aber wie man hier auch entscheiden mag – jedenfalls scheint das Bild in die Phase der reformatorischen Tendenzen der Regierung Heinrichs VIII. hineinzugehören, es wurde gemalt, um in England für den deutschen Professor und die von diesem vertretene, gemäßigte Kirchenreformation zu werben.
So dokumentiert es die Funktion und Bedeutung Melanchthons als Kirchenpolitiker, die diesem seit den späten 1520er Jahren zuwuchs: Er wurde neben Luther von der Seite der Kirche her der theoretische und praktische Organisator der reformatorischen Neuordnung in Kursachsen, vor allem aber trat er an Luthers Stelle in der Reichspolitik: Da jener sich im Bann befand, war es Melanchthon, der auf dem Reichstag zu Augsburg 1530 die von Wittenberg her bestimmte Richtung der Reformation theologisch vertrat, und er war es auch, der sich dabei am ehesten als gesprächsfähig erwies, und zwar sowohl für Vertreter der alten Kirche als auch für radikalere Protestanten. Diese Gesprächsfähigkeit, die auf humanistischen Überzeugungen, nicht auf diplomatischer Wendigkeit beruhte und die auch Unklarheiten und Schwankungen der Standpunkte nicht ausschloß, bewahrte sich Melanchthon auch weiterhin. So war er in den folgenden Jahrzehnten einer der gesuchtesten Vermittler auf der evangelischen Seite und wurde als Theologe zeitweise eine der Hauptpersonen der deutschen, ja geradezu der europäischen Politik.

H. Scheible, Philipp Melanchthon. In: M. Greschat (Hrsg.), Gestalten der Kirchengeschichte,

431

431
(Deckelinnenseite)

Bd. 6, 1981, S. 75-101. – Kat. Ausst. Die Malerfamilie Holbein in Basel, Basel 1960, Nr. 181. – H. Reinhardt, Ein unbekannter Holzschnitt Hans Holbeins d. J. von 1536 und Holbeins Melanchthon-Bildnis. In: Zs. für schweiz. Archäologie und Kunstgeschichte 32, 1975, S. 135-140. B. M./K. L.

432 Johannes Bugenhagen – Reformator zahlreicher Städte und Territorien in Norddeutschland, Professor und Pfarrer in Wittenberg, Luthers Beichtvater.

Bildnis des Johannes Bugenhagen
Lukas Cranach d. Ä., 1532
Gemälde auf Holz, 54 × 38,5 cm. Rechts oben Inschrift: ANNO AETATIS SVE 42 (Im Alter von 42 Jahren). Am linken Bildrand datiert 1532, darunter Signet des Künstlers
Hamburg, Kirchenkreis Alt-Hamburg

Dieser mit ihm beinahe gleichaltrige, vertraute Freund Luthers hatte von 1523 bis zu seinem Tode das Amt des Stadtpfarrers von Wittenberg inne. Bugenhagen (1485-1558) stammte aus Pommern, hatte in Greifswald studiert und war Schulrektor sowie, als Priester, Lektor am Praemonstratenserkloster Belbuck in Treptow a. d. Rega gewesen, bevor er 1521, als reifer Mann, ein Theologiestudium in Wittenberg begann und hier bald anspruchsvolle Aufgaben übernahm. Er war in seiner bedächtigen Festigkeit ein viel in Anspruch genommener Seelsorger, erfolgreicher Universitätslehrer und fruchtbarer theologischer Schriftsteller, vor allem als Bibelausleger. Seine geschichtlich bedeutendste Leistung jedoch vollbrachte er mit dem Aufbau des lutherischen Kirchenwesens in einer Reihe norddeutscher Städte (Braunschweig, Hamburg, Lübeck, Hildesheim) sowie in mehreren wichtigen Territorien (Herzogtum Pommern, Königreich Dänemark mit Norwegen und den vereinigten Herzogtümern Schleswig und Holstein, Herzogtum Braunschweig–Wolfenbüttel).
Zu unserem Porträt: Die Identität des Dargestellten ist nicht über jeden Zweifel erhaben, da die (allerdings wohl erst nachträglich hinzugefügte) Altersangabe unrichtig und die Hausmarke auf dem Siegelring bisher nicht gedeutet ist; auch wirkt es irritierend, daß der Abgebildete eine Kette in Händen hält, die stark einem Rosenkranz ähnelt – auch wenn in späterer Zeit derartige Ketten öfters auf Porträts lutherischer Kirchenmänner zu sehen sind. Für die Authentizität des Bildes spricht die große Ähnlichkeit des Porträtierten mit den gesicherten Bugenhagen-Bildnissen sowie das Datum des Bildes; denn im Jahr 1532, in dem Cranach sich ausschließlich in Wittenberg aufhielt, hat dieser unseres Wissens nur noch zwei andere Personen in der Weise unseres Bildnisses im Gelehrtenornat dargestellt, Luther und Melanchthon; in Bugenhagens Leben aber war 1532 das Jahr, in dem er nach langer Abwesenheit und erfolgreicher Tätigkeit in den Hansestädten nach Wittenberg in seine alte Stellung in Kirche und Universität zurückkehrte und ihm durch den neuen Kurfürsten Johann Friedrich das gewichtige Amt eines Superattendenten des Kurkreises übertragen wurde.

H. H. Holfelder, Bugenhagen. In: TRE 7, 1981, S. 354-363. – Friedländer-Rosenberg, 1979, Nr. 340 A. B. M.

432

433 Gregor Brück – Rat und Kanzler der sächsischen Kurfürsten und der einflußreichste Politiker des Protestantismus in der Phase seiner Konsolidierung.

Bildnis des Dr. Gregor Brück
Lukas Cranach d. Ä., 1533
Gemälde auf Lindenholz, 42 × 38,3 cm. Am linken Bildrand datiert 1533, darunter Signet des Künstlers. Auf der Schaumünze, die der Dargestellte trägt, die Umschrift: JOHANNES.FRIDERICH.CVRFVRST.ZV.SACHSSEN
Nürnberg, Germanisches Nationalmuseum, Gm 1649. Leihgabe der Bundesrepublik Deutschland

Gregor Heinz (Henisch usw., 1485-1557) aus Brück in der Mark war Doktor der Rechte und von 1519/20-29 »täglicher Hofrat« und Kanzler, danach »Rat von Haus aus« der sächsischen Kurfürsten. In diesen Ämtern wurde er in den Jahrzehnten bis zum Schmalkaldischen Krieg der wichtigste Gestalter der konkreten kursächsischen Politik. Seit den 1520er Jahren war er an allen reichspolitischen Affären von Belang beteiligt und wurde einer der Väter des Schmalkaldischen Bundes sowie der juristische und politische Konstrukteur des neuen Kirchenwesens in seinem Lande, der Visitation, des evangelischen Konsistoriums und des »landesherrlichen Kirchenregiments«. Luther nannte ihn den *Atlas nostri ducatus* (den Atlas unseres Kurstaates). Auf der Ebene des Reiches war die Protestation von Speyer 1529 im wesentlichen sein Werk, der Confessio Augustana gab er den politischen Rahmen, dem Schmalkaldischen Bund vor allem die mäßigenden Verfassungselemente.
Unser Porträt zeigt Brück in der repräsentativen Kleidung des Staatsmannes. Es stammt aus der Anfangszeit der Regierung seines dritten Landesherrn, des Kurfürsten Johann Friedrich, dessen Medaillenbildnis der Abgebildete trägt.

E. Fabian, Cranach-Bildnisse des Reformationskanzlers Dr. Gregor Brück. In: Theologische Zs. 20, 1964, S. 267 f. – Friedländer-Rosenberg, 1979, Nr. 341. – E. Fabian, Gregor Brück (Bruck, gen. Pontanus). In: TRE 7, 1981, S. 212-216. B. M.

434 Andreas Osiander – der selbstbewußte Prediger an St. Lorenz und Gestalter des lutherischen Kirchenwesens in Nürnberg.

Bildnis des Andreas Osiander
Georg Pencz, 1544
Deckfarben auf Papier, 29 × 19 cm. Oben Inschrift: LVSTRA.NOVEM.CVM.DIMIDIO.VIXISSE.FEREBAR / ANDREAS.TALIS.QVANDO.OSIANDER.ERAM. (Als mir ein Leben von neuneinhalb Lustren zugeschrieben wurde, war ich, Andreas Osiander, solcherart gestaltet), darunter datiert 1544. Eingeklebt in einen Druck der Pfalz-Neuburgischen Kirchenordnung von 1543
Città del Vaticano, Biblioteca Apostolica Vaticana, Pal. II 374

Das Porträt zeigt den Nürnberger Prediger in Gewand und Habitus nicht eines Kirchenmannes, sondern eines wohlhabenden Bürgers. Es gibt einen Eindruck nicht nur von den Ambitionen, sondern auch von der tatsächlich erlangten Stellung des eigenwilligen Mannes in der Gesellschaft und Kultur der Reichsstadt. Insgesamt 28 Jahre lang hat Osiander (1496-1552) in Nürnberg gewirkt, bis zu seiner Vertreibung aufgrund des Interims 1548. Er war, obgleich er zwar (in Ingolstadt) studiert, aber keinen akademischen Grad erlangt hatte, nach seiner Priesterweihe 1520 als junger Gelehrter und Kenner der biblischen Sprachen nach Nürnberg gekommen und hier sogleich in Beziehung zu den humanistisch gesinnten und mit Wittenberg verbundenen Zirkeln in der Bürgerschaft getreten. Seit 1522 Prediger an St. Lorenz, erwies er sich rasch als der führende kirchliche Repräsentant der Reformationspartei in der Stadt und entfaltete eine bedeutende Tätigkeit nicht nur in seinen geistlichen und theologischen Funktionen, sondern zumal auch als Ratgeber mit zeitweise beträchtlichem Einfluß auf die kirchen- und gesellschaftspolitischen Entscheidungen des Rates. Er war ein selbständig denkender, unabhängiger Mann, aber in seiner kompromißlosen, schroffen, ja manchmal geradezu unbeherrschten Art nie unumstritten. Dies trat vor allem in seinen letzten Lebensjahren hervor, als Osiander das Amt eines Predigers und Professors in der preußischen Hauptstadt Königsberg erlangte und hier in schwerwiegende persönliche und theologische Differenzen geriet, eine der dramatischen Auseinandersetzungen um die Rechtfertigungslehre in der beginnenden lutherischen Orthodoxie.

434

Das von Hans Georg Gmelin dem Georg Pencz zugeschriebene Porträt wurde bisher noch nie öffentlich gezeigt. Es ist auf Papier gemalt, doch steht es schon aufgrund der verwendeten Deckfarbentechnik dem Gemälde näher als der Zeichnung. Eindrucksvoll ist die Frontalansicht. Osiander könnte der Vermittler gewesen sein, daß Pencz 1550 als Hofmaler Herzog Albrechts von Preußen nach Königsberg berufen wurde.

G. Seebaß, Das reformatorische Werk des Andreas Osiander, 1967. B. M./K. L.

435

435 Lazarus Spengler – Nürnberger Ratsschreiber, nach Luther derjenige, der »allein« das Evangelium in Nürnberg eingeführt und gefestigt hat.

Bildnis des Lazarus Spengler
Unbekannter Künstler, nach Albrecht Dürer
Schwarze Kreide auf Papier, Hintergrund mit Tinte geschwärzt, 34 × 30,2 cm. Inschrift zu beiden Seiten des Kopfes: ETATIS 39. Die (verlorene) Vorlage Dürers entstand 1518
Stockholm, Nationalmuseum, NM 1856/1863

Unter den städtischen Ämtern des 16. Jahrhunderts dürfte dasjenige des Ratsschreibers das einflußreichste gewesen sein, da es kontinuierlich und hauptberuflich wahrgenommen wurde. Was ein durch Energie, politische Übersicht und reiche Bildung ausgezeichneter Mann in diesem Amt zu bewirken vermochte, beweist Spengler (1479-1534), der es in Nürnberg seit 1507 innehatte. Für ihn, den Vertrauten des regierenden Großbürgertums, Angehörigen der humanistischen sodalitas und Freund Pirckheimers und Dürers, kam mit dem Auftreten Luthers die Gelegenheit, für die städtische Politik eine neuartige und eigenständige Grundkonzeption zu erarbeiten und diese weitgehend durchzusetzen. Spengler gehörte zu den frühesten Anhängern Luthers, bereits 1519 trat er publizistisch für diesen ein, wobei er bemerkenswertes Verständnis für die eigentlichen theologischen Intentionen des Reformators bewies; wie Pirckheimer wurde er in der Bannbulle gegen Luther namentlich genannt. In den 1520er Jahren betrieb Spengler in Gemeinschaft mit den Predigern und der Mehrheit des Rates mit Energie den Übergang Nürnbergs zur neuen Lehre, in der Überzeugung, hierdurch einerseits die spätmittelalterliche Verflechtung von Kirche und Bürgerschaft auflösen und die Autorität des Ratsregiments in der Stadt vervollständigen zu können, andererseits aber durch die Unterordnung der Ratspolitik unter das Wort Gottes und die allgemeine Verchristlichung der Bürgerschaft der städtischen Gemeinschaft eine neue Qualität zu sichern.
Das gezeichnete Bildnis Spenglers, das wir zeigen, ist Albrecht Dürer zugeschrieben worden, wegen seiner mehr malerischen Qualitäten auch dem Augsburger Christoph Amberger. Heute gilt es als Nachzeichnung nach einem verlorenen Gemälde Dürers von 1518, das auch in einem Kupferstich des 18. Jahrhunderts überliefert ist. Die starke Drehung des Kopfes wäre für ein gemaltes Porträt Dürers ungewöhnlich. Mehr noch zeigt das Stockholmer Blatt so viele aus einem Gemälde kaum zu übertragende graphische Charakteristika seines Stils, daß man annehmen möchte, der Kopist habe eine Zeichnung Dürers in derselben Technik wiederholt.

B. Hamm, Stadt und Kirche unter dem Wort Gottes. Das reformatorische Einheitsmodell des Nürnberger Ratsschreibers Lazarus Spengler. In: K. Stackmann (Hrsg.), Literatur und Laienbildung im späten Mittelalter und in der Reformationszeit, 1983. – Anzelewsky, Nr. 140. – P. Bjurström, Drawings in Swedish Public Collections, Bd. 1, 1972, Nr. 41. B. M./K. L.

436 Johannes Brenz – Vorkämpfer des Luthertums in Schwaben.

Bildnis des Johannes Brenz
Monogrammist BVD, um 1570
Holzschnitt, koloriert, 26,3 × 11 cm
Stuttgart, Stadtarchiv, B 4165

Das Lebenswerk dieses lutherischen Theologen ist wesentlich mit den beiden Amtsstellungen verknüpft, die er in seinem langen Leben einnahm, derjenigen des Prädikanten an der Michaelskirche zu Schwäbisch-Hall von 1522 bis zum Interim 1548 und der des Propstes an der Stiftskirche in Stuttgart von 1553 bis zu seinem Tod. Brenz (1499-1570), der aus der Reichsstadt Weil der Stadt stammte, gehörte zu der Gruppe junger Magister an der Universität Heidelberg, die dort im Frühjahr 1518 durch Luthers Disputation stark beeindruckt wurden, und er bewahrte sich von daher im Unterschied zu anderen lebenslang das Vermögen, als Kern des christlichen Heilsgeschehens die Nähe Gottes zu den Menschen zu erfassen und sich theologisch damit ziemlich genau auf der Linie Luthers zu halten. Schon in den Anfangszeiten der Kontroverse um das Abendmahl 1525 organisierte er den süddeutschen Widerstand gegen die Lehren Zwinglis und seiner Freunde. Bei der kirchlichen Neuordnung in der Reichsstadt Hall und im Herzogtum Württemberg räumte er den Obrigkeiten ziemlich beträchtlichen Einfluß auf die Gestaltung und das Leben der Kirche ein, widersetzte sich jedoch drastischen Übergriffen gegen aufständische Bauern und Täufer. Ausgedehnt ist Brenz' schriftstellerisches Werk, vor allem auf dem Gebiet der Bibelauslegung; sein Katechismus erreichte in der Fassung von 1535 die weiteste Verbreitung nach demjenigen Luthers.

M. Brecht, Brenz. In: TRE 7, 1981, S. 170-181.

B. M.

437 Huldrych Zwingli – der Antipode Luthers.

Bildnis des Huldrych Zwingli
Hans Asper, 1531/32
Gemälde auf Pergament, ursprünglich über Buchentafel, jetzt auf Spanplatte aufgezogen, 35 × 24,5. Oben Inschrift: OCCVBVIT ANNO AETATIS XLVII./1531 (Er fiel im 47. Lebensjahr, 1531). Rechts, in halber Höhe das Monogramm des Künstlers
Winterthur, Kunstmuseum, Inv. Nr. 133
Farbtafel Seite 85

438

Dieses Porträt wurde wahrscheinlich kurze Zeit nach dem Tod des schweizerischen Reformators (1. 1. 1484-11. 10. 1531) gemalt und ist damit das einzige, das ein einigermaßen authentisches Bild von ihm vermittelt; aus Zwinglis Lebenszeit existiert, wie es scheint, keine Abbildung von ihm. Die Profilansicht spricht dafür, daß Asper als Vorlage eine Zeichnung benutzte, die ihrerseits für die Anfertigung einer Medaille bestimmt war. Jakob Stampfer hat in demselben Jahr 1531 eine solche Medaille geschaffen. Von hier erklären sich die knappe, präzise Umrißform der Büste und die markant zugespitzte Physiognomie, aber auch der Mangel an Lebendigkeit.
Daß wir ein mit Sicherheit nach dem Leben gemaltes Bildnis Zwinglis nicht besitzen, steht vermutlich mit jener elementaren Überzeugung des Zürcher Leutpriesters in einem Zusammenhang, die den philosophischen und im Gefolge davon auch theologischen Hauptunterschied zwischen ihm und Luther ausmacht – der Vorstellung, zwischen der Sphäre des Geistigen und der des Sinnlich-Materiellen bestehe eine tiefe Kluft. Diese Überzeugung, die ihn mit dem erasmischen Humanismus verband, war es, die Zwingli veranlaßte, jeden Zusammenhang Gottes und des göttlichen Heilswerks mit Materiellem für undenkbar und untragbar zu erklären. Von daher bestritt er seit 1525 Luthers Auffassung vom Sakrament des Abendmahls, was in der Folge die auf die Wiederherstellung eines öffentlichen Kirchenwesens hinarbeitenden Kräfte in der reformatorischen Bewegung in zwei Lager teilte (vgl. Kat. Nr. 526-537). Dabei war deren Differenz in den übrigen Fragen der neuen Lehre und Praxis zunächst sehr gering – die Erneuerung des christlichen Gemeinwesens etwa wurde im evangelischen Nürnberg kaum anders aufgefaßt als in Zürich.
Zwingli war eine bedeutende, reichbegabte und willensstarke Persönlichkeit. Der mit Luther beinahe gleichaltrige Toggenburger Bauernsohn hatte in Wien und Basel studiert, war Magister artium und seit 1506 Pfarrer von Glarus, seit 1516 Leutpriester am Kloster Einsiedeln. In Zürich hatte er seit Ende 1518 die Position eines Leutpriesters am Großmünsterstift inne, die ihm eine kirchliche Führungsrolle in der Stadt vermittelte. Hier wie überhaupt in der Eidgenossenschaft fehlte ihm in den 1520er Jahren der politische Partner und Gegen-

spieler von Format. So war sein Einfluß überragend und erreichte zeitweise europäische Dimensionen. Der Zusammenbruch seines politischen Konzeptes und sein Tod in der Schlacht gegen die katholisch gebliebenen Orte der Eidgenossenschaft aber bewirkten einen tiefen Einschnitt in der Reformationsgeschichte.

G. W. Locher, Huldrych Zwingli. In: M. Greschat (Hrsg.), Gestalten der Kirchengeschichte, Bd. 5, 1981, S. 187-216. – Ders., Die Zwinglische Reformation im Rahmen der europäischen Kirchengeschichte, 1979. – Kat. Ausst. Zürcher Kunst nach der Reformation, Zürich 1981, Nr. 3. B. M.

438 Johann Oekolampad – Reformator von Basel und neben Zwingli der wichtigste evangelische Kirchenmann in der Eidgenossenschaft.

Bildnis des Johann Oekolampad
Hans Asper, vor 1550
Gemälde auf Holz, 62 × 51,5 cm. Oben Inschrift: JOAN OECOLAMPADIVS/JN DOMINI QVONDAM FVLSI LVX SPLENDIDA TEMPLO/ CVM TALI CONSPICIENDVS ERAM/SI VELVTI VVLTVS POTVISSENT PECTORA PINGI/STAREM DOCTRINAE CVM PIETATE TYPVS (Einst, als ich mit diesem Antlitz zu sehen war, strahlte ich als leuchtendes Licht im Tempel des Herrn. Könnte wie das Antlitz so das Herz gemalt werden, stünde ich als das Muster frommer Gelehrsamkeit da). Unten links Monogramm des Künstlers
Basel, Kunstmuseum, Inv. Nr. 12

Dieses posthume Porträt gibt das geschichtliche Profil des Mannes anschaulich wieder. Oekolampad (1482-1531) gehörte zu den wenigen führenden Reformatoren, die älter waren als Luther, und brachte in besonderer Weise die Tradition des »Christlichen Humanismus« in die reformatorische Bewegung mit ein. Das Leben des mit allen Reformgesinnten Süddeutschlands bekannten und in den verschiedensten Tätigkeiten hervorgetretenen Schwaben, der Doktor der Theologie war und zeitweise ein Vertrauter des Erasmus von Rotterdam, erhielt deutliche Kontur erst mit seiner endgültigen Übersiedlung nach Basel Ende 1522. Hier wurde er rasch zum Führer der vor allem von den Handwerkern getragenen evangelischen Partei, und zwar wesentlich dadurch, daß er dieser ein gewisses Ansehen verschaffen konnte. Daß die Konfrontation der Evangelischen mit dem regierenden Großbürgertum sich bis

439

zu bürgerkriegsähnlichen Zuständen zuspitzte, vermochte Oekolampad freilich nicht zu verhindern, doch war die maßvolle Reformationsordnung sein Werk, die verabschiedet wurde, unmittelbar nachdem schließlich Anfang 1529 die Reformation offiziell in der Stadt eingeführt worden war. Oekolampad starb wenige Wochen nach Zwingli, dem er im Abendmahlsstreit in gemessener Weise und mit gelehrter Argumentation beigestimmt hatte (vgl. Kat. Nr. 533).
Für das von uns gezeigte Porträt benutzte Asper eine Bildnismedaille von 1531, der er die Profilansicht entnahm. Womöglich diente sein Bild als Gegenstück zu einem 1549 datierten Porträt Zwinglis (Zürich, Zentralbibliothek). Beide Reformatoren sind predigend dargestellt, Zwingli mit der aufgeschlagenen Schrift, Oekolampad mit der geschlossenen; doch gibt es eine Wiederholung in Schweizer Privatbesitz, welche ihn aus der geöffneten Bibel predigend zeigt.

E. Staehelin, Das theologische Lebenswerk Johannes Oekolampads, 1939. – Kat. Ausst. Zürcher Kunst nach der Reformation, Zürich 1981, Nr. 24. B. M.

439 Martin Bucer – Reformator von Straßburg und Streiter für den Frieden der Protestanten.

Bildnismedaille Martin Bucer
Friedrich Hagenauer, 1543
Bronze, gegossen, Dm 4,7 cm. Vorderseite: MARTINVS BVCERVS MINISTER EVANGELII D(omini) N(ostri) I(esu) CHRISTI. AETAT(is) SVAE LIII. Brustbild von links, bartlos, barhäuptig, Talar. Rückseite: I.COR.II./NIHIL IVDICO ME/SCIRE.QVAM IESVM/CHRISTVM ET HVNC/CRVZIFIXVM./M.D.XXXXIII
München, Staatliche Münzsammlung

Diese hervorragende Medaille entstand 1543 in Bonn, wo Bucer zusammen mit Melanchthon mit einer Reformationsordnung für das Erzbistum Köln beschäftigt war. Diese Tätigkeit zeigt den Straßburger Reformator auf der Höhe seines Ansehens und Erfolgs – sein unermüdliches Bemühen, die Herrschaft Christi auszubreiten, fand auch in einem geistlichen Fürstentum und einer bisher von der reformatorischen Unruhe wenig erfaßten Landschaft ein Echo.
Vielleicht war Bucer (1491-1551) derjenige unter den Reformatoren der ersten Generation, der am deutlichsten eine »Vision« nicht nur besaß, sondern auch zu gestalten vermochte – das Ziel einer umfassenden Erneuerung von Kirche und Welt dadurch, daß überall Christus als der Herr Anerkennung fand. Auf dem Boden der Reichsstadt Straßburg, wo der gebürtige Schlettstadter und ehemalige Dominikaner-Mönch seit 1523 als Pfarrer tätig war, hatte er die Grundidee dieser »Vision« ausgebildet – die Erneuerung der Gesellschaft folgt aus der Erneuerung des einzelnen Menschen, indem dieser aus dem Evangelium lernt, daß er nicht für sich selbst geboren, sondern zur Liebe bestimmt ist; die stadtbürgerliche Welt, die von der Ausrichtung eines jeden einzelnen auf den »gemeinen Nutzen« lebte, sollte so neu fundiert und belebt, geistlich unterfangen und gesichert werden, und zwar unter Führung der christlichen Obrigkeit. Gelegenheit zu wirken fand Bucer außer in Straßburg und Köln in zahlreichen weiteren Städten sowie in Hessen und Württemberg; in den letzten Jahren seines Lebens, nach der Vertreibung aus Straßburg infolge des Interims, öffnete sich ihm sogar England, wo er Professor in Cambridge wurde und sein letztes großes Werk, ›De regno Christi‹, schrieb.
In den 1530er und 1540er Jahren kann man Bucer als den wirksamsten evangeli-

schen Kirchenmann in Deutschland bezeichnen, nicht zuletzt deshalb, weil es ihm mit Energie und Vigilanz gelang, 1536 die »Wittenberger Konkordie« mit Luther zustande zu bringen, in der sich die im Abendmahlsstreit zerfallenen Protestanten wenigstens innerhalb des Reiches wieder verständigten, so daß jene nach Bucers Meinung gänzlich unfruchtbare Kontroverse beendet wurde, die seiner weiten »Vision« so total widerstrebte.

M. Greschat, Martin Bucer. In: M. Greschat (Hrsg.), Gestalten der Kirchengeschichte, Bd. 6, 1981, S. 7-29. – Habich, Bd. I, 1, Nr. 656. B. M.

440 Jakob Sturm – der führende Politiker Straßburgs und der evangelischen Reichsstädte

Bildnismedaille Jakob Sturm
Nürnberger Künstler, 1526
Bronze, gegossen, Dm 4,1 cm. Vorderseite: IACOBVS.STURM.ANNO.AETA(tis) SVE XXXVI. Brustbild von rechts, bärtig, barhäuptig, Kette. Rückseite: VICTRIX.FORTVNE.PACIENTIA.M.D.XXVI (Ausdauer besiegt das unbeständige Glück. 1526). Trophäe, unten im Feld Helm und Schild
München, Staatliche Münzsammlung

Die Medaille zeigt den späteren Stettmeister (erstmals 1527-28) am Beginn seiner politischen Karriere. Der aus einer der führenden Familien Straßburgs stammende und von seinem beträchtlichen Vermögen lebende junge Mann hatte Artes und Theologie studiert, kirchliche Ämter innegehabt und humanistische Studien betrieben, bevor er sich Ende 1523 in den Rat hatte wählen lassen, ein Schritt, der die Entscheidung für die Reformation und den Übertritt in den Laienstand signalisierte. In seinem weiteren Leben war Sturm (1489-1553) Politiker im Hauptberuf und vermochte trotz seiner Eingebundenheit in die städtische Korporation starken individuellen Einfluß auszuüben, und zwar nicht bloß in Straßburg selbst, wo er in Gemeinschaft mit weiteren Gesinnungsfreunden im Rat und mit den Predigern, aber immer auch wachsam gegenüber der Gefahr von Übergriffen der letzteren in die Entscheidungsgewalt der Politiker, den Aufbau des neuen christlichen Gemeinwesens leitete, sondern auch in der allgemeinen Politik des Reiches. In unzähligen auswärtigen Legationen insbesondere auf Reichstagen sowie im Schmalkaldischen Bund war zumal er es, der der Gruppe der evangelischen Reichsstädte politisches Gewicht und wenigstens zeitweise faktische Gleichberechtigung mit den übrigen Ständen verschaffen konnte, wobei es immer auch um die Sicherung der Sonderstellung Straßburgs und der übrigen von Luther abweichenden süddeutschen Städte ging. Sturm war ein umsichtiger, realistischer Politiker, der jedoch auch über die Grenzen zu blicken vermochte und das Bündnis mit den Eidgenossen, die Konspiration mit dem König von Frankreich nicht verschmähte.

G. Livet, J. Rott u. J. D. Pariset, Jacques Sturm. In: G. Livet u. F. Rapp (Hrsg.), Strasbourg au coeur religieux du XVIe siècle, 1977, S. 207-266. – Habich, Bd. I, 2, Nr. 939. B. M.

441

441 Caspar Hedio – Münsterprediger und protestantischer Geschichtsschreiber in Straßburg

Medaillonbildnis Caspar Hedio
Friedrich Hagenauer, 1543
Holz, Dm 4,9 cm. Modell für eine Medaille. Auf der Rückseite Monogramm des Künstlers und datiert 1543.
Braunschweig, Herzog Anton Ulrich-Museum, Inv. Nr. Med. 5

Auf den mit Hilfe dieses Modells geprägten Medaillen, die erhalten sind, ist der Abgebildete identifiziert, und das Datum 1543 weist auf dieselbe Entstehungssituation hin, auf die auch das Medaillenporträt Bucers zurückgeht: Die Mitarbeit an dem – letzten Endes vergeblichen – Versuch einer Reformation des Erzstiftes Köln.
Caspar Hedio (1494-1552) stammte aus Ettlingen in Baden und war nach dem Studium in Freiburg und Basel seit 1520, in einer Phase humanistischer Reformpolitik am Hofe des Kardinals Albrecht, Domprediger in Mainz, wo er 1523 zum Doktor der Theologie promovierte. Im selben Jahr in das anspruchsvolle Amt des Münsterpredigers in Straßburg berufen, vertrat Hedio seither eindeutig die evangelische Lehre. Freilich stand er als Theologe und Reformator im Schatten Bucers und anderer und vermochte sich sogar in der Krise des Interims in Straßburg zu behaupten, wenn auch mit Verlust seines Amtes. Besonderes Gewicht hatte seine Mitwirkung am Aufbau des wohlgeordneten evangelischen Schul- und Bildungswesens in der Stadt und in gewissem Zusammenhang hiermit seine Leistung als Historiograph, die von der Forschung erst neuerdings erkannt wird. Hedio hat in vielen, zum Teil umfangreichen und häufig aufgelegten Büchern reiches historisches Material verarbeitet oder bekanntgemacht und sowohl gelehrt als auch volkstümlich dargeboten. Sein Werk, ein spezifisches Beispiel der Vereinigung von Humanismus und Reformation, hat das populäre Geschichtsbild des Protestantismus, etwa das Bild vom Mittelalter, stark mitbestimmt.

H. Keute, Kaspar Hedio als Historiograph, 1980. – Habich I, 1, Nr. 654. B. M.

XIII. Reformation der Glaubensbilder: Das Erlösungswerk Christi auf Bildern des Spätmittelalters und der Reformationszeit

Dieter Koepplin

Künstlerisch überzeugende Bilder sind nicht bloß »Übersetzungstexte« im religiösen Bereich, nicht bloß Übersetzungen der Theologie oder des biblischen Wortes ins Bild, sondern auch »Urtexte«. Als solche nehmen religiöse Bilder innerhalb der Text- *und* der Bildtradition an der Gestaltung der Glaubensinhalte teil. Sie gewinnen bis zu einem gewissen Grad eine eigene Realität und bauen daher eine teilweise eigengesetzliche Bildtradition auf. Diese verband sich relativ stark mit der Entwicklung des kirchlichen Ritus und mit den »Formen« der populären Frömmigkeit. Aus Bedenken gegenüber der Bildrealität, die im Lauf des Mittelalters zunahm und äußerlich, weltlich zu werden schien, und unter Berufung auf das Gebot, das Gott Moses gegeben hat (»kein Bildnis noch irgend ein Gleichnis«), wollten einige Reformatoren die Bilder mehr oder weniger streng ausschalten (vgl. Kat. Nr. 509-515). Luther hingegen, der auf die evangelischen Gleichnisse Christi hinwies, hatte vor der Verschiedenheit der religiösen Bedürfnisse der hilfesuchenden Menschen und vor den bildhaften Gestaltungskräften aller Art einen zu großen Respekt, als daß er hätte glauben wollen, es wäre eine gottgefällige Tat, das Gewachsene der religiösen Bilder abzutöten. Er verwarf zwar das Stiften von Bildern, das vor Gott als ein »gutes Werk« gelten sollte. Doch benutzte er die Bildtradition lieber als eine positive Herausforderung, gleich wie er die rituellen und verbalen Traditionen des Mittelalters nutzte, um teils eine neue Position zu begründen und oft genug kämpferisch zu verfechten, teils aber auch gewisse fromme Überlieferungen weiterzuführen oder bloß sanft zu reformieren.

In jedem Fall erfuhren die Glaubensbilder im Einflußbereich Luthers eine Art von »Reformation«. Entweder bekamen sie durch ein neues Verständnis des Wortes der Heiligen Schrift eine veränderte Form oder, bei ungefähr gleichbleibender Form, doch eine andere Bedeutung. Relativ geringe Nuancen des Bedeutungswandels sagen oft über die lutherische Bewegung etwas besonders Charakteristisches aus. Ein schönes Beispiel dafür ist die Darstellung des geplagten Hiob (Kat. Nr. 473). Indem Luther den leidenden und verspotteten Hiob der Kreuzannagelung Christi gegenüberstellen ließ, knüpfte er an die Tradition an, gemäß welcher Hiob den Schmerzensmann Christus »präfiguriert«. Dem traditionellen Bild Hiobs wurde aber im Vordergrund der zornig redende Elihu hinzugefügt, und damit ergab sich eine völlig neue Bedeutung: Elihu öffnet dem »gerechten« Hiob die Augen dafür, daß Gottes Gerechtigkeit und Gnade dem Menschen verborgen sind und daß sie nicht durch Werke erzwungen, sondern nur im Glauben empfangen werden können.

Christus als tot-lebendiger Schmerzensmann war eine spätmittelalterliche Bilderfindung, für die es in der Bibel keine unmittelbare Vorlage gibt. Die Bildprägung stand im engsten Zusammenhang mit der Eucharistie in der Messe, mit dem priesterlichen Gebet für das Heil der verstorbenen Seelen und mit dem Ablaß – besonders greifbar in Eucharistie-Bildern wie der »Messe des hl. Gregor«, dem »Kelter-Christus« u. a. (Kat. Nr. 463-466). Für Luther war dies bezeichnenderweise kein Grund, das vielsinnige Bild des Schmerzensmannes vorschnell zu eliminieren, obgleich nun der biblische »Ecce homo« (der »historische« Christus vor Pilatus) bevorzugt und gern mit dem Schrift-Zitat ergänzt wurde (Kat. Nr. 469-472). Lutherische Bilder des Schmerzensmannes sehen nicht gänzlich anders aus als spätmittelalterliche, obwohl eine genauere Betrachtung den Bedeutungswandel enthüllt: weg vom primären Symbol der verkörperten, durch den Priester vermittelten Eucharistie und hin zum »tröstlichen« Bild der Liebe Gottes, durch welche uns der Erlöser gegeben wurde. Die spätmittelalterliche Verbindung des Schmerzensmannes mit der mitleidenden und fürbittenden Maria jedoch wurde im Kreis Luthers aufgelöst und die prononcierte Form der »Heilstreppe« heftig abgelehnt (Kat. Nr. 444-453, 460, 492).

Künstler aller Zeiten und aller Auftraggeber stellten die Kreuzigung Christi in ikonographisch ähnlicher, dem Gehalt nach freilich verschiedener Weise dar. So hat ein Matthias Grünewald mit seinem Isenheimer Altar zu seiner Zeit – unmittelbar vor Luthers öffentlichem Auftreten – und für die Nachwelt religiöse Anschauungen »formiert«, wenn nicht »reformiert« (vgl. in unserer Ausstellung den Wandel von Kat. Nr. 484 und 486 zu Kat. Nr. 489 und 487). Luther hat Bilder des gekreuzigten Christus und der Christus-Devotion im Sinne seiner »Theologie des Kreuzes« bewahrt und in seinem Umkreis empfohlen. Dort gibt es einerseits neuartige lehrhafte Bilder wie die antithetische Komposition »Gesetz und Gnade« (Kat. Nr. 538, 474), wo der Gekreuzigte anschaulich in bestimmte Bezüge hineingestellt wurde: in Bezug zum Glauben Adams und zu Gottes Gesetz, Gericht, Liebe und Gnade, dies alles unterstrichen und belegt mit Bibelzitaten. Daneben entstanden aber auch »normale« Kreuzigungsbilder in Luthers Umkreis. Sie verdienen mindestens ebenso viel Beachtung, weil ihre weniger auffällige, aber wesentliche Wandlung den Hintergrund bildet für die speziellen Formen der Lehrbilder (Zwischenform: Kat. Nr. 494).

Nach Luthers Auffassung sollte für alle religiösen Bilder gleichermaßen gelten, daß sie bloße Hilfsmittel für den innerlichen Glauben, den Herzens-Glauben sein sollten. Als ein vielleicht relativ äußerliches, aber sehr anschauliches Bild für solchen Glauben gestaltete Lukas Cranach d. J. im Auftrag des Kurfürsten August von Sachsen einen herzförmigen Altar, der die Menschwerdung und Passion Christi in sich enthält, gleichsam mitten im Herzen der Gottesliebe (Kat. Nr. 496). In entsprechendem – paulinisch-augustinischem – Geist entwickelte Luther für sich ein persönliches Wappen: Es zeigt als ein »Merkzeichen meiner Theologie«, wie Luther schrieb, das auf der »fröhlichen« Rose liegende gläubige Herz, in welches das Kreuz Christi eingeschlossen ist (Kat. Nr. 501). Das Kreuz allein, keine Mittlerschaft, soll hier den Trost der Gläubigen vor Gottes Zorn ausmachen, der in manchen Bildern des Spätmittelalters so etwas wie Verängstigung bewirkt. Furcht und ihre Gestaltung hatten freilich besonders intensive Bilder hervorgebracht, die mit der Reformation gleichsam gegenstandslos wurden und auch ohne Bilderstürmerei wegstarben, zusammen mit dem entsprechenden religiösen Leben. D.K.

A Spätmittelalterliche Glaubensbilder

442 Die 1493 gedruckte christliche Weltgeschichte des Nürnberger Humanisten Hartmann Schedel beginnt mit dem alttestamentlichen Schöpfungsbericht und schließt mit der Ankündigung des von vielen bald erwarteten und gefürchteten Jüngsten Gerichts, »Ende dieser ungerechten Welt«.

Das letst alter (Das letzte, 7. Weltenzeitalter): Von dem iungsten gericht uund ende der werlt
Michael Wolgemut und Werkstatt, 1493
Holzschnitt in: Hartmann Schedel, ›Liber chronicarum‹
Nürnberg: Anton Koberger 12. 7. 1493. 2°
Nürnberg, Germanisches Nationalmuseum, Inc. 2° 5539

1493 erschienen hintereinander eine lateinische und eine deutsche Ausgabe der Weltchronik des Nürnberger Stadtarztes und Humanisten Dr. Hartmann Schedel. Mit ihren 1809 Holzschnittillustrationen von Michael Wolgemut und Wilhelm Pleydenwurff, für die 645 Holzstöcke verwendet wurden, war sie das bilderreichste Werk des frühen Buchdrucks, hergestellt in Nürnberg bei Anton Koberger, dem damals bedeutendsten Buchdrucker Deutschlands (vgl. Kat. Nr. 380).
Die Chronik stellt das Weltgeschehen zwischen Gottes Schöpfung und Gottes Gericht dar, gegliedert in sieben Weltzeitalter. Im Jüngsten Gericht wird das letzte Zeitalter seinen unwiderruflichen Abschluß finden. Engel blasen zu Auferstehung und Gericht im Tal Josaphat. Der Richter thront auf Regenbogen und Erde. Er zeigt seine fünf Wunden und läßt das Richterschwert und den blühenden Lilienzweig von seinem Mund ausgehen (Apok. 1,16; 2,12 und 16; Jesaja 11, 1-4 und 49,2). Er wird, wie Schedel schreibt, »zuletzt die Ungütigen in das Feuer und die Finsternis senden und den Gütigen Ehre und Leben geben«. Nach der mittelalterlichen, ursprünglich byzantinischen Bildtradition der »Deesis« wird der Richter flankiert von der fürbittenden Gottesmutter und dem Täufer Johannes, der zur rechtzeitigen Buße und zum Glauben an den Erlöser aufgerufen hatte. Im selben Typus erscheint das Bild des bevorstehenden Weltgerichtes dominant auf den Bogenfeldern vieler Kirchenportale. Luther meinte eine Gerichtsdarstellung dieser Art, als er daran erinnerte: ... *machen aus Christo nichts, denn einen strengen, zornigen Richter, für dem man sich fürchten müsse, als der uns wollte in die Hölle stoßen, wie man ihn gemalt hat auf dem Regenbogen zu Gericht sitzend und seine Mutter Maria und Johannes den Täufer zu beiden Seiten als Fürbitter gegen seinen schrecklichen Zorn* (WA 46, S. 8; vgl. Kat. Nr. 146).

Kat. Ausst. Dürer, Nr. 117, 227, 291, 314. – E. Rücker, Die Schedelsche Weltchronik, 1973. – Zu Luthers Beurteilung der Gerichtsdarstellungen: Preuß, S. 35 ff. – Tappolet, S. 150. – Stirm, S. 117. D. K.

443 In Erwartung des Jüngsten Gerichtes und des nach dem Tod zu erleidenden Fegefeuers vergewissern sich die Altarstifter der Gnadenmittel, die die biblische Schrift nennt und die vor allem die kirchliche Tradition weiter ausgebildet hat.

Armeseelenaltar des Sigmund Graner
Regensburger Meister, 1488
Holz, Außenseiten bemalt, Mittelteil und Flügelinnenseiten als Relief, 124 × 188 cm. Auf dem Rahmen Stifterinschrift: Herr Zigmvnd graner Elizabeta sein hausfraw Mcccclxxxviii (1488)
Regensburg, Museen der Stadt Regensburg, HV 1415

Der mäßig große Flügelaltar wurde 1488 in der Stiftskirche zur Alten Kapelle in Regensburg errichtet. Gestiftet hat ihn die Witwe des Regensburger Ratsherrn Sigmund Graner, Elisabeth Englmayr (gest. 1491). Während sie sich mit ihrem 1484 verstorbenen Mann und ihren beiden Töchtern dem Jüngsten Gericht unterstellt, wollte sie denjenigen Gläubigen, die vor diesem Altar beten oder eine (Seelen)-Messe feiern, durch Bildniszüge und Wappen ihre persönliche Identität und diejenige ihrer Angehörigen mitteilen. Mit dem, was auf den beiden Flügeln des Altars gezeigt wird, nämlich mit dem Meßopfer, dem Gebet und den »Werken der Barmherzigkeit«, erhofften sich die Stifter des Altars einen gnädigen Richter und Verkürzung der Pein, die nach mittelalterlicher Vorstellung die Seelen der Verstorbenen zur Buße für ihre noch nicht gesühnten Sünden im Fegefeuer zu erleiden haben (vgl. Kat. Nr. 41). Nach dem Zeugnis des Evangelisten Matthäus (Matth. 25, 31-46) soll Christus selber im Hinblick auf sein kommendes Gericht denjenigen Gnade versprochen haben, die die Gottesliebe mit der Nächstenliebe verbinden, indem sie die Nackten bekleiden, die Gefangenen besuchen (oder befreien: darum links unten das offene Gefängnis), die Fremden beherbergen, die Hungrigen und Durstigen laben. Das unten auf dem rechten Flügel sichtbare Beinhaus dürfte das seit dem 12. Jahrhundert den »Werken der Barmherzigkeit« hinzugezählte Begraben der Toten andeuten. Rechts von der Mitte bewachen ein Engel mit dem richterlichen Schwert und ein Teufel den peinigenden Ofen, aus dem Flammen züngeln: Hölle oder Fegefeuer. Aus dem links daneben stehenden, gefängnisartigen Haus holen Engel die im Fegefeuer geläuterten »Armen Seelen« der Verstorbenen heraus, die im Jüngsten Gericht schließlich Seligkeit und ewiges Leben erlangen werden. Die den befreiten Seelen dargebotenen Gaben der Engel spiegeln die Almosen, die Gebete (Kranz = Rosenkranz?) und die Seelenmessen (Kelch) wieder, die die Hinterbliebenen zum Wohl der »Armen Seelen« leisteten (vgl. Kat. Nr. 57-61).
Seelenmesse und Gebet vor dem Bild des Erlösers sind auf den oberen Eckfeldern veranschaulicht. Von den beiden Knienden unter dem Kruzifix verrichtet der eine, der Kleriker links, ein »gutes Gebet«, während der Laie rechts in seinen Gedanken bei weltlichen Gütern bleibt, die hinter ihm in verschiedenen Kammern gegenwärtig sind. Ein um 1460 entstandener Holzschnitt zeigt in ganz entsprechender Weise »Das gute und das schlechte Gebet«; er diente wohl als Vorlage (Schreiber, Nr. 968).
Christus erscheint eigentlich fünfmal auf diesem Altar: zunächst als strenger Richter in der Mitte, dann als Erlöser beim Gebet rechts, weiter in der Gestalt der vom Priester während der Messe erhobenen Hostie links – eine Statuette der Maria mit dem Kind verdoppelt hier Christi Gegenwart – und als »Schmerzensmann«, der auf der Mitteltafel dem himmlischen Vater seine Wundmale zeigt und zur Erlösung der Sünder sein Blut in einen »Brunnen der Barmherzigkeit« strömen läßt. So werden der Strenge des Gerichtes die Gnadenmittel entgegengestellt: die Messe als Opferhandlung, das Gebet, die Werke der Barmherzigkeit, außerdem der Schutzmantel der Maria (er gemahnt an »Abrahams Schoß«, die traditionelle Veranschaulichung des Paradieses) und die Fürbitte durch Maria und Johannes den Täufer vor dem Richter so-

443

wie durch die persönlichen Schutzheiligen des Stifterpaares, die Heiligen Simon und Bartholomäus, die auch auf die Flügelaußenseiten gemalt wurden.
Luther verstand das Evangelium fundamental nicht als eine verängstigende, sondern als die tröstliche Botschaft von der Begnadigung des Sünders durch Gott. Er lehnte die Lehre vom Fegefeuer und das Prinzip der Werkgerechtigkeit ab. Aus Werken der Barmherzigkeit sollte der Mensch keinen Eigennutz ziehen.

Ph. M. Halm, Ikonographische Studien zum Armenseelen-Kultus. In: Münchner Jb. der bildenden Kunst 12, 1921/22, S. 14 ff. – RDK 1, 1937, Sp. 1087 f. und 1463. – Kat. Ausst. Ars Sacra, Regensburg 1964, Nr. 74. – C. Harbison, The Last Judgment in Sixteenth Century Northern Europe. A Study of the Relation Between Art and the Reformation, 1976, S. 106 ff., Abb. 1,2 und 49 ff. – V. Liedke. In: Ars Bavarica 8, 1977, S. 14 ff. D. K.

444 Maria, neben Johannes dem Täufer Fürsprecherin im Jüngsten Gericht, zeigt zum Zeichen ihrer Mitverdienste im göttlichen Erlösungswerk ihre entblößte Brust analog zum Zeigen der Wundmale durch Christus – eine von Luther ausdrücklich abgelehnte Vorstellung.

Das Jüngste Gericht
Mittelrhein, um 1460/70
Model, Ton, Dm 14,5 cm
Nürnberg, Germanisches Nationalmuseum, Pl 686

Die Fürbitte der Maria beim Jüngsten Gericht wurde in manchen spätmittelalterlichen Darstellungen damit unterstrichen, daß die Gottesmutter gegenüber dem zornigen Richter entweder ihren Schutzmantel über die Verängstigten ausbreitet oder ihre Brust entblößt zum Zeichen ihrer Mitwirkung im Heilswerk und besonders ihrer mütterlichen Liebe, die den Zorn Gottes besänftigen möge. Das Zeigen der Brust durch Maria tritt in einen verstärkenden Bezug zum Zeigen der Wundmale durch Christus. Luther dagegen (1537/40): *S. Bernhard hat auch so gelehrt, man müsse die Heiligen als Nothelfer und die Jungfrau Maria zur Mittlerin haben und sie als Mutter des Herrn anrufen, daß sie dem Sohn ihre Brüste zeige, und er uns gnädig würde und seinen Zorn fallen lasse. Nein, es ist nicht mit Brüsten auszurichten, etwas anderes muß es tun! Darum sollen wir wohl diese Sprüche in uns haben, da Christus sich selbst abgemalt hat, daß er kommen sei nicht zu richten und zu verdammen, sondern selig zu machen, was bereits verloren und verdammt sei* (WA 47, S. 276). Wenn Luther – gleich der ›Legenda aurea‹ im Kapitel von der Himmelfahrt Christi – hier den hl. Bernhard nennt, so meint er die im Mittelalter diesem Autor zugeschriebene, im 12. Jahrhundert entstandene Schrift ›De laudibus B. Mariae Virginis‹, die in Wahrheit den Bernhard-

Freund Arnaud de Bonneval zum Verfasser hat.

W. v. Bode u. W. F. Volbach. In: Jb. der Kgl. Preuss. Kunstsammlungen 39, 1918, S. 128, Nr. 25. – Lex. der christl. Ikonographie, Bd. 2, 1970, Sp. 350. – B. G. Lane. In: Oud Holland 87, 1973, S. 4 ff, 177 ff., bes. S. 20 ff. – Zu Luthers Stellungnahme: Preuß, S. 32. – Tappolet, S. 99 f., 121 f., 149 ff. – Düfel, S. 66 ff., 235 f. D. K.

445 Der im Spätmittelalter weitverbreitete »Heilsspiegel« versucht durch bildliche Analogie evident zu machen, daß die Fürbitte der Maria vor ihrem Sohn der Fürbitte Christi vor Gottvater die höchste Wirksamkeit zum Heil der sündigen Menschen verleiht.

Christus und Maria als Fürbitter
Basler Meister, 15. Jahrhundert
Holzschnitte aus: ›Spiegel der menschlichen behaltnisze‹. Basel: Bernhard Richel 31. August 1476, 40. Kapitel. 2°
Nürnberg, Germanisches Nationalmuseum, Inc. 2° 87053

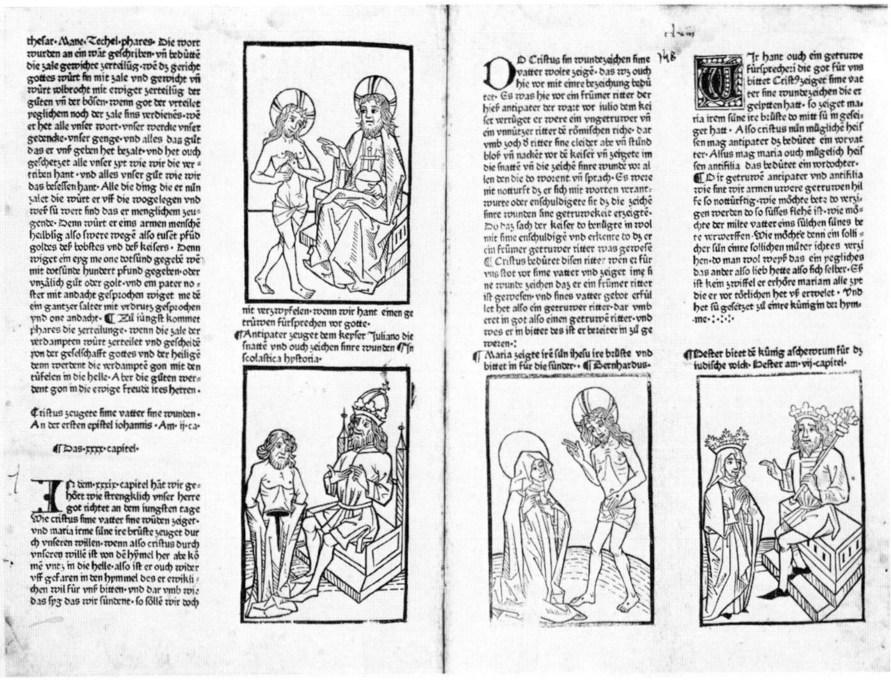

445

Die im Spätmittelalter vielfach ausgemalte und abgewandelte Vorstellung von der Fürbitte der Maria und Christi vor Gottvater, der dank dieser Fürbitte für die armen Sünder Gnade vor Recht ergehen läßt, geht gedanklich auf die bernhardinische Theologie des 12. Jahrhunderts, bildlich auf das ›Speculum humanae salvationis‹ zurück. Das Text- und Bilderbuch wurde wahrscheinlich 1324 in Straßburg vollendet. Der ›Heilsspiegel‹ spürt der formalen Analogie zwischen dem neutestamentlichen Heilsgeschehen und den alttestamentlichen »Praefigurationen« nach. In den wichtigen Kapiteln 35 bis 39 oder 40 setzt er die Passion Christi mit der »compassio Mariae« in einen bildhaften Vergleich, damit die Mitwirkung der Gottesmutter im Erlösungswerk Christi augenfällig werde. Schon in den Kapiteln 29 und 30 war in parallelisierender Weise gezeigt worden, wie Christus die Höllenpforte öffnet und wie Maria gleichfalls den Teufel besiegt hat (vgl. Kat. Nr. 467 und 475). In den eigentlichen Marienkapiteln begegnet man den grundlegenden spätmittelalterlichen Bildtypen der Fürbitte der Maria für die sündigen Menschen: der »Schutzmantelmadonna« (Kap. 37) und der Maria, die Gottes Zorn – er wird durch drei Pfeile veranschaulicht – mildert (Kap. 38).
Im Basler Druck des Jahres 1476, der mit 255 Holzschnitten vollständig illustriert ist, wird in folgenden vier Bildern des 40. Kapitels eine Analogie vorgezeigt: 1. Im Schmerzensmann Christus, der zum Beweis seines Erlösungswerkes auf seine Wundmale hinweist, haben die sündigen Menschen *einen getrüwen fürsprechen vor gotte;* 2. dazu als Antitypus: Antipater zeigt Julius Caesar seine Narben (nach der um 1170 geschriebenen ›Historia scholastica‹ des Petrus Comestor); 3. *Maria zeigte iren sūn ihesu ire brüste* (an denen sie ihn genährt hat und die darüber hinaus die mütterliche Liebe Mariae zur ganzen Menschheit versinnbildlichen) *vnd bittet in für die sünder. Bernhardus;* 4. dazu als Antitypus: Esther bittet Ahasver für das Volk der Juden (nach dem Buch Esther 4-8).

Inkunabelkatalog, Nr. 861. – J. Lutz u. P. Perdrizet, Speculum humanae salvationis, 1907, S. 236, 297 ff. – E. Panofsky. In: Festschr. M. J. Friedländer, 1927, S. 285 ff. – E. Breitenbach, Speculum humanae salvationis, 1930, S. 44 ff., 262 ff. – A. Pfister, Das deutsche Speculum humanae salvationis ... Diss. Basel 1927 (1937). D. K.

446 Im Gedächtnisbild für einen Verstorbenen werden zwei Stufen der Fürbitte zu einer einzigen »Heilstreppe« zusammengezogen. Der Bittflehende darf wissen: Wie Christus seiner Mutter, so wird Gottvater seinem Sohn keine Fürbitte abschlagen.

Epitaph des Arztes Friedrich Mengot (gest. 1370)
Meister des Hochaltars von St. Jakob in Nürnberg, Werkstatt
Gemälde auf Holz, 93 × 71 cm. Auf den Schriftbändern: Te.rogo.virgo.pia.nunc.me.defende.maria-hec.quia.sucsisti.fili.veniam.precor.isti – vulnera.cerne.pater.fac.quod rogetat.mea mater – queque.petita.dabo.fili.tibi.nulla.negabo. Auf dem alten Rahmen verstümmelt die Umschrift: anno domini m ccc L xx (in die) agne(tis) / virginis et martiris.obiit magist(er) mengotus cuius anima requiescat in pace amen.
Heilsbronn, Evang-Luth. Kirchengemeinde

Während der ›Heilsspiegel‹ die doppelte Fürbitte der Gottesmutter und des Schmerzensmannes in zwei Szenen gestaffelt und mit Praefigurationen gleichsam untermauert hat, faßt das großformatige Gedächtnisbild eines Arztes denselben Gedanken in ein einziges Bild zusammen und erklärt den Sinn mit Spruchbändern. Als Hauptfiguren stehen Maria und Christus vor uns. Ihre Fürbitte verspricht nicht nur

446

dem verstorbenen Arzt Mengot, sondern ideell allen andächtigen Betrachtern des Bildes Begnadigung. Friedrich Mengot, gewesener Arzt des Burggrafen Friedrich V. von Nürnberg und der Heilsbronner Mönche, stellt sich zunächst in den Schutz der Maria. Er betet kniend und sagt auf einem Schriftband (wörtlich übersetzt): »Ich bitte dich, barmherzige Jungfrau Maria, verteidige mich jetzt« (der Begriff des »defendere«, des Verteidigens, scheint bewußt der Gerichtssprache entnommen zu sein und bezieht sich auf das Gericht nach dem Tod). Maria zeigt ihre entblößte Brust und spricht zu Christus: »Weil du an dieser Brust gesogen hast, mein Sohn, erbitte ich Gnade für jenen« (in meinen Schutz sich Stellenden). In formaler Analogie zur Geste der Maria weist Christus auf seine Seitenwunde und wendet sich an Gottvater, dessen Kopf und Hände aus Wolken herausragen: »Anerkenne, mein Vater, dies [meine Sühneleistung], und gewähre, um was dich meine Mutter bittet«. Gottvater erklärt: »Was du auch verlangst, ich werde es dir zugeben und dir nichts verweigern«.
Obwohl Gottvater der bittflehenden Stifterfigur »unsichtbar« bleibt, ist es die neue Tendenz eines solchen Bildes, den Zugang des sündigen Menschen zur Gnade Gottes möglichst lückenlos vor Augen zu stellen und gleichsam von unten her, aus der Vorstellung des hilfebedürftigen Menschen heraus, modellhaft zu definieren. Die Rahmeninschrift gibt an, daß Magister Mengot 1370 am Tag der hl. Agnes (21. Januar) gestorben ist.

Stange, Krit. Verz., Bd. 3, 1978, Nr. 7. – Lex. der christl. Ikonographie, Bd. 2, 1970, Sp. 348. – B. G. Lane. In: Oud Holland 87, 1973, S. 16 f. – Kat. Ausst. Die Parler und der schöne Stil 1350-1400, Köln 1978, Bd. 1, S. 380, und Resultatband 1980, Farbtaf. 117. D. K.

447 Im Streit des Teufels und des Engels um die dem Sterbenden entweichende Seele »beweisen« die fürbittende Maria und der Schmerzensmann Christus vor dem richterlichen Gottvater, daß das Erlösungswerk für den sündigen Menschen vollbracht ist und darum Gnade vor Recht walten soll.

»Fons Virtutum«, Sterbebild mit der Fürbitte der Maria und Christi
Nürnberg, um 1400
Miniatur, 36 × 24 cm. Eingeklebt in Sammelhandschrift
Florenz, Biblioteca Nazionale, Codex B. R. 38

Wenn im Tod die Seele dem Körper entweicht, ist es für Buße, Beichte, Absolution und Besserung des Lebenswandels zu spät. Fegefeuer und Gericht stehen unerbittlich bevor. Im Spätmittelalter malte man sich das Sterben (›Kunst des Sterbens‹: Kat. Nr. 44) und das Gericht mit detailliertem Realismus aus. So stellte man sich vor, wie Teufel und Engel um die Seele streiten, wie sie ein Streitgespräch vor dem thronenden Gottvater im Verein mit Christus, Maria und dem Evangelisten Johannes austragen. Johannes unterstützt darum Maria vor dem Schmerzensmann Christus, weil er mit der Gottesmutter zuletzt unter dem erlösenden Kreuz gestanden hatte. Wie Christus auf seine Wundmale, so zeigt Maria auf ihre Brust zum Zeichen ihrer liebenden und leidenden Teilnahme am Erlösungswerk. Sie ist es, die um Erbarmen für die Seele des Verstorbenen bittet und sich an ihren Sohn wendet. Christus seinerseits bittet Gottvater, den Wunsch seiner Mutter zu erfüllen. Mit solchen Fürsprechern wird Gottvater gleichsam dazu genötigt, Gnade vor Recht ergehen zu lassen.
Bernhardinische Gedanken stehen hinter dieser fast weltlich-handgreiflichen Form der »Heilstreppe«. Luther, der damit die Ehre der Maria nicht schmälern wollte,

entsetzte sich doch über die Vorstellung des *Sankt Bernhard, der sonst ein frommer Mann gewesen ist,* daß *Christus schilt ..., straft und verdammt, ... dagegen die Jungfrau Maria immerdar freundlich und sanftmütig ist, ... eitel Süßigkeit und Liebe* (WA 47, S. 99 f.). *Aber ich mag Mariens Brüste noch Milch nicht; denn sie hat mich nicht erlöset, noch selig gemacht!* (WA 46, S. 663).

W. Cohn. In: Festschr. Friedrich Winkler, 1959, S. 95-99. – Lex. des christl. Ikonographie, Bd. 2, 1970, Sp. 350. – L. E. Stamm, Die Rüdiger Schopf-Handschriften, 1981, S. 223. – Zu Luthers Kritik: Tappolet, S. 95 ff., 149 ff. – Düfel.
D. K.

448 Der Gekreuzigte als zentrale Figur in der »Heilstreppe« über dem Sterbenden – eine von Luther ausdrücklich abgelehnte Vorstellung des Spätmittelalters.

Fürbitte und Errettung der Seele beim Sterben
Süddeutsch oder Oberrhein, um 1430/40
Feder, koloriert, in einer als geistliche Allegoriensammlung angelegten Bilderhandschrift
Rom, Biblioteca Casanatense, ms. 1404, fol 37v

Im Unterschied zu Kat. Nr. 447 zeigt diese (nach der Vermutung von R. Suckale vielleicht in Basel entstandene) Darstellung den dem Tod entgegensehenden Menschen in zwei Zonen. Zunächst erscheint in der Mitte links der Christ in dreifacher Annäherung an die Passion Christi und rechts der Sterbende, der sich dem Schmerzensmann anvertraut. Sodann sieht man in der unteren Zone den Verstorbenen, um dessen Seele Engel und Teufel streiten. In diesem Streit bittet Maria um der Brust willen, mit der sie Christus aufgezogen hat, um die Errettung der Seele; und Christus am Kreuz verstärkt diese Bitte um seiner Wunden willen. Maria und der ebenfalls Fürbitte leistende Evangelist Johannes stehen unter dem Kreuz in gleicher Position wie in traditionellen Kreuzigungsdarstellungen. Der Gekreuzigte zwischen Maria und Johannes wird vom Engel, der über dem Sterbenden vor dem Kreuzstamm schwebt, als *fons pietatis* (Quelle der Barmherzigkeit) bezeichnet – etwa als ein Titel für das ganze Bild. Maria und Johannes unter dem Gekreuzigten vermitteln zwischen dem Verstorbenen, der gleich Adam in manchen mittelalterlichen Kreuzigungsdarstellungen am Kreuzesfuß die Erlösung erhoffen darf, und dem himmlischen Gottvater, dessen Büste aus dem Wolkenkranz links oben erscheint.

F. Wormald. In: Journal of the Warburg and Courtauld Institutes 1, 1937/38, S. 276 ff. – F. Saxl, ebd. 5, 1942, S. 83. – B. G. Lane. In: Oud Holland 87, 1973, S. 23 f.
D. K.

449 Vor dem Sünder, der Gott um Erbarmen bittet, zeigen der Schmerzensmann Christus seine Wunden und die Gottesmutter ihre Brust als Beweis ihres gemeinsamen Erlösungswerkes.

Maria und Christus Fürbitte leistend
Schwaben (Ulm?), um 1480
Holzschnitt, 26,8 × 19,7 cm
Berlin, Staatliche Museen Preußischer Kulturbesitz, Kupferstichkabinett, Inv. Nr. 6315-1878

Mit dem kleingestaltigen betenden Mann, der die bittflehenden Worte *miserere mei deus* (erbarme Dich meiner, Gott) spricht, kann sich der Betrachter des Holzschnittbildes identifizieren; er mag gar den leer gelassenen Wappenschild mit seinem Wappen besetzen. Maria, zu der der Sünder aufblickt, erinnert daran, daß sie Christus ihre Mutterliebe erwiesen und am barmherzigen Erlösungswerk Christi teilgenommen hat (modernisiert): »Sohn, sieh meine Brüste an, laß keinen Sünder verloren sein.« Und der Schmerzensmann spricht, indem er seine Wundmale zeigt und dieses Zeigen mit dem Fürbittegestus der erhobenen Hände verbindet: »Mutter, sieh die Wunden an, die ich für den Sünder trage zu allen Stunden.« In der vollausgebildeten »Heilstreppe« – und dies schwingt auch bei unserem Holzschnitt mit – wendet sich Christus schließlich an Gottvater, um trotz seines Richterzorns Gnade vor Recht für den Menschen zu erwirken. Die Einengung des Themas auf Maria und Christus war begünstigt durch die Beliebtheit der Pietà-Bilder und der paarigen Darstellungen, die den Schmerzensmann mit Maria in mehr oder weniger deutlich ausgedrückten Sinne der doppelten Fürbitte zusammenbrachten.

Schreiber, Bd. 2, Nr. 912. – P. Kristeller, Holzschnitte im Königl. Kupferstichkabinett zu Berlin, 2. Reihe, 1915, Nr. 87. – E. Panofsky. In: Festschr. M. J. Friedländer, 1927, S. 288 und 303, Anm. 87.
D. K.

447

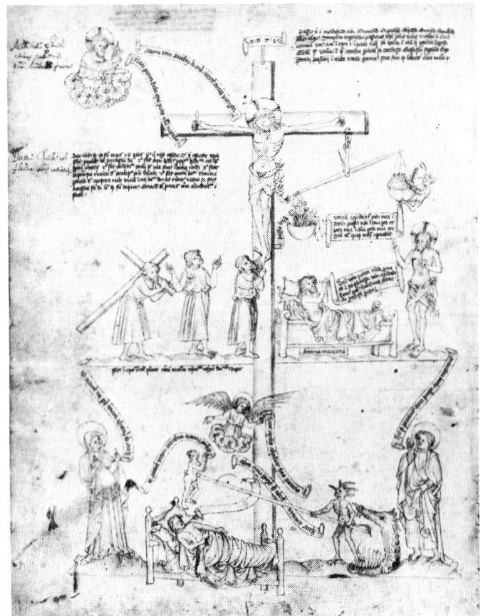
448

449

450

450 Das Bild der doppelten »gnadenreichen Fürbitte« vor dem zornigen Richter Gottvater wird als eine um Maria erweiterte Trinität und »Heilstreppe« vorgestellt. Ein Gebet an Maria um Ablaß aller Sünden beschließt den beigefügten, deutsch gereimten Text.

Fürbitte Christi und der Maria vor Gottvater
Schwaben, um 1495
Holzschnitt mit Typendruck, 35 × 20,6 cm
Hannover, Kestner-Museum, Inv. Nr. 169

Der Holzschnitt entspricht einer 1495 erschienenen Illustration zur ›Gnadenreich Fürbit ...‹ von Johannes Gerson. Die lateinischen »Reden« auf den Schriftbändern und der Sinn des Holzschnittes entsprechen den auf das Sterben des Menschen bezogenen »Heilstreppen«-Bildern. Maria sagt (übersetzt): »Mein Sohn, um dieser Brüste willen erbarme dich der Sünder.« Christus, der sich der Mutter zuneigt, sagt zu Gottvater: »Sieh meine Wunden an, Vater, und erfülle, um was dich meine Mutter bittet.« Und Gottvater: »Wir können dir, o Sohn, und deiner Mutter nichts abschlagen.« Die Gerichtsszene mit den »Advokaten« Maria und Christus wird auf einer Wolkenbank des Himmels vorgestellt. Der zürnende, von Maria und Christus besänftigte Gottvater, der in den älteren Darstellungen aus Scheu vor der Gottesdarstellung nur in der Form einer aus den Wolken ragenden Büste (Kat. Nr. 446) oder in der sakralen Mandorla repräsentiert worden ist, thront nun wie ein König. Er hält das Richterschwert in der rechten Hand und in der linken vier Pfeile, eine Geißel und eine Rute. Geißel und Rute erinnern an Christi Geißelung, also an sein Opfer zur Erlösung der sündigen Menschheit, während die Pfeile, in Anlehnung an alttestamentliche Bibelstellen, Gottesstrafen wie Krieg, Teuerung, Hunger und Krankheit andeuten (vgl. Kat. Nr. 42).
Gottvater, die auf seiner Thronlehne sitzende Taube des hl. Geistes und der Schmerzensmann bilden die Trinität, der Maria zur Verstärkung des göttlichen Erbarmens angefügt wurde. Wie das unten auf dem Blatt stehende Gebet an die »milde Jungfrau Maria« zeigt, richtete sich die größte Hoffnung des Sünders auf ihre Fürbitte beim Sohn. Um der Mutter »heilige Brust« willen darf der andächtig betende Sünder um Ablaß aller seiner Sünden bitten.

M. Escherich, Einzel-Formschnitte und Einblattdrucke des Kestner-Museums zu Hannover, Einblattdrucke des 15. Jh., Bd. 46, 1916, Taf. 28. – Düfel, S. 235 f., Abb. 2. D.K.

451 Auf dem Bild der um die Gottesmutter erweiterten Trinität richtet sich das Bittflehen des armen Sünders, der Gottes Strafe auf Erden und nach dem Tode fürchtet, nicht nur auf Christus, sondern zunächst mehr noch auf Maria. Analog zu Christi Hinweis auf seine Opferwunden zeigt Maria ihre entblößte Brust zum drastischen Zeichen ihrer Mitverdienste im Erlösungswerk.

Dreieinigkeit und Heilstreppe über dem bittflehenden Menschen
Urs Graf, 1514
Holzschnitt, 15 × 11,7 cm
Basel, Kupferstichkabinett des Kunstmuseums

Inhalt und diagonaler Bildaufbau von Urs Grafs »Trinitas«-Holzschnitt gleichen dem älteren Mengot-Epitaph, die himmlische »Gerichtsverhandlung« dem Holzschnitt Kat. Nr. 450. Urs Graf bemühte sich demgegenüber um größere Idealität und zugleich eine schärfere Deutlichkeit, ja um eine naturalistische Drastik, die – wie in seinen anderen religiösen Darstellungen – das Risiko einschließt, daß der Betrachter zu fragen beginnt: Soll man nun wirklich glauben, daß die göttliche Fürbitte in dieser Form geschieht? Das Bild scheint für den Künstler und den Betrachter das Bewußtsein der Illusion einzuschließen. Der Charakter der Verkörperung, der in früheren Darstellungen dieser ohnehin gewagten (und von Luther ausdrücklich abgelehnten) Bildvorstellung mehr oder weniger aufrecht erhalten wurde, kann von Urs Grafs Holzschnitt nicht mehr wirklich beansprucht und auch durch eine gewisse volkstümliche Naivität nicht wettgemacht werden. Ähnlich wie bei der Liturgie beginnen bei religiösen Darstellungen die Fragen zu Spannungen zu führen: Ist es real so, wie das Bild es zeigt, oder handelt es sich nur um eine jenseits des Bildes zu suchende Bedeutung, eine Andeutung? Und wenn Urs Graf so offensichtlich vom Menschen her sein Bild entwickelte, nämlich ausgehend vom knienden Sünder (und vom Grenzstein rechts außen, der die Initialen des Künstlers und das Wappenzeichen der Stadt Basel trägt, wo Graf lebte), soll man diese Vision eher als Heilsgewißheit oder als Artefakt auffassen? Ist von der zentral angeordneten Taube wirklich Erleuchtung zu erwarten, ist ihre Idealität real oder künstlerisch, gar künstlich, protobarock?

Hollstein, Bd. 11, S. 44, Nr. 17. – Basler Schulblatt 8, 1964, S. 256 f. D.K.

452 Christi Blutstrahl und die Milch der Maria füllen gemeinsam den Meßkelch. Dessen Inhalt gießt ein priesterlicher Engel zum »Trost der Seelen« ins Fegefeuer.

Der zielen troost (Der Seelen Trost)
Titelholzschnitt, 15,5 × 15 cm. In: ›Der zielen troost‹. Antwerpen: A. van Berghen 1509
's-Gravenhage, Koninklijke Bibliotheek

Wenn man im Mittelalter vom »fons virtutum« oder »fons pietatis« sprach (Brunnen der Heilsverdienste und der Barmherzigkeit), so vergegenwärtigte man sich zunächst das Blut Christi, das diesen Brunnen speist und ihn zum Heil der Seelen fließen läßt. Auch im Kreise Luthers wurde der die Sünde Adams abwaschende Blutstrahl aus Christi Seitenwunde veranschaulicht (Kat. Nr. 474) und mit dem Zitat des Petrusbriefes unterstrichen (1. Petrus 1). Luther meinte aber primär einen geistlichen Empfang des Erlöserblutes im Glauben, nicht das eucharistische Füllen und Ausgießen des Meßkelches, das bei Bildern des Schmerzensmannes gern in den Vordergrund gestellt wurde. Vor allem entsetzte sich Luther darüber, daß die spätmittelalterliche Theologie und Kunst auf die Idee kommen konnten, die aus der Brust der Maria fließende Milch mit Christi Blut zu parallelisieren und in denselben kirchlichen Kelch einfließen zu lassen, damit in den Seelenmessen durch Blut und Milch, Christi und Mariae Verdienste, den Seelen ihre Qualen im Fegefeuer verkürzt und der Zorn Gottvaters über die Sünder besänftigt würden. Hinter der Bildvorstellung der Milchspende der Maria steht die bernhardinische Mystik und besonders die spätere Legende des hl. Bernhard von Clairvaux (1091-1153), seine im Spätmittelalter oftmals dargestellte »Lactatio«. Luther: *Aber ich mag Mariens Brüste noch Milch nicht; denn sie hat mich nicht erlöset, noch selig gemacht!* (WA 46, S. 663).

J. A. F. Kronenburg, Maria's Heerlijkheid in Nederland, 1904-1906, Bd. 4, S. 256 ff. – M.-B. Wadell, Fons Pietatis, 1969, S. 56 ff. – E. M. Vetter. In: Zs. für Kunstgeschichte 33, 1970, S. 244. – Zur »Lactatio«: M. Seidel, Ubera Matris. In: Städel-Jb. 1977, S. 41-98, bes. S. 75.

D. K.

452

453 Auf dem Titelholzschnitt zu einem Meßbuch sind es zwei Mittler, Maria und Christus, die gemeinsam den zürnenden Gottvater dazu bewegen, sein Richterschwert in die Scheide zu stecken. Die Milch der Maria und das Blut Christi helfen, die Qualen der im Fegefeuer schmachtenden Seelen zu verkürzen.

»Heilstreppe« über den Seelen im Fegefeuer
Hans Holbein d. J.
Titelholzschnitt, 26,9 × 18,2 cm. In: ›Missale Speciale‹. Basel: Thomas Wolff, März 1521. 2°
Porrentruy, Bibliothèque du Licée cantonal

Das Thema, zu dem Kat. Nr. 454 die reformatorische »Korrektur« darstellt, entspricht etwa dem »Seelen-Trost«-Titel. Da es sich um das Titelblatt eines Meßbuches handelt, hat man vor allem an die erhoffte Wirkung der Seelenmessen zu denken. Der Schmerzensmann Christus repräsentiert den Leib und das Blut des Erlösers in der Eucharistie. Gottes Geste der Versöhnung, das Einstecken des Richterschwertes, übernahm Holbein vom Votivbild des Ulrich Schwarz, das sein Vater Hans Holbein d. Ä. 1508 in Augsburg gemalt hat (Augsburg, Städt. Kunstsammlungen).

Kat. Ausst. Die Malerfamilie Holbein in Basel, Basel 1960, Nr. 363. – Kat. Ausst. Hans Holbein der Ältere und die Kunst der Spätgotik, Augsburg 1965, bei Nr. 44. – Kat. Ausst. Basler Buchillustration 1500-1545, UB Basel 1983/84, Nr. 365.

D. K.

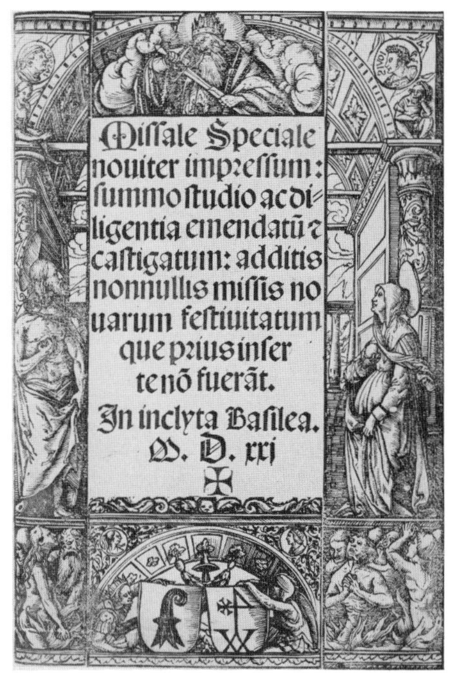

453

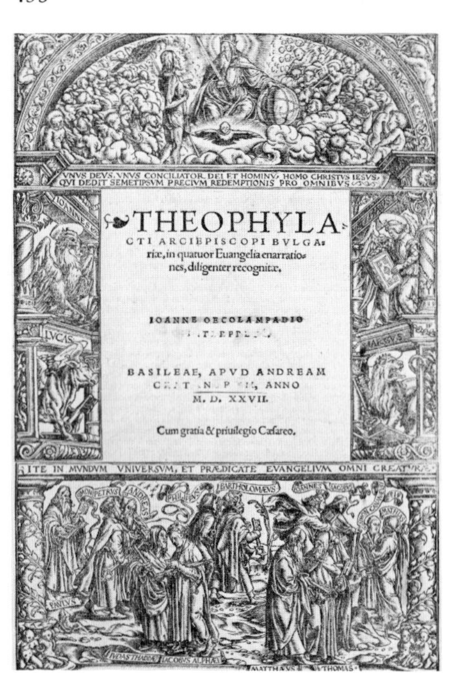

454

454 »Es ist ein Gott und ein Mittler zwischen Gott und den Menschen, nämlich der Mensch Christus Jesus, der sich selbst gegeben hat für alle zur Erlösung, daß solches zu seiner Zeit gepredigt würde« – gepredigt durch die in die Welt ausgesandten Apostel.

456

Trinität mit dem fürbittenden Schmerzensmann, Aussendung der Apostel
Hans Holbein d. J., 1523
Metallschnitt von Jakob Faber, 26,1 × 17,3 cm. Titelblatt zu: ›Theophylactus, In quatuor Euangelia enarrationes, diligenter recognitae‹ (durch Oekolampad). Basel: Andreas Cratander 1527 (zuerst 1524)
Basel, Kupferstichkabinett des Kunstmuseums

Holbeins Buchtitel ist aus vier Leisten zusammengesetzt: unten die Aussendung der Apostel zur Verkündigung des Evangeliums in aller Welt (mit dem Zitat Mark. 16, 15), in der Mitte die vier Evangelistensymbole, oben die Fürbitte Christi vor Gottvater, gemäß dem beigegebenen Bibelzitat 1. Tim. 2,5: es sei *ein* Mittler zwischen Gott und den Menschen. Holbeins Formulierung versteht man als eine »Reformation« des »Heilstreppen«-Bildes, das er kurz zuvor, 1521, für ein Basler Meßbuch gezeichnet hatte (Kat. Nr. 453) und das in drastischer Form die Mitfürbitte der Maria vor dem zornigen Richtergott nach spätmittelalterlichem Typus veranschaulicht. Die alleinige Fürbitte des Erlösers, der die Kreuzfahne als Siegeszeichen trägt, vor Gottvater wird von der erdwärts schwebenden, inspirierenden Taube des hl. Geistes zu einer Dreifaltigkeit erweitert, also zu einer Art Gnadenstuhl.
Die Aussendung der Apostel war schon 1523 zu einem Buch von Jakob Faber Stapulensis (Evangelien-Kommentare) in Basel erschienen. In provokativer Abweichung von der Tradition tragen sämtliche Apostel sowie die vier Evangelistensymbole den Schlüssel, der sonst den Primat des Petrus und seiner Nachfolger, der römischen Päpste, anzuzeigen pflegte. In seinem Kommentar zur berühmten Stelle Matthäus 16, 19 erklärte J. Faber Stapulensis (Lefèvre): Der Glaube, den alle Evangelisten und alle Apostel verkündeten, sei der wahre Schlüssel zum Himmelreich; »wehe euch Gesetzeskundigen, die ihr den Schlüssel der Erkenntnis habt verschwinden lassen!« Auf diesem (zuerst 1522 in Meaux bei Paris publizierten) Evangelienkommentar fußt Holbeins Formulierung, die sich Cratander oder ein anderer reformatorisch Gesinnter in Basel gewünscht hat.

Kat. Ausst. Die Malerfamilie Holbein in Basel, Basel 1960, Nr. 391. – H. Reinhardt, Holbein und die Basler Reformation. In: Zs. für Schweizer Archäologie u. Kunstgeschichte 34, 1977, S. 242 ff. – Kat. Ausst. Basler Buchillustration 1500-1545, UB Basel 1983/84, Nr. 424 und S. 466 ff. D. K.

455 Die von Luther abgelehnte Vorstellung der »Heilstreppe« erscheint erwartungsgemäß auf dem Titelblatt der 1537 erschienenen, gegenreformatorischen deutschen Bibelübersetzung des Johann Eck.

Richtender Gottvater mit Christus und Maria als Fürbitter, Johannes dem Täufer und den Aposteln
Süddeutsch, 1537
Titelholzschnitt, 21,2 × 15,4 cm. In: ›Bibel. Alt vnd new Testament, nach dem Text in der hailigen kirchen gebraucht, durch doctor Johan Ecken, mit fleiss, auf hohteutsch, verdolmetscht‹. Ingolstadt: Georg Krapf 1537. 2°. 640 Bll.
Nürnberg, Germanisches Nationalmuseum, 2° Rl. 312^b Postinc.

Es war ein präziser gegenreformatorischer Akt, daß Johann Eck und sein Drucker, als sie eine deutsche Bibelübersetzung *nach dem Text in der hailigen kirchen gebraucht* herausgaben und Luthers Uebersetzung entgegenstellten (diese trotzdem weitgehend benutzend, vgl. Kat. Nr. 369), Holbeins reformiertes Buchtitelbild der alleinigen Mittlerschaft Christi »gegenreformierten« im Sinne der alten doppelten Fürbitte der Maria und Christi vor Gottvater. Freilich verzichtete man nun auf die spätmittelalterliche Drastik bei dem Hinweis der Maria auf ihre Brust. Die doppelte Fürbitte wird trinitarisch ergänzt durch die Taube des hl. Geistes, und sie wird durch die Gegenwart des Täufers Johannes andeutungsweise zum Bild des Jüngsten Gerichtes erweitert. Die zwölf Apostel treten hinzu, in weiteren Registern die alttestamentlichen Erzväter und Propheten, die Märtyrer, Beichtiger (Heilige ohne Martyrium), Jungfrauen, Witwen und unschuldigen Kinder (sie wurden als Erstlingsmärtyrer verehrt), schließlich das gläubige Volk vor dem Altar der (alten) Kirche. Über dem Altar steht immerhin geschrieben, was den Altar mit der zuoberst im Bild gezeigten Trinität über alle Heiligen hinweg verbindet: *Allain Got eer.* Zu Eck Kat.-Nr. 212.

G. W. Panzer, Versuch einer kurzen Geschichte der römisch-catholischen deutschen Bibelübersetzung, 1781, S. 118-132. D. K.

456 Der verstorbene Abt des Klosters Heilsbronn weiß sich der Liebe und dem Erbarmen des Schmerzensmannes nahe. Er hofft, daß der Betrachter dieses der Kirche gestifteten Bildes die persönliche Andacht mit einem Gebet um sein Seelenheil verbindet.

Epitaph des vor dem Schmerzensmann knienden Abtes Friedrich von Hirzlach (gest. 1350)
Franken, gegen 1350
Gemälde auf Holz, 234 × 86 cm
Heilsbronn, Evang.-Luth. Kirchengemeinde

Abt Friedrich von Hirzlach, der von 1346 bis 1350 dem Zisterzienserkloster Heilsbronn vorstand, kniet in kleiner Figur mit erhobenen, flehenden Armen vor der überlebensgroßen Gestalt des tot-lebendigen Schmerzensmannes und betet: »Erbarme dich meiner, Gott«. Die (stark restaurierte) Tafel hat die Größe eines Grabsteines. Sie gehört zu den frühesten Bildepitaphien, die von den Grabmälern streng zu unterscheiden sind: Sie schmücken nicht die Grabstätte, sondern fordern den am heiligen Ort Vorbeigehenden dazu auf, sich in das Andachtsbild – hier die Darstellung des Schmerzensmannes – zu versenken im Sinne der damaligen Passionsmystik und Gottesminne. Der Betrachter möge dabei ein Gebet um das Seelenheil des Verstorbenen aussprechen, der seine Hilfebedürftigkeit und zugleich seinen Stand kundtut. Zu Charakter und Funktion des Epitaph-Andachtsbildes gehört es, daß die Tafel keinen Altar schmückte und daß der Gegenstand nicht ein bestimmtes historisches Ereignis der Heilsgeschichte darstellt, sondern die fromme Betrachtung auf das Ganze der Passion Christi lenkt. Der »Schmerzensmann« mit den vor der Brust gekreuzten Armen erinnert zwar an die Geißelung, die Kreuzabnahme und Grablegung Christi. Aber dieser gestorbene, die Wunden der Kreuzigung wie Blumen (so nannte sie Bonaventura) zeigende Passionschristus hat offene Augen, die Barmherzigkeit und Liebe ausdrücken. Der Schmerz Christi gibt dem Betrachter auch zu bedenken: Du bist es, der meinen Opfertod notwendig gemacht hat; sündige nicht, denn mit deiner Sünde marterst du mich weiter – ein im Spätmittelalter oft formulierter Gedanke, den Luther aufgriff (Kat. Nr. 469). Das Kreuz, vor welchem die mächtige Christusgestalt steht, die Marterwerkzeuge (vgl. Kat. Nr. 463) und die vorgewiesenen Wunden lassen den Betrachter schließlich an das Jüngste Gericht vorausdenken, in dessen Darstellungen diese Elemente eine für den Frommen tröstliche, für den Ungläubigen bedrohliche Bedeutung haben. Hinzu kommt bei allen spätmittelalterlichen Bildern des Schmerzensmannes eine Verbindung, ja zuweilen eine Gleichsetzung mit dem eucharistischen Leib Christi, dessen liturgische Opferung ein »Trost der Seelen« der Verstorbenen ist (vgl. Kat. Nr. 452).

G. von der Osten, Der Schmerzensmann, 1935, S. 26, 29, 70. – R. Berliner. In: Münchner Jb. der bildenden Kunst, 3. F., Bd. 6, 1955, S. 56. – A. Weckwerth, Der Ursprung des Bildepitaphs. In: Zs. für Kunstgeschichte 20, 1957, S. 147-186. – Stange, Krit. Verz., Bd. 3, Nr. 3. D. K.

457 Der Schmerzensmann Christus, wie bei der Kreuzigung von Maria und Johannes begleitet, zeigt seine Wundmale den Andächtigen, indem er sich ihrer erbarmt, und dem (vorzustellenden) Richtergott, indem er für die sündigen Menschen Fürbitte leistet.

Epitaph eines Ehepaares
Nürnberg, 1420/30
Gemälde auf Holz, 103 × 69 cm
Nürnberg, Evang.-Luth. Kirchengemeinde St. Lorenz

Unter dem vor einem jenseitigen Goldgrund stehenden, tot-lebendigen Schmerzensmann Christus, der wie bei einer Kreuzigungsdarstellung von Maria und Johannes beklagt wird, knien die beiden Stifter. Ihrem Gedächtnis und Seelenheil soll dieses Epitaphbild dienen. Die Wappen des Ehepaares scheinen diejenigen der schlesischen Familien Balcke und Wipplar zu sein; dies hat aber bisher zu keiner konkreten Identifizierung der Stifter geführt. Das Paar kniet betend vor dem nicht von Menschenhand gemachten, sondern durch wunderbaren Abdruck auf dem Schweißtuch der hl. Veronika hinterlassenen Antlitz Christi (vgl. Kat. Nr. 486). Dieses Schweißtuch mit dem »wahren, heiligen Antlitz« befand sich als die am höchsten verehrte Reliquie des Abendlandes in der Peterskirche in Rom. Seit 1216 haben mehrere Päpste den Gläubigen Ablässe gewährt, die unter Bereuung ihrer Sünden und in Andacht ein *Salve sancte facies* sprachen (gegrüßt sei das heilige Antlitz; Variante: *Ave facies praeclara*). Luther geißelte die mit Ablaßversprechen verbundene »Weisung der Veronika«: *geben für, es sei unsers Herrn Angesicht in ein schweisstüchlin gedruckt ... Und hie ist grosse Andacht und viel Ablaß bei solchen ungeschwungen Lügen ...* (WA 54, S. 255). Wenn die Stifter ihr Gebet in einer irdischen Zone zunächst an das Antlitz auf dem Veronika-Tuch, also an das Abbild der Reliquie richten, so hat dies den konkreten Sinn, daß sie auf Ablaß hofften. Besonders in Nürnberg, aber auch anderswo wurde das Schweißtuchbild gern mit der Darstellung des Schmerzenmannes verknüpft, so auf Bildern der Gregorsmesse. Die Hoffnung auf Ablaß kumuliert sich bei der Verbindung der »römischen« Bilder des Veronika-Tuches und des gregorianischen Schmerzensmannes.

E. H. Zimmermann. In: Anzeiger des Germ. Nat. Museums 1930/31, S. 36. – RDK 1, Sp. 739 ff. –

457

Stange, Gotik, Bd. 9, S. 8 f. – Stange, Krit. Verz., Bd. 3, Nr. 19. – Zu Luthers Kritik am Veronika-Ablaß: K. Pearson, Die Fronica, 1887, S. 90. – Preuß, S. 33. D. K.

458 Der in frommer Lektüre begriffene Domherr Graf Georg von Löwenstein, der sich naturgetreu porträtieren läßt, »sieht« die himmlische Erscheinung des Schmerzensmannes. Christus vermittelt mit Blick und Gestik zwischen dem Menschen und dem vorzustellenden Richtergott.

Diptychon des Grafen Georg von Löwenstein
Hans Pleydenwurff, um 1456
a Schmerzensmann
Gemälde auf Lindenholz, 34 × 25 cm. In den Ecken des originalen Rahmens die Wappenschilde der Familien Löwenstein, Wertheim, Werdenberg und Kirchberg. Auf der Rückseite der Tafel das Wappen des Grafen Georg von Löwenstein-Wertheim
Basel, Kunstmuseum, Inv. Nr. 1 651
b Bildnis des Grafen Georg von Löwenstein
Gemälde auf Lindenholz, 34 × 25 cm
Nürnberg, Germanisches Nationalmuseum, Gm 128

Im Gegensatz zu älteren spätmittelalterlichen Gedächtnisbildern, die den Verstor-

458 a

458 b

benen im Schutz einer machtvoll dominierenden Figur des Schmerzensmannes zeigen, stehen sich hier die himmlische Gegenwart des Schmerzensmannes und die irdische Porträtfigur des etwa 80jährigen Bamberger Domherrn Graf Georg von Löwenstein in gleichwertiger Bildhaftigkeit gegenüber, freilich geistig abgestuft: Christus erscheint aus zeichenhaften Wolken, die mit Sternen besetzt sind, vor dem goldenen und silbernen Licht des Himmels und blickt »zurück« auf den porträtierten Grafen von Löwenstein, der der irdischen Sphäre verhaftet bleibt in frommer Meditation und Lektüre. In seinem Christus nicht eigentlich treffenden Blick und seiner ganzen Mimik und erwartungsvollen Haltung drückt sich ein Suchen aus. Die spätmittelalterliche »Vertraulichkeit mit allem Heiligen und die Sucht, sie bildlich zu gestalten« (Huizinga), machen nicht den einzigen Gehalt dieses geistig gespannten Diptychons aus.
Mit seiner Geste des Wunden-Zeigens erinnert der Schmerzensmann zwar an das kommende Gericht. Doch veranschaulicht die Orans-Geste primär die Fürbitte Christi vor dem in der Vorstellung vorhandenen Gottvater. Dieser Hinweis auf die erfolgte Sühneleistung ist in den Illustrationen des ›Heilsspiegels‹ im 14. und 15. Jahrhundert sinnfällig ausgebildet worden. Der Betrachter des Diptychons erkennt die Frömmigkeit des porträtierten Domherrn, darüber hinaus aber die göttliche Barmherzigkeit: Das Blut, das aus Christi Seitenwunde fließt, wurde zum Heil aller gläubigen Menschen vergossen. Da Bildnisse sich an die Nachwelt wandten, mag der Sinn des Diptychons auch darin gelegen haben, daß sich der Betrachter veranlaßt fühlen sollte, ein Bittgebet für den Porträtierten auszusprechen, wie dies bei der offizielleren Epitaphkunst die Meinung war. Das Diptychon versteht sich genetisch als »Privatisierung« des verbreiteten Epitaph-Typus mit Christus als Schmerzensmann.
Georg Graf von Löwenstein hatte in Wien und Heidelberg studiert und wurde Domherr in Würzburg, vor allem aber in Bamberg 1402, wo ihm eine reiche Pfründe zufiel. Die in Erz gravierte Grabplatte im Bamberger Dom zeigt Georg als Domherrn mit dem Buch als geistlichem Attribut. Auch auf dem Diptychon zeichnet das Buch den Geistlichen aus. Graf Georg ließ sich das Diptychon vielleicht 1456, als er mit etwa achtzig Jahren sein Testament machte, oder in der Zeit danach – er starb 1464 – vom Bamberger Maler Hans Pleydenwurff malen, der 1457 Bürger von Nürnberg wurde. Lutherisches Gegenbild mit dem biblischen, historischen Leidensbild Christi als »Ecce homo«: Kat. Nr. 472.

Buchner, S. 123 ff., 207 f., Nr. 137. – Stange, Gotik, Bd. 9, S. 42 ff. – Kat. Ausst. Dürer, Nr. 91. – Stange, Krit. Verz., Bd. 3, Nr. 104. – S. Bäumler, Studien zum Adorationsdiptychon, Diss. München 1983. – Zum »Fürbitteschmerzensmann«: G. von der Osten, Der Schmerzensmann, 1935, S. 114 ff. – E. Panofsky. In: Festschr. M. J. Friedländer, 1927, S. 283 ff. – R. Berliner. In: Das Münster 9, 1956, S. 110.

D. K.

459 Sicherheit gebend und zugleich beängstigend erfüllt der trinitarische »Gnadenstuhl« eine doch sehr irdisch aussehende Kapellennische, die auch kleinfigurigen Stifterfiguren Platz bietet. Die von Engeln gehaltenen Zeichen der Passion erinnern an das Erlösungswerk Christi und an das kommende Jüngste Gericht.

Gnadenstuhl
Schwaben, um 1450/70
Gemälde auf Holz, 248 × 162,5 cm. Mit Übermalungen aus dem 19. Jahrh.
Ulm, Evangelische Gesamtkirchengemeinde

Die Dreifaltigkeit Gottes ist bildlich für den Menschen nicht vorstellbar, wie jeder Christ weiß und jeder Theologe eigentlich betonen muß, so Luther: *ein einig wesen und tres person. Wie ghets zu? Ist unaussprechlich.* Das bevorzugte lutherische Bild der Trinität folgt der biblischen Offenbarung, die geschehen ist in der Taufe Christi, aber dennoch nur andeutungsweise dargestellt werden kann (Kat. Nr. 481, 482).
Die ältere Darstellung der Gnadenstuhl-Trinität – im Mittelalter meist einfach »Trinitas« genannt und von Luther als »Gnadenstuhl« verstanden – wurde seit dem 12. Jahrhundert ausgebildet als eine Veranschaulichung des »Te igitur« in der Meßliturgie: Gottvater empfängt den geopferten Leib des Sohnes und reicht ihn durch den Priester den Gläubigen auf dem Altar wiederum dar. In diesem Sinne sind Gnadenstuhl-Bilder oft in Meßbüchern oder auf Sakramentshäuschen des Spätmittelalters anzutreffen. Zugleich mit der Idee von Opfer und Versöhnung (vgl. Kat. Nr. 128: Aufstieg zu Gott und Herablassung des dreieinigen Gottes in der Gestalt des Gnadenstuhls) verkörpert das spätmittelalterliche Bild des Gnadenstuhls aber auch die Mahnung an das Jüngste Gericht, so – Luther wohlbekannt – am Gerichtsportal des Erfurter Doms.
Auf der Ulmer Tafel halten Engel, wie es auf den vielen mittelalterlichen Darstellungen des Jüngsten Gerichts an den Kirchenportalen üblich war, die Zeichen der Marter Christi: Martersäule, Kreuz etc. (»Arma Christi«). Der Gnadenstuhl verkörpert trotz der Darstellung des Christusopfers und der göttlichen Barmherzigkeit zugleich etwas von der mächtigen Präsenz des zornigen Richtergottes auf mittelalterlichen Werken (vgl. Kat. Nr. 146). Die Stifter treten mit einer typisch spätmittelalterlichen, später einem Luther nicht mehr verständlichen Vertraulichkeit zur unbegreiflichen, dennoch extrem naturalistisch geschilderten Trinität hinzu. Von den in dieser Trinitätskapelle betenden Stiftern soll freilich neuerdings festgestellt worden sein, daß nur der männliche Stifter original ist und dessen Söhne sowie die Frau mit ihren Töchtern und die beiden Wappen zu einer viel späteren Zeit hinzugefügt worden sind.

459

G. Troescher. In: Wallraf-Richartz-Jb. 9, 1936, S. 160-162. – Stange, Krit. Verz., Bd. 2, S. 137, Nr. 623. – M. Tripps, Hans Multscher, 1969, S. 82 f., Abb. 138 ff. – Zur Ikonographie:

460

W. Braunfels, Die heilige Dreifaltigkeit, 1954. – Stirm, S. 116. – A. Krücke, Der Protestantismus und die bildliche Darstellung Gottes. In: Zs. für Kunstwissenschaft 13, 1959, S. 72 ff. D. K.

460 Gottvater, der Christus zugleich opfert und dieses Opfer annimmt und der die Fürbitte der Gottesmutter erhört, begnadigt über den Priester die Sünder, die am kirchlichen Meßopfer teilnehmen. Eine »Heilstreppe« reicht vom Priester über Maria bis zum trinitarischen »Gnadenstuhl«.

Rückenschild eines Chormantels
Niederländisch, um 1475
Seidenstickerei auf Leinengrund (Umrisse später mit dunklem Garn nachgezogen), 57 × 55 cm
Bern, Historisches Museum, Inv. Nr. 53

Aus dem Schatz der Kathedrale von Lausanne, einer alten Marienkirche, haben sich der Rückenschild und die die senkrechten Kanten schmückenden (hier nicht ausgestellten) »Stäbe« eines prächtigen rotsamtenen Chormantels erhalten. Das Wappen an der Spitze des Schildes und an der Brustschließe, die ein kleines Bild der Madonna mit dem Kind trägt, weisen den Stifter aus als Jakob von Savoyen, Grafen von Romont (1450-1486). Dieser besaß nicht nur Herrschaften in der Waadt (bis 1476), sondern verfügte, als Jugendfreund Herzog Karls des Kühnen von Burgund, auch über flandrische Lehen. Dies ist der historische Hintergrund dafür, daß der Lausanner Chormantel und eine Gruppe von übereinstimmenden Silberstiftzeichnungen künstlerisch und ikonographisch dem Kreis des Rogier van der Weyden (Brüssel) entstammen.
Auf die Funktion des Priestermantels bezieht sich die Darstellung der sieben Sakramente: Auf den Stäben sieht man Priesterweihe, Ehe, Beichte, Taufe, letzte Ölung und Firmung, auf dem Rückenschild das Altarsakrament, nämlich Meßopfer und Kommunion. Die vom Priester bei der Wandlung am Altar hochgehaltene Hostie (zur Elevation vgl. Kat. Nr. 38) und ihre Austeilung durch den Priester geschehen unter dem Bild des trinitarischen Gnadenstuhls: Gottvater bietet den geopferten Leib Christi dem Priester und der gläubigen Menschheit dar. Christus, der im Himmel vom thronenden Gottvater gehalten und gezeigt wird, weist auf seine Wunden hin und blickt als ein tot-lebendiger Schmerzensmann auf den die Messe zelebrierenden Priester herab. Auf dem Altarretabel vor dem Priester erscheint Maria mit dem Kind, und wiederum tritt Maria in dem himmlischen, von einem Wolkenband umgrenzten Himmelsbezirk in Erscheinung. Sie weist ihrem Sohn fürbittend die mütterliche Brust und wird sekundiert vom Evangelisten Johannes, der mit ihr unter dem Kreuz gestanden hatte. Mariae »Brüste, die du [Christus] gesogen hast«, wurden im spätmittelalterlichen Meßritus zur Hostien-Elevation bei der Anrufung des Erlösers vom Priester genannt. Die »Heilstreppe« reicht vom gläubigen Empfänger der Eucharistie über den Priester zu Maria und Christus bis zu Gottvater, dessen Zorn über die Sünde der Menschen besänftigt wird. Auch für das Jüngste Gericht, das auf der Bildtafel auf dem rechts stehenden Altar in Erinnerung gerufen wird, läßt uns ein Altarretabel Vertrauen in die Fürbitte der Gottesmutter setzen. Ähnlich wie auf dem eucharistischen Bild der Kelter Christi (Kat. Nr. 465) scheint Maria fast ebenso gnadenreich gegenwärtig zu sein wie die eucharistische Gegenwart des Leibes und des Blutes Christi.

Kat. Ausst. Die Burgunderbeute und Werke burgundischer Hofkunst, Bern 1969, Nr. 240. – Lex. der christl. Ikonographie, Bd. 2, 1970, Sp. 350 f. – Kat. Ausst. Cathédrale de Lausanne, Musée Hist. de l'ancien-évêché, 1975, Nr. 85, mit Farbabb. – Zur Ikonographie: G. Troescher. In: Wallraf-Richartz-Jb. 9, 1936, S. 148-168. D. K.

461 Im spätmittelalterlichen, idealistisch-realistischen Andachtsbild hat die Gottesmutter als ein Schrein den trinitarischen Gnadenstuhl empfangen, um ihn uns zu offenbaren und zu vermitteln. Diese »Schreinmadonna« umfängt zugleich mit ihrem Schutzmantel alle Menschen, die die göttliche Barmherzigkeit suchen.

Schreinmadonna mit eingeschlossenem Gnadenstuhl
Österreich, um 1430
Holz, barocke Fassung, Höhe 90 cm. Das ursprünglich auf dem linken Arm sitzende Christkind durch Weltkugel ersetzt; Kruzifix im originalen Typus erneuert, Zepter und Krone barocke Ergänzungen
Wien, Erzbischöfliches Diözesanmuseum. Leihgabe der Pfarre Schwarzau am Steinfeld, NÖ

461

»Schreinmadonnen« erlaubten eine rituelle Öffnung des monstranzartigen Madonnenkörpers. Sie waren im 14. und 15. Jahrhundert vor allem in Frankreich und Deutschland, hier besonders im Deutschordensland, verbreitet. Im geöffneten Zustand zeigen die erhaltenen Beispiele der thronenden oder stehenden Schreinmadonnen entweder Szenen des Lebens und der Passion Christi oder die barmherzige Dreieinigkeit in der Form des »Gnadenstuhls«. Maria ist hier ein realistisches Gefäß des Heiligen Geistes, des am Kreuz hängenden Sohnes und des Vaters. Im göttlichen Heilsplan hat Maria, so stellt es uns das Bildwerk handgreiflich vor Augen, eine vorbestimmte Funktion. Indem auf den geöffneten Flügeln die fromme Menschheit – die Frauen links, die Männer rechts, zuvorderst die vornehmsten Standesvertreter – Schutz finden im Anblick des gekreuzigten Erlösers, wird Maria auch zum Bild der schützenden Kirche für ihre »Kinder«.
Die in solchem Andachtsbild verkörperte Idee, daß im Leib der »Mutter der Barmherzigkeit« die gnadenreiche Trinität sich inkarniert und von hier aus wirksam wird, ist bereits von Jean Gerson (1363-1429) als eine »Indevotion« kritisiert worden. Zur Verstärkung der realen Gnadenpräsenz trugen viele der spätmittelalterlichen Schreinmadonnen Reliquien in sich (in Hohlräumen in der Herzgegend oder im Sockel). Sie waren damit nicht nur Andachtsbilder und Gnadenbilder, sondern auch Reliquiare. Träger des Gnadenstuhls und der Reliquien ist hier Maria, so daß sich die Hoffnung des Betrachters zunächst auf ihre Fürbitte und auf ihren Schutzmantel richtet, auch wenn im Zentrum dieses marianischen Bildes der göttlichen Barmherzigkeit der Gekreuzigte erscheint und das Christkind ursprünglich – sichtbar bei geschlossenem Zustand der Marienplastik – auf dem Arm der thronenden Gottesmutter saß.

W. Fries, Die Schreinmadonna. In: Anzeiger des Germ. Nat. Museums 1928/29, S. 5-69. – J. Huizinga, Herbst des Mittelalters, 1919, 7. Aufl. der dt. Uebersetzung 1953, S. 164. – A. A. Schmid. In: Lebendiges Mittelalter, Festgabe für W. Stammler, 1958, S. 130-162, bes. S. 152 f. – Führer durch das Erzbischöfliche Dom- und Diözesanmuseum Wien, 1973, S. 100-102, Nr. 64. D. K.

Es ist zu merckenn Szo styffter/vnd anheber prediger ordens der heylige vater Sant Dominicus/seine orden/vnd alle seine brudere/marie der hymel köngyn/der mutter gottes beuolhen/das Christus Jhesus In entzuckt im geyst/fraget/ob er/seinem orden vñ brudern sehen woldet/des er auß grüntt seynes hertzen vnd weinlich begerth/Szo er auß allen/ane seinem orden/brudere sage/das ð herre Jhesus/dē mãtel marie seiner allerliebsten mutter eröffnet wunderliche gezyret vnd alßo weyt vñ groß/das er auch das gantze hymelysche here vmbfinge/vnd sprach zu ym/sich deinen orden vnd brudere/welche ich meyner allerliebsten mutter beuolhen habe die ewer aller beschutzerin vnd mutter sall seyn/do aber/der heylige vatter Dominicus/von got belonunge solt entphangen an seinem letzte ende/wie dan maria selberst erkundet hat die heilige brigittam/als wir dan im dritten buch am sibentzeenden capitell yrer offenbarunge leßen(Sagte er zu maria der mutter aller barmhertzigkeyt O maria ich beuelhe dir meine glythmassen/meine brudere/vntherweysse sy als deyne ßöne/vnd beschutze sy als ire mutter/Do antworth maria O dominice/mein gelibter/dor vmb das du mich hocher gelibet/hast wan dich selberst/Szo wil ich vnther meinen breyten mantell/vorfechten vnd regiren/deine ßöne Vnd alle dy vnther deiner regell bestendich bleyben/werden seylich/Mein breytter mantel ist mein barmhertzigkeyt/die ich keynem menschen der [illegible]eyliglich begert wil vorsagen/Szonder alle dy do suchē hulffe/vnter der schösse meiner barmhertzigkey[illegible]y werden von mir barmhertziglich beschützet/Der halben sollen wir alle/mit andechtigen hertzen vñ de[illegible]mutigen geberthe zu yr schreyhen vnd sprechen

Vnther deine beschutzunge/flyhen wir/O heylige gotteß geberern vnnßer bytten in nötenn/nicht vorschmehe/ßonder von allen ferligkeytē/erlöße vns alle zeyt o gebenedeyte Junckfrawe.

462

462 Die von der Dreieinigkeit gekrönte »Schutzmantelmaria« im Rosenkranz nimmt die Gläubigen, besonders Dominikanermönche und Mitglieder der Rosenkranzbruderschaften, unter ihren Mantel der Barmherzigkeit – eine von Luther ausdrücklich abgelehnte spätmittelalterliche Vorstellung.

Schutzmantelmaria im Rosenkranz, durch die Trinität gekrönt
Holzschnitt, koloriert, 17,2 × 17,3 cm. Mit Typendruck
Leipzig: Martin Landsberg um 1500
Bamberg, Staatsbibliothek, VI, Aa. 20

Das spätmittelalterliche Rosenkranzgebet, »Unser lieben Frauen Psalter«, verbindet ein zehnmaliges Ave Maria jeweils mit einem Pater noster und der Betrachtung eines christlichen Geheimnisses oder einer Wunde Christi. Es richtet sich zunächst an Maria. Die Rose galt als Sinnbild der Gottesmutter. Das zuunterst auf unserem Einblattdruck stehende Gebet lautet (modernisiert): »Unter deine Beschützung fliehen wir, o heilige Gottesgebärerin, verschmähe nicht unser Bitten in der Not, sondern erlöse uns allezeit von allen Gefährlichkeiten, gebenedeite Jungfrau«. Die Beschützung durch Maria stellte man sich seit dem hl. Dominikus, dem Gründer des Predigerordens im frühen 13. Jahrhundert, mit der Vision des Schutzmantels der Maria vor. *Mein breytter mantel ist mein barmhertzigkeyt*, heißt es unter unserem Holzschnittbild. Vor allem die Dominikaner und die Mitglieder der seit dem späten 15. Jahrhundert sich ausbreitenden Rosenkranz-Bruderschaften fühlten sich unter diesem Schutzmantel geborgen. Vor Maria, die von der Trinität gekrönt wird und fürbittend ihren Mantel über Papst und Mönche ausbreitet, kniet Dominikus, dem Maria den Rosenkranz verliehen haben soll. Die vier Heiligen außen sind die Dominikaner Petrus Martyr (links oben), Thomas von Aquino (rechts oben), Vinzenz Ferrer (links unten) und Katharina von Siena (rechts unten).

Für Luther war es eine *Abgötterei, daß man weiset die Leute von Christo unter den Mantel Mariae, wie die Predigermönche getan haben! Ist's aber nicht eine große und greuliche Ketzerei gewesen, daß wir alle unser Vertrauen auf unsern lieben Frauenmantel gesetzt haben, da sie doch ihr Blut für uns nicht vergossen hat?* (WA 47, S. 276). Luther verwarf auch das wortreiche Rosenkranzgebet. Das von Christus gelehrte Gebet, das Vaterunser, sei dem marianischen Rosenkranz nicht zu vergleichen, weil im Vaterunser Gottes Ehre und Wille, im Rosenkranz aber meistens eigentlich der Menschen Wille gesucht werde (vgl. Kat. Nr. 477)

Schreiber, Nr. 1012. – Schramm, Bd. 13, Abb. 132. – A. v. Oertzen, Maria, die Königin des Rosenkranzes, 1925, S. 23 f. – Zu Luthers Ablehnung des Schutzmantelbildes und des Rosenkranzbetens: Preuß, S. 32. – Düfel, S. 68 f., 223 ff., 238. D.K.

463 Bei der Feier der Messe soll sich die Hostie vor den Augen des Papstes Gregor in den tot-lebendigen Schmerzensmann verwandelt haben. Die Inschrift unter dem Abbild dieser eucharistischen Vision verspricht demjenigen, der davor betet, Ablaß zeitlicher Sündenstrafen.

Messe des hl. Gregor
Holzschnitt, in: Johann Bämler, ›Chronik‹. Augsburg: Johann Bämler 1476, 4°. 196 Bll., fol. 140ᵛ
Nürnberg, Germanisches Nationalmuseum, Inc. 4° 36 186

Die erst im Spätmittelalter ausgebildete Legende von der Messe des Papstes Gregor des Großen (Papst 590-604) berichtet: Vor den Augen des Papstes, der in Rom die Messe feierte, sei Christus in der Gestalt des Schmerzensmannes auf dem Altar erschienen, als wahrhaftiger Leib und als wahrhaftiges Blut des sich opfernden Erlösers. Die Hostie habe sich in den lebendigen Passionschristus verwandelt. Rings um die Christuserscheinung in der Gestalt der »Imago Pietatis« (Erbärmdebild) seien Gregor die »Arma Christi« vor Augen getreten: die »Waffen Christi« gegen die Sünde, nämlich die Leidenswerkzeuge wie Kreuz, Nägel, Lanze, Geißelsäule, Geißel, Rute. Diese »Arma«, deren Fest Papst Innozenz VI. 1353 für Deutschland und Böhmen einführte, kannte man etwa in gleicher Form zunächst aus den hochmittelalterlichen Darstellungen des Jüngsten Gerichtes als Veranschaulichung der »Zeichen«, die das Kommen des richtenden Menschensohnes ankündigen (Matth. 24, 30). Im 15. Jahrhundert, als man die Gregorsmesse darzustellen begann, ebenso auf den etwas älteren Bildern des Schmerzensmannes allein (Kat. Nr. 456), hatten die »Arma Christi« aber weniger den Sinn, an das Gericht zu erinnern, als vielmehr bei der Meditation über die einzelnen Stationen des Leidens Christi durch ihre Einprägsamkeit behilflich zu sein und außerdem gnadenreiche Reliquien vor Augen zu führen. Als reine Erinnerungszeichen waren die »Waffen Christi« noch auf Luthers Verlobungs- und Trauring um den Passionschristus, der hier die Gestalt des Gekreuzigten hatte, angeordnet.
Ein »wahres« Bild des dem Papst Gregor erschienenen Schmerzensmannes wurde in der römischen Kirche S. Croce in Gerusalemme verehrt und, ähnlich wie zuerst das Veronikatuch der St. Peterskirche (vgl. Kat. Nr. 457), mit päpstlichen Ablässen ausgestattet. Solcher Ablaß konnte aber auch schon durch die »ehrende« (nicht bildanbetende) Betrachtung einer bloßen Abbildung der Schmerzensmann-Ikone von S. Croce und mit dem Beten eines Vaterunser erlangt werden. So gewannen die Holzschnitte und Gemälde der Gregorsmesse praktisch-religiöse Bedeutung, auch auf den Epitaphien des 15. Jahrhunderts, wo, wie bei den Holzschnitten, zuweilen das Ablaßversprechen textlich dem Bild beigefügt wurde (Kat. Nr. 53).

Schramm, Bd. 3, Abb. 481. – Zur Ikonographie: E. Panofsky, Imago Pietatis. In: Festschr. M. J. Friedländer, 1927, S. 261 ff. – G. von der Osten, Der Schmerzensmann, 1935. – C. Bertelli, The Image of Pity in Santa Croce in Gerusalemme. In: Essays in the History of Art Presented to Rudolf Wittkower, 1967, S. 40-55. – R. Suckale, Arma Christi. In: Städel-Jb. 1977, S. 177-208. – H. Belting, Das Bild und sein Publikum im Mittelalter, 1981, bes. S. 114 und 282 (dort S. 296 ff., weitere Lit.). D. K.

463

464 Papst Gregor, der beim Zelebrieren der Messe die gnadenreiche Vision des eucharistischen Schmerzensmannes empfängt, wird assistiert von Kardinal Albrecht. Dieser zeigt so seine Stellung in der päpstlichen Kirche, die die Gnadenmittel verwaltet.

Die Messe des hl. Gregor
Meister der Gregorsmessen, um 1525/30
Gemälde auf Holz, 150 × 118 cm
Aschaffenburg, Stiftskirche St. Peter und Alexander. Leihgabe der Bayerischen Staatsgemäldesammlungen, Inv. Nr. 6270

Kardinal Albrecht von Mainz (vgl. Kat. Nr. 150, 196) ließ die Fülle der aus dem Spätmittelalter überlieferten religiösen Bilder in prächtige Renaissanceformen umgießen zum Schmuck der Kirchen in Halle, Mainz, Aschaffenburg und anderswo, die er teilweise neuerrichtete und zu Denkmälern seines Kirchenfürstentums ausgestaltete – »was soll ich sagen von den ausgezeichneten Tafelbildern in der Stiftskirche von Halle? Mit ihnen verglichen unterliegt sogar die mit des Apelles Palette gemalte Venus. Aber hier sieht man keine unzüchtige Darstellung, und die unreine Mutter der befleckten, irdischen Liebe hat keinen Platz. Hier vergegenwärtigt die Malerei fromme Gegenstände auf den Bildern«, so sang Georgius Sabinus in lateinischen Versen, die 1535 publiziert wurden.
Stifterbildnisse »in Assistenz« bei heiligen Szenen waren zwar nichts Neues, bekamen aber in vielen von Kardinal Albrecht bestellten Gemälden (von Grünewald, Cranach u. a.) eine neue, auch machtpolitisch begründete Penetranz. Bei der Gregorsmesse stellte sich der Kardinal, der sich nebst seinen Gefolgsleuten unübersehbar porträtieren ließ und die päpstliche Tiara in seinen Händen trägt, in die nächste Nähe desjenigen Papstes, dem Christus am Altar erschienen sein soll, um ihm die Gnadenwirkung der Messe leibhaftig zu zeigen, die von der Kirche und seinen Priestern an die Gläubigen vermittelt wird (vgl. Kat. Nr. 53). Das gläubige Volk fehlt bezeichnenderweise auf diesem Bild der Gregorsmesse. Statt dessen erscheinen Bildnisse (überspitzt, aber nicht falsch, könnte man das Gemälde als Gruppenbildnis um Kardinal Albrecht mit beigefügter Gregorsmesse bezeichnen) und eine »Singerei« zum Lobe Gottes und seines Dieners Albrecht von Mainz. In der Kirche Luthers, der vom Gottesdienst wünschte, es *solt ein masz da seyn und mehr geachtet, das es reynicklich, dan köstlich were* (WA 6, S. 44), singt nicht bloß eine (fürstliche) Kantorei, sondern die ganze Gemeinde.

P. Redlich, Cardinal Albrecht von Brandenburg und das Neue Stift zu Halle, 1520-1541, 1900, S. 193 f. – Friedländer-Rosenberg, 1979, Suppl. Nr. 11. – Weitere Lit.: Kat. Ausst. Cranach, bei Nr. 288 und Nr. 45 f. – Zu Luther (Kirchenschmuck, Zeremonien, Singerei): Preuß, S. 47, 53, 57 f., 71, 76, 138 ff. D. K.

464

465 In der Kelter opfert Gottvater seinen Sohn und läßt ihn, der das Kreuz auf sich nimmt, zum Heil der Sünder siegen. Der Kirche Petri ist es aufgetragen, das eucharistische Opfer an die Gemeinde zu vermitteln.

Christus in der Kelter, Gedächtnisbild für den Dekan Matthias von Gulpen (gest. 1475)
Albrecht Dürer, Werkstatt, um 1505/10
Gemälde auf Holz, 176 × 122 cm. Auf Schriftbändern Inschriften: torcular calcavit dominus virgi(ni) filie iudua trenorum/ 1°C – Propter scelus populi mei/ percussi eum isaie liiiC – Torcular calcavi solus et de gentibus non/ est vir mecu(m) ysaie lxiii C – Quare o fili rubrum est indumentum tuum – Redemisti nos deus in sanguine tuo / Apo V. miserere mei – Quare rubrum est indumentu(m) tuu(m) et vestimenta tua / sicut calcantium in torculari ysay lxm C – Hic vite ostium posuit unde / sacramenta emanant
Ansbach, Evang.-Luth. Kirchenstiftung St. Gumbertus. Leihgabe aus der St. Gumbertuskirche, Schwanenritter-Kapelle
Farbtafel Seite 86

Eine Skizze Albrecht Dürers ist im Berliner Kupferstichkabinett erhalten. Danach ist das (kürzlich restaurierte) Bild in der Werkstatt Dürers gemalt worden, vielleicht unter Beteiligung Hans Baldungs. Der Ideengehalt und die demonstrative, ideal-realistische Darstellungsweise sind spätmittelalterlichen Geistes. Da es sich nach Ausweis des Wappens um ein Gedächtnisbild für den bereits 1475 verstorbenen Matthias von Gulpen handelt, der 1454-1475 Dekan des Stiftes St. Gumbertus in Ansbach war, wäre denkbar, daß ein älteres, thematisch gleiches Bild aus irgendeinem Grund ersetzt wurde.
Die trinitarisch erweiterte, auf einer Prophezeiung des Jesaja basierende »Kelter Christi« ist dem »Gnadenstuhl« des zornig-barmherzigen Gottes vergleichbar. Mit der »Gregorsmesse« hat sie gemeinsam, daß das göttliche Erlösungswerk im Amt der Kirche »mündet«: beim priesterlichen Petrus, der mit dem Kelch das eucharistische Blut und die Hostien auffängt. Die lateinische Inschrift verdeutlicht: »Hier hat er (Christus) die Mündung des Lebens(brunnens) eingesetzt, von wo die Sakramente herausfließen« (Augustinus, Tract. CXX in Johannem). Der daneben kniende, im Schutz der Maria zum Schmerzensmann aufblickende Priester Matthias von Gulpen zitiert die auf das Lamm Gottes bezogene Stelle aus der Offenbarung des Johannes: »Du hast uns, Gott, erkauft mit deinem Blut« (Apok. 5, 9), »erbarme dich meiner«. Drei Schriftbänder um die Kelter geben Jesaja 63, 2-3, wieder. Damit auch Maria mitsprechen kann, ist das Jesaja-Wort bedeutungsvoll um die kurze Anrufung *o fili* erweitert: »Warum, o Sohn, ist dein Gewand so rot« (»und dein Kleid wie eines Keltertreters«)? Der Einschub entspricht dem 39. Kapitel des »Heilsspiegels« (vgl. Kat. Nr. 445), wo das »alleinige« Keltertreten Christi modifiziert wird: Der die »Kelter der Passion« tretende Kämpfer Christus *(miles Christus)* habe seinen Sieg am Kreuz allein ausfechten müssen, verlassen von allen Männern, bis zuletzt aber begleitet von seiner Mutter, der »Waffenträgerin Maria«. Analog zu den fünf Wunden Christi durchdringen fünf Schwerter das Herz der Schmerzensmutter in freier Anlehnung an die Prophezeihung Simeons (Luk. 2, 35). Die Stützgebärde der Maria soll an Bilder der doppelten Fürbitte erinnern (vgl. Kat. Nr. 449). Christus ergreift das Querbrett der Kelter wie sein Kreuz. Der zornig-barmherzige Gottvater zieht die Winde der Passionskelter an. Über ihm stehen die

Worte: »Wegen der Missetat meines Volkes habe ich ihn geschlagen« (Jes. 53, 8). Das Bibelzitat über der Taube des hl. Geistes bringt nochmals den ambivalenten, auch auf das Jüngste Gericht vorausweisenden Oberbegriff der grausamen Kelter (torcular): »Der Herr hat der Jungfrau Tochter Juda die Kelter getreten« (Jer. Klagelieder 1, 15). Die Gleichnisse von der Kelter und vom Weinberg Gottes wurden auch in der reformatorischen Kunst benutzt (vgl. Kat. Nr. 307).

Preuß, S. 34. – A. Thomas, Die Darstellung Christi in der Kelter, 1936, S. 87 und 142 f. – RDK 3, 1954, Sp. 680 f. – Kat. Ausst. Dürer, Nr. 341. D.K.

466 Das »handelnde« Kreuz des Erlösers sprengt die Hölle der Voreltern, erschließt uns den Himmel, überwindet die Synagoge und das Gesetz des Alten Bundes und findet in der Eucharistie der Kirche seine Fortwirkung.

Das lebende (handelnde) Kreuz Christi
Hans Fries, um 1505/07
Gemälde auf Holz, 151 × 98 cm
Fribourg, Museum für Kunst und Geschichte

Ausgehend von einem viel interpretierten Wort des Paulus (Eph. 3, 18) verstand Ludolf von Sachsen in seiner ›Vita Jesu Christi‹ (Kat. Nr. 95) das Kreuz Christi als ein Realsymbol des erlösenden Handelns Gottes gemäß den vier Richtungen des Kreuzes (übersetzt aus dem Lateinischen): »der obere Teil: die Erschließung des Himmelstores; der untere: die Zerstörung der Hölle; zur Rechten: das Versammeln der Gnade; zur Linken: der Ablaß für die Sünder«. Auf einigen Tafel- und Wandbildern des 15. Jahrhunderts, auch auf dem Reliefbogenfeld der Martinskirche von Landshut, wurde das Handeln des Erlöserkreuzes durch vier Hände verdeutlicht, die aus den »Armen« des Kreuzes wachsen. Die obere Hand hält den Schlüssel zum Himmel (vgl. Jes. 22,22), die untere zerschmettert mit einem Hammer die Hölle zur Befreiung der Voreltern und der Gerechten des Alten Bundes; die vom linken Kreuzesarm ausgehende Hand durchbohrt mit einem Schwert die auf einem verwundeten Esel reitende, dem Tod und der Sünde verbundene Synagoge, deren Krone zu Boden fällt (vgl. Kat. Nr. 467), während am rechten Kreuzesarm eine Hand die »Kirche« segnet,

466

die von dem die Messe zelebrierenden Priester verkörpert wird. Die unblutige Wiederholung des Opfers Christi auf dem Altar der Kirche bildet zusammen mit dem blutüberströmten Gekreuzigten das Wirkungszentrum des Bildes. Die Kirche führt das Handeln Christi fort. Das Blut des Erlösers fließt in fünf Strahlen aus den Wunden in den Kelch; ein weiterer Blutstrahl tritt aus der offenen Seite des Gekreuzigten und erreicht die vom Priester bei der Wandlung hochgehaltene Hostie. Aus dem Meßkelch führt ein Blutstrahl zur Vorhölle der unschuldigen Kinder. Die im *Limbus*

467

patrorum Eingeschlossenen werden vom siegreich herabgestiegenen Passionschristus befreit. Sein Griff an das Handgelenk des betenden Adam, hinter welchem Eva und Johannes der Täufer erscheinen, entspricht der Bildtradition, die auch im Kreis der Reformation in leichter Abwandlung wirksam blieb (Kat. Nr. 477). Das reformatorische Lehrbild »Gesetz und Gnade« (Kat. Nr. 474) versteht man konkret als eine Antwort auf die spätmittelalterlichen Gegenüberstellung der Synagoge – das Wort *Lex,* Gesetz, steht auf ihrer zerbrochenen Fahne – mit der Kirche, die die Eucharistie vermittelt. Wenn Hans Fries die Heilswirkung des kirchlichen Messopfers zu betonen hatte, so ließ Luther dagegen die erlösende Kraft des individuellen Glaubens an den Gekreuzigten durch Cranach so klar als möglich veranschaulichen: Der Prediger Johannes Baptista, der Adam zum Gekreuzigten hinführt, erscheint nun an der Stelle des die Messe zelebrierenden Priesters; sein Finger zeigt unmittelbar auf Christus, das Lamm Gottes, statt auf Hostie und Kelch (vgl. WA 52, S. 36).

R. L. Füglister, Das lebende Kreuz, 1964, S. 58-61, 128 f., 164, 214 f. – RDK 4, 1958, Sp. 1208; 6, 1973, Sp. 214. – L. H. Monssen. In: The Art Bull. 63, 1981, S. 135. – Vgl. ferner die bei Kat. Nr. 448 zitierte Lit. D. K.

467 Wie durch das Kreuz Christi die Synagoge ihr Ende und die Kirche ihren Anfang findet, so endet zugleich die tödliche Wirkung der Erbsünde Evas und beginnt das Heil, das sich im Erlöser und in Maria, Mutter Gottes und Sinnbild der christlichen Kirche, verkörpert.

Maria/Ecclesia und Eva/Synagoge unter dem lebenden Kreuz
Süddeutsch, um 1494/97
Miniatur, 20,8 × 21 cm, Blattgröße 57,4 × 39 cm. Initialminiatur A in einem Graduale für das Münchner Klarissinnenkloster Auf dem Anger
München, Bayerische Staatsbibliothek, Clm 23 041, fol. 3vo

Die Miniaturen entstanden, wie eine Schreibernotiz besagt, im Auftrag des Münchner Klarissinnenkonvents und seiner Äbtissin, Katharina Adelmann aus Nürnberg. Die Ikonographie des »lebenden«, mit Händen agierenden Kreuzes in der oberen Bildhälfte entspricht Kat. Nr. 466. Die vom Schwert getroffene Synagoge, die den Kopf eines »Sündenbocks« in der linken Hand hält (vgl. 3. Mos. 16), reitet auf einem verwundet zusammenbrechenden Esel, die Kirche dagegen auf dem Tetramorph, dessen Köpfe und Leib die vier Evangelisten symbolisieren. Die Ecclesia fängt das Blut Christi im Kelch auf. In Übereinstimmung mit einem etwa zwanzig Jahre älteren, süddeutschen Holzschnitt (Schreiber VIII, Nr. 1871 p) wird der Synagoge Eva, der Kirche Maria zugeordnet. Der Apfel, den Eva pflückt, enthüllt sich in ihrer Hand als Totenschädel. Demgegenüber trägt Maria das Kreuz als das »Holz des Lebens« (1. Mose 2,9) und breitet ihren Schutzmantel über die Hilfebedürftigen. Luther hat die Vorstellung vom Schutzmantel Marias ebenso abgelehnt wie die Auffassung, daß Maria, indem sie die Erbsünde überwand, das Leben brachte wie Eva den Tod (Kontroverse um die Übersetzung von 1. Mose 3,15). In der lutherischen Komposition »Gesetz und Gnade« wird Maria, die auch hier als Gegenfigur zur Eva des Sündenfalls erscheint, in ihrer die Gnade empfangenden, nicht gebenden, heilsgeschichtlichen Rolle präzisiert (Kat. Nr. 474).

E. Steingräber, Die kirchliche Buchmalerei Augsburgs um 1500, 1956, S. 29. – R. L. Füglister, Das lebende Kreuz, 1964, S. 54-57. – E. Guldan, Eva und Maria, 1966, S. 101 und 138 f. – Düfel, S. 207 ff. – H. Düfel. In: De cultu Mariano saeculis VI-XI, 1972, S. 147 ff. – Kat. Ausst. 800 Jahre Franz von Assisi, Krems-Stein 1982, Nr. 10.97. D. K.

468 An uns selber liegt es, ob wir Evas Früchte des Todes oder Marias Früchte des Heiles und des ewigen Lebens empfangen.

Eva und Maria unter dem Baum des Sündenfalls und zugleich des ewigen Lebens
Berthold Furtmeyr, 1481
Vollminiatur auf Pergament, Blattgröße 37,5 × 27 cm. Im 3. Band des Meßbuches des Salzburger Erzbischofs Bernhard von Rohr
München, Bayerische Staatsbibliothek, Clm 15 710, fol. 60v

Was in Kat. Nr. 467 Begleitmotiv war, wird hier zur Hauptsache: Eva, von der Sündenschlange verführt, pflückt und verbreitet den Tod, Maria dagegen die Erlösung und das Leben. Der Baum trägt auf der einen Seite, als Baum der Erkenntnis, den Tod, auf der andern Seite aber, als der Lebensbaum oder das »Holz des Lebens« (1. Mose 2,9; Apok. 22,2), das Kreuz mit dem eucharistischen Leib des Erlösers (*De Corpore Christi officium* lautet die Überschrift auf der gegenüberliegenden Seite des Meßbuches). Die Hostien, die die gekrönte Maria spendet, verteilen sich als Früchte des Heils auf die ganze Baumkrone, ebenso wie die todbringenden Früchte der Verführung. Von diesem eucharistischen Baum kommt nur für den Gläubigen das Heil, für den unwürdig Empfangenden aber das Verderben. Die der Fronleichnamssequenz des Thomas von Aquin entnommenen Inschriften verdeutlichen diesen aktuellen Sinn. Rechts steht beim Tod (übersetzt): »Von hier [von diesem Baum] kommt den Bösen der Tod, den Guten das Leben«; links, hinter der priesterlichen Maria, hält ein Engel ein Spruchband mit den Worten: »Siehe, dies ist das Brot der Engel, den Pilgern zur Speise bereitet«. Die Medaillons der Sockelzone erinnern an das Hirtenamt des Priesters. Den allegorischen Gestalten der oberen Medaillons sind die Wappen des Auftraggebers dieses fünfbändigen Meßbuches, des Salzburger Erzbischofs Bernhard von Rohr, beigegeben.

H. Thode, Franz von Assisi, 1885, S. 509. – Stange, Gotik, Bd. 10, S. 105 f. – R. L. Füglister, Das lebende Kreuz, 1964, S. 134 ff., bes. 145 f. – E. Guldan, Eva und Maria, 1966, S. 142, 161. – A. v. Rohr, Berthold Furtmeyr und die Regensburger Buchmalerei des 15. Jahrhunderts, Diss. Bonn 1967. – F. Dressler, Cimelia Monacensia, 1970, Nr. 51. – R. Cook, The Tree of Life, 1974, Nr. 44. D.K.

468

B Lutherische Glaubensbilder

469 Luther modifiziert die spätmittelalterliche Meditation über das Leiden Christi: mehr im Herzen als in äußerer Bußfertigkeit habe diese Betrachtung zu geschehen; und sie münde nicht in Angst und Klage, sondern im Annehmen der Liebe, die uns Gott in Christi Passion bewiesen habe.

Schmerzensmann
Unbekannter Künstler, frei nach Albrecht Dürer
Titelholzschnitt in: Martin Luther, ›Eyn sermon von der betrachtung des heyligen leydens christi. Doctor Martini Luther Augustiner zu Wittenbergk‹. Nürnberg: Jobst Gutknecht um 1521. 8°
Nürnberg, Germanisches Nationalmuseum, 8° Rl. 1954 Postinc.

Eyn sermon von der betrachtūg des heyligen leydens christi.
Doctor Martini Luther Augustiner zu Wittenbergk.

469

470

1519 erschien Martin Luthers Predigt ›Eyn Sermon von der Betrachtung des heyligen leydens Christi‹ (WA 2, S. 131 ff.) in Wittenberg mit einem Titelholzschnitt Cranachs, der den Gekreuzigten zwischen Maria und Johannes zeigt. Auf dem vorliegenden Nachdruck dieser wichtigen Luther-Predigt sieht man das künstlerisch bescheidene, ikonographisch aber bedeutungsvolle Bild eines Schmerzensmannes vom Andachtsbildtypus des »Christus im Elend«, hier mit der Beischrift *Ecce homo.* Es wird aber nicht das einmalige Ereignis gezeigt, wie Pilatus den gegeißelten Christus dem jüdischen Volk und den die Kreuzigung fordernden Hohenpriestern vorführt (Joh. 19, 5). Vielmehr weitet sich das Bild zu einem die ganze Passion Christi einbegreifenden »Merkbild« des Schmerzensmannes aus. Dazu paßt die Zeichenhaftigkeit der Passionswerkzeuge, die nicht nur an die Geißelung, sondern bereits an die Kreuzigung erinnern. Die drei Würfel und Christi Rock im Vordergrund beziehen sich auf das Auslosen der Kleider Christi, das erst nach der Kreuzannagelung geschah. Christi Trauerhaltung knüpft an die Ikonographie des verlassenen und verspotteten Hiob des Alten Testaments an. Dem überzeitlichen Bildcharakter entsprechend trägt Christus an den Füßen schon die Wundmale der Annagelung. Bei der Hand, mit welcher der niedergeschlagene Christus sein Haupt aufstützt, ließ der Holzschneider – offenbar versehentlich – die Nagelwunde weg. Darin wich er von seinem Vorbild ab, nämlich von Dürers Schmerzensmannbild auf dem Titelblatt seiner kleinen Holzschnittpassion von 1511 mit den lateinischen Versen des Chelidonius, die zu deutsch besagen: »Du bist, o Mensch, die Ursache meiner großen Schmerzen, die grausame Ursache meines Kreuzes und Todes. O Mensch, es sei genug, daß ich dies einmal um deinetwillen ertragen habe. Laß ab, mich mit neuen Sünden zu kreuzigen!« Auch Luther forderte bei der Meditation über das Leiden Christi zuerst das »Erschrecken« vor dem Zorn und Ernst Gottes, der seinen Sohn um unserer Sünden willen geschlagen habe (Jes. 53, 5). Er sagt (etwas modernisiert zitiert): »daß du dir tief einbildest und gar nicht zweifelst, du seist der, der Christus so gepeinigt hat«; »siehst du seine Dornenkrone, glaube, es seien deine bösen Gedanken«. Wer betrachte, wie Christus durch unsere Sünden an Leib und Seele gemartert wurde, und dies auch nur eine Viertelstunde täglich mit Gottes Gnade in sein Herz senke, der sei besser dran als einer, der ein ganzes Jahr fastet und hundert Messen hört. Nachdem die Betrachtung des Leidens Christi ihr Werk getan habe, gelange man zur tröstlichen Einsicht, daß Gott ein »freundliches Herz« bewiesen habe, *wie voller Liebe das gegen dir ist. Darnach weiter steig durch Christi Herz zu Gottes Herz* (vgl. Kat. Nr. 496). Wir würden dieser Gnade nicht teilhaftig werden, hätte es nicht Gott selber so gewollt. Luther zitiert Joh. 3, 16 und Joh. 6, 44: »Es kann niemand zu mir kommen, es sei denn, daß ihn ziehe der Vater, der mich gesandt hat« (vgl. Kat. Nr. 498). So will Luther die Betrachtung des Leidens Christi nicht in Gewissensnot auslaufen lassen; vielmehr heiße es Gott recht erkennen, wenn man ihn *nicht bei der Gewalt oder Weisheit, die erschreckend sind, sondern bei der Güte und Liebe ergreift.*

Benzing, Nr. 319. – O. Clemen (Hrsg.), Luthers Werke in Auswahl, Bd. 1, 6. Aufl. 1966, S. 154-160 (mit Kommentar und Lit.). – Zur Erstausgabe der Predigt: Kat. Ausst. Cranach, Bd. 1, Nr. 102, Abb. 90. – Zur Ikonographie: G. von der Osten. In: RDK 3, 1954, Sp. 644-658, bes. 651. – R. Berliner. In: Das Münster 9, 1956, S. 115. – J. E. v. Borries, Albrecht Dürer: Christus als Schmerzensmann, 1972, S. 23. – Kat. Ausst. Die Messe Gregors des Großen, Köln 1982, Nr. 21. – Zu Dürer und Luther: Kat. Ausst. Dürer, Nr. 383. – J. Rasmussen. In: Anzeiger des Germ. Nat. Museums 1981, S. 66.

D. K.

470 Im Sinne Luthers und seines Lehrers Staupitz gründet sich das Gebetbuch des Kurfürsten Johann von Sachsen auf die Schriften des heiligen Augustin. Es zeigt die innige Betrachtung des Schmerzensmannes, der uns Gottes Liebe und Barmherzigkeit vor Augen führt.

Gnade Suchender vor dem gegeißelten »Christus im Elend«
Unbekannter Schüler Lukas Cranachs d. Ä., um 1520/30
Miniatur auf Pergament, 19,5 × 15,5 cm. Aus dem Gebetbuch des Kurfürsten Johann von Sachsen. 43 Pergamentblätter mit 12 Gebeten und 9 ganzseitigen Miniaturen
Donaueschingen, Fürstlich Fürstenbergische Hofbibliothek, Ms. 355

Ein Eintrag auf der ersten Seite des Manuskripts besagt, dieses »Betbüchlein« habe dem Kurfürsten Johann dem Beständigen von Sachsen gehört. Das Gebetbuch enthält zwölf Gebete, deren erste zehn sich auf Betrachtungen der Liebe Gottes und der Passion Christi durch den heiligen Augustin stützen (vgl. Kat. Nr. 133). Das elfte ist das Gebet und Sündenbekenntnis des Königs Manasse, zu *der Beycht ser dienstlich* (Schluß der apokryphen Bücher des Alten Testaments). Im zwölften Gebet wird der allmächtige Gott um die Wiederherstellung der Sitten angerufen.
Von den neun Miniaturen (drei weitere waren offenbar geplant) zeigen drei Christus als Weltenheiland und sechs den Passionschristus. Die »Beschaulichkeiten« des

von Luther besonders hochgehaltenen Kirchenlehrers Augustin lenken den Leser auf die Liebe Gottes und auf das Unvermögen des menschlichen Willens, der von sich aus *unkrefftig ist zu guten wercken an* [ohne] *die göttliche gnad* – so formuliert im 5. Gebet.

Auf der dem zweiten Gebet beigegebenen Miniatur sieht man den gegeißelten, dornengekrönten »Christus im Elend« bei einem Baumstamm sitzen (an den Kreuzesstamm erinnernd). Er ist dem Ablauf der Passionsereignisse enthoben im Sinne eines überzeitlichen Andachtsbildes. Vor Christus fällt ein Gläubiger (Kurfürst Johann?) mit ausgebreiteten Armen zu Boden. Diese Gebetsform »expansis manibus«, mit ausgebreiteten Armen, soll an Christi Niederfallen beim Gebet am Ölberg und an die Kreuzigung Christi erinnern, ferner ist sie der Geste des Priesters in der Meßliturgie vergleichbar. Gemeint ist jene »Christusförmigkeit«, die in der Meditation über das Leiden Christi angestrebt wurde – in der mittelalterlichen, besonders der mönchischen Frömmigkeit bis in die äußeren Formen, bei Luther mehr »im Herzen«.

Johann Georg Herzog zu Sachsen: Das Gebetbuch des Kurfürsten Johannes des Beständigen. In: Zs. für Bücherfreunde, NF 13, 1925, S. 73–77. – Kat. Ausst. Cranach, Bd. 2, S. 488. – Zum Gebet mit ausgebreiteten Armen: P. Ochsenbein. In: Basler Zs. für Gesch. u. Altertumskunde 79, 1979, S. 45 ff. und 53 ff. D.K.

471 Das in Luthers Umkreis oft wiederholte Bild des Schmerzensmannes folgt spätmittelalterlicher Tradition. Es läßt aber das früher übliche Stifterbild und die Begleitfiguren der klagenden Maria und des Johannes weg und strebt eine neue Direktheit an.

Christus als Schmerzensmann
Lukas Cranach d. J., um 1540/50
Gemälde auf Holz, 51 × 34 cm. In der Mitte rechts bezeichnet mit Signet des Künstlers
Würzburg, Martin von Wagner-Museum der Universität Würzburg

Zahlreiche Bilder Lukas Cranachs d. Ä. und d. J. und ihrer Werkstatt oder Schule variieren die Form und den Sinn der spätmittelalterlichen Bilder des tot-lebendigen Schmerzensmannes, in welchem sich Christi Passion von der Geißelung bis zum Kreuzestod und der Auferstehung verdichten. Der dornengekrönte Schmerzensmann

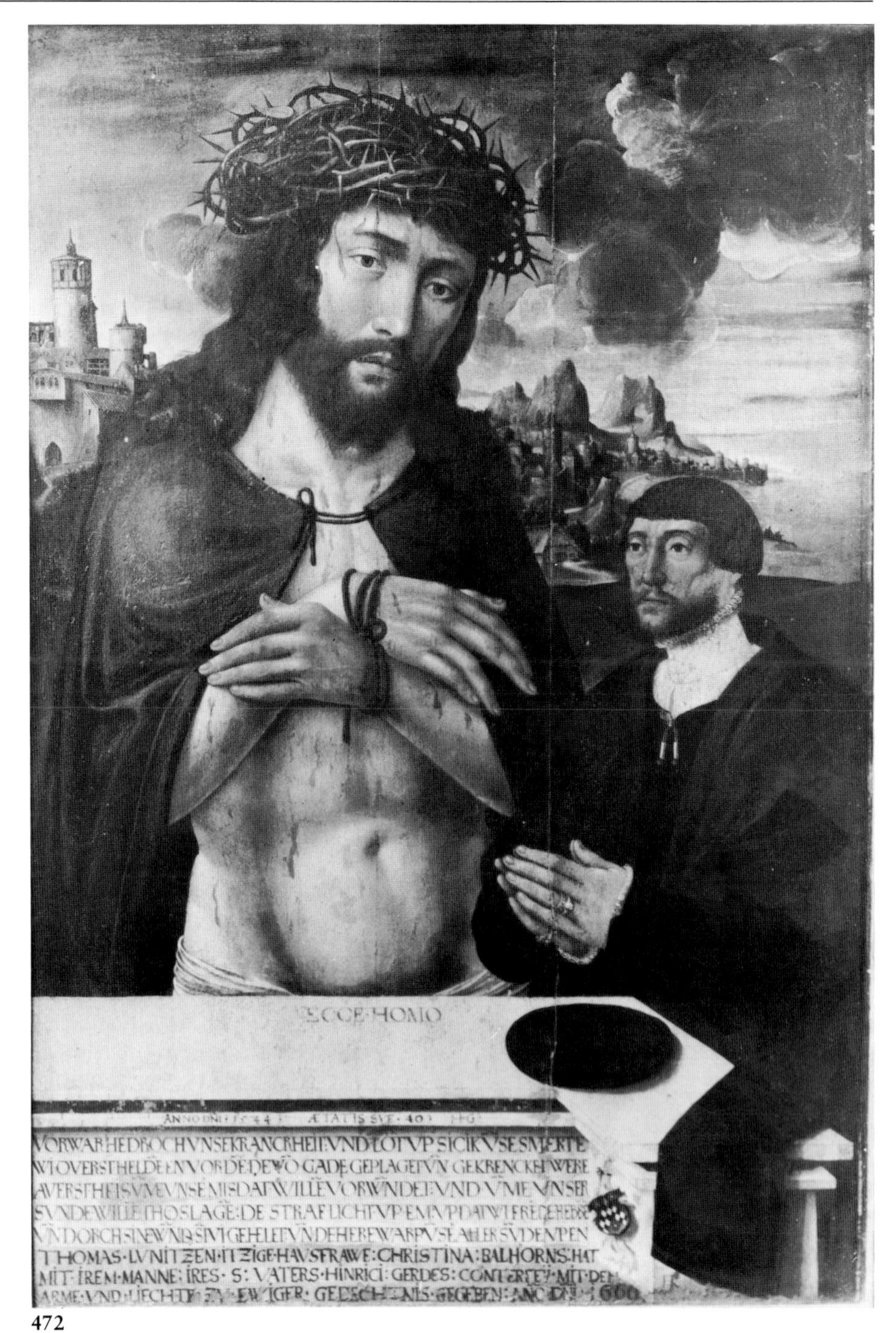

472

steht bei Cranach ganzfigurig, oder meistens sitzt er – und diese Haltung weicht vom spätmittelalterlichen Normaltypus ab –, in halber Figur sichtbar, den Mund leicht geöffnet, dem Betrachter eindringlich in die Augen blickend und ihm seine Wunden zeigend. Rute und Geißel liegen auf dem Schoß. Mit der Schmerzensmann-Tafel, die Dürer 1523 für Kardinal Albrecht gemalt hat (sie ist in Kopien überliefert), teilen Cranachs Formulierungen einen neuen Ernst und eine betont schlichte Ergebenheit der Christusfigur. Zeichenhaftigkeit und die sakramentalen Bezüge treten gegenüber der menschlichen Direktheit des Passionschristus zurück. Dessen Bild möge, so wünscht es sich Luther, den Betrachter zwar »des Leidens und der Wunden Christi« erinnern und vermahnen, aber nicht durch einen verabsolutierten Wun-

473

denkult, sondern als ein am Ende tröstliches Bild von Gottes Barmherzigkeit (WA 49, S. 159).

Friedländer-Rosenberg, 1979, Nr. 381 D. – Kopie des Meisters HB mit dem Greifenkopf: I. Kunze. In: Zs. des deutschen Vereins für Kunstwissenschaft 8, 1941, Abb. S. 219. – Zur Ikonographie: G. von der Osten, Der Schmerzensmann, 1935, S. 69. – Anzelewsky, S. 268. – Kat. Ausst. Cranach, Bd. 2, S. 445 ff. – Zu Luthers Auffassung: Stirm, S. 112 f. D. K.

472 Nach Luthers Empfehlung soll das Wort der Heiligen Schrift den Bildern, die sich durch ihre Anschaulichkeit einprägen, den rechten Sinn geben. Eine unter dem Bild des »Ecce homo« stehende Inschrift erinnert daran, daß Christus unsere Sünden auf sich genommen hat und daß dies von den Propheten vorausgesagt wurde.

Ecce homo mit dem anbetenden Heinrich Gerdes
Hans Kemmer, 1544
Gemälde auf Eichenholz, 107 × 72 cm. Auf der Brüstung die Inschrift: ECCE HOMO ANNO DNI 1544 AETATIS SVE 40 HG. / VORWAR HE DROCH VNSE KRANCRHEIT: VND LOT VP SICIK V̄SE SMERTE / WI OVERST HELDĒ EN VOR DĒ:DE VŌ GADE GEPLAGET VN̄ GEKRENCKET WERE / AVERST HE IS V̄ME VNSER MISDAT WILLĒ VORWN̄DET: VND V̄ME VNSER / SVNDE WILLĒ THOSLAGĒ: DE STRAF LICHT VP EM: VP DAT WI FREDE HEBBĒ / VN̄ DORCH SINE WN̄D SI VI GEHELET: VN̄ DE HERE WARP V̄SEN ALLER S̄VDE VP EN /. Die Inschrift von 1610: THOMAS LVNITZEN ITZIGE HAVSFRAWE: CHRISTINA: BALHORNS: HAT / MIT IREM MANNE: IRES S: VATERS HINRICI: GERDES: CONTERFEY MIT DEM / ARME VND LIECHT ZV EWIGER GEDECHTNIS GEGEBEN: AN̄O DN̄I: 1669 /. Daneben das Stifterwappen und die Signatur des Künstlers
Lübeck, Museum für Kunst und Kulturgeschichte der Hansestadt Lübeck, Inv. 1916/104

Der Lübecker Heinrich Gerdes, der 1544 starb, wurde im Jahre seines Todes von dem Cranach-Schüler Hans Kemmer im Gebet vor dem »Ecce homo«-Christus gemalt, der sich ihm und zugleich dem Bildbetrachter zur Schau stellt. Während im Spätmittelalter und oft noch im frühen 16. Jahrhundert die Vorstellungen von Schmerzensmann und Ecce homo mehr oder weniger verschmolzen im Sinne der Christus-Andachtsbilder, die die Passion und Auferstehung in sich schlossen, zeigt der im reformatorischen Milieu von Lübeck arbeitende Maler Hans Kemmer den biblisch einmaligen Christus: den dornengekrönten, gegeißelten, gefesselten, mit einem Purpurmantel bedeckten Christus, der, wie das Evangelium berichtet (Joh. 19, 5), durch Pilatus den Hohenpriestern und dem jüdischen Volk vor der Kreuzigung gezeigt worden war, damit seine Unschuld erkannt würde. Die biblische Ereignishaftigkeit verdrängt freilich nur ein Stück weit den überzeitlichen Andachtsbild-Charakter: Es fehlen die für ein biblisches Geschichtsbild eigentlich notwendigen Begleitfiguren des Pilatus sowie die Hohenpriester und das Volk. Auch die Hintergrundslandschaft mit dem bewölkten, rötlichen Himmel verleiht dem Bild einen allgemeineren, nicht bloß illustrativen Gehalt. Dazu trägt die Inschrift an der Brüstung wesentlich bei. Sie gibt dem Betrachter das schon immer auf den Passionschristus bezogene Prophetenwort Jesaia 53, 4-6 in der Volkssprache zu lesen: »Fürwahr, er trug unsere Krankheit ... durch seine Wunden sind wir geheilt«.
Daß das biblische Wort in fundamentaler Weise dem Bild beigegeben wird, um ihm den rechten Sinn zu geben, entspricht Luthers Empfehlung, man möge biblische Sprüche gut sichtbar *umbher schreiben, das sie für den augen da stunden, damit das hertz dran gedecht* (WA 31/1, S. 415). So sind die wichtigsten lutherischen Bilder wie »Gesetz und Gnade« (Kat. Nr. 474), »Christus segnet die Kinder« (Kat. Nr. 349) und »Christus und die Ehebrecherin« (Kat. Nr. 502) mit Schriftworten denkmalartig ausgestattet.

G. Lindtke. In: Der Wagen, 1961, S. 24-27. – J. Wittstock, Kirchliche Kunst des Mittelalters und der Reformationszeit. Die Sammlung im St. Annen-Museum Lübeck, 1981, S. 244, Nr. 221. – Zum Jesaia-Bezug: J. H. Marrow, Passion Iconography in northern European art of the late Middle Ages and early Renaissance, 1979, S. 52 ff. – Zur Ikonographie sonst: RDK 4, 1958, Sp. 689-700. – Zu Luthers Empfehlung von biblischen Inschriften: Stirm, S. 87 f. D. K.

473 Als Gegenbild zum Schmerzensmann verkörpert der von allen Plagen heimgesuchte »gerechte« Hiob in Luthers deutscher Edition des Alten Testaments den werkgerechten Menschen, der vergißt, daß Gottes Gerechtigkeit sich nicht mit menschlichen Begriffen festlegen läßt. Christi Leiden offenbart die »schenkende« Gerechtigkeit des verborgenen Gottes.

Hiobs Anfechtung
Lukas Cranach d. Ä.
Holzschnitt, 22,5 × 16 cm. Aus: ›Das Dritte teyl des allten Testaments [deutsch von M. Luther]‹. Wittenberg [Cranach und Döring] 1524. 2°
Bamberg, Staatsbibliothek, I. L. 105

Der auf Gottes Geheiß von Satan gezüchtigte »gerechte« Hiob ist von Schwären bedeckt, die ihn dem Tode nahebringen. Im Hintergrund wird das Unheil sichtbar, das über Hiobs Kinder und sein Vieh hereingebrochen war. Hiobs Frau fragt den Schwergeprüften: »Hältst du noch fest an deiner Frömmigkeit?« (Hiob 2, 9). Seine drei Freunde beginnen mit ihm ein peinliches Gespräch darüber, ob denn Gott einen Unschuldigen so strafe. Hiob nimmt die Gottesstrafe auf sich, kann sie aber nicht verstehen. Da muß er sich vom lange schweigend zuhörenden, schließlich in zornige Rede ausbrechenden Elihu sagen lassen: »Willst du dich für gerechter halten als Gott? Bildest du dir ein, Gott könnte gottlos handeln? Demütige dich und erkenne, daß auch du ein Sünder bist; als solcher sollst du Gott um Gnade bitten.« Erst auf diese leidenschaftliche Rede des jüngsten Gesprächspartners hin – auf Cranachs Holzschnitt wird er, entgegen der Bildtradition, schreiend gezeigt und mit großer Gebärde in den Vordergrund gestellt – ver-

mag Hiob die rechte Demut zu finden, die die Voraussetzung für seine Buße, seinen Glauben und sein Heil ist.
Luther erklärt in seiner Vorrede über das Buch Hiob, das *höhest stück in diesem Buch* bestehe darin, daß sich Gott auch den frömmsten Menschen zuweilen scheinbar ganz entziehen kann, so daß sie meinen, er sei ein *eitel Richter vnd zorniger Tyrann.* Dann kommen ihnen nur noch *weltliche vnd menschliche gedancken von Gott vnd seiner Gerechtigkeit,* statt daß sie sich bewußt bleiben, daß Gottes Gnade nicht ein Gegenstand des Rechtens, sondern des Empfangens ist (die spätmittelalterliche Vorstellung der doppelten Fürbitte von Maria und Christus vor Gottes Richterstuhl, vgl. Kat. Nr. 450, repräsentiert oft ein Übermaß an »weltlichmenschlichem« Denken von der Wirkung der Gnadenmittel vor Gottes Gericht; dagegen Luthers Lehre von der Gerechtigkeit Gottes »extra nos«, außerhalb uns Menschen, eine »schenkende Gerechtigkeit«). Staupitz, Luthers Mentor, lehrte in seinen Hiob-Predigten: Gerade die Anfechtung könne dem Menschen zeigen, daß Gott ihn haben will – ein im Zusammenhang mit der Prädestinationslehre wichtiger Gedanke.
Während für den alttestamentlichen Hiob Gottes Gerechtigkeit verborgen bleiben muß, macht uns Christus Gottes Liebe zu den sündigen Menschen offenbar. Dies ist der Sinn der Gegenüberstellung des geplagten Hiob mit dem gemarterten, die Kreuzigung auf sich nehmenden Christus in den beiden Holzschnitten zu Luthers Übersetzung des 3. Teils des Alten Testaments. Im ganzen Mittelalter war Hiob als eine Praefiguration des leidenden Christus und der christlichen Kirche angesehen worden. Luther gab, indem er sich in den biblischen Text neu vertiefte, der Parallele einen anderen, auf den gottsuchenden Menschen bezogenen Sinn: *Das verstehen alleine die, so auch erfaren vnd fülen was es sey, Gottes zorn vnd vrteil leiden, vnd seine Gnade verborgen sein* (Vorrede über das Buch Hiob).

A. Schramm, Luther und die Bibel, 1923, S. 12 f., Abb. 172. – Ph. Schmidt, Die Illustration der Lutherbibel 1522-1700, 1962, S. 15, 139 f., 148. – Kat. Ausst. Cranach, Bd. 1, S. 335 und Nr. 230; Bd. 2, S. 503. – Luthers Vorrede zu Hiob: Luther (Volz), S. 915 f. – Zu Staupitz: H. Boehmer, Der junge Luther, 3. Aufl. 1939, S. 364, Anm. von H. Bornkamm. – Zur älteren Ikonographie: G. von der Osten, Job and Christ. In: Journal of the Warburg and Courtauld Inst. 16, 1953, S. 153-158. D. K.

474 Die von Luther in den Paulus-Briefen gefundene Botschaft von der Rechtfertigung des Sünders allein durch den Glauben wurde von Cranach in einem oft wiederholten »Merkbild« veranschaulicht. Die antithetische Einfachheit des Bildes »Gesetz und Gnade« und die Fundierung mit Worten aus der Heiligen Schrift schaffen einen neuen Typus des Glaubensbildes im Gegensatz zu den nach Luthers Meinung allzu menschlich ausgedachten Bildkonstruktionen des Spätmittelalters.

Gesetz und Gnade: Die Rechtfertigung des Sünders
Lukas Cranach d. Ä., Werkstatt, um 1535
Gemälde auf Buchenholz, später in zwei Teile zersägt, 71,9 × 59,6 cm und 72,6 × 60,1 cm
Nürnberg, Germanisches Nationalmuseum, Gm 220/221. Leihgabe Wittelsbacher Ausgleichsfonds
Farbtafel Seite 87

Aus dem Jahr 1529, als Luther im Katechismus die Hauptgegenstände des christlichen Glaubens mit einer neuen Einfachheit erklärte (Kat. Nr. 541) und als er die Nützlichkeit von biblischen Bildern gegen die Bilderstürmer verteidigte, stammen die ersten bekannten Fassungen dieses wichtigsten lutherischen Lehrbildes. Den beiden ersten, 1529 datierten Formulierungen (heute in den Museen von Gotha und Prag) folgten zahlreiche weitere, in der Cranach-Werkstatt gemalte Varianten, auch Holzschnitte L. Cranachs d. Ä. und d. J. (Kat. Nr. 538). Allen Cranach-Bildern dieses Typus sind in der Sockelzone, zuweilen auch am oberen Bildrand, Bibelzitate in einer bestimmten, sich wiederholenden Auswahl und Plazierung beigegeben. Die Fundierung des Bildes in der Heiligen Schrift entspricht Luthers Forderung. Im Gegensatz zu den schauspielartig »sprechenden« Schriftbändern auf manchen spätmittelalterlichen Darstellungen (wie Kat. Nr. 486) und im Gegensatz zur lehrhaften Wortfüllung des von Karlstadt konzipierten »Fuhrwagens« (Kat. Nr. 308) dringen die Schriftzitate nicht kommentierend ins Bild ein, sondern sie stehen in einer eigenen, fundamentalen Zone für sich, damit ihre primäre Existenz klar werde. Das über der Schriftzone aufgebaute Bild hat nach Luthers oft ausgesprochener Ansicht den Sinn, die wichtigsten Glaubensartikel, die ja in wesentlichen Stücken Unvorstellbares enthalten, einfältig und ohne Klügelei faßbar zu machen. Vorbild sollten Christi Gleichnisse sein.
Die Komposition Cranachs ist im Sinne Luthers zu verstehen als ein Merkbild der Rechtfertigung des Sünders, konkreter: unserer Rechtfertigung *(Iustificatio nostra),* und als ein Bild vom *herrlichen unterscheid des Gesetzes und gnade* (WA 46, S. 663; vgl. Joh. 1, 17). Sie will die komplex konstruierten Vorstellungen des Spätmittelalters »reformieren«, so die »Heilstreppe«, die Antithese Eva-Maria, das »Lebende Kreuz« oder die Messe des hl. Gregor. Der »erste Prediger« Johannes der Täufer erscheint als Gegenfigur zu dem die Messe zelebrierenden Priester auf den Gregorsmessen und verwandten spätmittelalterlichen Kompositionen. Der Gekreuzigte, das Lamm Gottes, bietet sich Adam unmittelbar dar und verheißt ihm Erlösung durch den Glauben – nicht durch die Wirkung kirchlicher Liturgie und irgendwelcher menschlicher Werke. Erlösung im Glauben »allein« (vgl. Kat. Nr. 388) ist präfiguriert in der ehernen Schlange, die neben Christus im Hintergrund dargestellt wird (gemäß Joh. 3, 14 ff.; vgl. Kat. Nr. 493). Gericht und Hölle auf der andern Bildseite repräsentieren nicht mehr die letzte Angst vor dem Zorn Gottes. In der Antithese dominieren Gnade und Trost. Das Wort »Gnade« findet sich auf Varianten dieses evangelischen Lehrbildes bei der rechts hinter dem gekreuzigten Christus stehenden Maria, auf die das mensch-werdende Christkind mit dem Kreuz auf der Schulter zuschwebt: zu Maria als einer gläubigen Empfängerin, nicht Geberin der göttlichen Gnade (vgl. Kat. Nr. 479, 496).

Kat. des Germanischen Nationalmuseums Nürnberg. Die Gemälde des 13.-16. Jh., 1936, S. 43. – Kat. Ausst. Reformation in Nürnberg, Nr. 138 mit Farbtaf. 6. – Zur Ikonographie: P. Goldberg, Die Darstellung der Erlösung durch Christus und sein Blut und der hl. Eucharistie in der protestantischen Kunst des Reformationszeitalters. Diss. Marburg 1924 (Mschr.), S. 71-106. – O. Thulin, Cranach-Altäre der Reformation, 1955, S. 126-148. – Kat. Ausst. Cranach, Bd. 2, S. 500, 505-510. – C. Harbison, The Last Judgment in Sixteenth Century Northern Europe, 1976, S. 92-102. – C. C. Christensen, Art and the Reformation in Germany, 1979, S. 124-130. – J. Wirth, Le dogme en image: Luther et l'iconographie. In: Revue de l'art 52, 1981, S. 17-20. – Lohse, S. 176 f. D. K.

475

476

475 Als evangelisches Grabbild eignet sich die Veranschaulichung des Glaubens an den Überwinder von Tod und Teufel. Die eucharistische Bedeutung des spätmittelalterlichen Schmerzensmannes tritt vor dem Glaubensinhalt zurück.

Ein 46jährig Verstorbener und sein Kind vor Christus als dem Überwinder von Tod und Teufel
Lukas Cranach d. J., 1542
Gemälde auf Holz, 78,5 × 58,5 cm. Rechts oben: MORTE TVA SAEVVM CALCASTI CHRISTE DRACONEM/ VT NOS SERVARES VICTIMA FACTA DEVS./ HOC MORIENS FIDO CELLARIVS ORE PROFESSVS/ IN GREMIVM TRADIT SE, SOBOLEMQVE TVVM./ ANNO SALVTIS HVMANAE 1542/ DIE 21 APRILIS AETATIS SVAE 46. Am unteren Bildrand bezeichnet mit Signet des Künstlers
Schweinfurt, Sammlung Georg Schäfer

Die lateinischen Verse besagen: »Durch deinen Tod hast du, Christus, den wilden Drachen niedergetreten, um uns, Gott, durch dein Opfer zu erretten. Dies bekannte mit gläubigem Mund der sterbende ›Cellarius‹ [Keller?], und mit seinem Sohn begab er sich in deinen Schoß.« Solche Gewißheit durch den Glauben setzt sich von der mehr eucharistisch begründeten Heilssuche ab, die die spätmittelalterlichen Schmerzensmann-Epitaphien zum Ausdruck bringen (Kat. Nr. 446, 456, 465).
Das Bild Christi, der den Tod und den Teufel überwunden hat, verbildlicht möglichst genau den Sinn und die Worte der Bibel – *ein recht Paulische und Evangelische Theologia von Christus Sieg wider Sünd, Tod und Hölle* (WA 49, S. 772 f.). Die entsprechende Darstellungsform findet sich auf dem lutherischen Bild von »Gesetz und Gnade«. Dieser Typus tritt aber auch einer marianischen Bildtradition des Spätmittelalters entgegen, nämlich der vom »Heilsspiegel« verbreiteten Parallelisierung der Bilder Christi, der mit der Kreuzfahne den Teufel zu Boden stößt, und der Maria, die ihrerseits den Teufel oder die Schlange zertritt (vgl. Kat. Nr. 445).

Kat. Ausst. Cranach, Bd. 2, S. 700 f. – Zur Ikonographie: H. Schrade, Die Auferstehung Christi, 1932, S. 295-298. – R. Füglister, Das lebende Kreuz, 1964, S. 159-161. – Ferner die bei der vorigen Kat. Nr. zitierte Lit. – Zu Maria, die die Sündenschlange zertritt: E. Guldan, Eva und Maria, 1966, S. 90 ff. – E. M. Vetter. In: Kunstchronik 20, 1967, S. 81 f. D. K.

476 Auch der altgläubige, antilutherische Kardinal Albrecht läßt sich in seinem Passionsbuch von einem Cranachschüler im Sinne des Apostels Paulus veranschaulichen, wie Christus den Tod und den Teufel besiegt und wie der Glaube Adams den Weg zur Erlösung des sündigen Menschen freimacht.

Christi Sieg über Tod, Teufel und Hölle
Meister der Gregorsmessen, Werkstatt
Miniatur. In: Passionale des Kardinals Albrecht von Brandenburg, 1534. Handschrift, Pergament, ca. 40 × 28 cm. 50 Bll. mit 4 ganzseitigen Miniaturen
Aschaffenburg, Stiftsschatz der Stiftskirche, MS 127

Das 1534 datierte Passionale für Kardinal Albrecht enthält die Passionsberichte der vier Evangelisten, das (auf die Auferstehung bezogene) Exsultet der Osternacht und die daran anschließenden Fürbitten, dazu im ganzen Text Choralnoten zum Mitsingen durch den Priester, hier also durch Kardinal Albrecht. Vor den Textanfängen der Passionsgeschichten stehen ganzseitige Miniaturen mit der Gefangennahme Christi, dem Ecce homo und der Kreuztragung. Die vierte Miniatur, die wie die andern wohl in der Werkstatt des für Kardinal Albrecht arbeitenden sog. Meisters der Gregorsmessen gemalt wurde (siehe Kat. Nr. 464), eröffnet das Exsultet. Diese vierte Miniatur im Passionale des großen Luther-Gegners lehnt sich in ihrer Ikonographie gänzlich an die von Cranach nach den Vorstellungen Luthers neu entwickelten Bildtypen »Gesetz und Gnade« und »Christus als Überwinder von Tod und Teufel« an. Den »Stachel« oder »Spieß«, mit dem auf Cranachs Bildern der Tod bewaffnet ist und Adam verfolgt (vgl. 1. Kor. 15, 55), hat der Miniaturist dem von Christus niedergeworfenen, mit dem Kreuzstab besiegten Satan gegeben. Der angekettete Höllenteufel rechts deutet Christi Abstieg in die Hölle an. Dem heilsgeschichtlichen Ereignis des Aufbrechens der Hölle (vgl. Kat. Nr. 466) gibt das Bild aber einen allgemeineren Sinn gemäß Paulus in 1. Kor. 15, 55: »Der Tod ist verschlungen in den Sieg. Tod, wo ist dein Stachel? Hölle, wo ist dein Sieg?« Der Bußprediger Johannes weist Adam, den ersten Sünder und Menschen schlechthin, auf Gottes Lamm hin, »welches der Welt Sünde trägt« (1. Joh. 29); das Lamm steht attributhaft hinter Johannes dem Täufer. Zwar würde der lutherische oder paulinische Gehalt der Miniatur erst völlig evident durch die Gegenüberstellung mit Adams Stand unter dem Gesetz; aber auch so bleibt es erstaunlich, daß der Cranach-Schüler die Miniatur in der neuen Form, die im Kreise Luthers seit 1529 ausgebildet worden war, 1534 in Albrechts Passionsbuch eintragen durfte.

W. Biermann, Die Miniaturhandschriften Kardinals Albrecht von Brandenburg (1514-1545). In: Aachener Kunstblätter 46, 1975, S. 239-248. D. K.

477 Der Erlöser erscheint den Seelen der Verstorbenen und allen, die an ihn glauben, als ein »Schutzmantelchristus«: ein reformatorisches Gegenbild zur spätmittelalterlichen »Schutzmantelmaria«.

Schutzmantelchristus in der Vorhölle
Lukas Cranach d. J., um 1535/40
Feder in Braun, grau laviert, auf Papier, 26,5 × 17,8 cm
Berlin, Staatliche Museen Preußischer Kulturbesitz, Kupferstichkabinett, KdZ 505

Im Sinne Luthers gestaltete Lukas Cranach d. J. einen »Schutzmantelchristus« in der Vorhölle als Gegenbild zu der vom Reformator kritisierten »Schutzmantelmaria« des Spätmittelalters (Kat. Nr. 462). In den Darstellungen, die Christus beim Aufstoßen der Höllenpforte und bei der Errettung Adams, der unschuldigen Kinder und der anderen verstorbenen »Gerechten« zeigen, trägt der Erlöser üblicherweise eine Kreuzfahne und einen roten Mantel (vgl. Kat. Nr. 466, 467). Der Mantelüberwurf wird hier im Typus des Schutzmantels über die Erlösten, die Christus anbeten, ausgebreitet. Die Tat der Überwindung von Tod und Teufel durch Christus ist vollbracht. Christus legt Adam die Hand auf die Schulter. Wolken deuten die Aufnahme in den Himmel an (wie bei der 79. Figur des 1491 in Nürnberg gedruckten »Schatzbehalters«). Der Bildtypus, der das Motiv des Schutzmantels von Maria auf Christus überträgt und solchermaßen »reformiert«, blieb ein einzelner Versuch und scheint trotz seiner Evidenz keine Nachfolge gefunden zu haben. Luther selber liebte die verschiedentlich von ihm ausgesprochene, an ein Christuswort anknüpfende Bildvorstellung von Christus als einer Gluckhenne, unter deren Flügel sich die verängstigten Küchlein ducken dürfen: *Aber also solstu zu Got kommen, als ein kuchlein unter die flugel der gluckhennen, durch den glauben* ... (WA 47, S. 460).

O. Thulin, Cranach-Altäre der Reformation, 1955, S. 166, Anm. 53, Abb. 168. – J. Rosenberg, Die Zeichnungen Lucas Cranachs d. Ä., 1960, S. 38, A 22. – Kat. Ausst. Lukas Cranach, Berlin-Dahlem 1973, Nr. 40. – Zu Luthers Bibelzitat von Christus als schützender Gluckhenne: Preuß, S. 16 und 254. – Düfel, S. 69. – Stirm, S. 112. D. K.

477

478 Wenn Luther und seine Anhänger Jesus gern als Kind sich vor Augen führten – das Jesuskind allein oder im Arm seiner jungfräulichen Mutter Maria –, so sollte deutlich werden: »Der gütige barmherzige Gott wollte nicht in schrecklicher Gestalt kommen, wie er zu Adam kam nach dem Fall«, vielmehr – so schreibt Georg Rhau – »in eines kleinen Kindes Gestalt, auf daß ein jeglicher mit herzlicher Zuversicht dieses Kindlein herzen und küssen« möge.

Georg Rhau, ›Hortvlvs Animae. Lustgarten der Seelen: Mit schönen lieblichen Figuren‹
Wittenberg: Georg Rhau 1558
4°. 124 Bll. 53 Holzschnitte von und nach Lukas Cranach d. Ä., Hans Brosamer und den Monogrammisten AW und DB

Folget der Lobgesang/ von der geburt Christi.
PVER IESVS.
Esaie ix.
Uns ist ein Kind geborn/ Ein Son ist uns gegeben.
Ein Kindelein so löbelich/ ist uns geboren heute. Von einer Jungfraw seuberlich/ zu trost uns armen Leuten. Wer uns das Kindlein nicht geborn / So wern wir all zumal verlorn/

478

Der Lobgesang.
saget auch der Engel Gottes zu den Hirten/ Luce am ij. Capit. Sehet/ ich verkündige euch grosse freude / die allem Volck widerfaren wird/ Denn euch ist heute der Heiland geboren/ welcher ist Christus der HErr/ in der stad David. Als wolt er sagen / Ir lieben Christen solt hinfürder nicht trawrig sein / Denn heute gehet an der tag des trostes/ vnd aller freuden/ in welchem tage der Heilmacher der Welt komen ist.

Von einer Jungfrawen seuberlich.

In Heua sind alle Weiber verflucht/ also/ das sie jre kinder in schmertzen geberen müssen/ Genesis am iij. Cap. Allein die Jungfraw Maria ist gebenedeiet/ vnd fur solchem fluch gesegenet/ wie der Engel zu jr sprach/ Luce am ersten Capitel / Gegrüsset seistu holdselige / der HErr ist mit dir / Du gebenedeite vnter den Weibern. Wie nu Maria Christum den Son Gottes/ vom heiligen Geiste empfangen hat / Also hat sie jn auch on schmertzen geborn / Darumb ist sie billich fur allen Weibes bilden zu preisen / eine seuberliche / reine / vnbefleckte Jungfraw/ fur der geburt/ in der geburt/ vnd nach der geburt/ Wie

Der Lobgesang.
Wie Isaias am vij. ix. xj. vnd Hezechiel am xliiij. Capit. von jr geweissaget haben. Zum andern singet die Kirche.
Zu trost vns armen Leuten. Wer vns das kindlin nicht geborn / So wern wir all zumal verlorn / Das Heil ist vnser aller.
Das wort(arm) zeiget an / welchen Menschen Christus zu trost / heil vnd seligkeit geboren ist / nemlich / den Geistarmen/ Matth.
X iij

478

a Aufgeschlagen: »Lobgesang von der geburt Christi«. Mit einem nach Lukas Cranach d. Ä. kopierten Holzschnitt PVER IESVS
Basel, Kupferstichkabinett des Kunstmuseums, Inv. Nr. 1920.114
b Aufgeschlagen: Titelblatt mit Holzschnitt des Monogrammisten DB: Jesus segnet die Kinder
Nürnberg, Germanisches Nationalmuseum, 8° Rl. 3533 Postinc.

Als Georg Rhau das spätmittelalterliche ›Seelengärtlein‹ im Geist der Reformation völlig neu als eine Art Kinderlehr- und Erbauungsbuch formulierte und druckte (vgl. Kat. Nr. 422), wollte er doch zugleich die Tradition spätmittelalterlicher Herzensfrömmigkeit weiterführen. Entsprechend verwendete Rhau ohne Scheu auch vorreformatorische Bilder, zu denen er die Holzstöcke besaß: Holzschnitte Cranachs aus einer Apostelserie, aus Adam von Fulda (Kat. Nr. 148) und sogar aus dem Wittenberger Heiligtumsbuch (Kat. Nr. 132). Das ganze kompilatorische Werk widmete Rhau seinen Töchtern und allen »Kindern Gottes«, die, indem sie christliche Lehre empfangen, gleichsam täglich Christus »zugetragen« werden. An den Anfang setzte er einen Holzschnitt mit dem Thema und der Überschrift *Lasset die Kindlein zu mir komen, und weret jnen nicht, Denn solcher ist das Reich Gottes. Marci am X. Capitel* (vgl. Kat. Nr. 349).

Christus selber erscheint im Abschnitt über seine Geburt als PVER IESUS: als Andachtsbild des uns segnenden, die Weltkugel haltenden Christkindes, des Welterlösers (Abb.). Die Holzschnittillustration – es handelt sich um eine Kopie nach Cranachs Abbildung einer silbernen Reliquiar-Statuette aus dem Wittenberger Heiligtumsbuch, enthaltend Partikel von Jesu Windeln, Krippe, Wiege, Heu, Stroh und von den Gaben der hl. drei Könige etc. – entspricht dem spätmittelalterlichen Typus der besonders in Frauenklöstern verbreiteten Statuetten, die in rituellen Handlungen und in der mystischen Visionsliteratur der Nonnen im 14. und 15. Jahrhundert eine große Rolle gespielt haben. Rhau kommentiert das Bild vom Glauben her, läßt aber auch aus der Nonnenmystik vertraute Wendungen einfließen, allerdings im Sinne der Theologie Luthers: *Der gütige barmhertzige Gott wolt nicht in schrecklicher gestalt komen, wie er zu Adam kam, nach dem fall. Auch nicht wie er in der Sindflut, und zu Sodoma und Gomorra kam. (...) Sondern er wolt komen in eines kleinen Kindes gestalt, Auff das ein jglicher mit hertzlicher zuversicht wol müge hinzu tretten, und dis Kindlin an seine arme drükken, hertzen und küssen, und geberen mit jm wie er selbs wil, doch im glauben.* Die »Freundlichkeit« Gottes unterstreicht Rhau mit Titus 3, 4-6. Im übrigen gibt er Zeile für Zeile eine Auslegung des Weihnachtsliedes, das Luther besonders gern hatte: *Ejn Kindelein so löbelich, ist uns geboren heute. Von einer Jungfraw seuberlich ...*, dazu ein wiederum vorreformatorischer Cranach-Holzschnitt einer Reliquienstatuette der Maria mit Kind (Abb.).

Kat. Ausst. Cranach, Bd. 1, Nr. 276, S. 280, 297 f., 395 ff. – Zur Christkind-Ikonographie: H. Wentzel. In: Die Kunst und das schöne Heim 60, 1961, S. 93-97. – Zum »Hortulus animae«: P. Ochsenbein. In: Verfasserlexikon, Bd. 4, 2. Aufl. 1982, Sp. 147-154. D. K.

479 Maria, die Jungfrau und von Gott gesegnete Mutter des Erlösers, solle geehrt werden als Empfängerin, nicht als Geberin der göttlichen Gnade und Barmherzigkeit; sie solle betrachtet werden, so schreibt Rhau im Sinne Luthers, als Gottes Mägdlein, wie sie sich selber bezeichnet hat, nicht als halbgöttliche »Mutter der Barmherzigkeit« von eigenen Gnaden und aus eigenen Verdiensten.

Georg Rhau, ›Hortvlvs animae. Lustgertlin der Seelen. Mit schönen lieblichen Figuren‹
Wittenberg: Georg Rhau 1548
4°. Aufgeschlagen: fol. QIII^{v}-QIV^{r} »Die Jungfrawen Mariam sol man nicht anruffen«. Mit Holzschnitt des Monogrammisten AW, Verkündigung an Maria, um 1534/36
Basel, Kupferstichkabinett des Kunstmuseums, Inv. Nr. 1920.70

Vom anruffen

Die

der Heiligen.

Die Jungfrawen Ma-
riam sol man nicht an-
ruffen.

S. Lucas der Euangelist
schreibet am 1. Capitel seines E-
uangelij / da der Ertzengel Gabri
el MARIAE den grus bracht/
sprach er vnter andern. Fürchte
dich nicht MARIA / Du hast
gnad bey Gott funden. Dis
wort sollen wir ja wol mercken/
Denn es hat nicht allein dazu ge-
dienet / das das Megdlin / die
Jungfraw Maria / damit getröstet würde / sondern das der grew
lichen Abgötterey gewehret wür
de / welche sich hernach vnter den
Christen / durch den Bapst vnd
seine München / funden hat / vnd
bey den Papisten noch stets gehet / die aus der Jungfrawen
Q iiij Maria

479

Im Kapitel *Vom anruffen der Heiligen* besteht Rhau darauf, daß wir Gott nur recht anrufen, indem wir allein um den *einigen Mitler und Versüner* Jesus willen um Vergebung unserer Sünden bitten und *festiglich gleuben, und hoffen, Gott wölle dir gnedig sein.* Hingegen: *Die Jungfrawen Mariam sol man nicht anruffen,* denn man soll nicht meinen, sie sei quasi ein Gott, ausgestattet mit göttlicher Macht im Himmel und auf Erden, *als hette sie es von jr selbs.* Nicht die Macht der Maria bezeugte der Engel der Verkündigung, vielmehr grüßte er die »Magd« mit den Worten: *Du hast gnad bey Gott funden* – Gnade also, nicht Verdienst (vgl. Kat. Nr. 496). Darum soll der Mensch beim Geber, nicht bei der Empfängerin der göttlichen Gnade Erlösung suchen. Der Titel »Mutter der Barmherzigkeit« könne Maria nicht zustehen. Ein Holzschnitt mit der Verkündigung an Maria illustriert diesen Abschnitt. Das hinter der Taube des hl. Geistes auf Maria zuschwebende Christkind mit dem Kreuzlein auf der Schulter deutet das Erlösungswerk als Ziel der Menschwerdung Christi an. Diese Form entspricht einer spätmittelalterlichen Bildprägung, die von Cranach auch im lutherischen Lehrbild der Rechtfertigung verwendet wurde (Kat. Nr. 474). Mit der Zurückweisung der *grewlichen Abgötterey* um Maria vergaßen weder Rhau noch Luther das Lob der Maria, des »Tempels des Heiligen Geistes« (Luther 1525; WA 17 I, S. 5). An Maria, die die Botschaft des Engels annahm, hob Luther jedoch am meisten ihren Glauben und ihre Ergebenheit hervor. Maria war für Luther das Beispiel für die Alleinwirksamkeit der göttlichen Gnade, die ohne Zutun des Menschen im Glauben empfangen wird. Wenn Luther ein Gemälde der Maria mit dem Kind in seinem Zimmer hängen hatte, so bedeutete ihm dies nicht primär ein Marienbild, sondern ein Bild der Menschwerdung Christi und der darin sichtbaren göttlichen Barmherzigkeit (TR 6365 und 1755).

Kat. Ausst. Cranach, Bd. 1, Nr. 275; Bd. 2, S. 522. – Zum Marienlob der Reformatoren: Tappolet. – Düfel. – Zur Ikonographie: D. M. Robb. In: The Art Bulletin 18, 1936, S. 523 ff. – M. Levi d'Ancona, The Iconography of the Immaculate Conception in the Middle Ages and Early Renaissance, 1957. D. K.

480 Bilder des Christkindes, in welchem der Johannesknabe den Erlöser erkennt und anbetet, rufen in Erinnerung, daß ein kindliches Gottvertrauen die Basis für den bewußten Glauben an das göttliche Erlösungswerk bilden muß.

Der Johannesknabe betet das Christkind an und wird von ihm gesegnet
Lukas Cranach d. Ä., Werkstatt, um 1535
Gemälde auf Lindenholz, 29 × 19 cm
Hannover, Niedersächsische Landesgalerie, PAM 774

Italienische Künstler des 15. und frühen 16. Jahrhunderts prägten einen verbreiteten Bildtypus des Christkindes, das unter den Augen der Maria den ihn anbetenden Johannesknaben segnet (Leonardo da Vinci's »Felsgrottenmadonna« ist das bekannteste Beispiel). In der vorreformatorischen Zeit übernahm Cranach diesen Typus, indem er sich offensichtlich an entsprechende Werke des Bolognesers Francesco Francia anlehnte. Unter dem Einfluß der Reformation ließ Cranach Maria weg. Das Bildchen der beiden Kinder Christus und Johannes Baptista transponierte den in der lutherischen Komposition »Gesetz und Gnade« herausgestellten hohen Glaubens-

480

481

inhalt auf die von Luther als grundlegend erkannte Ebene kindlichen Gottvertrauens (vgl. Kat. Nr. 474, 478). Damit knüpfte es auch an die spätmittelalterliche Tradition der Christkindverehrung an. Das unschuldige Opferlamm, das der Welt Sünden zu tragen bestimmt ist, erscheint als Attribut des Täufers Johannes, und zugleich bedeutet es das Christusopfer, dessen Vorbestimmtheit durch das Kreuz verdeutlicht wird.

Friedländer-Rosenberg, 1979, Nr. 222 A. – RDK 3, 1954, Sp. 602. – Zur italienischen Wurzel der Ikonographie: M. Aronberg Lavin. In: Art Bulletin 37, 1955, S. 85-101; 43, 1961, S. 319-326. D.K.

481 Das evangelische Bild der Taufe Christi, in der die barmherzige Dreieinigkeit Gottes ereignishaft vor den Gläubigen sich offenbart hat, hebt sich von den spätmittelalterlichen Vorstellungsbildern der Trinität ab.

Taufe Christi mit Angehörigen des anhaltischen Fürstenhauses und mit Reformatoren
Lukas Cranach d. J., 1556
Gemälde auf Lindenholz, 61,8 × 82,2 cm. Rechts unten bezeichnet mit dem Signet des Künstlers und datiert 1556
Berlin, Verwaltung der Staatlichen Schlösser und Gärten, Jagdschloß Grunewald, GK I 2087

Im Hintergrund der Taufe Christi wird die Stadt Dessau sichtbar. Es handelt sich, nach W. Schades Vermutung, »um ein Gedächtnisbild auf die am 13. Februar 1534 vollzogene Eheschließung Johanns von Anhalt mit Margarethe von Brandenburg, als deren Brautführer Johann von Küstrin in Dessau erschien. (...) Da wenig später unter diesem Regentenpaar die Reformation in Anhalt ihren Einzug hielt, lag es nahe, die Hochzeit von 1534 als Beginn der Reformation in Anhalt in Anspruch zu nehmen«. Das Bild wäre, wie Schade weiter vermutet, zugleich ein Epitaph für den 1551 gestorbenen Fürsten Johann IV. von Anhalt, der in der vorderen Reihe links außen steht. Rechts neben ihm wird der deutlich porträtierte Fürst Georg von Anhalt, von dem Luther sagte, er »ist frömmer denn ich«, gerahmt von den Reformatoren Luther und Melanchthon. Links hinter Luther ragt der Kopf des 1553 verstorbenen Malers Lukas Cranach d. Ä. hervor. Im ganzen ist es ein Bekenntnisbild mit Denkmalcharakter. Der retrospektive Zug ist typisch für eine Reihe ähnlicher, meist größerformatiger Altarbilder und Epitaphien aus der Zeit nach dem Tod Luthers (1546) und anderer Protagonisten der Reformation (vgl. Kat. Nr. 429).
Die Taufe Christi wurde traditionell so dargestellt, daß Christus in der Bildmitte frontal im Jordan steht, die Taube des heiligen Geistes und die Büste Gottvaters senkrecht über seinem Haupt schweben und ein oder mehrere Engel das Gewand Christi tragen. Übereinstimmend mit Jakob Lucius (Kat. Nr. 482) verließ Cranach d. J. diesen hierarchischen, meist hochformatigen Kompositionstyp. Er eliminierte den priesterlichen Engel. Mit der Schar der Bekenner und mit der Stadtvedute im Hintergrund betonte er die Verbindlichkeit des göttlichen Gnadenakts für alle auf Erden. Schon die querformatige Bildanlage unterstreicht die irdische Ereignishaftigkeit der Erscheinung Gottes und des Messias. Dem Gläubigen, der die Bußpredigt des Johannes beherzigt und das Johannes-Wort (»Siehe das ist Gottes Lamm, welches der Welt Sünde trägt«) glaubt, öffnet sich der Himmel, den Adams Erbsünde verschlossen hatte.
Im Gegensatz zu den mittelalterlichen, eucharistisch bestimmten Vorstellungsbildern der Trinität (Gnadenstuhl, Kelterchristus, Heilstreppe) veranschaulicht das reformatorische Bild der Taufe Christi die biblische, ereignishafte Offenbarung der Dreieinigkeit.

Schade, S. 93 f. – Kat. Ausst. Cranach, Bd. 2, Nr. 347. D.K.

482

482 Gleich Johannes dem Täufer hat Luther auf das Lamm Gottes, das sich für uns am Kreuz geopfert hat, und auf den heiligen Geist, die feurige Liebe Gottes zu den Menschen, predigend hingewiesen.

Die Taufe Christi, betrachtet von Luther und der Familie des Kurfürsten Johann Friedrich, im Hintergrund die Stadt Wittenberg
Jakob Lucius, um 1556/58
Holzschnitt mit Typendruck, von zwei Stöcken gedruckt, 26,7/27,4 × 54,2 cm
Nürnberg, Germanisches Nationalmuseum, H 7499

Anbetend vor Christus, der sich in der Taufe als das unsere Sünden tragende »Lamm Gottes« zu erkennen gab, kniet der 1554 verstorbene Kurfürst Johann Friedrich der Großmütige. Er habe *bis an sein endt,* wie die unter dem Bild stehenden Verse sagen, die evangelische Lehre bekannt (an seiner Wange sieht man die 1547 in der Schlacht bei Mühlberg erlittene Schramme). Neben ihm knien seine Gemahlin Sibylle von Cleve und die drei Söhne. Das Fürstenpaar wird patronisiert durch den damals nicht mehr lebenden Martin Luther. Hinter ihnen breitet sich Wittenberg aus, das *Stedtlein klein,* wo der Reformator als ein Nachfolger des Predigers Johannes *Christum hat gmacht bekandt.*

Die denkmalartige Darstellung der Taufe Christi wird in der Überschrift als eine Szene bezeichnet, *Aldo die herrliche Offenbarung der ewigen einigen Gottheit in dreien Personen geschehen ist, Welche alle Christen in der Anruffung betrachten sollen.* Die beigefügten Verse (es kommen auch Drucke mit lateinischen, von Johannes Willebroch verfaßten Versen vor) warnen den Christen: wenn er in Not gerate, möge er nicht bei Götzen Rettung suchen, sondern *Man sol allein Gott ruffen an, Wie er sich selbst hat kund gethan, Da er in drey Personen erscheint, Bleibt doch im wesen gantz vereint, Der ware Heiland Jhesu Christ, Für vnser Sünd gestorben ist, Hat gstilt darmit seins Vaters zorn, Vns allen die wir warn verlorn, Des Vaters gnad vnd huld erbeten, Das wir mit freuden zu jm treten, Der ist das ware Gottes Lam, Für vns geschlacht am Creutzes stam, Wie Sanct Johannes zeiget an, Dem ist gefolget der theure Man, Martinus Luther in Sachsenland ...* Der Holzschnitt des von Cranach d. J. beeinflußten Jakob Lucius zeigt die Betrachtung des gnädig handelnden Gottes, und das »mit Freuden zu ihm Treten« auf realem Boden: ein »einfältiges«, lichtes Bild. Es unterscheidet sich zutiefst von den gedrängten, mit eucharistischen Bezügen und mit der Mittlerschaft der Maria befrachteten Trinitätsbildern des Spätmittelalters, sowohl in der Ikonographie als auch im allgemeinen anschaulichen Charakter.

H. Röttinger, Beiträge zur Geschichte des sächsischen Holzschnittes, 1921, S. 85 f., Nr. 14. – Geisberg, Nr. 899. – Kat. Ausst. Cranach, Bd. 2, Nr. 349. D. K.

483 In einem Trinitätsbild, das kurz nach Luthers Tod entstand, lebt trotz des reformatorischen Gehalts ein spätmittelalterlich-konstruktives Vorstellungsmuster wieder auf. In dieser Gerichtsszene erklärt Gottvater, daß er den Sünder nicht verdammen, sondern zur Bekehrung und zum ewigen Leben führen will.

Adam und Eva vor Gottes Gericht begnadigt
Jakob Lucius, 1556
Holzschnitt, 22,6 × 30,8 cm
Berlin, Staatliche Museen Preußischer Kulturbesitz, Kupferstichkabinett, Inv. Nr. 157-1896

In der Form einer bühnenhaften, allegorischen Szene, die im Typus auf Pseudobonaventura (oder »Bernhard«) zurückgeht, im Gehalt aber reformatorisch ist, zeigt Jakob Lucius das himmlische Gottesgericht über Adam und Eva im Rahmen von Sündenfall und Erlösung, Hölle und Eröffnung der Himmelspforte durch Christus, anklagender »Wahrheit« und »Gerechtigkeit« einerseits, fürsprechender »Barmherzigkeit« und »Frieden« andererseits. Die Zeichen des Gerichts, Schwert und Lilie, schweben über der Trinität, das Schwert auf der Seite der »Gerechtigkeit«, die Lilie auf der Seite der »Barmherzigkeit« (vgl. Kat. Nr. 442). Satan, der das sündige erste Menschenpaar vor den Richterstuhl der Dreieinigkeit zieht, »schreit Zeter«, muß aber merken, daß er die Begnadigung nicht verhindern kann, obwohl das Beweisstück für die Erbsünde, der angebissene Apfel, auf dem Richtertisch liegt – neben den Gesetzestafeln, die von einem Totenschädel gestützt werden (vgl. Römer 5, 20-21). Christus hat für die sündigen Menschen Sühne geleistet und bezeugt es vor dem richtenden Gottvater. Dieser kehrt nicht seinen Zorn heraus, sondern beteuert: »So war ich leb, So hab ich kein lust an des Sünders tod, sondern das sich der Mensch bekere und lebe« (Hes. 18, 23; über diese Stelle stritten Erasmus und Luther, ›De servo arbitrio‹, 1525). Dem Bibelverständnis der Reformatoren entspricht es, daß in dieser Gerichtsszene die Gnade allein von Christus, dessen Passion dem Sündenfall gegenüber dargestellt wird, ausgeht (dagegen Kat. Nr. 447, 448). Trotz der reformatorischen Thematik knüpft dieses nach Luthers Tod entstandene *tröstlich Bild, aus dem heiligen Bernhard genommen* wieder an die allegorisierenden Muster der spätmittelalterlichen Vorstellungsbilder an. Die Berufung auf Bernhard von Clairvaux findet sich freilich auch bei Luther (Kat. Nr. 469, 478, 479).

H. Röttinger, Beiträge zur Geschichte des sächsischen Holzschnittes, 1921, S. 89, Nr. 22. – Kat. Ausst. Cranach, Bd. 2, Nr. 362. – Zur Ikonographie: H. Thode, Franz von Assisi, 1885, S. 419. – E. Mâle, L'art religieux de la fin du moyen âge, 2. Aufl. 1922, S. 35 ff. D. K.

C Spätmittelalterliche und lutherische Bilder des gekreuzigten Christus

484 In den spätmittelalterlichen Kreuzigungsbildern steht das Mitleiden der Maria vermittelnd zwischen Christus und dem Stifter oder Bildbetrachter, der sich durch Einfühlung der Passion Christi anzunähern versucht.

Epitaph mit Christus am Kreuz zwischen Maria und Johannes, darunter Stifterfiguren
Nürnberg, um 1450
Gemälde auf Tannenholz, 108 × 83 cm
Nürnberg, Germanisches Nationalmuseum, Gm 522

Als einfachste Form der Kreuzigung Christi verfestigte sich im Mittelalter der dreifigurige, frontale, symmetrische Typus des von Maria und Johannes flankierten Gekreuzigten. Er war genauso gebräuchlich als Titelblatt des Meßkanons wie in allen anderen Gattungen der christlichen Kunst, nicht zuletzt bei Epitaphien. Die Stifter stellten sich in den Schutz von Maria und Johannes, von denen das Johannes-Evangelium berichtet, sie hätten unter dem Kreuz gestanden. Im Zusammenhang mit der im Hoch- und Spätmittelalter entwikkelten Marienverehrung bekam der dreifigurige Kreuzigungstypus die mehr oder weniger deutlich ausgesprochene, für den frommen Betrachter aber immer vorhandene Bedeutung eines Fürbittebildes (vgl. Kat. Nr. 448). Die primär klagende Gebärde wird sekundär – mehr oder weniger verdeutlicht – auch zu einer Fürbittegeste: Das Mitleiden der Maria mit dem für die Sünder leidenden Christus geht in Mitleid für die Menschen über. Wo Stifterfiguren hinzutreten, schauen diese oft, wie im Falle unseres Nürnberger Bildes, nicht so sehr Christus als Maria an. Über die »Mutter der Barmherzigkeit« nähern sich die Stifterfiguren und alle frommen Betrachter des Bildes mitleidend und bittend dem Erlöser. Sie versuchen, die *compassio Mariae* und schließlich gar die Passion Christi gefühlsmäßig zu imitieren, um sich durch solche »Gleichförmigkeit« die durch Christus ermöglichte Erlösung gleichsam zu verdienen.
Der rechts kniende alte Mann auf unserem Bild ist in der privilegierten Position, mit Maria in Blickkontakt treten zu können.

484

Anscheinend drückt er mit der verschiedenen Haltung seiner beiden Hände ein Gebet zu Maria aus und empfiehlt zugleich Mann, Frau und Kinder, die auf der andern Seite knien. Die Wappen konnten bisher nicht identifiziert werden. Der Goldgrund hebt das Bild zum Allgemeinen und Heiligen, ohne daß der Maler und sein damaliges Publikum befürchtet hätten, daß die kleinen Porträtfiguren mit ihrem irdischen Porträtnaturalismus den Realismus des heiligen Bildes beeinträchtigen würden.

Kat. des Germanischen Nationalmuseums Nürnberg. Die Gemälde des 13.-16. Jh., 1936, S. 123 f., Nr. 522. – Stange, Krit. Verz., Bd. 3, S. 56, Nr. 100. D.K.

Ein Gebet zu Christo vmb einen seligen abschied
aus diesem elenden betrübten leben/welches auch kan gesungen werden
im Thon des Vater vnsers/ vnd sunst vff vielerley Thon/die vff vier vers gesungen werden/
als/ Christe der du bist tag vnd liecht/ oder/ Nu last vns den leib begraben/vnd der gleichen.

HErr Jhesu Christ war mensch vnd Gott/
Der du lidst marter / angst / vnd spot/
Für mich am Creutz auch endlich starbst/
Vnd mir deins Vaters huld erwarbst/
Ich bit durchs bitter leiden dein/
Du wolst mir sünder gnedig sein/
Wenn ich nu kom in sterbens not/
Vnnd ringen werde mit dem Todt/
Wenn mir vergeht all mein gesicht/
Vnnd meine Ohren hören nicht/
Wenn meine Zunge nichts mehr spricht/
Vnd mir vor angst mein hertz zerbricht/
Wenn mein verstand sich nichts versint/
Vnd mir all menschlich hülff zerrint/
So kom o HErr Christ mir behend/
Zu hülff an meinem letzten end/
Vnnd führ mich aus dem jammerthal/
Verkürtz mir auch des Todes qual.
Die bösen geister von mir treib/
Mit deinem Geist stets bey mir bleib/
Bis sich die Seel vom Leib abwend/
So nim sie HERR in deine hend/
Der Leib hab in der erd sein rhu/
Bis sich der Jüngst tag naht herzu.
Ein frölich vrstend mir verley/
Am Jüngsten Gricht mein Fursprech sey/
Vnnd meiner sünd nicht mehr gedenck/
Aus gnaden mir das Leben schenck/
Wie du hast zügesaget mir
In deinem Wort/ das traw ich dir/
Fürwar/ fürwar euch sage ich/ Joh. 5. 8.
Wer mein Wort helt vnd gleubt an mich/
Der wird nicht kommen ins Gericht/
Vnd den Todt ewig schmecken nicht/
Vnd ob er gleich hie zeitlich stirbt/
Mit nichten er drumb gar verdirbt.
Sondern ich wil mit starcker hand
In reissen aus des Todes band/
Vnnd zu mir nemen in mein Reich/
Da sol er denn mit mir zu gleich
In freuden leben ewiglich/
Dazu hilff vns ja gnediglich.
Ah HERR vergib all vnser schuld/
Hilff das wir warten mit gedult/
Bis vnser stündlein kümpt herbey/
Auch vnser glaub stets wacker sey
Deim Wort zu trawen vestiglich/
Bis wir entschlaffen seliglich.
Amen.

Paulus Eberus filiolis suis faciebat
Anno 1560.

485

485 Für einen lutherischen Autor, der zur Kreuzigung Christi Begleitverse schreibt, ist der Tod des Erlösers Anlaß zum Vertrauen auf unseren alleinigen Fürsprecher im Jüngsten Gericht. Luther möchte die ausgestreckten Arme des Gekreuzigten als Geste des Zu-sich-Ziehens verstehen: Kommt zu mir, die ihr mühselig und beladen seid.

Kreuzigung Christi, mit Gebet von Paulus Eberus
Unbekannter Künstler nach Lukas Cranach d. Ä., 1560
Holzschnitt mit Typendruck, 33,1 × 26,6 cm
Nürnberg, Germanisches Nationalmuseum, H 7482

Der Kopie eines vorreformatorischen Holzschnittes Cranachs mit der dreifigurigen Kreuzigung (das Original ist für das Brandenburger Meßbuch 1516 verwendet worden) wurde *Ein Gebet zu Christo vmb einen seligen abschied aus diesem elenden betrübten leben* im evangelischen Sinne beigefügt. Die ursprünglich auch als Fürbitte zu verstehende Betgeste der Maria störte nicht. Statt der Stifter (vgl. Kat. Nr. 484) betet hier der Bildbetrachter mit den von Paulus Eber 1560 gedichteten Versen, die Joh. 5, 24 zitieren: *Wer mein Wort helt vnd gleubt an mich, Der wird nicht kommen ins Gericht, Vnd den Todt ewig schmecken nicht;* Christus *Am Jüngsten Gricht mein Fursprech sey* – nicht Maria wie in den spätmittelalterlichen Bildern des Jüngsten Gerichts und des Sterbens.

Martin Luther hat 1519 mit seinem ›Sermon von der Bereitung zum Sterben‹ den konfliktreichen spätmittelalterlichen »Ars moriendi«-Vorstellungen seinen einfachen seelsorgerischen Rat entgegengestellt: Wer den Tod bedenkt, soll ihn nicht fürchten, sondern seine Gedanken auf Menschen lenken, die in Gottes Gnaden gestorben sind. Vor allem soll er an Christus selber denken, der mit seinem Tod unseren Tod, unsere Sünde und unsere Anfechtung auf sich genommen und unschädlich gemacht hat.

Luther möchte das Bild des Gekreuzigten im übrigen von Joh. 12, 32 her (»Und wenn ich erhöht werde von der Erde [d. h. gekreuzigt], so will ich sie alle zu mir ziehen«) als einen aktiven, befreienden Anruf an die Menschen deuten: »So hängt er mit ausgebreiteten Armen am Kreuz, als ob er uns die Worte Matthäus 11 (28) zurufen wollte: Kommet her zu mir alle, die ihr mühselig und beladen seid; ich will euch erquikken« (aus dem Lateinischen übersetzt, Spruch zu Joh. 12, 32: WA 48, S. 164). Während in den spätmittelalterlichen Kreuzigungsbildern der Stifter sich dem Gekreuzigten zu nähern versucht und diese Annäherung durch die vermittelnde Gottesmutter erleichtert wird, denkt sich Luther den Gekreuzigten als einen von sich aus dem Menschen sich zuwendenden und ihn zum Glauben bringenden Erlöser. Im lutherischen Bild »Gesetz und Gnade« ist dieses Handeln Gottes in Christi Passion mit dem Bezug auf Adam verdeutlicht (Kat. Nr. 474).

Beth. In: Repertorium für Kunstwissenschaft 30, 1907, S. 503 f. – Hollstein, Bd. 6, S. 25, bei Nr. 27. – Luther-Zitat zum Gekreuzigten: Preuß, S. 34. – Stirm, S. 113. D. K.

486 Der wachsende Detailreichtum der spätmittelalterlichen Passionsdarstellungen erhöht zwar den frommen »Lesestoff« der Bilder, droht aber schließlich die Frage nach dem Sinn des ganzen Geschehens zu verunklären.

Kreuzigung Christi mit dem Wappen der Allgäuer Familie Grimmel
Meister der Kemptener Kreuzigung, um 1460/70
Gemälde auf Fichtenholz, 165,5 × 140,5 cm
Nürnberg, Germanisches Nationalmuseum, Gm 879

Die vielfigurigen Kreuzigungsbilder des Spätmittelalters suchten wie die gleichzeitigen Passionsschauspiele die Berichte der vier Evangelisten sowie legendäre Tradition zu akkumulieren und für das Miterleben eines schaubegierigen Publikums zu dramatisieren. Fast wichtiger als Christi Sterben wurden da die Schmerzen der Maria (sie hat ebenso wie die sie begleitenden Frauen und Johannes Tränen in den Augen), das Vorweisen des Schweißtuches durch die hl. Veronika, das Würfeln der Soldaten um den Rock Christi oder der Lanzenstoß des blinden Longinus, dessen Existenz die ›Acta Pilati‹ den Evangelien hinzufügten und von dem die ›Legenda aurea‹, die ihn freilich mit dem gläubig werdenden Hauptmann verschmolz, berichtet, daß das am Speer herabfließende Blut seinen altersschwachen Augen wieder klare Sicht und seinem Sinn den Glauben an Christus gegeben hätten. Als ein besonderes erzählerisches Element beachte man auch den am rechten Bildrand sichtbaren Toten im weißen Leichentuch, der sich mit zu Christus geöffneten Augen aus seinem Grab erhebt: »Und die Gräber taten sich auf, und standen auf viele Leiber der Heiligen, die da schliefen« (Matth. 27, 52).
Zum rechts auf einem Schimmel reitenden Hauptmann konnte der Maler ein Bibelzitat auf einem Schriftband geben (übersetzt): »Wahrlich, dieser Mensch ist Gottes Sohn gewesen!« (Mark. 15, 39). Auch auf den andern Banderolen belegen Zitate die biblische Worttreue der Passionsdarstellung im Sinne eines nicht nur figuren-, sondern auch wortreichen Dramas. Der Goldgrund verleiht dem Bildgeschehen zugleich eine überzeitliche, zeichenhafte Zuständlichkeit. Eines der wichtigsten Passions-»Zeichen« ist die Öffnung der Seite Christi: die Seitenwunde, aus der das erlösende Blut und das »Wasser des Lebens« flossen – hier als Handlungspose veranschaulicht im Speerstoß des Longinus. Zugleich läßt ein Schriftband den im Bild bereits verstorbenen Christus dasjenige seiner sieben Kreuzesworte »sprechen«, das in der spätmittelalterlichen Erbauungsliteratur für das wichtigste genommen wurde, weil es den äußersten Punkt seines Leidens ausdrückt: »Eli, Eli ... Mein Gott, mein Gott, warum hast du mich verlassen?« Von den übrigen Schriftbändern seien noch die zwei den Schächern »in den Mund gelegten« erwähnt: der Spott, des bösen Schächers, dessen Seele der Teufel holt, und die Bitte »erinnere dich meiner, wenn du in dein Reich kommst« beim selig sterbenden Schächer zur Rechten Christi (vgl. Kat. Nr. 494).
Trotz der Bezogenheit auf das Kreuz Christi wirkt die Komposition fast mehr als emotionale Kumulierung denn als Sinngebung. Eine neue Suche nach den sinngebenden Zusammenhängen im Geschehen sollte dann, in erklärtem Gegensatz zur Vielfalt der spätmittelalterlichen Formulierungen, das Thema der lutherischen Glaubensbilder werden. Sie wollten die Kreuzigung Christi nicht detailreich schildern, sondern sie aus dem Gesamtsinn des Evangeliums deuten; »denn mit der Vielfalt herrscht auch Konfusion« *(quia ubi multitudo, ibi confusio)*, meinte der reformatorische Verfasser geistlicher Dramen, Joachim Greff aus Zwikkau, der mit der Ausscheidung der legendären Figuren wie Veronika und Longinus aus dem Passionsspiel auch die Menge der Personen reduzieren wollte. Lehrhaftigkeit war oft die Folge des neuen Bemühens, so im Glaubensbild »Gesetz und Gnade« (Kat. Nr. 474) und im Bild mit dem Gekreuzigten vor dem bekennenden Hauptmann (Kat. Nr. 494). Noch ohne austrocknende Lehrhaftigkeit brachten kurz vor Luthers Auftreten einzelne hervorragende Kreuzigungsbilder – am entschiedensten Grünewalds Isenheimer Altar, es kann aber auch Cranachs große Kreuzigungstafel von 1503 (München, Alte Pinakothek) hier genannt werden – eine grundlegende Abwendung vom spätmittelalterlichen Detailreichtum und einen neuen Ernst. Damit gestalteten bedeutende Maler um und kurz nach 1500 neue religiöse Erfahrungen, denen noch keine neue Theologie vorgearbeitet hatte, sondern die eher umgekehrt den Theologen Fragen aufgaben, auch die Frage nach dem Vermögen der religiösen Bilder überhaupt.

Stange, Krit. Verz., Bd. 2, S. 184 f., Nr. 814. – Zum geistlichen Schauspiel: E. Roth, Der volkreiche Kalvarienberg, 1958, S. 124-129. – C. Menz, Das Frühwerk des Jörg Breu des Älteren, 1982, S. 59, 72-79. – G. Weise, Dürer und die Ideale der Humanisten, 1953, S. 21 (zu Joachim Greff aus Zwickau). D. K.

487 Vor und neben Luther versuchen Künstler, ihr bisher dienendes Verhältnis zu Kirche, Liturgie und Theologie zu lockern und eigene religiöse Erfahrungen zu formulieren, die auch Zweifel an der Verbindlichkeit der Tradition einschließen.

Kreuzigung Christi
Albrecht Altdorfer, 1526
Gemälde auf Lindenholz, 41 × 33 cm
Nürnberg, Germanisches Nationalmuseum, Gm 312

Die drei Kreuze stehen nicht frontal, nicht im Vordergrund und nicht dominierend im Bild. Altdorfers miniatorische, kunstvolle Komposition gibt die Kreuzigung Christi weniger als Faktum, denn als einen rätselhaften, widersprüchlichen, bewegenden Vorgang. Was dem Bildchen Einheit verleiht – eine neuartige Erlebniseinheit –, das ist nicht das zwar vorhandene Zentrum des Kreuzes Christi, sondern eher der Zwischenraum zwischen den weit in der Landschaft verteilten, kleinfigurigen Menschengruppen und die Himmelserscheinungen, die über dem hohen Christuskreuz eine Art von Naturnimbus bilden. Nur noch die paar Soldaten um den bekennenden Hauptmann und einige dahinter stehende Männer sind dem Gekreuzigten nahe. Hier zieht jener Scherge die meiste Aufmerksamkeit auf sich, der mit einem Knüppel in der Hand die Leiter erstiegen hat und nun beobachtet, daß Christus bereits ausgelitten hat: War das der Tod des Gottmenschen? Maria – hier und jetzt gewiß alles andere als eine Fürbitterin – ist ohnmächtig zusammengebrochen. In der gleichen großen Distanz von Christus wie die Mariengruppe ist Magdalena auf die Knie gesunken und versucht sich bis zuletzt der schwer begreiflichen Leidensszene zuzuwenden. Die links im Hintergrund um das Gewand Christi streitenden Soldaten zeigen schonungslos, wie neben dem Sterben des Erlösers das rohe Leben weitergeht.

L. v. Baldass, Albrecht Altdorfer, 1941, S. 171 f., 205. – F. Winzinger, Albrecht Altdorfer, Die Gemälde, 1975, Nr. 48. D. K.

487

488 Bilder der schlichten, unverstellten Anbetung des Gekreuzigten gibt es auch vor der Reformation. Ihre Ruhe scheint eine Fraglosigkeit des Glaubens zum Ausdruck zu bringen, die die bevorstehenden Stürme der Reformation kaum ahnen läßt.

Der gekreuzigte Christus von einem Stifter angebetet
Meister der Ursula-Legende, um 1480/1500
Gemälde auf Holz, 43 × 33 cm
Birmingham, The Barber Institute of Fine Arts, The University of Birmingham

Ein nicht identifizierter Stifter, wohl Geistlicher, kniet zu Füßen des Gekreuzigten. Dieser ist ähnlich einem Kruzifix gebildet, tritt uns aber in der gleichen Körperlichkeit und Größe entgegen wie der Stifter. Das niedrige Kreuz wendet sich in seiner Frontalität dem Bildbetrachter zu. Es steht mit dem anbetenden Stifter auf demselben Boden. Wie auf manchen Kreuzigungsbildern sieht man im Hintergrund Jerusalem. Mit dem Zentralbau ist offenbar die dortige Kirche des hl. Grabes Christi gemeint. Dem niederländischen Devotionsbild steht der von Cranach 1515 geschaffene Holzschnitt mit Georg Spalatin, der vor dem Kruzifix betet, im Typus nahe (Kat. Nr. 134). Ebenso bieten sich Bilder zum Vergleich an, die in der Nachfolge des Spalatin-Holzschnittes entstanden sind. Dazu gehört auch das große, respekteischende

488

Bild des Kardinals Albrecht von Brandenburg vor dem Gekreuzigten, das um 1525 von Lukas Cranach gemalt wurde (München, Alte Pinakothek). Das niederländische Devotionsbild ist betont schlicht und zugleich hochkultiviert. Es hält in allem Maß: in der Darstellung des Leidens Christi, in der Andeutung der Verfinsterung des Himmels durch aufziehende Wolken, in der Haltung des Betenden. Es bringt eine Christusfrömmigkeit zum Ausdruck, die weder Erhitzung noch bloße Äußerlichkeit kennt. Es dokumentiert klar und unangefochten den rechten Glauben. Ähnliches gilt für das etwas heftigere Bild des Grafen von Löwenstein, der den Schmerzensmann anbetet (Kat. Nr. 458). Die Stürme der Dürerschen Apokalypse-Holzschnitte und des Wirkens Martin Luthers scheinen in nichts angekündigt zu werden.

M. J. Friedländer, Early Netherlandish Painting, Bd. 6 b, 1971, S. 110, Sup. 238. D.K.

489 Klassische Passionsbilder der Zeit unmittelbar vor der Reformation geben dem Gekreuzigten eine neue Schwere und Dominanz. Alttestamentliche Prophezeiung und die aktuelle Hoffnung der Gläubigen führen mit gleicher Direktheit auf das erlösende Kreuzesopfer Christi hin.

Der gekreuzigte Christus zwischen Johannes dem Täufer und dem psalmodierenden König David
Hans Schäufelein, 1508
Gemälde auf Tannenholz, 102 × 51 cm (seitlich etwas beschnitten). Rechts unten auf einer Tafel datiert 1508
Nürnberg, Germanisches Nationalmuseum, Gm 292

Als Schüler von Albrecht Dürer schuf Schäufelein mystisch-allegorische Holzschnitte zu dem 1505 in Nürnberg erschienenen ›Beschlossen Gart des Rosenkrantz Mariae‹ von Ulrich Pinder. Das Bild des Gekreuzigten von 1508 bewegt sich in einer ähnlichen Vorstellungswelt. Der gekreuzigte Christus erscheint als eine feste Tatsache, zugleich aber als ein Geheimnis. Die Proportioniertheit seines athletischen Körpers entspricht dem in der Ebenbildlichkeit mit Gott begründeten Menschenideal Dürers. Wie im hohen Mittelalter allgemein und in der Renaissance vereinzelt (besonders bei den Augsburgern H. Holbein d. J. und Burgkmair, vgl. Kat. Nr. 492) sind Christi Füße mit zwei Nägeln angeheftet, so daß der Erlöser mehr vor uns »steht« als hängt. Die Enden des Kreuzbalkens sind besetzt mit Sanduhr und Totenschädel. Sie versinnbildlichen zusammen mit dem nachtschwarzen Himmel die Heilsnotwendigkeit des Todes Christi. Dem Hebräerbrief ist das Symbol des doppelten, kreuzförmig ergänzten Ankers am Fuß des Kreuzes entnommen (Hebr. 6, 18-20). Er bedeutet die Hoffnung unserer Seele auf die Erlösung durch das Christusopfer. Daneben erscheint das unschuldige Opferlamm mit der Kreuzfahne des Sieges Christi. Es sitzt auf einem Buch; gemeint ist wohl zweierlei zugleich: die Bücher der Propheten, da das Lamm Gottes von Jesaja vorausgesagt worden ist (Jes. 53), und das Buch, das vor dem Jüngsten Gericht durch das Lamm eröffnet werden wird (Apok. 5, 6 ff.; vgl. Gottes Lamm auf dem Buch in Kat. Nr. 498). Durch seine doppelte Geste identifiziert Johannes der Täufer das Lamm Gottes, das der Welt Sünde trägt, mit dem gekreuzigten Christus. Im 1. Kapitel des Johannes-Evangeliums, wo von der Predigt des Johannes berichtet wird, steht auch der Satz, der auf die im Hintergrund sichtbare Übergabe der Gesetzestafeln an Moses bezogen werden kann und welchem Luther ein neues Gewicht beimaß: »Denn das Gesetz ist durch Mose gegeben; die Gnade und Wahrheit ist durch Jesum Christum geworden«. Auf Schäufeleins Bild wird dieser Sinn dem Kreuz Christi zwar beigegeben, aber noch nicht als Antithese (wie in Kat. Nr. 474), sondern gleichsam fließend aus dem Hintergrund der Vorgeschichte heraus. Zu dieser gehört auch der König David, da ja Christus »ein Sohn Davids, des Sohnes Abrahams« ist (Matth. 1, 1; Luk. 1, 32 und 3, 31), und da David gleich Johannes die Menschen auf das Kommen Christi vorbereitet hat. Schäufeleins Bild hebt sich dadurch, daß es auf erzählerische Buntheit zugunsten strenger Unterordnung verzichtet, von den spätmittelalterlichen Vergleichsstücken ab. Geistesgeschichtlich gehört es der unmittelbar vorreformatorischen Phase der mit einer neuen Schwere, ja mit heroischem Ernst erfüllten Kreuzesbilder an, deren berühmtester Repräsentant Grünewalds Isenheimer Altar ist.

Kat. Ausst. Meister um A. Dürer, 1961, S. 170, Nr. 297. – E. M. Vetter. In: Sitzungsber. der Heidelberger Akademie der Wissenschaften, Phil.-hist. Klasse 1968, S. 19. – Zum dürerischen idealistischen Passionschristus: M. Winner. In: Kunstchronik 34, 1981, S. 14. D. K.

489

490 Indem der Gekreuzigte nur als ein hölzernes Erinnerungsbild des Erlösers dem Betenden vor Augen tritt, verliert das Gebet zwar die spätmittelalterliche Vertraulichkeit und Ungebrochenheit. Mit der neuen Bewußtheit kann es aber seine Wahrhaftigkeit bewahren oder gar steigern.

Ein 54jähriger Geistlicher betend vor dem Kruzifix
Meister des Angrer-Bildnisses, 1519
Gemälde auf Holz, 42 × 28 cm. Unten datiert 1519
Nürnberg, Germanisches Nationalmuseum, Gm 610

Das auf dem Spruchband stehende Gebet *O iesu sis mihi iesus* des 54jährigen betenden Mannes lautet deutsch: »O Jesus, sei mir Jesus«, d. h. hebräisch »Gott hilft«: erweise dich mir als der Erlöser. Die Inschrift deutet vielleicht an, daß der (unbekannte) Geistliche die humanistisch-philologische Bibelwissenschaft der Hebraisten in der Nachfolge Reuchlins hochschätze.

490

Der betende Mann blickt zu einem hölzernen, freilich naturalistisch bemalten Kruzifix auf, dessen Basis auf einer vorderen Brüstung steht. So mag der Bildbetrachter den Gekreuzigten, der ihm das Gesicht zuwendet, trotz der Abbildhaftigkeit und Kleinheit, ja Schwachheit als das ihm selber Nahestehende und geistig Primäre empfinden. Bildbetrachter und abgebildete Porträtfigur schauen gemeinsam auf den Erlöser, der nicht einfach »lebend« präsent erscheint, sondern eher bild- oder zeichenhaft sich in Erinnerung ruft. Im Vergleich mit dem naiveren Realismus des Spätmittelalters ist dies ein neuer Zug. Der 1515 datierte Holzschnitt mit Spalatin vor dem Kruzifix tendiert in dieselbe Richtung (Kat. Nr. 134), ebenso etwa, in einer anderen Würdeform, das renaissancehafte Messingepitaph des Dr. Anton Kress aus dem Jahr 1513 von Peter Vischer d. J. in der Nürnberger Lorenzkirche.

K. Löcher. In: Alte und moderne Kunst 84, 1966, S. 15, Anm. 4. D. K.

491

491 Als Titelbild für das Neue Testament, das im Todesjahr des Reformators und Bibelübersetzers neu erscheint, wird die Christusdevotion Luthers und seines vor Jahren verstorbenen Landesherrn Johann von Sachsen, der in einer entscheidenden Periode die lutherische Reformation unterstützt hat, in ein einfaches Bild gefaßt.

Kurfürst Johann der Beständige und Martin Luther betend vor dem gekreuzigten Christus
Lukas Cranach d. J., 1546
Titelholzschnitt zum Neuen Testament in Luthers deutscher Übersetzung, Wittenberg: Hans Lufft 1546. Hier: Wiederverwendung in einer späteren Auflage (Wittenberg: Peter Seitz 1569)
Nürnberg, Germanisches Nationalmuseum, Mp 14781[4]

Ähnlich wie ein Jahr zuvor auf dem Titelblatt zum ersten Band von Luthers gesammelten lateinischen Werken stellte das Titelblatt zum 1546 wieder gedruckten Neuen Testament den Reformator und Bibelübersetzer Luther zusammen mit dem 1532 verstorbenen Kurfürsten Johann dem Beständigen betend unter das Kreuz Christi. Der Gekreuzigte erscheint hier halb als passionsgeschichtliche Gestalt, halb als Kruzifix, also als ein Bildwerk. Es ist derselbe Gekreuzigte, der als ein »Merkbild« auch mitten auf dem Boden der Kirche vor dem predigenden Luther und seinen Zuhörern stehen kann, wie es die Predella des Wittenberger Stadtkirchenaltars darstellt; dieser Altar war 1546/47, unmittelbar nach Luthers Tod, von Lukas Cranach d. J. gemalt worden. Auf den Titelbildern von 1545 und 1546 predigt Luther freilich nicht, sondern er betet vor dem Gekreuzigten. Dem Typus nach leitet sich diese Form des Betens vor dem Kruzifix von einer seit der Reformation neu belebten, aber älteren Tradition der Grabreliefs her. Hier wie dort ist ein Beten im Gedanken an Christus oder ein jenseitiges Beten gemeint, kein wirkliches Anbeten eines Bildes, wie gewisse Luthergegner bald kritisierten. Luther kümmerte sich um solche spitzfindige Unterscheidung kaum, wenn nur *Christus bilde ym hertzen* verankert sei, denn sobald sich die Vorstellung vom Gekreuzigten primär im gläubigen Herzen bilde, *Warumb sollts sunde seyn, wenn ichs* [auch] *ynn augen habe?* (WA 46, S. 308, WA 18, S. 83). Für das Motiv der Betgeste auf diesem Holzschnitt dürfte Luther selber 1545/46 nicht mehr verantwortlich gewesen sein.

Hollstein, Bd. 6, S. 122, Nr. 12. – Kat. Ausst. Cranach, Bd. 1, Nr. 284; Bd. 2, bei Nr. 345. D. K.

492

492 Die Publikation einer Luther-Predigt von 1522 schmückt ein Augsburger Drucker mit einem zeichenhaften Bild des Gekreuzigten, das zwar Luthers Gegenüberstellung von Gesetz und Gnade verdeutlichen möchte, aber mit der Heraushebung der Fürbitte der Maria den Vorstellungen des Reformators zuwiderläuft.

Der gekreuzigte Christus auf dem Tau-Zeichen, dabei Moses und die fürbittende Maria
Hans Burgkmair, 1522
Titelholzschnitt zu: Martin Luther, ›Ain Sermon von dem Hayligen Creütz Gepredigt Von D. M. L[uther] Jm Jar M.D.XXII. Wittemberg. Exaltacio. S. Crucis.‹ [Augsburg: Melchior Ramminger 1522]. 4°. 6 Bll.
Basel, Kupferstichkabinett des Kunstmuseums, Inv. 1823.2593

Luther hielt die Predigt am 22. September 1522, am Tag des alten kirchlichen Festes der »Kreuzerhöhung«. Darum liest man neben dem Kruzifix *Exaltacio. S. Crucis.* Seit dem 7. Jahrhundert ist das Fest der Kreuzerhöhung zur Erinnerung daran gefeiert worden, daß der byzantinische Kaiser Heraklius die von den Persern in Jerusalem geraubte Kreuzreliquie zurückerlangt und 629 wieder aufgerichtet hat.
Luther verurteilt in seiner Predigt zunächst die Verehrung der Kreuzreliquie mit all den Wunderlegenden, Wallfahrten und Ablaßversprechen. Es existierten heute so zahlreiche angebliche Kreuzespartikel auf der Welt, daß man ein ganzes Haus daraus bauen könnte. Die rechte Erhöhung des Kreuzes sollte in unserem Herzen geschehen. Christus habe uns nicht befohlen, sein Kreuz zu verehren, sondern unser eigenes Kreuz zu finden, zu tragen und zu erheben durch unseren Glauben (Matth. 16, 24). Im zweiten Teil seiner Predigt definiert Luther die christliche Erlösung und unseren Glauben als eine Eingießung der göttlichen Gnade. Diese Botschaft des Evangeliums hebt er vom immer wieder unerfüllbar werdenden Gesetz des Alten Testaments ab. Das Gesetz des Moses macht unsere Sündigkeit offenbar: *das gesetz entdeckt die kranckhait, das Evangelium gibt die ertzney.* Christi Erlösungstat gibt uns schließlich Lust zum Gesetz statt Angst vor der unvermeidbaren Übertretung.
Burgkmair versuchte in seinem Holzschnitt die beiden Teile der Predigt zu einer Bildformel zusammenzufassen und zugleich die Tradition der Verbindung von Kreuz Christi und hinterlegtem Tau-Kreuz zu benutzen. Traditionell verstand man unter dem Tau-Kreuz das alttestamentliche Zeichen für Leben, Abwehr von Übel und plötzlichem Tod, dies auch im Gedanken an die Eherne Schlange, die Moses auf Gottes Geheiß in der Wüste am T-Kreuz erhöht hat. Wenn Burgkmair seine Darstellung des erhöhten Erlösers in die Bildtradition des

493 a

493 b

Tau-Zeichens stellte, so begab er sich geistig in die Nähe von spätmittelalterlichen Bildern, die ausgesprochen dem Reliquien- und Ablaßwesen dienten und teilweise magische Abwehrkraft haben sollten (Pestamulette). Dem Tau-Kruzifix fügte er die himmlischen Erscheinungen des Moses und der Mutter Gottes, die Christus fürbittend ihre Brust zeigt, hinzu. Damit sollte der zweite Teil der Luther-Predigt illustriert werden: Gesetz und Gnade. Burgkmair wollte Gottes Barmherzigkeit – im Gegensatz zur Strenge der göttlichen Gesetze in der Hand des Moses – möglichst verdeutlichen und tat dies im traditionellen Bild der mütterlichen Liebe der Maria. Damit aber übernahm er einen Typus des Fürbittebildes, von dem Luther 1526 in seiner Sommerpostille schrieb, solches heiße eigentlich den Teufel predigen (WA 10 I 2, S. 434; siehe Kat. Nr. 444-453).

Hollstein, Bd. 5, Nr. 43. – J. Rauch. In: Das Münster 8, 1955, S. 201 ff. – Kat. Ausst. Welt im Umbruch, Bd. 1, S. 30 ff. und Nr. 54 ff. – J. Rasmussen. In: Anzeiger des Germ. Nat. Museums 1981, S. 66 f. D. K.

493 Die seit dem Regierungsantritt Johanns in Kursachsen geprägten Taler mit dem Kruzifix und der Ehernen Schlange tragen nicht mehr magische Zauberworte wie die älteren, übelabwehrenden Amulette, sondern Gottes Wort. Sie predigen den Glauben an den erhöhten Gekreuzigten.

Fälschlich sog. Pesttaler mit Kruzifix und Eherner Schlange
Erzgebirge, 1528
Silber, gegossen, Dm 4,6 cm. Vorderseite: Eherne Schlange, mit Datum 1528. Rückseite: Christus am Kreuz. Umschrift jeweils in zwei konzentrischen Ringen
Nürnberg, Germanisches Nationalmuseum, Med. 4 937

Seit dem Regierungsantritt des Kurfürsten Johann von Sachsen im Jahre 1525 prägte die kursächsische Münze von St. Joachimsthal Schautaler mit dem Kruzifix auf der einen, der Ehernen Schlange auf der andern Seite. Diese Taler werden in der heutigen Literatur mißverständlich »Pesttaler« genannt. Den Bildern des Gekreuzigten und vor allem der Ehernen Schlange schrieb das Volk gern Abwehrkraft gegen die Pest zu. Durch die Inschriften wird aber die pestabwehrende Magie äußerlich ähnlicher Münzen und Amulette geradezu bekämpft, quasi »reformiert«. Dies geschieht echt lutherisch durch das Zitat eines Wortes Christi, der einer alttestamentlichen Bibelstelle evangelische Heilsbedeutung gibt. Auch in Zeiten der Todesfurcht sollte der Betrachter und Leser der beiden Seiten dieses Talers nicht zur Magie, vielmehr zum Glauben an Christi Erlösungswerk geführt werden.

Neben dem Kruzifix steht IOANNES · 3, neben der Ehernen Schlange NVMRI · 21. Gemeint ist die für die lutherische Glaubenstheologie wichtige Stelle Joh. 3, 14-15 und der dort von Christus gegebene Vergleich mit Numeri 21, also 4. Mose 21, 8-9. Man liest um den Gekreuzigten das doppelt umlaufende, deutsch zitierte Herrenwort: GLEIC · WI · DI · SLANG · SO · MVS · DES · MENSEN · SON · ERHOET · WERDN · AVF · DAS · AL · DI · AN · IN · GLAVBE · HABEN · DAS · EWIG · LEBEN. Um die eherne Schlange steht: DER · HER · SPRAC · ZV · MOSE · MAC · DIR · EIN · ERNE · SLANG · VND · RICT · SI · ZVM · ZEIGEN. AVF · WER · GEPISN · IST · VND · SICT · SI · AN · DER · SOL · LEBEN. Damit bekommt das alttestamentliche »Ansehen« der am Kreuz hängenden Schlange, die damals irdisches Weiterleben bewirkte, den christlichen Sinn: vorauszuweisen auf die Gnade des ewigen Lebens durch den Glauben an das Kreuz Christi. Diese Bedeutung überhöht die bloße Hoffnung auf Verschonung vor dem Pesttod. Luther fügte einen weiteren, für seine Theologie grundlegenden

494

Sinn hinzu: Die Schlange erinnere den Betrachter nicht nur an den Erlöser, der die Sünde mit Sünde, nämlich im Fleisch verdammt (Röm. 3, 8) und den Tod mit Tod verjagt habe, sondern auch an die eigene Sündhaftigkeit. Diese werde, wie die bisherigen Kirchenbräuche verrieten, meist nicht ernst genug genommen. Mit solcher Auffassung haben der Luther-Drucker Melchior Lotter d. J. seit 1520 und bald danach auch Melanchthon die eherne Schlange als ihr evangelisches Wappenzeichen geführt, analog zum Kreuzrosen-Wappen Luthers (Kat. Nr. 501).

V. Katz, Die Erzgebirgische Prägemedaille des XVI. Jahrhunderts, 1931, S. 16, 39 ff., 44, Nr. 8. – Preuß, S. 29. – D. L. Ehresmann, The Brazen Serpent, A Reformation Motif in the Works of Lucas Cranach the Elder and his Workshop. In: Marsyas 13, 1966/67, S. 34. D.K.

494 Schon während des Sterbens Christi am Kreuz erlangen zwei Erzsünder – der Schächer zur Rechten Christi und der Hauptmann – Erlösung allein durch ihren Glauben.

Der beim Sterben Christi gläubig werdende Hauptmann und die Errettung des gläubigen Schächers
Lukas Cranach d. J. (?), 1539
Gemälde auf Lindenholz, 51,5 × 34 cm. Inschriften: VATER IN DEIN HENT BEFIL ICH MEIN GAIST und WARLICH DISER MENSCH IST GOTES SON GEWEST. Rechts unten datiert 1539. Replik eines Bildes von 1536
Aschaffenburg, Staatsgalerie, Inv.Nr. 13255

Eine Gruppe von Bildern aus den Jahren 1536/39, deren neuartige Formulierung wahrscheinlich dem Cranach-Sohn Lukas d. J. zuzuschreiben ist, konzentriert das Geschehen der Kreuzigung Christi auf die vier Figuren Christus, die beiden mit ihm gekreuzigten Schächer und den bekennenden Hauptmann. Auf diesen Bildern ist Christus noch nicht gestorben. Er hat den Speerstich noch nicht empfangen. Er blickt zum Himmel, der sich am Tag verdunkelt hatte, und spricht: VATER IN DEIN HENT BEFIL ICH MEIN GAIST (Luk. 23, 46). Das Lukas-Evangelium, das dieses Wort überliefert, ist auch dasjenige, das von dem unmittelbar vorangehenden Gespräch zwischen Christus und dem guten Schächer Kunde gibt. Diese Wechselrede ist nicht mit Inschriften auf dem Bild angegeben, sondern durch die Zu- und Abwendung des »guten« und »bösen« Schächers veranschaulicht. Der gute Schächer, der die Lästerungen des anderen Übeltäters verurteilte, bat Jesus: *Herr gedencke an mich, wenn du in dein Reich komest. Vnd jhesus sprach zu jm, Warlich ich sage dir, Heute wirstu mit mir im Paradis sein.* Er erlangte »Ablaß« seiner Sünden und die Gnade der Errettung nicht durch gute Werke – die Schächer waren beide Mörder –, sondern allein durch den Glauben, ohne irgendwelche Vermittlung. Als zweiten Gläubigen isoliert das Bild aus der Kreuzigungsgeschichte den Hauptmann. Er gewinnt die Gewißheit: WARLICH DISER MENSCH IST GOTES SON GEWEST (Mark. 15, 39). Den gleichen Ausspruch

macht der Hauptmann z.B. auf der vielfigurigen Kreuzigung von Kempten aus dem 15. Jahrhundert (Kat. Nr. 486).
Auf cranachischen Kreuzigungsbildern von 1532 (Indianapolis) und 1538 (Chicago) und auf Cranachs d. J. Schneeberger Altar von 1539 werden die Gläubigen, so der Hauptmann mit der Mariengruppe und Johannes, auf die linke Seite gerückt: auf die Seite des guten Schächers, d.h. sie stehen zur Rechten Christi (im Jüngsten Gericht ist dies die Seite der Seligen). Das 1538 datierte, vielfigurige Kreuzigungsbild in Chicago zeigt, abweichend von der Tradition, den Gekreuzigten noch lebend und sprechend, ohne Seitenwunde. Daraus hat Cranach d. J. den vielfigurigen Typus konzentriert.
Hinter dieser neuen, reformatorisch inspirierten Bildschöpfung stehen die spätmittelalterliche Erbauungsliteratur über die »sieben Worte Christi am Kreuz« (vgl. Kat. Nr. 495) und möglicherweise ein 1508 (?) entstandenes kleines Bild von Albrecht Dürer in Dresden, das den Gekreuzigten in derselben Haltung und mit der gleichen Beischrift zeigt; dieses Werk scheint zu Unrecht in seiner Echtheit angezweifelt worden zu sein.

G. Goldberg, Kat. der Galerie Aschaffenburg, 1975, S. 46. – Friedländer-Rosenberg, 1979, Nr. 378. – R. Haussherr, Michelangelos Kruzifixus für Vittoria Colonna, Bemerkungen zu Ikonographie und theologischer Deutung, 1971, S. 29 f. – Schade, S. 86-89. – Kat. Ausst. Cranach, Bd. 1, bei Nr. 102 und Bd. 2, bei Nr. 334 f. – L. S. Dixon, The Crucifixion by L. Cranach the E., Indianapolis Museum of Art, 1981. D.K.

495 Zur Voraussetzung für das reformatorische Kreuzigungsbild mit dem gläubigen Schächer und dem bekennenden Hauptmann gehören spätmittelalterliche Betrachtungen und Bilderfolgen über die sieben Worte Christi am Kreuz.

›Gaistliche vsslegong des lebes Jhesu Christi‹
Ulm: Johann Zainer um 1480/85
4°. 178 Bll. Mit 95 Holzschnitten, davon 7 mehrmals verwendet. Aufgeschlagen: fol. 123ᵛ
Nürnberg, Germanisches Nationalmuseum, Inc. 4° 909

Die im Kreise Luthers neu formulierte Komposition, die aus dem Normalbild der Kreuzigung Christi den bekennenden Hauptmann und den durch seinen Glauben erlösten Schächer herausstellt, hat Illustrationsreihen in spätmittelalterlichen Passionsbüchern zur Voraussetzung. Diese Erbauungsbücher zogen die vier Evangelisten nach bestimmten Gesichtspunkten zusammen und verbanden die Erzählung mit Betrachtungen und Gebeten. Die »Betrachtung« konnte ebenso vom Text wie von der Bebilderung ausgehen. Ein beliebter Gegenstand der Auslegung waren in allen Passionsbüchern die sieben Worte Christi am Kreuz. Über diese Kreuzesworte meditierten z.B. Petrus Comestor in seiner ›Historia scholastica‹, Bonaventura in seiner ›Vitis mystica‹, Pseudo-Bonaventura in seinen ›Meditationes vitae Christi‹ – alles vielgelesene Schriften.
Auch die um 1480/85 mit zahlreichen Holzschnitten in Ulm gedruckte ›Geistliche Auslegung des Lebens Christi‹, die auf der im 14. Jahrhundert verfaßten ›Vita Christi‹ des Ludolf von Sachsen fußt (Kat. Nr. 95), zerlegt dort, wo sie die Passion Christi behandelt, die Kreuzigungsgeschichte in Betrachtungen und Gebete zu den sieben Worte Christi. Das zweite Wort sprach Christus zum bußfertigen Schächer. *Das was ain trostlich wortt der grossen liebe genad vnd barmhercziakait* und sollte exemplarisch anzeigen, daß niemand, wie groß auch seine Sünden wären, an der Verheißung des Ablasses im Leben und noch unmittelbar vor dem Tod zweifeln sollte. Freilich brauche es dazu Reue, und mit ihr möge man nicht bis zur Stunde des Sterbens warten, wie es der »gute« Schächer getan hat; je länger man warte, desto schwieriger falle die Bußfertigkeit. Das an diese Vermahnung anschließende Gebet identifi-

Das ander wort
DAs ander wort sprach er zů dem bůßfertigen vñ veriehenden schaucher so er im antwurt gab vff sin beger sprechend. Fürwar sag ich dir das du hüt wirst mit mir sin im paradis. Das was ain
q 3

495

ziert den Betrachter und Beter mit dem Schächer zur Rechten Christi: *»O Du milter vatter ich armer unwirdiger schaucher ...«.*
Als Illustration zum 5. und 7. Wort dient ein Bild des Gekreuzigten, dem der Essigschwamm gereicht wird und neben dem der reitende Hauptmann mit seiner Geste zum Ausdruck bringt, daß er zum Glauben an Gottes Sohn gelangt ist.

Schramm, Bd. 5, Abb. 326-413. – Inkunabelkatalog, S. 37, Nr. 128. – R. Hirsch. In: Zs. für Bücherfreunde, NF. 23, 1931, S. 34-37. – Zum Text: W. Baier, Untersuchungen zu den Passionsbetrachtungen in der Vita Christi des Ludolf von Sachsen, 1977, Bd. 1, S. 160. D.K.

496
(Flügelaußenseiten)

496
(Mittelbild)

496 Ein evangelisches und augustinisch-lutherisches Altarbild der Gottesliebe und des herzlichen Glaubens: Das Herz enthält in seinem Inneren die Menschwerdung und Passion Christi. Indem es von der Liebe Gottes erfüllt wird, gewinnt es den erlösenden Glauben.

Inkarnations- und Passionsaltar in Herzform
Lukas Cranach d. J., 1584
Gemälde auf Lindenholz. Mittelbild 154 × 145,5 cm, Flügel je 154 × 62 cm
Nürnberg, Germanisches Nationalmuseum, Gm 1116. Leihgabe Wittelsbacher Ausgleichsfonds

Zwei Jahre vor seinem Tod vollendete Lukas Cranach d. J. mit seiner Werkstatt im Auftrag des Kurfürsten August von Sachsen einen Altar für die Kapelle des Schlosses Colditz. Auf Wunsch des Kurfürsten sollte der Altar herzförmig werden. Bei geschlossenen Flügeln zeigt er zunächst den Sündenfall und die Verkündung an Maria. Am Betpult der vom Engel gegrüßten Maria, die durch einen Nimbus geheiligt erscheint, ist der Psalter Davids aufgeschlagen. Hebräisch, lateinisch und deutsch bietet sich Psalm 117 zum Lesen an: *Lobet den Herrn alle heiden, preiset ihn alle völcker! Denn seine gnad v. warheit waltet über vnss in ewigkeit: Alleluia.* Dieses Zitat versteht sich als Korrektur oder Ausweitung des alten, primär auf Maria bezogenen Gnadenbegriffs, den die katholische Kirche im Engelsgruß *Ave (Maria), gratia plena* ausgesprochen fand (Luk. 1, 28). Luther wollte das *gratia plena* nicht mit *voll Gnaden* oder *du gnadenreiche*, sondern mit *du holdselige* übersetzen, oder noch schlichter: *Gott grüße dich, du liebe Maria (denn so viel will der Engel sagen, und so würde er geredet haben, wenn er sie deutsch hätte grüßen wollen*; so Luther in seinem ›Sendbrief vom Dolmetschen‹ (Kat. Nr. 389). Der auf Marias Betpult aufgeschlagene Psalm verdeutlicht die Meinung, daß Gottes Gnade in der Menschwerdung Christi sich zwar der demütigen Maria bedient hat, damit aber »über uns« alle gekommen ist. Wie Maria dadurch, daß sie dem Engel Gabriel geglaubt hat, zur Gottesmutter wurde, so soll, nach Luthers Verständnis, die Menschwerdung Christi an uns allen durch den Glauben wirksam werden: *Deshalb wenn diese Geburt uns soll zu Nutze kommen und das Herz wandeln soll, müssen wir das Exempel der Jungfrau in unser Herz bilden ... es muß in unseren Herzen auch also zugehen, wie es ihr geschehen ist ... Also werden auch wir schwanger vom Heiligen Geist und empfangen Christum geistlich* (WA 7, S. 189; 9, S. 625).

»In unser Herz gebildet« sollte dann vor allem Christi Passion sein. Der Kreuzestod Christi erfüllt das »Innere« dieses Altar-Herzens. Als Verkörperung des Christusglaubens schauen links der bekennende Hauptmann und der »gute« Schächer zu Christus empor. Die Kreuzigung wird flankiert von der Geburt und Auferstehung Christi. Ein kleinerformatiges Herzbild war an einer oberen Stelle des Altargehäuses angebracht (heute in den Staatlichen Kunstsammlungen Dresden). Darauf sieht man Gottvater mit dem Leichnam Christi auf dem Schoß, dabei die Taube: ein Gnadenstuhl vom spätmittelalterlichen Typus (wie Kat. Nr. 460). Zwei Herzen treten auf diesem Altar also miteinander in Beziehung, zwei Formen der herzlichen Liebe: oben die gnadenreiche Liebe Gottes (Joh. 3, 16), unten das gläubige Herz der Menschen, die durch den Geist Gottes stark werden, »daß Christus wohne durch den Glauben in Euren Herzen« (Eph. 3, 17). Gläubige Betrachtung des Leidens Christi ist, wie Luther in seinem ›Sermon von der Betrachtung des heiligen Leidens Christi‹

sagte, nur möglich, insofern Gott selber unser Herz erweicht und Christi Passion in unser Herz senkt; um solches möge man Gott bitten. *Darnach weyter steyg durch Christus hertz, zu gottis hertz, und sehe das Christus die liebe, dir nit hette mocht ertzeygen, wan es gott nit hett gewolt* (vgl. Kat. Nr. 469). Im Herzen verschmelzen die Liebe Gottes und der gottgewollte Glaube des Menschen. Der Altar, der die Menschwerdung und Opferung Christi in das gläubige Herz der Gottesliebe »einbildet«, verkörpert im Sinne Luthers die allgemeinste Form des Gottesdienstes: den herzlichen Glauben, der wichtiger sei als Opferzeremonien. Am Altar empfängt nur derjenige wirklich das Sakrament des Leibes und des Blutes Christi, der gläubigen Herzens ist: daran erinnert dieses Altarbild. Der herzförmige Altar ist eine evangelisch-paulinisch und augustinisch fundierte Weiterbildung, wesentlich aber auch ein Gegenbild zu den spätmittelalterlichen Herz-Jesu-Darstellungen, die dem Kult der fünf Wunden Christi dienten. Kurfürst August besaß ein Betbüchlein in Herzform, und dies könnte ihm den Gedanken gegeben haben, den herzförmigen Altar bei Cranach zu bestellen.

H. Zimmermann, In: Zs. für Kunstwissenschaft 7, 1953, S. 212-215. – Schade, S. 98, 452 f. – Zu Luthers Übersetzung des Engelsgrußes: Tappolet, S. 20 ff. D.K.

497 Der paulinisch-lutherische »Baum des Glaubens« erwächst aus Gottes Wort. Er veranschaulicht die Rechtfertigung des Menschen aus dem »von Herzen« kommenden Glauben und aus dem evangelischen Bekenntnis »mit dem Mund«.

Der Baum des Glaubens
Heinrich Vogtherr d. Ä., 1524
Holzschnitt von zwei Stöcken gedruckt, 51,7 × 35,4 cm. Augsburg: Heinrich Steiner 1524
Berlin, Staatsbibliothek Preußischer Kulturbesitz, YA 126 gr

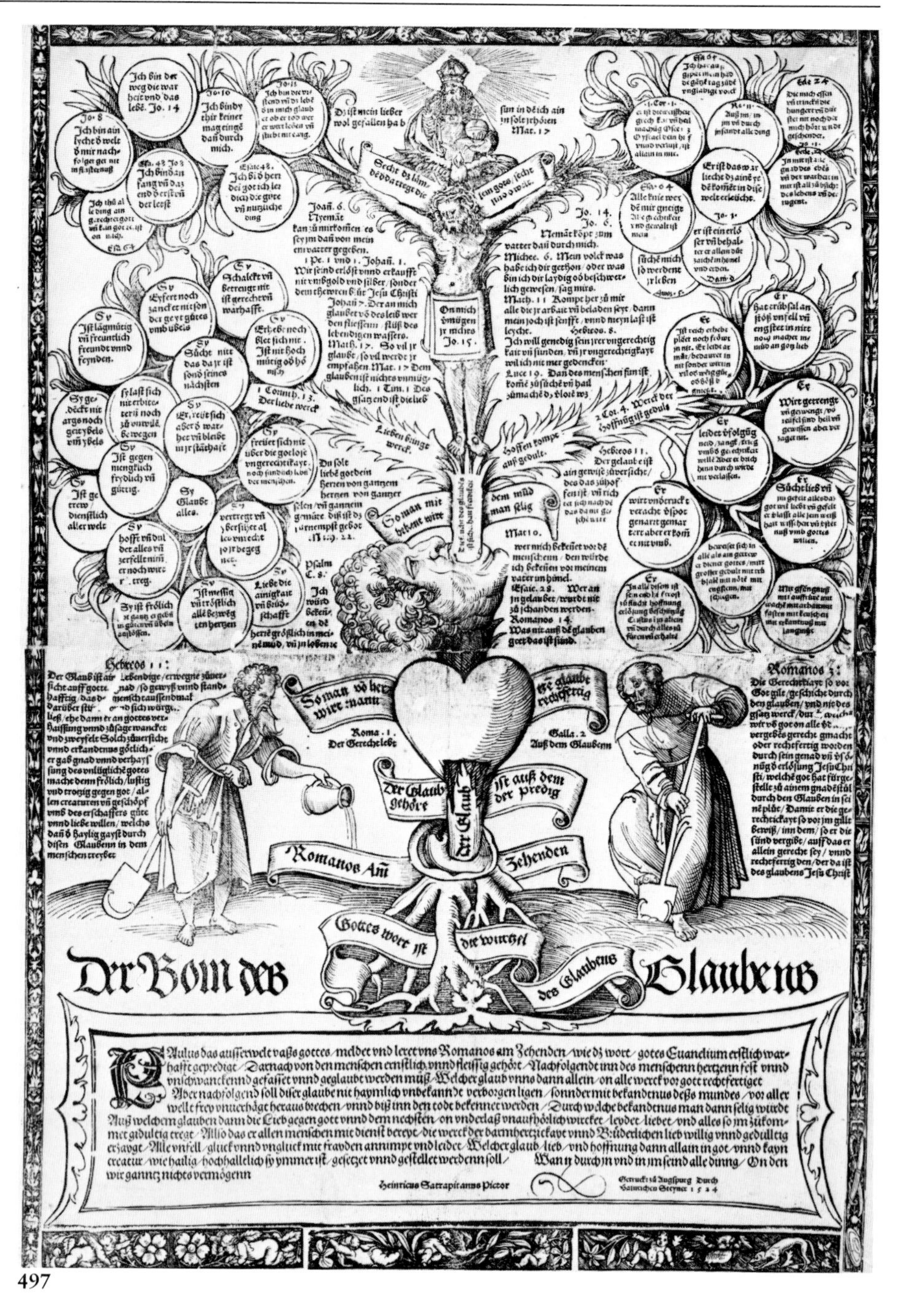

497

Der große Holzschnitt unterlegt das Bild des »Baumes des Glaubens« mit lauter Zitaten aus der Bibel. Vor allem sind es Zitate nach Paulus, dessen Name im darunter gesetzten, vom Maler selbst verfaßten Text an erster Stelle genannt wird. Die Apostel Petrus und Paulus pflegen als Gärtner diesen Baum, der in Gottes Wort wurzelt und den Glauben, die Liebe und die Hoffnung zum dreieinigen Gott verkörpert. Zum Wachstum gebracht durch die Predigt des Gotteswortes, erhebt sich der Baum durch das Herz des Glaubens und den Mund des Bekennens. Diese zentralen Symbole werden mit Paulus-Worten aus dem Römerbrief belegt und als Bilder der Rechtfertigung verstanden (Röm. 10, 10). Der unter dem Bild stehende Text verdeutlicht den Sinn: *welcher glaub vnns dann allein, on alle werck vor gott rechtfertiget.* Werke und Tugenden erscheinen an dem Glaubensbaum als Früchte der Liebe (links), wiederum nach Paulus (1. Kor. 13), und als Früchte der Hoffnung (rechts, nach 2. Kor. 4). Liebe zu Gott und Nächstenliebe, Hoffnung und Geduld, Werke der Barmherzigkeit und Brüderlichkeit wirken, wie der unter dem Bild stehende Text sagt, alle aus dem Glauben. Der Gekreuzigte, der die Krone des Baumes bildet, spricht: *On mich vermügen jr nichts.* Das Zitat bringt das Gleichnis vom früchtebringenden Weinstock in Erinnerung (Joh. 15, 5). Die Taube des hl. Geistes ergänzt die Baumkro-

498

ne zum trinitarischen Gnadenstuhl.
Die Grundform des Glaubensbaumes fußt auf einer literarischen und bildlichen Tradition, die das *Lignum vitae*, das paradiesische »Holz des Lebens« (Apok. 2, 7 und 22,2) als Kreuzesholz des Erlösers ausdeutete. ›Lignum vitae‹ heißt eine bekannte Schrift des Franziskaners Bonaventura aus dem 13. Jahrhundert. Der paulinisch-evangelische Glaubensbaum versteht sich als ein Gegenbild zum franziskanischen Lebensbaum. Ein Jahr nach Vogtherrs Holzschnitt wurde der lutherische Glaubensbaum in vereinfachter, präziser Form erneut formuliert in der 1525 in Nürnberg gedruckten Schrift ›Beschwörung der alten teuflischen Schlange mit dem göttlichen Wort‹ von Johann von Schwarzenberg. Dem relativ trocken-lehrhaften Glaubensbaum Vogtherrs, der die paulinische Rechtfertigungslehre veranschaulichen sollte, stellte Cranach fünf Jahre später das künstlerisch viel reichere Bild von »Gesetz und Gnade« zur Seite, und auch hier erhielt der Paradiesesbaum eine christologische Symbolik (Kat. Nr. 474).

Geisberg, Nr. 1426/27. – U. Thieme u. F. Becker, Allgemeines Lexikon der bildenden Künstler, Bd. 34, 1940, S. 499 f.; Bd. 37, 1950, S. 92, 411. – Nürnberger Druck von 1525: Kat. Ausst. Freiheit eines Christenmenschen, Nr. 142, Abb. S. 92. – Zum franziskanischen »Holz des Lebens«: H. Thode, Franz von Assisi, 1885, S. 502-509. – G. Coor. In: Niederdeutsche Beiträge zur Kunstgeschichte 2, 1962, S. 152 ff.

D. K.

498 Eine spätmittelalterliche Allegorie veranschaulicht die Liebe Gottes, Christi, des heiligen Geistes und der Maria zum Herzen des Menschen, das zur Gegenliebe erwärmt und entzündet wird und das dank dem barmherzigen Handeln der dreieinigen Gottheit und der Gottesmutter die Krone der Gerechtigkeit erlangt.

Das Herz des Menschen, das von Gottvater zu sich gezogen wird
Süddeutsch, um 1460
Holzschnitt, koloriert, 40,5 × 27,8 cm
Berlin, Staatliche Museen Preußischer Kulturbesitz, Kupferstichkabinett, Inv. Nr. 468–1908

Auf Schriftbändern »sprechen«, wie in einem allegorischen Schauspiel: Gottvater, der das Herz des Menschen aus der Hölle befreien will; Christus, der das Herz mit dem Pfeil der Minne verwundet; die Engel, die wohlriechende Rosen ins Feuer werfen; die Taube des heiligen Geistes, die mit einem Blasebalg das Feuer entfacht und das Herz des Menschen inbrünstig macht; und Maria, die das Feuer der Gottesliebe schürt. Zuoberst schwebt das Lamm Gottes auf dem apokalyptischen Buch, das von den vier Evangelistensymbolen umgeben wird (Apok. 5, 6). Als Titelinschrift steht über dem Lamm das Christuswort, auf dem die ganze Allegorie beruht: *Nymat kumpt czu mir, czwar dan yn czych mei vater alldar,* in Luthers Übersetzung: »Es kann niemand zu mir kommen es sei denn, daß ihn ziehe der Vater, der mich gesandt hat; und ich werde ihn aufwecken am Jüngsten Tage« (Joh. 6, 44). Die »Krone des Lebens« (Apok. 2, 10 und 2. Tim. 4, 8) wird dem in Gottesminne entbrannten Herzen als »Lohn der Liebe« verliehen.
In vergleichbarer Weise zeigt Karlstadts »Fuhrwagen«, wie das Herz des Menschen von Gott zu sich gezogen wird (Kat. Nr. 308). Luther unterstrich das Herrenwort aus dem Johannes-Evangelium: Wäre es nicht Gottes Liebe und Wille, uns durch Christus zu sich zu ziehen, wir könnten nichts ausrichten (Kat. Nr. 469).

P. Kristeller, Holzschnitte im Königl. Kupferstichkabinett zu Berlin, 2. Reihe, 1915, Nr. 180. – Schreiber, Bd. 4, Nr. 1837 m. – H. Peters. In: Festschr. E. Trautscholdt, 1965, S. 97. – P. Strieder. In: Anzeiger des Germ. Nat. Museums 1975, S. 47-49.

D. K.

499 Augustins Wappenschild der Erwählung des Menschen durch die Gnade Gottes zeigt das menschliche Herz (Augustins Herz), das von der Liebe Gottes und von der daraus erwachsenden Nächstenliebe getroffen wird.

Augustin, ›Sermones de Tempore‹
Herausgegeben von Frater Augustinus Dodo. Basel: Johann Amerbach 1494
29,5 × 21 cm. Aufgeschlagen: Titelholzschnitt
Basel, Universitätsbibliothek, FL III 6

Das Attribut des Kirchenvaters Augustin (354-430) – das Herz, das von einem oder zwei Pfeilen durchbohrt wird – ist der unmittelbare Vorläufer des lutherischen Herz-Symbols (Kat. Nr. 501). Während bei Luther der im Herzen gegründete Glaube im Vordergrund steht, sind es in der Augustin-Ikonographie die Begriffe der Liebe und der Verwundung durch die göttlichen Liebespfeile. Das durchbohrte Herz kann die Betrachtung des Schmerzensmannes durch den hl. Augustin begleiten, weil Christus in seinem Leiden Gottes Liebe zur sündigen Menschheit offenbart hat, um damit die Gegenliebe im Menschen zu entzünden (Kat. Nr. 133). Auf dem Wappenschild des hl. Augustin wird das Herz, das auf dem Buch ›Über die heilige Dreieinigkeit‹ ruht (Augustin hat eine berühmte Schrift ›De trinitate‹ verfaßt), von den Pfeilen der »Gottesliebe« und der »Nächstenliebe« durchbohrt. Die Umschrift dieses Liebes- und Glaubensschildes besagt (übersetzt): »Verwundet hat die Liebe Christi das Herz Augustins, und er trug seine Worte in seinem Fleisch wie spitze Pfeile«. Das Matthäus-Evangelium sagt, Christus habe seine Jünger gelehrt, die Liebe zu Gott und die Nächstenliebe sollten für die beiden größten Gebote gehalten werden (Matth. 22, 37-40). In ›De trinitate‹ (VIII, 7, 10) beruft sich Augustin auf diese und andere Bibelstellen, die die Ununterscheidbarkeit von Gottes- und Nächstenliebe aussprechen (besonders 1. Joh. 4, 16). Ein nimbierter Adler hält den Wappenschild samt Mitra und Bischofsstab des hl. Augustin; der kaiserliche Adler veranschaulicht vielleicht den Begriff »augustus« im Namen des Aurelius Augustinus. Zwei kniende Augustiner loben Augustin als Kirchenvater und Verfasser der Augustiner-Regel: links der Augustiner Chorherr Augustinus Dodo aus Friesland, der diese Ausgabe nach zusammengesuchten Handschriften für Amerbach besorgte, rechts ein Gehilfe oder Vertreter der Augustiner-Eremiten.

Die Pfeile im Herzen verdeutlichen Gottes aktives Handeln: Der Mensch wird getroffen von Gottes Liebespfeilen. Die Liebe zu Gott folgt aus der Erwählung des Menschen durch den barmherzigen Gott (Praedestination). Auch die Nächstenliebe wird wie ein Pfeil Gottes zu dem dafür bereiten Herzen des Menschen gesandt. Nicht nur äußerlich befolgte der junge Luther die Mönchsregel des hl. Augustin und fühlte sich als Schüler des »paulinischen Augustiners« Staupitz (vgl. Kat. Nr. 135). Staupitz hat 1518 eine Schrift ›Von der lieb gottes‹ in Leipzig publizieren lassen, »approbiert durch Do. Martinum Luther«, der Augustin über alle alten Lehrer hochschätzte. Der den Menschen rechtfertigende Glaube, die Liebe und die Hoffnung seien, so hebt Staupitz hervor, niemals das Werk des Menschen, sondern eine Gnade Gottes, »darum, daß unsere Herzen durchgossen sind mit der Liebe, die uns vom heiligen Geist gegeben ist« – Staupitz zitiert die berühmte Paulus-Stelle Römer 5,5.

Kat. Ausst. Oberrheinische Buchillustration, UB Basel 1972, Nr. 85. – W. Timm. In: L. Cranach, Referate des Colloquiums Wittenberg 1972, 1973, S. 92. – Kat. Ausst. Cranach, Bd. 1, S. 58 f.; Bd. 2, S. 462 ff. – B. M. v. Scarpatetti, Die Kirche und das Augustiner-Chorherrenstift St. Leonhard in Basel, 1974, S. 323-331. D. K.

Perlege ſermones cōmunes lector amice
Aedidit Aurelius quos pater atq; decus
Auguſtinus eos præſul Venerandus & auctor:
Filiolis ſcripſit/protulit atq; ſuis.
Ordine ſed nullo: nec ēm ſcripta illa redegit
In numerū/aut formam/contiguum uel opus.
Hos modo Sermones collegim⁹ undiq; ſparſos:
Atq; hunc congeſtum preſſimus inde librū.

Q: ſi forte iuuat legere optima ſcripta/beati
Doctoris: præſens nō uerearis opus.
Multa uides: quæ nō aliis ſunt ſcripta libellis:
Hinc tibi dictorum copia maior erit:
Crede mihi/dices Baſileam iure beatam:
Quæ tot doctorum preſſerat ære libros.
Sed nos humanam laudem nō quærimus. Ille
Qui dator eſt uitæ præmia digna dabit.

499

500 Die Liebe Gottes, für die das Herz ein Sinnbild ist, wirkt durch Christus und den heiligen Geist. Auch in Zeiten der Pest soll der Gläubige zu dieser Liebe Zuflucht nehmen und darauf vertrauen, daß Gottes Zorn durch den Erlöser von allen Menschen, die die göttliche Liebe erwidern, weggenommen wurde.

Das Herz der dreieinigen Gottesliebe
Lukas Cranach d. Ä., 1505
Holzschnitt, 38,6 × 28,5 cm. Inschrift: VIRGO MATER MARIA. Unten Signatur des Künstlers und datiert 1505
London, The British Museum, Department of Prints and Drawings, 1927. 6.14. ICD. II 281.1.

500

Der Anlaß zu dem Holzschnitt, den Cranach im ersten Jahr seiner Hofmalertätigkeit im Dienst Friedrichs des Weisen geschaffen hat – die kursächsischen Wappen besetzen die unteren Ecken des Blattes –, war eine Pestepidemie 1503/06. In der irdischen Zone knien außen die Pestheiligen Sebastian und Rochus, nach innen zu Maria und der Evangelist Johannes, die unter dem Kreuz gestanden hatten. Maria betet kniend; aber ihre Fürbitte ist in viel schlichterer Weise auf Christus bezogen, als es sonst in eigentlichen Pestbildern und in vergleichbaren Darstellungen der Interzession gezeigt wird (Kat. Nr. 42, 450). Vor allem fehlt hier die Veranschaulichung des »alttestamentlich« zürnenden Gottes (vgl. Psalm 7, 12-14). Statt dessen ist dieser evangelische Wappenschild, der als ein »Schild des Glaubens, mit welchem ihr auslöschen könnt alle feurigen Pfeile des Bösewichts« (Eph. 6, 16), von Engeln am Himmel getragen wird, mit dem Gegenteil von einem Zorneszeichen besetzt, nämlich mit einem Herzen, dem Symbol der Liebe. Wenn man den Evangelisten Johannes sein Buch aufschlagen sieht, so mögen dem Betrachter berühmte Worte aus dem Johannes-Evangelium in den Sinn kommen: »Und das Wort ward Fleisch« (Joh. 1, 14), vor allem: »Also hat Gott die Welt geliebt, daß er seinen eingeborenen Sohn gab, auf daß alle, die an ihn glauben, nicht verloren werden, sondern das ewige Leben haben« – ein Wort voller Sinn für Menschen, die wegen des grassierenden Pesttodes Angst hatten und an die Erlösung zu einem jenseitigen ewigen Leben erinnert werden sollten (vgl. Kat. Nr. 493).

Im Wappenbild des Herzens der göttlichen Liebe steht das Kreuz Christi – wie in Luthers Wappen (Kat. Nr. 501) und in Cranachs d. J. Herz-Altar (Kat. Nr. 496). Das Herz hat – heraldische Begriffe sind angebracht – eine zweifache »Tingierung« (Färbung): Auf der heraldisch rechten, der »vornehmeren« Seite ist das Herz plastisch verdeutlicht, auf der andern Seite »gefärbt« mit den erdwärts züngelnden Flammen des hl. Geistes. Gottvater im Symbol des umfassenden Herzens, das aus Liebe den Sohn hergab, der Sohn als Erlöser am Kreuz und der hl. Geist: Das ergibt eine eindrückliche Form der gnadenreichen Dreieinigkeit, eine vermutlich augustinisch geprägte Neuformulierung des »Gnadenstuhls« (vgl. Kat. Nr. 459-461). Am Fuß des Kreuzes stehen auf einem Schriftband die Worte (übersetzt): »Jungfrau Mutter Maria«. Der hl. Geist, der »urgrundhaft« zugleich die Liebe Gottes und Christi ist (Augustin), hat sich der Maria bedient bei der Inkarnation Christi (gratia plena). Wegen ihrer vorausbestimmten Mitwirkung im göttlichen Erlösungswerk ist Maria auch die vornehmste Fürbitterin bei ihrem Sohn.

Mit der Gottesmutterschaft der Maria ist vor allem vorausbestimmt die Erlösung der gläubigen Menschen durch Christi Kreuzigung und Auferstehung. Darin, daß Gott »uns geliebt hat und gesandt seinen Sohn zur Versöhnung für unsere Sünden«, offenbarte sich das, was dieses trinitarische Herzbild in den Vordergrund stellt: »Gott ist Liebe; und wer in der Liebe bleibt, der bleibt in Gott und Gott in ihm« (1. Joh. 4). Das gilt auch in Zeiten der äußeren Not und der Prüfungen (2. Kor. 6). Indem Gottes Liebe das Herz des Gläubigen entzündet, mag das Herz des Menschen – wie es der Augustiner Staupitz (in ›Von der Liebe Gottes‹ und anderswo) und ebenso Luther ausdrückten – durch Christi Herz zu Gottes Herz aufsteigen (Kat. Nr. 469, 496). Mit der Liebe Gottes, die in unser Herz ausgegossen ist durch den hl. Geist (Röm. 5,5), wohne, so folgerte Augustin, die Dreieinigkeit in uns (›De trinitate‹ XV, 18, 32). Das Spätmittelalter hat die Einwohnung der Trinität vor allem der Mut-

ter Gottes zuerkannt (Kat. Nr. 461), was in Cranachs Holzschnitt im Inschriftband *Virgo mater Maria* nachklingt.
Der ikonographisch einzigartige und künstlerisch höchst anspruchsvolle Holzschnitt von 1505 scheint geistig zwischen Augustin, Staupitz und Luther zu stehen. Er hebt sich von den spätmittelalterlichen Herz-Jesu-Bildern ab, bei denen die Versenkung in die geöffnete Seitenwunde das Hauptmotiv bildet. Nicht die naturalistisch isolierten fünf Wunden Christi, sondern der ganze, zu unserem Heil verwundete Gekreuzigte wird unserer Betrachtung dargeboten, damit wir in der Gegenliebe zu Gott unsere Buße begännen (Staupitz).

Hollstein, Bd. 6, S. 44, Nr. 69. – Kat. Ausst. Cranach, Bd. 1, S. 58 f.; Bd. 2, S. 462-466. – Schade, S. 23 und 68. – P. Strieder. In: Tribute to Wolfgang Stechow, 1976, S. 160 ff. – Akten des Kolloquiums zur Basler Cranach-Ausstellung 1974, 1977, S. 15 f. – Zur Trinität und vorausbestimmten Gottesmutter: E. M. Vetter. In: Münchner Jb. der bildenden Kunst 1958/59, S. 48 ff., mit Abb. 17 ff. und 31 ff. D. K.

501 Der gnädige Gott hat die Menschwerdung und Passion Christi gewollt und Maria, die demütige Magd, als Gottesmutter auserkoren. Propheten sagten es voraus. Die geistlichen Wappen Luthers und Melanchthons rahmen das Weihnachtsbild: hier das Kreuz im Herzen, dort die Eherne Schlange, die den Gläubigen Erlösung und ein ewiges Leben verspricht.

Buchtitel mit der Trinität, zwei Propheten, der Geburt Christi und den geistlichen Wappen Luthers und Melanchthons
Lukas Cranach d. Ä., 1526
Titelholzschnitt zu: Martin Luther, ›Der LXXXII. Psalm Ausgelegt‹. Wittenberg: 1530. 4°. 30 Bll.
Nürnberg, Germanisches Nationalmuseum, 8° Rl. 513 Postinc.
Der Titelholzschnitt ist 1526-1530 für verschiedene Übersetzungen und Kommentare von alttestamentlichen Schriften verwendet worden. Die beiden Propheten sind, da sie das kommende Reich Christi voraussagen, zwischen dem dreieinigen Gott und der Menschwerdung Christi angeordnet. Durch den hl. Geist, der oben die Mitte einnimmt, hat Maria empfangen und das Christkind geboren. Luther stieß sich offenbar nicht daran, daß in traditioneller Weise auch Maria gleich dem Kind und der gnadenreichen Trinität einen Heiligenschein trägt. Maria blieb für Luther der »Tempel des hl. Geistes«, die Empfängerin (aber nicht die Geberin!) der Gnade Gottes und das große Exempel des demütigen Glaubens (vgl. Kat. Nr. 478, 479). Glaubenssymbole schmücken die geistlichen Wappen Luthers und Melanchthons zu beiden Seiten des Bildes der »Herablassung Gottes«: das ins Herz gesiegelte Kreuz und die Eherne Schlange, die, wenn gläubig angesehen, das Leben verleiht (4. Mose, 21, 8; vgl. Kat. Nr. 493).
Als ein »Merkzeichen meiner Theologie« bezeichnete Luther sein Wappen: ein mit dem schwarzen Kreuz erfülltes rotes Herz, das auf einer weißen Rose liegt. Die »Lutherrose« kann man als ein Symbol des erlösenden Glaubens aus dem Gegensatz zur marianischen Rosenkranzfrömmigkeit und zu dem damit verbundenen Herzwundenkult genauer begreifen (vgl. Kat. Nr. 462). Eine Rose – ohne Herz und Kreuz – führten schon Luthers Vorfahren in ihrem Wappen. Luthers Vater hat dieses Wappenzeichen aufgegeben. Der Sohn griff es auf, und er fügte das Herz mit dem Kreuz hin-

501

zu. Das Herz bedeutet hier den Glauben an das Erlösungswerk Christi, *damit ich,* so schrieb Luther 1530 zur Erklärung an Lazarus Spengler, *mir selbs Erinnerung gäbe, daß der Glaube an den Gekreuzigten uns selig machet. ›Denn so man von Herzen gläubt, wird man selig (...) Solch Herz aber soll mitten in einer weißen Rosen stehen, anzuzeigen, daß der Glaube Freude, Trost und Friede gibt und, kurz, in eine weiße fröhliche Rosen setzt. (...) Solche Rose stehet im himmelfarben Felde, daß solche Freude im Geist und Glauben ein Anfang ist der himmlischen Freude. (...) Und umb solch Feld einen gulden Ring, daß solch Seligkeit im Himmel ewig währet* (WA Briefwechsel V, S. 445). Luthers Wappen hat einen Vorläufer im Wappen des Johannes Gerson: Ein von Gottes Licht erleuchtetes und erhitztes, beflügeltes Herz, in das ein Tau-Kreuz gesiegelt ist und das dem Himmel zustrebt, wie der Mond alles Licht von der Sonne empfangend.

Benzing, Nr. 2777. – D. L. Ehresman, The Brazen Serpent. A Reformation Motif in the Works of Lucas Cranach the Elder and his Workshop. In: Marsyas 13, 1966/67, S. 33 f. – Kat. Ausst. Cranach, Bd. 1, Nr. 258, S. 379. – Zur Luther-Rose: Preuß, S. 49 f. – Zu Gersons Wappen: F. Hieronymus. In: Festschr. Christoph Vischer, 1973, S. 148-158. D. K.

XIV. Von der reformatorischen Bewegung zur evangelischen Kirche: Der frühe Protestantismus

Gottfried Seebaß, Bernd Moeller

Die Reformatoren wollten keine »neue« Kirche gründen. Auch ihre Lehre schien ihnen nicht »neu«, sondern die alte, wahrhaft christliche gegenüber den Neuerungen des mittelalterlichen Papsttums. Sie hofften deswegen auf eine Reformation der gesamten Kirche. Eben die aber erwies sich als unmöglich. Die Päpste verzögerten die Einberufung eines allgemeinen Konzils, die höhere Geistlichkeit verschloß sich bis auf ganz wenige Ausnahmen der Reformation. Da sich auch der Kaiser ohne Zögern gegen sie entschied, waren die reformatorischen Prediger von Anfang an auf die Duldung durch kommunale oder territoriale Gewalten angewiesen.

Weil die Kirche darüber hinaus unlösbar in das gesellschaftliche Gefüge eingebunden und verflochten war, gerieten Glaubensfrage und Reformation in dessen Spannungsfeld und wurden von vielfältigen Faktoren beeinflußt: Interne politische und soziale Spannungen konnten sich mit der Religionsfrage verquicken, und ihre Lösung wurde abhängig vom Verhältnis der Stadt oder des Territoriums zur kaiserlichen, benachbart fürstlichen und kirchlichen Gewalt. Jede einseitige Gewichtung solcher Faktoren griffe daneben. Das gilt auch für die Alternative einer Reformation von oben, durch die Obrigkeit, oder von unten, durch eine Volksbewegung. Zwar hat es später gelegentlich obrigkeitliche Reformationen gegeben, aber im allgemeinen handelte es sich um ein kompliziertes Wechselspiel verschiedenster Kräfte.

In den Städten begann die Reformation. Hier konnte sich jene Symbiose von Humanismus und Reformation vollziehen, die für die Anfänge der Reformation so typisch ist. Hier entstand durch die reformatorischen Prediger und die Lektüre von Flugschriften eine Volksbewegung, die sehr bald auch Reformen ermöglichte oder verlangte. Im allgemeinen standen Änderungen im gottesdienstlichen Leben und der Armenfürsorge am Beginn. Dabei zeichneten sich schon früh unterschiedliche Ausprägungen ab: die lutherische, die sich an Wittenberg ausrichtete, die schweizerische, die sich an Zwingli und Zürich orientierte, und die oberdeutsche (z.B. in Straßburg), die deutlich unter Zwinglis Einfluß stand, nach der politischen Niederlage Zürichs aber den Ausgleich mit Wittenberg suchte. Die im Hintergrund stehenden theologischen Differenzen fanden ihren deutlichsten Ausdruck in der unterschiedlichen Stellung zur Bilderfrage und zur Feier der Sakramente. Daneben aber standen sehr bald die verschiedenen Gruppierungen, die in der Forschung als »der linke Flügel der Reformation« zusammengefaßt werden (vgl. Abt. IX).

Allerdings warf die Reformation eine Fülle von Problemen auf, die auf gemeindlicher Ebene nicht zu lösen waren, sondern einheitliche Regelungen für die Gesamtkommune oder das Territorium verlangten: die Frage der Aufhebung der Klöster, die Verwaltung des Kirchengutes, das Problem des Eherechtes, die Reform von Schule und Universität, um nur einige zu nennen. Die hier notwendigen und anstehenden Neuregelungen, Gefahren für den inneren Frieden, die heftigen Spannungen innerhalb der reformatorischen Bewegung, der Wille zu Erweiterung und Zentralisierung obrigkeitlicher Macht und nicht zuletzt das Bewußtsein, auch für das ewige Heil der Untertanen und die rechte Gottesverehrung verantwortlich zu sein, führten zum Eingreifen der Obrigkeiten. Auch hier gingen die Städte voran, oft nach einer Entscheidung der Gesamtbürgerschaft aufgrund einer Disputation zwischen den Vertretern der alten und der neuen Lehre. Die territorialen Obrigkeiten folgten nach dem Bauernkrieg und dem ersten Reichstag von Speyer 1526, der die Lösung der Religionsfrage offiziell vom Reich auf die Ebene der Territorien zu verlagern schien. Visitationen und Kirchenordnungen führten zu einheitlichen Regelungen für die Territorien. Aus ihnen erwuchsen auch die Ansätze zu unterschiedlichen evangelischen Kirchenverfassungen. Als der Kaiser seit dem Ende der zwanziger Jahre die Reformation zurückzudrängen und zu einer Lösung der Glaubensfrage zu kommen versuchte, traf er sehr bald auf den Widerstand der verbündeten evangelischen Reichsstände. An eine Einigung war nicht mehr zu denken.

Man kann fragen, ob man nicht auf beiden Seiten noch lange Zeit die Schärfe des Gegensatzes und das Gewicht der neugeschaffenen Situation unterschätzte, weil man sich die Kirche – trotz des Gegenübers zu den orthodoxen Kirchen des Ostens und den geduldeten kirchlichen Gruppen in Böhmen – nur als *eine* vorstellen konnte. Im Grunde konnte man schon seit Beginn der zwanziger Jahre, nachdem Luther das Papsttum als Antichristen verstanden und die Autorität der Heiligen Schrift über die des Konzils gestellt hatte, mit einer Einigung nicht mehr rechnen. Luther selbst hat das früher gesehen als andere. Er konnte das Nebeneinander ertragen, weil er die evangelischen Kirchen in der Tradition der wahren Kirche Christi wußte und mit der baldigen Wiederkunft Christi und dem Ende der Zeit rechnete. Aber auch für ihn handelte es sich noch um den Gegensatz von wahrer und falscher Kirche, noch nicht um das Phänomen einer sich in den Konfessionen unterschiedlich gestaltenden christlichen Tradition. G.S.

A Reformatorische Verkündigung

Als Professor der biblischen Exegese hatte sich Luther mit dem Wort Gottes in der Heiligen Schrift befassen und deren Verständnis hart erarbeiten müssen, als Mönch war er in seinen Ängsten um das ewige Heil durch ihre Aussagen unmittelbar getroffen worden. So rückte das Wort Gottes in den Mittelpunkt reformatorischer Theologie und Predigt. Nach Luthers Auffassung trifft es den Menschen in doppelter Gestalt: Als Gesetz konfrontiert es ihn in der durch Jesus in der Bergpredigt radikalisierten Form mit den Forderungen und dem Willen Gottes. In dieser Form ist es ein anklagendes und verurteilendes, unter Gottes Gericht stellendes Wort. Am Gesetz erkennt der Mensch, daß er es aus eigener Kraft nicht zu erfüllen vermag und daß er vor Gott als Sünder dasteht. Als Evangelium jedoch sagt das Wort Gottes, Gott selbst sei in Christus an die Stelle des Menschen getreten und habe die ihn versklavenden Mächte, Sünde, Teufel und Tod, besiegt. In Christus vergibt Gott dem Menschen die Sünde und kommt ihm gnädig entgegen, wie der Vater dem Verlorenen Sohn. Das Evangelium ist deswegen immer das Wort der Verheißung, daß Gott den, der unannehmbar ist, dennoch bedingungslos annimmt. In der Predigt wird das Wort allen Menschen verkündigt; im Sakrament tritt es unter äußeren Zeichen an den Einzelnen, für seine Sinne wahrnehmbar und seine Leiblichkeit einschließend, heran. Darum gibt es als Sakramente nur noch die beiden, die von Christus selbst eingesetzt sind und mit denen die Zusage der Sündenvergebung verbunden ist: Taufe und Abendmahl.

Auf das doppelte Wort Gottes kann der Mensch nur im Glauben antworten. Dieser Glaube äußert sich daher in einem Zweifachen: in dem Bekenntnis, daß wir im Blick auf uns selbst immer Sünder bleiben, und in dem Lob Gottes, der uns gleichwohl das Leben gewährt. Nur in diesem Bekenntnis erhält Gott die ihm zukommende Ehre und wird als Herr und Gott anerkannt. In seinem Wort ist er selbst in Christus dem Menschen nah. Dieser ist im Glauben durch den Heiligen Geist mit ihm verbunden. Eben darin vollzieht sich die Rechtfertigung des Sünders. Darum wird das Verhältnis von Gott und Mensch nicht vom Priester vermittelt, sondern ist in Wort und Glaube gegeben. Im Glaubenden lebt Christus, befreit ihn von der Sorge um sich selbst und macht ihn fähig, sich dem Nächsten in Liebe zuzuwenden. Das aber geschieht in diesem Leben stets nur anfangsweise in einem bleibenden Kampf gegen die Sünde. Erst durch Tod und Auferstehung wird der Mensch ganz neu.

So konzentriert sich die reformatorische Verkündigung in den bekannten Ausschließlichkeitsformeln: allein in Christus, allein aus Gnade, allein durch die Schrift, allein durch das Wort und allein durch den Glauben.

Was die reformatorische Predigt für ihre Zeit so unmittelbar überzeugend machte, läßt sich in den Begriffen »Befreiung« und »Antiklerikalismus« zusammenfassen. Menschen aller sozialer Schichten erfuhren offenbar eine tief empfundene Befreiung von der Angst vor dem ewigen Verderben. Sie wurden frei von der Sorge, sich das Heil über Ablaßkauf, Meßstiftungen, Wallfahrten und andere von der Kirche gebotene Gelegenheiten zu frommer Leistung selbst schaffen und sichern zu müssen. Das Heil war im Glauben an die Verheißung des seinem Wort treuen Gottes nicht nur gewiß, es war auch unabhängig geworden von den finanziellen und wirtschaftlichen Möglichkeiten des Menschen – auch dies angesichts einer in weiten Bereichen kommerzialisierten Kirche von befreiender Wirkung vor allem für den »gemeinen Mann«.

Damit war freilich unlösbar ein gewisser Antiklerikalismus verbunden. Wo das Heil in Wort und Glaube jedermann zugänglich war, fielen die Vorrechte des Priesters. Die vielfältigen kirchlichen Ordnungen, von deren Einhaltung man das Heil abhängig glaubte, schienen nun von den Klerikern zu eigenem Vorteil erdacht. Und wenn man dahinter nicht absichtlichen Betrug derer sah, die es besser wußten, so hielt man sie doch mindestens für »blinde Blindenführer«. Was immer sich an Haß gegen Kirche und Klerus aufgestaut hatte, konnte in diesen Antiklerikalismus einschießen. Seine zugespitzteste Form erhielt er in der Behauptung der antichristlichen Struktur des Papsttums.

Daß bei Luther die neugewonnene Freiheit nicht allein auf eine Demonstration gegen die bestehende Kirche und deren Gesetze hinauslief, sondern auf die Freiheit von der Selbstliebe zugunsten der Liebe zum Nächsten, trat darüber oft zurück. Man hörte wohl »allein durch den Glauben«, aber weniger, daß die Reformatoren gerade damit den Grund für die wahrhaft »guten Werke« legten. Hier bildete sich ein Ansatzpunkt zur Kritik an der reformatorischen Verkündigung, die schon bald in der evangelischen Bewegung selbst laut wurde.

W. Joest, Martin Luther. In: M. Greschat (Hrsg.), Gestalten der Kirchengeschichte, Bd. 5, 1981, S. 129-185. – H.-J. Goertz, Aufstand gegen den Priester. In: P. Blickle (Hrsg.), Bauer, Reich und Reformation, 1982, S. 182-209. G. S.

502 Im Mittelpunkt der reformatorischen Verkündigung steht die Botschaft von der göttlichen Gnade.

Christus und die Ehebrecherin
Lukas Cranach d. Ä., 1532
Gemälde auf Lindenholz, 82,5 × 121 cm.
Oben Inschrift: WER VNDER EVCH AN SVND IST/ DER WERFFE DEN ERSTEN STEIN AVEF SI.
Darunter bezeichnet mit dem Signet des Künstlers und datiert 1532
Budapest, Szépművészeti Múzeum, Inv. Nr. 146 (698)

Das Thema »Christus und die Ehebrecherin« war schon spätgotischer Grafik und venezianischer Malerei bekannt. Cranach hatte das Thema zunächst als Illustration der biblischen Geschichte ganzfigurig mit mancherlei Beiwerk gestaltet, später aber schon durch die Stellung der Personen mit der Gestalt Christi als Mittelpunkt vor dunklem Hintergrund stark konzentriert. Venezianische Vorbilder und die reformatorische Auffassung brachten dann eine weitere Konzentration. Der Gegensatz zwischen dem zur Steinigung – der im mosaischen Gesetz vorgesehenen Strafe für Ehebruch – bereiten Schriftgelehrten und der Ehebrecherin wurde durch deren niedergeschlagene Augen – Anzeichen von Scham und Reue – verstärkt. In fast allen Cranach-Darstellungen hält Christus die Ehebrecherin an der Hand. Diese Geste der Zuwendung und der Ermutigung tritt dadurch besonders hervor, daß die Personen als Halbfiguren dem Betrachter nahegerückt werden. Doch wendet sich Christus, der in der Mitte steht, nicht – wie bei anderen Bildern – dem Betrachter zu, sondern den Schriftgelehrten und Pharisäern. Er schließt sich, indem seine Hand nicht lehrhaft erhoben ist, sondern auf die Ehebrecherin hinweist, mit dieser zusammen. Luther hatte in dieser Erzählung, eben im Verhalten Jesu, einen besonders klaren Ausdruck der zentralen Wahrheit des Evangeliums gefunden, daß Gott den Sün-

WER VNDER EVCH AN SVND IST
DER WERFFE DEN ERSTEN STEIN AVFF SI

502

der nicht straft, sondern ihm vergibt und ihn annimmt. Die Inschrift des Bildes (Joh. 8,7) wirkt wie dessen Zusammenfassung. Sie erinnert den Betrachter nochmals an das Eintreten Jesu für die Sünder sowie daran, daß es keinem Menschen zusteht, den anderen seiner Sünde wegen zu verdammen. Hier muß erwähnt werden, daß Luther immer wieder dafür eintrat, nach geschehenem Ehebruch nicht ohne weiteres die – dann mögliche – Scheidung zu verlangen, sondern auch da in Liebe zur Vergebung bereit zu sein, sofern es sich um einen Fehltritt handelte.

Friedländer–Rosenberg, 1979, Nr. 216. – Andersson, S. 49-53. G. S.

B Die Reformation in den Städten

a Der Streit um die Wahrheit der reformatorischen Lehre

Der Einbruch der reformatorischen Lehre in die herkömmliche Glaubenswelt nahm nirgends so dramatische Folgen an wie in Städten und führte nirgends zu nachhaltigeren Konsequenzen. Das hatte verschiedene Gründe. Einmal war das bisherige Kirchenwesen in den Städten am dichtesten ausgebaut gewesen, sodann gab es hier und im Grunde nur hier literarische Bildung und Anteilnahme an der literarischen Produktion – so gut wie alle Hersteller von Büchern und die meisten Leser wohnten in Städten –, weiterhin waren hier besondere Traditionen der politischen Selbstbestimmung und eingeübte Spielregeln für die Austragung politischer Konflikte ausgebildet, endlich war die Stellung der kirchlichen Institution, insbesondere die des Klerus, in vielen Städten schon seit langem umstritten.

Dabei bestanden jedoch bis zum Auftreten Luthers kaum Zweifel daran, daß die Kirche als solche die Vermittlerin des Heils war, und die Menschen waren gerade in Städten aufs lebhafteste um die Heilsfragen besorgt; die hier besonders reichlich angebotenen Gelegenheiten zu religiösen Leistungen wurden besonders eifrig wahrgenommen, wie sich soeben erst in dem Aufschwung des Stiftungswesens und des Ablaßhandels gezeigt hatte. Die Kirche konnte sich am Vorabend der Reformation auch in den Städten insgesamt für »angenommen« halten.

Unter diesen Voraussetzungen ist es verständlich, daß die sprechendsten Zeugnisse für die Konfrontation der alten und der neuen Heilslehre, die wir besitzen, aus Städten stammen. Die Infragestellung des geltenden Heilssystems wurde hier besonders brennend empfunden, der Zusammenbruch von Gewißheiten und der Wechsel von Überzeugungen besonders schroff erfahren. Jeweils wurde proklamiert und wahrgenommen, daß es um die ganze Wahrheit und das ewige Heil ging. Daher erschienen neben den individuellen auch kollektive, politische Entscheidungen unumgänglich, und es wurde entsprechend leidenschaftlich um sie gerungen. B.M.

503 Die Reformation als Predigtbewegung – Lehre des Gotteswortes gegen Lehre der Selbstsucht.

›Inhalt zweierley predig, yede in gemein in einer kurtzen summ begriffen‹
Georg Pencz, 1529
Flugblatt mit Holzschnitt und Typendruck, 30,5 × 40,9 cm. Text von Hans Sachs
Nürnberg: Wolfgang Resch (Formschneider) 1529
Das Original ist ausgestellt: Abt. VIII, Kat. Nr. 306

503

So sehr es das neue Medium des gedruckten Buches war, mit dessen Hilfe die Lehren Luthers und seiner Anhänger sich in kurzer Zeit massenhaft und unbegrenzt, unverfälscht und übereinstimmend verbreiten konnten – am einzelnen Ort waren es vor allem die Predigten, die die neue Bewegung auslösten, nährten und steuerten. In ihnen multiplizierte sich die Wirkung der Bücher noch einmal, da der Vermittler als lebendige Person auftrat und bei den Empfängern die sozialen Schranken wegfielen, die die Lesekundigen von den Analphabeten trennten. Es ist nicht unrichtig, die Reformation in ihrer Gesamtheit, als das Massenphänomen, das sie war, als eine »Predigtbewegung« zu bezeichnen. Wir haben zahlreiche Berichte darüber, daß reformatorische Prediger zum Teil vor riesigen Zuhörerschaften gesprochen haben und ganze Gemeinden durch Predigten zum Wechsel der Überzeugungen und zu kirchlichen und kirchenpolitischen Reformaktionen veranlaßt wurden. In vielen Städten wurden die Kanzeln in neuer Weise zu Zentralstellen der Öffentlichkeit, die Prediger zu Hauptpersonen der Gesellschaft.
Dabei war naturgemäß die Konfrontation der neuen mit der bisher gültigen Wahrheit vorherrschendes Thema. Das Flugblatt aus Nürnberg gibt hiervon einen anschaulichen Eindruck, wobei die bildliche Darstellung ganz im Dienst des Textes steht. Dieser stammt von Hans Sachs und stellt in Reimpaaren die Hauptlehren des *Euangelischen* denjenigen des *Bebstlichen* Predigers gegenüber; am Schluß fordert der Verfasser den »frommen Christen« auf, sich zwischen den beiden zu entscheiden. Unverkennbar ist die Parteilichkeit des Verfassers zugunsten der Reformation, vor allem indem er Werkgerechtigkeit und Nächstenliebe konfrontiert. Das Bild nimmt dieses Motiv auf, zum Beispiel in der aufdringlichen Darstellung der Rosenkränze und der Kontaktlosigkeit des päpstlichen Predigers. Das ganze Blatt ist, auch in dem Appell an das Urteilsvermögen der Laien in Glaubensfragen, ein charakteristisches Beispiel für reformatorische Predigtagitation.

Zschelletzschky, S. 284-290. – Geisberg, Nr. 997. – Zum Text: A. v. Keller (Hrsg.), Hans Sachs, Bd. 1, 1870, S. 397-400. B.M.

504 Ein reformatorischer Prediger widerruft, was er selbst früher gelehrt hat.

Sebastian Meyer, ›... widerrüffung, an eyn löblich Freystadt Straßburg‹
Ohne Angabe von Druckort und Drucker, 1524
4°. 22 Bll.
Göttingen, Niedersächsische Staats- und Universitätsbibliothek, 8° H.E.E. 380/9 Rara

Diese reformatorische Flugschrift ist gleichfalls ein Beispiel dafür, wie die neuen Predigtinhalte popularisiert wurden. Verfasser ist der zur Reformation übergetretene Lesemeister der Franziskaner in Bern, der in vorreformatorischer Zeit dasselbe Amt in Straßburg innegehabt hatte. Nun wendet er sich in gedruckter Form an die Bürgerschaft der Reichsstadt, um dieser seine neuen Überzeugungen nahezubringen, und er tut das in der Weise, daß er seine eigenen früheren Predigten »widerruft«. In neun Abschnitten stellt er jeweils gegeneinander, was er einst gelehrt und wie er es begründet hatte – und was er eigentlich hätte lehren sollen.

A. Kuczynski, Verzeichnis einer Sammlung von nahezu 3 000 Flugschriften Luthers und seiner Zeitgenossen, 1870, Nr. 1868. B.M.

505 In zahlreichen Städten werden von der Bürgergemeinde theologische Disputationen veranstaltet, die die Entscheidung der Räte darüber, ob die bisher gültige oder die neue Lehre wahr sei, vorbereiten sollen. Die erste dieser städtischen Disputationen fand am 29. Januar 1523 in Zürich statt.

Huldrych Zwingli, ›Dise nachbestimte Artickell bekenne ich Huldrich Zwingly mich In der loblichen statt Zürich gepredigет haben, auß grundt der geschrifft die Cheopneustos [!] (das ist von got eingesprochen) hayßt, vnd embeut mich mit dero genante artickel zů beschirmen vnd erobren. Vnd wo ich yetz berurte gschrift nit recht verstunde, mich bessers verstands doch auß eegedachter geschrifft berichten lassenn.‹
Ohne Angabe von Druckort, Drucker und Jahr, 4°. 8 Bll.
München, Bayerische Staatsbibliothek, 4° Polem 3318

Daß die Konfrontation der Prediger ein öffentlicher, ein die politische Gemeinschaft elementar betreffender Vorgang war, stand von vornherein fest. So wie auf der Ebene des Reiches die Causa Lutheri frühzeitig zu einem Politikum ersten Ranges wurde, weil sie die von altersher bestehende Einheit von Reich und Kirche betraf, so wurde entsprechend in jeder einzelnen Stadt durch das Auftreten evangelischer Prediger die herkömmliche Einheit von Bürger- und Kirchengemeinde tangiert und zugleich die alte Spannung zwischen Stadt und Kirche neu belebt. Für die städtischen Räte stellte sich die Aufgabe der Friedenswahrung, sie konnten aber auch auf ihre Verantwortung für das Seelenheil der Bürger angesprochen werden.
Offenbar ging die »Disputation«, die am 29. Januar 1523 in Zürich stattfand, auf eine Idee Zwinglis zurück – eine Veranstaltung des Rates der Stadt, in der die beiden streitenden Parteien ihre Lehren und Gründe darlegen und *verhört* werden sollten, wobei man zum Teil auf Formen der Universitätsdisputation zurückgriff; angestrebt wurde eine Entscheidung des Rates, der die Bürgerschaft repräsentierte.
Wir zeigen hier einen Druck von Zwinglis für diese Disputation aufgestellten 67 Thesen *(Schlußreden),* in denen er die evangelische Lehre in knapper Form zusammenfaßte. Eine entsprechende Lehrzusammenstellung von katholischer Seite unterblieb, ja die Delegation des Bischofs von Konstanz, die in Zürich die herkömmliche Kirche vertrat, verweigerte überhaupt die Diskussion. So war das Ergebnis, daß der Rat zugunsten Zwinglis entschied; er verfügte, dieser solle, um Unruhe und Zwietracht abzustellen, fortfahren und nach Kräften das Evangelium *nach dem Geist Gottes* verkündigen, und ebenso alle anderen Geistlichen von Stadt und Landschaft Zürich.

B. Moeller, Zwinglis Disputationen 1. In: Zs. der Savigny-Stiftung für Rechtsgeschichte, Kanon. Abt. 56, 1970, S. 275-324. – G. W. Locher, Die Zwinglische Reformation im Rahmen der europäischen Kirchengeschichte, 1979, S. 110 ff. – G. Finsler, Zwingli-Bibliographie, 1897, Nr. 9 b.
B. M.

506 Im April 1524 folgte in Breslau eine weitere große städtische Disputation, die von dem Doktor der Theologie Johannes Heß geleitet wurde.

Johannes Heß, ›Von disen nach geschriben Schlußreden, ist gehandelt worden auß Göttlicher geschrifft zu Breßlaw, auff den zwaintzigisten tag des Monats Aprilis, durch herrn Doctoren Johannem Hessen, Alda, Thumbherrn und Pfarherrn.‹
Ohne Angabe von Druckort und Drucker, 1524
4°. 8 Seiten
München, Bayerische Staatsbibliothek, 4° Polem. 1546

Das Zürcher Beispiel machte, da es sowohl dem politischen Interesse der städtischen Obrigkeiten als auch dem theologischen Interesse der reformatorisch gesinnten Prediger gerecht wurde, bald auch anderswo Schule. So fand eine ähnliche Disputation am 20.-22. April 1524 in der Dorotheen-Kirche in Breslau statt, bei der man allerdings, da der Reformator der Stadt, Johannes Heß, Doktor der Theologie war, stärker auf das Vorbild der Universitätsdisputationen zurückgriff. Unter anderem waren in diesem Fall die Thesen lateinisch und wurden von Heß übersetzt – wir zeigen eine Druckausgabe der deutschen Fassung.

B. Moeller, Zwinglis Disputationen 2. In: Zs. der Savigny-Stiftung für Rechtsgeschichte, Kanon. Abt. 60, 1974, S. 226-232. – O. Scheib, Die Breslauer Disputation von 1524 als Beispiel eines frühreformatorischen Religionsgespräches eines Doktors der Theologie. In: Festschr. für B. Stasiewski, 1975, S. 98-106.
B. M.

507 Auch in Nürnberg wurde über die Einführung der Reformation bei Gelegenheit einer Disputation entschieden, einer großen Veranstaltung im März 1525.

Sitzordnung bei der Nürnberger Disputation 1525
Orig. Papier, 34 × 23 cm. In Sammelhandschrift mit Texten zur Verfassung der Reichsstadt Nürnberg, angelegt 1553, fol. 304-305
Nürnberg, Staatsarchiv, Reichsstadt Nürnberg, Handschriften, Nr. 217

In diesem wohl erst um die Mitte des 16. Jahrhunderts aufgezeichneten, aber auf ältere Vorlagen zurückgehenden Tableau ist das »zentrale Ereignis der Reformationsgeschichte Nürnbergs« (Pfeiffer), die zwischen dem 3. und 14. März 1525 auf dem Rathaus, im *sal neben der ratsstuben,* veranstaltete Disputation, anschaulich festgehalten. Eine Großveranstaltung, wie es sie bis dahin noch in keiner Stadt gegeben hatte, im Prinzip aber wiederum dem Zürcher Beispiel nachgebildet. Hunderte von Zuhörern nahmen teil, da der Rat die *Genannten,* ein selten einberufenes Gremium von über zweihundert Honoratioren, die in gewisser Weise die Gesamtbürgerschaft Nürnbergs repräsentierten, beteiligte. Auch in diesem Fall war die *einhellige Predigt* in der Stadt das Ziel, auch hier traten die Prediger der beiden Glaubensparteien gegeneinander an, auch hier zog der Rat das Schlußurteil an sich.
Das Tableau zeigt, daß die eigentlichen Akteure der Disputation in der Mitte des Saales postiert waren, während man die 42 Mitglieder des Rates sowie ungefähr 300 weitere Personen (jene *Genannten,* ferner die Doktoren der Stadt sowie »viele andere gelehrte und würdige Männer, die zugelassen worden waren«) um jene gruppiert hatte. Als Disputanten wirkten je 8 Prediger der beiden Parteien, weiterhin waren 4 in kirchlichen Ämtern tätige (durchweg der Reformation zugeneigte) Doktoren zu Präsidenten bestellt, 5 Schreiber und Notare waren beschäftigt sowie Dr. Scheurl als der den Rat vertretende Sprecher und Spengler als Verleser der amtlichen Texte.
Die Disputation wurde durch die führenden Politiker der Stadt, die auf die Reformation hinarbeiteten, souverän geplant, durchgeführt und ausgewertet. Die Hauptzielrichtung ging gegen die Mönche jener Bettelordensklöster, die sich dem Neuen

Diese nachfolgende Artickel/wollen Magister Johan Sutel vnd Jo[illegible] Winter/verkündiger Göttlichs worts/mit bewerter Göttlicher warheit/schrifft/widder das Bepstliche volck/Jnn Göttingen/erhalten/Wollen aber den Widdersachern/kein argument zu lassen/es sey denn aus den recht bewerten büchern/der heiligen Göttlichen Schrifft/genomen.

Jhesus Christus/welchem vom Vater jnn himel vnd erden aller gewalt gegeben/Jst ein heubt der Christlichen Kirchen/auch herrschen jnn den seinen/durchs wort vnd den geist/bis ans ende der welt/den weg öffenen allen jrrigen/nach seiner langmütigkeit/ein reich der gnanen furstellen den busfertigen.

2 Die Kirchen aber nennen wir nicht den Bapst zu Rom sampt seinem hoffgesinde/Sondern wie der rechte brauch ist zu reden aus der heiligen schrifft/aller Christgleubigen versamlung vnd zal/welche durch einen Gott/eine Tauffe/einen geist/einen Glauben/ein Gottes wort/vereinigt vnd zu samen gefügt ist.

3 Darumb ists ein vnförmlich anzeigung/ein knechtisch abfüren/ein mördisch gedicht/ein schendlich lügen bad/das der Bapst vberaus zu bestetigen sein Tyrannisch Regiment/mit schrecklichen bullen vnd ablas brieuen/das volck vberschüt.

4 Das new Testament/welchs ein Reich der gnaden/fromkeit vnd frides ist/erfordert nicht grausame kriegsmenner/noch schrecklige kürysser/noch listige bogenschützen/Sondern/Apostel/Euangelisten/Propheten/Gottfurchtige Bisschoff vnd Lerer/nicht kriegsherren/viel weniger/die müssigen Meszknechte/die der Gemeine weder mit dem wort Gottes/noch den sacramenten/dienen.

5 Jnn dem newen Testament/macht man [illegible]cht nach dem gesetz Mosi/Diaken oder diener mit geschmuck./odder zierung der kleider/viel weniger solche müssiggenger vberladen mit vielen pfründen/die auff vnd abe bey dem altar vmbspringen/gleichsam den bülern zu hohen festen gezieret/Sondern/die leute/als Lucas schreibt/die auff sehen haben/der armen notdurfft zu büssen.

6 Des Herrn nachtmal ist nicht ein opffer/fur todten vnd lebendigen eingesetzt/als die vnsinnigen/vnnützen Meszknechte klaffen/Sondern ein löbelich/vnd Göttliche erynnerung/des opffers/so ein mal am schmehlichen Creutz geschehen/fur vnser grossen vnreinen sünde.

7 Christus hat mit einem opffer/als die Epistel zu den Ebreern sagt/jnn ewigkeit volendet die geheiligten/das es gnugsam am tag ist/wie das gantz Reich des Bapsts nicht aus Gott/sondern dem Teufel ist/die weil jhm die heilige warheit der schrifft gantz stincken mus/auff das er seine lügen vnd misbreuche auffrichte vnd bestetige.

8 Dis ist aber ein rechter brauch/bey den Christen/So wir des Herrn leib warhafftig niessen/vnd sein blut gewis trincken/mit grosser dancksagung/den tod des Herrn/bis er kompt/zuuerkündigen.

9 Diese sind vber alle masse jrrig/welche den Leyen die ander gestalt des Sacraments/Nemlich/des Herrn blut/Nach dem geheis vnd ordnunge Christi/zu handreichen verbieten vnd nider legen.

10 Es streitet gewaltig wi[illegible]der die heiligen schrifft/das vnzeitig vnd vnformlich gedicht/von der heil[illegible]ng/Denn die schrifft durch Gott geben/kennet keinen mitler/nothelf[illegible]/v[illegible] vorsprechen zwischen Gott vnd den menschen/on Jhesum Christum allein.

11 Die götzen vnd bilder/welchen Gottes ehre wird zugelegt/sollen mit der zeit durch das wort Gottes ausgewurtzelt/[illegible]usge[illegible]ogen vnd zu schmettert/darnach/on auff lauff vnd getü[illegible]el/durch ein o[illegible]erkeit abgethan werden.

12 Es ist der Teufel selbs vnd kein mensch/welcher widder die natur/Gottes gebot/vnd das geheis Pauli/den Bisschouen/Eltesten vnd Pri[illegible]ern/ehelich werden/verbeut.

13 Vergeblich trotzt der münch mit seinem grossen schatz der gelübdnis/die weil solchs Gott durch sein wort nicht fordert/vnd er den heiligen geist zur schulen füret/vnd leret/was keuscheit/gehorsam vnd armut ist.

14 Ehestand/Jungfrawstand/Widwenstand/heissen nicht früchte/wercke/odder tugende/sind aber drey stende von Gott eingesetzt/nicht das wir darinn zu leben jnn vnser gewalt haben/sondern es stehet jnn Gottes gewalt/wie sein andere Creaturen vnd wercke.

15 Die jungfrawschafft des Corpers/ist ausgetrieben vom paradis/nach dem sie durch das anhören der schlangen/jnn des glaubens verlust komen ist.

16 Darumb sind es zwar wahnwitzige leute/die da rhümen/das allein die jungfrawschafft mit hauffen jnn das paradis falle/wie wol wir die jungfrawschafft nicht taddeln/halten dauon/wie. 1. Cor. 7. Paulus/vnd andere schrifft.

17 Das nach diesem leben/wenn seele vnd leib gescheiden sind/Ein Fegfeur sey/zeigt vns die heilig schrifft jnn keinen weg an/auch nicht die Teufelischen lügen (wie die leut verkeuffer mit grossem geschrey dem vnweisen einfeltigen volck mit heulen vnd zittern/wie jnn den bergen/pfützen vnd pülen/die arme seel von der erden verschlunden werden) vorhalten.

18 Es ist ein gotloser grewel/das man ein ander gnugthuung vor die sünde wil auffrichten/widder den tod Christi/vnd seines bluts vergiessung.

19 Allein durch den glauben vnd gewisse zuuersicht/so wir jnn einem gleubigen hertzen/Gottes verheissung anhangen/werden wir vor Gott frum/on allen vnsern verdienst/werck vnd Bepstlich ablas.

20 Wir achten kein werck vor Gott angeneme/denn welchs aus dem reinen vngefelschten glauben/als aus einem springenden bron fleusst vnd herkompt.

21 Der glaub aber/dauon w[illegible] jtzt reden/ist ein gewisse zuuersicht/des/das zu hoffen ist/vnd richtet sich nach dem/das nicht scheinet/ist allein ein Gottes gabe vnd werck/vnd keines menschen.

22 Wir halten die menschen gesetz/welche bis her als nötig zur seligkeit/die ehebrecherisch art getrieben hat/nicht anders/denn ein burgerlich pollicey/nichtes gelangen zu eines Christen fromkeit/vor Gott/Auch nicht gnugsam die auffsteigende/hitzigen lüste des fleischs zu tödten/sondern allein vnsern vnuerstand zu meistern/auff gelegt.

23 Die feirtag sind vmb Gottes worts vnd diensts willen verzeichnet/vnd die gesenge auffkomen/das kein zurtrennung/noch vnordung vnter den Christen were/man sol aber keinen Christen aus not zu feiren dringen.

24 Der Christen faste tage/sollen vngebunden vnd frey sein/das nur aus einem guten hertzen vnd lüstigen geist/dem fleisch seinen mutwillen zu nemen/ein zaum angelegt werde/bis des fleischs geilheit ausgezogen/vnd der alte Adam/mit dem jnnerlichen menschen/welcher aus dem wasser vnd geist widder geborn ist/vergleichet werde.

25 Der mensch aus fleisch geborn/ist fleisch/vnd trachtet stetes nach der sündigen natur zu wurtzeln/hat auch gar keinen freien willen etwas zu handeln/jn den dingen/so vor Gott gelten.

26 Die ohren beicht/so bis her jm brauch gewest/were wol gut/So die vielen misbreuche dauon abgethan würden/doch die weil sie mit der heiligen schrifft nicht bewerlich ist/sol man sie jedem frey sein lassen/vnd mehr dazu rathen/denn mit geboten dringen.

27 Alle stende der menschen/von welcher zal wir auch nicht absondern die gesalbeten priesterschafft/sollen der welltlichen Oberkeit gehorsam leisten.

28 Nie ist man keinen gehorsam zu thun schüldig/wo widder Gottes gebot vnd wort etwas furgenomen vnd gefordert wird/was aber sich jnn andern dingen ergibt/sollen wir wilfertig sein.

508

entgegensetzten, doch darf man annehmen, daß der Rat auch bemüht war, radikalen Tendenzen auf seiten der Reformation, die laut geworden waren, einen Riegel vorzuschieben. Das Ganze des reformatorisch-katholischen Gegensatzes kam zur Sprache, das Schriftprinzip bildete das Entscheidungskriterium. Am Ende stand der Ratsbeschluß, den altgläubig bleibenden Klöstern sollten Predigt und Seelsorge untersagt sein, bis sie ihre Sache aus der Bibel belegen könnten, die Klosterkirchen wurden also den bereits länger zur Reformation übergegangenen Pfarrkirchen gleichgestellt. Damit war das evangelische Kirchenwesen in Nürnberg eingerichtet.

G. Pfeiffer, Quellen zur Nürnberger Reformationsgeschichte, 1968, S. 54, 105 ff. – G. Seebaß, Der Nürnberger Rat und das Religionsgespräch von März 1525. In: Jb. für fränk. Landesforschung 34/35, 1974/75, S. 467-499. B. M.

508 Durch öffentlichen Anschlag luden in Göttingen zwei evangelische Prediger Anfang 1531 zu einer Disputation ein.

Thesenplakat der geplanten Göttinger Disputation von 1531
Wittenberger Druck
Göttingen, Staats- und Universitätsbibliothek, 4° Hist. Hann. V 8860 Rara

Dieses trotz vieler Druckfehler bemerkenswerte Blatt ist eines der wenigen Thesenplakate, die sich von einer städtischen Disputation erhalten haben. Man hat sich vorzustellen, daß häufig mit Hilfe solcher Plakate die Disputationsthesen, die evangelische Prediger zu verteidigen beabsichtigten, durch Anschlag in der betreffenden Stadt bekanntgemacht wurden. Die auf unserem Plakat angekündigte, ziemlich weitläufig geplante Disputation, die im Frühjahr 1531 hätte stattfinden sollen, kam nicht zustande, da der altgläubige Landesherr von Göttingen, der Herzog von Braunschweig-Calenberg, Einspruch erhob und der Göttinger Rat es vorzog, sich zu fügen.

B. Moeller, Zwinglis Disputationen 2. In: Zs. der Savigny-Stiftung für Rechtsgeschichte, Kanon. Abt. 60, 1974, S. 320-323. B. M.

b Die radikalste Bestreitung des alten Glaubens: Die Bilderstürme

Schon immer hatte sich die mittelalterliche Frömmigkeit in den mannigfaltigsten Formen bildlichen Ausdruck verschafft, das Erlösungswerk war in allen seinen Aspekten und Einzelheiten in Bildern präsent, sowohl der öffentliche Kultus als auch die private Andacht waren von ihnen umgeben. Am Ende des Mittelalters aber waren die Bilder in besonderem Maße selbst zu Objekten religiöser Leistung geworden. Das Stiften von Bildern war eines der am häufigsten ergriffenen, beliebtesten Mittel, um fromme Verdienste zu erwerben und Gott und die Heiligen freundlich zu stimmen; die Bilder hatten unmittelbar so etwas wie heilsvermittelnde Funktion erlangt. Eine Folge hiervon war ihre enorme Vermehrung; am Vorabend der Reformation waren viele Kirchen vollgestellt und vollgehängt mit gestifteten Bildwerken, oft traten die Stifter selbst auf ihnen in Erscheinung. Auch das soziale Ansehen ließ sich durch Bilderstiften wirksamer vermehren als durch andere fromme Leistungen, etwa den Ablaßkauf. Dabei fügten sich, auch wenn der Entwicklung ein Zug zur Privatisierung der Frömmigkeit nicht fehlte, diese Stiftungen doch in den von der Kirche gesetzten Rahmen ein, kamen dieser zugute und bereicherten sie, und ebenso wie in Italien und den Niederlanden hatte die Bilderfrömmigkeit auch in Deutschland eine reiche Blüte der künstlerischen Produktion zur Folge, in der die realistische, die menschennahe Gestaltung des Heiligen immer mehr vervollkommnet wurde.
Alle diese Entwicklungen wurden durch die Reformation jäh unterbrochen. Luther hat bereits frühzeitig dagegen polemisiert, sich durch das Bilderstiften Verdienste bei Gott erwerben zu wollen und in diesem Sinn sein Vertrauen auf die Bilder zu setzen. Er hat die Notwendigkeit der Bilder für den Gottesdienst bestritten, deren Anbetung verworfen und mit Bildern verbundene Wundererwartungen verhöhnt. Zwar wandte er sich zugleich von Anfang an gegen radikale Lösungen in der Bilderfrage, und er gewann, wenn das religiöse Leistungsdenken ausgeschlossen blieb, insbesondere dem Christus-Bild immer auch geistlichen Sinn ab; dennoch konnte den Lesern seiner Schriften nicht verborgen sein, daß in das neue Verständnis des christlichen Glaubens und des rechten Gottesdienstes, das aus dem »Wort« des Evangeliums lebte, das herkömmliche religiöse Bilderwesen im Grunde nicht mehr hineinpaßte.
Dies wurde offenkundig, als andere Vorkämpfer der Reformation in der Bilderfrage noch viel entschiedenere und radikalere Standpunkte einnahmen als Luther. Der erste von ihnen war Luthers Wittenberger Kollege Andreas Karlstadt, weiterhin gewann vor allem die Stellungnahme Ulrich Zwinglis in Zürich epochale Bedeutung. In der Argumentation dieser Reformatoren spielte jeweils das Bilderverbot des Alten Testaments eine bestimmende Rolle, die Duldung von Bildern in der Kirche galt als »Götzendienst«, der den Gott eigentlich geschuldeten, geistigen Gottesdienst beeinträchtigte. So verwarfen sie nicht bloß, wie Luther, den Mißbrauch der Bilder, sondern überhaupt deren Existenz in der Kirche und erklärten ihre Beseitigung zu einer von Gott gebotenen Pflicht.
Nach der Vorstellung Karlstadts und Zwinglis sollten die Kirchen in aller Ordnung, unter der Verantwortung der jeweiligen Obrigkeit, von den Bildern und anderen Gerätschaften des herkömmlichen Gottesdienstes geräumt werden. Daß es unter ihrem Einfluß jedoch in nicht wenigen Städten, in denen die Reformation Fuß faßte – erstmals in Wittenberg Januar/Februar 1522 –, zu »Bilderstürmen« im eigentlichen Sinn kam, d.h. tumultuarischen Aktionen, in denen Bürgerschaften die Zerstörung der Bilder selbst in die Hand nahmen, war naheliegend, zugleich freilich auch merkwürdig genug. Es erwies, wie schroff in diesen Städten der Umbruch war und wie tief er reichte. Auch Sozialkritik, der Affront gegen die öffentliche Selbstdarstellung reicher Stifter und mächtiger Familien, auch simple Lust an der Zerstörung dürften in den Bilderstürmen zum Ausdruck gekommen sein; jedenfalls aber ist die Absage an das bestehende Kirchenwesen und dessen Heilslehre, dem die Gewalttäter doch bisher selbst angehört und angehangen hatten, nicht zu übersehen – sie zerschlugen jeweils gewissermaßen auch ihre eigene Vergangenheit.
Mit den Urteilskriterien einer aufgeklärten Ästhetik lassen sich die Vorgänge kaum angemessen erfassen. Doch hatten sie nachhaltigen Einfluß auf die Geschichte der Kunst. Zwar setzte sich in weiten Bereichen des reformatorischen Deutschland nicht der radikale Standpunkt Karlstadts und Zwinglis, sondern der gemäßigte Luthers durch, so daß die mittelalterlichen Bilder vielfach erhalten blieben und sich sogar eine neue kirchliche Bildtradition nach den Maßstäben der evangelischen Theologie entwickeln konnte (vgl. Kat. Nr. 469-483). In manchen Gegenden jedoch waren die Verluste an Kunstwerken groß und unersetzlich. Nicht wenige Künstler vollzogen unter dem Eindruck der neuen Lehre einen Bruch mit ihrer bisherigen Arbeit, und vor allem verringerten sich allenthalben und plötzlich die Aufträge für die kirchlichen Bildwerke, ja blieben weithin ganz aus – übrigens nicht bloß in Gebieten, die sich der Reformation öffneten. B. M.

509, 510 Wittenberg 1522: Karlstadt fordert die Beseitigung der Bilder aus den Kirchen – Luther widerspricht schroff.

509 Andreas Karlstadt, ›Von abtuhung der Bylder, Vnd das keyn Betdler vnther den Christen seyn soll‹
Wittenberg: Nickel Schirlentz 1522
4°. 20 Bll.
Nürnberg, Germanisches Nationalmuseum, 8° K. 1698 Postinc.

510 Martin Luther, ›Ain sermon Von den Bildtnussen‹
Augsburg: Jörg Nadler 1522
4°. 4 Bll.
Nürnberg, Germanisches Nationalmuseum, 8° K. 1701 Postinc.

Luthers Wittenberger Fakultätskollege Andreas Karlstadt, Mitstreiter bei der Leipziger Disputation und seit 1520 endgültig von der herkömmlichen Kirche abgewandt, hatte im Herbst 1521, als Luther sich auf der Wartburg aufhielt, die vor allem unter Studenten verbreiteten Tendenzen, aus der neuen Lehre nunmehr praktische Konsequenzen zu ziehen, gefördert. Unter anderem gehörte hierzu auch die Forderung, die Bilder aus den Kirchen zu entfernen, die sich Karlstadt seit Januar 1522 in aller Form zu eigen machte; in den folgenden Wochen kam es in Wittenberg mehrfach zu entsprechenden Übergriffen.
In der vorliegenden Flugschrift, deren Vorwort vom 28.1. 1522 datiert ist, vertritt Karlstadt drei Thesen:
1. *Das wir bilder in Kirchen vnd gots hewßern haben, ist vnrecht vnd wider das erste gebot: Du solst nicht frombde gotter haben.*
2. *Das geschnitzte vnd gemalte Olgotzen uff den altarien stehnd, ist noch schadelicher vnd Tewffellischer.*
3. *Drumb ists gut, notlich, loblich vnnd*

gottlich, das wir sie abthun vnnd ire recht vnnd vrteyl der schrifft geben.
Zum Beweis seiner Thesen bedient sich der Verfasser vor allem ausgedehnter biblischer Argumente; die Aufstellung von Bildern in der Kirche erscheint als Verstoß gegen das alttestamentliche Bilderverbot und das Gebot, Gott im Geist und in der Wahrheit anzubeten. Karlstadt fordert die Obrigkeiten auf, Altäre und Bilder zu zerstören, und tadelt sie für ihre bisherigen Versäumnisse auf diesem Gebiet.
Die in Wittenberg ausgebrochenen Unruhen veranlaßten Luther, gegen den Willen des Kurfürsten am 6. März 1522 nach Wittenberg zurückzukehren. In einer Reihe von acht Predigten, die er in der Woche nach dem Sonntag Invokavit hielt, setzte er sich mit den radikalen Tendenzen auseinander, und es gelang ihm, eine Beruhigung zu bewirken.
Bei weitem die größte Verbreitung unter den »Invokavitpredigten« erreichte die vierte, vom 12. März 1522, von der wir eine gesonderte Ausgabe zeigen. Hier behandelt Luther neben dem Fasten die Bilderfrage und polemisiert, wenn auch ohne Namensnennung, gegen Karlstadt. Zwar räumt er ein, daß gegenwärtig viele Menschen die Bilder mißbrauchen. Es kommt vor, daß sie angebetet werden, und vor allem ist die Meinung verbreitet, man könne sich durch Bilderstiftungen Verdienste vor Gott erwerben. Wo das der Fall ist, wäre es auch nach Luthers Meinung besser, die Bilder würden abgetan, und man hülfe mit dem ersparten Geld den Armen. Dies mit Gewalt zu erzwingen, hält er jedoch für verderblich; denn nicht die Bilder selbst sind schlecht, so wenig wie die in den Fasten verbotenen Speisen. Das Fazit der Predigt: *Demnach sollen wir auch leben und unßer freyheit gebraüchen zů rechter und bequemer zeyt, damit der Christenlichen freyheit nit abgebrochen und unßern brüdern und schwestern, die noch schwach seindt und solicher freyheit unwissent, keyn ergernyß gegeben werd.*

Stirm, 38 ff., 44 ff. – E. Freys u. H. Barge, Verzeichnis der gedruckten Schriften des Andreas Bodenstein von Karlstadt. In: Zentralblatt für Bibliothekswesen 21, 1904, Nr. 88. – Benzing, Nr. 1322. B. M.

511

511 In Bern empfahl der Maler Niklaus Manuel Deutsch 1527 selbst mit einem Bild den Bildersturm.

König Josia läßt die Götzenbilder zerstören
Niklaus Manuel Deutsch, 1527
Feder in Braun, braun und grau laviert, auf Papier, 43 × 31,9 cm. Links unten bezeichnet mit dem Monogramm des Künstlers und datiert 1527
Basel, Kupferstichkabinett des Kunstmuseums, Inv. Nr. U. I. 77

Die Argumentation Karlstadts gegen die Bilder in der Kirche wurde in der Folge vor allem von Zwingli übernommen. In dessen Einflußbereich kam es nicht nur – wie auch in einigen norddeutschen Städten – zu gewalttätigen Ausschreitungen gegen Bilder, sondern insbesondere zu planmäßigen Aktionen der politischen Instanzen, um die Kirchengebäude leerzuräumen. Nach Zwingli kann man sich nichts Schlimmeres denken, als nach dem evangelischen Unterricht des Wortes erneut auf die Bilder zu verfallen, »welche doch nur die Sinne bewegen, in denen der Glaube keinen Raum hat«.
Die Überzeugungskraft, die diese Lehre in den Bürgerschaften hatte, spiegelt sich in

512

besonders eindrucksvoller und bewegender Weise in der Lebensgeschichte des Berner Malers Niklaus Manuel Deutsch. Dieser, ein durch Vielseitigkeit und Einfallsreichtum bemerkenswerter Vertreter der altdeutschen Malerei, war frühzeitig (vor 1523) zu einem entschlossenen Anhänger der Reformation geworden, die er auch in seinen Dichtungen sowie als Ratsherr seiner Heimatstadt mit aller Energie förderte. Dabei scheute er nicht die Konsequenz, seine eigene frühere Arbeit zu verwerfen und sein Gewerbe zu schädigen. In unserer Zeichnung – einem Scheibenriß, zu dem sich ein ausgeführtes Glasgemälde (Jegenstorf/Schweiz, Kirche) und auch noch ein gewissermaßen positives Gegenstück, »Christus und die Ehebrecherin« (Oxford, Ashmolean Museum), erhalten hat – propagiert der Künstler den Bildersturm. Dargestellt ist die alttestamentliche Szene (2. Könige 23, 6 ff.), in der der König Josia die Altäre und Götzenbilder in Juda zerschlagen und verbrennen läßt. Der König ist als vorbildlicher Vertreter der Staatsgewalt aufgefaßt, der den in dem Buch der Gesetze enthaltenen Willen Gottes vollstreckt; das Bibelzitat in der Kartusche hebt die Gottgefälligkeit des Geschehens noch eigens hervor. Mit dem Datum 1527 gehört diese Zeichnung in das Vorfeld der offiziellen Einführung der Reformation in Stadt und Landschaft Bern (Januar 1528) und ist als Aufforderung an den Rat zu beurteilen, seiner obrigkeitlichen Pflicht, dem göttlichen Wort Gehorsam zu verschaffen, ebenso rückhaltlos nachzukommen wie der fromme König.
In der Folge wurde Manuel selbst in das innerste Führungsgremium Berns, den Kleinen Rat, gewählt. In diesem Amt nahm er nach 1528, als mächtigster Mann in Bern und eigentlicher Leiter der bernischen Politik, den obrigkeitlichen Bildersturm tatkräftig in die Hand. Von ihm selbst zusammengestellte Listen der aus den Kirchen geräumten Bildwerke und Kultgeräte haben sich erhalten.

Kat. Ausst. Niklaus Manuel Deutsch, Bern 1979, Nr. 295. – U. Im Hof, Niklaus Manuel und die reformatorische Götzenzerstörung. In: Zs. für schweiz. Archäologie u. Kunstgeschichte 37, 1980, S. 297-300. B. M.

512 In der Täuferstadt Münster sowie in einigen anderen Städten wurden im Bildersturm auch Christus-Bilder zerstört.

Pietà
Münster, 2. Hälfte 14. Jahrhundert
Baumberger Sandstein, Höhe 77 cm, gewaltsam beschädigt, die Köpfe fehlen. Aus der Kirche St. Clemens zu Münster-Hiltrup.
Münster, Westfälisches Landesmuseum für Kunst- und Kulturgeschichte, Inv. Nr. LG. A. 3

Als im Februar 1534 die Täufer in der westfälischen Bischofsstadt Münster an die Macht gelangt waren (vgl. Kat. Nr. 346), war eine ihrer ersten Maßnahmen zur Neuordnung der Stadt die Zerstörung und Beseitigung der kirchlichen Bilder. Allein im Dom sollen sie (nach Gresbeck) zwei oder drei Tage lang gehaust haben; die

Trümmer der Steinskulpturen fanden anschließend beim Schanzenbau Verwendung – neuerdings sind zahlreiche Fragmente wieder ausgegraben worden.
Die von uns gezeigte Skulptur stammt nicht aus der Stadt Münster selbst, sondern aus der St. Clemens-Kirche des einstigen Dorfes Hiltrup, das im 16. Jahrhundert ca. 8 km vom Stadtkern entfernt lag (heute in Münster eingemeindet). Ob das Bild dort zerstört wurde, etwa im Zusammenhang der in Kerssenbrochs Wiedertäufergeschichte (hrsg. von H. Detmer, Bd. 2, 1899, 518) erwähnten täuferischen Spottprozession im Februar 1534, oder wie es sonst nach Hiltrup gelangte, ist ungewiß.
Nicht nur in Münster sind im Bildersturm Christus-Bilder zerstört worden, sondern auch in anderen Städten, die nicht dem Täufertum anheimfielen. So wurde in Basel im Januar 1529 der große Kruzifix vom Lettner des Münsters auf den Kornmarkt geschleppt und dort verbrannt, wobei einer der Beteiligten gerufen haben soll: *Bistu got, so wer dich, bistu aber mensch, so blůt* (Basler Chroniken 1, 1872, 447). Ebenfalls in Basel wurde aus dem Abendmahlsbild von Hans Holbein d. J. (heute im Kunstmuseum Basel) die Christus-Figur herausgesägt, und wahrscheinlich wurden die Augen ausgestochen. Offenbar sah man den Tatbestand des Götzendienstes in den Christusbildern besonders konzentriert.

B. Meier (Hrsg.), Das Landesmuseum der Provinz Westfalen in Münster, Bd. 1: Die Skulpturen, 1914. – M. Geisberg, Bau- und Kunstdenkmäler von Westfalen, Bd. 41/5: Die Stadt Münster, Der Dom, 1937, S. 22-26. – M. Warnke, Durchbrochene Geschichte? Die Bilderstürme der Wiedertäufer in Münster 1534/35. In: M. Warnke (Hrsg.), Bildersturm, 1973, S. 65-98. – M. Netter, Zur Restaurierung zweier Holbein-Bilder im Kunstmuseum Basel. In: Werkzeitung Geigy 18, 1960, Nr. 6/7. B. M.

513 Über die auf geordnete Weise weggeräumten Kirchenschätze werden Inventare und Abrechnungen angefertigt.

›Rechnung des silbers und golds oder der klainoter aller in allen kirchen zerbrochen‹, 1528-1546
Orig. Papier, 31,5 × 23,5 cm. In Sammelhandschrift gebunden, Bl. 77-110
Konstanz, Stadtarchiv, Reformationsakten 30 c

Listen wie diese sind aus zahlreichen Städten überliefert; in ihnen fand der »geordnete Bildersturm«, den die städtischen Räte veranstalteten, durch Inventarisierung und Abrechnung seinen Abschluß. In der Reichsstadt Konstanz, aus der das vorliegende Verzeichnis stammt, handelte es sich im wesentlichen um zwei Großaktionen im August 1528 und im Januar 1529, von denen die zweite durch eine direkte Demarche des Rates von Zürich veranlaßt wurde. Ausgeräumt wurden *die gotzen und pild, welche umb vererung willen uffgestelt warend, und ab den orten, do ain argkwon ist, das sy mogent vereret werden.* Sie wurden *one ain pracht oder groß geschray abbrochen und bhalten, und* [man hat] *darnach die uß den behaltern nach und nach in still gar hintun, verbrennen oder vermuren lassen* (Vögeli 3, 1285). Die *klainot* aber begann man bereits 1529 zu Geld zu machen und setzte das in den folgenden Jahren, wie das Verzeichnis zeigt, regelmäßig fort; die Stadt betrachtete die Kirchengeräte als einen Schatz, aus dem sie, bis hin zum Schmalkaldischen Krieg, außergewöhnliche Aufwendungen zugunsten der Reformation finanzierte.

A. Vögeli (Hrsg.), Jörg Vögeli, Schriften zur Reformation in Konstanz 1519-1538, Bd. 3, 1973, S. 1284-1296. – Text: Ph. Ruppert, Was aus dem alten Münsterschatz zu Konstanz geworden ist. In: Freiburger Diözesan-Archiv 25, 1896, S. 247-258. B. M.

514 Eine Folge des Verwerfens der Bilder konnte Existenznot der Künstler sein.

Eingabe von Straßburger Bürgern, die »nichts anderes dann malen, bildhawen vnnd derglichen gelernet haben«, an den Rat vom 3. Februar 1525
Orig. Papier, 29 × 21 cm
Straßburg, Archives Municipales, V/1, Nr. 12

Auch dieser Brief dokumentiert den Zusammenstoß der Zeiten. So wie Niklaus Manuel Deutsch, aber auch die Mehrzahl der übrigen Meister der altdeutschen Kunst bringen seine Verfasser ihre Sympathie für die Reformation zum Ausdruck, und sie erklären, *wol zůfriden* zu sein, daß *nunmer durch das wort gottes die achtung der bilder mercklich abgefallen vnnd täglich abfellet,* da diese *ye mißbrucht worden sint vnnd noch werden.* Da die Briefschreiber jedoch kein anderes *hantwerck* gelernt haben als Malen und Bildhauen, fürchten sie zu verarmen und stellen den Antrag, der Rat möchte sie, wie das auch in anderen Städten, *do das Euangelion statt hat,* geschehen sei, bei der *verlihung etlicher empter* berücksichtigen.
Auch die Entscheidung des Straßburger Rates ist überliefert; den Appellanten wurde bedeutet: *so empter ledig werden, mögen sie sich geschriben geben, woll man der bitt ingedenck sin* (Rott, S. 305, Anm. 1).

H. Rott, Quellen und Forschungen zur südwestdeutschen und schweizerischen Kunstgeschichte im XVI. Jh., Bd. 3,1, 1936, S. 304 f. B. M.

515 Predigt zum Bildersturm in Holzschnitt und Versgedicht.

›Klagrede der armen, verfolgten Götzen und Tempelbilder‹
Erhard Schön, um 1530
Flugblatt mit Holzschnitt und 383 Versen
Typendruck, 46,3 × 38,7 cm
Nürnberg, Germanisches Nationalmuseum, H 7404

Auf der linken Seite des Holzschnitts ist der Blick in einen Kirchenraum geöffnet, in dem eine Reihe von Männern damit beschäftigt sind, Heiligenbilder sowie ein Kruzifix wegzuräumen. Rechts sieht man eine Art Schuppen, in dem Bilder gelagert, und ein hoch aufloderndes Feuer, in dem sie verbrannt werden, sowie eine Gruppe von vier Personen mit Attributen des Wohlstandes und üppigen Lebens; dem reichgekleideten Bürger, der die Mitte dieser Gruppe bildet, ragt ein gewaltiger Balken aus dem Auge, entsprechend dem Wort des Evangeliums: »Was siehest du aber den Splitter in deines Bruders Auge und wirst nicht gewahr des Balkens in deinem Auge?« (Matth. 7,3).
Der Holzschnitt bildet eine ziemlich genaue Illustration des ausgedehnten, zwei Drittel des Blattes ausfüllenden Versgedichts. Dieses liegt auch in separater Drucküberlieferung vor und hat möglicherweise einen der Konstanzer Reformatoren (Thomas Blarer?) zum Autor. Er läßt die Bilder über ihr Schicksal *klagen,* freilich nicht wegen des Bildersturms, der vielmehr gutgeheißen wird; was sie beanstanden, ist, daß dieselben Leute, die einst die Bilder verehrten, diese nun zerstören *(Ir selb habt vns zu götzen gmacht, Von denen wir yetz sind verlacht),* ohne daß eine wirkliche Besserung ihres Lebens damit einher-

515

geht *(Wir künnen vor euch nicht genesen, vnd füret jr selbst sollich wesen).*
Der Einblattdruck hat den Charakter einer Predigt. Seine Pointe liegt in der Anklage gegen Unsittlichkeit und Gottlosigkeit, der *schier alle menschen überal* anheimgefallen seien, und im eindringlichen Aufruf zu vollkommener Zucht: *Allein wer götzen brennen well, Lůg nur, das er nit sey ein gsell Der sünd vnd ergerlichem leben, So sey dann alle sach vergeben Eim yeden, der handt an vns* [die Bilder] *legt.*

Geisberg, Nr. 1145. – Meuche-Neumeister, Nr. 21. B. M.

c Soziale und politische Konflikte im Zusammenhang von Stadtreformationen.

Die deutschen Städte des Spätmittelalters waren Sozialgebilde mit komplizierter Struktur und unruhigen Verhältnissen. Das Leben auf engem Raum und die hierdurch bewirkte intensive »Sozialkontrolle«, die gesellschaftliche Schichtung und die Verschiedenheit, ja weithin Divergenz der Berufe, Wechselfälle in der wirtschaftlichen Prosperität, natürliche und politische Bedrohungen von innen und außen, schließlich, dies alles kritisch zusammenfassend, das Recht und die Umstände der Selbstregierung der Bürger waren zu allen Zeiten Anlaß zu Konflikten; »Unruhen« und »Aufstände« gab es in vielen Städten.
Weithin hatten sie ein verhältnismäßig einheitliches Gepräge. Einerseits ging es in der Regel um die Mitwirkung der Bürger am städtischen Regiment, vor allem an der Finanzpolitik, sowie um die Rechte von Sondergruppen, etwa der Juden und insbesondere des Klerus. Andererseits hatten sich geradezu geregelte Verlaufsformen solcher Konflikte herausgebildet; bestimmte Rituale des Protestes waren eingeführt, das Auftreten von Bürgerausschüssen zur Artikulation von Widerstand und zur Ausübung der Mitregierung war geläufig. Immer handelte es sich um politische Kraftproben. Oft waren es die Angehörigen aufstrebender, aber noch nicht ratsfähiger Gruppen und Familien, die die Aufstände anführten, jeweils jedoch blieb ein bestimmter Grundkonsens der städtischen Gemeinschaft unangetastet.
Dies alles war gegeben, bevor die Reformation begann und in den Städten ihren wichtigsten Schauplatz fand. Die evangelische Lehre drang also, wenn sie in eine Stadt eindrang, in ein Spannungsgefüge ein und entfaltete in diesem die kirchlichen und sozialen Konsequenzen, die ihr innewohnten. Damit war diesem Einbruch ein Teil der Verlaufsformen vorgezeichnet. Und es lag nahe, daß, wenn die Reformation an einem Ort Fuß faßte, häufig nicht bloß die neuen kirchlich-religiösen Lehren laut wurden – in Predigten formuliert, in Disputationen umkämpft und entschieden, in Bilderstürmen in radikale Handlungen umgesetzt –, sondern daß sich auch politische Forderungen hiermit verbinden und hieran anschließen konnten. Die reformatorische Predigt konnte diesen als Vehikel dienen, sie konnte von ihnen auch profitieren.
Wir zeigen in dieser Abteilung einige Beispiele für derartige Koalitionen und Konflikte und versuchen, längerfristige Perspektiven deutlich zu machen. Dabei kommen hier vor allem solche Fälle zu Gesicht, in denen die kirchliche und die politische Entwicklung in der Folge in der einen oder anderen Weise auseinanderstrebten, während wir in der nächsten Abteilung Beispiele für Konsensbildungen zugunsten der Reformation vorführen werden. In jedem Fall freilich blieben diese Vorgänge im Rahmen des in der Stadtgeschichte Eingeführten. Nirgends – von der einen, speziellen Ausnahme der Stadt Münster (vgl. Kat. Nr. 346, 512) abgesehen – kam es im Zusammenhang einer städtischen Reformation zu einem »revolutionären« Vorgang, d. h. nirgends wurden die Grundlagen der städtischen Verfassung, die Herrschaft der Räte, die soziale Hierarchie als solche in Frage gestellt. Auch kennen wir kaum ein Beispiel dafür, daß in einer Stadt die herrschenden Oligarchien, durch Erfahrung und berufliche Unabhängigkeit (»Abkömmlichkeit«) begünstigt, auf die Dauer im Zuge der Reformation entmachtet worden wären.
B. M.

516 Im Zusammenhang des Bauernkriegs 1525 kam es auch in manchen Städten zu politischen Unruhen, in denen kirchliche und soziale Forderungen von Oppositionsgruppen in der Bürgerschaft laut wurden.

Die 46 Artikel der Gemeinde von Frankfurt 1525
Mainz: Johann Schöffer 1525
4°. 8 Bll.
München, Bayerische Staatsbibliothek, 4° J.Germ.200 (9)

Im Frühjahr 1525 kam es, in deutlichem Zusammenhang mit dem Bauernkrieg, zu Unruhen auch in den Bürgerschaften mehrerer Städte am Rande des Aufstandsgebiets. Unter ihnen erlangte der Frankfurter Aufstand vom April besondere Bedeutung, weil die hier verabschiedeten 46 Beschwerdeartikel alsbald gedruckt und in einer Reihe weiterer Städte bis hin nach Westfalen zum Vorbild eigener Artikelreihen genommen wurden.
In Wahrheit handelte es sich freilich um ein lokales Ereignis mit ausschließlich innerstädtischer Thematik. Wortführer in dem 60 Mitglieder umfassenden Bürgerausschuß, der als Verhandlungspartner des Rates auftrat, waren Vertreter der Handwerkszünfte. So wurde in den Artikeln in vorsichtiger Form der Wunsch nach einer Lockerung der Geschlechterherrschaft im Rat laut. Ferner erschienen eine Reihe spezieller wirtschaftlicher Forderungen. Die größte Brisanz aber kam den gegen Kleriker und Mönche gerichteten Beschwerden zu, die teilweise offenbar den 12 Artikeln der Bauern nachgebildet waren; hier war mit dem Verlangen nach der freien Pfarrerwahl, der Predigt des lauteren Gotteswortes, der Abschaffung geistlicher Privilegien und der Einrichtung eines Gemeinen Kastens am ehesten ein Umsturz der gegebenen Verhältnisse vorgesehen.
Die Artikel wurden am 25.4. 1525 vom Rat angenommen und besiegelt, und Rat und Gemeinde bekräftigten die Einigung durch ein Schwurbündnis. Doch erlangten sie nur für reichlich zwei Monate Geltung; am 2.7., nach der Niederschlagung des Bauernkriegs, wurde der Rat genötigt, die Artikelbriefe der Koalition der benachbarten Kurfürsten auszuliefern.
Bei dem hier gezeigten Mainzer Druck der 46 Artikel dürfte es sich um die Erstausgabe handeln; nicht weniger als acht Nachdrucke aus anderen Städten sind bekannt. Der Titelholzschnitt, so grob er ist, vermittelt von der sozialen Realität des Aufstandes ein zutreffendes Bild, wenn er die Vertreter des Bürgerausschusses zwar, im Unterschied zu den Ratsherren, stehend und barhäuptig zeigt, sie diesen jedoch im übrigen in der Kleidung gleichstellt.

E.Weller, Repertorium typographicum, 1864, Nr.3274. – H.Claus, Der deutsche Bauernkrieg im Druckschaffen der Jahre 1524-1526, 1975, Nr.48. – S.Jahns, Frankfurt, Reformation und Schmalkaldischer Bund, 1976, S.37-42. B.M.

517 Die Urkunde der »hundertvier Männer von Bremen« von 1532 zeigt, daß politische Unruhen auch in einer bereits evangelischen Stadt ausbrechen konnten.

Rezeß von Bürgermeister und Ratmannen der Stadt Bremen mit dem Bürgerausschuß der 104 Männer, 15. Januar 1532
Orig.Pergament, 29,5 × 30,5 cm. Durch Einschnitte ungültig gemacht. Siegel
Bremen, Staatsarchiv, 1-Y 1532 Januar 15

Mit dieser Urkunde wurde das Nebenregiment der *hundertvier Männer* legitimiert, das im Jahr 1532 einige Monate lang in Bremen bestand. Sie wurde am 15.1. 1532 in einer Gemeindeversammlung auf dem Domhof nach zähen Verhandlungen vom Rat akzeptiert und besiegelt, am 28.8. desselben Jahres aber in einer ebensolchen Versammlung am selben Ort feierlich mit einem Messer durchschnitten und damit ungültig gemacht.
Das Dokument belegt einen Konflikt, wie er sich in ähnlicher Form in zahlreichen Städten im Zusammenhang der Reformation ereignete – hier freilich in einer bereits seit mehreren Jahren evangelischen Stadt. Diese – Sitz eines Erzbischofs, jedoch diesem gegenüber weitgehend autonom – hatte zu den ersten deutschen Städten gehört, die der Reformation zugefallen waren. In gewisser Hinsicht entzündeten sich die Unruhen, die in dem »Aufstand der hundertvier Männer« ihren Höhepunkt erreichten, an dem Wunsch der Bürger, die Herrschaft des neuen Glaubens in der Stadt zu vollenden: Die Entfremdung eines Teils der Bürgerweide durch noch fortbestehende Institute der alten Kirche (das Domkapitel, den Komtur des Deutschen Ordens) wurde bestritten, der Komtur im Verlauf der Streitigkeiten sogar ermordet, und am Palmsonntag 1532 nahm man den Dom mit Gewalt für den evangelischen Gottesdienst in Besitz.
Doch hatte die Empörung vorrangig andere als religiös-kirchliche Ziele, und sie trug auch darin typische Züge, daß die evangelischen Prediger ihr nur zeitweise und sehr bedingt zustimmten. Hauptsächlich ging es um die politische Mitbestimmung der Gemeinde in der Stadt, um Einschränkung und Kontrolle des Ratsregiments, das nur von einer relativ kleinen Gruppe von Familien getragen war, und damit um das *gemene beste*. Dabei wurde, so sehr die Bewegung zur Gewalttätigkeit neigte, die Legitimität des Rates als solche nicht in Frage gestellt, und so war der Anfang vom Ende der Mitregierung des Bürgerausschusses erreicht, als ein Teil der Bürgermeister und Ratsherren die Stadt heimlich verließen und damit den mühsam erreichten Verfassungskonsens, den unsere Urkunde dokumentiert, aufhoben. Letzten Endes brachte der Aufstand sogar eine Stärkung des Ratsregiments mit sich. Und nicht zufällig folgte ihm 1534 der Erlaß einer Kirchenordnung.

B.Moeller, Die Reformation in Bremen. In: Jb. der Wittheit zu Bremen 17, 1973, S.51-73. – H.Schwarzwälder, Geschichte der Freien Hansestadt Bremen, Bd.1, 1975, S.184-206. B.M.

518 Unter Führung Jürgen Wullenwevers rebellierten in Lübeck 1530 bis 1535 Fernkaufleute und wohlhabende Handwerker gegen den patrizischen Rat und setzten kirchliche und politische Reformen durch.

Bildnis des Lübecker Kaufmanns Hans Sonnenschein
Hans Kemmer, 1534
Gemälde auf Eichenholz, 55 × 39 cm. Oben Wappen Sonnenschein und Hausmarke, darunter rechts datiert 1534 und Monogramm des Künstlers. Auf der Rückseite Skelett und Devise in niederdeutscher Sprache: Dat bose vermijt unde acht de rijt (Vermeide das Böse und achte das Recht)
Lübeck, Museum für Kunst und Kulturgeschichte der Hansestadt Lübeck, Inv. Nr.1974/100

Auch in der Reichs- und Hansestadt Lübeck standen die frühen 1530er Jahre im Zeichen sozialer und politischer Unruhen im Gefolge der Reformation. Nach jahrelangen Auseinandersetzungen hatte die Bürgerschaft im Juli 1530 gegen den konservativen Rat die Abschaffung der Messe durchgesetzt, im Frühjahr 1531 war die kirchliche Neugestaltung im Sinn der Re-

518 (Vorderseite)

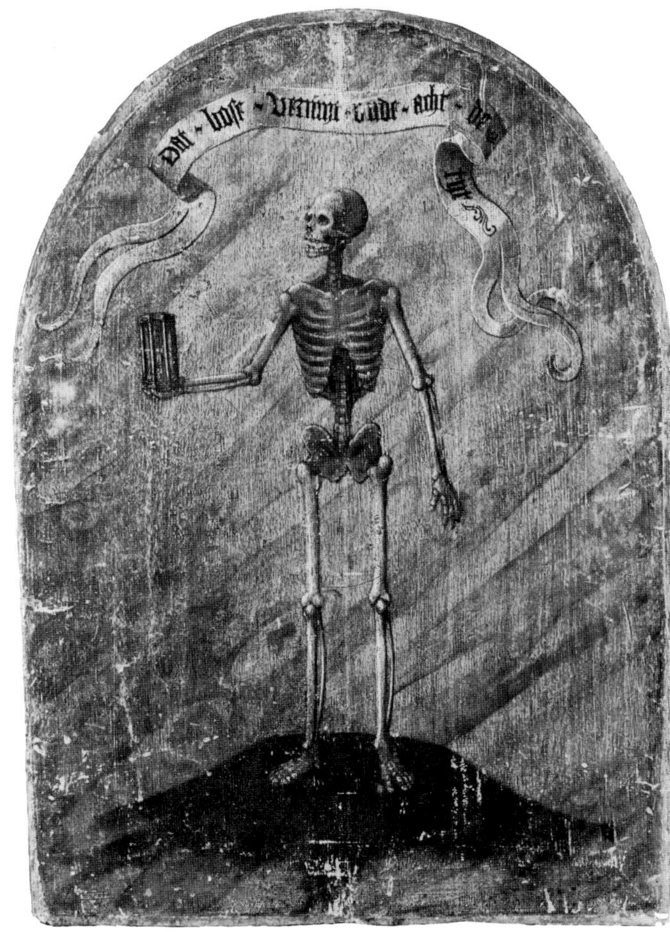

518 (Rückseite)

formation durch eine Kirchenordnung Bugenhagens abgeschlossen worden. Die politische Führung der Stadt war weitgehend in die Hand von Bürgerausschüssen gelangt, von denen vor allem derjenige der »Vierundsechzig«, gewählt am 7.4. 1530, maßgebliche Bedeutung erlangte. In diesem trat in der Folge der Kaufmann Jürgen Wullenwever in den Vordergrund, der 1533 Bürgermeister wurde und eine radikale, kühne, weit ausgreifende Außenpolitik in die Wege leitete, an der er schließlich scheiterte; er starb nach einem brutalen Prozeß am 24. 9. 1537 in Wolfenbüttel auf dem Schafott. In Lübeck kam bereits 1535 das alte Ratsregiment wieder an die Macht, doch blieb die Reformation, wenn auch mit verminderter politischer Wirkung, erhalten.

Das hier gezeigte Porträt des in Lübeck tätigen Cranachschülers Hans Kemmer zeigt ein Mitglied des 64er-Ausschusses und vermag von dem sozialen Profil dieses Gremiums eine Anschauung zu vermitteln. Es handelt sich um ein Gedächtnisbild nach der Art spätmittelalterlicher Memento-mori-Bildnisse, die Rückseite der Tafel zeigt ein Skelett (vgl. Kat. Nr. 43). Der Abgebildete war im Sommer 1533 gestorben und in der Marienkirche beerdigt worden. Er war Kaufmann gewesen, Besitzer eines Hauses in der Mengstraße und Mitglied der Genossenschaft der »Bergenfahrer«, bei denen er 1522 das Amt des Schüttingsschaffers innegehabt hatte. Wie auch unser Porträt erkennen läßt, war er ein Mann von Geschmack und Vermögen, das er sich vermutlich selbst erworben hatte. Obgleich er innerhalb der Anhängerschaft Wullenwevers nicht besonders hervorgetreten ist, repräsentiert Sonnenschein diese doch in charakteristischer Weise. In ihr dominierten Fernkaufleute und wohlhabende Handwerker, die dem engen Kreis der alten Ratsfamilien nicht angehörten und daher von der Teilnahme an der Stadtregierung ausgeschlossen waren. Das Beispiel ist über Lübeck hinaus aufschlußreich; auch in anderen Städten mit einer abgeschlossenen und der Reformation Widerstand leistenden patrizischen Führungsschicht wurden vor allem solche Männer als Vorkämpfer der kirchlichen Reformen zu Sprechern der Gemeinde, die einen hohen sozialen Rang erlangt hatten und von Berufs wegen Welterfahrung, Weitblick und Risikobereitschaft besaßen, ohne jedoch Zugang zum Rat zu haben.

W.-D. Hauschild, Kirchengeschichte Lübecks, 1981, S. 179-223. – Museum für Kunst und Kulturgeschichte Lübeck. Neuerwerbungen 1974-1979, 1980, Nr. 111. B. M.

d Rechtsakte zur Einführung oder Bewahrung der Reformation.

Der Vorgang der »Einführung« der Reformation in einer Stadt war jeweils ein vielschichtiges, durch mancherlei strukturelle oder zufällige Bedingungen mitbestimmtes Ereignis. Zwar ist die Mehrzahl der sich selbst regierenden Kommunen in Deutschland, also der Reichsstädte, schließlich der Reformation zugefallen; insofern führte also, was in diesen Städten als dem Hauptschauplatz der frühen reformatorischen Predigt verhältnismäßig einheitlich begonnen hatte, auch zu einem verhältnismäßig einheitlichen Resultat. Betrachtet man die Abläufe jedoch genauer, so zeigt sich, daß jede Stadt ihren eigenen Weg ging.
Dem Beispiel der Reichsstadt Nürnberg, wo ein Rat mit einem stark ausgebildeten obrigkeitlichen Selbstbewußtsein aufgrund umsichtiger Planung und politischer Entschlossenheit bereits frühzeitig die Neuordnung des Kirchenwesens im Sinn der Reformation betrieb und durchsetzte (vgl. Kat. Nr. 507), steht die – von uns ausführlicher dargestellte – Entwicklung in der Bischofsstadt Augsburg gegenüber, wo die evangelische Bewegung tiefgreifende soziale Divergenzen ans Licht hob und wo von daher nur mit großer Mühe ein einheitlicher politischer Wille sich bildete und die politische Umwandlung erst spät erfolgte, ziemlich radikal ausfiel, ständig labil blieb und in paritätischen Verhältnissen endete (vgl. Kat. Nr. 521-525). Daneben gibt es die vielen Fälle, in denen die Reformation ganz in der Bürgerschaft verankert war und einem widerstrebenden Rat abgenötigt werden mußte, wie hier am Beispiel Göttingens gezeigt wird (Kat. Nr. 519), sowie jene, in denen die Harmonie der politischen Kräfte vorherrschte – Beispiel Memmingen (Kat. Nr. 520).
Die in dieser Abteilung gezeigten Dokumente belegen einige charakteristische Konstellationen für die »Einführung oder Bewahrung der Reformation« anhand politischer Willensakte unterschiedlicher Art. Gemeinsam ist ihnen und vielen weiteren Beispielen, daß sich erkennen läßt, wie die tiefgreifende und weitreichende Veränderung, die sich für eine Stadt mit der Kirchenumstellung verband, als solche wahrgenommen wurde, und daß es jeweils totale Lösungen waren, die man anstrebte.
B. M.

519 Rat und Bürgervertretungen von Göttingen vereinbarten 1529, in der Stadt in Zukunft das »Wort unserer Seligkeit« rein predigen zu lassen und politische und soziale Beschwernisse der Bürger abzustellen.

Der »Große Rezeß« von Rat und Gemeinde der Stadt Göttingen vom 3. November 1529
Orig. Perg., 44,7 × 24,6 cm. Siegel zerstört
Göttingen, Stadtarchiv, Urk. 481 c

Diese Urkunde ist das Beispiel eines Vertrages zwischen einem der Reformation zunächst widerstrebenden Rat und einer auf die Reformation drängenden Bürgerschaft, der nach schweren Unruhen im Gefolge evangelischer Predigten zustandekam und in dem mit den kirchlichen zugleich politische Neuerungen geregelt wurden. Als Vertragspartner von Bürgermeistern und Rat erscheinen *Meister und Sechsmannen der Gilden, Handwerke und Gemeinheit,* also eine ganze Gruppe verschiedener Bürgervertreter, die gegenüber dem gesellschaftlich weitgehend abgeschlossenen Rat die Masse der Bürger, die Gemeinde, vertraten. Sie etablierten mit dem Vertrag ein Nebenregiment und schufen eine Art geteilter Stadtregierung, ein Verfassungszustand, der in Göttingen in der Folge bis ins 17. Jahrhundert hinein, wenn auch mit Modifikationen, fortdauerte.
Die Bestimmungen über die Reformation lauten folgendermaßen: *Wy willen nhu fort na deme willen godes, alße ok Key^r. Mt. Mandata antzeigen, dat worth vnße zalicheyd, eff dat eyne tydtlangk myt mynschliger tosathe mochte vordunckelt syn* (nachdem das eine Zeitlang mit menschlichem Zusatz verdunkelt worden sein mag), *Reyne mit bewerten schrifften by vns laten predigen vnde na den personen vnde wegen, vns darto dreglick, vppe dat vlytigeste trachten, dardorch vns gott syne gnade bewyße vnde wy alße de christglouigen* (Christgläubigen) *in synen wegen gelernet tor salicheid mogen wanderen.*

A. Hasselblatt u. B. Kaestner, Urkunden der Stadt Göttingen aus dem XVI. Jh., 1881, Nr. 438. – H. Volz, Die Reformation in Göttingen. In: Göttinger Jb. 1967, S. 49-71.
B. M.

520 Die große Mehrheit der Bürger von Memmingen beschloß 1530 in einer Zunftabstimmung, den Reichstagsabschied von Augsburg abzulehnen, und entschied sich damit für die Reformation.

Abstimmungslisten der Memminger Zünfte, November 1530
Orig. Papier gebunden, 2 Hefte, je 30 × 10 cm, 13 und 14 Bll.
Memmingen, Stadtarchiv, fol. 302

In nicht wenigen Städten vor allem Süddeutschlands kam es im Zusammenhang der Streitigkeiten um die Reformation zu Bürgerabstimmungen; unschlüssige oder durch ihre Gemeinden bedrängte Räte suchten sich auf diese Weise politischen Rückhalt für ihre Entscheidungen zu verschaffen, die Gemeinden an diesen Entscheidungen zu beteiligen und auf sie zu verpflichten. Fast in jedem dieser Fälle ergaben sich klare Mehrheiten zugunsten der Reformation.
Bei der Memminger Zunftabstimmung, die nach dem 8. 11. 1530 stattfand, ging es um die Frage, ob die Stadt den Reichstagsabschied von Augsburg akzeptieren sollte oder nicht. Sie befand sich in schwieriger Lage, da sie sich auf dem Reichstag dem Straßburger Bekenntnis, der Confessio Tetrapolitana, nicht dagegen der Confessio Augustana angeschlossen hatte, also zu den *Sacramentierern* gerechnet wurde und damit die extremste reformationspolitische Position, die es innerhalb des Reiches gab, einnahm. Der Rat legte dies den Zünften – d. h. im Falle Memmingens, da hier jeder männliche Bürger einer Zunft angehören mußte: der Bürgerschaft – in seiner die Abstimmung vorbereitenden Ansprache offen dar; er wies sie darauf hin, daß *er und gut, leib und leben, zeitlicher und ewiger thod* auf dem Spiel standen (Kugler 49).
Das Ergebnis der Abstimmung war dennoch ein überwältigender Erfolg für die neue Lehre. Insgesamt 751 der Befragten sprachen sich für die Ablehnung des Abschieds aus, 10 erklärten sich für unentschieden, 51 stimmten ihm zu. Nur in der Großzunft, der Vertretung der Patrizier, fand die antireformatorische Position eine knappe Mehrheit.

W. Kugler, Abstimmungslisten der Memminger Zünfte über den Reichstagsabschied 1530. In: Memminger Geschichtsblätter 1964 [1965], S. 47-79. – W. Schlenck, Die Reichsstadt Memmingen und die Reformation, 1969, S. 89 f.
B. M.

NAch dem ain Erbarer grosser Rat diser Statt Augspurg betracht/wie mercklich die Eer Gottes/durch die widerwertigen leren verhinndert/die Gewissen der güthertzigen beschwert/vnd der gemain man aintweders in Irrtumb/oder doch züm wenigsten in ain gefärlichen zweyfel gefürt wirdt/Dardurch auch die menschen nit in klainen widerwillen wachsen/Darbey allerlay weytleuffigkait/besonnder vntrüw vnnder der Cömun/zerrüttung der Burgerschafft/vnd zu letst vnwiderpringlich abnemen diser Statt zu besorgen gewesen/wa sölche schwebende widerwertigkaiten/gefärden/vnd vnrat/durch die gnad dess Allmechtigen nit gewendt worden were/ So hat gedachter Rat/als ain Christenliche Oberkait/vnd Gottes dienerin/die nichts annders/dann das der Nam Gottes groß gemacht/vnd sein Göttlich Reich/durch das hailig Euangelium teglich gemeret werde/begert/zü schuldiger fürderung vnd erhaltung der gesunden Leer/geliebten fryds/vnd löblicher ainmütigkait jrer von Gott befolhner Vnnderthanen/Hingegen zu verhütung weyterer Zwitrachten/nachtails/vnd verderblicher zerstörung der Gemaind Christi/die Spaltung der widerwertigen Predigen allhie abgestellt/Alle vnd yede Prediger/so nit von jnen auffgestellt gewesen/Auch wider das klar wort Gottes (als beweislich vnd offenbar ist) gelert haben/ Deßhalben mit ains Rats Predicanten/in verkündung vnd auflegung dess Euangeliums/mißhellig sein/vnd sich doch mit jnen nye in ainich Christenlich vnd brüderlich Gesprech/zu ainer vergleichung dienstlich/wie offt es an sy gesunnen worden ist/begeben wöllen/abgewendt/denen mit jrer leer stillzusteen angesagt/vnd an derselbigen stat jre Predicanten mit merer frucht dess Euangeliums/allain das rain lauter wort Gottes zu leren vnd zu predigen/aufgestellt vnd verordnet/Doch nit annderst noch lennger/dann bis die abgestellten Prediger/jr leer vnd predigen warhafftig vnd gerecht zusein/mit grund der hailigen Schrifft beweisen vnd darthün werden. Dweyl auch ainem yeden Regenten oder Obern/durch das Ampt seiner Oberkait aufgelegt vnd eingepunden wirdt/allen fleyß fürzukören vnd darob zusein/das seine Vnderthanen/nit allain mit dem wort Gottes getrewlich gewaydet/sonnder auch sölchem Göttlichen wort (als vil müglich) gelebt/ Was aber Gott/seinem wort vnd befelch/auch der Seelen hayl/vnd gemainem Christenlichen nutz offenlich widerstrebt/abgekört werde/ Wann aller gewalt/wie Paulus sagt/zür besserung/vnd nit züm verderben/gegeben ist/ So hat ain Erbarer Grosser Rat/Gott dem Allmechtigen zu eeren/alle vnd yede Kirchen vnd Capellen allhie (ausserhalb vnnser Frawen/Sanct Mauritzen/sanct Vlrichs/Sanct Peters/sanct Georgen/züm hailigen Creütz/sanct Steffan/vnd sanct Vrsula/die ain Rat ditzmals/auß sonndern beweglichen vrsachen/vnangefochten bleiben)durch die verordneten beschliessen lassen/Damit die Ceremonien vnd vermainten Gotsdienst so bißheer darinn mißpraucht worden sein/fürohin vermitten/vnd nit mer gehalten/bis die Christenlich geändert werden/Welche Kirchen vnd Capellen/bis auf das schierist Frey/gemain/Christenlich Concilium oder Nacional versamlung/also versperrt bleiben/vnd nit mer/anderst dann auf ain Christenliche Ennderung/geöffnet werden sollen/auß gleichen vrsachen/ain grosser Rat/alles vnd yedes/was den Zechen/in allen Pfarren allhie zügehört/durch die verordneten zu jren hannden nemen/Sölchs von den verwenten Ceremonien/an die gerecht vnd gefellig Eer Gottes/vnd zür notdurfft der armen dürftigen menschen wenden lassen hat/ So dann nyemandts an die Predigen zugeen/vnd die zuhören getrungen würdt/Hingegen aber vil menschen das wort dess Herren zuhören/vnd gelert zuwerden/von hertzen begirig/die bißheer in Clöstern vnd sunst verhallten/solcher leer gewaltigklich beraubt worden/vnd layder ain lannge zeyt in mangel gestannden sein/Hat ain Erbarer Rat/mit den Prelaten vnd Obern derselbigen betrübten vnd gefanngnen menschen/ernnstlich handlen lassen/Das denen fürohin der züganng zü der verkündung vnd auflegüng der Leer Christi/nit gesperrt/noch sy in jren gewissen lennger beschwerdt/sonnder jnen/wie anndern Christen/die freyhait dess gaysts/vnd innerlichen menschens/beuor steen soll/ Wann nun ain Rat sölchs ye nit annderer mainung noch gestallt/dann allain züuorderst Gott vnnserm Hayland zu loß vnd eer/den Christen menschen zu trost vnd hayl jrer Seelen/Auch allen vnd yeden Gaystlichen vnd Weltlichen/Burgern/vnd Inwonern diser Statt/zu bestenndigem fryd/merer rüw/vnd zünemender ainigkait fürgenomen/beschlossen/vnd hanndlen lassen hat/ Vnd aber etwo vil menschen von dem hailigen Euangelio/leer Christi/hanndel Gottes/vnd Glaubens Sachen (als zu besorgen) gantz frey/gering/schimpflich/vnd vnbeschaydenlich geredt haben möchten/Das Gott dem Allmechtigen zu verletzung seiner glori/der Oberkait allhie zu verklainung jres Gewalts/jr von Gott vnd Kay. Ma. gegeben/der Burgerschafft ye lennger ye mer zü hefftiger zerrüttung jrer hergeprachten Erbarkait/vnd dann zü verderblicher verhinderung gemainer Statt Pollicey endelich raichen/wa solchs nit vnderkomen wurde/ So befilcht/verschafft/vnd gebeüt ain Erbarer Rat/vnd dess hayligen Reichs Stattvogt allhie/allen vnd yeden Burgern/Innwonern/Seßhafftigen/vnd jren verwandten/von Manns vnd Frawen personen/Alten/jungen/Reichen/vnd armen/Das sich nyemandts/weder samptlich noch sonderlich/selbs/oder durch yemandts anndern Schrifftlich oder mündelich/an kainen orten oder ennden/wider den obgeschribnen ains Erbarn Rats Beschluss vnd Hanndlung/weder mit wortten noch wercken vernemen lassen oder erzaygen/Noch sunst ainicherlay red oder hanndlung/haimlich/oder offenlich fürnemen/treiben/oder gepr auchen soll/die zu abbruch der Eer Gottes/verachtung ains Erbarn Rats/oder sunst zu widerwillen/vnfryd/vngehorsame/Aufrür/oder Empörung der Vnderthanen gedienen/oder dermassen verstannden werden möchten/ Sonnder will ain Rat/so hierinn allain die Eer Gottes sücht/menigklich/sich von allen Lastern vnd Sünden/zü Gott vnd seinem wort zukören/vnd Christo zuergeben/ermant haben. Wa aber yemandts solchs oder dergleichen/wie oben gemeldt/vberfaren/darwider hanndlen/thün/verfügen/oder verursachen wurde (darauf ain Rat güte kundtschafft bestellt hat) so will vnd würdt ain Erbarer Rat/vnd dess Hailigen Reichs Stattvogt allhie/ain yeden vngehorsamen vbertretter/nach gestallt der Sachen der erfarnen vngehorsame/vbertrettung/verhanndlung/vnd verwirckung/an Güt/Eeren/Leib oder leben/ernnstlich Straffen oder straffen lassen/ Auch in solchem ganntz nyemandts verschonen/ Darnach sich menigklich wiss zu richten/vnd vor der Straff hab züuerhütten.

Actum auf XXIX tag Julij/
Anno M. D. XXXIIII.

521

521 Nach jahrelangen erbitterten Auseinandersetzungen zwischen den unterschiedlichen kirchlichen Gruppierungen gebot der Rat von Augsburg 1534, hinfort dürfe in der Stadt nur noch evangelisch gepredigt werden.

Reformationsmandat der Reichsstadt Augsburg, 29. Juli 1534
Einblattdruck, 42,6 × 33,2 cm
Augsburg, Stadtarchiv, Reichsstadt, Literalien 1534 Juli 19

In keiner anderen unter den großen deutschen Reichsstädten war die Entscheidung über die Reformation derart umkämpft wie in Augsburg. Hierfür waren nicht nur die weit auseinanderliegenden theologischen Standpunkte der Prediger und ihrer Anhängerschaften, sondern auch besonders schroffe soziale Diskrepanzen in der Bürgerschaft sowie die politische Nähe der Stadt der Fugger zum Kaiser mitverantwortlich. Nachdem der Rat sich in dieser schwierigen Lage lange Zeit mit taktischem Lavieren geholfen hatte, kam seit Jahresbeginn 1533 ein Entscheidungsprozeß in Richtung auf die Reformation, der inzwischen die große Mehrheit der Bürgerschaft zugefallen war, in Gang und wurde durch das Ergebnis der Ratswahl im Januar 1534 beschleunigt. Nachdem ein Versuch, die Entscheidung durch eine Disputation mit dem Bischof, dem feinsinnigen, humanistisch gebildeten Christoph von Stadion, vorzubereiten und abzusichern, mißlungen war, beschlossen endlich am 7.7. 1534 der Kleine, am 22.7. der Große Rat, die katholische Predigt in der gesamten Stadt zu untersagen; nur die Zeremonien des alten Glaubens sollten in einigen Kirchen weiterhin geduldet werden. Mit dem hier gezeigten Plakat wurde der Beschluß der Bürgerschaft als Ratsmandat bekanntgegeben.

K. Wolfart, Die Augsburger Reformation in den Jahren 1533/34, 1901 (Neudruck 1972). – Roth, Bd. 2. – Text: Sehling, Bd. 12, S. 44 f. B. M.

522 Im Januar 1537 wurde die Reformation Augsburgs durch ein Verbot der katholischen Zeremonien und die Einbürgerung der Geistlichen vervollständigt. Der Rat rechtfertigt seine Maßnahmen vor der Öffentlichkeit des Reiches.

Bürgermeister und Ratgeben der Reichsstadt Augsburg, Ausschreiben [an Karl V., Ferdinand I. und die Reichsstände] wegen Abtuung der päpstischen Meß und anderer ärgerlicher Zeremonien und Mißbräuch, Augsburg 1537
Abschrift, Papier, 19 Bll., 29,5 × 20,9 cm. In Sammelhandschrift, 72 Bll.
Augsburg, Stadtarchiv, Reichsstadt Ev. Wesensarchiv Akt Nr. 492, fol. 33-52

Die Augsburger Entscheidung vom Juli 1534 war vorläufig gewesen, da sowohl im Dom als auch in einer Reihe von Klosterkirchen die katholische Messe fortdauerte. So strebte in den folgenden Jahren die Mehrheit sowohl der evangelischen Prädikanten als auch des Rates und der Bürgerschaft auf eine endgültige Lösung hin, die total sein sollte. Die politischen Voraussetzungen hierfür wurden im Jahr 1536 geschaffen, als die Stadt dem Schmalkaldischen Bund beitrat und die innerevangelischen theologischen Spannungen, die unter den Augsburger Predigern jederzeit besonders schroff vertreten waren und besonders heftig ausgetragen wurden, sich durch die Wittenberger Konkordie, die die Stadt im Juli 1536 unterzeichnete, wenigstens verringerten.
Nach einer das weitere Fortschreiten des Protestantismus begünstigenden Ratswahl vom 8.1. 1537 beschloß der Große Rat am 17.1. mit bedeutender Mehrheit, die »papistische Abgötterei« in der Stadt nunmehr vollends abzuschaffen. Die letzten katholischen Zeremonien sollten beseitigt, alle Geistlichen, die in der Stadt zu verbleiben

wünschten, ins städtische Bürgerrecht aufgenommen und der städtischen Gerichtsbarkeit unterworfen werden. Eine Folge dieses Beschlusses war, daß die Mehrzahl der Stiftsherren und Klosterleute auswanderten; das Domkapitel begab sich nach Dillingen, wo sich der Bischof bereits aufhielt. Eine weitere Folge war, daß der Rat, nunmehr Herr des gesamten Stadtgebiets, die Bilder aus den Kirchen räumen und eine evangelische Kirchenordnung ausarbeiten ließ.
Wie andere Reichsstädte (vgl. Kat. Nr. 563), so hielt auch der Augsburger Rat es für geboten, seine Entscheidung zugunsten der Reformation dem kaiserlichen Stadtherrn sowie den übrigen Reichsständen gegenüber eingehend zu begründen. Wir zeigen den Druck dieser Rechtfertigungsschrift, in der die Augsburger sich vor allem darauf beriefen, daß das Konzil ausgeblieben sei und die Geistlichen ihnen einen befriedigenden Beweis ihrer Lehre vorenthalten hätten.

Roth, Bd. 2, S. 309 ff., bes. S. 314 f. – Zoepfl, Bd. 2, S. 115 ff. B. M.

523 Bischof Christoph von Stadion und das Augsburger Domkapitel replizierten sogleich und suchten ihre Rechte zu wahren.

Bischof und Domkapitel von Augsburg, ›Wahrhafte Verantwortung. An Kaiserliche und Königliche Majestäten und andere Stände des heiligen Römischen Reichs‹, Augsburg, ohne Datum, verfaßt am 26. Februar 1537 oder bald danach
Papier, gedrucktes Libell, 20 Bll., 20,9 × 16,9 cm
Augsburg, Stadtarchiv, Reichsstadt, Literaliensammlung 1537 Februar 26

Einige Wochen nach dem Erscheinen der städtischen Rechtfertigungsschrift wendeten sich Bischof und Domkapitel von Augsburg, ebenfalls mit einer Druckschrift, an dieselben Adressaten und suchten das gegnerische Schreiben Punkt für Punkt zu widerlegen. Sie wahrten damit ihre Rechtsansprüche, konnten freilich ihre Vertreibung und die Aufhebung der Domfreiheit vorerst nicht rückgängig machen.

Roth, Bd. 2, S. 381 ff., 390. – Zoepfl, Bd. 2, S. 118 ff. – Text: F. Hortleder, Handlungen und Ausschreiben ... 1/4, 1617, S. 1086-1097. B. M.

524 Nach dem Schmalkaldischen Krieg sah sich der Augsburger Rat genötigt, die Rechte von Bischof und Domkapitel wiederherzustellen.

Kaiser Karl V. stiftet zwischen Bischof Otto Kardinal Truchseß von Waldburg und der Stadt Augsburg einen Vertrag, Augsburg 2. August 1548
Orig. Pergamentlibell, 8 Bll., 35 × 28 cm. Unterschriften des Kaisers, seines Rats Perrenot (Granvelle) und des Sekretärs J. Obernburger. Majestätssiegel des Kaisers an schwarzgelber Seidenschnur, Siegel des Bischofs von Augsburg, Kardinal Otto Truchseß von Waldburg, in Metallkapsel, Siegel des Domkapitels mit Rücksiegel (stark beschädigt) und Sekretsiegel der Stadt Augsburg
München, Bayerisches Hauptstaatsarchiv, Reichsstadt Augsburg, Urk. 667

Die Alleinherrschaft der Reformation und des Rates in Augsburg hatte etwa ein Jahrzehnt lang Bestand. Die Niederlage der Protestanten im Schmalkaldischen Krieg 1546/47 (vgl. Kat. Nr. 525) machte ihr ein Ende. Bereits 1547 sah der Rat sich genötigt, in den städtischen Kirchen das Interim, die vom Kaiser erlassene neue Religionsordnung im Reich (vgl. Kat. Nr. 631), einzuführen und den Dom sowie einige Klosterkirchen zu restituieren.
Ein Jahr später mußte er weitere Zugeständnisse machen. Unter starkem kaiserlichem Druck kam es zu dem hier gezeigten Vertrag mit Bischof und Domkapitel, in dem die Stadt, um den zeitweise drohenden Verlust ihrer Reichsfreiheit abzuwenden, einzuräumen hatte, daß alle früheren Rechte der Repräsentanten der alten Kirche wiederhergestellt wurden. Sogar die Jurisdiktion über die städtischen Kirchen gewann der Bischof wenigstens im Prinzip zurück.

Roth, Bd. 4, S. 170-177. – Zoepfl, Bd. 2, S. 224. – Kat. Ausst. Welt im Umbruch, Bd. 1, Nr. 121. B. M.

525 Am Tage nach der Restitution von Bischof und Domkapitel verfügte der Kaiser, daß in Augsburg die Zünfte politisch ausgeschaltet wurden und das Patriziat die Führung im Stadtregiment übernahm. Die Voraussetzungen für eine Parität der Konfessionen in der Stadt waren damit geschaffen.

Wappentafel des Großen und Kleinen Rates von Augsburg nach der Ernennung durch Kaiser Karl V.
Unbekannter Augsburger Künstler, 1548/49
Gemälde auf Papier, auf Leinwand aufgezogen, 126 × 170 cm
Augsburg, Städtische Kunstsammlungen, Inv. Nr. 3844

Der Kaiser vollendete die Neuordnung der kirchlichen Verhältnisse in Augsburg an dem dem Vertrag mit Bischof und Domkapitel (vgl. Kat. Nr. 524) folgenden Tage, am 3. 8. 1548, mit einer von seiner Regierung veranlaßten und organisierten, einschneidenden Änderung der städtischen Verfassung. Das seit dem 14. Jahrhundert bestehende Zunftregiment wurde abgeschafft und dem Patriziat der Vorrang im Kleinen Rat eingeräumt. Die Neuordnung des Großen Rates folgte am 24. 1. 1549. Ziel des Vorgehens war nach den Worten des kaiserlichen Kommissars Jean de Lière, »daß es allem christlichen Wesen und guter Polizei einen stattlichen Anfang machen, den Weg künftiger guter Regierung bereiten und also alles, was zur Wiederaufrichtung und Pflanzung des gemeinen Nutzes förderlich sein möchte, in das Werk bringen sollte« (Roth, S. 220).
Das Gemälde zeigt das Resultat der Neuordnung und dokumentiert damit einen Einschnitt nicht nur der Augsburger, sondern der deutschen Stadtgeschichte überhaupt. Denn in zahlreichen weiteren, vor allem süddeutschen Reichsstädten folgten ähnliche Maßnahmen, bei denen es jeweils um eine weitgehende Ausschaltung der Zünfte und eine Reduzierung der Zahl der Protestanten im Stadtregiment, um eine Neugestaltung der städtischen Ämter und um die Anerkennung des Interims ging.
In den beiden unteren Bilddritteln sind, jeweils mit Namen und Wappen, die dreihundert Mitglieder des – hinfort so gut wie einflußlosen – Großen Rates, im oberen Drittel aber die insgesamt vierzig eigentlich Regierenden der Stadt verzeichnet. Erkennbar ist, daß vor allem die letzteren sich nur aus wenigen Familien rekrutierten

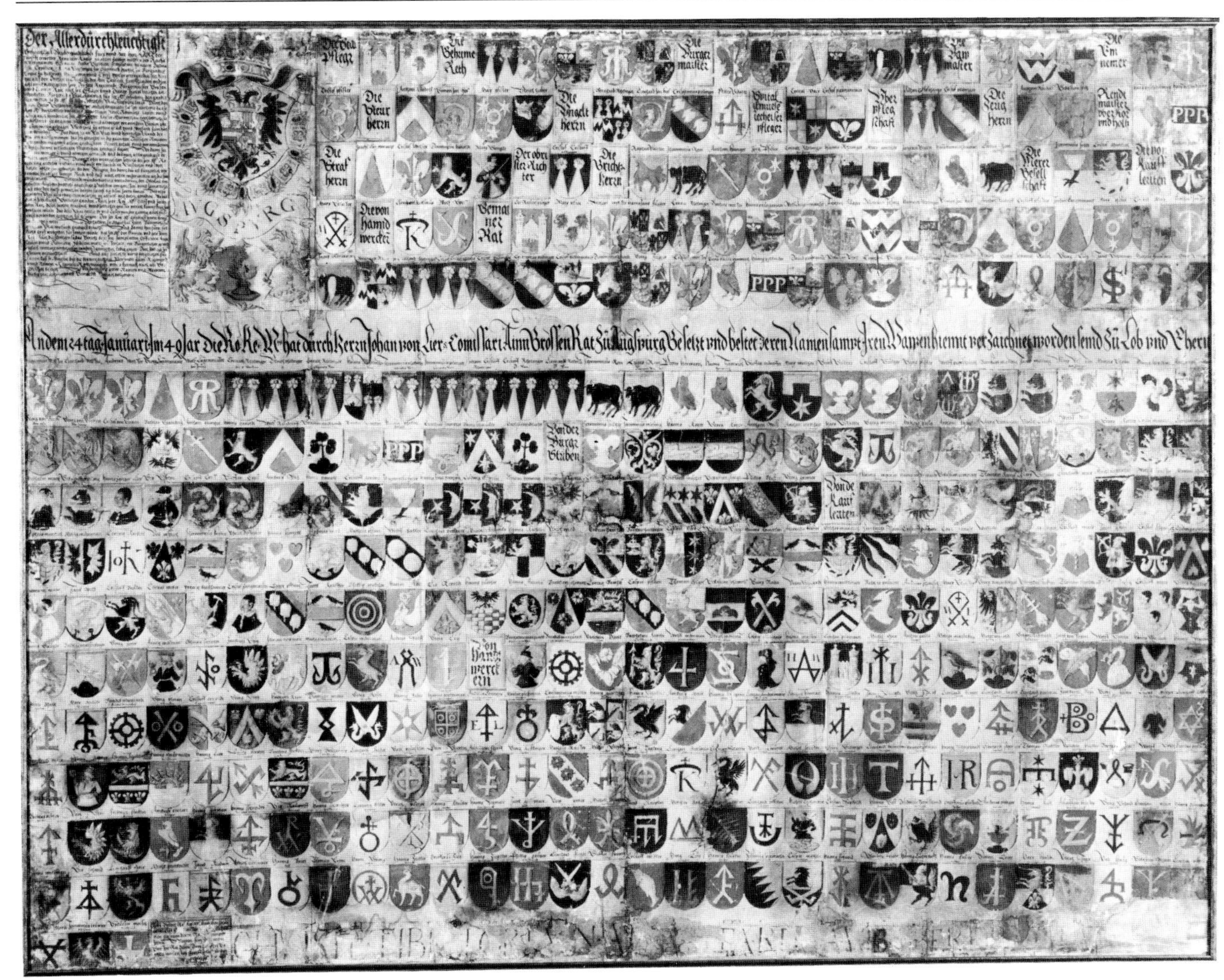

525

– sie waren durchweg miteinander verwandt oder verschwägert. Konfessionell hielten sich Protestanten und Katholiken vorerst etwa die Waage. Die hier eingerichtete politisch-soziale Ordnung blieb in Augsburg bis zum Jahr 1806 im wesentlichen unverändert in Kraft; die städtische Reformationsgeschichte fand in ihr einen gewissen Abschluß.

Roth, Bd. 4, S. 190 ff. – Kat. Ausst. Welt im Umbruch, Bd. 1, Nr. 151. B. M.

C Spannungen im reformatorischen Lager

Bereits in den frühen 1520er Jahren hatte sich um Huldrych Zwingli in Zürich ein zweites reformatorisches Zentrum neben Wittenberg ausgebildet, dessen Einfluß weit nach Oberdeutschland hineinreichte und vor allem in den Städten Resonanz fand. In den theologischen Grundaussagen über das allein von Gott gnädig gewirkte Heil des Menschen waren sich Zwingli und Luther durchaus einig. Doch war Zwinglis Theologie in sich schlüssiger, rationaler und von daher »einleuchtender« durchkonstruiert als die Luthers. Nachdrücklich betonte er auf philosophischem Hintergrund die Differenz von Gott und Mensch, zwischen denen letztlich nur der Geist vermitteln könne. Von da aus ergab sich in der Kritik an den Bildern, den Sakramenten und dem gesamten Zeremonienwesen ein scharf ausgearbeiteter Gegensatz zur tradierten Kirche. Das darin wirksame humanistische Erbe zeigte sich auch in dem Nachdruck, den Zwingli auf die Erfüllung des in der Schrift geoffenbarten Willens Gottes legte. Das Gewicht der bleibenden Sünde geringer veranschlagend als Luther und von dessen Furcht vor Gesetzlichkeit und Heuchelei nicht angefochten, ist Zwingli überzeugt, daß nicht nur der Einzelne dem Willen Gottes nachkommen könne und müsse. Vielmehr hat ihm die ganze christliche Gemeinde – mit der bürgerlichen ununterscheidbar in eins fallend – zu entsprechen. Das gilt für die Verfassung und die gottesdienstlichen Ordnungen der Kirche genauso wie für die Sittlich-

keit. Für deren grundlegende Erneuerung und Kontrolle ist die von den Predigern beratene Obrigkeit verantwortlich.
Die in all dem liegenden Spannungen zu der von Wittenberg ausgehenden Form der Reformation kamen im Streit um das Verständnis des Abendmahls zum Ausdruck. Die Leidenschaft, mit der diese Frage bis in das Volk hinein diskutiert wurde, ist nur verständlich, wenn man sich klar macht, daß die Messe das Zentrum der vorreformatorischen Frömmigkeit darstellte, an ihr die Sonderstellung der Priester gegenüber den Laien am deutlichsten zum Ausdruck kam und wesentlich mit ihr auch die »Kommerzialisierung« der Kirche verbunden war.
Luther hatte in seinen frühen Schriften den Opfercharakter bestritten, das Abendmahl als Gemeinschafts- und Liebesmahl der Christen verstanden, die tradierte Theorie über die Wandlung der Substanz von Brot und Wein abgelehnt und die Bedeutung des Glaubens an das Vergebungswort hervorgehoben.
Bald aber gab es – in sich wiederum höchst unterschiedlich – einen Chor von Stimmen, die das Abendmahl als reines Gedächtnismahl und einen Bekenntnisakt der wahren Christen, die den Leib Christi stellen, sahen. Eine Anwesenheit Christi in den Elementen lehnte man ab und hob den geistlichen Genuß hervor, den Gegensatz von Gott und Welt, Geist und Fleisch betonend.
Diese vor allem von Zwingli und den Theologen der oberdeutschen Städte vertretene Auffassung fand in breiten Bevölkerungskreisen großen Anklang. Sie kam nicht nur einem vulgären ›Rationalismus‹ entgegen, sondern bedeutete auch den schärfsten Gegensatz zu der tradierten Materialisierung des Heiligen. Zudem entsprach das Verständnis des Abendmahls als Feier vollkommener christlicher Gemeinschaft dem genossenschaftlichen Denken der Stadtbürger. Gestützt wurde auch der städtische Gedanke der Einheit von kirchlicher und bürgerlicher Gemeinde, die nicht durch den Unterschied von Laien und Klerus und – wo man radikaler dachte – durch den von Reich und Arm, Obrigkeit und Untertan, zerrissen werden sollte.
Demgegenüber sah Luther im Abendmahl ein auf den einzelnen Menschen in seiner Leiblichkeit zielendes Angebot der Gnade Gottes. Ausgehend von dem Wunder der Einheit von Gott und Mensch in Christus, hielt er, ohne das *Wie* erklären zu wollen, an der wirklichen Gegenwart Christi im Abendmahl fest und weigerte sich, äußerliches und innerliches, geistliches und leibliches Essen und Trinken zu trennen. Er fürchtete, daß die Vernunft und die aus philosophischer Tradition sich speisende Scheidung von Geist und Fleisch zum Maßstab des Bibelverständnisses würden. Ihm ging es um die Gewißheit der Anwesenheit Gottes in Wort und Sakrament unabhängig vom Glauben, wenn auch nur dem Glauben zum Heil. Wenn sich diese Auffassung in den norddeutschen und süddeutsch-fränkischen Städten durchsetzte, dann geschah das nicht ohne massive Eindämmung jener auch hier eingedrungenen abweichenden Auffassung durch die Obrigkeit.
Die politische Einheit des Protestantismus wurde durch den Abendmahlsstreit schwer belastet, da die lutherische Seite die Einheit im Bekenntnis zur Bedingung des politischen Bündnisses machte. Erst nach dem Tod Zwinglis gelang es dem unermüdlichen Bemühen Martin Bucers, eine »Concordia« herzustellen und so den oberdeutschen Städten, wenn auch nicht den Schweizern, den Weg in den Schmalkaldischen Bund zu ebnen.

W. Neuser, Zwingli und der Zwinglianismus. In: C. Andresen, Handbuch der Dogmengeschichte, Bd. 2, 1980, S. 167-238. – B. Moeller, Reichsstadt und Reformation, 1962. – W. Köhler, Zwingli und Luther, 2 Bde., 1924/1953. G. S.

526-537 Die unterschiedlichen Auffassungen im reformatorischen Lager kommen am schärfsten in den Auseinandersetzungen über das rechte Verständnis des Abendmahls zum Ausdruck.

526 Cornelius Hoen, ›Ein Christlicher bericht von dem Brot vnd weyn desz Herren. M.D.XXVI. Im Augstmonat [!].‹
Augsburg: Philipp Ulhart 1526. 8°
München, Bayerische Staatsbibliothek, 4° Polem. 357

527 Andreas Bodenstein von Karlstadt, ›Erklerung des x. Capitels Cor. 1. Das brot, das wir brechen: Ist es nitt ein gemeinschaft des Leybs Christi. Antwurt Andresen Carolstats: auf Luthers schrift Vnd wie Carolstat widerriefft.‹
Augsburg: Philipp Ulhart 1525. 8°
München, Bayerische Staatsbibliothek, 4° Polem. 544[a]

528 Wolfgang Capito, ›was man halten vnnd Antwurtten soll, von der spaltung zwischen Martin Luther, vnnd Andres Carolstadt. Wolffgang. Fabri. Capito.‹
Augsburg: Philipp Ulhart 1524. 8°
München, Bayerische Staatsbibliothek, 4° H. ref. 160

529 Valentin Ickelsamer, ›Clag ettlicher brieder: an alle Christen: von der grossen vngerechtigkeit vnd Tyranney: So Endressen Bodenstein von Carolstat: yetzo vom Luther zu wittenberg geschicht. Valentinus Ickelschamer zu Rotenburg vff der Tauber.‹
Augsburg: Philipp Ulhart 1525. 8°
München, Bayerische Staatsbibliothek, 4° Polem. 1623

530 Johann Bugenhagen, ›Ain Sendtbrieff herrn Johann Bugenhagen Pomern, pfarrern zů Wittemberg, über ain frag vom Sacrament. Item ain vnderricht von der Beycht und Christlicher Absolution.‹
Augsburg: Philipp Ulhart 1525. 8°
München, Bayerische Staatsbibliothek, 4° Polem. 479

531 Konrad Reyß (Pseudonym), ›Antwort dem Hochgelerten Doctor Johann Bugenhage auß Pomern, Hyrt zů Wittenberg, auff die Missiue, so er an den Hochgelerten Doctor Hesso, leerer zů Preßlaw geschickt, das Sacrament betreffend. Durch Conradt Reyssen zu Ofen gemacht. Die warhait hatt kundtschafft vil, Dannocht sie wenig annemen will. Die lugen man wol pflantzen kan, Darumb sie der merertayl nympt an.‹
Augsburg: Philipp Ulhart 1525. 8°
München, Bayerische Staatsbibliothek, 4° Polem. 2496

532 Ludovicus Leopoldi, Pfarrer zu Leberau = Leo Jud, ›Des Hochgelerten Erasmi von Roterdam, vnnd Doctor Martin Luthers maynung, vom Nachtmal vnnsers herren Jhesu Christi, neüwlich außgangen ... Jm 1.5.26. Jar.‹
Augsburg: Philipp Ulhart 1526. 8°
München, Bayerische Staatsbibliothek, 4° Polem. 1767

533 Johann Oekolampad, ›Vom nachtmal. Beweysung ausz Euangelischen schrifften, wer die seyen, so des Herren Nachtmals wort vnrecht verstanden vnd außlegen, Durch Joan. Ecolampadium, Christlicher gemayn zů nutz verdeütscht, durch Ludwig Hätzer. O Gott erlöß die gefangnen.‹

Augsburg: Philipp Ulhart 1526. 8°
München, Bayerische Staatsbibliothek, 4° J. can. p. $\frac{4}{161}$

534 Martin Luther, ›Allenn lieben Christen zů Reütlingen meinen lieben hern, freünden, brüedern in Christo. Martinus Luther. Wittemberg. Anno, M.D.xxvj.‹
Augsburg: Philipp Ulhart 1526. 8°
München, Bayerische Staatsbibliothek, 4° Th. U. 103 V, 13

535 Michael Keller, ›Etlich Sermones von dem Nachtmal Christi, Geprediget durch M. Mi[c]haelen Keller, Predicanten bey den Parfůssern zů Augspurg. M.D.XXV. Des Monats May.‹
Augsburg: Philipp Ulhart 1525. 8°
München, Bayerische Staatsbibliothek, 4° Hom. 931

536 Eitelhans Langenmantel, ›Disz ist ain anzayg: ainem meynem, etwann vertrawten gesellen, über seyne hartte widerpart, des Sacrament vnd annders betreffend. E.H.L.‹
Augsburg: Philipp Ulhart 1526. 8°
München, Bayerische Staatsbibliothek, 4° Polem. 1725ˣ

537 Konrad Sam, ›Ein Trostbüechlin für die klainmůtigen, vnd einfeltigen, die sich ergern, der Spaltung halb, auß dem Nachtmal Christi erwachssen, mit angehencktem grund, bayder partheyen, vnd endtlichem bericht, wie sich ain yeder Christ in diser Spaltung halten soll. Spaltung des Nachtmals.‹
Augsburg: Philipp Ulhart 1526. 8°
München, Bayerische Staatsbibliothek, 4° Polem. 2945

Einen Eindruck von dem Ausmaß und der Schärfe des Abendmahlsstreits können die hier zusammengestellten Schriften geben. Sie stellen nur eine kleine Auswahl aus der Fülle dessen dar, was eine einzige, kleine Druckerei in Augsburg, die von Philipp Ulhart – er druckte von 1522-1567 – zum Problem des Abendmahlsverständnisses herausbrachte.
In Kat. Nr. 526 haben wir den von Huldrych Zwingli anonym herausgegebenen Brief vor uns, den Luther bereits 1522 kennenlernte und in dem zum ersten Mal das »das ist« der Einsetzungsworte als »das bedeutet« verstanden wurde. Dieser Deutung schloß Zwingli sich an, während Luther sie von Anfang an bekämpfte.
Die früheste öffentliche Auseinandersetzung war die zwischen Luther und seinem früheren Wittenberger Kollegen Karlstadt (ca. 1480-1541. Kat. Nr. 527). Mit seiner Schrift legte dieser nach einer ersten Auseinandersetzung noch einmal dar, daß seinem Verständnis nach das Abendmahl ein Bekenntnisakt derjenigen sei, in denen Christus durch den Geist wohnt. Die Schärfe der Auseinandersetzung stieß viele ab. So versuchte der Straßburger Prediger Capito (1478-1541. Kat. Nr. 528) zu vermitteln, indem er den Vollzug des Abendmahls als Liebes- und Gemeinschaftsmahl über dessen theologisch durchdachtes Verständnis stellte. Schärfer stellte der Rothenburger Schulmeister Valentin Ickelsamer (um 1500 – wahrscheinlich 1541. Kat. Nr. 529) Luther zur Rede, warf ihm Lieblosigkeit vor und verlangte Früchte des Glaubens. An den lutherischen Predigern – der Augsburger Rhegius diente als Beispiel – vermißte er sie: *Je näher Wittenberg, je böser Christen.*
Ehe Luther und Zwingli sich direkt gegeneinander wandten (1526-28), gab es zahlreiche kleinere Auseinandersetzungen. So trat Johannes Bugenhagen (1485-1558. Kat. Nr. 530) gegen Zwingli scharf für die Position Luthers ein. Ihm antwortete der Augsburger Prediger Michael Keller (gest. nach 1548. Kat. Nr. 535) unter einem Pseudonym im Sinne Zwinglis.
Manche Gelehrte, die solche derben Streitereien scheuten, wurden wider ihren Willen in die Diskussion gezogen. Erasmus protestierte dagegen, für die oberdeutsch-schweizerische Abendmahlsauffassung als Zeuge aufgerufen zu werden, konnte es aber gleichwohl nicht verhindern, wie die Schrift Leo Juds (1482-1542. Kat. Nr. 532) zeigt. Daß dieser sich, um auch Luthers Übereinstimmung mit Zwingli zu beweisen, auf Fälschungen des Straßburgers Martin Bucer berief, verschärfte die Auseinandersetzungen. Der Basler Reformator Johannes Oekolampad (1482-1531. Kat. Nr. 533) wollte in lateinischer Sprache unter Heranziehung der altkirchlichen Tradition zugunsten Zwinglis unter Gelehrten klärend wirken, löste aber eine lebhafte Diskussion in Süddeutschland aus, die durch Übersetzungen auch ins Volk gelangte.
Über ihre Versuche, auf die Diskussionen in der Reichsstadt Reutlingen Einfluß zu nehmen, gerieten schließlich Luther (Kat. Nr. 534) und Zwingli in eine direkte Konfrontation, in der die beiderseitigen Standpunkte scharf hervortraten und die auch durch die Begegnung beider auf dem »Marburger Religionsgespräch« (vgl. Kat. Nr. 270) nicht beigelegt werden konnte.
Längst aber nahmen am Streit der Wortführer auch unbekanntere städtische Prediger und Laien teil. In Augsburg predigte Michael Keller unter großem Zulauf im Sinne Zwinglis. Daß die äußeren Zeichen für den Glauben letztlich ohne Bedeutung seien, vertrat gegen die lutherischen »Kaufmannsprediger« vehement der später zu den Täufern stoßende Augsburger Bürger Eitelhans Langenmantel (gest. 1528. Kat. Nr. 536).
Daß der Abendmahlsstreit, wie besonders auf lutherischer Seite betont wurde, die Gemeinden verunsicherte, zeigt sich im Titel einer Schrift des Ulmer Predigers Konrad Sam (1483-1533. Kat. Nr. 537). Sie beklagt, daß das Mahl der Liebe und Eintracht zur Ursache von Spaltung und Zank geworden sei, empfiehlt aber am Ende eben doch im Sinne Zwinglis den geistlichen Genuß durch den Glauben.
So spiegeln sich in den Drucken Ulharts nicht nur die verschiedenen Diskussionsgänge der führenden Reformatoren, sondern sie lassen auch die Anteilnahme des »gemeinen Mannes« erkennen. Das war freilich nur möglich, weil in Augsburg – ähnlich wie in Straßburg – eine konsequente Kontrolle der Drucker fehlte, so daß ein Drucker wie Ulhart unterschiedlichste Positionen zu Wort kommen lassen konnte.

K. Schottenloher, Philipp Ulhart, 1921. – W. Köhler, Zwingli und Luther, Bd. 1, 1924. – Roth, Bd. 1.
G.S.

D Lehre und Seelsorge

Über den wissenschaftlichen Studien am Text der Heiligen Schrift und den Anfechtungen des Mönchs in seiner Zelle ist Luthers reformatorische Theologie gewachsen. So blieben Lehre und Seelsorge in der frühen Reformation eng miteinander verbunden und gingen Hand in Hand.
Von Anfang an war man bemüht, den Ertrag der »theologischen Arbeit« lehrhaft und lernbar weiterzugeben. Für die akademische Lehre geschah dies in den ›Loci‹ Philipp Melanchthons (vgl. Kat. Nr. 430). Darüber hinaus aber diente man der Bildung der im Amt stehenden Geistlichen mit Postillen, Musterpredigten und Kirchenordnungen, um sie damit in die Heilige Schrift und ihr Verständnis hineinzuführen.
In diesen Zusammenhang gehören auch die für Pfarrer, Hausväter und Gemeindeglieder gedachten »Katechismen«, die in großer Zahl erarbeitet wurden und in Luthers Großem und Kleinem Katechismus gipfeln. Vor allem der Kleine Katechismus wurde nicht nur in starkem Maße verbreitet, sondern auch in vielen Kirchenordnungen als grundlegendes Buch kirchlichen Unterrichts vorgeschrieben. Später wurde er zur maßgeblichen Bekenntnisschrift. Sein Inhalt wurde von den drei Stücken bestimmt, die sich in der kirchlichen Tradition als elementar und fundamental durchgesetzt hatten: Glaubensbekenntnis, Vaterunser und Dekalog. Dazu traten als zwei neue die beiden von den Reformatoren allein anerkannten Sakramente: Taufe und Abendmahl. Weithin frei von Polemik versuchte man hier in reformatorischer Auslegung die gesamtkirchliche Tradition so darzulegen, daß sie – jedermann verständlich – dem Leben dienen konnte und das Heilsentscheidende zusammenfaßte. Als »Laienbibel« sollten die Katechismen den Inhalt der Schrift in kurzer Form wiedergeben und ihr Verständnis vom Zentrum aus ermöglichen. Demselben Zweck dienten in den Kirchen aufgestellte lehrhafte Bilder. Der Katechismus war nicht nur als Lern-, sondern auch als »Gebetbuch« gedacht. Doch haben sich die Reformatoren bemüht, über ihn hinaus Anweisung zum rechten Beten zu geben. Denn im Gebet sahen sie den Menschen geborgen in Gott, an dessen Kampf gegen die zerstörerischen Mächte des Bösen der Beter teilnimmt. Sie wollten das inständige, aber nicht das mehrfach wiederholte Gebet. Den Rosenkranz zu beten betrachtete Luther als *Geplapper und eitel lediges Gewäsch.* Darum empfahl er das kurze und überlegt formulierte Gebet, das das ganze Leben konkret in Lob und Klage, Bitte, Dank und im Bekenntnis zur eigenen Sünde und zum rettenden Handeln Gottes vor den Herrn bringt. Dabei sollten die formulierten Gebete nur als Vorbild und Anreiz zu eigenem, freiem Beten dienen. Vor allem aber wurde immer wieder auf das Vaterunser als Inbegriff des christlichen Gebets verwiesen.
Über die Gebetsanleitung hinaus führt die große Zahl der »seelsorgerlichen Briefe und Schriften«. In ihnen kam die reformatorische Theologie an ihr eigentliches Ziel. Nicht zu Unrecht hat man gesagt, mit den kleinen deutschen Schriften aus den Jahren 1517-1520 sei Luther so etwas wie ein Seelsorger des deutschen Volkes geworden. Das Feld, das in den erbaulich-seelsorgerlichen Stücken abgeschritten wird, umfaßt die ganze Breite des damaligen Lebens in Haus und Beruf. Deutlich aber heben sich die Schriften heraus, die den Blick auf den Tod richten. Ist es doch die Sterbestunde, in der in besonderer Weise der Glaube angefochten und geprüft wird. Deswegen riet Luther schon 1519 im ›Sermon von der Bereitung zum Sterben‹, im Leben solle man sich im Gedanken an den Tod üben und ihn zu sich fordern, aber im Sterben, wenn er *stark* da sei, müsse man sein Bild *ausschlagen* und nur auf Christus als das Bild der Gnade Gottes schauen.

W. Maurer, Der junge Melanchthon, Bd. 2, 1969. – A. Peters, Die Bedeutung der Katechismen Luthers innerhalb der Bekenntnisschriften. In: Luther und die Bekenntnisschriften, 1981, S. 46-89. – R. Mohr, Erbauungsliteratur III. In: TRE 10, 1982, S. 51-80. G. S.

538 Die Grundgedanken von Luthers Rechtfertigungsverständnis als Zusammenfassung der in der Heiligen Schrift erzählten Geschichte Gottes mit dem Menschen führt Cranach bild- und lehrhaft vor Augen.

Sündenverhängnis und Erlösung
Lukas Cranach d. Ä., um 1530
Holzschnitt mit Typendruck über und unter der Darstellung, 22,3 × 32,4 cm, Blattgröße 27 × 32,5 cm. Über der linken Bildhälfte: Ro. 1 [18]. Es wird offenbart gottes zorn von hymel vber aller menschen gottlos wesen vnd vnrecht. Über der rechten Bildhälfte: Isaia. 7 [14]. Der Herr wird euch selbs ein zeichen geben. Sihe, eine Jungfraw wird schwanger sein vnd einen son geperen. Unter der linken Bildhälfte: Sie sind alle zumal sundere vnd mangeln, das sie sich gottes rhůmen mugen, Ro. 3 [23]; Die sunde ist des todes spies. Aber das gesetz ist der sunden krafft, 1. Co. 15 [56]; Das gesetz richtet zorn an, Ro. 4 [15]; Durchs gesetz kompt erkentnus der sunden, Ro. 3 [20]; Das gesetz vnd die propheten gehen bis auff Johannes zeit, Math. 11 [13]. Unter der rechten Bildhälfte: Der gerecht lebt seines glaubens, Ro. 1 [17]; Wir halten, das ein mensch gerecht werde durch den glauben, on werg des gesetzs, Ro. 3 [28]; Sihe, das ist Gottes lamb, das der wellt sunde tregt, S. Joh. bap. [St. Johannes der Täufer], Jo. 1 [29]; In der heyligunge des geystes zum gehorsam vnd besprengung des bluts Jhesu Christi, 1. Pet. 1 [2]; Der tod ist verschlungen ym sieg. Tod, wo ist dein spies? Helle, wo ist dein sieg? Danck habe Gott, der vns den sieg gibt durch Jhesum christum vnsern herrn, 1. Cor. [15, 55]
London, The British Museum, Department of Prints and Drawings, 1895-1-22-285

Luther wollte die vorreformatorischen religiösen Lehrbilder, die er großenteils ablehnte, durch evangelische ersetzen. So wird auf ihn die Darstellung von Sündenverhängnis und Erlösung zurückgehen, die sich seit 1529 bei Cranach als Holzschnitt und Gemälde (vgl. Kat. Nr. 474) findet.
Das Bild wird von einem Baum in der Mitte in zwei Hälften geteilt, wobei dessen Krone – links verdorrt, rechts belaubt – die Themen der beiden Bildhälften: Tod und Leben als Folge des Zorns und der Gnade Gottes, anschlägt. Das zeigt sich auch in den Überschriften der beiden Bildhälften, Röm. 1,18 und Jes. 7,14, die

538

gleichzeitig als Thema Gesetz und Evangelium nennen.

Im Mittelpunkt der linken Bildhälfte wird der Mensch vom Teufel (dem »alten Drachen«) und dem Tod, dessen Spieß die Sünde ist (1. Kor. 15,56), der Masse der Verdammten im ewigen Feuer zugetrieben. Der Hintergrund macht die Ursache deutlich: Durch die Verführung der Schlange und den Sündenfall kam der Mensch unter die Gewalt von Tod und Teufel. Er hatte nur noch den ihn verurteilenden Weltenrichter zu erwarten, der in der oberen Bildhälfte, flankiert von Maria und Johannes dem Täufer, zum Gericht erscheint, seine Wundmale weisend. »Hilflos« steht die Gruppe von Moses (mit den beiden Tafeln des Gesetzes) und den Propheten dabei. Denn das Gesetz mit seiner Forderung vermag dem Sünder nicht zu helfen (vgl. 1. Kor. 15,56; Röm. 4,15 und Röm. 3,20). Der letzte der unter dem Bild sich findenden Sprüche leitet mit dem Hinweis auf Johannes den Täufer bereits zur rechten Bildhälfte hinüber.

Hier steht im Mittelpunkt der Gekreuzigte, auf den der Täufer, im Kamelfell unter dem ärmlichen Mantel, hinweist: Der Gekreuzigte ist das Lamm Gottes – mit der Siegesfahne am Fuß des Kreuzes –, das die Sünde der Welt trägt (vgl. Joh. 1,29). Aus der geöffneten Seite Christi trifft den neben dem Täufer stehenden Menschen ein Strahl seines Blutes. Damit erhält er – durch die Taube angedeutet – die Gabe des Heiligen Geistes, der das Leben erneuert (vgl. 1. Petr. 1,2, Röm. 1,17 und 3,28). Rechts unten tritt Christus, dem Sarg und der Grabeshöhle entsteigend, sieghaft den Teufel, den Drachen, und den Tod unter seine Füße. Der Hintergrund zeigt in dreifacher Weise die Vorankündigung des Heils in Christus: die dem Kreuz entsprechende eherne Schlange, deren Anblick die Israeliten vor der Schlangenplage in der Wüste errettete (4. Mose 21), die Verkündigung der Geburt Christi an Maria und die Erscheinung des Engels bei den Hirten auf dem Felde.

Die paarweisen Unterschriften der beiden Bildhälften entsprechen genau der Darstel-

539

lung. Links: Alle Menschen sind Sünder, das Gesetz dient der Aufdeckung der Sünde und gibt damit Tod und Teufel ihre Macht, freilich nur bis zur Zeit Johannes des Täufers. Rechts: Ohne Werke wird der an Christus im Gebet sich wendende Mensch im Glauben gerecht; das Blut des Lammes, das die Sünde trägt, erneuert den Menschen durch die Gabe des Geistes in der Heiligung zum Gehorsam; Christus hat den Sieg über die Verderbensmächte errungen.
Es ist nicht zutreffend, in dem Bild nur eine allegorische Darstellung der Rechtfertigungslehre zu sehen. Vielmehr umgreift das Bild mit Gesetz und Evangelium sowie dem dargestellten Geschehen den Gesamtinhalt der Heiligen Schrift. Daß für Luther auch das Neue Testament Gesetz und das Alte auch Evangelium enthält, kommt in den Überschriften der beiden Bildhälften zum Ausdruck. Die beiden Bildhälften selbst dagegen zeigen das heilsgeschichtliche Nacheinander von Gesetz und Evangelium, gleichzeitig aber auch die gesamte Geschichte Gottes mit dem Menschen: Fall, Gesetz, Ankündigung, Geburt und Tod des Erlösers, Auferstehung und sein Kommen zum Gericht. Es handelt sich demnach um ein umfassend biblisch-katechetisches Lehrbild.

Kat. Ausst. Cranach, Bd. 2, S. 505-509. – Andersson, S. 51. G. S.

539 Im lutherischen Bereich entstehen gelegentlich neue Altarbilder. Auf ihnen wird das Handeln Gottes zum Heil des Menschen in Wort und Sakrament dargestellt.

Altarretabel der Neupfarrkirche in Regensburg
Michael Ostendorfer, 1554/55
Gemälde auf Holz, Mittelteil 136 × 146,5 cm, Flügel 136 × 86,5 cm. Im Mittelteil 4 Schriftbänder: Dis ist Mein Lieber Son, Den solt ir Hören. LVC. 9. [35 f.]; Gehet, prediget das Euang[elium] Allen Creaturn · Vnd Leret sie Halten, was ich euch Befolhen Hab etc. MATTH · MAR · VLT[imo] [28,19 f.; 16,15]; Thut Busse · Vnd glaubt Dem Euangelio etc. MAR · I · [15]; Dir sind dein sünde vergeben. LVC. 7. [48]. Bezeichnet mit dem Monogramm des Künstlers
Regensburg, Museen der Stadt Regensburg

Als man in Regensburg nach der Zeit des Interims (vgl. Kat. Nr. 648) seit 1553 wieder evangelische Gottesdienste halten konnte, gab der Rat für die nach 1519 errichtete Wallfahrtskirche zur Schönen Maria (vgl. Kat. Nr. 79), die von 1542-1548 als evangelische Pfarrkirche gedient hatte, einen Flügelaltar in Form eines Triptychons bei Michael Ostendorfer in Auftrag. Dieser begann die Arbeit 1554 und beendete sie im Oktober 1555.
Wie wir aus einer Beschreibung des Regensburger Superintendenten Nikolaus Gallus (1516-1570) wissen, ist der Altar nicht vollständig erhalten. Nach dieser Beschreibung (um 1567) gab es ursprünglich eine Predella. Doch ist die Aufteilung der bei Gallus genannten Darstellungen auf der Vorderseite (Beschneidung Christi, Darstellung im Tempel, Auferstehung, Himmelfahrt, Sendung des hl. Geistes) nicht ganz klar. Auf der Rückseite fand sich eine Darstellung der Geschichte vom reichen Mann und armen Lazarus (Luk. 16, 19-31). Der erhaltene Mittelteil des Altarretabels zeigt, Ewigkeit, Geschichte und Gegenwart umgreifend, den Weg des Wortes Gottes zu den Menschen. In einem Wolkenbogen weist Gott der Vater auf den als Taube dargestellten hl. Geist und Christus. Engel halten ein Spruchband mit den Worten aus Luk. 9,35 f. als Bestätigung Jesu. In ihm berühren sich gleichsam Himmel und Erde. Umgeben von seinen Jüngern steht er auf der Kuppe eines Berges. Über ihm halten zwei weitere Engel den Aussendungsbefehl aus Matth. 28,19 f., Mark. 16,15. Von den Jüngern sind nur der ganz links stehende Petrus und der direkt links neben Jesus stehende Johannes zu identifizieren. Durch den in dieses Feld hineinragenden Kopf des Predigers auf der Kanzel ist diese Szene mit den beiden unteren verbunden. Diese zeigen die gegenwärtige Verkündigung durch die »Diener des Wortes« an alle und an den einzelnen: Links drängt sich die Menge um die Kanzel mit dem Prediger, dessen Pre-

539 (Mittelbild)

digt in einem Spruchband durch die Zusammenfassung der Predigt Jesu aus Mark. 1,15 charakterisiert wird. Auf der anderen Seite wird einem Mann im offenen Beichtstuhl unter Handauflegung die Vergebung zugesprochen, wie auch das Schriftband darüber mit dem Text aus Luk. 7,48 zeigt.

Die geöffneten Seitenflügel sind den beiden Sakramenten gewidmet, links Taufe, rechts Abendmahl, so daß das Retabel in ganz geöffnetem Zustand die zentrale Stellung des Redens und Handelns Gottes in Wort und Sakrament zeigt. Wiederum umgreifen die Tafeln von oben nach unten die gesamte Heilsgeschichte. Dabei ist es auffällig, daß die »Vorabbildungen« der beiden Sakramente im Alten Testament, Beschneidung (für die Taufe) und Passahmahl, im Leben Jesu verankert werden. Dementsprechend sieht man links oben die Beschneidung Jesu; dem folgt seine Taufe im Jordan durch Johannes den Täufer und zuunterst eine am Taufstein vollzogene Kindertaufe. Der rechte Flügel zeigt oben die Szene nach Beendigung des Passahmahls durch Jesus und seine Jünger, letztere offenbar zum Aufbruch bereit; in der Mitte das letzte Mahl Jesu mit seinen Jüngern, von denen Johannes (an der Brust Jesu), Petrus rechts neben ihm und Judas mit dem Beutel im Vordergrund klar zu erkennen sind. Dargestellt ist der Augenblick, in dem Jesus das

Wort über den Kelch spricht und ihn den Jüngern reicht. So wird die nach reformatorischer Auffassung stiftungsgemäße Feier vorbereitet, die sich zuunterst findet. An der rechten Seite des Altars gibt der Pfarrer die Hostie, die er nach lutherischem Brauch dem Kommunikanten in den geöffneten Mund legt. Links wird von einem Diakon der Kelch gereicht.

Von Gallus wissen wir, daß beim Abendmahlsempfang die Kommunikanten um den Altar herumgingen. Dabei sahen sie auf der Rückseite eine Darstellung des Jüngsten Gerichtes – Erinnerung daran, daß es in Wort und Sakrament um das ewige Heil des Menschen geht. Freilich sah man dieses Gericht bei geöffnetem Altar eingerahmt von den Außenseiten der beiden Seitenflügel, auf denen sich in deutlich flüchtigerer Malerei die entscheidenden Stationen der Menschwerdung Gottes finden: die Verkündigung der Geburt Jesu an Maria durch den Erzengel Gabriel, die Geburt Christi, seine Kreuzigung und Grablegung. So war das Kommen Christi zum Gericht in Herrlichkeit bei geöffnetem und geschlossenem Altar verbunden mit seinem Kommen zu unserem Heil in Niedrigkeit.

Der Altar steht künstlerisch in der Nachfolge Altdorfers, orientiert sich aber im Bildprogramm sehr deutlich an Altären der Cranach-Werkstatt. Dieses Programm steht ganz im Mittelpunkt, da den einzelnen Szenen jede Dramatik fehlt und keine von ihnen das Auge in besonderer Weise fesselt.

A. Wynen, Michael Ostendorfer, Diss. Freiburg 1961, Nr. 18. – Kat. Ausst. Wittelsbach und Bayern. Bd. II,2: Um Glauben und Reich, Kurfürst Maximilian I., München 1980, S. 10 f., Nr. 10 (mit Abb. des Mittelteils). G. S.

539 (Mittelbild Rückseite)

540 Auch die reformatorische Konzentration auf das Wort kann in Altären ihren Ausdruck finden.

Retabel des Altars der Evang.-Luth. Spitalkirche zu Dinkelsbühl

Holz, geschnitzt und bemalt, Höhe 95 cm, Breite 160 cm. Inschrift im Mittelfeld: Der · Her · Jesus · in · der · nacht · da er · verrathen · ward · nam · er · das brot · dancket · vnd · prachs · vnd · gabs · seinen · jünger · vnd · sprach · nempt · hin · vnd · esset · das · ist · mein · leib · der für · euch · gegeben · wirt · solchs · thut · zv meinem · gedechtnus · Desselben gleichen · nam · er · auch · den · Kelch · nach · dem · abendmal · vnd · dancket · vnd gab · in · den · vnd · sprach · Trincket · alle · daraus · das · ist · mein · blut · des · newen · testaments · welches · für · euch · vnd für · vil · vergossen · würt · zvr · vergebung · der · sünden · Solchs · thut · so · oft irs · trinckt · zv · meinem · gedechtnvs ·

In den beiden Seitenfeldern: Die · zehen · Gebot · I · dv · solt · nit · ander · Gǒtter haben · 2 · dv · solt · den · namen · deines · Gottes · nicht · vnnvtzlich · fvren · 3 · dv · solt · den · feirtag · heiligen · 4 · dv · solt · deinen · vatter · vnd · deine · mvtter · ehren · 5 · dv · solt · nit · todten · 6 · dv · solt · nit · ehbrechen · 7 · dv · solt · nit · stelen · 8 · dv · solt · nit · falsch zeignis reden · wider · deinen · nehesten · 9 · dv · solt · nit · begeren · deines · nesten · havs · 10 · dv · solt · nit · begeren · deines · nehesten · weibs · 1537

Neben der Jahreszahl die nachträglich angebrachten Wappen des Bürgermeisters Georg Kaiser (gest. 1572) und des Spitalpflegers Johann Kloedt (gest. 1595)

Dinkelsbühl, Evang.-Luth. Kirchengemeinde

Wie in manchen andern Orten bedeutete der Bauernkrieg auch in Dinkelsbühl, wo der Rat schon früh evangelische Predigt geduldet hatte, einen Rückschlag für die Reformation. Erst 1533 konnte er überwunden und mit der Anstellung eines lutherischen Pfarrers die Reformation durchgeführt werden.

Obwohl es in Dinkelsbühl keinerlei Bilder-

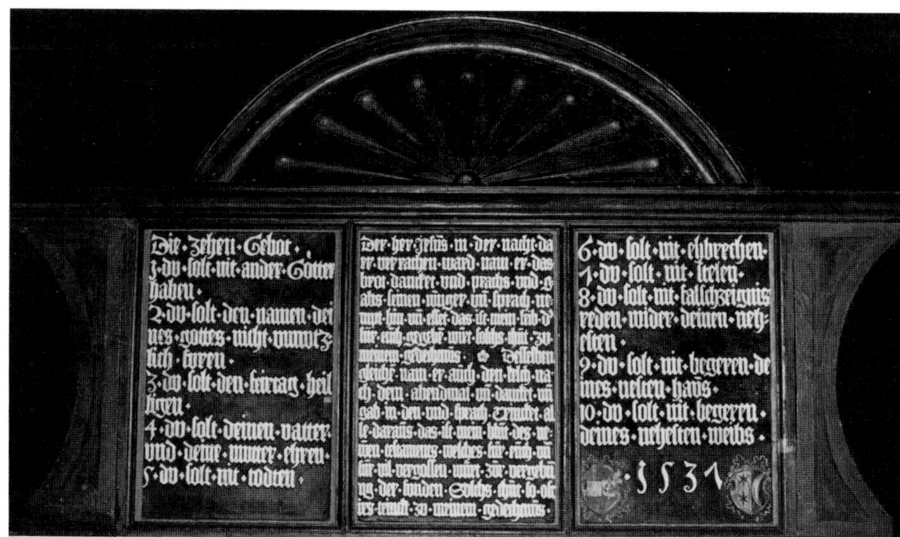

540

sturm gab, wünschte man offenbar doch »evangelische« Altäre. So wurde in der Pfarrkirche St. Georg 1537 ein Altarretabel errichtet, das die Darstellung des Abendmahls, darunter die Einsetzungsworte und zu beiden Seiten die Zehn Gebote zeigte. Noch im gleichen Jahr errichtete man auch in der Spitalkirche unter dem um die Einführung der Reformation verdienten Spitalpfleger Mathias Rösser einen einfachen Abendmahlsaltar vor dem Chor. Er bietet, erhaben geschnitzt, im Mittelfeld ebenfalls die Einsetzungsworte und an den Seiten die Zehn Gebote. Dabei entsprechen die Einsetzungsworte dem in der Abendmahlsfeier gebrauchten, aus verschiedenen Überlieferungen hergestellten Text, dagegen folgen die Zehn Gebote, nur leicht verändert, Luthers Kleinem Katechismus. Damit stellt der Altar die Grundtexte des alten und neuen Bundes Gottes vor Augen. Gleichzeitig zeigt er den Gesamtinhalt des Wortes Gottes nach lutherischem Verständnis: Gesetz und Evangelium. Zweifellos aber sind – zumal in einer Stadt im Grenzbereich von oberdeutscher und lutherischer Reformation – die Zehn Gebote in ihrem doppelten Sinn verstanden worden: als in Christus überwundene Forderung des alten Bundes und von Christus her als heilsame Weisung zu rechtem christlichem Leben.

Chr. Bürckstümmer, Geschichte der Reformation und Gegenreformation in der ehemaligen freien Reichsstadt Dinkelsbühl, Bd. 1, 1914, S. 65-101. – Abbildung in RDK 1, 1937, S. 563. – A. Gebessler, Stadt und Landkreis Dinkelsbühl, 1962, S. 30. G. S.

541 Luthers kurze Erklärung der Hauptstücke des christlichen Glaubens will bieten, was dem Menschen für Leben und Sterben notwendig und heilsam ist.

›Enchiridion. Der kleine Catechismus für die gemeine Pfarher vnd Prediger, Gemehret vnd gebessert, durch Mart. Luther Wittemberg.‹
Wittenberg: Nickel Schirlentz 1529
8°. 120 Bll.
Nürnberg, Germanisches Nationalmuseum, 8° Rl. 3342 Postinc.

Seit 1516 hatte Luther immer erneut die einzelnen Teile des Katechismus erklärt und in Predigten ausgelegt. Daraus entstanden der Große und der Kleine Katechismus. In den Geboten soll man den Willen Gottes lernen, das Glaubensbekenntnis lehrt, woher die Kraft zu ihrer Erfüllung kommt, das Vaterunser, wie wir sie erhalten. Wer ihn meditiert (vgl. Kat. Nr. 543), wird vom trinitarischen Gott selbst gelehrt: Der Vater gab die Gebote, der Sohn das Vaterunser, und aus dem hl. Geist formulierte die Kirche das Glaubensbekenntnis. Hinzu kamen Erläuterungen zu Taufe, Abendmahl und Vaterunser und andere seelsorgerliche Texte. In den hervorragend durchgearbeiteten kurzen Antworten auf die knappen Fragen »Was ist das?«, »Was bedeutet das?«, »Wie geschieht das?«, »Was gibt oder nützt das?«, »Wo steht das geschrieben?« sollte der Glaube von jedermann »verstanden« werden.
Ursprünglich wurde der Kleine Katechismus auf Tafeln gedruckt, die im Haus, in der Schule und den Kirchen ausgehängt und angeschlagen werden konnten. Bei dem vorliegenden Druck handelt es sich um eine der frühesten Ausgaben in Buchform aus der Druckerei von Nickel Schirlentz in Wittenberg, die in den folgenden Jahren und Jahrzehnten noch zahlreiche weitere Ausgaben des Katechismus produzierte.

A. Peters, Die Bedeutung der Katechismen Luthers innerhalb der Bekenntnisschriften. In: Luther und die Bekenntnisschriften, 1981, S. 46-89. – Benzing, Nr. 2597. – WA 30, I, S. 243-345. G. S.

542 In Frage und Antwort fortschreitend versuchen viele oberdeutsche und Schweizer Katechismen die reformatorische Lehre anhand der Hauptstücke in systematischer Verknüpfung darzulegen.

Leo Jud, ›Der kürtzer Catechismus. Ein kurtze Christenliche vnderwysung der jugend in erkandtnuß vnd gebotten Gottes, im glouben, im gebätt vnd anderen notwendigen dingen von den dieneren deß worts zu Zürych gestelt in fragens wyß. Getruckt zů Zürych by Christoffel Froschower im Jar M.D.LXIX.‹
Zürich: Christoph Froschauer 1569
8°, Aufgeschlagen: Bl. A 2r
Zürich, Zentralbibliothek, AW 719

Von Leo Jud, dem engen Mitarbeiter Zwinglis in Zürich, sind mehrere katechetische Schriften erhalten. Seine ›kurze Unterweisung‹ zeigt am besten die von Luther abweichende, andere katechetische Konzeption, die für die Straßburger Katechismen Bucers, diejenigen Calvins in Genf und noch für den ›Heidelberger Katechismus‹ einflußreich wurde.
Juds Katechismus enthält vier Teile, die die Stücke des lutherischen Katechismus bieten, sie aber – bis auf den letzten Teil – systematisch verbinden. Dabei wird nicht wie bei Luther nach dem Gesamtverständnis der überlieferten Stücke gefragt, sondern in Frage und Antwort vollzieht sich gleichzeitig der Gedankenfortschritt. Der erste Teil »Vom Bund Gottes« beginnt mit der Frage nach dem Menschen als Geschöpf und Bild Gottes, der Gott glauben und seinen Willen tun soll. Eine Auslegung der Zehn Gebote schließt mit der Feststellung, daß wir sie ohne Christi Hilfe nicht halten können. So handelt der zweite Abschnitt von der Gnade. Hier werden zunächst das

Verhältnis von Freiheit und Dienst des Christen und das Verhältnis von Glaube und Werken ausführlich behandelt. Dem folgt die Auslegung des Glaubensbekenntnisses, in die vor allem im dritten Artikel wesentliche Aussagen reformatorischer Lehre eingearbeitet wurden. Über die Feststellung, daß der Glaube den Bittenden geschenkt wird, kommt Jud zum dritten Abschnitt, der nach allgemeiner Einführung zum Gebet das Vaterunser behandelt. Taufe und Abendmahl werden unverbunden im vierten Abschnitt entfaltet.

A. Lang (Hrsg.), Der Heidelberger Katechismus und vier verwandte Katechismen, 1907, Neudruck 1967. G.S.

543 Der Glaube ist für Luther »eitel Gebet«; in der Meditation des Katechismus soll der Christ zum freien, kurzen Gebet finden.

Martin Luther, ›Ein einfeltige weise zu Beten, fur einen guten freund.‹
Wittenberg: Hans Lufft 1535
8°. 16 Bll. Aufgeschlagen: Bl. D 2 b-D 3 a, das 7. Gebot
Nürnberg, Germanisches Nationalmuseum, 8° Rl 3691 Postinc.

Luther war der Auffassung, daß an die Stelle des Stundengebetes für den evangelischen Prediger und Pfarrer dreimal täglich eine Lektüre und Meditation von Teilen des Katechismus treten sollten (vgl. Kat. Nr. 541). Auf diese Weise wachse der Mensch in der Glaubenskenntnis und werde im Kampf gegen »Teufel, Welt und Fleisch« gestärkt.
Die vorliegende Schrift erlaubt einen Blick in Luthers eigenes alltägliches Beten. Er begann mit dem Vaterunser, dessen Bitten er in ausgeführte Gebete umsetzte. Dann ließ er eine Meditation der Zehn Gebote folgen. Dabei ging er stets in einem vierfachen Schritt vor: Er legte dar, was man aus dem Gebot lernen könne, wofür man im Blick darauf zu danken und was man an Vergehen gegen dieses Gebot zu beichten habe. Am Ende stand eine darauf aufbauende Bitte. Erst in späteren Auflagen der Schrift ist eine gleiche Meditation über das Glaubensbekenntnis hinzugekommen.
Wie beliebt die Schrift war, beweisen die 13 Auflagen und eine lateinische Übersetzung. Gewidmet hatte sie Luther seinem alten Freund, dem Balbier Peter Beskendorf in Wittenberg; kurz nach dem Erscheinen dieser Schrift erstach Beskendorf im Rausch seinen Schwiegersohn Dietrich und hatte es Luthers Fürsprache zu verdanken, daß er nur mit Verbannung bestraft wurde.

Benzing, Nr. 3148. – WA 38, S. 351-375. – F. Schulz, Die Gebete Luthers, 1976. G.S.

544 Ein seltenes Zeugnis der persönlichen Frömmigkeit eines evangelischen Fürsten ist das Gebetbuch, das Herzog Albrecht von Preußen seiner Gemahlin schenkte.

Gebetbüchlein der Herzogin Dorothea von Preußen, um 1530/31
Handschrift, Orig. Perg., 14 × 9,5 cm, 189 Bll. Illuminiert von Nikolaus Glockendon
Wolfenbüttel, Herzog August Bibliothek, Cod. Guelf. 68. 12 Aug. 8°

Auf Wunsch seiner Gemahlin Dorothea von Holstein stellte Herzog Albrecht von Preußen das vorliegende Gebetbüchlein für sie zusammen. Es enthält neben vielen übernommenen Texten auch eine Reihe von ihm selbst formulierter Gebete. Bewußt griff der Fürst, der ein Mann von tiefer persönlicher Frömmigkeit war, auf die Tradition fürstlicher Gebetbücher zurück und ließ durch Schrift und Illuminierung ein einmaliges Werk schaffen.
Das Gebetbuch wurde zum Ursprung einer auf das Herzogspaar zurückgehenden Sammlung von Gebeten, die 1537 unter dem Titel ›Feuerzeug christlicher Andacht‹ erschien und sehr oft aufgelegt wurde. Der Titel geht auf Luther zurück, der in der Schrift an Meister Peter, den Balbierer (vgl. Kat. Nr. 543), davon gesprochen hatte, man könne mit einem kurzen Gebet in seinem ›Herzen ein Feuerlein aufschlagen‹.
Aufgeschlagen: Bl. 24r. Das hier beginnende Gebet »Ein gar sehr hübsche Betrachtung von der Dreieinigkeit, so der Mensch am Morgen aufstehet« stammt von Herzog Albrecht selbst. Die Miniatur bietet eine traditionelle Darstellung der Dreieinigkeit, dieser gegenüber eine Gruppe musizierender Engel.

I. Gundermann, Untersuchungen zum Gebetbüchlein der Herzogin Dorothea von Preußen, 1966. – J. Fligge, Herzog Albrecht von Preußen und der Osiandrismus, 1972. – E. Roth, Vertrau auf Gott. Gebete Herzog Albrechts von Preußen, 1956. G.S.

545 Die Sterbenden werden mit dem Hinweis auf ihre in Taufe und Abendmahl hergestellte Verbindung mit Christus und das hierdurch verbürgte Leben nach dem Tod getröstet.

Wenzeslaus Linck, ›Ordnung im newen Spital vnd Lazareth bey Sanct Sebastian, wie man ein sterbenden Menschen inn Todtes nötten soll tröstenn.‹
Nürnberg: Christoph Gutknecht 1543. 4°
Berlin, Geheimes Staatsarchiv, ehem. Staatsarchiv Königsberg, Herzogl. Briefarchiv, A 4, Beilage zum Schreiben Hieronymus Schürstabs an Herzog Albrecht vom 25. Dezember 1543

Der Einblattdruck, dessen Wortlaut möglicherweise von dem mit Luther eng befreundeten Wenzel Linck stammt, faßt in neun Abschnitten zentrale Punkte der Seelsorge an Sterbenden zusammen. Dabei wird der Kranke kurz daran erinnert, daß die Bestimmung des Menschen sich nicht in dieser Welt erfülle (1) und er darum im Sterben den Blick nicht auf die Güter dieser Welt und den Tod richten solle (3,5). Der Zusammenhang von Tod und Sünde wird deutlich angesprochen (4), der Tod aber auf das Sterben des alten, sündigen Menschen bezogen (7). Im Mittelpunkt steht die durch Glauben, Taufe und Abendmahl hergestellte Verbindung mit Christus, durch die das ewige Leben verbürgt ist (2, 6, 8). Deswegen kann der Tod mit der Geburt verglichen werden (3), wie es schon Luther im ›Sermon von der Bereitung zum Sterben‹ getan hatte.
Das vorliegende Blatt wurde vom Rat der Stadt Nürnberg während der Pestzeit von 1543 in Auftrag gegeben. Es handelte sich wohl nicht nur um eine Anleitung für die Kapläne. In solchen Zeiten reichte die von Geistlichen gewährte Seelsorge nicht mehr aus. Mit deren knapper Zusammenfassung in wenigen Hauptpunkten sollte deswegen jeder Christ zur Seelsorge am sterbenden Nächsten befähigt werden – ein Stück Verwirklichung des allgemeinen Priestertums.

L. Klein, Die Bereitung zum Sterben, Diss. 1958. – J. Lorz, Das reformatorische Wirken Dr. Wenzeslaus Lincks in Altenburg und Nürnberg (1523-1547), 1978, S. 161 f. – J. Lorz, Bibliographia Linckiana, 1977, S. 148, Nr. 59. G.S.

546

546 Da das Sakrament als sichtbares Wort verstanden wird, werden nicht bereits konsekrierte Abendmahlsgaben aus der Kirche zu dem Kranken gebracht, sondern erst in seiner Gegenwart die Einsetzungsworte über Brot und Wein gesprochen.

Versehgerät für das Krankenabendmahl in Buchform, um 1537
Holz, lederbezogen, 17,6 × 12 × 6,3 cm
Schwäbisch Hall, Dekanatsarchiv, Dek. Verz. Ca,5 (Depositum im Stadtarchiv Schwäbisch Hall)

Dieses Versehgerät besteht aus einem hölzernen Kasten in Form eines Buchblocks, der quer geteilt zwei Fächer besitzt, in denen Oblaten, ein kleiner Kelch und wohl ein weiteres kleines Gefäß für den Wein aufbewahrt werden konnten.
Die vorn eingebundenen Texte bieten zwei Ordnungen für das Krankenabendmahl, von denen die eine sehr ausführlich als Belehrung, Frage und Antwort dem Katechismus folgt, allerdings die Absolution nach der Taufe behandelt, die andere nur vier längere Fragen an den Kranken enthält. Dem folgen dann Beichte, Absolution, Abendmahl und Schlußgebet.

H.-M. Maurer u. L. Ulshöfer, Johannes Brenz und die Reformation in Württemberg, 1975, S. 53 (Abb.). G. S.

E Die neue Gestalt des Gottesdienstes

Aus Sorge, die »christliche Freiheit« aufzuheben oder sie zum Ärgernis derer, die am Hergebrachten hingen, zu mißbrauchen, wollte sich Luther anfangs mit Umdeutungen der Tradition begnügen und war nur zögernd zu Veränderungen der kirchlichen Ordnung bereit. Aber sehr schnell kam überall, wo evangelisch gepredigt wurde, das Verlangen nach einer entsprechenden neuen Gestalt des gottesdienstlichen Lebens auf. So entstand – vor allem in den Städten – eine Fülle verschiedener neuer Formen, die erst durch die später erlassenen Kirchenordnungen verschwanden oder vereinheitlicht wurden.
Grundlegend wurde das neue Verständnis des Gottesdienstes selbst, das einer der Reformatoren (Osiander) auf die Formel brachte: Wer Gott dienen wolle, der müsse sich von ihm Gutes tun und dienen lassen. Im Gottesdienst geschieht deswegen nichts anderes, »denn daß unser lieber Herr selbst mit uns rede durch sein heiliges Wort und wir wiederum mit ihm durch Gebet und Lobgesang« (WA 49, S. 588, modernisiert). Von da aus ergaben sich die großen Leitlinien der Reform. Der Gottesdienst mußte gereinigt werden von allem, was dem ausschließlichen Heilshandeln Gottes in Christus widersprach. So fielen die Gebete zu Maria und den Heiligen sowie alles Reden vom Opfer beim Abendmahl. Darüber hinaus mußte er verständlich und in allen wesentlichen Teilen in deutscher Sprache gehalten werden. Stärker als früher konnte die Gemeinde in Gebet und Lied am Gottesdienst teilnehmen.
Die Sakramente wollte man stiftungsgemäß feiern und ihren zentralen Inhalt zum Ausdruck bringen. So beseitigte man bei der Taufe eine Reihe von Zeremonien und rückte den Akt der Taufe selbst in den Mittelpunkt. Bei der Abendmahlsfeier trat an die Stelle der »Schaumesse« das Nehmen von Brot und Wein, Leib und Blut Christi, in der Gemeinschaft der Glaubenden. In der Trauung fiel alles Gewicht auf die Verkündigung des Wortes Gottes über Verheißung, Verpflichtung, Kreuz und Trost der Ehe. Bei der Beerdigung ging es um den Trost für die Trauernden mit dem Hinweis auf die Auferstehung Christi und der Gläubigen.
Auch in diesem Bereich machte sich der Unterschied zwischen lutherischer und schweizerisch-oberdeutscher Reformation

geltend. Im Wittenberger Einflußbereich ließ man die Kirchen bis auf störende Nebenaltäre im alten Zustand und gebrauchte auch die überkommenen Gewänder und kostbaren Abendmahlsgeräte weiter. In Zürich dagegen wurden Altäre und Bilder beseitigt, und man verwandte Holz- oder Zinngefäße beim Abendmahl. Auch der Eingriff in die althergebrachten gottesdienstlichen Ordnungen ging hier tiefer, das Wort der Predigt und der Schrift wurde ausschließlich in den Mittelpunkt gestellt. Kann man, damit verglichen, die lutherische Reform als konservativ bezeichnen, so darf doch nicht vergessen werden, einen wie einschneidenden Wandel sie bewirkte. Eine Fülle von Zeremonien, Prozessionen, Andachten, vor allem aber die vielen Messen ohne Gemeinde fielen weg. Insgesamt verlagerte sich die Teilnahme am Gottesdienst vom Auge auf das Ohr: Man sah nicht mehr, was heilig ist, sondern man hörte, was heilig macht.

V. Vajta, Die Theologie des Gottesdienstes bei Luther, 1954. – A. Niebergall, Agende. In: TRE 1, 1977, S. 777-784, und 2, 1978, S. 1-36, 84-91. G. S.

547 Bei der Neugestaltung des Gottesdienstes verwendet Müntzer als erster konsequent die deutsche Sprache; die alten Ordnungen, ihre Texte und Lieder gestaltet er, wo möglich, im Sinn seiner Theologie.

Thomas Müntzer, ›Deutzsch kirchen ampt, verordnet, auffzuheben den hinterlistigen deckel, unter welchem das Liecht der welt vorhalten war, welchs yetzt widerůmb erscheynt mit dysen Lobgesengen und Gŏtlichen Psalmen, die do erbawen die zunemenden Christenheyt nach gottis unwandelbarn willen zum untergang aller prechtigen geperch der gotlosen. Alstedt.‹
Eilenburg: Nikolaus Widemar 1523
8°. Aufgeschlagen Bl. K 2ᵛ und K 3ʳ
Braunschweig, Bibliothek des Predigerseminars Braunschweig, P IV 3

Seit Beginn seines öffentlichen Wirkens wußte sich Müntzer in besonderer Weise von Gott beauftragt, die seit den Zeiten der Apostel verkommene Kirche in der nun angebrochenen Endzeit zur Reinheit selbsterfahrenen Glaubens zurückzuführen. In einem Prozeß inneren und äußeren Leides sah er das Mittel, den Menschen von der Hingabe an die Kreatur zu lösen und die »Ordnung der Schöpfung« – der Mensch als Diener Gottes und Herr der Kreaturen – wiederherzustellen.
Dem Verständnis und dem symbolischen Vollzug des Weges zum Glauben sollten auch die gottesdienstlichen Ordnungen dienen, die Müntzer entwarf, als er in Allstedt Prediger wurde. Mit dem ›Deutschen Kirchenamt‹ versuchte er als einziger unter den Reformatoren aus dem monastischen Stundengebet einen Gemeindegottesdienst zu schaffen, in dem er nur Mette, Laudes und Vesper übernahm. Die Fülle der im Kirchenjahr wechselnden Teile beseitigte er und behielt nur fünf – Advent, Weihnachten, Passion, Ostern und Pfingsten – bei, um so im Verlauf des Kirchenjahres deutlich zu machen, daß der Glaubende mit dem Schicksalsweg Christi eins werden müsse. Vor allem aber in die Übersetzungen der biblischen Lesungen und der altkirchlichen und mittelalterlichen Hymnen trug er, wenn auch in unterschiedlichem Maße, seine Theologie ein. Dafür ist die hier aufgeschlagene Übertragung des 93. Psalms ein besonders gutes Beispiel. Aus dem Preis Gottes zu seiner Thronbesteigung ist ein Text geworden, der erklärt, daß der Mensch erst nach dem durch die Wasserfluten symbolisierten Leidensprozeß gottförmig und eine Wohnung Gottes werde.
Luther hat die überall durchschlagende Müntzersche Theologie erkannt und dessen Ordnungen deswegen abgelehnt. Gleichwohl haben sie eine längere Wirkungsgeschichte gehabt.

Thomas Müntzer, Schriften und Briefe, hrsg. von G. Franz, 1968, S. 25-162. – W. Elliger, Thomas Müntzer, 1975, S. 252-360. – S. Bräuer, Thomas Müntzers Liedschaffen. In: Luther-Jb. 41, 1974, S. 45-102. G. S.

548 Luther will im überlieferten Gottesdienst nur tilgen, was die bedingungslose Annahme des Menschen durch den gnädigen Gott verdunkelt, im übrigen aber vor allem die Freiheit in der Ordnung gewahrt wissen.

Martin Luther, ›Deudsche Messe vnd ordnung Gottis diensts.‹
Wittenberg: Michael Lotter 1526. 8°
Wolfenbüttel, Herzog August Bibliothek, A 115 b 4° Helmst. (15)

Luther hatte 1523 eine evangelisch gereinigte Form der lateinischen Gottesdienstordnung veröffentlicht, in der alles ausgelassen war, was an Heiligen- und Marienkult oder an den Opfergedanken im Abendmahl erinnerte. Inzwischen hatten Müntzer (vgl. Kat. Nr. 547) und andere rein deutsche Gottesdienste entwickelt, und angesichts der Vielfalt verschiedener Ordnungen – nicht selten in der gleichen Stadt – verlangte man nun von Luther eine vorbildlich einheitliche, deutsche Gottesdienstordnung.
Erst um die Jahreswende 1525/1526 kam Luther diesem Wunsch nach. Er empfahl zwar eine gewisse Einheitlichkeit als Ausdruck der Eintracht, betonte aber zu Beginn und Ende seiner Schrift viel nachdrücklicher die Freiheit bei der Gestaltung gottesdienstlicher Feiern. Sein Zögern, eine rein deutsche Messe zu schaffen, erklärte sich auch aus der von ihm erhobenen Forderung, nicht nur die Texte ins Deutsche zu übersetzen. Vielmehr müsse alles, »Text und Noten, Akzent, Weise und Gebärden aus rechter Muttersprach und Stimme kommen« (WA 18, S. 123, 19 ff., modernisiert). Er zog deswegen den Kantor Johann Walther (vgl. Kat. Nr. 423) mit heran, obwohl er selbst auch im Blick auf die musikalischen Teile die Hauptarbeit leistete.
Luther sah den Gottesdienst nicht zuletzt unter pädagogischem Aspekt. Deswegen wollte er in den Städten der Schüler wegen in den täglichen Metten und Vespern die lateinische Sprache beibehalten wissen. Ihm ging es dabei auch um das Lateinische als eine die Länder verbindende Sprache. Nur eine Lektion in deutscher Sprache – übrigens nicht nur aus der Schrift, sondern auch aus dem Katechismus – wollte er zulassen. Auch die Gottesdienste an den hohen Festen sollten zunächst noch lateinisch gehalten werden. Nur für den Sonntagsgottesdienst erarbeitete Luther eine rein deutsche Fassung, bei der er den Chor ganz zurückdrängte und aus der Opfer- und Schaumesse des Mittelalters eine Mahlfeier der Gemeinde machte, die sich im Wechselgespräch zwischen Liturg und Gemeinde vollzog.
Neben den lateinischen und deutschen Gottesdiensten dachte Luther noch an einen Hausgottesdienst derjenigen, die »mit Ernst Christen wollen sein«, entwarf aber keine Ordnung, weil er die »Leute nicht hatte«, aber wohl auch, weil er fürchtete, es werde sich daraus die Absonderung eines Teils der übrigen Gemeinde ergeben.

WA 19, S. 44-113. – Benzing, Nr. 2239. – V. Vajta, Die Theologie des Gottesdienstes bei Luther, 1954. – H. Bornkamm, Martin Luther in der Mitte seines Lebens, 1979, S. 409-424. G. S.

549

549 Mit einer Darstellung des Abendmahls bekennt sich Dürer zu dessen evangelischer Feier als Mahl der christlichen Liebesgemeinschaft.

Das Abendmahl
Albrecht Dürer, 1523
Holzschnitt, 21,3 × 30,1 cm. Auf einem Täfelchen unten rechts Monogramm des Künstlers und datiert 1523
Schweinfurt, Sammlung Otto Schäfer, D-184

In der Nachfolge italienischer Vorbilder, aber doch Elemente seiner eigenen früheren Darstellungen beibehaltend, hat Dürer das Abendmahl zu einem deutlich »reformatorischen« Bild gestaltet. Zwar ist der »historische Augenblick« nach den Evangelien nicht eindeutig zu bestimmen und auch die Jünger sind bis auf den, »den Jesus lieb hatte«, nicht zu identifizieren. Die Szene weist aber, da Judas fehlt, auf die Stelle Joh. 13, 34-38. Damit wird das vorangegangene Mahl im Sinne der frühen Abendmahlsschriften Luthers als Liebes- und Gemeinschaftsmahl gedeutet. Brotkorb und Weinkanne vorn rechts weisen auf ein wirkliches Mahl, bei dem alle gegessen und getrunken haben. Wichtiger aber und deutlich hervorgehoben sind die »Abendmahlsgeräte«, Kelch und Schüssel, die beide die historische Szene über das Sakrament mit der eigenen Zeit verbinden. Ob in dem Fehlen des Passah- und Opferlammes auf der Schüssel und deren Verlagerung auf den Boden eine bewußte Ablehnung des Opfergedankens der traditionellen Messe liegt (Panofsky), muß dahingestellt bleiben. Deutlich aber ist die herausgehobene Stellung des Kelches auf dem Tisch. In der Gabe des Kelches konzentriert sich – vor allem auch für das Volk – die stiftungsgemäße Abendmahlsfeier, die eben damals, als Dürer den Holzschnitt schuf, von den Nürnberger Pröpsten offiziell beim Rat erbeten und im folgenden Jahr auch vollzogen wurde. Da nur beim Kelch vom Blut des neuen Bundes gesprochen wird, bestätigt dessen Herausstellung noch einmal den Gedanken des Gemeinschaftsmahles. In diesem Sinn ist von Dürer vor allen innerevangelischen Auseinandersetzungen (vgl. Kat. Nr. 526-537) eine grundlegende und gemeinreformatorische Darstellung geschaffen worden.

Kat. Ausst. Dürer Nr. 396. – E. Panofsky, Das Leben und die Kunst Albrecht Dürers, 1977, S. 295-298. G.S.

550 Da im Abendmahl nunmehr auch die Laien den Wein empfangen, werden mittelalterliche Priesterkelche zu evangelischen Gemeindekelchen umgebaut.

Abendmahlskelch
Silber, vergoldet, Höhe 27,3 cm, Dm des Fußes 15 cm, Dm der Kuppa 14,7 cm
Lüneburg, Museumsverein für das Fürstentum Lüneburg, H 102

Der Fuß dieses Lüneburger Abendmahlskelchs stammt aus dem 15. Jahrhundert, wie die Inschrift auf dessen Oberseite, die in gotischen Majuskeln gehalten ist, erkennen läßt: DOT DORCH GOT VND BIDDET VOR DIDERICK HESSEBEKEN SELE DAT OM GOT GNEDECH SI. Der Knauf hat ein geritztes Ornament; die Nägel zeigen die Buchstaben: IHESVS. Über dem Knauf im Schaft übereinander die Buchstaben: IHESVS CHRIST; unter dem Knauf: MARIA. In reformatorischer Zeit (1566) wurde dem Fuß eine neue, unverhältnismäßig große Kuppa aufgesetzt, zu der gleichfalls eine Inschrift (unter dem Fuß) gehört: D · NICOLAVS · DE · TZERSTEDE · D · GEORGIVS · BORCHOLT · GEORGIVS · DITMERS · ET · ANDREAS · DE · BAVENTEN · TESTAMENTARII · CONRADI · SLVTERS · DEDERVNT · DOMVI · MISERICORDIAE · ANNO · 1566 (Herr Nicolaus von Tzerstede, Herr Georg Borcholt, Georg Ditmers und Andreas von Baventen als Testamentsvollstrecker Conrad Slüters haben [diesen Kelch] an das Haus der Barmherzigkeit [das Graalhospital] gestiftet im Jahr 1566).

W. Scheffler, Goldschmiede Niedersachsens, Bd. 2, 1965, S. 941, Nr. 184 (ungenau). – G. Körner, Leitfaden durch das Museum – Museumsverein für das Fürstentum Lüneburg, 3. Aufl. 1975, S. 153. B. M.

551 Die oberdeutsche Auffassung des Abendmahls prägt auch die dabei verwendeten Geräte.

Abendmahlspatene
Christoph I Epfenhauser, 1536
Silber, getrieben und gegossen, ziseliert und graviert, vergoldet, Höhe 19,5 cm, unterer Dm 16 cm, Dm der Schale 26,2 cm. Beschau: R^3 122 (= Augsburg 1529-1541), Meistermarke: R^3 336, aber in rundem Feld = Christoph I. Epfenhauser. Über dem gravierten Stadtwappen im Deckelboden die Jahreszahl 1536. Am Lippenrand: + DAS · BROT · DAS · WIR · BRECHEN · IST · DAS · NIT · DIE · GEMEINSCHAFT · DES · LEIBS · CHRISTI · I · COR · X [16] · CHRISTVS · IST · DAS · BROT · DAS · VOM · HIMEL · KVMT · VND · GIBT · DER · WELT · DAS · LEBEN · IOH · AM · VI [33]. Um den Schaft: SELIG · IST · DER · DAS · BROT · ISSET · IM · REICH · GOTTES · LVCI · 14 [15]. Unter dem Fuß die Auftrags- und Herstellungsinschrift: + S[ankt] · M[auritius] · ZECH · $\overset{\Omega}{\text{PFL}}$ [= Kirchenpfleger] · B · REHLINGER · H · ZANGMAISTER · DISE · SAL [Schale] · $\overset{\Omega}{\text{VD}}$ · DECKEL · MIT · SAMT · ZWEN · VERDECKTEN · BECHERN · MACHENLAN · IM · 1536 · IAR.
Augsburg, Evang.-Luth. Kirchenstiftung St. Anna

Um die Jahreswende 1536/37 wurde in Augsburg die Reformation endgültig durchgeführt. Wie andernorts auch ließ der Rat bei dieser Gelegenheit prächtiges neues Abendmahlsgerät für die Kirchen herstellen, obwohl man, entsprechend der bewußt schlichten oberdeutschen Form, bis dahin mit hölzernen Schüsseln und zinnernen Bechern das Abendmahl gefeiert hatte. Doch bestimmte die oberdeutsche Abendmahlsauffassung auch die neuen Geräte. Da man das Abendmahl mit Brotwürfeln statt mit Oblaten feierte, konnte man den traditionellen flachen Teller (Patene) und die kleine Hostiendose (Pyxis) nicht mehr gebrauchen, sondern schuf eine dem weltlich festlichen Tischgerät entsprechende tiefere Schüssel. Ihr getreppter Deckel wird auf schlankem Hals von einem Lamm mit Nimbus und Kreuzfahne bekrönt – ein Hinweis auf Christus als das Lamm Gottes, das die Sünde der Welt trägt. Vor allem die Inschriften zeigen die von der lutherischen abweichende Auffassung des Herrenmahls. Die Inschrift am Schalenrand aus 1. Kor. 10 betont den Gemeinschaftscharakter des heute gefeierten Abendmahls und erinnert gleichzeitig mit dem Text aus Joh. 6 – ein Kapitel, das Luther nicht auf das Abendmahl bezogen wissen wollte – an Christus selbst als das Brot des Lebens.
Der Text am Fuß aus Luk. 14 richtet den Blick auf die Wiederkunft Christi in Herrlichkeit. So binden die drei Schriftstellen die heute feiernde Gemeinde in der Erinnerung an den Gekommenen und den Kommenden mit Christus zusammen.
Die zu dieser Schüssel hergestellten zwei Becher mit Deckel, auf denen wohl auch das Lamm war, sind nicht erhalten.

Roth, Bd. 2. – Kat. Ausst. Welt im Umbruch, Bd. 2, S. 302-304, Nr. 687. G. S.

550

552 Zu den längst üblichen Abendmahlsgeräten tritt nun die Kanne für den Wein.

Abendmahlskanne
Jasper Wulf II, um 1540 (?)
Silber, teilweise vergoldet, getrieben, graviert und teilweise gegossen, Höhe 29 cm, Dm des Deckels 13,7 cm, des Bauches 17,5 cm, des Fußes 14,2 cm. Beschau: Lübeck = Hasse 1; Meisterzeichen: ein laufender Wolf (= Jasper Wulf II); unter dem Ausguß in kleinen Ziffern: 1555; auf dem unteren Rand des runden Fußes: LEGATVM HERN GODERT VAN HOVELEN BVRGEM [ESTER] DER KERKEN DIVAE MARIAE VP DAT HOGE ALTAR DEM BLODE CHRISTI TO EREN.
Lübeck, St. Marien-Kirchengemeinde

Die weitbauchige Kanne mit zylindrischem Fuß und Hals und geschupptem Griff und Ausguß stammt aus dem Besitz des Bürgermeisters und Vorstehers der Marienkirche Gotthard van Höveln (1468-1555) und seiner zweiten Frau Barbara Stotebrügge. Rechts und links vom Ausguß befinden

551

552

sich die Wappen van Hövelns (gebogener Balken mit drei Hügeln belegt, Helmzier ein Hirsch) und Stotebrügges (drei im Dreipaß gestellte Flügel mit Flügel als Helmzier).
Auf dem mit Daumenheber versehenen Deckel eine runde Vertiefung für ein nicht erhaltenes Medaillon.
Gotthard van Höveln zählte zu den ersten Ratsherren in Lübeck, die sich der Reformation zuwandten. Er war Mitglied des Ausschusses, der 1530 mit Bugenhagen die Kirchenordnung ausarbeiten sollte. 1531 wurde er zum Bürgermeister gewählt. Der Vater Barbara Stotebrügges gehörte zum Freundeskreis des Jaspar Bomhower, in dessen Haus schon früh evangelisch gepredigt worden war. Nach dem Tod van Hövelns am 4. Mai 1555 wurde die Kanne für den Hochaltar der Marienkirche als Abendmahlskanne gestiftet. Erst damals brachte man die Gravur an (das die Schuppen unterbrechende silberne Band geht auf eine Reparatur des Jahres 1634 zurück). Abendmahlskannen wurden also nicht nur dem damals üblichen Tischgerät nachgebildet, sondern man stiftete solches Gerät auch zu kirchlichem Gebrauch.

Die Bau- und Kunstdenkmäler der Freien und Hansestadt Lübeck, Bd. 2, 1906, S. 427. – W.-D. Hauschild, Kirchengeschichte Lübecks, 1981. – M. Hasse, Lübecker Silber, 1480-1965, 1965, S. 14, 25 (Nr. 11) und 27 (Abb.). G. S.

553 Wie vorsichtig anfangs auf lutherischer Seite Änderungen vorgenommen wurden, zeigt bis ins Äußere hinein der Vergleich der vorreformatorischen Taufagende mit der evangelischen Übersetzung und Neufassung.

a Ordo ad baptizandum infantes (Ordnung für die Kindertaufe) aus St. Lorenz in Nürnberg, Mitte 15. Jahrhundert
Pergamenthandschrift, 23 × 17 cm. Einband: Holzdeckel mit Leder überzogen
Nürnberg, Stadtbibliothek, Cent. VI 43[r]

Der vorreformatorische Band enthält neben der im Bistum Bamberg gebräuchlichen Taufagende eine Reihe weiterer Ordnungen für Segens- und Weihehandlungen. Dabei sind die Anweisungen für den Geistlichen in roter Tinte ausgeführt – rubriziert – während der zu sprechende Text in schwarzer Tinte geschrieben ist. Interessanterweise weist die in dem Band enthaltene Ordnung für die Krankenkommunion die stärksten Gebrauchsspuren auf.

K. Schlemmer, Gottesdienst und Frömmigkeit in der Reichsstadt Nürnberg am Vorabend der Reformation, 1980, S. 139. – H. Reifenberg, Sakramente, Sakramentalien und Ritualien im Bistum Mainz seit dem Spätmittelalter, Bd. 1, 1971, S. 79 f., 85 und 196 f. G. S.

b Andreas Osiander, Deutsche Taufordnung für St. Lorenz in Nürnberg, Februar 1524
Handschrift von Alexius Bierbaum, Orig. Perg., 18,3 × 14,5 cm
Nürnberg, Landeskirchliches Archiv, Fen IV 180, 4°

Wie in manchen anderen Städten begann man in Nürnberg reformatorische Änderungen der Liturgie durch die Verwendung der deutschen Sprache bei der Taufe. Doch handelte es sich nicht einfach um eine Übersetzung. Die den Reformatoren anstößige Weihe von Wasser und Salz unterblieb. Außerdem wurden von Osiander verschiedene Gebete aufgenommen, die aus der schon 1523 erschienenen deutschen Taufordnung Luthers stammen. Im übrigen aber behielt Osiander vieles aus der überlieferten Ordnung, was Luther und andere getilgt hatten. Nur so konnte er wohl auch der Zustimmung seines Propstes und des Rates sicher sein. Sie muß vorgelegen haben, da man sonst sicher nicht ein so aufwendiges liturgisches Buch hätte herstellen lassen. Tatsächlich wurde die Taufordnung dann auch kurze Zeit später unter dem Stadtwappen publiziert. Auf dem Innendeckel finden sich handschriftlich einige Fragen, die vor der kirchlichen Taufe feststellen sollten, ob das Kind bereits eine – gültige – Nottaufe empfangen hatte.

Andreas Osiander d.Ä., Gesamtausgabe Bd. 1, hrsg. von G. Müller u. G. Seebaß, 1975, S. 104-121 und 128 f. (M. Stupperich). G.S.

554 Die Vielfalt der überlieferten Zeremonien bei Taufe, Trauung und Begräbnis wird eingeschränkt. In das Zentrum rücken Trost und Verheißung Gottes.

›Ordnunge, so zu Nurmberg angefanngen ist mit denn Ampten der Meße unnd Vesper, Auch mit abstellung der Ceremonien ...‹ 1525
Orig. Papier, 19,7 × 14,5 cm. Aufgeschlagen: Ordnung so man mit den verstorbenen helt
Heidelberg, Nachlaß Hans von Schubert

Wohl am einschneidendsten waren die Reformen der Bestattung. Das wird auch damit zusammenhängen, daß vor allem der Glaube an das Fegfeuer als Voraussetzung eines Ablasses für Verstorbene ebenso wie alle Gedächtnismessen für Verstorbene reformatorischer Lehre zuwiderliefen. Der Nürnberger Ratsschreiber Spengler schrieb 1527: *Man macht auch mit den verstorben als pillich kain geprengk. Dann wer im glauben stirbt, bedarf des nit; wer im unglauben stirbt, den hilft es nit.* Vor allem veränderte der Zusammenhang von Wort und Glaube die kirchliche Bestattung: Sie bezog sich nicht mehr auf den Toten und sein Seelenheil, sondern beschränkte sich auf die Verkündigung der Auferstehung und die Erinnerung an den eigenen Tod.
In Nürnberg stellte man anfangs sogar frei, ob überhaupt eine kirchliche Bestattungsfeier stattfinden sollte – vor allem wohl um der Kosten willen. So kam es zunächst fast zu einem Zusammenbruch der kirchlichen Bestattung. Die »Totengeläute« jedenfalls gingen zwischen 1523 und 1527 deutlich zurück. Schließlich wurde die kirchliche Beerdigung in ganz einfacher Form wieder üblich.

F. Merkel, Bestattung IV. In: TRE 5, 1980, S. 743-749 und 757. – H. v. Schubert, Die älteste evangelische Gottesdienstordnung in Nürnberg. In: Monatsschrift für Gottesdienst und kirchliche Kunst 1, 1896/97, S. 276-285, 316-328, 349-356. G.S.

F Die Bildung des Pfarrerstandes

Es bedeutete einen tiefen und weitreichenden Eingriff, daß die Reformatoren die Priesterweihe als Sakrament nicht anerkannten und unter Hinweis auf die Taufe das allgemeine Priestertum der Christen lehrten. So wurde die bisherige Sonderstellung der Geistlichen aufgehoben; die bis dahin grundlegende Spaltung der Gesellschaft in Kleriker und Laien galt jetzt als willkürliche Zertrennung des einen Leibes Christi. Damit fielen eine Fülle von Sonderrechten der Geistlichen, die im späten Mittelalter die Quelle ständiger Auseinandersetzungen zwischen Kirche und Obrigkeit gewesen waren und den schon vor der Reformation vorhandenen Antiklerikalismus geschürt hatten. Das bedeutete einen großen Schritt auf dem Weg zu einem einheitlichen Bürger- und Untertanenverband. Freilich zeigte sich auch schon bald, daß die evangelischen Geistlichen in drückende Abhängigkeit von der Obrigkeit gerieten, da sich die werdende evangelische Kirche nicht selbständig und gesamtkirchlich organisierte, sondern weiterhin auf den Raum von Territorium oder Stadt begrenzt war.
Das geistliche Amt blieb erhalten. Es begründete aber keinen eigenen Stand, sondern bedeutete nur die Bestimmung zu besonderem, nämlich öffentlichem Dienst. Seine Aufgabe war nicht mehr das Meßopfer als Zentrum priesterlichen Handelns, sondern die Auslegung der Heiligen Schrift, die Sakramentsverwaltung, die Seelsorge und die Kirchenzucht. Dazu wurde eine höhere Bildung gebraucht als sie der mittelalterliche Kleriker üblicherweise besessen hatte. Sehr bald wurde das Studium mindestens in der philosophischen Fakultät zur Voraussetzung, und schon früh prüften und bestätigten Fakultäten oder Gremien führender Geistlicher die Eignung zum geistlichen Amt. Wenn die evangelischen Pfarrer auch zunächst bei oft schlechter Besoldung noch in gedrückter Stellung lebten, so erwarben sie doch allmählich steigende Autorität und wachsende soziale Anerkennung.
Ein grundlegender Wandel vollzog sich dadurch, daß die Reformation die höhere Wertung des asketischen Lebens in der Ehelosigkeit beseitigte. Die Keuschheit galt nun als eine von Gott gewährte, besondere Gabe, die Ehe aber als Erfüllung der göttlichen Bestimmung der Geschlechter füreinander. So hob man den Zölibat, nicht ohne auf die mit ihm verbundenen vielfältigen Mißstände hinzuweisen, auf.
Mit dem asketischen verlor auch das bis dahin als vollkommen geltende Leben der Mönche und Nonnen seinen Vorrang. Denn die Unterscheidung des Mittelalters zwischen den allen Christen geltenden Geboten und den aus der Bergpredigt genommenen und nur für die vollkommenen Christen geltenden »Ratschlägen« lehnten die Reformatoren ab. Damit vollzog sich eine grundlegende Umwertung. Die Erfüllung der Alltagspflichten im weltlichen »Beruf« galt nun als »gutes Werk«, das Leben der Mönche und Nonnen dagegen als Flucht aus gottgewollten Bindungen, Mißachtung der göttlichen Gebote und Ausdruck egoistischer Werkgerechtigkeit. Was man früher als direkten Zugang zum Heil gesehen hatte, erschien nun als Weg ins ewige Verderben. Die Klöster leerten sich, nicht ohne den Einfluß und gelegentlich sogar den Druck der Verwandten. Später duldeten die evangelischen Obrigkeiten keine Neuaufnahmen mehr und hoben die Klöster schließlich auf.

B. Moeller, Kleriker als Bürger. In: Festschr. für Hermann Heimpel, Bd. 2, 1972, S. 195-224. – Ders., Pfarrer als Bürger, 1972. – B. Lohse, Mönchtum und Reformation, 1963. G.S.

555 Der Unterschied zwischen Laien und Geistlichen wird aufgehoben. Damit tritt an die Stelle des geweihten Priesters allmählich der akademisch gebildete evangelische Pfarrer, der nach Prüfung und Berufung zum Amt ordiniert wird.

Martin Luther und Caspar Cruciger, Ordinationszeugnis für Matthias Roth aus Lindau, Wittenberg, 18. April 1540
Originaldruck des lateinischen Formulars des Wittenberger Ordinationszeugnisses, Papier 25,5 × 21 cm. Eigenhändige Unterschriften Luthers und Crucigers
Lindau, Stadtarchiv, Urkunden Nr. 186 a

Das lateinische Ordinationszeugnis stellt zunächst fest, daß der zu ordinierende Matthias Roth (gest. 1575) von der Gemeinde in Bitterfeld berufen und an seinem Lebenswandel nichts auszusetzen sei. Die Gemeinde hatte um die Ordination gebeten. Diese hatte man ihm erteilt und ihm das Amt der Predigt und Sakramentsverwaltung anvertraut, nachdem eine Prüfung ergeben hatte, daß seine Lehre mit der der allgemeinen Kirche und der zu Wittenberg übereinstimmte.

WA Br 12, S. 456 und 457 f. – B. Lohse, Zur Ordination in der Reformation. In: R. Mumm (Hrsg.), Ordination und kirchliches Amt, 1976, S. 11-18. G.S.

556 Die Kirche des Spätmittelalters hatte vielfach Verfahrensformen gefunden, um das Konkubinat der Geistlichen zu dulden. Den evangelischen Predigern und Pfarrern dagegen wird die Heirat nahegelegt.

Antonius Corvinus, Heiratsurkunde des Pastors von Detmold, Simon von Exter, und der Lucke N., Detmold 10. Juni 1542
Eigenhändig, Orig. Papier, 33,2 × 20,6 cm. Mit Ringsiegel und den am Ende zugesetzten eigenhändigen Unterschriften der Zeugen, des Ritters Bernd von Exter, des gräflich-lippischen Kanzlisten und früheren Pfarrers von Horn, Magister Johannes Mentze, des Sekretärs der Stadt Lemgo, Johannes Meier, und des Sekretärs der Stadt Detmold, Bernhard von der Lippe
Detmold, Nordrhein-Westfälisches Staatsarchiv, L 21, Nr. 55, Bl. 5[rv]

Schon 1538 war in der Grafschaft Lippe unter der Oberlehnsherrschaft des Landgrafen Philipp von Hessen die Reformation eingeführt worden. Auseinandersetzungen unter den Geistlichen des Landes führten zur Berufung des Antonius Corvinus aus Hessen (1501-1553) und der ersten 1542 durchgeführten Visitation. In ihrem Zusammenhang wurden auch die letzten Reste des Konkubinats der Geistlichen beseitigt. Erst jetzt war der Pastor Simon von Exter (ca. 1490-1546), dem schon früher mangelnder Eifer für die Reformation nachgesagt worden war, bereit, seine Konkubine Lucke zu heiraten. Vor Antonius Corvinus und einer Reihe angesehener Zeugen wurde die Eheschließung im Pfarrhof in Detmold vollzogen.
Der Beginn der von Corvinus selbst aufgesetzten Urkunde lautet: *Ich, Antonius Corvinus, bekenne mit dieser, meiner eigen hant schrifft fur jdermenniglich: Nachdem aus gotlicher schrifft wider die papisten die priesterehe gewaltiglich In dieser Zeit erhalten vnd auch in vielen Landen vnd stedten In das werk gepracht ist, das der wirdiger vnd Erbarer Er Simon von Exteren, Pastor zu Detmoldt, In ansehung, das gemelter eestand Jdermenniglich, er sey gleich geistlichs oder weltlichs standes, frey vnd niemant, der dazu tüchtig, verpoten ist, seine magt Lucken, die er von einer Jungfrawen beschlaffen vnd etliche kinder mit Ir gewonnen, zu der heiligen ehe genomen vnd, sie hinfurt fur sein ehelich gemahel zu halten, zugesagt hat.*

W. Butterweck, Die Geschichte der Lippischen Landeskirche, 1926, S. 111-135 und 364 f. – Confessio Augustana. Die Reformation in Lippe, 1980, S. 41 f., Nr. 35. G.S.

557 Erst 1525 heiratete Luther. Seine Frau war die frühere Nonne Katharina von Bora.

Bildnisse Martin Luthers und seiner Frau Katharina von Bora
Lukas Cranach d. Ä., Werkstatt, um 1526/29
Gemälde auf Holz, je 37 × 24,4 cm
Münster, Westfälisches Landesmuseum für Kunst und Kulturgeschichte, Inv. Nr. 1232, 1233. Leihgaben der Bundesrepublik Deutschland
Farbtafel Seite 88

Nachdem Luther vielen ehemaligen Geistlichen zur Ehe geraten hatte, heiratete er selbst am 13. Juni 1525 als 42jähriger die 26jährige Katharina von Bora.
Sie stammte aus einer verarmten Adelsfamilie des Herzogtums Sachsen. Erzogen in der Schule der Benediktinerinnen in Brehna, wurde sie 1515 als Nonne im Zisterzienserinnenkloster in Nimbschen (bei Grimma) eingesegnet. Über den Prior des Klosters, Wolfgang von Zeschau, der 1522 seinen Orden verließ, wurden die Nonnen mit Luthers Lehre bekannt. Als neun von ihnen, darunter Katharina und ihrer Tante, nicht erlaubt wurde, das Kloster zu verlassen, verhalf Luther ihnen zur Flucht (vgl. Kat. Nr. 558), nahm sie in Wittenberg auf und fühlte sich seitdem für sie verantwortlich. Daß er selbst schließlich Katharina heiratete, geschah – wie er selber sagte – aus Gehorsam gegen den Wunsch des Vaters, zur Bestätigung seiner Lehre und als Zeichen seines Vertrauens zu Gott in den unruhigen Zeiten des Bauernkrieges.
Aus Anlaß der Heirat malte Lukas Cranach, in dessen Haus Katharina nach der Flucht seit dem 7. April 1523 lebte und der mit seiner Frau zu den Trauzeugen gehörte, ein Porträtpaar von Katharina und Luther, das als Werkstattarbeit oft wiederholt wurde. Es zeigt den Reformator in Büstenform, offenbar kaum typisiert, voll gesammelten Ernstes im Gelehrtentalar. Das Gesicht Katharinas, die in Halbfigur dargestellt ist, zeigt mit dem auf den Betrachter gerichteten Blick Festigkeit und Energie. Beides hat sie in ihrer Ehe bewährt und Luthers weitgehende Sorglosigkeit in wirtschaftlichen Fragen ausgeglichen. Mit Klugheit, gelegentlich auch Schärfe und Härte, stand sie dem schon bald großen Haushalt vor, der aus den fünf Kindern (eine Tochter starb früh), verschiedenen Verwandten, dem Gesinde und zahlenden Studenten bestand. Sie betrieb die Brauerei und sorgte für die Bewirtschaftung der verschiedenen Gärten in Wittenberg und der beiden kleinen Baumgüter außerhalb. Luther sprach von ihr gern als *Herrn Käthe* und erkannte auch sonst mit leise tadelnder Ironie ihre Tüchtigkeit an. An beiden Bildern fallen die Schmucklosigkeit und die dunkle Kleidung auf. Beides bringt die Wirkung der Dargestellten nur durch ihr Gesicht zur Geltung.

E. Kroker, Katharina von Bora, 12. Aufl. 1972. – Friedländer-Rosenberg, 1979, Nr. 187-190. – Westfälisches Landesmuseum für Kunst und Kulturgeschichte Münster. Das Kunstwerk des Monats, April 1979. G.S.

558 Nicht selten führten Einfluß und Hilfe der Familien dazu, daß Mönche und Nonnen ihre Orden aus Sorge um ihr Seelenheil verließen.

Johann Freiherr von Schwarzenberg, ›Ein Schöner Sendtbrief des wolgepornen vnd Edeln herrn Johannsen, Herrn zu Schwartzenberg An Bischoff zu Bamberg außgangen, Darinn er treffenliche vnd Christenliche vrsachen anzeigt, wie vnd warůmb er sein Tochter auß dem Closter daselbst (zum Heyligen Grab genant) hinweggefůrt, Vnd wider vnter sein vätterlichen schutz vnnd oberhand zu sich genomen hab. Ein vorred, darinn die Münch ires zukůnfftigen vntergangs erinnert vnnd ernstlich gewarnet werden. Andreas Osiander. Nuremberg. Anno M.D.XXIIII.‹
Nürnberg: Friedrich Peypus 1524, 4°. 14 Bll.
Nürnberg, Germanisches Nationalmuseum, 8° Rl. 1273 Postinc.

Johann von Schwarzenberg (1465-1528) hat als wohl bedeutendster deutscher Jurist seiner Zeit in Würzburg, Bamberg und dem Fürstentum Ansbach als Rat und Hof-

557

557

richter gedient. Mit der Bambergischen Halsgerichtsordnung (vgl. Kat. Nr. 174) schuf er 1507 eine Rechtsordnung, deren Ziel Gerechtigkeit und gemeiner Nutzen waren und die als das wichtigste Reformgesetz des beginnenden 16. Jahrhunderts im deutschen Raum zu gelten hat. In zahlreichen weiteren Schriften trat er als ernster Christ nach dem Tod seiner Frau den Lastern der Zeit entgegen. Der über Fünfzigjährige öffnete sich der Reformation und setzte sich im Reichsregiment und literarisch für sie ein. So versorgte er auch seine Tochter Barbara im Bamberger Dominikanerinnenkloster mit evangelischen Schriften. Im Herbst 1524 ließ er sie auf ihren eigenen Wunsch in einer dramatischen Aktion aus dem Kloster holen – und rechtfertigte diesen Schritt dem Bischof gegenüber damit, daß er seine Tochter nicht im »Götzendienst« habe lassen dürfen. Durch die vorliegende Veröffentlichung des Briefes, dem eine heftig polemische Vorrede gegen das Mönchtum vorangestellt wurde, erregte der Schritt Aufsehen. Luther beglückwünschte Schwarzenberg; der Nürnberger Rat tadelte die Veröffentlichung. Der eigene Sohn Christoph aber brach daraufhin endgültig mit dem Vater.

W. Scheel, Johann Freiherr zu Schwarzenberg, 2. Aufl. 1905. – G. Seebaß, Bibliographia Osiandrica, 1971, S. 24-27, Nr. 6.1.2. G. S.

G Zeugnis und Rechenschaft

Für das Geschichtsverständnis der mittelalterlichen Kirche war die Zeit der Verfolgung und des Martyriums eine mit der alten Kirche abgeschlossene Epoche, auf die man zurückblickte. Denn die Ketzermartyrien erkannte man als solche nicht an. Seit aber Luther und seine Anhänger von der Kirche gebannt und im Wormser Edikt geächtet worden waren, konnte derjenige, der sich mit Wort oder Tat zur evangelischen Lehre bekannte, vom geistlichen Gericht als Ketzer verurteilt und von der Obrigkeit durch Feuer oder Schwert getötet werden. So kam es in den folgenden Jahren vor allem in den geistlichen Fürstentümern sowie den habsburgischen und bayerischen Gebieten zu Hinrichtungen Evangelischer. Dabei wurde der urchristliche Sinn des Martyriums als des öffentlichen Zeugnisses für Christus wiederentdeckt. Gleichzeitig verstärkte dies das Bewußtsein, in den von der Johannes-Offenbarung geweissagten Leiden der Endzeit zu stehen.
Aber auch dort, wo die weltliche Obrigkeit evangelische Predigt und die ihr entsprechenden Reformen duldete, waren Zeugnis und Rechenschaft gefordert. Schon bald entstand eine eigene Art von Schriften, die – als Verantwortung, Rechenschaft oder Apologie bezeichnet – reformatorische Maßnahmen begründen und verteidigen sollten. Anfangs handelte es sich um Stellungnahmen einzelner, die ihrer geistlichen oder weltlichen Obrigkeit gegenüber ihre Predigt oder die erfolgten Maßnahmen verteidigten, sehr bald auch um eine gemeinsame Rechtfertigung der evangelischen Prediger einer Stadt. Wenn solche Verteidigungsschriften durch den Druck einer breiteren Öffentlichkeit bekannt gemacht wurden, erhielten sie gleichzeitig oft programmatischen Charakter. Als dann, zunächst in den Städten und später in den Territorien, die reformatorische Neuordnung von der jeweiligen Obrigkeit übernommen wurde, kam auch diese vor Bischöfen, Kammergericht und Reichstagen in den Zwang umfassender Begründung und Verteidigung. Dabei entwickelte sich der Sache entsprechend ein oft ähnlicher Aufbau solcher Verteidigungsschriften: Sie berichteten über Anlaß, Vollzug und Folgen der vorgenommenen Änderungen und gaben dann die Begründung für das Eingreifen der Obrigkeit an. Diese berief sich darauf, nicht nur für das irdisch-zeitliche, sondern auch für das himmlisch-ewige Heil der Untertanen verantwortlich zu sein, legte dar, daß man im Interesse irdischer Wohlfahrt für die rechte Gottesverehrung sorgen und den durch die unrechte Verehrung erregten Zorn Gottes abwenden müsse, und machte deutlich, daß das Nebeneinander unterschiedlicher Predigt und Zeremonien notwendig zu Zwietracht und Unfrieden unter den Untertanen geführt habe und führen müsse. Diese Verteidigungsschriften bildeten eine wichtige Vorstufe der auf dem Augsburger Reichstag von 1530 übergebenen Bekenntnisse.

F. Schulz, Das Gedächtnis der Zeugen. In: JLH 19, 1975, S. 69-104. – G. Seebaß, Die reformatorischen Bekenntnisse vor der Confessio Augustana. In: P. Meinhold (Hrsg.), Kirche und Bekenntnis, 1980, S. 26-55. G. S.

559 Das Eintreten für die evangelische Lehre führte, wo obrigkeitlicher Schutz fehlte, nicht selten zu Verfolgung und Martyrium.

Benennung zweier Anwälte durch Adolf Clarenbach, Oktober 1528
Eigenhändig, Papier, 20 × 28,3 cm
Köln, Historisches Archiv der Stadt, Reichskammergericht K 6 a

Der aus Lennep stammende Adolf Clarenbach (ca. 1495-1529) erlitt das Schicksal vieler, die sich zur reformatorischen Lehre bekannten. 1523 mußte er die Stadt Münster – aufgefallen als Kritiker der Bilderverehrung – verlassen. Als Konrektor der Lateinschule in Wesel wurde er 1524/25 zum Führer der evangelisch Gesinnten, verließ aber die Stadt, als der Herzog von Cleve ein Vorgehen gegen ihn forderte. 1526 unterhielt er eine private Lateinschule in Osnabrück, wurde aber auf Betreiben von Bischof und Domkapitel ausgewiesen. Im Sommer 1527 verbreitete er bei kleinen Zusammenkünften in seiner bergischen Heimat die »neue Lehre«, so daß es sehr bald zu Aufenthaltsverboten kam. Als er 1528 seinen Freund Johann Klopriss nach Köln begleitete, wurde er verhaftet. An dem sich lange hinziehenden Prozeß waren der Rat von Köln, das geistliche Gericht der Stadt und der erzbischöfliche Gerichtsherr beteiligt. Clarenbachs Bruder Franz versuchte durch eine Verfahrensklage beim Reichskammergericht in Speyer den Prozeß aufzuhalten. In diesen Zusammenhang gehört unser Brief, das einzige erhaltene Autograph Clarenbachs: *Sintemal ich Adolf Clarenbach als Gefangner wegen meiner Bande weder durch mich selbst meine Rechtssache behandeln kann, noch auch ein Notar oder einer meiner Brüder zu mir gelassen wird, damit ich, dem Rechte und dem Gesetze gemäß, einen Anwalt zu ernennen im Stande bin, so bin ich durch die Notwendigkeit gezwungen, einen Anwalt durch Handschrift zu ernennen. Ich ernenne daher als meine Anwälte in der Sache gegen diese Stadt Leopold Dick, Doctor der Rechte und Anwalt der Kaiserlichen Kammer, und meinen leiblichen Bruder Franz Clarenbach, so daß, was dieselben in dieser meiner Sache handeln, ich jederzeit für recht und gültig in bester Weise anerkenne und anerkennen werde, und dieses bezeuge und bestätige ich mit dieser eigenen Unterschrift meiner eigenen Hand. Adolf Clarenbach, Gefangener schon im siebenten Monat.*
Noch während des Prozesses erschienen auch erste Flugschriften, die, für Clarenbach eintretend, darüber berichteten. Gleichwohl wurde er, nachdem ihn das geistliche Gericht exkommuniziert und der Rat ihn an den Greve als Gerichtsherrn übergeben hatte, am 27. September 1529 verbrannt.

J. F. G. Goeters, A. Stein, F. G. Venderbosch, Bekenner und Zeugen, 1979, S. 65 Abb. und Übersetzung des Briefes. – H. Klugkist-Hesse, Adolf Clarenbach, 1929. G. S.

560 Flugschriften und Lieder verbreiten das Zeugnis und die Geschichte der neuen Märtyrer.

Martin Luther, ›Ein new Lied von den zweyen märterern Christi, zů Brüssel ... (1523)‹
Nürnberg: Georg Wachter 1530
8°. 4 Bll.
München, Bayerische Staatsbibliothek, P. O. germ. 1691, 22

Als erste Opfer der vom Kaiser eingesetzten Inquisition wurden am 1. Juni 1523 die beiden Antwerpener Augustinermönche Henricus Voss und Johann van den Esschen als Anhänger Luthers verbrannt. Als Luther die Nachricht erhielt, soll er bitterlich geweint und gesagt haben: *Ich meinte, ich sollte ja der erste sein, der um dieses heiligen Evangeliums willen sollte gemartert werden, aber ich bin es nit würdig gewesen.* Er schrieb einen Trostbrief ›an die Christen im Niederland‹ und dichtete ein

Lied über das Martyrium der beiden. Luther lobte vor allem deren Standhaftigkeit gegen alle Versuche, sie zum Widerruf zu bewegen und erwähnte kurz das Martyrium, das er als wahres Opfer der beiden Priester verstand, denen man, wie üblich, vor der Hinrichtung die Weihe aberkannte. In dem Martyrium habe Gott selbst gehandelt. Die letzte Strophe zeigt, daß Luther in dem Vorgang ein Zeichen des kommenden Endes der Welt sah: »Gottes Wort ist wiedergekommen und der Sommer steht vor der Tür« (vgl. Matth. 24,32).
Das Lied – zunächst wohl ein Einblattdruck – wurde in die frühen Gesangbücher aufgenommen, aber – wie unser Exemplar zeigt – auch später einzeln nachgedruckt.

Benzing, Nr. 3646. – WA 35, S. 91-97 und 411-415. G.S.

561, 562 Ausführlich begründete Andreas Osiander für die Pröpste der beiden Nürnberger Pfarrkirchen die von diesen Anfang Juni 1524 beschlossenen Reformen des kirchlichen Lebens.

561 Andreas Osiander, Beder bröbst antwurt und underricht mit anzeigung götlicher schrifft, warum sy in iren kirchen die mess geendert und etliche ceremonien und kirchengeprauch abgestelt haben, Juni 1524
Kanzleiausfertigung, Papier, 33 × 23 cm. In Sammelhandschrift, Bll. 1-31. Aufgeschlagen: fol. 24ᵛ
Nürnberg, Staatsarchiv, Reichsstadt Nürnberg, A-Laden-Akten, S I L 78, Nr. 7

Klassisches Beispiel einer Verteidigungsschrift ist die vorliegende Schrift. Sie wurde von Andreas Osiander im Namen der zuständigen Pröpste der beiden Nürnberger Pfarrkirchen aufgesetzt und von diesen dem Rat der Stadt eingereicht, als dieser die Rücknahme der Anfang Juni vorgenommenen Reformen verlangte. Ausführlich begründete Osiander die Änderungen in der Feier des Abendmahls – hauptsächlich die Auslassung aller Gebete, die dieses als Opfer bezeichneten, den Laienkelch und den Gebrauch der deutschen Sprache –, die Aufhebung der Messen für Verstorbene, die Nichtbenutzung des Gebetes an Maria, »Salve Regina«, geweihten Salzes und Wassers bei der Taufe sowie die Aufhebung einiger Nebengottesdienste.
Der Rat war damit zufrieden. Ja, als sich die Pröpste im September 1524 vor dem Bamberger Bischof aus dem gleichen Grund verantworten sollten, bearbeitete der Ratsschreiber Spengler die Schrift so, daß sie nun für den Bischof bestimmt schien und vor ihm verlesen werden konnte. Das zeigt sich an der aufgeschlagenen Stelle (links ganz unten). G.S.

562 Andreas Osiander, ›Grundt vnnd vrsach auß der heiligen schrifft, wie vnd warumb die Eerwirdigen herren baider Pfarkirchen, S. Sebalt vnd sant Laurentzen, Pröbst zu Nürmberg, die mißpreüch bey der heyligen Messz, Jartåg, Geweycht Saltz vnd Wasser sampt ettlichen andern Ceremonien abgestelt, vndterlassen und geendert haben. Nürmberg. Paulus 2. Corinth. 10 (4 f.): Die waffen vnser Ritterschafft seind nit flaischlich, sonder mechtig vor Gott, zu verstören die befestungen, damit wir verstören die anschleg vnd alle höhe, die sich erhebt wider die erkantnuß gottes vnd nehmen gefangen alle vernunfft vndter den gehorsam Christi Vnd sein berayt, allen vngehorsam zu rechen.‹
Nürnberg: Hieronymus Höltzel 1524
8°. 52 Bll.
Nürnberg, Germanisches Nationalmuseum, 8° Rl. 3084ᵈ Postinc.

Nachdem der Prozeß des Bamberger Bischofs gegen die Pröpste mit deren Ausschluß aus der Kirche geendet hatte, arbeitete Osiander in ihrem Auftrag die ursprünglich an den Rat gerichtete Rechtfertigungsschrift noch einmal um, versah sie mit neuer Vorrede und anderem Schluß, so daß sie sich nun an eine breitere Öffentlichkeit wendete. Die Wahl des Druckers Höltzel beweist, daß dies nicht auf Veranlassung des Rates geschah.

Andreas Osiander d. Ä., Gesamtausgabe Bd. 1, hrsg. von G. Müller u. G. Seebaß, 1975, S. 175-254. G.S.

563 Der Rat der Stadt Ulm versandte nach vollzogener Reformation der Stadt an andere Obrigkeiten eine Rechtfertigungsschrift.

›Gemain Außschreiben und Entschuldigung aynes Erbarn Raths der Statt Ulm, was im in götlichen sachen zu Christenlichem seinem fürnemen verursacht hab.‹
Ulm: Hans Grüner 1531. 8°
Ulm, Stadtbibliothek, 27487

Im Juni 1531 führte der Ulmer Rat, nachdem er dem Schmalkaldischen Bund beigetreten war, mit Hilfe von Ambrosius Blarer, Johannes Oekolampad und vor allem Martin Bucer in Stadt- und Landgebiet nach einer Disputation über die von Bucer aufgestellten 18 Artikel die Reformation durch. Bucer kommt auch der Hauptanteil an der Verfasserschaft der Kirchenordnung und dem »allgemeinen Ausschreiben« vom 31. Juli 1531, das der Rat einen Tag später versandte, zu.
Der Rat wollte »Grund und Ursach« seiner Maßnahmen darlegen. Er berief sich für sein Eingreifen darauf, daß der Papst bisher jede Reform verhindert habe. Die Obrigkeit aber müsse gemäß göttlichem Willen regieren, an den sie auch im Gewissen gebunden sei und daher auf niemanden Rücksicht nehmen könne. Man habe Gottes Zorn, Unfrieden und der Gewissensverwirrung in der Bürgerschaft wehren müssen. Es folgt ein Bericht über den Beginn der reformatorischen Predigt in Ulm und – besonders ausführlich – das Verfahren mit den Geistlichen im Juni 1531. Schließlich wird, stets unter Hinweis auf die Heilige Schrift, begründet, daß man nur noch evangelische Prediger dulden und anstellen werde, was man an Taufe, Abendmahl und Gottesdienst änderte, die Verwendung deutscher Sprache im Gottesdienst, die Beseitigung von Nebenaltären und Bildern, die Aufhebung der Klöster und des Fastens. All dies galt nicht als »Neuerung« – das war für die Verfasser vielmehr das spätmittelalterliche Kirchenwesen –, sondern als Wiederherstellung des alten, wahren Gottesdienstes. Der Rat betonte, er habe keine Vor-, sondern eher Nachteile davon, doch gehe es ihm in alledem nur um den Willen Gottes.

Martin Bucers Deutsche Schriften, hrsg. von R. Stupperich, Bd. 4, 1975, S. 183-306. – Specker-Weig. G.S.

H Von der Gemeindereformation zur obrigkeitlichen Kirchenordnung

Wenn sich die Reformation so schnell durchsetzen konnte, so lag das vor allem an der Stärke und Intensität der frühen evangelischen Bewegung. Vielerorts schlossen sich sehr bald auf Drängen der Bevölkerung und bei zögerndem Nachgeben der Obrigkeiten Gemeindereformen an. Soweit diese nicht mit Aufruhr verbunden waren, wurden sie auch von Luther gebilligt, da er jedermann und auch jeder Gemeinde das Recht zusprach, über die Schriftgemäßheit der Lehre zu urteilen.
Diese Reformen warfen im Blick auf kirchliche Ordnungen, Eherecht und Kirchengüter eine Fülle von Fragen auf, die auf Gemeindeebene nicht zu lösen waren. Da aber die evangelische Bewegung nicht die gesamte Kirche ergriff und eine Klärung der Glaubensfrage auf Reichsebene nicht möglich war, drängte die Entwicklung weiter zu einer schon im Spätmittelalter angelegten Kommunalisierung und Territorialisierung der Kirche durch die Obrigkeit. Viele der zum Teil selbst von der reformatorischen Verkündigung überzeugten Ratsherren, fürstlichen Räte und Fürsten fühlten sich nicht nur für das zeitliche, sondern auch für das ewige Heil der Untertanen verantwortlich. Darin wurden sie von den Theologen bestärkt, die in ihnen entweder »Notbischöfe« sahen oder sie unter Hinweis auf die alttestamentlichen Könige direkt für die rechte Ordnung der Kirche verantwortlich machten. Außerdem fürchteten die Obrigkeiten nicht zu Unrecht die Verbindung der religiösen Frage mit politischen und sozialen Spannungen. Auch die Reformatoren drängten die Obrigkeit zum Eingreifen, weil sie angesichts der fehlenden Normierung von Predigt und Reform eine Verwirrung der Gemeinden fürchteten. Der Bauernkrieg und der Beschluß des 1. Speyerer Reichstages, jede Obrigkeit solle sich in der Glaubensfrage ihrer Verantwortung vor Gott und Kaiser entsprechend verhalten, schienen Notwendigkeit und Möglichkeit einheitlicher Reform zu begründen.
Deren wichtigstes Instrument bildeten die nach dem Vorbild Kursachsens durchgeführten Visitationen. Es war die Aufgabe der aus rechtskundigen Räten und Theologen bestehenden Kommissionen, eine Bestandsaufnahme zu machen, Lehre und Leben von Pfarrern und Gemeinden zu prüfen, Schäden abzustellen, eine weitgehende Neuordnung des kirchlichen Lebens vorzunehmen und nicht zuletzt das kirchliche Vermögen zu registrieren und zu sichern. Dabei wurde die Reformation vor allem in ländlichen Gebieten auch gegen Widerstände durchgesetzt. In Kursachsen hat Luther selbst, der die Visitatoren gern als Bischöfe bezeichnete, an der Visitation teilgenommen.
Das Ergebnis dieser Visitationen bildeten die von den Theologen erarbeiteten und von den Obrigkeiten erlassenen Kirchenordnungen. In ihren Regelungen mußten sie vielfach Rücksicht auf die bestehenden Strukturen des jeweiligen Gebietes nehmen. Auch waren die Ordnungen selbst von der Theologie der Verfasser geprägt. So spiegelten sie die Vielfalt der Reformation, setzten aber auch durch gegenseitige Abhängigkeit einen Prozeß der Vereinheitlichung in Gang. Von den Theologen stets nur als vorläufig und jederzeit für verbessernde Änderungen offen gedacht, galten sie der Obrigkeit weiterhin als Abschluß der Neuordnung der Kirche in ihrem Gebiet.

Sehling, 15 Bde. – M. Heckel, Reformation, rechtsgeschichtlich. In: Evangelisches Staatslexikon, 2. Aufl. 1972, Sp. 2143-2146. G. S.

564 Mit Zustimmung und Förderung Luthers wählten sich schon bald einzelne Gemeinden evangelische Prediger und Pfarrer.

Martin Luther, ›Das eyn Christliche versamlung odder gemeyne recht vnd macht habe, alle lere tzu vrteylen vnd lerer zu beruffen, eyn- vnd abtzusetzen, Grund vnd vrsach aus der schrifft.‹
Wittenberg: Lukas Cranach und Christian Döring 1523
8°. 8 Bll.
Augsburg, Staats- und Stadtbibliothek, 4° Th. H. 1700-442

In der kleinen kursächsischen Stadt Leisnig hatten die adeligen Grundherren, der Rat und die Gemeinde im Winter 1522 einen evangelischen Pfarrer und Prediger gewählt und eingesetzt, obwohl das Besetzungsrecht dem Abt des Zisterzienserklosters Buch zustand. Dem Wunsch, dieses Vorgehen aus der Heiligen Schrift als recht zu erweisen, kam Luther mit der vorliegenden Schrift nach. Luther stellt zunächst fest, daß dort, wo das Evangelium gepredigt werde, auch Glaube und Kirche sei. Er führt dann eine Reihe von Schriftstellen dafür an, daß nicht die Geistlichen, Theologen und Konzilien, sondern alle Christen Recht und Pflicht hätten, die ihnen vorgetragene Lehre an der Schrift zu prüfen und Pfarrer und Prediger danach ein- oder abzusetzen. Die kirchlichen Oberen dürften ohne vorhergehende Wahl und Berufung der Gemeinde keinen Pfarrer oder Prediger einsetzen, sondern nur den Gewählten bestätigen. Wenn dies bei evangelischen Predigern abgelehnt werde, genüge auch die Wahl der Gemeinde. Dafür beruft sich Luther auf die auch ohne Bestätigung gültigen Bischofs- und Papstwahlen sowie auf das Recht der Obrigkeiten, Prediger ohne ausdrückliche Zustimmung des Bischofs anzustellen. Er übersieht nicht, daß dies mit einer geringeren Wertung des Predigtamtes zusammenhängt.
Etwa zur gleichen Zeit, als in Zürich die erste Disputation stattfand, sprach also Luther den Gemeinden das Recht zur Überprüfung kirchlicher Lehre an der Heiligen Schrift zu. Daß das Büchlein rasch neun Nachdrucke erlebte, zeigt das Interesse, das Luthers Darlegungen fanden. Man sollte zwischen dieser Schrift, die das Recht der Gemeinde stark hervorhebt, und den späteren obrigkeitlichen Maßnahmen zur Einführung der Reformation keinen zu scharfen Widerspruch konstruieren, da auch im Falle Leisnigs die Repräsentanten der Gemeinde, Grundherren und Rat, die Handelnden waren und für Luther die Obrigkeit in kirchlichen Fragen stets als Vertreterin der Gemeinde handelte.

WA 11, S. 401-416. – Benzing, Nr. 1569. – W. Brunotte, Das geistliche Amt bei Luther, 1959. G. S.

565 Reformatorische Gemeinden machen bei der Anstellung von Predigern reine Lehre und unanstößiges Leben zur Bedingung.

Revers des Johann Sutel über seine Anstellungsbedingungen als Prediger der Nikolaigemeinde in Göttingen, September 1530
Eigenhändig, Papier, 22 × 17 cm
Göttingen, Evang.-Luth. Stadtkirchenarchiv, Pfarrarchiv St. Nikolai 203

Mit Wissen und Willen des Rates, der führenden Geistlichen und der Gemeinde wurde Johann Sutel (1504-1575) aus Alten-

morsch/Hessen, der keine priesterliche Ordination empfangen, wohl aber in Erfurt studiert und zum Magister promoviert hatte, als *diener des gotlichen worts vnd der sacramenten* an der St. Nikolaikirche in Göttingen angestellt. In seinem Revers versprach er, in Übereinstimmung mit den Dienern des göttlichen Worts in Wittenberg und Braunschweig lehren zu wollen, dem Superintendenten gehorsam und bei Abfall von der reinen Lehre oder anstößigem Lebenswandel mit seiner Entlassung einverstanden zu sein.
Solche Anstellungsbedingungen evangelischer Gemeinden für ihre Pfarrer und Prediger tauchten schon früh und selbst in Dörfern auf. Später wurden sie immer umfangreicher und zählten die Pflichten der Geistlichen wie der Gemeinde oder der Stadt umfassend auf.

P. Tschackert, Magister Johann Sutel (1504-1575). In: Zs. der Gesellschaft für niedersächsische Kirchengeschichte 2, 1897, S. 1-140. – Kat. Ausst. 450 Jahre Reformation in Göttingen, 1979, S. 26. – Sehling, Bd. 11, S. 77-79; Bd. 12, S. 46-48. G. S.

566 Melanchthon schuf die einflußreichen Richtlinien für die kursächsischen Pfarrer, um evangeliumsgemäße Predigt und die entsprechende Neuordnung des Kirchenwesens zu erreichen.

Philipp Melanchthon, ›Vnterricht der Visitatorn an die Pfarherrn im Kurfürstenthumb zů Sachssen Wittemberg MDXXVIII.‹ [mit der Vorrede von Martin Luther]
Nürnberg: Friedrich Peypus 1528
8°. 32 Bll.
Nürnberg, Germanisches Nationalmuseum, 8° R 5079[f] Postinc.

Vorbild und Ansatzpunkt vieler folgender Visitationen wurde der ›Unterricht‹ Melanchthons, dem Luther eine Vorrede vorausstellte, die das Recht zur Visitation begründet. Insgesamt zeigt der ›Unterricht‹ die Tendenz, auf dem Hintergrund der Erfahrungen des Bauernkrieges mögliche Mißverständnisse und den Mißbrauch reformatorischer Lehre vor allem in bezug auf das Freiheits- und Obrigkeitsverständnis, das Verhältnis von Glaube und Werken und auf die Gültigkeit und Verbindlichkeit bürgerlicher und weltlicher Ordnung zu verhindern und zu beseitigen. So wird die Lehre im wesentlichen als eine Auslegung der Zehn Gebote und Erläuterung der drei Sakramente (Taufe, Abendmahl, Buße mit Beichte) entfaltet. Feiertags- und Gottesdienstordnungen sowie die Ausführungen zum Eherecht zeigen den behutsamen Charakter der kirchlichen Reform. Ansätze für Kirchenzucht und eine die Ortsgemeinde übergreifende kirchliche Aufsicht werden entwickelt. Am Ende steht eine ausführliche Ordnung für die Lateinschulen. Die vielfältigen Rechtsprobleme und das Problem des Kirchengutes und seiner Verwendung werden nicht behandelt, da sie nicht in die Kompetenz der Pfarrer fielen.

WA 26, S. 175-240. – Melanchthons Werke in Auswahl, hrsg. von R. Stupperich, Bd. 1, 1951, S. 215-271. – H.-W. Krumwiede, Zur Entstehung des landesherrlichen Kirchenregiments in Kursachsen und Braunschweig-Wolfenbüttel, 1967, S. 48-119. – W. Maurer, Der junge Melanchthon, Bd. 2, 1969, S. 470-511. G. S.

567, 568 In der brandenburg-nürnbergischen Visitation wurden den Pfarrern bestimmte Fragen vorgelegt und ihre Antworten anhand einer thesenartigen Zusammenfassung reformatorischer Lehre geprüft.

567 Andreas Althamer, Johann Schopper und Adam Weiß, Die dreißig Ansbacher Fragen, Mai 1528
Gleichzeitige Kopie, Papier, 35,5 × 24 cm. In Sammelhandschrift, Bll. 179-187. Aufgeschlagen: Bl. 182[v]-183[r]
Nürnberg, Staatsarchiv, Fürstentum Ansbach, Religionsakten, Tom. 8

Im Unterschied zu Melanchthons ›Unterricht‹ lassen die für die Visitation des Fürstentums Ansbach-Kulmbach aufgestellten Fragen deutlich erkennen, daß man die evangelische Überzeugung der Pfarrer prüfen und altgläubig oder täuferisch gesinnte Geistliche aus dem Amt entfernen wollte (vgl. etwa Frage 6, 7 und 10). Die Visitation wurde in den Jahren 1528/29 gemeinsam mit der Reichsstadt Nürnberg durchgeführt.

Andreas Osiander d. Ä., Gesamtausgabe Bd. 3, hrsg. von G. Müller u. G. Seebaß, 1979, S. 122-248. – K. Schornbaum, Aktenstücke zur ersten Brandenburgischen Kirchenvisitation 1528, 1928. G. S.

568 Andreas Osiander, Die Nürnberger Visitationsartikel, Mai/Juni 1528
Gleichzeitige Kopie von der Hand Johann Rurers, Papier, 34,5 × 22 cm. In Sammelhandschrift, Bll. 101-107. Aufgeschlagen: »Von der Kirche und ihrer Gewalt« (15)
Nürnberg, Staatsarchiv, Fürstentum Ansbach, Religionsakten, Tom. 9

Der führende Nürnberger Theologe Andreas Osiander war der Auffassung, daß für die geplante brandenburg-nürnbergische Visitation Fragen nicht ausreichten. Er wollte vielmehr den Visitatoren die Möglichkeit zur Überprüfung der Antworten und zur konzentrierten Unterrichtung der Pfarrer an die Hand geben. Er faßte daher in 21 Artikeln, zu denen später noch verschiedene Ergänzungen kamen, sehr pointiert und thesenartig die reformatorische Lehre zusammen. Dabei gelangen ihm Formulierungen von großartig zugespitzter Dichte: *Daß die Kirche aus Gottes Wort geboren werde; darum soll man Gottes Wort nicht nach der Kirche, sondern die Kirche nach dem Wort richten.* Von daher wird verständlich, daß bei den Visitationen entstandene Texte später auch Bedeutung für die Formulierung von Bekenntnissen erhielten.

Andreas Osiander d. Ä., Gesamtausgabe Bd. 3, hrsg. von G. Müller u. G. Seebaß, 1979, S. 123-180. G. S.

569 Visitationsprotokolle halten die Ergebnisse fest – wichtige Quellen für die Kenntnis nicht nur der kirchlichen Situation in den Gemeinden.

Protokoll der Ulmer Synode des Jahres 1532, Februar-Sommer 1532
Originalniederschrift, Papier, 31,5 × 22 cm
Ulm, Stadtarchiv, A (8984/I)

Visitationen sollten nach den ursprünglichen Plänen in regelmäßigen Abständen gehalten werden. Doch geschah das in den großen Territorien angesichts des Aufwandes nur selten. Anders in den Städten. Ulm ist ein Beispiel dafür, daß man in kurzen Abständen Visitationen vornahm.
Im Sommer 1531 wurde in der Stadt die Reformation durchgeführt und damit eine erste Prüfung der Geistlichen verbunden. Sehr genau beobachtete man dann die weitere Entwicklung in den Gemeinden. Schon im Herbst 1531 nahmen die beiden Herrschaftspfleger eine Überprüfung der Amts-

führung von Amtsleuten, Pfarrern und Richtern vor. In der ersten Hälfte des Jahres 1532 fand im Zusammenhang einer Synode, zu der aus jeder Gemeinde ein Vertreter des Gerichts, der Pfarrer und ein Gemeindevertreter in die Stadt geladen wurden, so etwas wie eine Visitation statt. In einer »offenen Befragung« ging es um eine Art allgemeiner »Bestandsaufnahme«, während in einem zweiten Durchgang Gemeinde und Pfarrer gegenseitige Auskunft geben sollten. Es zeigte sich deutlich, daß es bei alledem um die wirksame Durchführung der Reformation ging, da die Abschaffung der Bilder und Altäre, Katechismusunterricht und neue Abendmahlssitte mancherlei Widerstand fanden. Ebenso aber ging es um die Durchsetzung obrigkeitlicher Sittenzucht, die ebenfalls große Schwierigkeiten machte. Später wurden auch im Ulmer Gebiet Visitationen durchgeführt, bei denen die Kommission die Gemeinden aufsuchte und an Ort und Stelle Informationen erhielt und Entscheidungen traf.

J. Endriß, Die Ulmer Synoden und Visitationen der Jahre 1531-47, 1935. – Specker-Weig. – P. Hofer, Die Reformation im Ulmer Landgebiet, Diss. Tübingen 1977. G. S.

570 Durch die von ihm entworfenen Kirchenordnungen für Städte und Territorien wird Johannes Bugenhagen zum großen Organisator der Kirche im norddeutschen Raum.

Johannes Bugenhagen, ›Der Erbarn Stadt Brunswig Christlike ordeninge to denste dem hilgen Euangelio, Christliker leue, tucht, frede vnde eynicheit. Ock darvnder vele Christlike lere vor de borgere. Dorch Joannem Bugenhagen, Pomeren bescreuen‹ (Der ehrbaren Stadt Braunschweig christliche Ordnung zu Dienst dem heiligen Evangelium, christlicher Liebe, Zucht, Friede und Einigkeit – auch darunter viel christliche Lehre für die Bürger – durch Johannes Bugenhagen, [den] Pommern geschrieben)
Wittenberg: Joseph Klug 1528. 8°
Göttingen, Niedersächsische Staats- und Universitätsbibliothek, Ius. statut. V, 7778 Rara

Mit Recht hat man von den besonderen Gaben Bugenhagens (vgl. Kat. Nr. 432) für Ordnung und Leitung der reformatorischen Kirche gesprochen. Deswegen verlangten immer wieder städtische und fürstliche Obrigkeiten nach ihm, wenn es um

Kirchen ordnūg /
Wie es mit der Christlichen Lehr / heiligen Sacramenten/vnd allerley andern Ceremonien/ inn meines genedigen Herrn/ Herrn Otthaynrichen / Pfaltzgrauen bey Rhein/ Hertzog in Nidern vnd obern Bayren/ rc. Fürstenthumb gehalten wirdt.
Zum andern mal gedruckt. Anno XLVII.

571 a

die Durchführung der Reformation und ihre Konsolidierung ging.
Die Bugenhagenschen Kirchenordnungen bilden einen eigenen, von anderen deutlich unterschiedenen Typ. Sie behandeln in drei Teilen das Schulwesen, die Aufgaben der Prediger mit den gottesdienstlichen Ordnungen und die Armenfürsorge. Doch hat Bugenhagen dies Schema stets mit gutem Gespür der jeweils besonderen örtlichen Lage und Tradition anzupassen gewußt. Charakteristisch ist ferner, daß Bugenhagen reformatorische Lehre und die ihr entsprechenden organisatorischen Maßnahmen sehr eng miteinander verknüpft. Das ergibt einen fast predigtartigen Stil – Zeugnis davon, daß Bugenhagen tatsächlich manche Teile seiner Kirchenordnungen in Predigten den Gemeinden dargelegt hat.
Am Himmelfahrtstag 1528 hielt Bugenhagen seine erste Predigt in Braunschweig; bereits am 24. August konnte eine Beratung des Rates mit den Gilden und Hauptleuten der städtischen Gemeinden über eine Zusammenfassung der Kirchenordnung stattfinden. Diese selbst wurde am 5. September feierlich angenommen. Dabei galt die Ordnung selbst als Anordnung des Rates, für die sie begründende Lehre aber erklärte sich Bugenhagen verantwortlich. Selbst wenn die Kirchenordnung manche Fragen nicht erschöpfend behandelte – das Problem der zunächst noch altgläubigen Stifte in der Stadt, Bilder- und Abendmahlsverständnis bereiteten in der folgenden Zeit noch Schwierigkeiten –, so hat sie doch das kirchliche Leben der Stadt bis 1671 bestimmt und ist zum Ausgangspunkt weiterer Ordnungen geworden, die Bugenhagen für Hamburg, Lübeck, Dänemark, Norwegen und Pommern entwickelte.

H. H. Holfelder, Bugenhagen. In: TRE 7, 1981, S. 354-363. – Sehling, Bd. 6,1, S. 348-455. – Die Reformation in Braunschweig, Festschr. 1528-1978, 1978. G. S.

571 Kirchenordnungen, die auf die brandenburg-nürnbergische Ordnung des Jahres 1533 zurückgehen, waren im süd- und mitteldeutschen Raum weit verbreitet. Sie bieten eine Zusammenfassung reformatorischer Lehre und der gottesdienstlichen Ordnungen sowie eine Auslegung des lutherischen Katechismus in Form von Predigten.

Andreas Osiander, ›Kirchenordnung, Wie es mit der Christlichen Lehr, heiligen Sacramenten vnd allerley andern Ceremonien inn meines genedigen Herrn, Herrn Ott-Haynrichen, Pfaltz Grauen bey Rhein, Hertzog in Nidern vnd obern Bayren etc. Fürstenthumb gehalten wirdt. Zum andern mal gedruckt. Anno XLVII.‹
Frankfurt/M.: Cyriakus Jacob 1547. 8°
a Aufgeschlagen: Titelblatt des 1. Teils
Heidelberg, Universitätsbibliothek, Q 7206° Reservata
b Aufgeschlagen: Titelblatt des 2. Teils
Regensburg, Staatliche Bibliothek, Liturg. 233
c Aufgeschlagen: Titelblatt des 3. Teils
Nürnberg, Landeskirchliches Archiv, 8° 1144

Die brandenburg-nürnbergische Kirchenordnung ist in einem langen, von 1528 bis 1533 dauernden Prozeß hauptsächlich in Nürnberg entstanden. Das zeigt sich vor allem darin, daß sie all jene Bereiche reformatorischer Neuordnung, für die der Rat der Stadt die Zuständigkeit besaß oder übernommen hatte, nicht berücksichtigt: Armenfürsorge und Verwendung des Kirchengutes, Ehegerichtsbarkeit, Sittenzucht und Schulwesen. Dagegen zeigt sie deutlich ihren Ursprung in der Visitation: Der Teil über die Lehre entspricht den bei der Überprüfung der Pfarrer benutzten Visitationsartikeln. Der Teil über die gottesdienstlichen Ordnungen enthält die erstrebte kirchliche Neuordnung; und die Notwendigkeit einer vorbildlichen Katechismusauslegung hatte ebenfalls die Visitation erwiesen. Die brandenburg-nürnbergische Kirchenordnung wurde getreu oder leicht verändert für viele Gebiete übernommen. Als Osiander 1542/43 im Auftrag Pfalzgraf Ottheinrichs die Kirchenordnung für Pfalz-Neuburg entwarf, hielt er sich im ersten und dritten Teil der Kirchenordnung sehr eng an die von ihm selber erarbeitete nürnbergische Ordnung, schloß sich aber für den 2. Teil über die gottesdienstlichen Ordnungen an die 1540 erschienene Kurbrandenburgische Kirchenordnung an. Der hier ausgestellte Druck von 1547 wurde für den Pfalzgrafen Friedrich und das Gebiet der Kurpfalz hergestellt. Sie ist allerdings in diesem Territorium kaum noch zur Wirkung gekommen.

G. Seebaß, Bibliographia Osiandrica, 1971, S. 132-134. – Sehling, Bd. 13, S. 17-99. G. S.

572 Kirchenordnungen, die von oberdeutschen Theologen entworfen wurden, gehen auf die Lehre nur kurz ein, regeln dagegen ausführlich gottesdienstliches Leben, Kirchenverfassung und Kirchenzucht.

Martin Bucer, Johann Kymäus und andere, ›Ordenung der Christlichen Kirchenzuchte Für die Kirchen im Fürstenthumb Hessen. Ordenunge der Kirchennübunge Für die Kirchen zu Cassel. Act. XX. So habt nun acht auff euch selbst vnd auff die gantzen Herde, vnder welche euch der heilig Geist gesetzt hat zu Bischoffen, zu weyden die Gemeyne Gottes weliche er durch sein eygenn blůt erworbenn hat.‹
Marburg: Christian Egenolph 1539. 8°
Hofgeismar, Predigerseminar der Evang. Kirche von Kurhessen-Waldeck, GGl 1

Martin Bucer (vgl. Kat. Nr. 439) war durch seine Tätigkeit in Straßburg, Ulm, Augsburg und Hessen einer der großen kirchlichen Organisatoren unter den oberdeutschen Reformatoren geworden. Von Anfang an war es ihm um ein der Lehre entsprechendes Gesamtverhalten der christlichen Gemeinde gegangen. Dies Interesse wurde durch die Kritik der Täufer am Zustand der reformatorischen Gemeinden noch verstärkt. Um sie für die Kirche zurückzugewinnen, berief Landgraf Philipp Bucer nach Hessen. Auf diesem Hintergrund entstand auf einer Synode in Ziegenhain 1538 die hessische Zuchtordnung. Sie forderte für die seelsorgerliche Beratung und Kontrolle von Pfarrern und Gemeinden die Wahl von Ältesten. Außerdem wurden Aufnahme und Ausschluß aus der Gemeinde geregelt. Der Katechismusunterricht wurde dringend gefordert und dafür noch im gleichen Jahr der dem Straßburger folgende Kasseler Katechismus geschaffen. Die Konfirmation ging dem ersten Abendmahlsempfang voran und bedeutete, »sich dem Herrn und seiner Kirche zu ergeben«. Ausführlich wurden die seelsorgerliche Gemeindezucht und die Gründe des Ausschlusses vom Abendmahl und dessen Folgen erörtert. So entstand in Hessen tatsächlich eine von der obrigkeitlichen deutlich unterschiedene kirchliche Zucht. Sehr bald trat neben die Zuchtordnung die ›Kasseler Kirchenordnung‹, in der gottesdienstliche Handlungen geregelt wurden.

Sehling, Bd. 8,1, S. 20-23 und 101-130. – Martin Bucers Deutsche Schriften, hrsg. von R. Stupperich, Bd. 7, 1964, S. 247-318. G. S.

573 Luther steht den Kirchenordnungen anfangs kritisch gegenüber, da er ihren gesetzlichen und abschließenden Charakter fürchtet.

Martin Luther an Landgraf Philipp von Hessen, Wittenberg, 7. Januar 1525
Eigenhändig, Orig. Papier, 28 × 18 cm
Marburg, Hessisches Staatsarchiv, Best. 3, (Pol. Arch.) Nr. 2687

In Hessen hatte Landgraf Philipp nach dem Vorbild der Disputationen in den Reichsstädten im Oktober 1526 in Homberg/Efze eine Versammlung der weltlichen und geistlichen Repräsentanten Hessens gehalten, die die Religionsfrage klären sollte. Im Anschluß daran arbeitete Franz Lambert von Avignon eine Kirchenordnung aus, die sehr ins einzelne gehend enthielt, *was in allen hessischen Kirchen reformiert werden sollte.* Über sie erbat der Landgraf Luthers Gutachten, das unser Brief enthält. Dabei zeigte sich, daß Luther im Grunde ein ganz anderes Vorgehen wünschte, nämlich den langsamen Beginn der Reformen in den einzelnen Gemeinden, die Auswahl dessen, was sich dann bewährte und erst zum Schluß die Zusammenfassung in einer Ordnung. Luther erkannte: *Furschreiben und nachthun ist weyt von einander.* Darum riet er: *Kurtz vnd gut, Wenig und wol, Sachte vnd ymer an.* Die Kirchenordnung wurde aufgrund von Luthers Votum nicht allgemein durchgeführt.
Dort wo die Kirchenordnungen – wie in manchen Städten – am Ende einer längeren Reformphase erschienen und diese zusammenfaßten, war die Einführung unproblematisch. Dagegen ließen sich Kirchenordnungen, die bereits mit Beginn der Reformation in einem Territorium erlassen und eingeführt wurden, im allgemeinen nur gegen Widerstände durchsetzen.

WA Br 4, S. 157 f., Nr. 1071. – Sehling, Bd. 8,1, S. 3-14, 43-65. – G. Müller, Die Synode als Fundament der evangelischen Kirche in Hessen. In: Jb. der hess. kirchengeschichtlichen Vereinigung 27, 1976, S. 129-146. G. S.

I Kirchenzucht und kirchliche Verfassung

Mit den Visitationen und dem Erlaß der Kirchenordnungen war eine sich ausweitende, stärker werdende kirchlich soziale Kontrolle verbunden. Das zeigen vor allem die Kirchenbücher. Zwar hatte es schon vor der Reformation vereinzelt Aufzeichnungen über Taufen und Eheschließungen gegeben, aber nun wurde die Führung solcher Register, zu denen später Beicht- und Kommunikantenverzeichnisse kamen, von der Obrigkeit angeordnet. Ein Interesse an diesen Aufzeichnungen aus steuerlichen, militärischen oder statistischen Gründen ist noch nicht erkennbar. Ebensowenig dienten sie der Erfassung evangelischer Gemeinden. Vielmehr wollte man die vollzogene Kindertaufe kontrollieren und zuverlässige Unterlagen über die Verwandtschaft im Blick auf Probleme des Ehe- und Erbrechtes erhalten.
Ein besonderes Problem stellte sich mit der Kirchenzucht. Den »großen Bann« der traditionellen Kirche hatte Luther scharf abgelehnt, wollte aber »halsstarrige Sünder« in einem Verfahren nach Matth. 18,15-18 vom Abendmahl ausgeschlossen wissen. Anders die Schweizer und oberdeutschen Reformatoren. Sie erstrebten eine von Obrigkeit und Kirche gemeinsam verantwortete und kontrollierte Sittenzucht. So sollte – auch um den Anstoß zu beseitigen, den die Täufer an den reformatorischen Gemeinden nahmen – eine »ganze, volle, satte Reformation« (A. Blarer) erreicht werden. In Form von Ehegerichten und Zuchtherren entstanden Institutionen zur Kontrolle des sittlichen Lebens, und die Zuchtordnungen wurden zum konstitutiven Merkmal oberdeutscher Reformation. Eine schon früher bestehende Tendenz zu wachsender obrigkeitlicher Sozialdisziplinierung wurde dadurch verstärkt.
Allerdings ging den oberdeutschen Theologen die obrigkeitliche Sittenzucht nie weit genug. Nirgends erhielten sie das Recht zum Ausschluß vom Abendmahl. Sie trafen auf den Widerstand sowohl von Bürgern als auch der Obrigkeit, die nach den Erfahrungen mit der traditionellen Kirche keine selbständige kirchliche Zucht dulden wollten.
In diesen Zusammenhängen machte sich bemerkbar, daß die Kirche über keine von der Obrigkeit unabhängige Gesamtorganisation mehr verfügte. Immerhin bildete sich allmählich in Städten und Territorien eine die alte und beibehaltene Gliederung in Pfarreien umgreifende, übergemeindliche Struktur. In den Reichsstädten erhielt das Gremium der städtischen Prediger eine Art Leitungsfunktion. In den lutherischen Territorien schuf man das Amt des Superintendenten, »Bischof« einer Stadt oder eines Sprengels, der sich im wesentlichen mit obrigkeitlichen Verwaltungsbezirken deckte. Und schließlich erwuchsen aus Ehegerichten und Visitationskommissionen die für das Gesamtterritorium zuständigen Konsistorien, in denen Juristen und Theologen saßen. Freilich war damit eine dem obrigkeitlichen Eingriff entzogene oder dagegen gesicherte Kirche nicht mehr gegeben. Nur in Gebieten, in denen sich die Obrigkeiten der Reformation verschlossen, gelang es, eine von der Gemeinde getragene, unabhängige Struktur der Kirche zu schaffen.

Kirchenbücher: Verschiedene Aufsätze von M. Simon. In: Zs. für bayerische Kirchengeschichte 26, 1957, S. 146-162; 28, 1959, S. 129-142; 29, 1960, S. 1-24; 33, 1964, S. 164-174; 36, 1967, S. 99-105. – Kirchenzucht: W. Köhler, Zürcher Ehegericht und Genfer Konsistorium, 2 Bde., 1932/1942. – Kirchenverfassung: W. Maurer, Die Entstehung des Landeskirchentums in der Reformation. In: W. Maurer, Die Kirche und ihr Recht, 1976, S. 128-138. – H.-W. Krumwiede, Zur Entstehung des landesherrlichen Kirchenregimentes in Kursachsen und Braunschweig-Wolfenbüttel, 1967. G. S.

574 Zur Kontrolle der vollzogenen Kindertaufe werden Taufregister angelegt.

Taufrödel der Gemeinde Petershausen (damals Vorstadtgemeinde von Konstanz), 1531
Orig. Papier, 32,5 × 11 cm
Konstanz, Stadtarchiv, A VI, 1,1

Die Einführung von Taufregistern erfolgte überall im Zusammenhang mit dem Auftreten der Täufer. In erster Linie sollte auf diese Weise kontrolliert werden, ob die Eltern ihre Kinder möglichst bald nach der Geburt taufen ließen. Das zeigt sich besonders an solchen frühen Registern, die weder Namen noch Geschlecht des Kindes, sondern nur den Namen der Eltern verzeichnen. Gleichzeitig waren die Eltern auf diese Weise gegen die Verdächtigung, Täufer zu sein, geschützt. Außerdem konnte den Täufern, die oft Ungewißheit über ihre Kindertaufe vorgaben, begegnet werden. Darüber hinaus erhielt man zweifelsfrei Angaben über das Alter und die Verwandtschaft einer Person, beides wichtige Voraussetzungen auch für das Eherecht.
In Konstanz ordnete der Rat die Taufregister nach dem Vorbild Zürichs (1526) durch die Zuchtordnung von 1531 für jede Gemeinde an. Er verlangte ausdrücklich den Namen des Täuflings, seiner Eltern, der Paten sowie das genaue Datum der Taufe. Auf diese Weise entstanden hier sehr früh äußerst genaue Register für die einzelnen Gemeinden. Diese mußten jeweils am Ende des Jahres dem Rat in Abschriften übergeben werden. Durch ihren Eintrag entstand beim Rat ein umfassendes Taufbuch aller städtischen Gemeinden. Auch darin zeigt sich die enge Verbindung von kirchlicher und bürgerlicher Gemeinde im oberdeutschen Raum. Gleichzeitig wurde der Rat von den Dokumenten der Kirchen unabhängig.

A. Vögeli (Hrsg.), Jörg Vögeli. Schriften zur Reformation in Konstanz 1519-1538, Bd. 1 und 2,2, 1972, S. 462 f. – W. Köhler, Zürcher Ehegericht und Genfer Konsistorium, Bd. 1, 1932, S. 91-93. G. S.

575 Mit der Führung von Eheregistern sollten die ohne Zeugen geschlossenen oder nur vorgeblichen Ehen unterbunden werden.

Ehebuch der Stadt Konstanz, 1531-1547
Orig. Papier, 31,5 × 22 cm
Konstanz, Stadtarchiv, A VI, 3

Oft noch vor der Einführung der Taufregister erfolgte die Anlage von Eheregistern. Um der vielfältigen Eherechtsprobleme willen wünschten vor allem die reformatorischen Obrigkeiten, in deren Kompetenz nun auch das Eherecht fiel, eine öffentliche Bezeugung der Ehe durch den Kirchgang – in manchen reformatorischen Trauordnungen ist daher auch eine Eheerklärung enthalten – und die Beurkundung. So hoffte man die immer wieder Schwierigkeiten bereitenden »heimlichen Ehen« zu verhindern.
Diese Tendenz war in Konstanz, wo der Rat mit der Zuchtordnung von 1531 die Einführung der Eheregister nach dem Vorbild Zürichs verlangte, besonders deutlich. Wie die Taufregister mußten auch die über die Eheschließungen dem Rat als Kopie übergeben werden und wurden gesammelt in das städtische Ehebuch übertragen.

A. Vögeli (Hrsg.), Jörg Vögeli. Schriften zur Reformation in Konstanz 1519-1538, Bd. 1 und 2,2, 1972, S. 457 f. – Außerdem die bei Kat. Nr. 574 genannte Literatur. G. S.

576 Mit den reformatorischen »Zuchtordnungen« versuchen vor allem im oberdeutschen Bereich die Obrigkeiten christliches Leben sicherzustellen. Um die Einhaltung zu überwachen, werden besondere Gremien geschaffen.

›Ordnung vnnd Satzunng ains Ersamen Raths des hayligen Reichs Stat Esselinngen welcher massen alle ergerliche vndt sundtliche Laster angeben vnd gestrafft werden sollen.‹
Reutlingen: Johann von Erfurt 1532. 8°.
Aufgeschlagen: fol. AII
Ludwigsburg, Staatsarchiv, B 169, Bü 29 (326)

In Eßlingen gab der Rat, nachdem in einer Wahl eine deutlich veränderte Zusammensetzung zustande gekommen war, 1532 der reformatorischen Bewegung in der Bevölkerung nach, als durch den Schmalkaldischen Bund (vgl. Kat. Nr. 274) die politische Sicherheit der Stadt gewährleistet schien. Mit der Berufung Ambrosius Blarers, der Abschaffung der Messe, der Entfernung der Bilder und einer neuen Zuchtordnung folgte die Stadt der oberdeutschen Reformation.
Die Vorrede dieser Zuchtordnung bringt in seltener Konzentration die Intention aller oberdeutschen Zuchtordnungen zum Ausdruck: Eigentlich müsse die Dankbarkeit für das nun am Ende der Geschichte wiederentdeckte Evangelium ein christliches Leben bewirken. Da das aber nicht überall der Fall sei, werde der Rat, wo das nicht geschieht, in der Verantwortung vor Gott gegen die Laster mit Strafen einschreiten und die Ehre Gottes und des Evangeliums wahren. Am Ende der umfangreichen Ordnung, die nun auch das Eherecht umfaßt, das bisher dem geistlichen Gericht zustand, werden fünf Zuchtherren eingesetzt. Dabei ist beachtlich, daß ihre Aufgabe nicht nur die Bestrafung, sondern auch eine der Übertretung vorausgehende vertrauliche Warnung sein sollte.

H.-Ch. Rublack, Reformatorische Bewegung und städtische Kirchenpolitik in Esslingen. In: I. Bátori (Hrsg.), Städtische Gesellschaft und Reformation, 1980, S. 191-220. – H. Krabbe, H.-Ch. Rublack (Hrsgg.), Akten zur Esslinger Reformationsgeschichte, 1981. G. S.

577

577 Nach dem vielfachen Mißbrauch des Bannes in der vorreformatorischen Kirche sind Obrigkeit und Bevölkerung nicht mehr bereit, den Pfarrern das Recht zum Ausschluß vom Abendmahl zuzugestehen.

Verspottung Andreas Osianders beim Schembartlauf 1539
Unbekannter Künstler, Anfang 17. Jahrhundert
Feder, aquarelliert, auf Papier, 31,4 × 57 cm
Nürnberg, Germanisches Nationalmuseum, HB 2354

Die Polemik der evangelischen Prediger gegen den Zwang zur Aufzählung aller Sünden in der Beichte und die Einführung einer vom Geistlichen gesprochenen »allgemeinen Beichte« (offene Schuld) hatten dazu geführt, daß die Einzelbeichte vor dem Abendmahlsempfang seltener wurde. Damit entfiel aber auch die Kontrolle derer, die das Abendmahl nahmen. Aus diesen und anderen Gründen versuchte daher Osiander seit der Arbeit an der Kirchenordnung, die Möglichkeit eines Ausschlusses vom Abendmahl und die Einzelbeichte mit der Anmeldung zum Abendmahlsempfang durchzusetzen. Er stieß dabei aber auf den Widerstand des Rates und – als er die Gültigkeit der allgemeinen Absolution bestritt – auch auf den Widerstand seiner Kollegen. Es kam zu heftiger Kanzelpolemik und zur Isolierung Osianders.
Das war der Hintergrund für die Verspottung Osianders beim Schembartlauf 1539. Der Schembartlauf war ein prachtvoller, hauptsächlich von Patriziersöhnen veranstalteter Fastnachtsumzug, dessen Mitte die »Hölle« bildete – im Jahr 1539 ein Schiff –, die am Ende gestürmt wurde. In dem Schiff stand durch den schwarzen Talar und das Barett deutlich gekennzeichnet, Osiander. Im Arm hielt er – weil er den Kollegen vorgeworfen hatte, sich allzusehr damit abzugeben – ein Brettspiel. Unerreichbar hielt über ihm ein Teufel die »Schlüssel« – Sinnbild von Bann und Absolution.
Daß es am Ende des Schembartlaufes 1539 zu Krawallszenen vor dem Hause Osianders kam, mag auch damit zusammengehangen haben, daß seit dem Durchbruch der Reformation kein Schembartlauf mehr stattgefunden hatte. Möglicherweise waren die reformatorischen Prediger, die in den Volksfesten in erster Linie einen Anlaß zu Trunk, Spiel, Rauferei und anderen Lastern sahen, dafür mitverantwortlich. Die Vorfälle des Jahres 1539 führten dann zu einem erneuten Verbot des Schembarts. Auch Luther übte damals Kritik an dem Fastnachtsbrauch.

H.-U. Roller, Der Nürnberger Schembartlauf, 1965. – E. Kohler, Martin Luther und der Festbrauch, 1959. – S. L. Sumberg, The Nuremberg Schembart Carnival, 1941, S. 227 f. G. S.

578

578 Neu eingerichtete Ämter und Behörden führen die Aufsicht über Pfarrer und Schulen. Der evangelische Superintendent als neuer Bischof.

Bildnis des Mindener Superintendenten
Magister Hermann Huddaeus
Ludger tom Ring d. J., 1568
Gemälde auf Eichenholz, 40,3 × 31,2 cm.
Unten Inschrift: Ut laeti exurgunt frutices ramiq[ue] virescunt/ Sic Euangelij voce Sarepta viget. (Wie üppiges Gesträuch aufwächst und Zweige ergrünen, so wird Sarepta [vgl. Luk. 4,26] vom Worte des Evangeliums belebt)
Berlin, Staatliche Museen Preußischer Kulturbesitz, Gemäldegalerie, Kat. Nr. 622

Hermann Huddaeus (1517/18 bis ca. 1575), ein Schüler Melanchthons, war nach jahrzehntelanger Tätigkeit als Rektor der Mindener Lateinschule seit 1565 Superintendent der Stadt. Er hatte sich hier als humanistischer Gelehrter und als streitbarer Vorkämpfer des Protestantismus seit langem einen Namen gemacht. Das Bild zeigt den nunmehr 50jährigen einerseits mit Sinnbildern der Vergänglichkeit (der bereits weitgehend abgelaufenen Sanduhr, dem Totenschädel, dem lateinischen Vers: Drei Boten des Todes gibt es, Verfall, Krankheit und Alter) sowie als glaubenden Christen und Prediger des lebenschaffenden Evangeliums. Zum andern stellt es ihn durch die topographisch ziemlich getreue Wiedergabe der Stadtsilhouette im Hintergrund als den kirchlichen Herrn Mindens dar, gewissermaßen als evangelischen Bischof; als solchen beschrieb bereits die Mindener Kirchenordnung von 1530 den »Superintendenten« als »Aufseher«, dem die Sache aller Prediger und der Schule befohlen ist und der »durch den Ehrs. Rat und die ganze Gemeinde« gewählt wird. Das Bild enthält somit eine deutliche Spitze gegen den Mindener Bischof, den seit 1567 amtierenden Hermann von Schaumburg, mit dem sich der Rat der Stadt in jenen Jahren in heftigen kirchenpolitischen Auseinandersetzungen befand.

W. Elert, Der bischöfliche Charakter der Superintendenten-Verfassung. In: M. Keller-Hüschemenger (Hrsg.), Ein Lehrer der Kirche, 1967, S. 128-138. – R. Stupperich, Geistige Strömungen und kirchliche Auseinandersetzungen in Minden im Zeitalter der Reformation. In: H. Nordsiek (Hrsg.), Zwischen Dom und Rathaus. Beitr. zur Kunst- u. Kulturgeschichte der Stadt Minden, 1977, S. 203-214. – Th. Riewerts u. P. Pieper, Die Maler tom Ring, 1955, Nr. 131. – J. K. v. Schroeder, Das Bildnis des Mindener Superintendenten Hermann Huddaeus von Ludger tom Ring dem Jüngeren. In: Westfalen 47, 1969, S. 119-130.

B. M.

K Der Christ im weltlichen Stand

Es war für Luther selbstverständlich, daß der Glaube stets »gute Werke« tue. Unter solchen Werken verstand er in erster Linie die konkreten Aufgaben, die der Mensch für andere zu erfüllen hat, als Vater und Mutter, Lehrer, Magd oder Handwerker. Jede Begabung, jedes Werkzeug, jeder Beruf oder Stand ist für Luther eine Aufforderung, dem Nächsten zu dienen. Zwar wußte er, daß der Mensch all dies auch als Sünder eigennützig gebraucht, eigentlich jedoch erschien als seine Bestimmung, Gottes Mitarbeiter und »Rohr und Mittel« seiner Güte für den anderen zu sein. Das bedeutete eine grundlegend neue Wertung des weltlichen Lebens.
Ließ sich die neue Berufsauffassung mit den Zehn Geboten mühelos vereinen, so stellten die in der Bergpredigt enthaltenen verschärften Forderungen ein besonderes Problem. Luther lehnte es ab, sie als einen Ruf zu besonderer Vollkommenheit zu verstehen, betrachtete sie vielmehr als verbindlich für alle Christen. Er wehrte sich jedoch gegen eine undifferenzierte buchstäbliche Anwendung und verstand auch sie vom Liebesgebot aus. Deswegen unterschied er zwischen dem Handeln für die eigene Person und für andere. Vor allem im Amt der Obrigkeit hat der Mensch die Pflicht, Recht und friedliches Zusammenleben, wenn sich das als notwendig und sinnvoll erweist, auch durch Gewalt und Krieg zu bewahren und zu schützen.
Dennoch war Luther weit davon entfernt, das weltliche Leben in Familie, Handwerk, Handel und Obrigkeit eigenen Gesetzmäßigkeiten zu überlassen. Vielmehr galt es, überall den Folgen des Bösen zu wehren und dem Wohl aller zu dienen. Er hat sich deswegen mit sehr konkreten Vorschlägen zu den verschiedensten Problemen des weltlichen Lebens geäußert, zur Zunftverfassung ebenso wie zur Frage des Zinsnehmens und der Monopolbildung. Er verstand dies als »Unterrichtung der Gewissen«. Dabei berief er sich nur für die grundlegenden Aussagen auf die Gebote der Schrift, argumentierte aber im übrigen mit der geschichtlichen Erfahrung, der Volksweisheit im Sprichwort und abwägenden Überlegungen einer freilich von der Liebe umgriffenen Vernunft.
Das Handeln des Christen in den weltlichen Ständen und Ordnungen war für Luther ein Teil des Kampfes zwischen dem Reich Gottes und dem des Satans. Um dem zu begegnen, handelt Gott durch sein weltliches und geistliches Regiment. Durch das geistliche Regiment bewirkt er mit Hilfe der Verkündigung von Gesetz und Evangelium die Erneuerung des Menschen; durch das weltliche wehrt er den Folgen der Sünde und erhält durch alle Stände und Berufe hindurch das Leben des Sünders.
Luther entnahm der Bibel, daß kurz vor dem Ende der Welt die Macht des Teufels noch einmal besonders mächtig werde, und er war überzeugt, in dieser Zeit zu leben. Den letzten Ansturm des Satans wußte Luther im Papsttum und in der türkischen Bedrohung am Werk, denn er glaubte zu sehen, daß beide Mächte die von Gott zur Bewahrung des Lebens eingesetzten drei Ordnungen – Familie, Obrigkeit und Kirche – zerstörten. Der Papst war ihm deswegen der geistliche, der Türke der leibliche Antichrist.

U. Duchrow, Christenheit und Weltverantwortung, 1970, S. 439-572. – E. Wolgast, Die Wittenberger Theologie und die Politik der evangelischen Stände, 1977. – G. Seebaß, Antichrist. In: TRE 3, 1978, S. 28-32. G. S.

579 Die Reformatoren verlangen von der Obrigkeit, dem Bösen zu wehren und durch vernünftige Regierung dem allgemeinen Nutzen zu dienen; gleichzeitig setzen sie ihr eine Grenze am gottgebundenen Gewissen des einzelnen.

Martin Luther, ›Uon welltlicher vberkeytt, wie weytt man yhr gehorsam schuldig sey‹
Wittenberg: Nickel Schirlentz 1523
8°. 26 Bll.
Nürnberg, Germanisches Nationalmuseum, 8° Rl 2050 Postinc.

Die vorliegende Schrift stellt »das Grundbuch der politischen Ethik Luthers« (H. Bornkamm) dar. Gewidmet ist sie Herzog Johann von Sachsen, dem Mitregenten Friedrichs des Weisen, der, wie andere, das obrigkeitliche Amt nicht mit den Geboten der Bergpredigt in Einklang zu bringen vermochte. Anlaß für Luthers Schrift war, daß in verschiedenen Territorien der Besitz von Luthers Übersetzung des Neuen Testaments verboten worden war.
So kam Luther zu einer Dreiteilung seiner Schrift. In einem ersten Teil gibt er eine Bestimmung des Wesens der Obrigkeit in der Unterscheidung von Gottes geistlichem und weltlichem Regiment und behandelt dabei ein Grundproblem christlicher Ethik: die Probleme menschlichen Zusammenlebens angesichts der Bergpredigt. Luther lehnt es ab, letztere nur für »vollkommene« Christen und als Rat gelten zu lassen. Statt dessen unterscheidet er das Handeln im Interesse der eigenen Person und dem des anderen. Im Amt der Obrigkeit handelt man für andere und erfüllt so auch mit dem Gebrauch der Macht das Liebesgebot. Der 2. Teil bestimmt die Grenze der Obrigkeit und wendet sich gegen die Vermischung von geistlicher und weltlicher Gewalt – gegen Bischöfe, die Fürsten sind, und Fürsten, die im Bereich des Glaubens befehlen wollen. Ihnen ist in diesem Punkt passiv leidender Widerstand zu leisten. Im 3. Teil zeichnet Luther knapp das Bild eines »christlichen Fürsten«: Er steht im Vertrauen und Gebet zu Gott; er dient dem Wohl der Untertanen; er wahrt sich Freiheit gegenüber seinen Räten; er geht gegen das Böse streng, aber ohne größeren Schaden zu verursachen, vor. Zusammenfassend ist Luther der Überzeugung, daß Liebe, Vernunft und Recht im Amt der Obrigkeit eins werden müssen.

Benzing, Nr. 1510. – WA 11, S. 229-281. – U. Duchrow, Christenheit und Weltverantwortung, 1970. G. S.

580 Der Ritter Assa von Cramm stellte Luther die Frage, ob ein Kriegsmann Christ sein könne.

Reiterbildnis des Ritters Ascanius von Cramm
Lukas Cranach d. Ä., Werkstatt, um 1525/27
Feder in Braun, laviert, auf Papier, 26,7 × 20,9 cm. In der Mitte unten bezeichnet: Herr Aßa von Krann
Nürnberg, Germanisches Nationalmuseum, Hz 59

Assa von Cramm, kursächsischer Feldoberst und darüber hinaus in französischen und kaiserlichen Diensten selbst durchaus kriegserfahren, konfrontierte Luther in einem Gespräch im Juli 1525, noch unter dem Eindruck der Metzeleien im Bauernkrieg, damit, daß manche »Kriegsleute« im Blick auf ihren »Stand« um ihre Seligkeit fürchteten, andere solche Bedenken skrupellos verdrängten. Er erbat von Luther eine klärende Veröffentlichung zu diesem

580

Thema. Doch dauerte es längere Zeit, bis Luther 1526 diese Bitte erfüllte (vgl. Kat. Nr. 581).
Die Zeichnung, die wohl als Vorlage für ein auszuführendes Bild gedacht war, zeigt Cramm ausgesprochen repräsentativ: das Pferd in der Pose eines Reitermonumentes mit prächtiger Schabracke, ihn selbst in Prunkrüstung, mit großem Pfauenfederhut.

Kat. Ausst. Cranach, Bd. 1, S. 73, Nr. 24. – O. Hahne, Asche von Cramm, ein Kriegsmann der Reformationszeit und Luther. In: Jbb. des Braunschweigischen Geschichtsvereins 2. Folge, 6, 1934, S. 5-31. – F. Zink, Die Handzeichnungen bis zur Mitte des 16. Jahrhunderts, Kat. des Germanischen Nationalmuseums. Die deutschen Handzeichnungen 1, 1968, S. 148-150, Nr. 118, Abb. 118. G. S.

581 Luther legte in seiner Antwort dar, daß ein Christ nur am Verteidigungskrieg dem Nächsten zugut mit gutem Gewissen teilnehmen könne.

Martin Luther, ›Ob kriegsleutte auch ynn seligem stande seyn kůnden?‹
Wittenberg: Hans Barth 1527
8°. 26 Bll.
Augsburg, Staats- und Stadtbibliothek, 4° Th. H. 1700-551

Im Herbst 1526 beantwortete Luther die durch Cramm aufgeworfenen Fragen. Luther rechtfertigte den Krieg nur dort, wo er dazu diente, sich gegen Gewalt zu verteidigen und willkürlich gebrochenen Frieden wiederherzustellen. Und weil Gott den Frieden will, ist Krieg in diesem Sinn Teil der Aufgabe der gottgewollten Obrigkeit. Die gesamte Schrift will zeigen, daß derjenige, der in einem solchen Krieg dem Frieden dient, ein Werk der Liebe tut und nach Gottes Willen handelt. Nur an einem solchen Krieg darf man guten Gewissens auch gegen Besoldung teilnehmen. Deutlich ist darüber hinaus, daß Luther die gewaltsame Auseinandersetzung so weit als möglich zu vermeiden suchte: Die Obrigkeit sollte gegen die Untertanen nur im Fall des Aufruhrs mit Gewalt vorgehen, sonst aber für Recht sorgen. Ein Widerstand der Untertanen gegen die Obrigkeit wurde nicht erlaubt. Vor allem aber riet Luther selbst für den Fall eines »gerechtfertigten« Krieges einer Obrigkeit gegen eine andere, erst alle anderen Wege der Beilegung des Konfliktes zu versuchen. Luther verkannte aber nicht, daß Fürsten und Söldner aus ganz anderen Gründen Kriege führten und dann gegen Gottes Willen handelten. Später hat Luther bei den Kriegen evangelischer Fürsten seinen strengen Standpunkt nicht immer genügend zur Geltung gebracht.

Benzing, Nr. 2345. – WA 19, S. 623-662. – F. Lau, Luthers vierte Bauernschrift. In: W. Sommer u. H. Ruppel (Hrsgg.), Antwort aus der Geschichte, 1971, S. 84-98. – W. Lienemann, Gewalt und Gewaltverzicht, 1982, S. 143-185.
G. S.

582 Unlöslich verbindet sich bei Luther die Aufforderung zum Kampf gegen den Feind der Christenheit mit dem Ruf zur Buße im öffentlichen und privaten Leben.

Martin Luther, ›Vermanunge zum Gebet Wider den Türcken‹.
Wittenberg: Nickel Schirlentz 1541
4°. 28 Bll.
Nürnberg, Germanisches Nationalmuseum, 8° Rl. 5693 Postinc.

Die Angst vor der Invasion der Türken war ein Element nicht nur der politischen und der militärischen, sondern auch der religiösen Geschichte des Reformationszeitalters. Der erste große Angriff der Türken auf Ungarn 1526 ging so schnell vorüber, daß Luther keine Möglichkeit hatte, sich öffentlich dazu zu äußern. Anders 1529, nach der Belagerung von Wien, sowie 1541/42, als das türkische Heer Buda und Pest eroberte und das Reich erneut unmittelbar bedrohte (vgl. Kat. Nr. 272, 273). Die verschiedenen »Türkenschriften« Luthers riefen alle zunächst zu Buße und Gebet auf und danach zu Widerstand und Kampf. In der vorliegenden Schrift, die der sächsische Kurfürst als Anleitung für die Pfarrer seines Territoriums erbeten hatte, überwiegt der Ruf zur Buße. Der Anfang ist geradezu ein Lasterkatalog, der in die Feststellung ausläuft: *Also ist Deutschland reif und voll von allerlei Sünden wider Gott.* Daneben ist die Schrift von heftiger Polemik gegen die altgläubigen Gegner durchzogen. Der Türke als der leiblich-weltliche und der Papst als der geistlich-kirchliche Antichrist rücken für Luther in eine Reihe. Insgesamt ist er überzeugt: Das Gericht kann nicht ausbleiben. Er mahnte deswegen, sich mit dem Bekenntnis der Schuld im Gebet an Gott zu wenden, entwarf eine Ordnung für einen Bußgottesdienst und formulierte auch ein entsprechendes Gebet. Nachdrücklich warnte Luther vor der Verachtung des Gebets und vor falschem Vertrauen auf Heer und Rüstung. Er war überzeugt, daß letzten Endes nur Gebet und Glaube den »letzten Greuel« und »Gottes Zorn«, den Türken, besiegen würden.

Benzing, Nr. 3378. – WA 51, S. 585-625. – R. Lind, Luthers Stellung zum Kreuz- und Türkenkrieg, 1940. G. S.

L Armenfürsorge und Stiftungswesen

Mit der Reformation war – vor allem in den Städten – ein weitreichender Impuls auf dem Gebiet der sozialen Fürsorge verbunden. Entsprechende neue Ordnungen waren nicht selten erstes Anzeichen einer sich formierenden evangelischen Bewegung. Zwar gab es schon vorher eine umfangreiche und vielfältige Fürsorge für Arme, Kranke und Notleidende. Jetzt aber versuchte man unter Hinweis auf die Liebespflicht der Christen, eine die Gemeinde oder die ganze Stadt umfassende zentralisierte Fürsorge zu schaffen. Ziel war es vor allem, die Bettelei abzustellen. Freilich nahm, wo Almosengeben nicht mehr als besonderes, gutes Werk galt und sich zwischen Geber und Empfänger eine Institution schob, die Spendefreudigkeit zunächst ab. Es gab sogar Klagen darüber, daß man dort nicht einen Prediger oder Schulmeister besolden könne, wo man früher ein Heer von Klerikern und Mönchen unterhalten hatte.
Einen gewissen Ersatz bot das Kirchengut. Hatte die Obrigkeit schon früher kirchliches Stiftungsgut verwaltet, so inventarisierte sie es nun und übernahm es – durchaus mit Zustimmung der Reformatoren – insgesamt in ihre Verwaltung. Eine Rückgabe der Stiftungen, weil deren Zweck – oft das Halten von Messen – nicht mehr erfüllt wurde, lehnte man ab. Man verwandte die Kirchen- und Klostergüter zum Unterhalt von Kirche, Schule und wohltätigen Anstalten sowie gelegentlich – wieder zunächst mit Billigung der Theologen – für gemeinnützige Zwecke wie Wege- und Brückenbau. Mit dem Argument, daß Kirche und Obrigkeit sich in Notlagen wechselseitig unterstützen müßten, machten manche Obrigkeiten – zumal seitdem die Restitutionsprozesse am Reichskammergericht keine wirkliche Bedrohung mehr darstellten –, ohne daß die Theologen es verhindern konnten, vom Kirchengut auch rücksichtslos für sonstige Zwecke Gebrauch.

H. Lehnert, Kirchengut und Reformation, 1935. – A. Schindling, Die Reformation in den Reichsstädten und die Kirchengüter. In: J. Sydow (Hrsg.), Bürgerschaft und Kirche, 1980, S. 67-88. – R. Stupperich, Armenfürsorge. In: TRE 4, 1979, S. 29-34. G. S.

583 Evangelische Ethik, ins Bild umgesetzt: Aus dem Glauben an die Liebe Christi entspringt die Liebe zum Nächsten.

Schmerzensmann über dem Almosenkasten
Hans Schäufelein, 1522
Gemälde auf Holz, 140 × 135 cm. Unten Inschrift: Danielis Capi. llll./Gebent ewr heilig almusen den armen So wierdt sich Got vber ewr Sund erbarmen. Rechts darunter Signatur des Künstlers und datiert 1522. Auf einem angesetzten Brett die Inschrift: Ysaias lviii./Brich dein brot den hungerigen: und die armen und die elenden für in dein haus.
Nördlingen, Stadtmuseum

Dieses Gemälde ist eine frühe und besonders eindrucksvolle bildliche Formulierung eines Kerngedankens der reformatorischen Ethik. Das alte Bildmotiv des »Schmerzensmanns«, in dem die erbarmende Liebe Christi zusammengefaßt ist, wird unmittelbar bezogen auf die Liebe der Christen zu den Bedürftigen und Armen, die in der Zuwendung zu diesen und zumal im Almosengeben ihren Ausdruck findet.
Das Bild war ursprünglich an einem Pfeiler der Georgskirche in Nördlingen angebracht als eindringlicher und theologisch konzentrierter Hinweis auf die Almosentruhe an derselben Stelle. Es entstand Ende 1522 aus Anlaß der Einführung einer Bettelordnung durch den Nördlinger Rat, die eine der frühesten konkreten sozialen Maßnahmen war, für die sich ein Zusammenhang mit der Reformation nachweisen läßt. Uns ist auch die Ansprache überliefert, die bei Gelegenheit der Aufstellung der Truhe im Namen des Rates – vermutlich durch den zu dieser Zeit lutherisch gesinnten Ratsprädikanten Theobald Billicanus – vorgetragen wurde; in ihr findet sich die in dem Bild enthaltene pointierte theologische Formulierung ebenfalls: Die Bitte um Almosen wird unter Hinweis auf den ersten Johannesbrief aus der Liebe abgeleitet, die den Christen durch Gott zuteil geworden und von ihnen im Glauben, in der Taufe und im Geist angeeignet sei.

H. Chr. Rublack, Nördlingen zwischen Kaiser und Reformation. In: ARG 71, 1980, S. 113-133. – E. D. Schmid, Nördlingen – Die Georgskirche und St. Salvator, 1977, S. 130 f. – U. Thieme, Hans Leonhard Schaeufeleins malerische Thätigkeit, Leipzig 1892, S. 126-127. B. M.

583

Danielis capi· IIII·
Gebent ewr heilig almusen den armen So wierdet·
Sich Got über ewr Sünd erbarmen
Ysaias lviii·
Brich dein brot dē hungerigen: un̄ die armen un̄ die elenden für in dein haus·

584

584

584 In den ersten Jahren der Reformation muß um Spenden nachdrücklich gebeten werden, weil Almosengeben nicht mehr als heilförderndes Werk gilt und die zentralisierte Armenfürsorge die Austeilung der Gaben und den Geber anonym werden läßt.

Opferstocktafel
Unbekannter Frankfurter Künstler (»Maler in der Gysen Gasse«)
Holz, doppelseitig bemalt, 50 × 50 cm. Oben Inschrift: Gebt den hußarmen vmb Gottes willen in gemeynen kasten. 1531.
Frankfurt a. M., Evang.-Luth. Dreikönigsgemeinde

Die Tafel stammt aus einer der alten Kirchen der Reichsstadt Frankfurt a. M., in der das mächtige Bartholomäusstift die Pfarrechte besaß – Heilige Drei Könige in Sachsenhausen. Hier setzte der Rat im April 1531, energischem Drängen der Gemeinde nachgebend, einen evangelischen Prädikanten ein und erweiterte damit eigenmächtig seine Kirchenhoheit. Etwa zur selben Zeit errichtete er im ehemaligen Barfüßer-Kloster einen »Gemeinen Kasten«, also eine zentrale städtische Institution der Wohlfahrtspflege. In ihr wurden ältere, bereits seit 1438 nachweisbare Ansätze einer kommunalen Almosenverwaltung zusammengefaßt und beträchtlich erweitert, insbesondere durch die Einbeziehung von Klostervermögen.
Unser Bild, in der Art eines Ladenschildes, war in der Kirche aufgehängt, um die Bürger zu frommen Gaben zu ermuntern. Dargestellt ist die Austeilung von Almosen durch die beamteten »Kastendiener« an »Hausarme«, d. h. bedürftige Einwohner der Stadt, die nicht bettelten. Diese sind durch eine Plakette mit dem Frankfurter Stadtwappen amtlich gekennzeichnet. Dasselbe Wappen ist unübersehbar ins Zentrum beider Bilder gerückt als Zeichen dafür, daß nunmehr eindeutig der Rat als Repräsentant der christlichen Stadt für die Gestaltung des Wohlfahrtswesens zuständig ist. Abgesehen von den Veränderungen der geistlichen Motivation liegt hierin die Neuerung, die die Reformation in der sozialen Fürsorge mit sich brachte: Diese wurde kommunalisiert, vereinheitlicht und rationalisiert.

S. Jahns, Frankfurt, Reformation und Schmalkaldischer Bund, 1976, S. 202 ff. – H. Gerber u. a., Der allgemeine Almosenkasten zu Frankfurt am Main 1531-1931, 1931. – K. Beck, Der Allgemeine Almosenkasten in Frankfurt am Main. In: W. Gegenwart (Hrsg.), 450 Jahre Evangelische Dreikönigsgemeinde, 1981, S. 45-57.
B. M.

585 Wo die Armenfürsorge bei den einzelnen Gemeinden bleibt, richtet man den »gemeinen Kasten« ein, der von Gemeindevertretern kontrolliert wird.

Almosenkasten der Katharinenkirche zu Lübeck
Holz, eisenbeschlagen, 64 × 140 × 56 cm
Lübeck, Museum für Kunst und Kulturgeschichte der Hansestadt Lübeck, Inv. Nr. 1892-202

In den Kirchenordnungen Bugenhagens für norddeutsche Städte finden sich ausführliche Regelungen für die Neuordnung der Armenpflege. Wir zeigen hier die Opfertruhe – *de almissen casten* – aus einer der Lübecker Pfarrkirchen, St. Katharinen. Sie

585

586

diente zur Aufnahme frommer Gaben und wurde, der Lübecker Kirchenordnung von 1531 zufolge, von nicht weniger als neun »Diakonen« beaufsichtigt, die durch den Bürgerausschuß gewählt und vom Rat bestätigt wurden. Im Turnus waren drei von diesen für einen Monat verantwortlich, verwalteten die ungleichen Schlüssel der Truhe und hatten allmonatlich abzurechnen. An jedem Sonnabend trug man, um zu gewährleisten, daß die Armen der Stadt gleichmäßig bedacht wurden, die Einlagen aus allen Kirchen in St. Marien zusammen und verteilte sie von da aus.

W.-D. Hauschild, Kirchengeschichte Lübecks, 1981, S. 194 ff. – Sehling, Bd. 5, S. 359 ff., 365 ff. B. M.

586 Die vor allem in den Städten geschaffenen Almosen- und Kastenordnungen fordern planvolle Armenfürsorge; nach Luthers Anregung bieten sie oft auch Bestimmungen über die sonstige Verwendung des Kirchengutes und setzen Gremien für dessen Verwaltung fest.

Gotteskastenordnung der St. Nikolaikirche zu Hamburg, 1527
Orig. Papier, 21 × 15 cm
Hamburg, Staatsarchiv (Kirche St. Nikolai zu Hamburg XIII/1)

Die Kastenordnung des Nikolaikirchspiels in Hamburg, datiert vom 16. 8. 1527, kann als das früheste Ordnungsdokument im Rahmen der Hamburger Reformation gelten; sie ging in die Bugenhagensche Kirchenordnung von 1529 ein. Eine besonders wichtige Bestimmung war die Schaffung eines Gremiums von zwölf »Vorstehern«, die *vthe den ghemenen hupen* (Haufen) *ghekaren* (gewählt) werden sollten, um die Einkünfte zu verwalten, die Bedürftigkeit und Würdigkeit der Armen festzustellen und diese zu versorgen. Dieses Gremium stellte einerseits ein »komplementäres Institut der evangelischen Gemeinde« dar (Postel, S. 373), erlangte jedoch, andererseits, in der Folge politische Funktion, als die Gotteskastenverwalter der Hamburger Kirchspiele sich vereinigten und die Kerngruppe des Bürgerausschusses bildeten, der 1529 gegen den hinhaltenden Widerstand des Rates die Einführung der Reformation in der Stadt durchsetzte.
Die beiden Vorsatzblätter der Handschrift, die wir zeigen, weisen auf die grundsätzliche Bedeutung, die man der neuen Ordnung beimaß, und auf deren Einbettung in das Sozialgefüge der Stadt hin: Die Familienwappen der 12 ersten »Vorsteher« auf dem linken Blatt machen diese als Angehörige der städtischen Führungsschicht kenntlich (mehrere von ihnen rückten später in den Rat ein) und lassen erkennen, daß sie ihr Amt – nicht anders als die Laien im Kirchenamt der spätmittelalterlichen Stadt (vgl. Kat. Nr. 191) – als eine Aufgabe auffaßten, die zugleich ihr soziales Prestige vermehrte.

R. Postel, Bürgerausschüsse und Reformation in Hamburg. In: W. Ehbrecht (Hrsg.), Städtische Führungsschichten und Gemeinde in der werdenden Neuzeit, 1980, S. 369-383. – N. Staphorst, Hamburgische Kirchen-Geschichte, Bd. 2/1, 1729, S. 112-123. B. M.

587 Eine fromme Stiftung wird um des göttlichen Wortes willen abgeändert.

Testament der Witwe Anna Büring in Hamburg, 1535
Orig. Papier, 26 × 19 cm. Aufgeschlagen: fol. 17-18
Hamburg, Staatsarchiv, Archiv der Testamentsverwaltungen Anna Büring, Testament I. 1 b

Mit der Reformation vollzog sich eine beträchtliche Gewichtsverschiebung im Stiftungswesen. Waren am Ende des Mittelalters den Institutionen der Kirche und dem kirchlichen Kultus überreiche Legate zugutegekommen (vgl. Abt. III D), so herrschten in evangelischen Städten seither die karitativen Zwecke in den Testamenten vor.
Das hier gezeigte Testament ist bemerkenswert, weil es eine Sinneswandlung des Stif-

ters infolge der Reformation dokumentiert. Die 1535 im Alter von 83 Jahren verstorbene Hamburger Bürgermeisterswitwe Anna Büring, die möglicherweise über das größte Vermögen in der Stadt verfügte, änderte kurz vor ihrem Tod ihr 30 Jahre zuvor gemachtes Testament mit der Begründung, sie sei nun *dorch godtlich wort vnd sin heylsam Euangelium vele anders berichtet vnd beleret* und wolle für Vigilien, Seelmessen, Jahrzeiten, Gedächtnisse und die Befreiung der Seelen aus dem Fegefeuer nichts mehr hinterlassen. Vielmehr bedachte sie nun neben ihren Angehörigen in erster Linie Kranke, Arme und Bedürftige, richtete Armenwohnungen ein und setzte ein Stipendium zum Studium an einer »christlichen« Universität aus; kleinere Zuwendungen erhielten die Kirchen für ihr Bauwesen sowie das gemeine Gut der Stadt. Auch sollte die Stiftung nicht mehr als »gutes Werk« zum eigenen Heil der Stifterin dienen; diese befahl vielmehr ihre »arme Seele« *in de barmharticheit des almechtigen Gades, de my dorch sin bitter lydenth van dem ewigen dode hefft gnedichlich vorloset.*

R. Postel, Sozialgeschichtliche Folgewirkungen der Reformation in Hamburg. In: W. Lohff (Hrsg.), 450 Jahre Reformation in Hamburg, 1980, S. 63-84. B. M.

M Ehe und Familie

Für das Verständnis der Ehe und die mit ihr verbundenen Rechtsprobleme bedeutete die Reformation einen tiefen Einschnitt. Die überlieferte Hochschätzung ehelosen Lebens wurde in der Auseinandersetzung mit Mönchtum und Zölibat gründlich beseitigt und demgegenüber die Ehe als ein »göttlicher und seliger Stand« gepriesen. Ein Sakrament aber – leibhaften Zuspruch der Gnade Gottes dem Sünder gegenüber – sah man in der Ehe nicht, sondern betrachtete sie als ein »äußerlich leiblich Ding« und ein »weltlich Geschäft«. Deswegen sollte aber der gottgewollte Sinn der Ehe nicht aufgehoben sein: In ihr sind Mann und Frau, entsprechend dem Verhältnis zwischen Christus und der Kirche, in Liebe ganz füreinander da, Gott erhält durch sie in der Zeugung von Kindern die Welt und wehrt mit ihr der Sünde, die die Geschlechtlichkeit des Menschen bedroht. Ehelosigkeit erschien jetzt nur noch als besondere Gabe Gottes oder als auferlegtes Schicksal.
Von diesen Grundsätzen aus versuchte man auch das Eherecht zu gestalten. Fiel dieses bis dahin in die Kompetenz der geistlichen Gerichte, so überwies man es jetzt den weltlichen Gerichten oder neu geschaffenen Gremien, in denen Laien und Theologen gemeinsam entschieden. Da das Eheversprechen der Partner weiterhin die Ehe konstituierte, drängte man auf dessen Öffentlichkeit. Das überlieferte Eherecht sollte vor allem in zwei Punkten geändert werden: Nur noch die ausdrücklich in der Schrift genannten Verwandtschaftsgrade sollten ein Ehehindernis darstellen. Zum andern sollte bei Ehebruch oder wenn ein Partner den anderen auf Dauer verließ, nicht nur eine Trennung, sondern eine wirkliche Scheidung, erfolgen. Der unschuldige Teil hatte die Möglichkeit einer neuen Eheschließung. Scheidung bedeutete also die öffentliche Erklärung eines bereits bestehenden Tatbestandes. Doch konnte man diese Forderungen gegen den Widerspruch der Juristen und Obrigkeiten oft nicht durchsetzen.

M. E. Schild, Ehe, Eherecht, Ehescheidung. In: TRE 9, 1982, S. 336-346. – W. Kawerau, Die Reformation und die Ehe, 1892. G. S.

588 Die Ehe erfährt gegenüber der traditionellen Hochschätzung des asketischen Lebens eine Aufwertung, obwohl die Reformatoren ihren sakramentalen Charakter bestreiten und sie als ›weltlich Ding‹ betrachten.

Martin Luther, ›Uom Eelichen Leben.‹
Wittenberg: Johannes Rhau-Grunenberg 1522
8°. 16 Bll.
Augsburg, Staats- und Stadtbibliothek, 4° Th. H. 1700-304

Noch als Mönch legte Luther mit dieser Schrift die Grundlage für reformatorisches Eheverständnis und Eherecht. In einem ersten Teil behandelte Luther die traditionellen Ehehindernisse, die er fast alle ablehnte. Vor allem fand er es unerträglich, daß gegen Geldzahlung davon dispensiert wurde. In einem zweiten Teil legte er dar, wann eine Ehe geschieden werden könne. Am meisten lag Luther an dem dritten Teil, den man als ein einziges Lob der Ehe bezeichnen kann.
Über die Plagen der Ehe zu sprechen oder die Frauen gering zu achten, empfand er als »heidnisch«. Wenn er die Ehe lobte, so sah er auf den in ihr liegenden Segen und die Gaben Gottes, nicht auf das, was menschliche Schuld aus ihr zu machen imstande ist.

Benzing, Nr. 1239. – WA 10, II, S. 275-304. – O. Laehteenmaeki, Sexus und Ehe bei Luther, 1955. – H. Dieterich, Das protestantische Eherecht in Deutschland bis zur Mitte des 17. Jahrhunderts, 1970. G. S.

589 Im Unterschied zu anderen Reformatoren versuchte Luther später die Fragen des Eherechtes so weit wie möglich den Juristen zu überlassen.

Martin Luther, ›Von ehesachen.‹
Nürnberg: Johann Stuchs 1530
8°. 32 Bll.
Nürnberg, Germanisches Nationalmuseum, 8° Gs. 1120 Postinc.

Sehr bald mußten sich die evangelischen Prediger, vor allem in den Städten, ständig mit den Problemen des Eherechts befassen, da die Obrigkeit für ihre Entscheidungen Rat suchte. Luther ging es nicht anders. Um seinen Rat gebeten, empfahl er in der vorliegenden Schrift nachdrücklich, man solle die Eherechtsfragen nach dem weltlichen Recht oder auch – mit Vorbehalt –

nach der Zusammenfassung des geistlichen Rechtes in der ›Summa angelica de casibus conscientiae‹ des Angelus Carletus (gest. 1495) entscheiden. Zuständig seien dafür allein die Juristen. Die Pfarrer hätten lediglich die Aufgabe, im Konflikt von Gewissen und Recht die Gewissen zu unterrichten. Allerdings entzog sich Luther dem Wunsch um Beratung nicht und äußerte sich wohlüberlegt zur Frage der heimlich gegebenen Eheversprechen, die er nicht anerkannte, zur Frage der ehehindernden Verwandtschaftsgrade und zur Scheidung. Mit seinem Wunsch, die Pfarrer mit Eherechtsfragen möglichst nicht zu befassen, hat sich Luther dagegen nicht durchgesetzt. Auch in Kursachsen wurden, wie in den meisten lutherischen Territorien, Eherechtsprobleme vom Konsistorium, einem aus Juristen und Theologen bestehenden Gremium, behandelt.

Benzing, Nr. 2865. – WA 30, III, S. 205-248.
G. S.

N Reformatorisches Bildungswesen

Dem intensiven Bemühen um den Sinn der Heiligen Schrift in der Ursprache verdankte Luther die Entdeckung des Evangeliums. Die Sprachen waren ihm zur »Scheide geworden, in der das Messer des Geistes steckt«. Weil Wort und Schrift zu Trägern der heilsentscheidenden Wahrheit geworden waren, folgte dem eine Reform des Theologiestudiums und der Universität in Wittenberg. Die darin schon früh sich vollziehende Begegnung von Humanismus und Reformation hat zu einem Einschnitt auch in der Geschichte des Bildungswesens geführt. Dabei ging es den Reformatoren durchaus nicht nur um religiöse Unterweisung. Vielmehr erkannten sie den Zusammenhang von »gemeinem Nutzen« und Erziehung der Jugend, Jungen wie Mädchen. Allerdings wurde die allgemeine Bildung in den Küster- und Katechismusschulen nur sehr vorläufig verwirklicht, und die »deutschen Schulen« in den Städten blieben, wenn auch unter zunehmender Aufsicht, oft der privaten Initiative überlassen. Einen starken Aufschwung aber nahmen die Lateinschulen, für die Melanchthon Lehrpläne und ein Klassensystem schuf. Vor allem entstand unter seinem Einfluß die »Gelehrtenschule« in neugegründeten städtischen Gymnasien, Kloster- und Landesschulen, eine Schulform zwischen der alten Lateinschule und der Universität. Aus einigen entwickelten sich regelrechte »Hohe Schulen«. Melanchthon selbst schuf für alle hier gelehrten Wissensgebiete die Lehrbücher. Vom Kirchengut finanziert, konnten besonders Begabte diese Ausbildungsstätten kostenlos besuchen.
Melanchthon wurde auch der gesuchte Fachmann für die Reform bestehender und die Gründung neuer Universitäten wie Marburg und Königsberg. Er betrieb die Einführung des Studiums der biblischen Ursprachen, Griechisch und Hebräisch, eine starke Erweiterung der philosophischen Fakultät und eine Neuordnung des theologischen Studiengangs. Obwohl der privilegierte Charakter der Universitäten erhalten blieb, verstärkte sich der Einfluß des Landesherrn. So entstand allmählich ein von der Trivialschule bis zur Universität reichendes Bildungssystem unter obrigkeitlicher Aufsicht. Zugleich wurden vor allem die Universitäten Instrumente der beginnenden Konfessionalisierung.

J. Strauss, Luther's House of Learning, 1978. – P. Baumgart, N. Hammerstein (Hrsgg.), Beiträge zu Problemen deutscher Universitätsgründungen der frühen Neuzeit, 1978.
G. S.

590 Humanistische und reformatorische Motive verbinden sich bei den von Luther gewünschten Neugründungen städtischer Schulen.

Martin Luther, ›An die Radherrn aller stedte deutsches lands, das sie Christliche schulen auffrichten vnd hallten sollen. Martinus Luther. Wittemberg. M. D. xxiiij. Lasst die kinder zu mir komen vnd weret yhnen nicht. Matt. 9.‹
Wittenberg: Lukas Cranach und Christian Döring 1524
8°. 20 Bll.
Nürnberg, Germanisches Nationalmuseum, 8° W. 1551 Postinc.

Luthers Schrift war ein beschwörender Aufruf an die Räte der Städte, Schulen einzurichten. Er sah keine andere Gruppe, an die er sich wenden konnte. Die Fürsten lebten, wie er urteilte, nur ihrem eigenen Vergnügen. Die Eltern waren teils unwillig, weil sie die Kinder als Arbeitskräfte betrachteten, teils unfähig, achteten ausschließlich auf das Erlernen äußerlicher Umgangsformen oder waren der Meinung, Bildung sei, da mit der Reformation die Zahl der Klerikerstellen erheblich schrumpfte, eine brotlose Kunst. Luther fürchtete eine drohende Schul- und Bildungsfeindlichkeit. Dagegen forderte er für Mädchen und Jungen neben der Lehre in Handwerk und Hauswirtschaft eine schulische Bildung. Er empfahl auch die Einrichtung kommunaler Bibliotheken mit einem aus christlichen und heidnischen Verfassern gut ausgewählten Bestand an Büchern. Er begründete das auf vielfache Weise: Gott fordere im Alten Testament, die Kinder zu lehren. Im Blick auf die Zukunft eines Landes seien gebildete und zum »weltlichen Stand« fähige Männer und Frauen nötiger und weniger gefährlich als Rüstung. Die Methoden in den Schulen hätten sich – gemessen an seiner Jugend – beträchtlich verbessert; auch stünden genügend ausgebildete Lehrer zur Verfügung. Die Kosten seien zu den notwendigen öffentlichen Ausgaben zu rechnen, könnten aber auch durch Stiftungen der Bürger und Umwandlung der Klöster in Schulen aufgebracht werden.
Als Lehrgegenstand empfahl Luther vor al-

An die Radherrn
aller ſtedte deutſch-
es lands: das ſie
Chriſtliche ſchulen
auffrichten
vnd
hallten ſollen.

Martinus Luther.
Wittemberg. M. D. xxiiij.

M L

Laſſt die kinder zu mir komen
vnd weret yhnen nicht Matt. 19.

590

lem die Sprachen, über die man das Evangelium wiederentdeckt habe und die für die Theologie unentbehrlich seien. Im übrigen aber wünschte er Unterricht in allen freien Künsten, wobei ihm Rede und Sprache sowie die Geschichte besonders am Herzen lagen. Doch erwähnt er auch Mathematik und Musik.
Einen unmittelbar durchschlagenden Erfolg hat Luther mit seiner Schrift nicht erzielt, doch folgten ihr in einigem Abstand eine beträchtliche Zahl von Schulreformen und Neugründungen städtischer Schulen.

Benzing, Nr. 1875. – WA 15, S. 9-53. – I. Asheim, Glaube und Erziehung bei Luther, 1961, S. 66 ff. G. S.

591 Lesen wird als Voraussetzung für das eigene unabhängige Urteil, vor allem in der Glaubensfrage, verstanden.

Valentin Ickelsamer, ›Die rechte weis aufs kůrtzist lesen zu lernen, wie das zum ersten erfunden vnd aus der rede vermerckt worden ist, sampt einem gesprech zweyer kinder aus dem wort Gottes.‹
Erfurt: Johannes Loersfeld 1527. 8°
Nürnberg, Germanisches Nationalmuseum, 8° W. 1493^{m} Postinc.

Der aus Rothenburg o. d. Tauber stammende Valentin Ickelsamer (nach dem fränkischen Ort Ickelsheim, ca. 1500 - ca. 1546) wandte sich unter dem Einfluß Andreas Bodensteins von Karlstadt (vgl. Kat. Nr. 509, 510) wohl schon als Student in Wittenberg von Luther ab. Karlstadts Theologie schien ihm entschiedener reformatorisch, aber auch laienfreundlicher zu sein. Vor allem aber nahm er Anstoß an Luthers Vorgehen gegen Karlstadt, das ihm eine neue Art von »Papisterei« zu sein schien (vgl. Kat. Nr. 529). Seine Beteiligung an einem Bürgerausschuß in Rothenburg während des Bauernkrieges und die bleibende Parteinahme für Karlstadt, später auch für Schwenckfeld (vgl. Kat. Nr. 359), zwangen ihn wiederholt zur Flucht. Seine letzten Lebensjahre verbrachte er zurückgezogen in Augsburg.
Mit der vorliegenden Schrift wollte Ickelsamer nicht nur die Buchstaben lehren, sondern über die Zusammenstellung von Vokalen (Laute), Konsonanten (Stumbe), Kombinationen von Konsonanten (Stumbsyllaben), Vokale vor Konsonanten (gemeine Silben), Diphthonge und Umlaute Verständnis für den Zusammenhang von Sprache und Schrift wecken (Lautiermethode) und durch den Nachvollzug des Entstehens der Schriftsprache schnelleres Lesenlernen gegenüber der Buchstabiermethode und der Wortbildmethode ermöglichen. An dem beigefügten katechismusartigen Gespräch konnte der Erfolg sofort überprüft werden. Gleich zu Beginn der Vorrede begründet Ickelsamer die Lesefähigkeit: *Lesen kônnen hat ynn langer zeyt nie so wol seinen nůtz gefunden als itzo, dweyls seer ein yeder darumb lernet, das er Gottes wort vnd etlicher Gotgelerten menner außlegung darůber selbs lesen vnd desto bas* (besser) *darynn vrteilen môge.* Damit wiederholt er die von Luther selbst immer wieder aufgestellte Forderung nach dem unabhängigen Urteil der Laien.

M. Giesecke, Schriftspracherwerb und Erstlesedidaktik in der Zeit des ›gemein teutsch‹ – eine sprachhistorische Interpretation der Lehrbücher Valentin Ickelsamers. In: H. Andresen, H. W. Giese u. F. Januschek (Hrsgg.), Schriftspracherwerb, Bd. 1, Osnabrücker Beiträge zur Sprachtheorie 11, 1979, S. 48-72. – Valentin Ickelsamer, Die rechte weis aufs kürtzist lesen zu lernen. Ain Teutsche Grammatica, hrsg. von K. Pohl, 1971. G. S.

592 Eine vorreformatorische Darstellung der Heiligen Sippe wirbt mit neuer Unterschrift für den Schulbesuch.

Heilige Sippe
Lukas Cranach d. Ä., um 1510
Holzschnitt, 22,5 × 32,5 cm (ohne Schrift).
Auf einer liegenden Tafel Monogramm und Signet des Künstlers. Darunter als Überschrift: »Das Lied Vos ad se Pueri etc. [Euch ruft er zu sich, Kinder] mit welchem zu Wittemberg die Kinder zur Schulen werden gefůret Am tag S. Gregorii etc., Verdeutscht.« Es folgt das Lied in 4 Abschnitten nebeneinandergesetzt, drei mit 6 und einer mit 2 Zeilen: »Der Herre Christ/ jr Kindlein klein/ Růfft euch zu sich lieblich vnd fein./ Zeigt grosse gabn/ die er euch schenckt/ Wenn jr euch nur selbst zu jm lenckt,/ So sehr liebt Gott/ sorgt fůr euch hart/ Von jugent auff jr Kindlein zart./ Darumb solt jr mit freud vnd wohn/ Christo dem Herrn entgegen gan./ Vnd sol ewr erste sorge sein/ Wie jr Christum erkennet fein./ Doch das du Christum recht erkenst/ Soltu lernen die freien kůnst./ Das wird denn Gott gefallen sehr/ Vnd wird sich frewen solcher ehr./ Weil er durch der Seuglingen stim/ Ein lob wil zubereiten jm./ Derhalben kompt studiert zu gleich/ Helfft uns vermehren Gottes Reich./ Denn vnser Schul/ glaub mir fůrwar/ Den weg zu Christo weiset klar. C.M.O.«
Berlin, Staatliche Museen Preußischer Kulturbesitz, Kupferstichkabinett, Inv. Nr. 573-2

Das durch den Annenkult seit dem Ausgang des 15. Jahrhunderts besonders beliebte Thema der Heiligen Sippe hatte auch Cranach in Gemälde und Holzschnitt beschäftigt. Der vorliegende Holzschnitt dürfte um 1510 im Zusammenhang mit der Annenverehrung an der Wittenberger Stiftskirche entstanden sein. Er zeigt, der Legende entsprechend, die gesamte Heilige Sippe: Im Zentrum die Heilige Anna, die Mutter Marias, mit dem Jesuskind auf dem Schoß, links neben ihr Maria. Zu dieser Gruppe tritt von links Joseph dazu. Im Hintergrund rechts stehen – ohne Rücksicht auf ihre Lebenszeit – die drei Männer zusammen, die Anna nacheinander heiratete: Joachim, der Vater Marias, Cleophas und Salomas. Die Gruppe rechts im Vordergrund bilden Maria, die Tochter Salomas', und ihr Mann Zebedäus mit den späteren Aposteln Jakobus d. Ä. und Johannes,

LC
Das Lied/Vos ad se Pueri &c. mit welchem zu Wittemberg die Kinder zur Schulen werden gefüret/
Am tag S. Gregorij /etc. Verdeutscht.
DEr HErre Christ/jr Kindlein klein/
Rüfft euch zu sich lieblich vnd fein.
Zeigt grosse gabn/die er euch schenckt/
Wenn jr euch nur selbst zu jm lenckt.
So sehr liebt Gott/ sorgt fur euch hart/
Von jugent auff jr Kindlein zart/
Darumb solt jr mit freud vnd wohn/
Christo dem HErrn entgegen gan.
Vnd sol ewr erste sorge sein/
Wie jr Christum erkennet fein.
Doch das du Christum recht erkenst/
Soltu lernen die freien künst
Das wird denn Gott gefallen sehr/
Vnd wird sich frewen solcher ehr.
Weil er durch der Seuglingen stim/
Ein lob wil zubereiten jm.
Derhalben kompt studiert zu gleich/
Helfft vns vermehren Gottes Reich.
Denn vnser Schul/glaub mir fürwar/
Den weg zu Christo weiset klar.
C. M. D.

592

links Maria, die Tochter des Cleophas, mit Alphäus und den späteren Aposteln Jakobus d. J., Simon, Judas Thaddäus und Joseph.
Da schon in der Tradition auf dem Bild der Heiligen Sippe Kinder zum Lernen angehalten wurden, war es, frühestens wohl nach 1518, wahrscheinlich aber erst später, möglich, das Blatt, das ursprünglich dem Annenkult gedient hatte, durch die zugesetzten Verse Melanchthons für den Schulbesuch werben zu lassen.
Die Verse wurden offenbar am Tag des Schulbeginns, dem 1. Mai (Tag des hl. Gregor), gesprochen. Sie sprechen die Kinder an, erinnern an die Güte Gottes und fordern aus Dankbarkeit dazu auf, Christus »recht zu erkennen«. Eine Vorbedingung dafür aber ist das Erlernen der »sieben freien Künste«. Sie weisen den Weg zu Christus, so daß auf diese Weise Matth. 21,16 erfüllt und das Reich Gottes ausgebreitet wird. Die hohe, besonders von Melanchthon geförderte Einschätzung der Schule durch die Reformation hat hier Ausdruck gefunden.

Andersson, S. 49-79; Abb. S. 63, 64. – Kat. Ausst. Cranach, Bd. 1, S. 73 f., 188 f. G. S.

593 Angesichts des Niedergangs von Schulen und Universitäten setzt sich Luther nachdrücklich für den Schulbesuch und die Schulpflicht ein.

Martin Luther, ›Eine Predigt Mar. Luther, das man kinder zur Schulen halten solle.‹
Erste Hälfte Juli 1530
Eigenhändig, Orig. Papier, 20,2 × 15,3 cm
Heidelberg, Universitätsbibliothek, Cod. Pal. Germ. 40.

In der Zeit seines Aufenthaltes auf der Veste Coburg während des Augsburger Reichstages von 1530 schrieb Luther eine

längst geplante Anleitung für die Pfarrer, wie sie zum Schulbesuch auffordern sollten. Es handelte sich also nicht um eine eigentliche »Predigt«, wohl aber um Gedanken, die er in Predigten vorgetragen hatte. Luther sah mit Sorge, daß die Eltern ihre Kinder auf den »deutschen Schulen« nur noch Rechnen, Lesen und Schreiben lernen ließen, Lateinschulen aber und Universitäten brach lagen und nicht ausreichend finanziell versorgt wurden. Er befürchtete, daß es bald zu wenig Pfarrer, Juristen, Ärzte und Räte geben würde. Nachdrücklich hob Luther hervor, daß die Kinder gegeben seien, damit man sie zum Gottesdienst im geistlichen Amt und zu weltlichen Berufen erziehe, wenn sie dazu die Gaben hätten. Dazu solle nicht nur die Dankbarkeit für die guten Gaben Gottes durch diese Berufe treiben, Luther lenkte den Blick vor allem auf den Nutzen, der aus diesen Berufen komme, und auf den Schaden, der entstehe, wo sie fehlen. Außerdem versuchte er nachzuweisen, daß ein großer Bedarf an Geistlichen, Juristen, Räten, Schreibern und Ärzten bestehe, so daß auch jeder sein Auskommen finde. Gleichzeitig verlangte Luther ähnlich der Wehr- eine Schulpflicht. Da reiche Leute und Fürsten ihre Kinder oft nicht für solche Berufe ausbildeten, setzte sich Luther für eine Unterstützung ärmerer Schüler durch Stiftungen und Kirchengüter ein.
Noch im August 1530 erschien die Schrift mit einer Widmung an den Nürnberger Ratsschreiber Lazarus Spengler im Druck. Aufgeschlagen: Bl. 18v-19r, ein Abschnitt, in dem Luther die Notwendigkeit der Verbindung von Vernunft und Weisheit mit der Macht im Amt der Obrigkeit hervorhob: *Denn wo die faust allein sol regieren, So wird gewislich Zu letzt ein thier wesen draus, das, wer den andern vbermag, stosse yhn ynn den sack, wie wir fur augen wol exempel gnüg sehen, was faust on weisheit odder vernunfft gutts schafft.*

WA 30, II, S. 508-588. G. S.

594 Unter maßgeblicher Beteiligung Melanchthons kommt es zur Gründung der zwischen Lateinschule und Universität stehenden Gymnasien und Landesschulen.

Bekanntmachung der Eröffnung der neuen Schule zu Nürnberg, 22. Mai 1526
Plakatdruck, 28,3 x 29,9 cm
Nürnberg: Jobst Gutknecht 1526
Nürnberg, Stadtarchiv, Mandatsammlung, 1526 Mai 22

Schon vor der Reformation gab es Überlegungen, für besonders begabte Kinder einen eigenen Schultyp zwischen Lateinschule und Universität zu schaffen. Melanchthon verwirklichte diesen Gedanken in der »oberen« oder »Gelehrtenschule«. In ihnen sollten vor allem Rhetorik, Dialektik, Ethik und Mathematik sowie Griechisch unterrichtet werden.
Eine solche Schule, die freilich nicht lange florierte, wurde mit Unterstützung Melanchthons im Mai 1526 in Nürnberg eröffnet. Mit dem vorliegenden Plakat beklagte der Rat die Meinung der Eltern, Schulbesuch lohne sich aufgrund des Niedergangs des geistlichen Standes nicht mehr, gab die Gründung der neuen Schule bekannt und forderte die Eltern auf, begabte Kinder kostenlos dort unterrichten zu lassen. Von Gott geschenkte Begabungen der Kinder müsse man ausbilden *zu gottes eere, zum hayl irer seelen und nutzparkayt des nächsten.*

H. Steiger, Das Melanchthongymnasium in Nürnberg (1526-1926), 1926. – G. Hirschmann, Die Errichtung des Gymnasiums 1526 im Spiegel der amtlichen Dokumente. In: Festschr. und Jahresber. des Melanchthon-Gymnasiums 1975/76, 1976, S. 13-21. G. S.

595 Melanchthon liefert die Richtlinien für die Reform der Universitäten. Mit Marburg entsteht die erste, nicht mehr päpstlich privilegierte Universität.

Zepterpaar der Universität Marburg
a Stab um 1532/33, Kopf 1618 (Johannes Schultheiß)
Silber, teilvergoldet, Gesamtlänge 84 cm, größter Dm 8,2 cm. Inschrift an der Bekrönung: CAROLE QVINTE VALE/TV SCEPTRA SCHOLAM [que] DEDISII [irrtümlich für: DEDISTI]. BELLIPOTENS PATRIAS/EGO FVNDO PHILIPPVS ATHENAS (Karl V. leb wohl! Du gabst zwar Zepter und Schule. Ich aber,

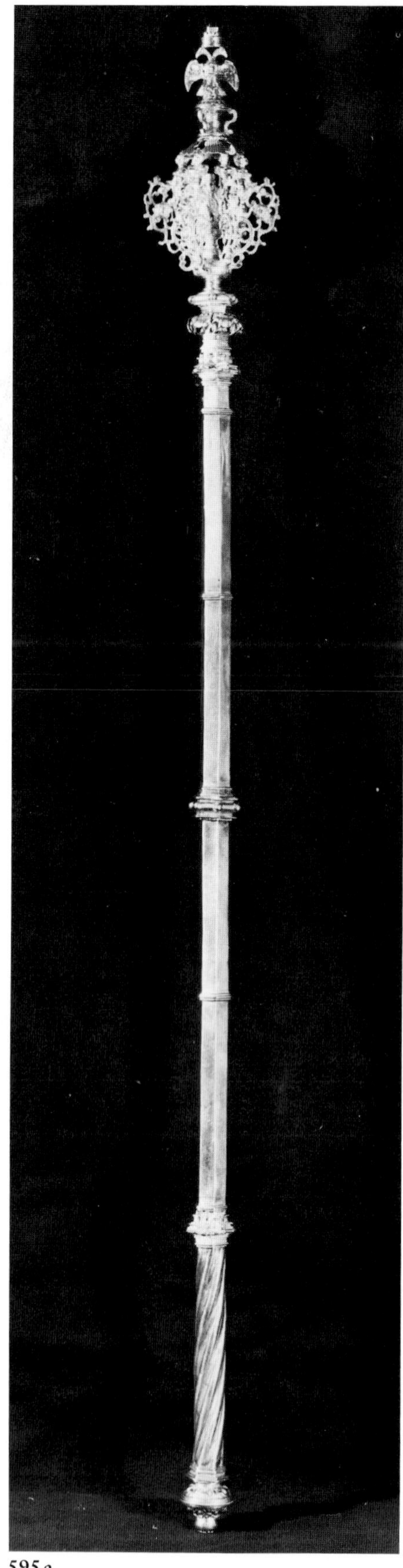

595 a

Philipp, gründe machtvoll ein heimisch Athen). Die beiden Hexameter stammen wohl von dem Marburger Professor für Philosophie Rudolf Goclenius (1547-1628). Weitere Inschriften weisen auf Restaurierungen im 17. und 19. Jahrhundert. Der obere Abschluß der Bekrönung ist barocke Ergänzung
Marburg, Universität

b Unbekannter Künstler, um 1532/33 und spätere Ergänzungen
Silber, teilvergoldet, Bergkristall (?), Gesamtlänge 86 cm, größter Dm 8 cm. Inschriften wie oben. Reichskrone der Bekrönung ist barocke Ergänzung
Gießen, Universität

Auf dem Zepterkopf, einem von sechs Flügeln aus Rankenwerk umgebenen Baluster, befindet sich eine männliche Halbfigur mit Schaube und steifem »Mailänder Barett« – der Gründer der Universität, Landgraf Philipp der Großmütige von Hessen. Die Flügel enden in weiblichen Halbfiguren, deren Köpfe einen baldachinartigen Blattkranz tragen, darüber eine Bekrönung mit dem doppelköpfigen kaiserlichen Adler.
Ohne Mitwirkung von Papst und Kaiser gründete Landgraf Philipp von Hessen (vgl. Kat Nr. 269) unter Verwendung von Einkünften und Gebäuden aufgehobener Klöster 1527 die erste evangelische Universität. Mit einer gewissen Verzögerung erhielt sie vom Landesfürsten die Insignien: das Universitätssiegel 1531 und ein Paar Universitätszepter 1532/33. Aber erst 1541 erhielt die landesherrliche Hochschule das für die internationale Anerkennung der von ihr verliehenen akademischen Grade unerläßliche kaiserliche Privilegium.
Das Zepterpaar wurde 1627 bei der Teilung der Marburger Universitätsgüter zwischen den Linien Hessen-Kassel und Hessen-Darmstadt getrennt. Das heute in Marburg aufbewahrte Zepter kam nach Kassel und war 1653 wieder in Marburg, das zweite wurde der 1605/07 in Gießen gegründeten hessen-darmstädtischen Universität zugesprochen.

G. W. u. I. Vorbrodt, Corpus Sceptrorum, Bd. I, 1, 1971, S. 78-80, 163-166; Bd. I, 2, 1971, Taf. XLVIII, LXXXVII. – W. Paatz, Corpus Sceptrorum 2, 1979. – C. Graepler, Geschichte der Marburger Universitätszepter, 1983. G. S.

O Die Reformation und die Juden

Für die Lage der Juden brachte die Reformation keine Änderung. Diejenigen der Reformatoren, die die Pflicht der Obrigkeit, für die rechte Gottesverehrung zu sorgen, besonders hervorhoben, konnten sogar für eine weitere Einschränkung oder die Vertreibung der Juden eintreten. Nur gelegentlich erhob sich Widerspruch gegen die mittelalterlichen Legenden über den Hostienfrevel, die Brunnenvergiftung und den Ritualmord an Christenkindern, die im übrigen weitertradiert wurden. Vorurteile wurden bestärkt, wo man die massiv materialisierten und veräußerlichten Formen tradierter christlicher Frömmigkeit mit den Humanisten als »jüdisch« qualifizierte. Auch der traditionelle Vorwurf der Schuld am Tod Christi blieb erhalten, selbst wenn man gelegentlich darauf hinwies, daß die Juden hier nur Werkzeuge der Sünde aller Menschen, einschließlich der der Christen und der eigenen gewesen seien. Nur zu Anfang gab es bei Luther selbst Ansätze, ein neues Verhältnis zwischen Christen und Juden zu schaffen. Aus Sorge vor jüdischer Mission und um der christlichen Auslegung des Alten Testaments willen hat Luther selbst diese Ansätze später total verschüttet. G. S.

596 Luther empfahl zunächst, die Unterdrückung der Juden aufzuheben, um sie durch Liebe für den christlichen Glauben zu gewinnen.

Martin Luther, ›Das Jhesus Christus eyn geborner Jude sey.‹
Wittenberg: Lukas Cranach und Christian Döring 1523
8°. 18 Bll.
Wolfenbüttel, Herzog August Bibliothek, C 199. 4° (7)

Der eigentliche Anlaß dieser Schrift war die Behauptung, Luther habe die bleibende Jungfräulichkeit Marias geleugnet und Christus als Abrahams Samen bezeichnet. Luther widmete aber nur die erste Hälfte seiner Schrift jenen Vorwürfen, die er mit einer Auslegung von 1. Mose 3,15 und 22,18, Gal. 4,4 und Jes. 7,14 widerlegte. Im übrigen aber erinnerte Luther nachdrücklich daran, daß die ersten Christen Juden waren, Gott die Juden vor andern Völkern geehrt habe und die Heiden Jesus ferner stünden als die Juden. Scharf tadelte Luther, wie Volk, Kirche und Obrigkeit bisher mit den Juden verfuhren. Er riet, sie durch Liebe, christliches Leben und Lehre zu gewinnen. Dabei dürfe das Gespräch mit ihnen nicht sogleich bei der Gottessohnschaft einsetzen, sondern müsse zunächst die Messianität Jesu aus dem Alten Testament beweisen und die Juden so für den Glauben der Väter und Propheten, die nach Luther an den kommenden Christus glaubten, zurückgewinnen. Mit seiner Schrift wollte sich Luther hauptsächlich an die Juden und die, die das Gespräch mit ihnen suchten, wenden. Gleichwohl hat er nie mit einer (endzeitlichen) Bekehrung des ganzen jüdischen Volkes gerechnet. Man sollte daher seine spätere Wendung in der Frage der Behandlung der Juden nicht mit der Enttäuschung über das Ausbleiben einer solchen Bekehrung erklären.

Benzing, Nr. 1530. – WA 11, S. 314-336. – W. Maurer, Die Zeit der Reformation. In: Kirche und Synagoge. Handbuch zur Geschichte von Christen und Juden, Bd. 1, 1968, S. 363-452. – H. A. Oberman, Wurzeln des Antisemitismus, 1981. G. S.

597 Nicht rassisch begründeter Antisemitismus, sondern Berichte über angebliche Erfolge jüdischer Mission unter den Christen und Lästerungen Christi in jüdischen Texten bewogen Luther später, von der Obrigkeit scharfe Maßnahmen gegen die Juden zu fordern.

Martin Luther, ›Von den Jůden vnd jren Lůgen.‹
Wittenberg: Hans Lufft 1543
8°. 144 Bll.
Nürnberg, Stadtbibliothek, Theol. 904.4° (7)

In maßlos grobem, keine Schmähungen und Verleumdungen scheuenden Ton veröffentlichte Luther 1543 drei Schriften, mit denen er die Christen vor den Juden warnen wollte. Die »Lügen« der Juden sah er in ihrer Auslegung des Alten Testaments, die dessen christliche Aneignung nicht anerkannte, und in den Angriffen der Juden auf die Trinitätslehre, die Messianität Jesu und die Jungfrauengeburt. Darüber hinaus gehörten für Luther Juden, Papsttum und Türke als endzeitlich-widergöttliche Mächte zusammen. Dieser religiös begründete Antijudaismus hat mit rassischem Antisemitismus nichts zu tun. Vielmehr betonte

Luther in der Auseinandersetzung mit dem Stolz der Juden auf die göttlichen Gaben an ihr Volk, vor Gott seien alle Menschen gleich, und zwar als Sünder. Von der Obrigkeit forderte Luther die Zerstörung der Synagogen, das Verbot jüdischer Gottesdienste, Lehrverbot für die Rabbinen, Vernichtung der Gebetbücher und des Talmud, die Einziehung jüdischer Vermögen und das Wucherverbot, Aufhebung des Geleitschutzes, Zwang zur Landarbeit, Zerstörung der Häuser der Juden und ihre Einweisung in primitive Unterkünfte oder Ausweisung. Luthers Vorschläge sind aber von den Obrigkeiten – wie er selbst erwartete – nicht aufgenommen worden. Doch ist verständlich, daß man sich seitdem bei Judenverfolgungen nicht selten auch auf Luther berufen hat. Dabei wurde der religiöse Hintergrund seiner Schriften meist vergessen.

Benzing, Nr. 3424. – WA 53, S. 412-552. G. S.

P Luthers Tod

Trotz der großen Erfolge, die die Reformation bis 1546 erreicht hatte, empfand Luther im Blick auf Kirche und Welt seiner letzten Lebensjahre mehr Enttäuschung und Zorn als Freude oder gar Triumph. Die ganz große Wende war eben doch ausgeblieben; selbst im Leben derjenigen, die sich offiziell zum Evangelium bekannten, hatte sich weniger geändert, als der Reformator es erwartet und gewünscht hatte.

Luther reagierte darauf mit Kampfschriften von apokalyptischer Härte und Grobheit, mit heftiger Kritik auch an den Mißständen im eigenen Lager. In all diesen Kämpfen, die er mehr denn je als Kämpfe gegen den Teufel empfand, verstärkte sich sein Wunsch nach einem baldigen Ende des nicht endenwollenden Streits – sei es in der Hoffnung auf die Wiederkunft Christi, sei es als persönlicher Todeswunsch. Nach einem Bericht seines Arztes Ratzeberger sprach Luther Ende 1545 solche Todeswünsche und -ahnungen sehr unsentimental so aus: *Wenn ich wieder von Eisleben komme, dann will ich mich in meinen Sarg legen und den Würmern einen feisten Doktor zum Schmause geben ... Ich bin der Welt müde.*

Die hier angesprochene Reise nach Eisleben stand im Zusammenhang mit der Schlichtung von Erbstreitigkeiten, für die die Grafen von Mansfeld Luthers Hilfe erbeten hatten. Zwei derartige Reisen ins Mansfeldische im Spätjahr 1545 blieben erfolglos. Zu einer dritten machte sich Luther, obschon in schlechter körperlicher Verfassung, am 23. Januar 1546 bei stürmischem Winterwetter nach Eisleben auf. Dort quälte er sich wochenlang mit den zähen Verhandlungen der streitenden Parteien herum; zu einer – übrigens nicht einmal dauerhaften – Einigung kam es erst, als Luther schließlich mit seiner Abreise drohte. Bei alledem verschlechterte sich sein Gesundheitszustand rapide; unmittelbar nach dem Abschluß der Verhandlungen, in der Nacht vom 17. auf den 18. Februar 1546, starb er an einem Herzversagen.

Justus Jonas und der Stadtpfarrer von Eisleben, Celius, die in der Todesstunde bei Luther gewesen waren, verfaßten alsbald einen detaillierten Sterbebericht – offenkundig nicht nur, um die Neugier der Zeitgenossen zu befriedigen, sondern auch, um bösartigen Legenden um das Sterben des Reformators, wie sie schon früher auf bloße Gerüchte vom Tode Luthers hin von Italien aus verbreitet worden waren, vorzubeugen. Ganz verhindert wurden solche Legenden freilich auch durch diesen Bericht nicht. Auf evangelischer Seite aber begann mit den Grabreden und Nachrufen Bugenhagens und Melanchthons eine Tradition des Lutherverständnisses, das den Reformator in eine Reihe mit den Propheten und Aposteln des Alten und Neuen Testaments stellte und damit zu einer unangreifbaren Figur der Heilsgeschichte überhöhte. Selbst die vorsichtige Kritik, die Melanchthon in seiner Grabrede an der Grobheit der lutherischen Polemik äußerte, ging in diesem evangelischen Lutherverständnis bald verloren. Das Bild Luthers wurde auf lange Zeit von Haß auf der einen, von kritikloser Verherrlichung auf der anderen Seite bestimmt. H. R.

598 Um die Versorgung seiner Frau nach seinem Tode zu sichern, setzte Luther 1542 ein Testament auf.

Martin Luther, Testament vom 6. Januar 1542

Eigenhändig, Orig. Papier

Budapest, Evang.-Luth. Kirche in Ungarn, Evang. Landesarchiv, I a 1; 10

Nach dem in Kursachsen geltenden Recht standen einer Witwe beim Tode ihres Ehemannes nur die Morgengabe (die in der Ehe von seiten des Mannes erhaltenen Zuwendungen) und die Gerade (Aussteuer) zu; der übrige Besitz fiel an die Kinder bzw. die nächsten Blutsverwandten des Mannes. Luther empfand diesen Zustand als ungerecht. Unter bewußter Mißachtung der juristisch korrekten Terminologie und ohne das Testament von seinem Landesherrn bestätigen zu lassen, vermachte er seiner *lieben vnd trewen hausfrawen Katherin ... zum leibgedinge* (zur Leibzucht, zu Besitz und Nutzung auf Lebenszeit) ... *auff yhr lebelang* das Gütchen Zülsdorf, Bruno Brauers Haus zur Wohnung, dazu Becher und weitere Kleinodien. Seinen Schritt begründete er damit, daß sie ihn *als ein from trew ehlich gemalh allzeit lieb, werd vnd schon gehalten, Vnd mir durch reichen Gottes segen funff lebendige kinder ... geborn vnd erzogen hat.* Außerdem solle sie eventuell noch vorhandene Schulden bezahlen, vor allem aber von ihren Kindern unabhängig sein. Schließlich lehre die Erfahrung, daß es häufig Auseinandersetzungen der verwitweten Mutter mit ihren Kindern und besonders deren Ehepartnern gebe.

Überdies setzte Luther seine Frau zum Vormund ihrer Kinder ein: *Denn ich halt, das die Mutter werde yhrer eigen kinder der beste furmunde sein.* Den Kurfürsten Johann Friedrich bat er, *solche begabung oder leibgedinge gnediglich schutzen vnd handhaben* zu wollen, seine Freunde, Katharina Luther gegen allfällige Verunglimpfungen in Schutz zu nehmen.
Melanchthon, Cruciger und Bugenhagen bezeugten die Echtheit des Testaments mit ihren eigenhändigen Unterschriften. Der Kurfürst bestätigte am 11. April 1546 seine Gültigkeit.

WA Br 9, S. 571-574 Nr. 3699. – E. A. Doleschall, Luthers Testament, 2. Aufl. 1881. – T. Fabiny, Martin Luthers letzter Wille, 1983.
J. S.

599 Bereits 1545 wurde die Nachricht, Luther sei unter allerlei phantastischen Umständen gestorben, in Italien im Druck verbreitet. Luther veröffentlichte diese »Zeitung« in deutscher Sprache und mit einem drastischen Kommentar.

›Ein welsche Lügenschrift von Doctoris Martini Luthers Tod, zu Rom ausgangen.‹
Wittenberg: Hans Lufft 1545
4°. 4 Bll.
Nürnberg, Germanisches Nationalmuseum, 8° Rl. 2202 Postinc.

Wie seit vielen Jahrhunderten, so galt auch im Reformationszeitalter der Verlauf der Sterbestunde als ein Indiz dafür, welches ewige Schicksal dem Verstorbenen bevorstand. Im Falle Luthers war dies eine besonders erregende Frage, da es zugleich um die Wahrheit der von ihm vertretenen Sache und das Existenzrecht seiner Anhängerschaft zu gehen schien. So richtete sich auf Luthers Tod das gespannte Interesse von vielen Seiten.
Nachdem bereits früher mehrfach Todesnachrichten über ihn kolportiert worden waren, erschien Anfang 1545 in Italien (Rom?) ein neuer Bericht im Druck, in dem unter anderem mitgeteilt wurde, die Hostie, die der Ketzer in seiner letzten Stunde empfangen hatte, habe durch eine Reihe von Wunderzeichen zu erkennen gegeben, daß er mit dem Teufel im Bunde gewesen sei.
Luther ließ diesen Bericht, der ihm durch Landgraf Philipp von Hessen mit guten Wünschen für ein langes Leben bekanntgemacht wurde, Ende März 1545 in italienischer und deutscher Sprache drucken. In seinem kurzen Kommentar (*Denn es sonst keiner antwort werd: Will allein zeugen, das ichs gelesen habe* [WA Br 11, Nr. 4085, 11 f.]) erklärte er, er habe das »Gedicht« *fast gerne und frölich* gelesen, da eine so offenkundige Lüge die verzweifelte Lage des Teufels und seines Anhangs, des Papstes und der Papisten, enthülle.

WA 54, S. 188-194. – Benzing, Nr. 3491 (-3495).
B. M.

600 Der letzte im Autograph erhaltene Brief Luthers an Melanchthon.

Martin Luther an Philipp Melanchthon, Eisleben 6. Februar 1546
Eigenhändig, Orig. Papier 31,5 × 21,5 cm
Nürnberg, Landeskirchliches Archiv, Pfarreien I.; VI: Neustadt an der Aisch, Nr. 3 (Depot des Evang.-Luth. Dekanats Neustadt an der Aisch)

Seit dem 28. Januar hielt Luther sich in seiner Geburtsstadt Eisleben auf, um die seit langem miteinander zerstrittenen Grafen von Mansfeld, deren kleines, aber reiches Territorium (vgl. Kat. Nr. 8) an nicht weniger als fünf Linien aufgeteilt war, versöhnen zu helfen. In dem Brief heißt es (Übersetzung nach J. Schilling): »Wir sitzen hier und liegen herum müßig und geschäftig, mein lieber Philippus: müßig, da wir nichts ausrichten; geschäftig, da wir Unendliches ertragen, weil uns die Nichtswürdigkeit des Satans zu schaffen macht. Unter so vielen Wegen sind wir schließlich zu einem gelangt, der Hoffnung verhieß. Diesen hat wiederum der Satan verbaut. Daraufhin beschritten wir einen anderen, auf dem wir schon alles erledigt glaubten. Diesen hat wiederum der Satan verbaut. Ein dritter wurde eingeschlagen, der völlig sicher und untrüglich scheint. Aber das Ende wird das Getane bewähren [Ovid] ... Heute ist bald der zehnte Tag, daß wir angefangen haben, für die Neustadt [von Eisleben] eine Regelung zu suchen. Ich glaube, sie ist mit viel geringeren Sorgen gegründet worden, als von uns bei der Regelung aufgewendet werden müssen. Es herrscht ein derartiges Mißtrauen auf beiden Seiten, daß man in jeder Silbe argwöhnt, es werde einem Gift vorgesetzt ... Das hat man den Juristen zu verdanken, die die Welt gelehrt haben und noch lehren so viele Gleichklänge, Sophistereien und Kniffe, daß ihr Gerede viel konfuser ist als ganz Babylon. Dort nämlich konnte keiner den anderen verstehen, hier will keiner den anderen verstehen ...«

J. Köstlin, Martin Luther, Bd. 2, 5. Aufl. bearb. von G. Kawerau, 1903, S. 615 ff. – H. Kunst, Evangelischer Glaube und politische Verantwortung. Martin Luther als politischer Berater, 1976, S. 26 ff. – Text: WA Br. 11, Nr. 4200. – Übersetzung: Martin Luther, Ausgewählte Schriften, hrsg. von K. Bornkamm u. G. Ebeling, Bd. 6: Briefe, hrsg. v. J. Schilling, 1982, Nr. 179.
B. M.

601 Der letzte im Autograph erhaltene Brief Luthers an seine Frau.

Martin Luther an seine Frau Katharina von Bora, Eisleben 7. Februar 1546
Eigenhändig, Orig. Papier
Wrocław (Breslau), Biblioteka Uniwersytecka, R 254[b]

Schon seit langem war Luther durch Krankheitszustände verschiedener Art belastet, er fühlte sich alt und verbraucht. So erweckte seine Reise Besorgnisse, die durch Unzuträglichkeiten, die er unterwegs erlitt, verstärkt wurden. Mit diesem zehn Tage vor seinem Tode geschriebenen Brief beantwortete Luther ein verlorenes Schreiben seiner Frau, in dem sie ihre Sorge um ihn ausgesprochen hatte. Der Brief beginnt: *Liese du, liebe Kethe, den Johannem* [das Johannes-Evangelium] *vnd den kleinen Catechismum, Dauon du Zu dem mal sagtest* [von dem Du früher einmal sagtest]: *Es ist doch alles ynn dem buch von mir gesagt. Denn du wilt sorgen fur deinen Gott* [anstelle Deines Gottes] *grade als were er nicht allmechtig, der da kundte Zehen Doctor Martinus schaffen, wo der einige alte ersoffe ynn der Saal* [Saale] *oder ym offenloch oder auff Wolffes* [Luthers Diener] *vogel herd. Las mich zu frieden mit deiner Sorge, Ich hab einen bessern sorger, denn du vnd alle Engel sind, der ligt ynn der krippen vnd henget an einer Jungfrawen Zitzen, Aber sitzet gleich wol Zur rechten hand Gottes des allmechtigen Vaters, Darumb sey zu frieden, Amen.*

WA Br. 11, Nr. 4201, 3-12.
B. M.

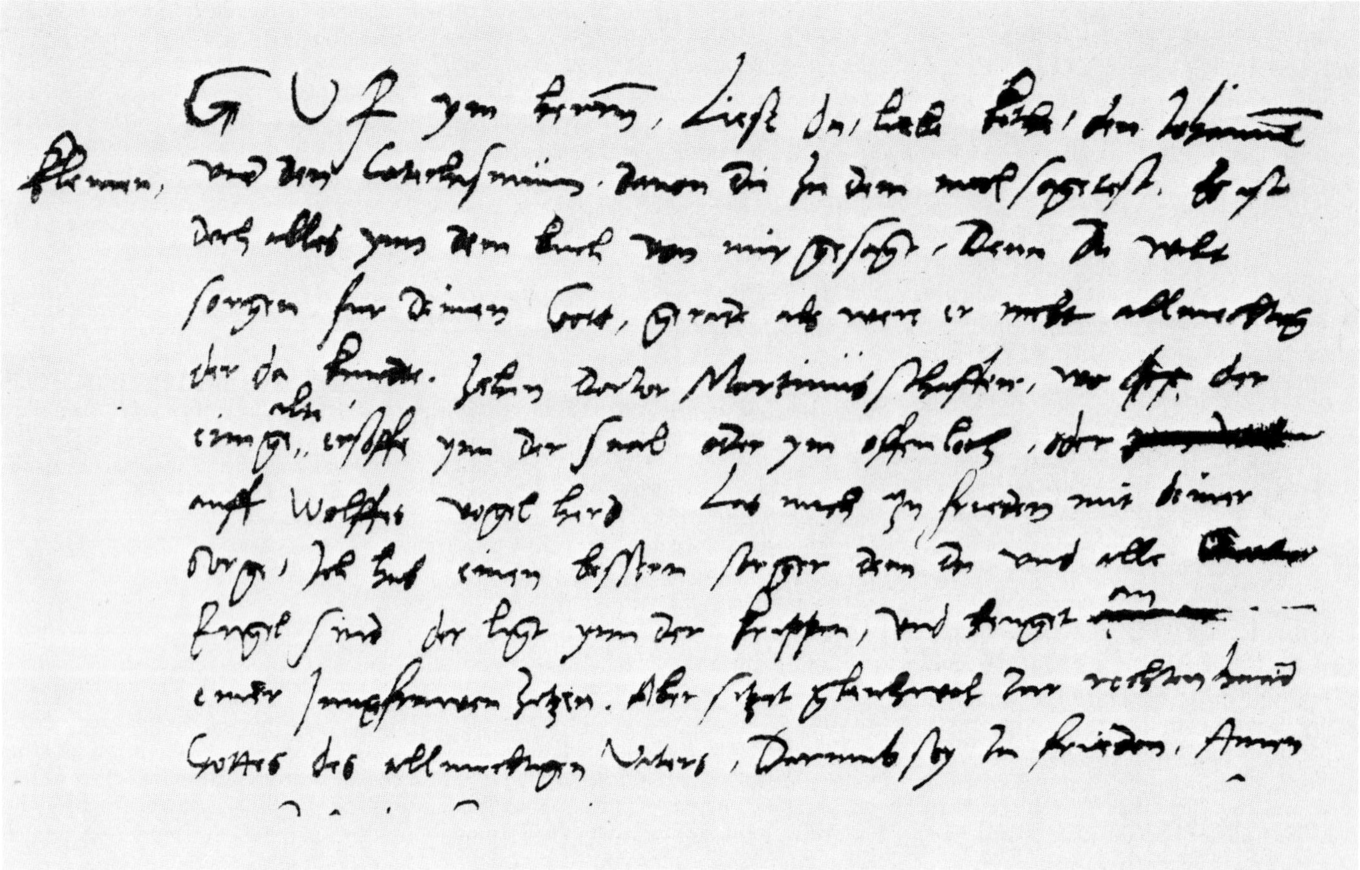

601

601

602 Luther starb zu Eisleben in den frühen Morgenstunden des 18. Februar 1546. Ein authentischer Bericht über seinen Tod stammt von Justus Jonas und Michael Celius.

Justus Jonas – Michael Celius, ›Vom Christlichen abschied aus diesem tödlichen leben des Ehrwirdigen Herrn D. Martini Lutheri, bericht ...‹
Wittenberg: Georg Rhau 1546
4°. 16 Bll. Aufgeschlagen: Bl. B 3 b - B 4 a, Bericht über das letzte Gebet Luthers
Nürnberg, Germanisches Nationalmuseum, 8° Bg. 6330 Postinc.

Luther starb in den frühen Morgenstunden des 18. Februar 1546, nachdem am Tage zuvor eine Einigung der Mansfelder Grafen erreicht worden war. Zwei Augenzeugen seines Todes, sein alter Freund, Kollege und Schüler Justus Jonas sowie der Pfarrer von Eisleben, Michael Celius (Cölius), veröffentlichten unverzüglich, schon im März 1546, einen ausführlichen Bericht, dem Aufzeichnungen zugrundelagen, die sie unmittelbar nach dem Tode des Reformators gemacht hatten. Sie suchten mit dieser Publikation nicht nur das naturgemäß lebhafte Informationsbedürfnis zu befriedigen, sondern auch dem Entstehen von Gerüchten oder Legenden über Luthers Tod entgegenzuwirken.

Chr. Schubart, Die Berichte über Luthers Tod und Begräbnis, 1917, S. 59 ff. – WA 54, S. 478 ff., 487 ff. B. M.

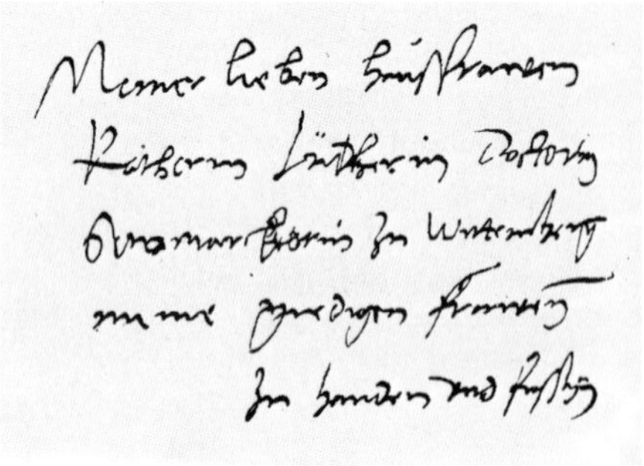

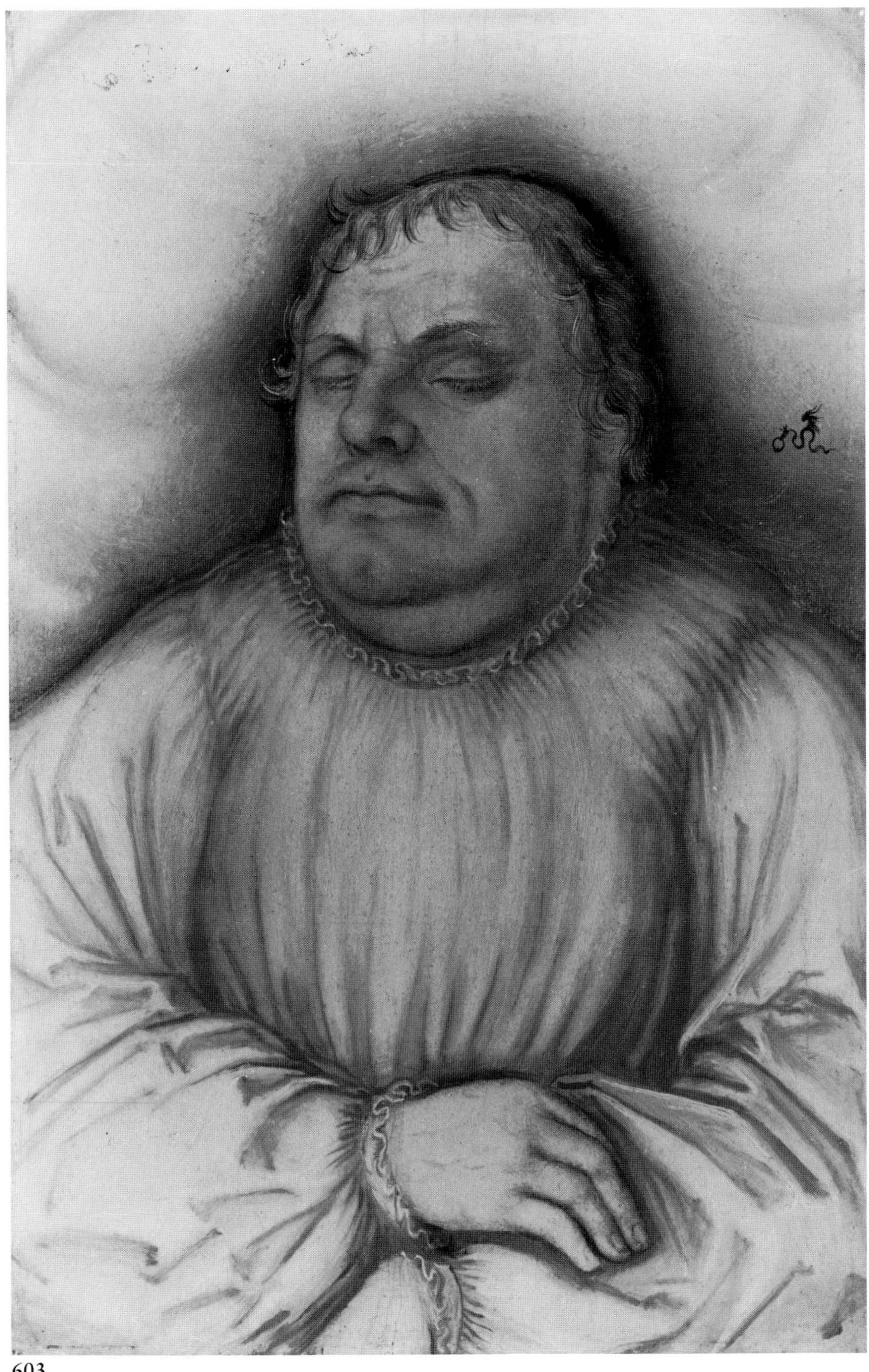

603

603 Ein Eislebener Maler zeichnete Luther auf dem Sterbebett in den frühen Morgenstunden des Todestages. Seine verlorene Skizze liegt den Totenbildnissen Luthers aus der Cranach-Werkstatt zu Grunde.

Totenbildnis Martin Luthers
Lucas Cranach d. J., Werkstatt
Lindenholz, 34,5 × 21,5 cm. Am rechten Bildrand Signet des Künstlers
Hannover, Niedersächsische Landesgalerie, KM 107

Aus den zeitgenössischen Sterbeberichten geht hervor, daß Luthers Leib nach der Feststellung des Todes fünf Stunden lang bis gegen 9 Uhr im Sterbebett belassen und dort von einem namentlich unbekannten Eislebener Maler »abconterfeit« wurde. Das später verschollene Werk dieses Künstlers gelangte offenbar in die Cranach-Werkstatt und diente hier als Vorlage auch für das Hannoveraner Gemälde, das Erstbild einer verzweigten Gruppe von Repliken und Varianten. Im Unterschied zu Furtenagels am gleichen Tage später gefertigter Bildniszeichnung des Toten im Sarg (Kat. Nr. 604) zeigt das erste Totenbild den Reformator in einem mit einer Halskrause versehenen Hemd und mit nicht ganz geschlossenen Augenlidern.

G. Stuhlfauth, Die Bildnisse D. Martin Luthers im Tode, 1927, Nr. 8. – G. von der Osten, Katalog der Gemälde alter Meister in der Niedersächsischen Landesgalerie Hannover, 1954, Nr. 61. – A. Dieck, Cranachs Gemälde des toten Luther in Hannover und das Problem der Luther-Totenbilder. In: Niederdeutsche Beitr. zur Kunstgeschichte 2, 1962, S. 191-218. K. H.

604 Das Bildnis Lukas Furtenagels zeigt den toten Luther im Sarge.

Totenbildnis Martin Luthers
Lukas Furtenagel, 18. oder 19. Februar 1546
Pinsel in Braun und Grau, weiß gehöht, auf Papier, 27,9 × 22 cm
Berlin, Staatliche Museen Preußischer Kulturbesitz, Kupferstichkabinett, KdZ 4545

In dem kurz nach Luthers Tod im Druck erschienenen Sterbebericht der Augenzeugen Justus Jonas und Michael Celius (Kat. Nr. 602) wird mitgeteilt, zwei Maler hätten den Reformator im Tode dargestellt, *einer von Eisleben, dieweil er noch im Stüblin auf dem Bett gelegen, der ander, Meister Lucas Fortennagel von Hall, da er schon eine Nacht im Sarck gelegen.* Wir zeigen hier das an zweiter Stelle genannte Bildnis, von dem in der gegenwärtigen Forschung angenommen wird, es könnte bereits am Nachmittag von Luthers Sterbetag, dem 18. 2. 1546, entstanden sein. Sein Urheber war Lukas Furtenagel, ein aus Augsburg stammender, zwischen 1538 und 1546 in Halle bezeugter Maler. Luther scheint ihn gekannt zu haben – jedenfalls hat er ihm einige Jahre vor seinem Tod eine Bibel gewidmet (WA 48, 11 f.).

A. Dieck, Cranachs Gemälde des toten Luther in Hannover und das Problem der Luther-Totenbilder. In: Niederdeutsche Beitr. zur Kunstgeschichte 2, 1962, 191-218. – G. v. d. Osten, Lukas Furtenagel in Halle. In: Wallraf-Richartz-Jb. 34, 1972, S. 105-118. – Kat. Ausst. Welt im Umbruch, Bd. 1, Nr. 125 (Abb. Farbtafel VI).
B. M.

604

605 Beim Begräbnis des Reformators in der Schloßkirche zu Wittenberg am 22. Februar 1546 deutete Melanchthon vorsichtige Kritik an den grobianischen Zügen von Luthers Schriftstellerei an.

Philipp Melanchthon, ›ORATIO Vber der Leich des Ehrwirdigen herrn D. Martini Luthers, gethan ... am xxij. Tag Februarij ... Anno XLVI.‹
Wittenberg: Georg Rhau 1546
4°. 16 Bll.
Nürnberg, Germanisches Nationalmuseum, 8° Bg. 6332 Postinc.

Der Leichnam Luthers wurde am 19. Februar 1546 in der St. Andreaskirche zu Eisleben aufgebahrt, wo man am Nachmittag sowie am folgenden Vormittag Gottesdienste hielt. Danach wurde er in feierlichem Zuge nach Wittenberg überführt. Nach der Ankunft fand dort am Montag, dem 22. Februar, in der Schloßkirche vor einigen tausend Menschen die Begräbnisfeier statt, bei der zunächst Bugenhagen predigte und sodann Melanchthon *aus sonderlichen herzlichen mitleiden, und die kirchen zu trösten, ein schöne funebrem orationem* (Grabrede) hielt (Schubart 67), bevor Luther in der Kirche selbst begraben wurde. Die Rede Melanchthons erschien alsbald nicht nur in der lateinischen Originalsprache, sondern auch in deutschen Übersetzungen im Druck; von den Übersetzungen wurde diejenige Caspar Crucigers, die wir hier zeigen, besonders weit verbreitet. Die Rede ist dadurch bemerkenswert, daß sie neben einer ausführlichen, von warmer Sympathie getragenen Würdigung des Reformators auch einige Andeutungen von kritischer Distanz diesem gegenüber enthielt. Vor allem wurde vermerkt, Luther sei *zu Zeiten ... etwas zu hart und rauh gewesen im Schreiben,* was Melanchthon, ohne viel Nachdruck, damit entschuldigte, daß *in dieser schwachen, elenden Natur und menschlichem Leben niemand ohn alle Gebrechen* sei.

Chr. Schubart, Die Berichte von Luthers Tod und Begräbnis, 1917, S. 37 f. – Text (lateinisch): Melanchthonis opera quae supersunt omnia. Corpus reformatorum, Bd. 11, S. 726 ff. B. M.

606 In populären Erbauungsdrucken erscheint Luther als Vorbild der Glaubensstärke auch für die Todesstunde.

Martin Luther stehend in Landschaft
Lukas Cranach d. J., um 1546/47
Flugblatt mit Holzschnitt, koloriert, 33,7 × 22 cm
Magdeburg: Christian Rödinger o. J.
Nürnberg, Germanisches Nationalmuseum, H 7400

Mit Luthers Tod setzt eine vielfältige publizistische Verklärung seines Bildes ein. Im vorliegenden Blatt steht der Reformator *in seiner teglichen hausskleidung* vor einer weiten Landschaft, seinem in der Beischrift hervorgehobenen *Vaterland.* In dem breiten Standmotiv und mit dem visionär weitblickenden Gesicht erscheint Luther dem angesprochenen Publikum als denkmalhaft vorbildlicher *Man Gottes.* Auf unmittelbare Benutzung bei den Gläubigen zielt das Flugblatt auch mit dem abgedruckten Sterbegebet, als Trostexempel einer »ars moriendi«. Eine Abwandlung des ganzfigurigen Lutherbildnisses mit einem ausführlichen tabellarischen Überblick zu seinem Leben und den hauptsächlichen Stationen

607

der Reformation liegt in einem Flugblatt des Weimarer Schloßmuseums vor (Kat. Ausst. Lukas Cranach, Weimar-Wittenberg 1953, Nr. 183).

Geisberg, Nr. 671. – Hollstein, Bd. 6, S. 145, Nr. 39. – Kat. Ausst. Cranach, Bd. 2, Nr. 637.

K.H.

607 Der Tod Luthers gab den persönlichen Erinnerungsstücken an ihn einen besonderen Wert.

Lutherglas der Nürnberger Stadtbibliothek
Hall in Tirol, 1530/40
Glas, Höhe 10,2 cm, Dm oben 10,4 cm, Dekor später mehrfach erneuert. Das zugehörige Futteral 16. Jahrhundert, Höhe 15,8 cm, Dm 13 cm
Nürnberg, Germanisches Nationalmuseum, Gl 206. Eigentum der Stadt Nürnberg.

Es handelt sich um ein zierliches, dünnwandiges Kelchglas mit gedrungenem Balustergriff und ausladendem Fuß, mit in Gold gemalten (größtenteils) ausgefallenen Inschriften und den (ebenfalls kalt gemalten) Resten zweier Porträts von Martin Luther und Justus Jonas.

In der ganzen, umfangreichen Literatur gilt das Glas, abgesehen von ganz wenigen zweifelnden Stimmen, als das Geschenk, das Martin Luther seinem Mitstreiter, häufigen Tischgenossen und Gastgeber Justus Jonas im Januar 1546 in Eisleben zum Geschenk machte. 1672 in die Nürnberger Stadtbibliothek gelangt, wurde es erstmals 1674 ausführlich beschrieben und abgebildet (Leibnitzius). Danach trug es die beiden folgenden Inschriften:

DAT VITRUM VITREO JONAE VITRUM IPSE LUTHERUS
UT VITRO FRAGILI SIMILEM SE NOSCAT UTERQUE

(Das Glas Luther schenkt dem Glase Jonas ein Glas, / damit beide erkennen, daß sie einem zerbrechlichen Glase gleichen)
sowie:

Dem alten Doctor Jonas
Bringt D. Luther ein schön Glas
Das lehrt sie alle beyde fein
Daß sie gbrechliche Gläser seyn.

Bereits in Beschreibungen des 18. Jahrhunderts wird jedoch darauf hingewiesen, daß die Inschriften und die beiden Porträts schon in älterer Zeit erneuert worden seien. Von dem Bildnis Luthers ist nichts mehr erhalten, der Kopf des Justus Jonas ist noch zu erkennen.

Neben der Überlieferung der Lutherworte durch dieses Glas läuft eine andere, weiter zurückzuverfolgende textliche, die auf den Lutherschüler Johannes Mathesius zurückgeht, in dessen Lutherbiographie in Predigtform von 1566 ebenfalls die Schenkung eines Glases an Jonas und die Lutherworte überliefert werden (vgl. Volz).

Als sogen. Lutherglas, das ebenfalls dem Dr. Jonas von Luther geschenkt worden sein soll, bewahrt die Herzog August Bibliothek in Wolfenbüttel ein Glas auf, dessen Schenker an den Braunschweiger Herzog sehr umständlich eine fragwürdige Familienüberlieferung zum besten gibt (vgl. Kat. Ausst. Sammler Fürst Gelehrter Herzog August zu Braunschweig und Lüneburg 1579-1666, Wolfenbüttel 1979, Nr. 733). Indes ist das Wolfenbütteler Glas eines jener großen grünen Waldgläser, wie sie weitverbreitet waren, und man hätte es damals schwerlich ausdrücklich als »ein schön Glas« bezeichnet.

Demgegenüber stellt das Nürnberger Glas eines jener als »Façon de Venise« in den dreißiger und vierziger Jahren von Venezianern in Hall in Tirol hergestellten, hochgeschätzten und mit reichem Golddekor verzierten Glaserzeugnisse dar, die in ihrer Zierlichkeit und Feinheit viel eher den Lutherworten von der Gebrechlichkeit von Mensch und Glas entsprechen. Ob die Inschriften jedoch schon bei der Schenkung angebracht waren oder kurz danach »commemorativ« angebracht wurden, ist eine andere Frage.

J. J. Leibnitzius, Inclutae Bibliothecae Norimbergensis Memorabilia ..., 1674, S. 22-23 mit Abb. – H. Volz, Die Lutherpredigten des Johannes Mathesius, 1930, S. 278-279. – F. Küchenmeister, Luther-Becher. Eine Anzahl von Luther

608

609

wirklich oder angeblich gebrauchter Trinkgefäße. In: Illustrirte Zeitung, Nr. 1896, Bd. 73, Leipzig, 1. 11. 1879, Sp. 357-361. – Zu den Luthertexten: WA 48 Revisionsnachtrag, 1972 (H. Volz), Nr. 284. – Kat. Ausst. Aus der Frühzeit der evangelischen Kirche, Germanisches Nationalmuseum Nürnberg. Zum Deutschen Evangelischen Kirchentag München 1959, Nr. 1 mit Abb. K. P.

608, 609 Martin Luther und Philipp Melanchthon als die Wahrheitszeugen der lutherischen Konfessionskirche.

608 Bildnis Martin Luthers
Lukas Cranach d. J., Werkstatt, um 1570/80
Gemälde auf Holz, 82,5 × 61,5 cm. Unten Inschrift: ISTE REPVRGATOR DOCTRINAE E SORDE PAPATVS./CORPORIS EFFIGIEM MEDIAM MANVS AEMVLA PIXIT./TALIS IN INGENVA FRONTE LVTHERVS ERAT,/SE TOTVM IN SCRIPTIS PINGITAT ILLE SVIS. (Er hat die Lehre vom Schmutz des Papsttums gereinigt. Nachbildende Hand malte ein mäßiges Bild seines Leibes. Wie seinem wahren Gesicht nach Luther gewesen, als solcher malt er sich selbst in seinen Schriften.)
Ausbildungszentrum Wolfsberg der Schweizerischen Bankgesellschaft

609 Bildnis Philipp Melanchthons
Lukas Cranach d. J., Werkstatt, um 1570/80
Gemälde auf Holz, 82,5 × 61,5 cm. Unten Inschrift: DVM SOPHIAE SIMVL ET SACRAE DVM CONSVLIT ARTI/ET SIMVL HAEC DICI GAVDET ET ILLA SVVM:/FATA DEVM MEDIO VENERE IPSVMQUE PHILIPPVM/DEBERI AETHEREIS EDOCVERE PLAGIS. (Als er zugleich um (weltliche) Weisheit (= Philosophie) und heilige Kunst (= Theologie) sich bemühte / und sich die eine sowohl wie die andre, daß er der Ihre genannt wird, erfreute, / kam Gottes Ratschluß mitten dazwischen und lehrte, / es gehöre Philippus allein den Himmelsgefilden.)
Ausbildungszentrum Wolfsberg der Schweizerischen Bankgesellschaft

Die beiden beinahe lebensgroßen Porträts, zu denen sich mehrere Wiederholungen erhalten haben, sind posthume Darstellungen und wahrscheinlich in die 1570er Jahre zu datieren. Sie zeigen die beiden Reformatoren in monumentaler Gestalt und in ihrer Zusammengehörigkeit, als ein »Paar«, wie sie es auch im Leben gewesen sind. Vielleicht sollen die Bilder gegenüber den theologischen Spaltungen im Luthertum der Frühorthodoxie die ursprüngliche Einheit der Lehre und der Personen demonstrieren. Jedenfalls aber haben die beiden Bibelstellen, auf die die Abgebildeten hinweisen, demonstrativen Charakter – Luther zeigt mit Röm. 5, 18-20, auf ein entscheidendes biblisches Zeugnis der Rechtfertigungslehre, Melanchthon mit Röm. 8, 31-35, auf ein zentrales Christus-Bekenntnis. Sie resümieren gewissermaßen das »Evangelium«, für das die Reformatoren ihr Leben lang eingetreten waren und das sie der lutherischen Kirche übermittelt haben.

Kat. Ausst. Cranach, Bd. 2, S. 718 f. (Nr. 647 f.)
B. M./J. S.

XV. Der Kampf um den Bestand des Protestantismus und die Formierung der Konfessionen bis 1555

Ernst Walter Zeeden

Die Geschichte Deutschlands stand von 1530 bis 1555 im Zeichen der kaiserlichen Politik Karls V. und der Opposition des sich politisch organisierenden Protestantismus gegen den Kaiser. Politisches Handeln bezog sich im 16. Jahrhundert mit großer Selbstverständlichkeit auf Weltliches *und* Geistliches; denn Kirche und Staat waren eng miteinander verfugt. Staatliche Kompetenzen oder obrigkeitliche Hoheitsrechte besaßen in Deutschland außer dem Kaiser auch die reichsunmittelbaren Fürsten und Städte. Kirchliche Gesichtspunkte und Belange hatten für Staatsmänner und Politiker aller Rangstufen einen hohen Stellenwert. Religiöse Überzeugungen waren den meisten von ihnen nicht fremd, weder dem katholischen Kaiser noch den evangelischen Führern des Schmalkaldischen Bundes, dem Landgrafen von Hessen und den sächsischen Kurfürsten. Deshalb war die Reformation in Deutschland sofort eine politische Angelegenheit ersten Ranges geworden. Der Streit um den rechten Glauben und die wahre Kirche führte rasch zu politischer Parteibildung. Und wenn es darum ging, strittige Glaubens- und Kirchenfragen zu entscheiden, sprachen oft regierende Fürsten oder die Magistrate einer Freien Stadt das letzte Wort.

In Deutschland gab es um 1530 keine klare Kompetenzabgrenzung zwischen dem Kaiser und den Reichsständen (d.i. den Fürsten und Reichsstädten) oder dem Reich und den Territorien. Insbesondere war die Religionshoheit strittig. Der Kaiser beanspruchte sie für das Reich; die protestantischen Fürsten erklärten entschieden, für die Religion in ihrem Territorium zuständig zu sein. Deshalb wurde der Religionsstreit in Deutschland zu einem Verfassungsstreit zwischen dem Kaiser und den Fürsten um die Macht im Reich. Und deshalb setzte Kaiser Karl V. – unabhängig davon, daß er sich mit Überzeugung zum Glauben der alten Kirche bekannte – auch aus politischen Gründen alles daran, die Einheit der Kirche in Deutschland wiederherzustellen. Was für ihn soviel hieß, wie: akzeptable Wege, Kompromisse oder Modalitäten zu finden, um die evangelisch gewordenen Städte und Territorien auf irgendeine Weise in die römisch katholische Kirche wieder einzugliedern. Drei Wege schlug der Kaiser ein, um dieses Ziel zu erreichen: Er war bereit, die Lutheraner anzuerkennen, wenn sich ein halbwegs mit der katholischen Auffassung verträgliches Einverständnis mit ihnen erzielen ließ. Deshalb setzte er die in Augsburg 1530 fehlgeschlagenen Versuche fort, durch Religionsgespräche zu einer Einigung zwischen den Glaubensparteien zu kommen. Zweitens trieb er den Papst, ab 1534 Paul III. (gest. 1549), beharrlich dazu an, ein Konzil einzuberufen, nach welchem die Christenheit seit etwa 1520 mit erhöhter Dringlichkeit verlangte. Konzil und Religionsgespräche waren die Mittel, durch die Karl V. den Glaubenszwist auf friedlichem Wege beizulegen hoffte. Als beide ihren Zweck verfehlten, entschloß er sich zum dritten Weg: zum Glaubenskrieg gegen die im Schmalkaldischen Bund (vgl. Kat. Nr. 274) organisierten und militärisch gerüsteten Protestanten.

Der Krieg begann im Sommer 1546, ein gutes halbes Jahr nach der Eröffnung des Konzils im Dezember 1545. In der dazwischen liegenden Zeit, im Februar 1546, starb Martin Luther. Die Bewegung, die er hervorgebracht hatte, schritt schon längst weiter ohne ihn und schritt auch über den Kaiser und dessen Sieg im Schmalkaldischen Krieg hinweg. Karl V., als weltgeschichtliche Figur der eigentliche Gegenspieler Luthers im Reich, schien sich durch seinen Sieg in einer Lage zu befinden, die ihm erlaubte, politisch seine Stellung im Reich gegenüber den Reichsständen deutlich zu festigen und religionspolitisch die Protestanten durch das Interim von 1548 dazu zu bewegen, sich in die römische Kirche provisorisch wieder einzugliedern. Beides schlug fehl. Politisch rückten die katholischen und protestantischen Fürsten näher zusammen und verhielten sich gegenüber den Machtbestrebungen des Kaisers solidarisch. Kirchlich vermochte er dem Interim nur sehr bedingt Geltung zu verschaffen. Es wurde bekämpft und anstelle des erhofften konfessionellen Friedens kam es vollends zur konfessionellen Entzweiung. Eine militärische Rebellion protestantischer Fürsten brachte den Kaiser zu Fall. Er zog sich aus Deutschland zurück. Die Fürsten beider Konfessionen erzwangen gegen ihr Oberhaupt den Religionsfrieden von 1555. Er anerkannte die Augsburgische Konfession als im Reich gültige Form christlichen Glaubens neben dem Glauben der alten katholischen Kirche. Diese begann, unter dem Vorzeichen eines in Deutschland und Europa immer heftiger um sich greifenden Konfessionskampfs, auf der reduzierten Basis, die ihr im Reich verblieb, seit dem Trienter Konzil und z.T. auch unter dem Konkurrenzdruck des Luthertums, sich allmählich intern ebenfalls zu reformieren.

P. Rassow u. F. Schalk (Hrsg.), Karl V. Der Kaiser und seine Zeit, 1960. – B. Moeller, Deutschland im Zeitalter der Reformation, 1977, S. 102-206. – St. Skalweit, Reich und Reformation, 1967, S. 241-444. – E. W. Zeeden, Deutschland von der Mitte des 15. Jahrhunderts bis zum Westfälischen Frieden. In: Th. Schieder (Hrsg.), Handbuch der europäischen Geschichte, Bd. 3, 1971, Nachdruck 1979, S. 509-556. – H. Lutz, Reformation und Gegenreformation, 1979, S. 46-61, 142-157. – Ders. (Hrsg.), Das römisch-deutsche Reich im politischen System Karls V., 1982.

E. W. Z.

A Bemühungen um religiöse Verständigung und kirchliche Einheit. Friedensappelle, Religionsgespräche, das Papsttum und das Konzil

Am 17. Mai 1521 schrieb Albrecht Dürer in das Tagebuch seiner niederländischen Reise auf die – falsche – Meldung von Luthers Tod die bewegenden Worte: *O Gott, ist Luther todt, wer wird uns hinfürt das heilig Evangelium so klar fürtragen ... O ihr alle fromme Christenmenschen, helft mir fleißig beweinen diesen gottgeistigen Menschen und ihn bitten, daß er uns ein andern erleuchtten Man send. O Erasme Roderodame, wo willt du bleiben? ... Hör, du Ritter Christi, reit hervor neben den Herrn Christum, beschütz die Wahrheit, erlang der Martärer Kron! ... O Erasme, halt dich hie, dass sich Gott dein rühme, wie vom David geschrieben stehet, dann magst du thun, und fürwahr, du magst den Goliath fällen.*

Nach einhelliger Überzeugung der Zeit stellte Erasmus von Rotterdam den Gipfel humanistischer Gelehrsamkeit dar. Seine Autorität war unbestritten. Sie strahlte weit über den Umkreis der Wissenschaft hinaus. Denn wie aus den Worten Dürers hervorgeht, trauten ihm einsichtige und urteilsfähige Zeitgenossen noch einiges mehr zu: nämlich die Führung in der Reformation der Kirche zu übernehmen.

Wissenschaft, in erster Linie die Beherrschung der Sprachen des Altertums, war ihm kein Selbstzweck, sondern ein Mittel, um an die Quellen der religiösen und geistigen Bildung heranzukommen: an das Neue Testament, die Kirchenväter und die Schriftsteller der Griechen und Römer. Schon lange vor Luther hatte er sich für die Kirchenreform eingesetzt. Er verstand sie vorrangig als persönliche Aneignung der biblischen Botschaft und nannte sie *Philosophia Christi* (die Philosophie Christi) – worunter er eine Lebensführung im Sinne Christi verstand.

So ging von ihm ein Programm religiös-praktischer Lebensführung aus; es orientierte sich an den ethischen Geboten und Lehren des Neuen Testaments. Anfangs hatte Erasmus Luther begrüßt, nachher – 1524/25 – entzweite er sich mit ihm in einem berühmt gewordenen Streit über den freien Willen.

Von da an distanzierte er sich von der Reformation auch wegen des Aufruhrs (des *tumultus*), den sie vielfach, jedenfalls im städtischen Raum, nach sich zog und den er als Augenzeuge in Basel erlebte.

Auf dem Augsburger Reichstag 1530 holten die Wortführer der Protestanten und der Katholiken und dazu noch der päpstliche Legat Campeggio den Rat des Erasmus ein. Er hatte Anhänger bei den versöhnlicher gestimmten Theologen aller Glaubensrichtungen. Er hielt ein friedfertiges Verhalten, eine gegenseitige relative Toleranz für wichtiger als den Streit um die Auslegung des Dogmas. Deshalb wurde er nicht müde, mit Friedensappellen an die Öffentlichkeit zu treten. Er gab damit einer Strömung Ausdruck, die sich innerhalb aller Glaubensrichtungen in den 30er und 40er Jahren bemerkbar machte, einer Strömung, die man auch »erasmianisch« nannte: Sie zielte darauf, die auseinanderdriftenden Konfessionen wieder zusammenzubringen; das Einigende neben dem Trennenden stärker herauszuheben; und die Abweichungen im Dogmatischen bis zu einem gewissen Grade zu tolerieren – weil er und seine Anhänger den Frieden zu erhalten und lieblosen Streit zu meiden auch für ein Gebot Christi hielten. Viele frühe katholische Reformansätze sind ohne Erasmus ebensowenig denkbar wie die Religionsgespräche in der Ära des Schmalkaldischen Bundes.

Der erste Papst, der einen tieferen ursächlichen Zusammenhang zwischen der Fehlentwicklung des Papsttums und der mit der Reformation aufbrechenden radikalen Kritik an der Kirche und ihrer hierarchischen Ordnung erkannte, war Hadrian VI. (1522-1523), ein frommer und gelehrter Holländer und seinerzeit Erzieher Karls V. Er regierte zu kurz, um die römische Kirche auf Reformkurs zu bringen. Aber dadurch, daß er die Schuld des Papsttums an den Schäden der Kirche – für die man in Rom bis dahin blind gewesen war – öffentlich bekannte, gab er ein Signal: Er gab unmißverständlich zu verstehen, daß es so wie bisher nicht weitergehen könnte.

Sein Nachfolger Clemens VII. (1523-1534) bedeutete an ihm gemessen einen Rückfall. Der nächste Papst, Paul III. (1534-1549), hatte dagegen begriffen, was die Stunde geschlagen hatte, und leitete, obwohl seinem persönlichen Lebensstil und seinen familienpolitischen Ambitionen nach durch und durch ein Renaissanceprälat, die Reform der katholischen Kirche ein. Und so betrieb er auch den Zusammentritt eines Allgemeinen Konzils.

Hier trafen sich seine Intentionen mit denen des Kaisers, überschnitten sich aber auch öfter. Dem Kaiser wie den meisten Zeitgenossen erschien ein Generalkonzil der beste Weg zu sein, um den Glaubensstreit beizulegen; Karl V. sah in ihm aber auch ein Mittel, die innerdeutschen Schwierigkeiten zu bereinigen, soweit sie aus dem Glaubensstreit entstanden waren. Der Weg zum Konzil war lang: Es konnte nur zustandekommen, wenn sich der Kaiser mit dem König von Frankreich und wenn sich der Papst mit beiden im Einklang befand, wenn der Kaiser Ruhe vor den Türken und ihren Vasallen hatte und wenn er wenigstens auf einen größeren Teil von den deutschen Reichsständen zählen konnte. Als diese Situation 1545 eintrat, wurde tatsächlich, nach mehreren vergeblichen Anläufen, ein Konzil eröffnet. Es trat in Trient, also noch auf Reichsboden, zusammen. Die Protestanten, denen ein vom Papst unabhängiges Konzil vorschwebte, versagten sich ihm. Das wurde mit ein Anlaß für den Schmalkaldischen Krieg. Das Konzil tagte, mit jahrelangen Unterbrechungen, bis 1563.

H. Rupprich (Hrsg.), Albrecht Dürers schriftlicher Nachlaß, Bd. 1, 1956, S. 170 ff. – K. A. Meissinger, Erasmus von Rotterdam, 1942. – R. H. Bainton, Erasmus. Reformer zwischen den Fronten, 1972, S. 188-259. – W. Kaegi, Humanistische Kontinuität im konfessionellen Zeitalter, 1951. – Jedin, Bd. 1. – A. Haidacher, Geschichte der Päpste in Bildern, 1965. E. W. Z.

610 Erasmus von Rotterdam, der Fürst der Humanisten, trat zwar beharrlich für eine Reform der Kirche ein, distanzierte sich aber von der Reformation wegen der Gewalttätigkeiten, die sie im Gefolge hatte.

Bildnis des Erasmus von Rotterdam
Albrecht Dürer, 1526
Kupferstich, 24,9 × 19,3 cm. Auf der gerahmten Tafel links die Inschrift: IMAGO ERASMI ROTERODA/MI AB ALBERTO DVRERO AD/VIVAM EFFIGIEM DELINIATA (Bildnis des Erasmus von Rotterdam gezeichnet von Albrecht Dürer nach dem Leben) ΤΗΝ · ΚΡΕΙΤΤΩ · ΤΑ · ΣΥΓΓΡΑΜ/ΜΑΤΑ · ΔΙΞΕΙ (besser zeigen ihn seine Bücher), darunter die Jahreszahl 1526 und das Monogramm des Künstlers
Nürnberg, Germanisches Nationalmuseum, St. N. 2203

610

Dürer zeichnete Erasmus während seiner niederländischen Reise zweimal, zuletzt zwischen dem 27. August und 2. September 1520 in Brüssel. Das Stichporträt zeigt den Gelehrten schreibend und umgeben von Büchern, auf die auch die Inschrift hinweist. Wie Cranach mit seinen Bildnissen des Kardinals Albrecht von Brandenburg (vgl. Kat. Nr. 164) verdeutlicht Dürer die geistige Bedeutung und den erzieherischen Auftrag des Humanisten durch einen Rückgriff auf spätmittelalterliche Darstellungen schreibender Kirchenväter.
Desiderius Erasmus, 1466 oder 1469 in Rotterdam geboren, seit 1514 in Basel lebend, von dort 1529 vor den durch die Reformation verursachten Unruhen nach Freiburg i. Br. ausweichend, 1535 wieder nach Basel zurückkehrend und dort 1536 gestorben, war als klassischer Philologe und universeller Schriftsteller eine geistige Großmacht seiner Zeit. Er griff die Mißbräuche und Fehlentwicklungen in der Kirche schonungslos an, bekannte sich aber, je mehr die Reformation voranschritt, bewußt zur katholischen Kirche; er bejahte sie im Prinzip als Trägerin der religiösen Überlieferung und sah in ihr seit etwa 1525 auch die Garantin einer geistigen Ordnung und Stabilität, von der er meinte, daß sie bei Luther und durch Luther ins Wanken geriete. Darin folgten ihm viele Humanisten seiner Generation, die zunächst auch in die Reformation ihre Hoffnung gesetzt hatten und sich später enttäuscht von ihr abwandten, weil sie ihre Auswüchse mißbilligten. So schrieb z. B. Willibald Pirckheimer 1530: »Ich bekenne, daß ich anfänglich auch gut lutherisch gewesen bin, wie auch unser Albrecht (Dürer) seliger. Denn wir hofften, die römische Büberei, desgleichen der Mönche und Pfaffen Schalkheit sollte gebessert werden; aber so man zusieht, hat sich die Sache also verschlimmert, daß die evangelischen Buben jene Buben fromm erscheinen lassen.«

Pirckheimers Brief: Kat. Ausst. Reformation in Nürnberg, Nr. 115. – Kat. Ausst. Dürer, Nr. 278. E. W. Z.

611, 612 Erasmus befaßte sich in den Schriften seiner letzten Jahre bevorzugt mit Fragen der kirchlichen Einheit, der Seelsorge und des Glaubensverständnisses.

611 Erasmus von Rotterdam, ›Liber de sarcienda ecclesiae concordia deque sedandis opinionum dissidiis, cum allis nonnullis lectu dignis.‹
Basel: Johannes Froben 1533. 8°
Tübingen, Universitätsbibliothek, Gh 42.4°

Erasmus wollte mit seinem ›Liber de sarcienda ecclesiae concordia‹ (Buch über die Wiederherstellung der kirchlichen Eintracht und über die Überwindung der Meinungsstreitigkeiten) einen Beitrag zur Wiederherstellung der kirchlichen Einheit liefern und die streitenden Parteien versöhnen helfen. Er ließ es 1533 in verschiedenen Städten fast gleichzeitig drucken und widmete es einem Exponenten der versöhnlichen Richtung unter den Katholiken, dem späteren Bischof Julius Pflug von Naumburg (1541-1564), der an verschiedenen Religionsgesprächen (Leipzig 1534, Regensburg 1541, Worms 1557) teilnahm und das Interim von 1548 mitverfaßte. Das Buch, symptomatisch für des Erasmus zwischen den Glaubensparteien vermittelnde Richtung, wurde auch von evangelischen Theologen geschätzt, die um die Einheit bemüht waren: der Straßburger Reformator Wolfgang Capito übersetzte es sofort und rühmte ihm nach, daß es *uff den einigen Heiland unseren Herren Jesum Christum* hinweise, für Toleranz eintrete und *fruchtbare Mittel des fridens* anzeige, *gut und besserlich zu allen parteyen, die friden mit Gott lieb haben.*

W. P. Eckert, Erasmus von Rotterdam, Werk und Wirkung, 1967, S. 389-412. – K. H. Oelrich, Der späte Erasmus und die Reformation, 1961, S. 118-164. E. W. Z.

612 Erasmus von Rotterdam ›Ecclesiastes sive de ratione concionandi libri quatuor‹
Basel: Johannes Froben 1535. 4°
Tübingen, Universitätsbibliothek, Gi 104.2°

Der ›Ecclesiastes‹ (Der Prediger oder über die Art, wie man predigen sollte) war das letzte große Werk des Erasmus. Er schrieb es von 1529 bis 1535 in Freiburg. Es handelt sich um eine Anleitung zum Predigen für angehende katholische Priester. Erasmus sprach hier von dem Aufgabenkreis und den für einen Verkünder des Evangeliums notwendigen »Tugenden«; vor allem hob er darauf ab, daß die rechte Verkündigung aus der Stille, der Meditation, dem Sich-einlassen in das Wort Gottes erwachse.
In seinem Alter meinte Erasmus, daß letztlich weder weltliche noch geistliche Obrigkeiten die Einheit der Kirche wiederherzustellen vermöchten. Die Kräfte hierzu müßten von oben und von innen kommen. Aus dem Jahr 1533 datiert von ihm seine »Precatio ad Dominum Jesum Christum pro pace ecclesiae«, ein Gebet, in dem er von Jesus Christus dem Herrn den Frieden der Kirche erbat.

W. P. Eckert, Erasmus von Rotterdam, Werk und Wirkung, 1967, S. 474-493. – K. H. Oelrich, Der späte Erasmus und die Reformation, 1961. E. W. Z.

613 Die Glaubensparteien bekämpften sich – gleichzeitig liefen Verständigungsversuche zwischen ihnen. Ein solcher war das Regensburger Religionsgespräch.

Das Regensburger Buch
2°. 196 Bll. Deutsche Übersetzung mit Marginalien des Landgrafen Philipp von Hessen
Marburg, Hessisches Staatsarchiv, Best. 3 (Pol. Arch.), Nr. 577, f. 1-195

Das »Regensburger Buch« bildete die Verhandlungsgrundlage des Regensburger Religionsgesprächs von 1541. Es enthielt einen auf kaiserliche Veranlassung verfaßten und von katholischen und evangelischen Theologen wie Gropper, Bucer und Capito gemeinsam revidierten »Vergleichsentwurf«: Es waren 23 relativ weit formulierte Artikel über konfessionelle Differenzpunkte. Über sie wurde von den Gesprächspartnern debattiert. Diese kamen sich in vielen Punkten entgegen, selbst in der Rechtfertigungslehre. Weil sie aber in ihrer Auffassung von der Kirche und ihrer Vollmacht sowie von den Sakramenten keine Vergleichsmöglichkeit zu finden vermochten, scheiterte dieser Einigungsversuch. Die Schlußfassung des Gesprächs wurde den auf dem Regensburger Reichstag versammelten Reichsständen zur Abschrift freigegeben und danach mehrfach gedruckt, auch in deutscher Übersetzung. Landgraf Philipp von Hessen versah sein Exemplar mit Randnotizen. Daraus aufgeschlagen: Bl. 112v/113r. Innerhalb des Artikels *Von dem ansehen vnd gewalt der Kirchen die schrifften zu vnderschaiden vnd außzulegen* heißt es am Ende: *Nun haben auch die besonndern kirchen die gabe den gewalt vnd glauben die schrifften gegeneinander zuhallten, zuersuchen vnd außzelegen. Johan 5. Acto: 17. Doch dasselbige dermassen, das ir außlegung mit dem allgemeinen verstand der allgemeinen Kirchen von anfang härbracht nit streyte. Auch wo die geringern Kirchen inn mißuerstand kommen das sie die sachen an die grössern vnd mehrern kirchen vnd wa es von nöden sein will zu der erkandtnuß der allgemeinen Kirchen gelangen lassen, welche erkandtnuß inn den Concilien vnd Synoden geschehen sollen.*
Dazu bemerkte Landgraf Philipp: *Da muß woll erclerd werden wie es verstanden werden soll was der verstandt der gemeynen kirchen sey.*
Der Kaiser hätte eine Lösung des Glaubensstreits in Deutschland unabhängig vom – noch nicht berufenen – Konzil und ohne Krieg bevorzugt. Auf dieser Linie lag sein Interesse an einem Gelingen des 1540 in Hagenau und Worms begonnenen, 1541 in Regensburg fortgeführten Religionsgesprächs, an dem sich u. a. auch der reformerisch gesonnene, theologisch Luther nicht sehr fernstehende päpstliche Legat Kardinal Continari beteiligte.

E. Iserloh, Geschichte und Theologie der Reformation im Grundriß, 1980, S. 118 ff. – C. Augustijn, De godsdienstgesprekken tussen roomskatholieken en protestanten van 1538 tot 1541, 1967. – G. Pfeilschifter, Acta reformationis Catholicae, Bd. 6, 1974, S. 64, 5-10. – G. Müller (Hrsg.), Die Religionsgespräche der Reformationszeit, 1980. E. W. Z./J. S.

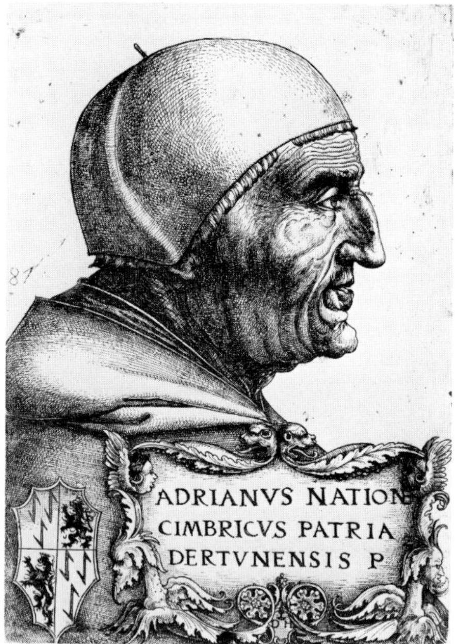

614

614 1522 wurde Hadrian VI. zum Papst gewählt.

Bildnis Papst Hadrians VI.
Daniel Hopfer
Eisenradierung, 22,6 × 15,8 cm. Unten auf einem kartuschenartig gerahmten Feld die Inschrift: ADRIANVS NATIONE/CIMBRISVS PATRIA/DERTVNENSIS P, darunter im Ornament Monogramm des Künstlers. Links daneben das päpstliche Wappen
Nürnberg, Germanisches Nationalmuseum, K 12229

Adriaan Floriszoon Boejens, 1459 in Utrecht als Sohn eines Handwerkers geboren, 1491 Theologieprofessor an der Universität Löwen, 1507 Erzieher und seit 1516 Berater des Herzogs von Burgund, spanischen Königs und späteren Kaisers Karls V., wurde 1522 zum Papst gewählt. Er war fern von Rom in einer frommen Umgebung aufgewachsen und vermutlich deshalb in der Lage, sich von dem luxuriösen, allerdings auch kultivierten Lebensstil seines Vorgängers Leos X. zu distanzieren. Er las täglich die Messe, lebte schlicht, asketisch, materiell bedürfnislos und wies damit in etwa auf die strenge Lebensführung der Reformpäpste seit Pius V. (1566-1572) voraus. Er fand dafür in Rom wenig Verständnis. Immerhin: Cajetan, eine der seriösesten Gestalten im Kardinalskolleg, bezeugte ihm seine Hochachtung. Für ein durchgreifendes Handeln war sein Pontifi-

Was auff di
Reichsztag zu Nü
remberg von wegen Bebstlich
er heiligkeit/an Keyserlicher Maiestat
Stathalter vnd Stende/Lütherischer
sachen halben gelangt/vñ darauff geantwort worden ist/ Auch etliche
andere mer nützliche dig/
wie die volgende kurtz
vorred vnd register anzeigt.
Cum gratia et Priuilegio.

615 (Vorderseite)

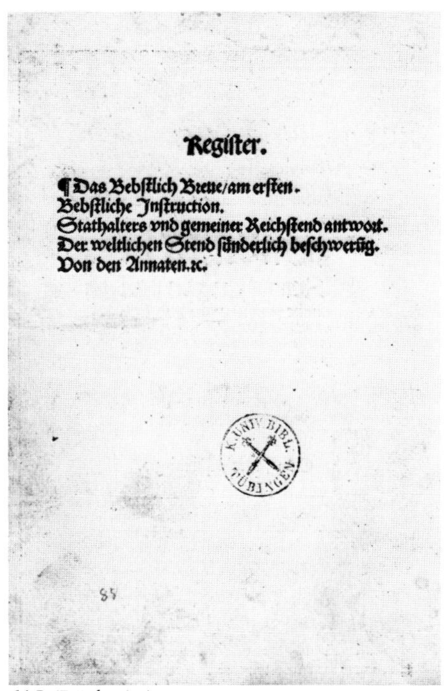
Register.
¶ Das Bebstlich Breue/am ersten.
Bebstliche Instruction.
Stathalters vnd gemeiner Reichstend antwort.
Der weltlichen Stend sünderlich beschwerüg.
Von den Annaten. rc.

615 (Rückseite)

kat zu kurz und das eingefahrene System zu fest.

Der vorliegende Kupferstich gehört zu einer numerierten Neuauflage von 230 Werken Daniel Hopfers, die der Nürnberger Kunsthändler David Funck im 17. Jahrhundert herausgab. Die Profildarstellung läßt wie bei anderen Bildnisarbeiten Hopfers auf eine Medaille als Vorbild schließen.

A. Haidacher, Geschichte der Päpste in Bildern, 1965, S. 284-291. – E. Iserloh. In: Handbuch der Kirchengeschichte, Bd. 4, 1967, S. 106-114. – Ed. Eyssen, Daniel Hopfer, Diss. Heidelberg 1904, S. 64, Nr. 87. E. W. Z.

615 Papst Hadrian VI. verkündete vor dem Reichstag zu Nürnberg 1522/23, daß die Krankheit, unter der die ganze Kirche leide, ihren Herd in der römischen Kurie hätte. Zugleich bekundete er den Reformwillen des Papsttums.

Hadrian VI., Instruktion an den Legaten Chieregati für den Reichstag zu Nürnberg 1522
Zeitgenössische Übersetzung in: ›Was auff dem Reichsztag zu Nüremberg von wegen Bebstlicher heiligkeit an Keyserlicher Majestat Stathalter und Stende Lutherischer sachen halben gelangt und darauff geantwort worden ist ...‹
Nürnberg: Friedrich Peypus 1523. 8°
Tübingen, Universitätsbibliothek, Gh 811.4°

Auf dem seit November 1522 tagenden Nürnberger Reichstag standen die Türkengefahr und die Durchführung des Wormser Edikts zur Debatte. Der Papst sah mit der Lehre Luthers eine Verfolgung über die Kirche kommen. Er wies durch eine Instruktion seinen Legaten an, u. a. Folgendes zu sagen: »Wir bekennen aufrichtig, daß Gott diese Verfolgung seiner Kirche geschehen läßt wegen der Menschen und sonderlich der Priester und Prälaten Sünden; denn gewiß ist die Hand des Herrn nicht verkürzt, daß er uns nicht retten könnte, aber die Sünde scheidet uns von ihm, so daß er uns nicht erhört. Die Heilige Schrift verkündet laut, daß die Sünden des Volkes in den Sünden der Geistlichkeit ihren Ursprung haben ... Wir wissen wohl, daß auch bei diesem Heiligen Stuhle schon seit manchem Jahre viel Verabscheuungswürdiges vorgekommen: Mißbräuche in geistlichen Sachen, Übertretungen der Gebote, ja daß alles sich zum Ärgeren verkehrt hat. So ist es nicht zu verwundern, daß sich die Krankheit vom Haupt auf die Glieder, von den Päpsten auf die Prälaten verpflanzt hat. Wir alle, Prälaten und Geistliche, sind vom Wege des Rechts abgewichen ... Deshalb müssen wir alle Gott die Ehre geben und uns vor ihm demütigen; ein jeder von uns soll betrachten, weshalb er gefallen, und sich lieber selbst richten, als daß er von Gott am Tage seines Zornes gerichtet werde. Deshalb sollst Du in unserem Namen versprechen, daß wir allen Fleiß anwenden wollen, daß zuerst der römische Hof, von dem vielleicht alle diese Übel ihren Anfang genommen haben, gebessert werde; dann wird, wie von hier die Krankheit gekommen ist, auch von hier die Gesundung beginnen. Solches zu vollziehen, erachten wir uns um so mehr verpflichtet, weil die ganze Welt eine solche Reform begehrt ... Doch soll sich niemand wundern, daß wir nicht mit einem Schlage alle Mißbräuche beseitigen. Denn die Krankheit ist tief eingewurzelt und vielgestaltig. Es muß daher Schritt für Schritt vorgegangen und den schwersten und gefährlichsten Übeln durch rechte Arzneien begegnet werden.« (modernisierte Übertragung).

DRTA, Jüngere Reihe 3, S. 397 f. E. W. Z.

616 Papst Paul III. belastete zwar seinen Pontifikat durch Familienpolitik, überwand aber die Scheu vor der Kirchenreform: Er machte die Erneuerung der Kirche zur Aufgabe des Papsttums.

Bildnisbüste Papst Pauls III.
Guglielmo della Porta, um 1544
Bronze, Höhe 30,8 cm. Auf dem Schild des Sockels bezeichnet: PAOLO FARNESE
Hamburg, Museum für Kunst und Gewerbe, Inv. Nr. St 74/1957.50

Paul III. (1534-1549), gewiß kein heiliger, aber ein kluger Papst, sah, was der Kirche nottat. An staatsmännischem Format nicht hinter Karl V. zurückstehend, mit den kurialen Verhältnissen durch jahrzehntelange Erfahrung (seit 1493 Kardinal) vertraut, aus alter, in Rom und im Kirchenstaat ansässiger vornehmer Familie stammend, ging er der Reform nicht wie sein Vorgänger aus dem Wege, sondern leitete sie umsichtig ein. Er machte mit dem Konzil Ernst. Durch sein und des Kaisers – oft konkurrierendes – beharrliches Bemühen kam es zustande.
Die Bronzebüste bzw. der ihr zugrunde liegende Wachsbozzetto wird um 1544 datiert. Dieselbe Porträtaufnahme verwendete der Bildhauer für eine Marmorbüste und für den Kopf der Grabmalstatue in St. Peter in Rom. Die Reliefbilder des Pluviale zeigen Allegorien vom Papst in seine Dienste genommener Tugenden Abundantia (Überfluß), Pax (Friede), Victoria (Sieg) und Justitia (Gerechtigkeit), an den Schultern Darstellungen aus der Geschichte des Moses – Moses übergibt die Gesetzestafeln und Durchzug durch das Rote Meer –, welche das Bestreben des Papstes, die Kirche zu reinigen und zu stärken, veranschaulichen. Die geflügelte Gestalt auf der Rückseite des Mantels ist als die nach Erlösung sich sehnende Seele, die anima fidelis, gedeutet worden.

Jedin, Bd. 1, S. 232 ff., 279 ff., 346 f., 417 ff. – Handbuch der Kirchengeschichte, Bd. 4, 1967, S. 476-486. – W. Gramberg, Die Hamburger Bronzebüste Paul III. Farnese von Guglielmo della Porta. In: Festschr. Erich Meyer, 1959, S. 160-172, 14 Abb. E. W. Z.

616

617 Papst Paul III. brachte ein Konzil zustande. Durch eine Bulle einberufen, trat es im Dezember 1545 zusammen.

›S. D. N. D. Pauli divina providentia Papae III. Bulla sacri oecumeni et generalis concilii ad quartam Dominicam Quadrigesima proxime futura celebrandi etc.‹
[Rom]: 1545
8°. Letzte und endgültige Einberufungsbulle zum Konzil nach Trient. Amtliche Druckausgabe
Tübingen, Universitätsbibliothek, Gi 251.4° ang.

Die Konzile des 15. Jahrhunderts zu Konstanz und Basel hatten mit den Päpsten und die Päpste hatten mit den Konzilien keine guten Erfahrungen gemacht. Der sogenannte Konziliarismus machte den Päpsten die oberste Autorität in der Kirche streitig. Begreiflicherweise suchten sie deshalb ein Konzil möglichst zu umgehen. Auch hatten die Päpste der Renaissance Anlaß, ein Konzil, das reformieren wollte, zu scheuen. Und so mißtraute man Pauls III. Konzilsvorhaben. Viele glaubten nicht, daß er es aufrichtig damit meine. Hinzukam, daß die Protestanten sich unter einem »freien« Konzil so etwas wie eine vom Papst unabhängige Versammlung, die ihn womöglich nach dem Evangelium zurechtwies oder verurteilte, vorstellten. Deshalb lehnten die Schmalkaldener Pauls III. Einladung schroff ab. Die sich überkreuzenden politischen und kirchenpolitischen Interessen des Kaisers und des Königs von Frankreich, des Papstes und der deutschen Territorialfürsten zögerten den Zusammentritt des von Paul III. bereits 1534 geplanten Konzils immer wieder hinaus oder verhinderten ihn. Ein erster Konzilsversuch in Mantua und Vicenza schlug 1537/38 fehl. Auch eine für 1542 vorgesehene Berufung nach Trient kam nicht zustande. Erst der nächste Anlauf führte zum Ziel: Im November 1544 lud der Papst zum drittenmal zum Konzil ein; ebenfalls wieder nach Trient. Die Eröffnungsbulle, mit der er die Generalsynode berief, begann mit den Worten *Laetare Jerusalem* (Freu dich Jerusalem); sie bezeichnete die Überwindung der Glaubensspaltung, die Kirchenreform und die Befreiung der von den Türken unterdrückten christlichen Völker (vgl. Kat. Nr. 620) als den Zweck der Versammlung. Dieser dritten Einladung war Erfolg beschieden: 1545 trat das Konzil in Trient zusammen. Die Bulle gibt u. a. einen Rückblick auf die schwierige Geschichte der Konzilseinberufung.

Jedin, Bd. 1, S. 232-462. E. W. Z.

618 Ergebnis des Konzils von Trient war ein umfassendes Programm zur Konsolidierung und Erneuerung der Katholischen Kirche.

Die Teilnehmer des Konzils von Trient während einer Sitzung
Unbekannter Künstler, 1565
Kupferstich, 32,5 × 48,4 cm. Am ersten Pfeiler rechts datiert MDLXIIII (1565), daneben die Signatur des Verlegers: Claudij ducheti formis. Rollwerkkartuschen mit Beschreibungen der Szene in lateinischer (oben) und italienischer (unten) Sprache
Nürnberg, Germanisches Nationalmuseum, HB 15 198

Der Kupferstich übernimmt die älteste bekannte Darstellung des Konzils von Trient von 1563 in einer unveränderten, zwei Jahre später entstandenen Neuauflage. Er zeigt die in ihrer Zusammensetzung durch Inschriften kenntlich gemachte Versammlung der Konzilsväter während einer Sitzung der dritten und letzten Sessionsperiode von 1562/63 in der Kirche Santa Maria Maggiore in Trient. Die erste Sessionsperiode, die von 1545 bis 1548 währte, hatte ihren Schwerpunkt in der theologischen Klärung der von der Reformation aufgeworfenen Fragen wie Rechtfertigung, Erbsünde und freier Wille gehabt. Die zweite, durch Kriegseinwirkung unterbrochene Sitzungsperiode 1551/1552 war zu kurz gewesen, um einen Ertrag zu bringen; in der dritten Periode 1562/1563 entwarfen und verabschiedeten die Konzilsväter ein umfassendes Reformprogramm. Es bildete den Ausgangspunkt für die innere Reform der katholischen Kirche.
Von allen Konzilien ist das von Trient das längste gewesen: Es dauerte 18 Jahre, wurde einmal verlegt (1547 nach Bologna) und zweimal suspendiert (1548; 1552), stand mehrmals am Rande des Scheiterns und wurde von den Protestanten nicht anerkannt, sondern verhöhnt. Weder Paul III. noch Karl V. erlebten seinen Abschluß: Es wurde von dem vierten Nachfolger Pauls III., Papst Pius IV. (1559-1565), im Dezember 1563 beendet.

Jedin, Bd. 2-4. – H. Jedin, Kleine Konziliengeschichte, 7. Aufl. 1969. – E. W. Zeeden, Das Zeitalter der Gegenreformation, 2. Aufl. 1979, S. 169-187. – H. Friedel, Die Cappella Altemps in S. Maria in Trastevere. In: Römisches Jb. für Kunstgeschichte, Bd. 17, 1978, S. 89-123, bes. S. 107 ff. E. W. Z.

B Die politische Entwicklung bis zum Ende des Schmalkaldischen Kriegs

Es scheint Karls V. letztes Ziel gewesen zu sein, das Kaisertum aus seiner traditionellen Idee heraus zeitgemäß zu erneuern: als eine Macht mit Vorrang in Europa, die sich der katholischen Kirche verpflichtet wußte und sich für den Schutz und das Gedeihen der Christenheit in Europa verantwortlich fühlte. Die Gesamtheit seiner Vorhaben und Unternehmungen in Deutschland, in Westeuropa und im Mittelmeerraum war überaus komplex. So blieb seine Hauptidee dahinter nicht immer erkennbar. Immerhin hoben sich einige Leitlinien heraus: Er bemühte sich, die territoriale Herrschaftsbasis des Hauses Habsburg zu erweitern, und verteidigte sie, wo sie angegriffen wurde; er suchte die Einheit der Kirche wiederherzustellen (mit dem Papst, notfalls aber auch ohne ihn); und er arbeitete beharrlich darauf hin, die kaiserliche Position im Reich fester zu unterbauen. Um dieser seiner Ziele willen verwickelte sich Karl V. in zahllose Auseinandersetzungen mit so unterschiedlichen Gegnern wie dem Papst, dem Sultan in Konstantinopel, dem König von Frankreich, den deutschen Reichsfürsten und den deutschen Protestanten. Je nach Konstellation wurden diese Gegner – außer dem Sultan – zeitweilig auch zu Bündnispartnern.
Die protestantischen Reichsstände, die sich durch die kaiserliche Politik bedroht sahen, schlossen sich deshalb zu dem politisch-militärischen Verteidigungsbund von Schmalkalden zusammen (vgl. Kat. Nr. 274). Er erweiterte sich ständig, wurde zum Hort des deutschen Protestantismus und bildete die stärkste Gegenkraft gegen den Kaiser im Reich. Die ins Politische transponierten religiösen Spannungen brachten das Reich seit dem reformationsfeindlichen Augsburger Reichsabschied von 1530 in eine latent bürgerkriegsähnliche Situation. Nachdem das Konzil eröffnet worden war und die Religionsgespräche zu keinem Ergebnis geführt hatten, hielt Mitte der 40er Jahre der Kaiser den Moment für gekommen, mit militärischen Mitteln eine Entscheidung über die Religionsfrage herbeizuführen. So kam es 1546/47 zum Schmalkaldischen Krieg. Der Kaiser gewann ihn – nicht zuletzt, weil es ihm gelungen war, zuvor einige protestantische Fürsten auf seine Seite zu ziehen. Er

619

löste den Bund auf und nahm dessen fürstliche Führer gefangen. E.W.Z.

619 Dem Kurfürsten Johann Friedrich von Sachsen lag daran, zugleich mit seiner protestantischen Gesinnung seine Treue zu Kaiser und Reich zu demonstrieren.

Bildnisse der drei sächsischen Reformationsfürsten
Lukas Cranach d.Ä., Werkstatt, um 1535
Gemälde auf Buchenholz, das Mittelbild 51 × 36 cm, die flankierenden Tafeln je 51 × 28,5 cm. Auf dem Mittelbild oben die Inschrift: A SCEPTRI TVU ... Auf der Rückseite der flankierenden Tafeln gedruckte Texte, aufgezogen
Nürnberg, Germanisches Nationalmuseum, Gm 222. Leihgabe Bayerische Staatsgemäldesammlungen

Dargestellt sind die sächsischen Kurfürsten Friedrich III. der Weise (Mitte), Johann der Beständige (links) und Johann Friedrich der Großmütige (rechts). Bildnisse dieser Art kommen einzeln und gruppiert vor. Die als direkte Rede den Fürsten in den Mund gelegten Verse zählen die Segnungen ihres Regimentes auf, beteuern ihre Treue zu Kaiser und Reich, beharren aber auch auf ihrem Verdienst um die Wiederherstellung des »rechten Glaubens«. Johann Friedrich bestellte gleich beim Regierungsantritt 60 kleine Bildnispaare dieser Art, für die Lukas Cranach am 10. Mai 1533 entlohnt wurde. Die Ausbreitung der Reformation und der Bedarf an Porträts ihrer Förderer und Beschützer verhalf der Cranach-Werkstatt zu einer fabrikmäßigen Bildnis-Produktion. Die Gruppierung der drei Kurfürstenbildnisse, wie sie das Nürnberger Triptychon zeigt, erfolgte wohl nach dem Vorbild des heute in Hamburg befindlichen Triptychons von ca. 1535, bei dem jedoch Kurfürst Johann in der Mitte steht. Das Bild entstand bald nach dem Regierungsantritt Johann Friedrichs in einer Zeit starker politischer Spannungen zwischen Kursachsen und dem Kaiser: Kursachsen hatte gegen die Wahl Ferdinands von Habsburg zum Römischen König protestiert und dem Bruder des Kaisers nicht nur seine Kurstimme verweigert, sondern sich darüber hinaus mit Hessen und anderen Reichsständen in Auflehnung gegen den Augsburger Reichstagsabschied von 1530 zum Schmalkaldischen Bund (vgl. Kat. Nr. 274) zusammengeschlossen (27. Febr. 1531). Daraufhin verweigerte Karl V. nach dem Tode Kurfürst Johanns (1532) dem Nachfolger Johann Friedrich bei dessen Regierungsantritt die Belehnung. Von da aus erschließt sich die Bedeutung des Triptychons: Johann Friedrich wollte durch die Zusammenstellung mit seinen Vorgängern seine dynastische Legitimität, durch den beigefügten Text seine Treue zu Kaiser und Reich betonen – und zwar propagandistisch betonen: Deshalb bestellte und versandte er die 60 Exemplare. Zugleich hielt er – gegen den Reichstagsabschied von Augsburg, der das Wormser Edikt erneuerte – nachdrücklich an seinem Bekenntnis zur Reformation fest. Langfristig setzte sich zwar die kursächsische Position – wie im Religionsfrieden 1555 geschehen – als eine territorialpolitische Grundmöglichkeit im Reich durch; in der konkreten Situation der Jahre nach 1530 barg das Doppelbekenntnis Johann Friedrichs zum Reich und zur Reformation jedoch enorme Spannungen in sich, weil es im Sinne des damaligen Reichsrechts in sich widersprüchlich war. Es forderte im Prinzip den Konflikt mit dem Kaiser heraus solange dieser an der von ihm beanspruchten Religionshoheit und am Bekenntnis zur katholischen Kir-

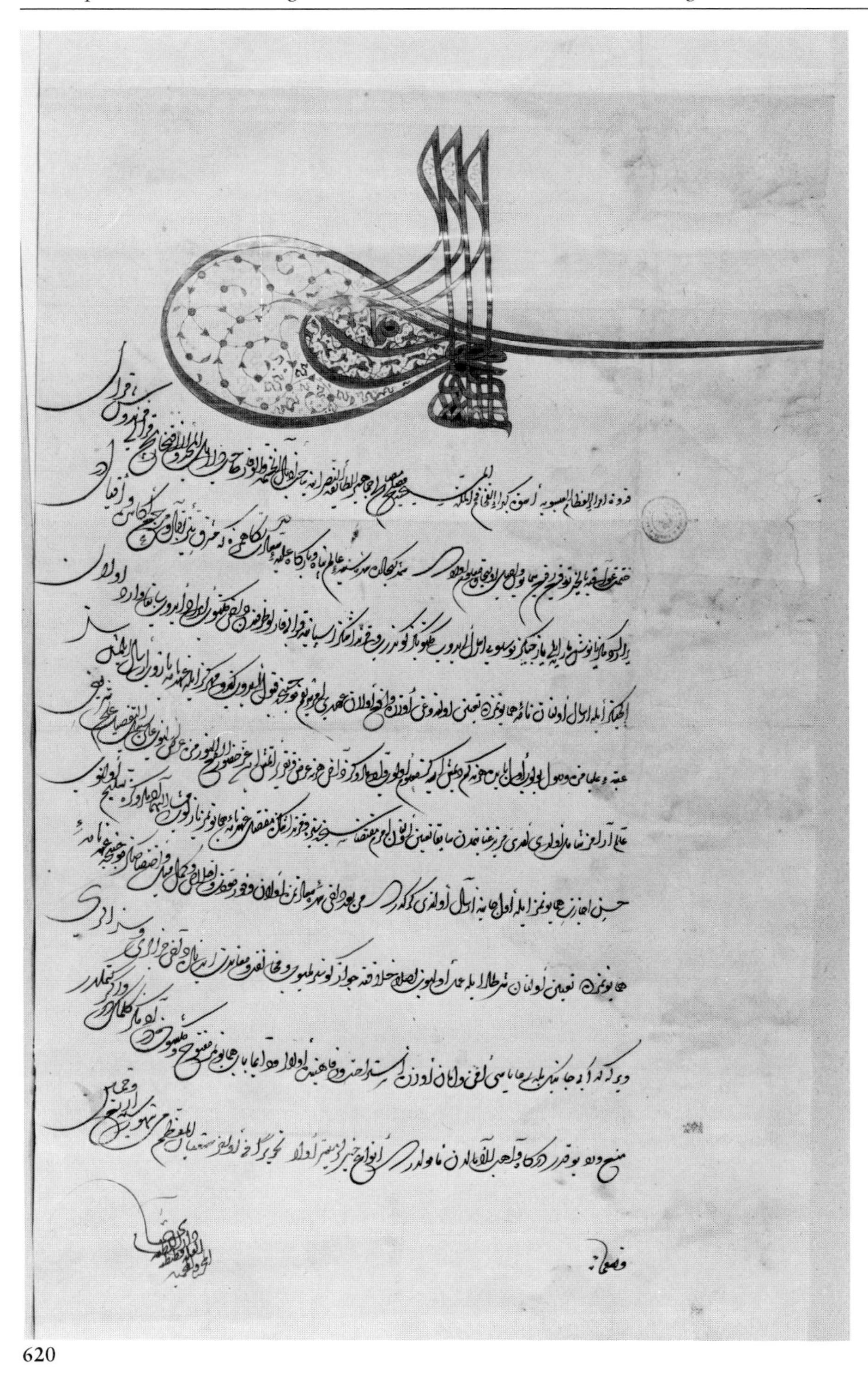

620

che festhielt. Die Bedrohung des Protestantismus und dessen Bereitschaft zum Widerstand sprechen gleichzeitig aus dem Triptychon.

Friedländer-Rosenberg, 1979, bei Nr. 338. – Chr. Schuchardt, Lucas Cranach des Aelteren Leben und Werke, 1851, S. 88-90. – Schade. – G. Mentz, Johann Friedrich der Großmütige, 3 Bde., 1903-08. – Brandi, Bd. 1, S. 272 ff. – Kat. Ausst. Martin Luther, Coburg 1967, Nr. 54. H.R.

620 Die Osmanen (Türken) standen auf breiter Front dicht an der Südostgrenze des Reichs und stellten eine permanente Bedrohung dar. Davon war Österreich besonders betroffen. Die Habsburger schlugen eine Politik der Grenzsicherung durch Waffenstillstand gegen Tributzahlung ein.

Sultan Suleiman benachrichtigt König Ferdinand von der Annahme der Friedensratifikation, Konstantinopel 6.-14. Oktober 1547

Orig., 86 × 40 cm, Tinte schwarz mit Goldstaub, besonders schöne Tugra (gold, blaue und goldene Verzierungen)

Wien, Österreichisches Staatsarchiv, Haus-, Hof- und Staatsarchiv, Osmanische Urkunden und Staatsschreiben

Der Tod des Fürsten Johann Zapolya von Siebenbürgen 1540 (den die Mehrheit des ungarischen Adels zum Gegenkönig gegen Ferdinand I. erhoben hatte) veranlaßte den Sultan Suleiman, der das Osmanische Reich nach allen Himmelsrichtungen hin auszudehnen bestrebt war, zu einem weiteren Angriff auf Ungarn (vgl. Kat. Nr. 272). In einem mehrjährigen Feldzug eroberte er weite Regionen von der Donau-Theiß-Ebene bis zur Slowakei. Der Krieg führte im Ergebnis zur Dreiteilung Ungarns: Siebenbürgen (das große Teile des heutigen Rumänien umfaßte) wurde ein Vasallenfürstentum unter türkischer Oberhoheit; Zentralungarn mit Budapest wurde annektiert und eine Provinz des Osmanischen Reichs; der Rest, ein schmaler Streifen im Westen und Norden, blieb als »königliches Ungarn« bei Ferdinand I. und seinem Hause.

Karl V. hatte im Reich den provisorischen Religionsfrieden mit den protestantischen Reichsständen noch zweimal – 1541 und 1544 – verlängert und ihn bis zum Konzil oder zu einem die Religionsfrage bereinigenden Reichstag befristet. 1543/44 beendete er seine außenpolitischen Auseinandersetzungen im Westen des Reichs durch Friedensverträge mit Kleve (Vertrag von Venlo 1543) und Frankreich (Friede von Crépy 1544). Zuvor war es ihm gelungen, die Protestanten politisch zu spalten. In dieser Situation stellte er den Kampf gegen die Osmanen zurück und suchte sich mit ihnen zu vergleichen, um, nach Eröffnung des – von den Protestanten abgelehnten – Konzils, alle Kräfte auf den aus seiner Sicht nunmehr unvermeidlichen Krieg gegen den Schmalkaldischen Bund zu konzentrieren.

In diesem Zusammenhang muß der Waffenstillstand der Habsburger mit den Osmanen gesehen werden. Erstmals wurde 1545 ein solches Abkommen – mit relativ kurzer Befristung – geschlossen. Es wurde 1547 bekräftigt und auf fünf Jahre verlängert. Das ausgestellte Dokument ist eines der Schriftstücke, die das Abkommen »besiegelten«: Ein Brief des Sultans Suleiman, welcher dem Adressaten, König Ferdinand I. von Ungarn und Böhmen und Bruder des Kaisers, meldet, daß er, der Sultan, der Ratifizierung des Vertrags zustimme. Um etwas von der fremdartigen Welt zu vermitteln, die von Südosten her auf das Reich im Zeitalter der Reformation zukam (und von der sich Deutschland und Europa bedroht fühlten), teilen wir den Text des Sultan-Briefs in der deutschen Übersetzung von L. Fekete mit:

Sülejmān, Sohn Seloım Hāns, siegreich immer.

Vorbild der jesusgläubigen grossen Emīre, Ideal der ruhmreichen Edlen des messianischen Volkes, Ordner der Angelegenheiten der Staaten des nazarethischen Glaubens, Träger der Schleppe der Majestät und der Würde, Inhaber der Abzeichen von Ruhm und Stolz, König von Beč [Wien], König Ferendūš – möge sein Ende gut sein –! Bei Ankunft des hohen grossherrlichen Tevḳī' sei kund, dass Ihr derzeit, Euren anstelligen Dienstmann Jānōš Māria und Euren Schreiber Jūstō entsendend an unseren hohen Thron, der der Welt als Zuflucht dient, an unseren erhabenen Hof, der die Werkstatt der Seligkeit, der Aufgangsort des Sterns der Glückseligkeit ist, an den sich die Ḫosrevs und Kails wenden, einen Brief geschickt habt und auch einen Brief von Eurem Bruder Kārlō, König von Ispānja übermittelt habt und dass Ihr – den (Friedens-)vertrag, der auf Grund der Richtlinien in meinem durch Euren früher hierhergekommenen Gesandten überschickten hohen Brief zu Stande gekommen ist, meinem erhabenen Befehl gemäss annehmend – einen mit Eurem eigenen Siegel [versehenen] Vertrag geschrieben und gesandt habt. Als sie zu unserer hohen Schwelle kamen, ward kund, was Ihr in diesen Dingen gesprochen habt; und das, was Eure Leute vorbrachten, ward vorgetragen vor der Würde unserer glanzstrahlenden Gegenwart und in seiner Gänze in meine hohen, die Welt schmückenden Kenntnisse aufgenommen. Nachdem also, gemäss meinem in meiner übermässigen Gnade schon früher herausgegebenen Befehl, an Euch und Euren Bruder unser ausführliches grossherrliches 'Ahdnāme geschrieben und Euren erwähnten Dienstleuten übergeben worden war, wurden diese mit unserem grossherlichen Urlaub dorthingeschickt. Es ist notwendig, dass auch später – entsprechend der intimen Freundschaft, der Ehrenhaftigkeit, der vollkommenen Zuneigung und Hingabe gegen unseren allerhöchsten Thron, gemäss den in unserem grossherrlichen Vertrag aufgestellten Bedingungen verfahrend – nie etwas, was diesen widerspricht, zugelassen und den Widerstrebenden und Bockbeinigen die verdiente Strafe zu Teil werde, damit die Ra'ājās beider Parteien gleicherweise in Sicherheit und Frieden, Ruhe und Wohlbefinden sein können. Eure Leute mögen kommen oder gehen, unser grossherrlicher Hof steht ihnen immer weit offen, Hinderung oder Zurückweisung gibt es nicht. Der Hoffnung schenkende Hof erwartet, dass es glücken werde, viel Gutes zu erreichen. Gegeben zwischen dem 21. und 29. des erhabenen Ša'bān von den Monaten des Jahres neunhundertvierundfünfzig [6.-14. Oktober 1547] in der Residenz des hohen Sultanats, dem wohlbehüteten und wohlbewahrten Ḳosṭanṭinīje.

Druck: L. Fekete, Einführung in die osmanisch-türkische Paläographie, 1926, Nr. 2. – G. Rhode. In: Th. Schieder (Hrsg.), Handbuch der europäischen Geschichte, Bd. 3, 1971, S. 1082-1103. – E. W. Zeeden, Europa vom Ausgang des Mittelalters bis ... 1648, 1981, S. 96-99. E. W. Z.

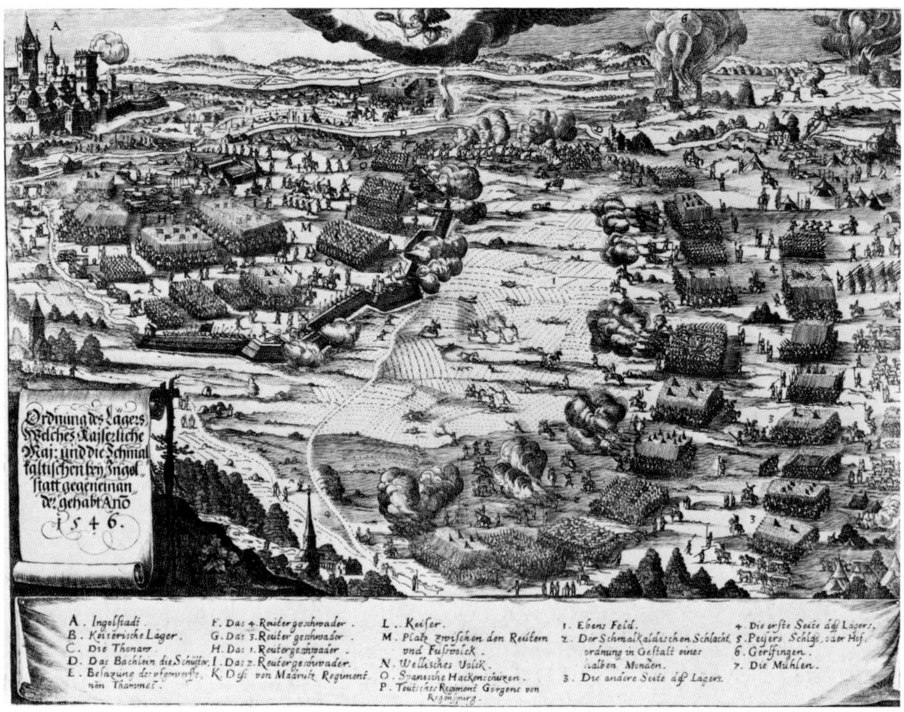

621

621 Im Schmalkaldischen Krieg 1546/47 wurden die konfessionellen Gegensätze im Reich mit Waffengewalt ausgetragen.

›Ordnung des Lägers, Welches Kaiserliche Maj[estät] und die Schmalkaltischen bey Ingolstatt gegeneinander gehabt Anno 1546‹

Unbekannter Künstler, um 1546

Kupferstich, 35,5 × 26,4 cm. Unten Erläuterungen zur Aufstellung der gegnerischen Heere

Nürnberg, Germanisches Nationalmuseum, HB 1762

Im Hochsommer 1546 kam es zum Krieg zwischen dem Kaiser und dem Schmalkaldischen Bund. Seine erste Phase spielte sich an der Donau ab.

Der Einblattdruck zeigt aus der Vogelperspektive die gegnerischen Lager Ende August/Anfang September 1546.

Die ausführliche Legende am unteren Rande schlüsselt die Region topographisch auf und informiert recht exakt über die Truppenteile. Insgesamt vermittelt das Blatt einen Eindruck von dem Aufbau und der Anordnung damaliger Heere. Sie standen

623

hier in Schlachtordnung. Ein Angriff der Schmalkaldener veranlaßte die kaiserlichen Truppen sich in die Stadt Ingolstadt zurückzuziehen. Nach einer erfolglosen dreitägigen Kanonade zogen die Angreifer in Richtung Donauwörth ab.

Brandi, Bd. 1, S. 472-492; Bd. 2 (Lit. und Quellennachweise). E. W. Z.

622 Nach ihrer Kapitulation im Herbst 1546 sagte sich die Reichsstadt Ulm vom Schmalkaldischen Bund los und nahm Friedensverhandlungen mit dem Kaiser auf.

Geleitbrief des Ersten Staatsrats Kaiser Karls V., Nicolas Granvelle, für den Bürgermeister von Ulm, Nördlingen, 6. 12. 1546
Orig. Papier mit Unterschrift und aufgedrucktem Papiersiegel Granvelles
Ulm, Stadtarchiv, A 1234, fol. 185 f.

In der vorliegenden Urkunde wird dem Ulmer Verhandlungsführer für dessen Reise nach Nördlingen und zurück freies Geleit garantiert. Die Interessenvielfalt innerhalb des Schmalkaldischen Bündnisses, Finanzschwierigkeiten und eine konzeptionslose Kriegführung ließen erkennen, daß der Kaiser in Süddeutschland bald Herr der Lage sein werde. Als das Bündnis auseinanderzubrechen begann, entschloß sich der Rat von Ulm Ende Oktober 1546 zu Verhandlungen mit dem Kaiser, um einigermaßen passable Friedensbedingungen zu erhalten. Sie fanden in Lauingen und Nördlingen mit des Kaisers Kanzler Granvelle statt.

F. Rommel, Die Reichsstadt Ulm in der Katastrophe des Schmalkaldischen Bundes, 1922, S. 78 ff. – Specker-Weig, S. 211-221. E. W. Z.

623 Nicolas Perrenot, Seigneur de Granvelle, fungierte von 1530 bis 1550 als Kaiser Karls V. wichtigster politischer Berater.

Bildnis des Nicolas Perrenot, Seigneur de Granvelle
Tizian und Mitarbeiter, um 1548/50
Gemälde auf Leinwand, 122 × 93 cm
Besançon, Musée Classé de Besançon, Musée d'Histoire du Palais Granvelle, Inv. Nr. D-694-1-3

Nicolas Perrenot (1484-1550), nach seinem Herrensitz gewöhnlich Granvelle oder (in spanischer Version) oft auch Granvella genannt, entstammte der damals habsburgischen Freigrafschaft Burgund. Nach einer glänzend begonnenen juristischen Laufbahn wechselte er 1525 auf Empfehlung des damaligen kaiserlichen Großkanzlers Gattinara, ebenfalls eines Burgunders, in den diplomatischen Dienst des Hauses Habsburg über, übernahm 1530 nach Gattinaras Tod dessen Stelle als Chefberater Karls V. mit dem Titel eines Ersten Staatsrats (premier conseilleur d'état). In politischen Dingen der wohl engste Vertraute Karls V., befand er sich ab 1530 ständig in des Kaisers Umgebung und wirkte besonders auch in dessen Reichspolitik mit. 1540 leitete er das zu Hagenau begonnene Religionsgespräch von Worms (das zum Schluß nach Regensburg transloziert wurde, vgl. Kat. Nr. 613).
1546 führte er vor dem Schmalkaldischen Krieg die Bündnisverhandlungen mit dem damaligen Herzog Moritz von Sachsen. Granvelle war kirchenpolitisch auf Ausgleich bedacht. Er nahm an den Verhandlungen des Augsburgischen Reichstages 1547/48 teil. In Augsburg, wo auch das Gemälde entstanden ist, starb er 1550. 1535-1540 errichtete er in Besançon, der freigrafschaftlich burgundischen Hauptstadt, ein Palais, das seinen Namen trägt, einen prächtigen Renaissancebau, »noch heute das Prunkstück der Stadt« (Brandi, Bd. 2, S. 45).

Das vornehme, den Dargestellten weit hinaufhebende Porträt, die Gegenbewegung von Kopf und Schultern und die gedämpfte Farbigkeit spiegeln die Bildnisauffassung Tizians, der sich 1548 und 1550/51 als kaiserlicher Hofmaler in Augsburg aufhielt.
Aufgrund der vergleichsweise glatt modellierenden Technik, mit der das Gesicht behandelt ist, denkt man an die ausführende Hand eines Schülers, vielleicht des Lambert Sustris.

Brandi, Bd. 1; Bd. 2, S. 45 ff. – Kat. Ausst. Welt im Umbruch, Bd. 2, Nr. 487 mit Lit. E. W. Z.

624 Die Abbitte der Ulmer Bevollmächtigten und die Begnadigung der Stadt durch den Kaiser spielten sich in zeremoniösen Formen ab.

Bericht über die Antwort des Kaisers nach Fußfall und Abbitte (Fürtrag) der Ulmer Bevollmächtigten in Schwäbisch Hall, 23. Dezember 1546
Konzept, Papier, 32,5 × 22,5 cm. 4 Bll.
Ulm, Stadtarchiv, A 1234, fol. 128-131

Nach zähen Verhandlungen erreichte Ulm die Zusicherung *bei seiner jetzt habenden Religion* belassen zu werden. Darauf beauftragte die Stadt ihren Bürgermeister Besserer und den Ratsherrn Weickmann, den Unterwerfungsakt vor dem Kaiser kniefällig zu vollziehen und dabei zu bekennen, *das wir den Sachen mit unsers Thails Kriegsrüstung zuvil gethan und damit uß beywonenden Unverstand geyeert* [geirrt] *haben.*
Die Gesandten mußten am 23. Dezember 1546 um 10 Uhr zu Hall in schwarzen *Klageröcken* vor Karl V. erscheinen, und durften erst, nachdem sie eine halbe Stunde auf den Knien gelegen hatten, die Unterwerfung erklären und um Gnade bitten. Außer der Religion wurden der Stadt auch ihre Privilegien und Freiheiten belassen, andererseits wurde sie politisch stärker an den Kaiser gebunden und mußte die hohe Summe von 100 000 Gulden Kriegsentschädigung zahlen.

F. Rommel, Die Reichsstadt Ulm in der Katastrophe des Schmalkaldischen Bundes, 1922. – Die Quellenzitate nach Specker-Weig, S. 220 f., Nr. 212 und 213. E. W. Z.

625 In der Schlacht von Mühlberg besiegte Kaiser Karl V. den Kurfürsten Johann Friedrich von Sachsen und nahm ihn gefangen.

Hans Baumann, ›Newe Zeittung. Ware vnd gründliche anzeigung vnd bericht/inn was gestalt/auch wenn/wie vnd wo/Hertzog Johann Friedrich/geweßner Churfurst zu Sachssen/von der Röm. Keys. Maie. neben Hertzog Moritz zu Sachssen etc. am Sontag Misericordia Domini/der do was der XXIIII. tag April. Erlegt vnd gefangen worden ist.‹
Ohne Angabe von Druckort und Drucker, 1547
Dortmund, Institut für Zeitungsforschung

In dieser Flugschrift berichtet ein Teilnehmer auf kaiserlicher Seite über Beginn, Verlauf und Ende der Schlacht bei Mühlberg an der Elbe: Der als »Trabant« im Dienst des kaiserlichen Feldhauptmanns Herzog von Alba stehende Buchdruckergeselle Hans Baumann aus Rothenburg o. T. schreibt in der Widmungsvorrede an den Rat seiner Vaterstadt, daß er die Schlacht *den meistenteil augenscheinlich gesehen/zum theil auch von andern ansehnlichen/warhafftigen vnd vertrawten personen/ … / weiter bericht bin worden.* Alle späteren Darstellungen der Mühlberger Schlacht fußen auf Baumanns unmittelbar danach *noch inn der Keyserlichen Majestat Feldleger vor Wittenberg* aufgezeichnetem Bericht.
Die aufgeschlagenen Seiten erzählen von der Gefangennahme des Kurfürsten.

Pressefrühdrucke aus der Zeit der Glaubenskämpfe (1527-1648), Bestandsverzeichnis des Instituts für Zeitungsforschung, 1980, Nr. 332 (Bibliographie). E. W. Z.

626 Der Kaiser unterzeichnete das Todesurteil über den sächsischen Kurfürsten, vollstreckte es aber nicht und erreichte so dessen politische Unterwerfung.

Todesurteil über Kurfürst Johann Friedrich von Sachsen, 10. Mai 1547
Konzept, Papier, 32 × 42 cm. Mit Unterschrift des Kaisers
Wien, Österreichisches Staatsarchiv, Haus-, Hof- und Staatsarchiv, RK Reichsakten in genere Fasz. 14

Ein nach der Schlacht bei Mühlberg vom Kaiser einberufener Gerichtshof von an-

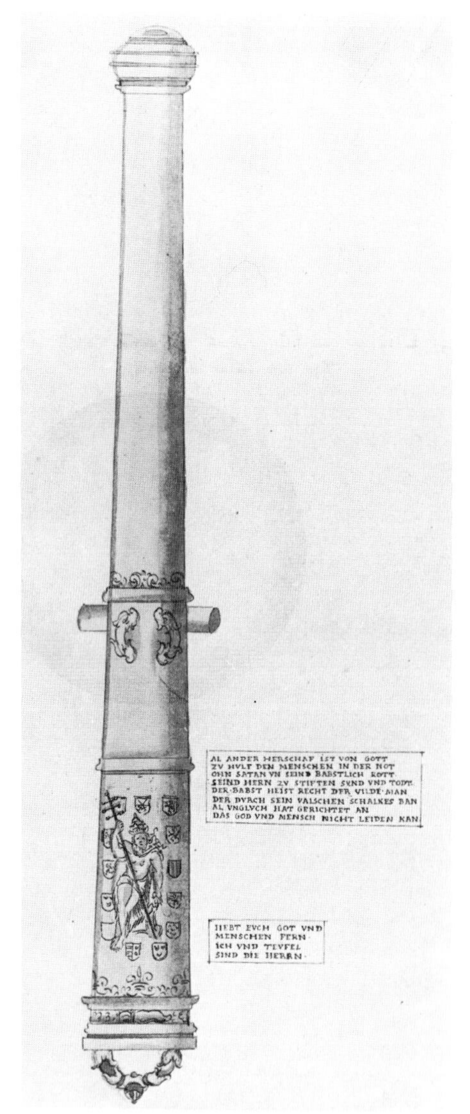

627

fechtbarer Kompetenz verurteilte den im Kampf gefangen genommenen Kurfürsten Johann Friedrich zum Tode. Karl V. unterzeichnete das Urteil, ließ es aber nicht vollstrecken, sondern benutzte es als Druckmittel, um den Widerstand, den die Söhne des Kurfürsten namentlich in Wittenberg und Gotha leisteten, ohne militärischen Einsatz zu brechen. Er hatte damit Erfolg. Johann Friedrich verweigerte zwar in der Wittenberger Kapitulation vom 19. Mai 1547 jedes Zugeständnis in der Religionsfrage, verzichtete aber auf die Kurwürde und auf die Kurlande und öffnete dem Kaiser seine Festungen. Die sächsische Kur und den größten Teil des abgetretenen Territoriums übertrug der Kaiser auf Herzog Moritz aus der albertinischen Linie der Wettiner. Den Ernestinern verblieb im wesent-

629

lichen der thüringische, bis nach Franken reichende Teil ihres bisherigen Landesfürstentums.
Das ausgestellte Stück zeigt die unter das Todesurteil gesetzte Unterschrift Karls V.

G. Mentz, Deutsche Geschichte im Zeitalter der Reformation, 1913, S. 224 ff., 228-231. – Brandi, Bd. 1, S. 488 ff., Bd. 2, S. 380 f. E. W. Z.

627 Die im Schmalkaldischen Krieg erbeuteten Waffen ließ der Kaiser in repräsentativen Inventarbänden abbilden.

Columbrina für eine sechzehnpfündige Kugel aus Schloß Gotha
Federzeichnung, koloriert, aus: Discurso del Artilleria del Invictissimo Emperador Carolo V., Handschrift, 1552
Erlangen, Universitätsbibliothek, Ms. 2108

Die Beutewaffen aus den siegreichen Feldzügen Karls V. wurden zum Ruhm des Kaisers in handschriftlichen Geschützbüchern verzeichnet. Die im Kampf gegen die protestantischen Fürsten eroberten Geschütze nehmen darin eine zentrale Stellung ein. Sie lassen erkennen, daß sich die Polemik, die sich zwischen den streitenden Glaubensparteien in Wort und Bild entwickelt hatte, bis in die Ausgestaltung der Kriegswaffen fortsetzte. Auf dem Geschützrohr der aus Schloß Gotha stammenden Kanone wird der durch Tiara und Stab eindeutig gekennzeichnete Papst als »Wilder Mann« dargestellt, in der dazugehörigen Inschrift läßt ihn der protestantische Auftraggeber seinen Pakt mit dem Teufel bekennen: HEBT EVCH GOT VND/MENSCHEN FERN/ICH VND TEVFEL/SIND DIE HERRN. Die eigene Weltanschauung wird dem gegenübergestellt: AL ANDER HERSCHAF IST VON GOTT/ZV HVLF DEN MENSCHEN IN DER NOT/OHN SATAN VN SEIN BABSTLICH ROTT/SEIND HERN ZV STIFTEN SVND VND TODT/DER BABST HEIST RECHT DER VILDE MAN/DER DVRCH SEIN VALSCHEN SCHALKES BAN/AL VNGLVCH HAT GERICHTET AN/DAS GOD VND MENSCH NICHT LEIDEN KAN.
Von dem Geschützbuch Kaiser Karls V. sind 7 handschriftliche Exemplare in deutscher bzw. spanischer Sprache bekannt (Freundl. Hinweis Johannes Willers).

E. Egg, Der Tiroler Geschützguß 1400-1600. In: Tiroler Wirtschaftsstudien 9, 1961. – H. Müller, Deutsche Bronzegeschützrohre 1400-1750, o. J. E. W. Z./J. Z.-S.

628 Der Triumph Kaiser Karls V. ging in die bildende Kunst ein.

a Die Unterwerfung der protestantischen Städte nach der Schlacht von Mühlberg 1547
b Die Unterwerfung des Landgrafen von Hessen nach der Schlacht von Mühlberg 1547
Süddeutsch, um 1560/70
Reliefs, Kirschholz, je 13,5 × 13 cm, zusammenmontiert
Wien, Kunsthistorisches Museum, Sammlung für Plastik und Kunstgewerbe, Inv. Nr. 3980/3981

Die Reliefs gehören zu einer 8teiligen Folge von Triumphdarstellungen Karls V., die den Kaiser als Sieger über seine Feinde verherrlicht. Sie sind wohl im Umkreis der Werkstatt des für das Kaiserhaus tätigen Alexander Colin entstanden und gehen auf Stichvorlagen zurück, die 1556 in erster Auflage in Antwerpen gedruckt wurden. Die Beischriften dieser Kupferstiche, die die bildlichen Darstellungen im Sinne des herrscherlichen Triumphprogramms ergänzen, erlauben die Bestimmung der in den Reliefs gegebenen Szenen.
Das erste Relief zeigt die Übergabe der Schlüssel von Schmalkalden an den Kaiser und symbolisiert die Unterwerfung der protestantischen Städte. Das zweite Relief hält die Demütigung des Landgrafen Philipp von Hessen fest: Er unterwarf sich im Juni 1547 kniefällig dem Kaiser zu Halle an der Saale, übrigens ohne die genauen Bedingungen seiner Unterwerfung zu kennen. Der Kaiser nahm ihn anschließend gefangen und hielt ihn wie den seiner Kurwürde entkleideten Johann Friedrich von Sachsen jahrelang in Haft.
Was kurzfristig wie ein Triumph erschien, wurde langfristig mit ein Grund für des Kaisers spätere Katastrophe: Die demütigende Behandlung der beiden Fürsten

weckte die Solidarität der Gesamtheit der Reichsfürsten und einte sie, unabhängig von ihrer Konfession, in der Opposition gegen den Kaiser.

Brandi, Bd. 1, S. 487-492; Bd. 2, S. 380-383. – Kat. Kunsthistorisches Museum Wien. Sammlung für Plastik und Kunstgewerbe, II. Teil, 1966, Nr. 314. E. W. Z.

629 Kaiserliche Siegesallegorien feierten Karl V. als Retter von Glaube und Reich.

Spottsiegel auf die Vernichtung des Schmalkaldischen Bundes 1547
Michael Ostendorfer zugeschrieben
Holzschnitt, Durchmesser des Siegelfeldes 39 cm. Umschrift: SIGILLVM CAROLI V. IMPERATORIS INVICTISSIMI, PATRIS PATRIAE, POST DEVICTOS REBELLES SVBDITOS ET CONTRITVM FOEDVS SCHMALCALDICVM (Siegel des unbesiegten Kaisers Karls V., Vaters des Vaterlandes, nach dem vollständigen Sieg über die rebellischen Untertanen und der Vernichtung des Schmalkaldischen Bundes). Weitere Aufschriften zu den einzelnen Darstellungen im Siegelfeld
Privatbesitz

Um ihrer Aussage offiziösen Nachdruck zu verleihen, benutzt die allegorische Darstellung auf den Sieg Karls V. über den Schmalkaldischen Bund den Typus des kaiserlichen Siegels. Auf dem übergroßen Siegelabdruck, der hier im Holzschnitt nachgeahmt wird, sind die siegreichen Truppen des Kaisers den besiegten und ihrer Hoheitszeichen beraubten evangelischen Fürsten und den zerstörten Städten des Schmalkaldischen Bundes gegenübergestellt. Die darüber beherrschend angebrachten kaiserlichen Embleme weisen durch zahlreiche ikonographische und textliche Anspielungen auf die Bedeutung des Sieges von Mühlberg für die Rettung von Glaube und Reich hin. Die Zuschreibung des Holzschnittes an Ostendorfer wurde von Wynen abgelehnt.

A. v. Drach u. B. Könnecke, Die Bildnisse Philipps des Großmütigen, 1905, S. 45-46 (mit Abb.). – A. Wynen, Michael Ostendorfer, Diss Freiburg i. Br., 1961, S. 382. E. W. Z./J. Z.-S.

C Der »geharnischte« Reichstag und das kaiserliche Religionsprovisorium

Noch bevor der siegreiche Kaiser dazu ansetzte, das Reich zur kirchlichen Einheit zurückzuführen, kam es zu einem schweren Zerwürfnis zwischen ihm und dem Papst. Karl V. wünschte, daß sich das Konzil vorerst nur mit dem Reformproblem befaßte – weil er hierfür eine Teilnahme der Protestanten mit einiger Wahrscheinlichkeit erwarten konnte. Der Papst ließ dagegen von Anfang an auch die zentralen dogmatischen Differenzpunkte – u. a. die Rechtfertigungslehre – behandeln und verlegte schließlich das Konzil auf kirchenstaatlichen Boden nach Bologna. Der Kaiser, dessen Religionsbefriedungskonzept der Papst damit durchkreuzte, entschloß sich darauf, die Kirchenfrage aus eigener Machtvollkommenheit provisorisch zu regulieren. Er setzte eine interimistische Religionsordnung durch, die die Protestanten bis zur erhofften Rückverlegung des Konzils nach Trient befolgen sollten: das sogenannte Interim. Die katholischen Reichsstände erreichten, daß sie davon ausgenommen wurden. Stattdessen erließ Karl V. für sie eine besondere Reformordnung, die »Formula Reformationis« (Reformationsformel).

H. Rabe, Reichsbund und Interim, 1971. – E. W. Zeeden, Die Entstehung der Konfessionen, 1965. E. W. Z.

630 Nach seinem Sieg im Schmalkaldischen Krieg stand Karl V. auf dem Höhepunkt seiner Macht.

Bildnis Kaiser Karls V. mit dem Kommandostab
Unbekannter Künstler nach Tizian, nach 1548
Gemälde auf Leinwand, 118 × 90,5 cm. Oben rechts Inschrift: CAROLVS. V. D. G. IPE. ANNO 1548
Babenhausen, Fürst Fugger-Babenhausen

Auf dem Augsburger Reichstag 1548 malte Tizian ein Porträt des Kaisers in der Rüstung, die er in der Schlacht von Mühlberg getragen hatte. Das Originalgemälde ging verloren, doch ist es in verschiedenen alten Wiederholungen überliefert. Zu ihnen gehört das früher dem Venezianer selbst, dann dem Augsburger Christoph Amberger zugeschriebene Exemplar in Fuggerschem Besitz.

630

Der Sieg über die im Schmalkaldischen Bund politisch und militärisch organisierten deutschen Protestanten gab dem Kaiser die – wie sich später herausstellte: momentane – Möglichkeit, auf dem nächstfolgenden Reichstag zu Augsburg (Spätjahr 1547 bis Hochsommer 1548), seine Vorstellung vom Kaisertum als politischer Obrigkeit und verantwortlicher Instanz für Glauben und Kirche in relativ bescheidenen Ansätzen in Verhandlungen und gesetzlichen Verlautbarungen zu verwirklichen. Die Reichsstände gaben ihm nur widerwillig nach und leisteten, so gut es im Angesicht der derzeitigen kaiserlichen Machtposition möglich war, hinhaltenden Widerstand. Am wenigsten konnten sich die kleineren reichsunmittelbaren Stände und Städte im Süden und Westen dem kaiserlichen Willen entziehen. Religionspolitisch beugten sich auch die größeren protestantischen Fürsten der weitmaschigen vom Kaiser vorgelegten Kompromißformel des »Interim«.

F. Hartung, Karl V. und die deutschen Reichsstände von 1546 bis 1555, 1910. – Brandi, Bd. 1, S. 492-499. – P. Rassow u. F. Schalk, Karl V. Der Kaiser und seine Zeit, 1960. – Kat. Ausst. Welt im Umbruch, Bd. 2, Nr. 492. E. W. Z.

DEr Römischen Keyserlichen Maiestat Erklärung / wie es der Religion halben / imm Heyligen Reich / biß zů Außtrag deß gemeynen Concilij gehalten werden soll / auff dem Reichßtag zů Augspurg / den XV. Maij / im M. D. XLVIII. Jar publiciert vnnd eröffnet / vnnd von gemeynen Stenden angenommen.

Christo Auspice
PLVS VLTRA.

Cum Gratia & Priuilegio Imperiali.

632

631 Karl V. versuchte die deutschen Protestanten wieder in die katholische Kirche einzugliedern: Das »Interim« gebot ihnen – unter Schonung evangelischer Grundpositionen – eine gewisse Annäherung an das katholische Kirchenwesen.

Das kaiserliche Interim, 30. Juni 1548
Orig. Perg., 56 × 35,5 cm (aufgeschlagen). Kaiserliches Exemplar mit Unterschrift und Siegel Karls V.
Wien, Österreichisches Staatsarchiv, Haus-, Hof- und Staatsarchiv, Allgemeine Urkundenreihe

Während des Reichstags zu Augsburg 1547/48 arbeitete eine Kommission von dogmatisch gemäßigt denkenden evangelischen und katholischen Theologen im Auftrag des Kaisers eine Religionsordnung aus, welche die Basis für eine Reunion der Protestanten mit der katholischen Kirche bilden sollte. Die Ordnung ging von katholischen Grundpositionen aus, kam aber den Protestanten in einigen Fragen entgegen (u. a. Messe, Laienkelch, Priesterehe, geistliche Güter). Das »Interim« oder die »kaiserliche Zwischenreligion« wurde in den Abschied des Reichstags vom 30. Juni 1548 aufgenommen und erhielt damit den Charakter eines Reichsreligionsgesetzes. Noch im Jahr seiner Verabschiedung wurde das Interim mehrfach gedruckt und in Art einer Flugschrift publiziert. Es befriedigte jedoch keine der Glaubensparteien, entfachte einen langanhaltenden, heftigen publizistischen Streit und blieb nicht lange in Geltung. Der Passauer Vertrag hob es 1552 praktisch auf, formell setzte es der Religionsfriede 1555 außer Kraft.

H. Rabe, Reichsbund und Interim, 1971. – Drucke: G. Pfeilschifter, Acta reformationis catholicae, Bd. 6, 1974, S. 308-348. – J. Mehlhausen. In: E. Bizer u. J. F. Goeters (Hrsgg.), Texte zur Geschichte der evangelischen Theologie, Heft 3, 1970. E. W. Z.

632 Die protestantischen Obrigkeiten waren gehalten, das Interim in ihrem Herrschaftsbereich durchzusetzen.

Verkündzettel des Interims in Ulm
Orig. Papier, 32 × 21,5 cm. 8 Bll.
Ulm, Stadtarchiv, A 1245, Nr. 1

Nachdem Ulm wie die meisten süddeutschen Reichsstädte das am 30. Juni 1548 zum Reichsgesetz erhobene Interim hatte annehmen müssen, ließ der Rat zur Information der Bürger eine Erklärung über die Notwendigkeit, es zu befolgen, abfassen. Sie unterrichtete knapp über den Inhalt des Interims und hob betont die den Evangelischen entgegenkommenden Bestimmungen der kaiserlichen Religionsordnung hervor. Auf Geheiß des Rates mußte sie am 15. Juli 1548 morgens und mittags von der Münsterkanzel im Gottesdienst verlesen werden. Ganz ähnlich verfuhren die anderen Städte. Heilbronn z. B. nahm das Interim an *»propter pacem publicam«* (wegen des öffentlichen Friedens) und suchte es gleichfalls durch eine Kanzelerklärung den Bürgern plausibel zu machen.

Specker-Weig, S. 223-226. – Kat. Ausst. 450 Jahre Reformation in Heilbronn, 1980, S. 283-288. E. W. Z.

633 Kaiser Karl V. veränderte die Ratsverfassung süddeutscher Reichsstädte: Aufhebung des Ulmer Schwörbriefs.

»Kurtze Anzaig, welchermassen auch aus was Ursachen, die rhömisch keyserliche Mayestät Verenderung Regiments der Stadt Ulm kurtzverschienener Zeit fürgenommen« 15. August 1548
Orig. Papier, Libell, 30,5 × 21,5 cm. 11 Bll.
Ulm, Stadtarchiv, A 3409

Karl V. veränderte durch kaiserlichen Befehl 1548 und in den folgenden Jahren die verfassungsmäßige Ordnung in den süddeutschen Reichsstädten (vgl. Kat. Nr. 525). In der Absicht, die Städte wieder fester an Kaiser und Reich zu binden, reduzierte er die politischen Rechte der Zünfte und verlieh den Patriziern oder Geschlechtern entscheidenden Einfluß auf das Stadtregiment. Sie sollten als mutmaßliche »Garanten einer kaiserlichen Politik die Mehrheit im Rat bilden« (Specker/Weig). Zugleich spielte wohl auch ein konfessionelles Motiv mit hinein, weil die Patrizier nicht bloß dem Kaiser, sondern, jedenfalls bis zu einem gewissen Grade, auch der alten Kirche etwas näherstehen mochten.
Die vom Kaiser mit der Neugestaltung der städtischen Ratsverfassungen beauftragte Kommission arbeitete unter dem Vorsitz des kaiserlichen Rats Heinrich Hass; sie entmachtete durchweg den sog. Großen Rat und übertrug die Leitungsgewalt überall dem zugunsten der Patrizier umgestalteten sog. »Kleinen Rat« – der deshalb allenthalben der »Hasenrat« genannt wurde. Während Karls V. Reichsverfassungspläne über bescheidene kurzlebige Ansätze nicht hinauskamen, das Interim nach vier Jahren abgeschafft wurde und seine Reichsreligionspolitik scheiterte, schuf er mit der Umwandlung der reichsstädtischen Verfassung etwas Bleibendes: Sie blieb in Augsburg, Ulm, Heilbronn und wo immer er sie einführen ließ bis zum Ende des Alten Reichs in Kraft.

L. Fürstenwerth, Die Verfassungsänderungen in den deutschen Reichsstädten zur Zeit Karls V., Diss. Göttingen 1893. – Specker-Weig, S. 227 f. – Kat. Ausst. 450 Jahre Reformation in Heilbronn, 1980, S. 289 f. E. W. Z.

634 Karl V. belohnte politische Loyalität: Nobilitierung von reichsstädtischen Patrizierfamilien 1552.

Erhebung von 17 Patrizierfamilien in Ulm in den erblichen Adelsstand, Diedenhofen 29. Oktober 1552
Orig. Papier, 47,5 × 75,2 cm, mit eigenhändiger Unterschrift des Kaisers und anhängendem Siegel
Ulm, Stadtarchiv, A Urk. 1552 Okt. 29

Ulm hatte sich im Frühjahr 1552 dem Fürstenaufstand nicht angeschlossen, sondern war auf der Seite des Kaisers geblieben. Karl V. dankte der politischen Führung der

Reichsstadt für die erwiesene Treue: Er verlieh 17 Geschlechtern den erblichen Adel. In der Reihenfolge ihrer Aufzählung in der Urkunde waren dies die Patrizierfamilien Löw, Ehinger, Besserer, Roth, Krafft, Neithart, Strölin, Lieber, Rehm, Ungelter, Günzburger, Stammler, Schad, Schermar, Geßler, Reiching, Baldinger. Der römisch-deutsche Kaiser konnte, wie sich der Geschichte zahlreicher Städte entnehmen läßt, bis zum Ende des Alten Reichs (1806) eine relativ starke Stellung gegenüber den Reichsstädten behaupten. E. W. Z.

D Fortgang des Glaubensstreits und der Konfessionsbildung. Ansätze einer katholischen Reform

Schon gleich nach seiner Verabschiedung wurde das Interim bekämpft. Anstelle der vom Kaiser erhofften Wiedervereinigung kam es vollends zur konfessionellen Entzweiung. Es zeigte sich, daß sich durch den langen Glaubensstreit ein konfessionelles Bewußtsein zu bilden begann, das sich in Glaubensfragen auf keine Halbheiten einließ, sondern seiner – jeweiligen – Glaubens*wahrheit* den Vorrang vor der Glaubens*einheit* gab.

Der populäre Widerstand gegen das Interim zeigte, wie stark der Protestantismus inzwischen geworden war. Angesichts seines weiteren Fortschreitens rechnete mancher mit einem Zusammenbruch der katholischen Kirche in Deutschland. Lange Zeit behauptete sie sich nur mit großer Mühe. Was sie dennoch aufrecht erhielt, war einmal der Beistand, den ihr katholische Obrigkeiten leisteten – außer den Habsburgern und bayerischen Wittelsbachern blieben im Süden und Westen zahllose kleinere reichsunmittelbare Grafen, Herren und Städte beim alten Glauben, dazu mehrheitlich auch die geistlichen Fürsten. Sodann gab es zusammenhängende Regionen, deren Bevölkerung relativ unangefochten bei der alten Kirche blieb. Schließlich traten vereinzelt reformgewillte Kräfte in Erscheinung, auch vom Konzil und vom Kaiser gingen Impulse aus. In seiner Formula Reformationis (vgl. Einleitung zu Abt. XV C) befahl Karl V. allen Bischöfen, im Winterhalbjahr 1548/49 Diözesansynoden einzuberufen und im Frühjahr 1549 zu Provinzkonzilien zusammenzutreten, deren erste und einzige Aufgabe die Kirchenreform sein sollte.

Diese kam nur sehr langsam zum Zuge. Unter dem Vorzeichen eines immer heftiger um sich greifenden Konfessionskampfs auf der reduzierten Basis, die ihr im Reich verblieb, begann sie, sich regional verschieden zu regen, nicht zuletzt unter den Impulsen des Trienter Konzils und unter dem Konkurrenzdruck des Luthertums.

Um 1550 sah man allerdings erst schwache Ansätze. Das Potential war gering und die Summe der Schäden groß. Was sich langsam durchsetzte, war dagegen die Einsicht, daß alle äußere Abwehr wenig nützte, wenn man nicht mit einer Reform von innen her Ernst machte.

E. W. Zeeden, Die Entstehung der Konfessionen, 1965. E. W. Z.

635-637 Schon vor dem Schmalkaldischen Krieg zeigt sich eine Verhärtung der konfessionellen Fronten. Die Bildpolemik löst sich vom Flugblatt und greift auf Gegenstände des täglichen und gehobenen Gebrauchs über.

635 Doppelkopfmünze: Papst-Teufel, Kehrseite Kardinal-Narr
Mitte 16. Jahrhundert
Silber, vergoldet, Dm 3 cm
Nürnberg, Germanisches Nationalmuseum, Med. 9009

636 Protestantische Spottmedaille gegen das Papsttum
Peter Flötner, um 1545 (?)
Blei, gelocht, Dm 6,1 cm
München, Staatliches Münzkabinett

Protestantische Schmähmedaillen verhöhnten die katholische Kirche durch Doppelköpfe von Papst/Teufel und Kardinal/Narr (Kat. Nr. 635) oder münzten die biblische Aussage vom Antichrist (2. Thessalonicherbrief 2,8) auf den Papst (Kat. Nr. 636).

Die Legende der Doppelkopfmünze lautet auf der Vorderseite: ECCLESIA PERVERSA TENET FACIEM DIABOLI (Die verderbte Kirche trägt das Gesicht des Teufels). Auf der Kehrseite steht: SAPIENTES STULTI ALIQUANDO (Die Weisen – die katholische Hierarchie – [sind] als Narren [entlarvt]). Eine Variante dieser Medaille trägt die deutsche Umschrift: WISHEIT. IS. VERKERT. IN. SOTHEIT (Torheit). ROM. IN. I. C. ZZ. (Römer 1,22: Dicentes enim se esse sapientes, stulti facti sunt).

Dieser Medaillentyp, der u. U. als Persiflage einer Papst/Kaiser-Medaille (Kehrseite: Kardinal/Bischof) entstanden war, die um 1530 zu Ehren der kaiserlich-päpstlichen Glaubenspartei geprägt und bis etwa 1560 wiederholt wurde, hielt sich überaus lange. Das Papst/Teufel Motiv wurde in Mitteleuropa bis ins späte 16. Jahrhundert auf Medaillen, Flugblättern und Trinkbechern verwendet und, wie zahlreiche mit Ösen oder Durchbohrungen versehene Exemplare vermuten lassen, als Zeichen der Konfessionszugehörigkeit an Ketten oder Schnüren getragen.

Die Legende der Spottmedaille lautet: SO

635
(Vorderseite)

635
(Rückseite)

BIN ICH DAS KINDT DER VERDERBNUS UND DER SUNDEN SAGT SANT PAUL IN DER 2. EPISTEL AN DIE THESSALONICHER. Diese Auslegung von 2. Thess. 2,8, damals wohl akut gegen das Konzil gerichtet, wurde zum Topos, der als fester Bestandteil auch in die lutherischen Dogmatiklehrbücher einging.

Krueger, S. 262-264. E. W. Z.

637 Trichterhalskrug
Siegburg, Mitte 16. Jahrhundert
Steinzeug, Höhe 16 cm
Bonn, Rheinisches Landesmuseum, Inv. Nr. 74.4219

Der Krug entspricht einem Typ, der in großen Mengen in Siegburg hergestellt wurde: Wellenfuß, eiförmiger Gefäßkörper mit Bandhenkel, Trichterhals. »Was aber diesen Trichterhalskrug zu einem Rarissimum macht, das sind die beiden etwas kleineren Medaillons (Dm etwa 5 cm) zu seiten des Henkels: Sie zeigen ... den Doppelkopf des Papstes mit der Tiara und des Teufels mit Hörnern und Satyrohren. Die beiden Köpfe sind vexierbildartig miteinanderverschmolzen ...« (Krueger).
Der Doppelkopf soll die Identität von Papst und Teufel anzeigen, die sich durch die entsprechende, namentlich von Luther angefachte Polemik zum protestantischen Topos und Glaubenssatz verdichtete. Die publizistisch wirksame und von den Zeitgenossen beifällig aufgenommene polemische These vom Papst als Teufel oder Antichrist wurde auch von der bildenden Kunst aufgegriffen. Der Krug zeigt, wie dies Motiv nach dem Vorbild der Schmähmedaillen vom Kunsthandwerk übernommen und für die Gefäßherstellung aus Steinzeug verwendet wurde.

637

Krueger, S. 259 ff., mit Lit. E. W. Z.

638 (Vorderseite)

638 (Rückseite)

638 Ein Danziger Bürger stellt sich als gläubiger Protestant und Feind des Papsttums dar.

Bildnis des Danziger Bürgers Hans Klur
Hans Schenck gen. Scheutzlich, 1546
Doppelseitiges Relief aus Solnhofener Stein, wahrscheinlich Modell für eine Medaille, Dm 9,8 cm. Umschrift auf der Vorderseite: AVXILIVM . MEVM . A . DOMINO . QVI . FVNDAVIT . CAELVM . ET . TERRAM . HANS . KLVR . AETATIS . SVAE . XXXXVII . ANNO . SALVTIS . HVMANE . MCCCCCXXXXVI (Meine Hilfe kommt von dem Herrn, der Himmel und Erde gemacht hat [Ps. 121,2]. Hans Klur, 47jährig, im Jahr des menschlichen Heils 1546.) Rückseite: NVNC . REVELATUR . FILIVS . PERDITIONIS . QVI . SE . EXTVLIT . SVPER . OMNE . QVOD . DEVS . EST . QVEM . DOMINVS . NOSTER . IESVS . INTERFICIET . SPIRITV . ORIS . SVI . 2. THE. 2 (Jetzt wird offenbar der Sohn des Verderbens, der sich überhebt hat über alles, was Gott ist, den unser Herr Jesus umbringen wird mit dem Geist seines Mundes. 2. Thess. 2 [3 f. 8].
Berlin, Staatliche Museen Preußischer Kulturbesitz, Skulpturengalerie, Inv. Nr. 822

Das Bildnis zeigt einen sonst wenig bekannten, wohlhabenden Danziger Bürger, der seinen Protestantismus demonstriert. Mit gläubiger Zuversicht blickt er an dem ihn bedrängenden Tod vorbei und nimmt von diesem gelassen das Stundenglas als Symbol seiner Endlichkeit in Empfang. Am unteren Rand bildet der Wahlspruch PRO LEGE ET PRO GREGE (für das Gesetz und für die Herde) die Einfassung zu einem Sinnbild christlicher Nächstenliebe, dem sich für seine Jungen opfernden Pelikan. Die Rückseite des Bildnisses zeigt eine höchst drastische Szene, deren Verständnis durch die Umschrift, die aktualisierte Antichrist-Weissagung des 2. Thessalonicherbriefs, erschlossen wird: Abgebildet ist der endzeitliche Untergang des Papsttums, dessen wahres Wesen (als Ritt auf der Schlange symbolisiert) sich unter dem Anhauch und Fluch des das Kreuz tragenden Christuskindes offenbart. Die beinahe entblößte, zusammenbrechende Papstgestalt ist umgeben von vier von ihr abgewandten Figuren – auf der Linken von einem Neger, der die Tiara besudelt, und einem Türken als Vertretern des Heidentums, auf der Rechten von einem mit dem Ausdruck des Entsetzens flüchtenden Kardinal sowie einem sich auf den Oberschenkel des Papstes entleerenden Spötter –, alles auch in der zeitgenössischen Graphik bekannte antipäpstliche Motive. Das ganze Bildwerk drückt, unter Zuhilfenahme der radikalsten Darstellungsmittel, die der Zeit zur Verfügung standen, die sich nunmehr abzeichnende »konfessionelle« Scheidung aus, die Gewißheit der eigenen Glaubensentscheidung ebenso wie die totale Verwerfung des Gegners. Das Bild, von einem in Preußen und seit 1536/37 in Berlin tätigen sächsischen Medailleur und Bildhauer geschaffen, stammt aus dem Jahr des Schmalkaldischen Krieges. Doch hat es wohl weniger in den Ereignissen im Reich als vielmehr in der aktuellen kirchlichen Situation in der Heimatstadt des Abgebildeten seinen geschichtlichen Hintergrund. Denn in Danzig, im 16. Jahrhundert einer der größten deutschsprachigen Städte überhaupt, hatte die auf die Reformation drängende Bürgermehrheit gegenüber dem Regiment der Ratsaristokratie, die mit Rücksicht auf den König von Polen sowie den weitab, in Leslau, residierenden zuständigen Bischof dem Neuen mit Zögern begegnete, soeben einen wichtigen Fortschritt erreicht, die Einführung des Abendmahls unter beiden Gestalten in mehreren Kirchen. Der entschiedene Bürger Klur sucht, so scheint es, mit seinem Bilde die Entscheidung seiner Stadt voranzutreiben.

Habich, Bd. II,1, S. 324, Abb. CCIX,4. – Kat. Ausst. Der Mensch um 1500, S. 80-85 (vgl. 61 f.). – H. Neumeyer, Kirchengeschichte von Danzig und Westpreußen, Bd. 1, 1971, S. 81 ff. – G. Schramm, Danzig, Elbing und Thorn als Beispiele städtischer Reformation (1517-1558). In: Historia integra. Festschr. E. Hassinger, 1977, S. 125-154.
B. M.

639

639 Während die protestantische Polemik in Wort und Bild den Papst mit dem Teufel oder dem Antichrist identifiziert, macht es die katholische Polemik umgekehrt: Sie bringt Luther mit dem Teufel in Verbindung oder stellt ihn als solchen dar.

Versuchung Christi
Barthel Bruyn d. Ä., um 1547
Gemälde auf Leinwand, 184 × 119 cm
Bonn, Rheinisches Landesmuseum, Inv. Nr. 58.3

Der Kölner Maler Bartholomäus Bruyn und seine Söhne erhielten 1547 vom Provinzial der Karmeliter Everhard Billick den Auftrag, den Umgang des Kölner Karmelitenklosters mit neutestamentlichen Szenen auszumalen. Der Zyklus umfaßte mehr als 50 Bilder, ist aber bis auf wenige Reste verlorengegangen. Einen Rest stellt das Bild von der Versuchung Christi dar. Im Hintergrund rechts die Zinne des Tempels, links der hohe Berg, mit dem Ausblick auf die Herrlichkeiten dieser Welt, wo Satan je mit spezifischer Versuchung an den Herrn herantrat. Im Vordergrund links Christus, wie er, den Gebärden der Hände zu entnehmen, seinem Gegenüber auf das Ansinnen, aus Steinen Brot zu machen, mit dem Wort aus Deuteronomium (5. Mose) 8,3 antwortet: Der Mensch lebt nicht vom Brot allein, sondern von einem jeden Worte, das aus dem Munde Gottes kommt. Der Teufel, kenntlich an seinem Schwanz und den ungestalten ungleichen Krallenfüßen, trägt die Züge Luthers und ein Mönchsgewand – wobei noch offen bleibt, ob der Maler aus eignem Antrieb, auf Anregung Billicks oder auf Wunsch des links unten im bischöflichen Gewand knienden Stifters den Spieß umgekehrt und nicht den Papst, sondern den Reformator seinen Zeitgenossen als den Teufel präsentiert hat. Vgl. auch Kat. Nr. 286.

H.-J. Tümmers, Die Altarbilder des älteren Bartholomäus Bruyn, 1964, Nr. A 166. – Krueger. – Dies., Aus dem Depotschlaf erwacht. B. Bruyns ›Die Versuchung Christi‹. In: Das Rheinische Landesmuseum Bonn 3, 1975, S. 35 ff. – Kat. Ausst. Westfalen im Zeitalter der Reformation. Bilder und Dokumente, Bonn 1977, S. 46. E. W. Z.

640 Anregungen zur Reform der katholischen Kirche gingen in Deutschland auch vom Kaiser aus. Aufgrund der kaiserlichen ›Reformnotel‹ trat in Köln 1549 ein Provinzkonzil zusammen.

Das Kölner Provinzialkonzil von 1549
Titelblatt des ›Schema Concilii Provincialis Coloniensis‹, Köln 1549
Kupferstich, 31,6 × 17,1 cm
Köln, Kölnisches Stadtmuseum, Inv. Nr. KH 650

Das kolorierte Blatt stellt das Konzil stilisiert vor. Im oberen Drittel thront der Erzbischof zwischen seinen plakativ hingesetzten, jeweils durch ihr Bistumswappen gekennzeichneten Suffraganbischöfen von Osnabrück (ganz links), Münster (zweiter von links), Minden (zweiter von rechts), Lüttich und Utrecht. Über ihnen, als Sinnbild des Heiligen Geistes, eine Taube. Auf beiden Seiten und am unteren Rand umrahmen Äbte, Mönche und Kleriker als breite Randleisten die Blattmitte, die gewissermaßen als Titel ein auf das Provinzialkonzil gut anwendbares Wort aus der Apostelgeschichte präsentiert: *SPIRITUS SANCTUS Posuit Episcopos Regere Ecclesiam Dei. Act. 20.* (Der Heilige Geist hat euch zu Bischöfen bestellt, damit ihr die Kirche Gottes leitet. Apg. 20 [28]) – ein Wort der Heiligen Schrift, das im Jahr 1549 den angeschlagenen Katholiken in Deutschland Zuversicht zur eignen Sache einflößen sollte und zugleich als eine neutestamentliche Legitimation ihrer Kirche gegen die Angriffe der Neuerer ins Feld geführt werden konnte. Die geöffneten Bücher deuten an, daß sich die Kirche an Schrift und Tradition orientierte: das Neue Testament flankieren die Regel des hl. Benedikt und die Pastoralregel Papst Gregors des Großen.
Das aufgrund des kaiserlichen Reformgebots (vgl. Abt. XV C) einberufene Konzil der Kirchenprovinz Köln tagte unter Vorsitz des Kurfürsten und Erzbischofs Adolf von Schaumburg (1547-1556) vom 11. März bis 6. April 1549. Es befaßte sich mit Fragen der Praxis wie Schulwesen oder Kleruserziehung. Das Interesse der Suffraganbischöfe ließ allerdings zu wünschen übrig. Durchschlagende Wirkungen gingen von diesem Konzil nicht aus.

H. Foerster, Reformbestrebungen Adolfs III. ... in der kölner Kirchenprovinz, 1925. – Druck der »Reformnotel«: G. Pfeilschifter, Acta reformationis catholica, Bd. 6, 1974, S. 348-380.
E. W. Z.

641 Einzelne Fürstbischöfe begannen sich um die Wiederherstellung geordneter Zustände in ihren Bistümern zu kümmern. Zu ihnen gehörte Otto Truchseß von Waldburg, Bischof von Augsburg.

641

Bildnis des Kardinals Otto Truchseß von Waldburg, Bischofs von Augsburg
Lambert Sustris, 1553
Gemälde auf Leinwand, 99,5 × 79 cm. Oben rechts Inschrift: AETATIS SVAE/MDLIII (1553), darunter das Wappen des Dargestellten
Privatbesitz

Der Kardinal und Fürstbischof, dessen Person durch das Wappen unter dem Kardinalshut rechts oben sicher zu bestimmen ist, wird in Halbfigur dargestellt. Der Maler Lambert Sustris aus Amsterdam, ein Schüler Tizians und um die Jahrhundertmitte in dessen Atelier tätig, stand seit 1548 mit der Familie der Truchsessen von Waldburg in Verbindung. In seiner Porträtauffassung folgte er bei der Darstellung des Bischofs Otto »jenen Bildnissen Tizians, die, indem sie den Dargestellten breit ins Bild setzen, schon seine Macht und Gewalt in der Gesellschaft ausdrükken« (G. Krämer).
Unter der nicht ausgeführten Altersangabe (AETATIS SUAE ...) und dem Datum MDLIII das dreigeteilte Wappen, von unten nach oben: Waldburg, Sonnenberg, Hochstift Augsburg und Propstei Ellwangen, darüber als Helmzier Pelikan (Ottos Emblem) und Kreuz, darüber der Kardinalshut.
Otto von Waldburg (1514-1573), aus altem schwäbischen Geschlecht, war seit 1543 Fürstbischof von Augsburg, wurde 1544 Kardinal und hielt sich ab 1559 in Rom auf als »protector nationis Germanicae«, als Sachwalter der katholischen Kirche im Reich. Weil er als einer der ersten unter den geistlichen Fürsten begriff, daß die alte Kirche, zu der er sich zeitlebens bekannte, dem Angriff der Reformation auf lange Sicht nur durch die Mobilisierung innerkirchlicher Widerstandskräfte werde standhalten können, bemühte er sich redlich, den inneren Zustand seines Bistums zu bessern: er hielt mehrere Diözesansynoden ab, gründete eine Universität (vgl. Kat. Nr. 643), kümmerte sich um eine Reform des Klerus und der Liturgie (vgl. Kat. Nr. 644, 645). Über die Leitlinie seines kirchlichen Handelns sagte er: *In vertrawen gegen Gott, und nitt in der forcht der widerwertigen sollen Religionssachen mit warem glauben, ungezweyffelter Hoffnung und onerschrocken hertzen angegriffen werden; wir miessen mit der liebe Gottes bewaffnet und im vertrauwen Christi behertziget werden, so kan unns kain menschlicher gwalt, ja och der Teuffel macht nitt hinderen, die eer Gottes wider auffzurichten.* Petrus Canisius (vgl. Kat. Nr. 646), der ihn beriet und unterstützte, sagte von ihm: *Desideria sancta in eo vigent, in exequendo segnis est* (Sein heiliges Wollen ist stark, im Vollbringen ist er zu lässig und matt). Dies galt auch von manchen der besseren deutschen Bischöfe seiner Generation.

Zoepfl (mit weiterführenden Quellen und Lit.-Angaben). – F. Zoepfl, Kardinal Otto, Truchseß von Waldburg. In: Lebensbilder aus dem bayerischen Schwaben 4, 1955, S. 204-248. – Zum Bild: Kat. Ausst. Welt im Umbruch, Bd. 1, S. 209 f.
E. W. Z.

642

642 Papst Julius III. schenkte den für die Eröffnung des »Heiligen Jahrs« angefertigten Hammer dem Bischof von Augsburg.

Zeremonialhammer
Rom, 1550
Silber, vergoldet, Holzgriff, Gesamtlänge 27,5 cm. Inschrift auf Kartusche: IVLIVS./ III. PONT/MAX. IOB/ILAEVM/VIII. CON/DIDIT FE/LICITER. Auf der Gegenseite: PERCVSIT PETRAM ET FLVXVRVNT AQVAE
München, Bayerisches Nationalmuseum, Inv. Nr. R 692

Mit einem Hammerschlag gegen die vermauerte »Goldene Pforte« von St. Peter eröffnete Papst Julius III. unmittelbar nach seiner Inthronisation am 24. Februar das »Heilige Jahr« 1550. Diese rituelle Handlung, welche sinnbildlich die Wiedereröffnung der Pforten des Paradieses darstellen soll, hätte am ersten Weihnachtstag des Vorjahres stattfinden müssen, unterblieb aber, weil der Hl. Stuhl nach Pauls III. Tode damals noch vakant war. Das Jubeljahr, 1300 erstmalig begangen, fand seit 1450 in einem Intervall von 25 Jahren statt und sollte in besonderer Weise zur Heiligung der Gläubigen beitragen. Nach seinem Ablauf wurde die Goldene Pforte (Porta aurea) wieder für 24 Jahre zugemauert. Wegen seiner Beteiligung an der Papstwahl hielt sich der Kardinal und Bischof von Augsburg in Rom auf. Der Papst machte ihm den kostbaren, bei der Eröffnung verwendeten Hammer zum Geschenk – eine freundliche Geste, mit der er wohl auch Ottos vielfältigen Bemühungen um das Konzil und um die Kirchenreform Anerkennung zollen wollte.

A. Manser, Jubeljahr. In: LThK 5, 1933, Sp. 665 ff. – W. Lurz, Heiliges Jahr. In LThK 5, 2. Aufl., 1960, Sp. 125 ff. – Kat. Ausst. Welt im Umbruch, Bd. 1, Nr. 146. E. W. Z.

643 Papst Julius III. gestattete dem Bischof von Augsburg, in Dillingen eine Hochschule zu errichten.

Papst Julius III. bestätigt die schon von Papst Paul III. zugesicherte Genehmigung zur Gründung einer Hochschule in Dillingen, Rom 22. Februar 1549 [richtig: 1550]
Orig. Perg., 46 × 66 cm. Die päpstliche Kanzlei datierte den Jahresanfang etwa mit dem Frühjahrsbeginn (25. März) und schrieb daher 1549. Daß das Jahr 1550 gemeint sein muß geht u. a. auch daraus hervor, daß Papst Julius III. am 22. Februar 1550 noch nicht regierte
München, Bayerisches Hauptstaatsarchiv, Dillingen, Jesuiten U, Fasc. 3.

Seit Ende der 40er Jahre gab Ignatius von Loyola den im Reich – meistens im Dienst von Landesherren – tätigen Jesuiten die Weisung, sich auf dem Gebiet der Schule, Erziehung und Wissenschaft zu betätigen. Von ähnlichen Überlegungen bewegt, setzte Kardinal Otto Truchseß von Waldburg die Gründung einer Hochschule in seiner Residenzstadt Dillingen an der Donau durch. Die Urkunde nennt als Zweckbestimmung u. a., durch gediegene Vermittlung der katholischen Glaubenslehre und einer ihr entsprechenden Lebensführung dem weiteren Fortschreiten des Protestantismus entgegenzutreten. Der Papst erhob nach Jahresfrist die Hochschule zum »Studium Generale« nach dem Muster von Bologna und Paris, d. h. zur Universität (April 1551).
Die Universitäten bekamen durch den Einfluß von Reformation und katholischer Reform zusätzlich die Funktion von konfessionellen Bildungsanstalten. Obwohl sie in Deutschland durchweg als landesherr-

643

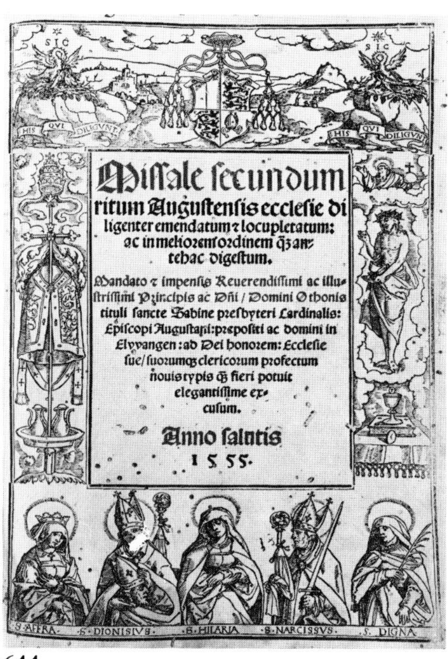

SIC HIS QVI DILIGVNT

Missale secundum ritum Augustensis ecclesie diligenter emendatum & locupletatum: ac in meliorem ordinem quam antehac digestum.

Mandato & impensis Reuerendissimi ac illustrissimi Principis ac Dñi / Domini Othonis tituli sancte Sabine presbyteri Cardinalis: Episcopi Augustan: prepositi ac domini in Elwangen: ad Dei honorem: Ecclesie sue/ suorumque clericorum profectum nouis typis ut fieri potuit elegantissime excusum.

Anno salutis 1555.

S. AFRA. S. DIONISIVS. S. HILARIA. S. NARCISSVS. S. DIGNA.

644

liche oder reichsstädtische Gründungen ins Leben traten, bedurften sie, um den Rang einer Universität (mit Promotionsrecht und anderen Freiheiten) zu erlangen, nach altem Herkommen päpstlicher oder kaiserlicher Bestätigung.

Zoepfl. – J. Brodrick, Petrus Canisius, 2 Bde. 1936, dt. 1950. – T. Specht, Geschichte der ehemaligen Universität Dillingen (1549-1804), 1902. – F. Machilek, Die Universität Dillingen. In: Lehrausstellungen im Hauptstaatsarchiv München 1965-1967, 1967, S. 25-39. E. W. Z.

644 Der Bischof von Augsburg führte als ersten Schritt zur Gottesdienstreform ein revidiertes Meßbuch ein.

›Missale secundum ritum Augustensis ecclesiae diligenter emendatum et locupletatum ac in meliorem ordinem quam antehuc digestum‹
Dillingen: Sebald Meyer 1555
2°. 28, 471 Bll., Papier, der Canonteil Pergament
Augsburg, Archiv des Bistums Augsburg

Inhalte und Formen des Glaubens der alten Kirche deutlicher ins Bewußtsein zu bringen gehörte zu den Zielen der anhebenden katholischen Reform. Die Publikation eines den Bedürfnissen der Zeit angepaßten Meßbuchs durch den Bischof von Augsburg war dafür symptomatisch. Er suchte damit, wenigstens in *seinem* Bistum, der Verwirrung zu steuern, die in der gottesdienstlichen Praxis einerseits durch den Gebrauch unterschiedlicher Missalien (Meßbücher), andererseits durch das Fehlen von gedruckten Meßbüchern eingerissen war. Das neue Buch sollte einen geordneten Ablauf der Gottesdienste ermöglichen. Der Bischof bezeichnete das Missale als ein sorgfältig verbessertes Buch. Nach Typographie und Ausstattung handelt es sich um ein schönes Erzeugnis der Buchdruckerkunst. Es enthält drei ganzseitig kolorierte Holzschnitte und viele Initialien mit Bildschmuck. Den größten Teil der Herstellungskosten zahlte der Bischof aus eigner Tasche.

Die Holzschnittbordüre zeigt oben Wappen und Devise des Fürstbischofs Kardinal Otto Truchseß von Waldburg: SIC HIS QVI DILIGVNT (Also tun diesen diejenigen, welche sie lieben) in Verbindung mit dem Pelikan, der sich die Brust öffnet, um mit seinem Blut seine Jungen zu tränken. Auf den Seiten sieht man links Insignien des päpstlichen Pontifikates, rechts Christus als Erlöser, aus dessen Seitenwunde das Blut in einen Kelch fließt. Unten, in halber Figur, Heilige aus der Legende der Hl. Afra, der Patronin des Bistums Augsburg. Die volle und weiche Figurenzeichnung steht deutlich unter dem Eindruck der Kunst Christoph Ambergers.

Zoepfl, S. 308 ff. – F. A. Hoeynck, Geschichte der kirchlichen Liturgie des Bistums Augsburg, 1889, S. 337 ff. – Kat. Ausst. Welt im Umbruch, Bd. 1, Nr. 148. E. W. Z.

645 Der Bischof von Augsburg mahnt seinen Klerus, das vor Jahresfrist erlassene Mandat zur Anschaffung des neuen Meßbuchs zu befolgen.

Mandat des Bischofs von Augsburg an seinen Klerus, Dillingen 10. Dezember 1556
Druckausfertigung, Orig. Papier, 32 × 44 cm
Augsburg, Archiv des Bistums Augsburg, B O 738

Das kurze Mandat spricht die Schwierigkeiten an, mit denen ein Bischof in seinem Sprengel zu tun hatte: Prälaten, Pfarrer und Gemeinden, auch das Domkapitel(!), zögerten, das neue Gottesdienstbuch anzuschaffen. Sie stützten sich dafür auf traditionalistische Argumente oder auf Vorwände. Wo die kirchliche Reform z. B. ein bequemes Herkommen oder den Geldbeutel antastete, widersetzten sich in vielen Fällen die Betroffenen. Häufig waren es auch Dom- und Stiftskapitel, die kirchliche Veränderungen ablehnten, weil sie ihre Vorrechte dadurch angetastet wähnten. Die von Bischof Otto in seinem Einführungsmandat von 1555 beklagten Zustände – eine dubiose Gottesdienstpraxis und irrige Vorstellungen von der Eucharistie (d. h. vom Abendmahl) –, denen er mit der Einführung eines einheitlichen Meßbuchs begegnen wollte, hielt der angesprochene Klerus offensichtlich nicht für *so* gravierend, daß man etwas dagegen tun müßte.

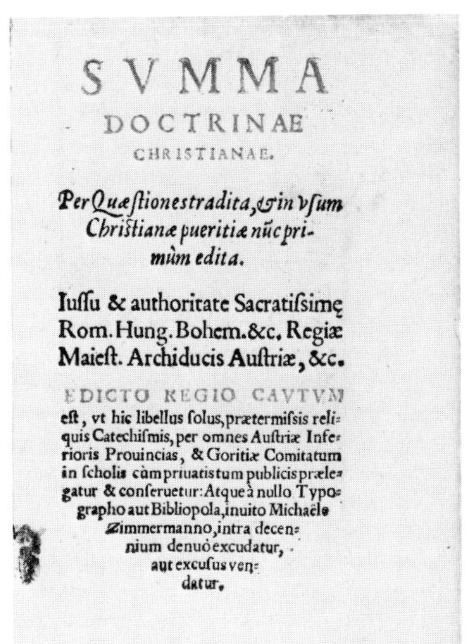

SVMMA
DOCTRINAE
CHRISTIANAE.

Per Quæstiones tradita, & in vſum Chriſtianæ pueritiæ nūc primūm edita.

Iuſſu & authoritate Sacratiſsimę Rom. Hung. Bohem. &c. Regiæ Maieſt. Archiducis Auſtriæ, &c.

EDICTO REGIO CAVTVM eſt, vt hic libellus ſolus, prætermiſsis reliquis Catechiſmis, per omnes Auſtriæ Inferioris Prouincias, & Goritiæ Comitatum in ſcholis cùm priuatis tum publicis prælegatur & conſeruetur: Atque à nullo Typographo aut Bibliopola, inuito Michaële Zimmermanno, intra decennium denuò excudatur, aut excuſus vendatur.

646

IESVS
CHRISTVS CRVCIFIXVS

Author atque conſummator Sapientiæ, Iuſtitiæq; noſtræ.

FERDINANDVS Diuina fauente clemētia Rom. Rex ſemper Auguſtus, ac Germaniæ, Hungariæ, Bohemiæ, Dalmatiæ, Croatiæ, Sclauoniæ, &c. Rex, Infans Hiſpaniarū, Archidux Auſtriæ, Dux Burgundiæ, &c. Marchio Morauiæ, &c. Comes Tyrolis, &c. Vniuerſis & ſingulis fidelibus noſtris, tam Eccleſiaſticis q̄ Secularibus, Prælatis, Comitibus, Baronibus, Dominis, Militibus, Clientibus, Capitaneis, Marſchalcis, Prouinciarum Prę ſidibus, Vicedominis, Præfectis, Burggrauijs, Officialibus, Iudicibus, Burgimagiſtris, Conſulibus, & Communitatibus, omnibusq; alijs & ſingulis ſubditis & a ij fideli-

647

Die Jurisdiktionsgewalt eines Bischofs war im Spätmittelalter geschwächt worden. Erst als das Trienter Konzil sie wieder verstärkte, verbesserten sich die Voraussetzungen für die Durchführung einer innerkirchlichen katholischen Reform.

Zoepfl, S. 308 ff. E. W. Z.

646 Im Dienst der inneren Erneuerung der katholischen Kirche verfaßte Petrus Canisius seine Katechismen.

›SUMMA DOCTRINAE CHRISTIANAE. Per quaestiones tradita et in usum Christianae pueritiae primum edita. Iussu et autoritate Sacratissimae Romanae. Hungaricae. Bohemicae etc. Regiae Majestatis. Archiducis Austriae etc.‹
Wien: Michael Zimmermann 1555. 8°
München, Bayerische Staatsbibliothek, Catech. 89[n]

Auf Veranlassung von König (später Kaiser) Ferdinand I., der daran interessiert war, die kirchlichen Verhältnisse in seinen Landesherrschaften (Österreich, Böhmen, Ungarn usw.) zu reformieren, schrieb Petrus Canisius seinen ersten Katechismus ›Summa doctrinae christianae‹, 1555. Dieser, zunächst nur für die habsburgischen Erb- und Kronlande bestimmt, erlebte Auflage um Auflage und verbreitete sich rasch im deutschen Sprachgebiet.
Um der mangelhaften Unterweisung in Kirche und Schulen aufzuhelfen, hatten sich schon viele namhafte Theologen darangemacht, die wichtigsten Grundkenntnisse über den christlichen Glauben in knappen Leitfäden zusammenzufassen. Auch das Vorbild der Katechismen Luthers, namentlich des ›Kleinen Katechismus‹ spornte zur Nachahmung an. Als die größte katechetische Begabung auf katholischer Seite erwies sich Petrus Canisius aus Nimwegen (1521-1597). Er verfaßte für die verschiedenen Alters- und Bildungsstufen kurze Zusammenfassungen der Hauptinhalte des christlichen Glaubens, teils in Deutsch, teils in Latein. Für die katholischen Regionen Deutschlands wurde er dadurch zu einem zweiten »Praeceptor Germaniae« (Lehrer für Deutschland).

Bibliographie bei: F. H. Kötter, Die Eucharistielehre in den kath. Katechismen des 16. Jahrhunderts bis … 1565, 1969, S. X-XII. – Petrus Canisius, Briefe, hrsg. von B. Schneider, 1959, S. 11-41. – B. Schneider, Canisius. In: LThK 2, 2. Aufl. 1958, Sp. 915-917. – Edition: S. Petri Canisii Doctoris Ecclesiae Catechismi Latini et Germanici … hrsg. von F. Streicher, Bd. I (lateinische Kat.) 1933, Bd. II (deutsche Kat.) 1938. E. W. Z.

647 König Ferdinand befahl den Katechismus des Petrus Canisius in seinen Kron- und Erbländern einzuführen.

Einführungsmandat für den Katechismus des Petrus Canisius, Wien 14. August 1554
Ohne Nennung des Autors der Erstauflage des Katechismus von 1555 als Einführung vorangestellt
Enthalten in Kat. Nr. 646

Die Habsburger und die bayerischen Wittelsbacher traten im Reich am konsequentesten für die Erhaltung der alten Kirche ein. So war es nur folgerichtig, daß sie sich auch um deren innere Reform kümmerten. Aus Ferdinands Einführungsmandat läßt sich die Entstehungsgeschichte ablesen. Der König teilte darin mit, er habe der Glaubensverwirrung »bei soviel Dogmen und Sekten« unter seinen Völkern Einhalt gebieten wollen: »Deshalb haben wir mit der Abfassung eines solchen – katechetischen – katholischen Buchs Männer von unbezweifelter Rechtgläubigkeit betraut und das Manuskript nach Abschluß dem Urteil und der Bewertung solcher Männer unterworfen, die als gelehrte Theologen ausgewiesen und für ihren unbescholtenen, frommen Lebenswandel bekannt sind. Das haben wir getan, um zu verhindern, daß unter dem Deckmantel unserer [landesherrlichen] Autorität ein Lehrbuch veröffentlicht würde, worin irgendetwas mit der evangelischen Lehre und der katholischen Kirche nicht übereinstimmte« (! …, *quod*

Evangelicae doctrinae et sanctae Catholicae Ecclesiae vllo modo aduersaretur). Der König verbot bei Strafe den Gebrauch irgendeines anderen Katechismus und schärfte den Verantwortlichen – Ständen, Beamten und Richtern – ein, dafür zu sorgen, »daß allein dieser Katechismus und kein anderer im Schulunterricht benutzt, gelesen und zum Auswendiglernen aufgegeben wird«.

J. Brodrick, Petrus Canisius, 1936, dt. 1950. – E. Tomek, Kirchengeschichte Österreichs, 2. Teil, 1949, S. 301-330. E. W. Z.

E Vom Interim zum Religionsfrieden: Die Reformation wird reichsrechtlich anerkannt

Das meiste, was Karl V. 1547/48 erreichte, hielt nicht lange vor. Nur Weniges erwies sich als dauerhaft; so die Umwandlung der Ratsverfassung (vgl. Kat. Nr. 633) und die Wiederzulassung des katholischen Kults in vielen süddeutschen Reichsstädten. Sonst büßte er alles, was er 1547/1548 an Macht errungen hatte, wieder ein, und noch Einiges mehr.

Karl V. kam im Reich zu Fall, weil sich drei seiner ständigen Kontrahenten gegen ihn verbündet hatten: die militärisch organisierten Protestanten, die der Zustimmung all derer, die das Interim bekämpften oder sich daran ärgerten, sicher sein durften; der König von Frankreich, der ihren Krieg finanzierte, um durch sie das Haus Habsburg zu schwächen; und die Reichsstände insgesamt, die mit wohlwollender Neutralität das ihnen zu mächtige Reichsoberhaupt den Kriegsfürsten unterliegen sahen. Der Religionsfriede, vorbereitet durch den Passauer Vertrag von 1552, war dann das Endergebnis des Fürstenaufstands. E. W. Z.

648 Das den Protestanten reichsgesetzlich auferlegte Interim findet wenig Anklang, teilweise sogar offenen Widerstand. Es wird in Wort, Bild und Lied verhöhnt.

Spottbild auf das Interim
Monogrammist BP, um 1550
Flugblatt mit Holzschnitt und Typendruck, koloriert, 41,2 × 36,5 cm
Magdeburg: Pankratius Kempff o. J. (um 1550)
Nürnberg, Germanisches Nationalmuseum, HB 235

Die Überschrift lautet: *Des Interims und Interimisten warhafftige abgemalte figur und gestalt daraus yderman sonderlich bey dem Brettspiel/und der grossen Kannen mit Bier/yhr andacht und messig leben erkennen kan.*

Das Bildflugblatt zeigt plärrende Kleriker und Mönche um das als Götzenbild auf einer Säule dargestellte Interim herumstehen, dazu im Hintergrund der Bildmitte einen Biertrinker und einen Narren (»Schalk«). Der Interimsdrache trägt drei Köpfe, deren einer, mit der Tiara geschmückt, den Papst zeigt, während der helmbedeckte Kopf den Kaiser (parallele Darstellungen zeigen stattdessen den am Turban kenntlichen türkischen Sultan) und das Engelsgesicht mit Flügeln den Teufel darstellt. *Der Teuffel kumpt in einer gestalt eins Engels* ist auf einem ebenfalls aus Magdeburg stammenden Interimsflugblatt von 1550 mit Text von Erasmus Alberus zu lesen. Die für Sopran (*Discantus*; l. o.), *Alt* (r. o.), *Tenor* und *Bass* (Mitte) gesetzten Noten parodieren den 1. Psalm (Selig der Mann, der Gott vertraut usw.) mit dem Text: »BEATUS VIR QUI NON ABIIT IN CONSILIO IMPIORUM. SELIG IST DER MAN. DER GOT VERTRAVEN KAN VND WILLIGT NICHT INS INTERIM. DAN ES HAT DEN (beim Alt: EIN) SCALCK HINTER IM – HINTER IM«. Wie man das Interim verhöhnte, darüber berichtet der Magdeburger Stadtschreiber Heinrich Merkel in seinem Bericht über die Belagerung Magdeburgs im September 1550 durch kaiserliche Truppen: *Die Lehre des Interims ist an ihr selbst gantz schimpfflich und verächtlich gehalten worden. Man hat das Interim auf Bretspielen gespielt, geflucht, gesungen, als: Seelig ist der Mann/ Der Gott vertrauen kan ...* (usw. wie oben). *Auch Hunde und Katzen darnach genennet, also daß es Gott Lob gar vergessen und wie der Rauch verloschen.*

Das Interim stieß nicht nur bei streng lutherischen Theologen und von ihnen beratenen Fürsten und Obrigkeiten auf Ablehnung, sondern fand in Süd- wie in Norddeutschland auch beträchtlichen populären Widerstand. Auf Titelholzschnitten, Kupferstichen und Interimstalern erscheint es gewöhnlich in Drachengestalt mit drei Köpfen. Manchmal wird auch Christus dargestellt, wie er den Drachen zertritt.

Krueger, S. 259-295, bes. S. 275-281 (dort sehr gute Bibliographie). – Das Zitat Merkels nach: J. Wolf, Ein bisher unbekannter Spottdruck auf das Augsburger Interim. In: Zentralblatt für das Bibliothekswesen 42, 1925, S. 10 f. E. W. Z.

648

649

649 Die Fürstenrebellion von 1552, die die Abschaffung des Interims zur Folge hatte, wurde als Sieg des Protestantismus gefeiert.

Pokal auf den Untergang des Interims
Jochim Gripeswoldt, 1553
Silber, getrieben, gegossen, graviert und vergoldet, Höhe 60 cm. Aus dem Lüneburger Ratssilber. Inschrift auf dem Fuß: INTERIM ORTVM AVGVSTAE VINDELICORVM SVB CAROLO QVINTO IMPERATORE MAXIMO ANNO SALVTATIS MDXLVIII. EX TINCTVM VERO AVSPICIIS MAVRITII ELE(C)TORIS ET CONFOEDERATORV(M) AN(N)O 1552 (Das Interim hat in Augsburg unter Kaiser Karl V. begonnen im Jahr des Heils 1548, ist aber durch den Kurfürsten Moritz und die Verbündeten im Jahr 1552 ausgelöscht worden). Inschriften unter dem Deckelrand: HIC EST FILIVS MEVS DILECTVS IN QVO MIHI BENE COMPLACITVM EST. MATE 3 (Dies ist mein lieber Sohn, an dem ich Wohlgefallen habe, Matthäus 3); ABI SATANA SCRIPTVM EST ENIM: DOMINVM DEVM TVVM ADORABIS ET ILLVM SOLVM COLES. MAT (Hebe dich hinweg von mir, Satan, denn es steht geschrieben: Du sollst anbeten Gott, Deinen Herrn und ihm allein dienen. Matthäus 4); ETIAM SI NOS AVT ANGELVS E COELO PREDICAVERIT VOBIS EVANGELIVM PRETER ID QVOD PRAEDICAVIMVS. GALA 1 (Aber so auch wir oder ein Engel vom Himmel euch das Evangelium anders predigen würde als wir es euch gepredigt haben, der sei verflucht. Galater 1); HIC EST FILIVS MEVS DILECTVS IN QVO MIHI BENE COMPLACVI, IPSVM AVDITE. MAT. 17 (Dies ist mein lieber Sohn, an dem ich Wohlgefallen habe, ihn sollt erhören. Matthäus 17); Im Deckelinnern: farbig geschmelztes Wappen der Lüneburger Familien Witzendorf und Garlop und die Jahreszahl (15)74. Marken: Lüneburger Beschau (R^{3}2237) und Meistermarke (R^{3}3267 b). Auf dem Deckel: Wappen der Witzendorf und Töbing.
Berlin, Staatliche Museen Preußischer Kulturbesitz, Kunstgewerbemuseum, Inv. Nr. 74, 380

Der Lüneburger Bürgermeister Franz Witzendorf gab diesen Prunkbecher 1552 privat in Auftrag. Später gelangte er als Geschenk seiner Familie in den Besitz des Lüneburger Rats. Die Inschrift auf seinem Fuß bezeugt, daß es mit dem Interim zu Ende gegangen war.
Sie spielt auf den Sieg der Fürstenopposition über Karl V. und auf den Passauer Vertrag von 1552 an. Die von Moritz von Sachsen geführten Fürsten zwangen den Kaiser zur Aufgabe seiner bisherigen Reichsreligionspolitik: In Vorwegnahme der künftigen reichsrechtlichen Regelung schafften sie de facto das Interim ab und bereiteten den Religionsfrieden von 1555 vor.

Diese Vorgänge stellte der Künstler als Sieg Christi über seine Feinde dar. Der segnende Christus bildet den Schaft. Er zertritt den dreiköpfigen Interimsdrachen. Der Becherteil des Pokals, die »Cuppa«, zeigt in vier Szenen Christi Taufe, Versuchung, Predigt und Verklärung mit jeweils erklärenden Bibelzitaten darüber. Den Deckel bekrönt, höchst dekorativ, wenn auch mit dem Sinngehalt des ganzen Stückes – des Siegs Christi über seine Feinde – nicht ganz widerspruchslos zu vereinbaren, die Hure Babylon, auf dem vielköpfigen apokalyptischen »Tier« reitend. Sie wird von dem ihr anheimfallenden Teil der Menschheit angebetet, symbolisiert in acht figürlichen Reliefs von Papst, Kardinal, Kaiser, König, Mönch, Priester und zwei Personen laikalen Standes.
Der Pokal, 1553 entstanden, gibt auf seine Art der evangelischen Glaubenszuversicht bildhaften Ausdruck, zugleich aber, zeitgeschichtlich gar nicht anders möglich, auch der antipäpstlichen Polemik.

Kat. Ausst. Das Lüneburger Ratssilber, bearb. von H. Appuhn, Lüneburg 1956, Nr. 24. – Krueger, S. 280 ff. – K. Pechstein, Goldschmiedewerke der Renaissance, 1971, Nr. 12 (mit Lit.). E. W. Z.

650 Anführer der Fürstenrebellion war Moritz von Sachsen.

Bildnis des Kurfürsten Moritz von Sachsen
Lukas Cranach d. J., um 1553
Holzschnitt, 18 × 13,5 cm. Oben links das Wappen des Dargestellten
Braunschweig, Herzog Anton Ulrich-Museum

IMAGO ILLVSTRISSIMI PRINCIPIS MAVRICII
DVCIS SAXONIAE, ELECTORIS, LANDGRAVII TVRINGIAE,
Marchionis Mysniæ, & Burggrauij Meideburgensis.

650

Als 1552 die von Moritz von Sachsen angeführten Kriegsfürsten *auf des Kaisers Person* vorrückten, wußten sie sich von der schweigenden Zustimmung der überwältigenden Mehrheit ihrer Mitfürsten getragen. Sie hatten nicht nur *Freiheit für das Evangelium* auf ihre Fahnen geschrieben, sondern auch die Befreiung der gefangenen Fürsten von Hessen und Sachsen und die Abschaffung *der viehischen spanischen Servitut* als ihre Kriegsziele verkündet – und dem stimmten auch die katholischen Reichsstände zu, nicht weil sie katholisch, sondern weil sie Reichsstände waren, die es nach einer größeren territorialstaatlichen Beweglichkeit gegenüber dem Reichsoberhaupt verlangte.
Das Holzschnittporträt zeigt Moritz von Sachsen als Feldherrn, im Harnisch und mit der geschulterten Streitaxt. Das kurfürstliche Wappen – ein Rautenkranz auf neunmal geteiltem Schild – und das heraldische Ehrenzeichen des mit der Kurwürde verbundenen Amtes des Erzmarschalls – die gekreuzten Schwerter – dokumentieren, daß Kaiser Karl V. nach dem Sieg von Mühlberg die Kurwürde des sächsischen Hauses von der ernestinischen auf die albertinische Linie übertragen hatte. Der erweiterte Bildausschnitt und der prunkvolle Harnisch machen das Porträt den gemalten Bildnissen des Kaisers und seines Bruders Ferdinand (Kat. Nr. 630, 651) vergleichbar.

Hollstein, Bd. 6, S. 150. E. W. Z.

651

652

651 Die Beendigung des Konfessionsstreites im Augsburger Religionsfrieden 1555 war in wesentlichen Teilen das Werk Kaiser Ferdinands I.

Bildnis König Ferdinands in voller Rüstung
Unbekannter Künstler nach Tizian, nach 1548
Gemälde auf Leinwand, 120 × 90,5 cm.
Oben rechts Inschrift: FERDINANDVS D.G. IMP. ANNO1548
Babenhausen, Fürst Fugger-Babenhausen

Gegenstück zum Bildnis seines kaiserlichen Bruders (vgl. Kat. Nr. 630). Das (verlorene) Originalgemälde entstand während des Augsburger Reichstages 1548. Von dem in der Werkstatt des Nürnberger Plattners Kunz Lochner gefertigten Harnisch, den Ferdinand in der Schlacht von Mühlberg trug, hat sich das goldgeätzte Visier in der Wiener Waffensammlung erhalten. Das Bildnis in Fuggerschem Besitz ist Tizian, später dem Augsburger Christoph Amberger zugeschrieben worden.
Noch bevor Karl V. im September 1555 die Kaiserkrone niederlegte, führte sein Bruder Ferdinand als sein Stellvertreter bereits die Reichsgeschäfte. Als Landesherr von Österreich und König von Böhmen stand er den deutschen Fürsten näher als der Kaiser. Er war auf Ausgleich bedacht und wurde so zum Vater des Religionsfriedens. Er verzichtete darauf, die Lutheraner zur alten Kirche zurückzuführen, rettete andererseits durch den nach zähen Verhandlungen in den Religionsfrieden aufgenommenen Geistlichen Vorbehalt (vgl. Kat. Nr. 652) für den Katholizismus, was noch zu retten war. 1563 ermöglichte er durch sein kirchenpolitisch rechtzeitiges Einlenken den Abschluß des durch eine schwere Krise bedrohten Trienter Konzils. Als Landespolitiker war er gleich seinen Mitfürsten auf konfessionelle Einheit in seinen Territorien bedacht. Als Reichsoberhaupt begründete er den in seinen Ansprüchen bescheideneren, konfessionell kompromißbereiten Regierungsstil des frühneuzeitlichen Kaisertums.

F. B. v. Bucholtz, Geschichte der Regierung Ferdinands I., 9 Bde., 1831-1838, Neudruck (mit Einl. von B. Suttner) 1968/1971. – E. W. Zeeden, Ferdinand I. In: LThK 4, 2. Aufl. 1960, Sp. 79/80 (mit Lit.). – Kat. Ausst. Welt im Umbruch, Bd. 2, Nr. 493. E. W. Z.

652 Der Religionsfrieden brachte die reichsrechtlich abgesicherte Gleichberechtigung des evangelisch-lutherischen mit dem katholischen Glauben.

Der Augsburger Religionsfrieden, Augsburg 25. September 1555

Orig. Pergamentlibell, 35 × 28 cm. 34 Bll. Mit acht Siegeln: Siegel König Ferdinands I. und von 6 (?) Reichsständen (oder 7?) mit schwarz-gelber geflochtener Seidenschnur, daran 8 Siegel. 1. Rot: König Ferdinands I. mit 11 Wappen im Halbkreis um das Reichswappen (16 cm); Umschrift: + Ferdinandus Dei gracia Romanorum. Hungariae et Bohemiae etc. Rex archidux Austriae, Dux Burgundiae, Comes Tyrol, etc.; 2. Rot: (7,5 cm). S. Marquardus vom Stein zu Mentz, Ba(m)berg et Augsb. praepos(itus)
Wien, Österreichisches Staatsarchiv, Haus-, Hof- und Staatsarchiv, Allgemeine Urkundenreihe

Einen Religionsfrieden mit allen Details auszuhandeln und zu verabschieden hatten 1552 die Vertragspartner von Passau (vgl. Kat. Nr. 649) dem nächsten Reichstag zur Aufgabe gestellt. Weil Karl V. dieser Lösung weder zuzustimmen noch sie zu verhindern vermochte, zog er sich aus Deutschland zurück und dankte schließlich ab.
Die auf dem Reichstag vertretenen Stände und König Ferdinand I. verzichteten auf die Einheit des Glaubens im Reich. Die Religionshoheit ging vom Kaiser auf die Reichsstände über. Diese hatten fortan die Freiheit, zwischen dem lutherischen und dem katholischen Bekenntnis zu wählen, gestatteten ihren Untertanen diese Freiheit aber nicht, sondern übten gegen sie den Glaubenszwang, dem man sich nur unter persönlichen und materiell erheblichen Opfern – wie Vermögensverlust und Auswanderung – entziehen konnte.
Der Friede sah einige Ausnahmen von der Grundsatzregelung vor: 1. In den geistlichen Fürstentümern (den reichsständischen Bistümern und Abteien usw.) sollten nur katholische Fürsten regieren – wofür den ihnen untergebenen Städten und Rittern konfessionelle Konzessionen angeboten wurden. 2. In den Reichsstädten durften, entsprechend dem jeweiligen Status quo (gemäß dem tatsächlichen Zustand) von 1555, Lutheraner *und* Katholiken Gottesdienst halten. 3. Der Friede untersagte generell allen Reichsständen, weiterhin Klöster, Stifter oder sonstige geistliche Einrichtungen der alten Kirche einzuziehen und zu protestantisieren.
Mit dem Augsburger Frieden fand die Reformation in Deutschland – nicht in Europa – einen vorläufigen Abschluß. Er legalisierte die Glaubensspaltung und gab den Territorien die Möglichkeit, sich stärker zu entfalten. Er ging davon aus, daß erstens der Protestantismus eine sowohl kirchlich-religiöse als auch eine politische Größe darstellte, die, wie die 35jährige Regierung Karls V. gezeigt hatte, weder durch Gewalt noch durch Reichsgesetze unterdrückt werden konnte; und daß zweitens auch der Katholizismus politisch und kirchlich-religiös eine Größe darstellte, die man ebenso als Tatsache anerkennen mußte.
Die Reichsgesetzgebung zwang den Konfessionen auf dem Boden des Staatsrechts den Frieden auf, den sie aus ihren eigenen Voraussetzungen (wegen der ihnen innewohnenden religiösen Ausschließlichkeitsansprüche und der daraus fließenden aggressiven Intoleranz) herzustellen nicht imstande waren.
Die Augsburger Friedensregelung kam als Kompromiß zustande und enthielt einige unklare Bestimmungen. Diese wurden unterschiedlich angewendet. Das führte zu Krisen, Spannungen und gelegentlich auch zu lokalen Gewalttätigkeiten im Reich. Dennoch wurde der Religionsfriede allgemein akzeptiert. Sein Leitgedanke »cujus regio, ejus et religio« (wer regiert, bestimmt auch über die Konfession der Regierten) machte die innerdeutschen Territorialgrenzen zu Konfessionsgrenzen. Dies wurde zu einem Kennzeichen der nächsten Jahrhunderte der deutschen Geschichte.

Druck: K. Zeumer, Quellensammlung zur Geschichte der deutschen Reichsverfassung, 2. Aufl. 1913, Nr. 189, S. 341-347. – K. Brandi, Der Augsburger Religionsfriede vom 25. September 1555. Krit. Ausgabe des Textes. 2. Aufl. 1927. – E. W. Zeeden, Deutschland von der Mitte des 15. Jahrhunderts bis zum Westfälischen Frieden. In: Th. Schieder (Hrsg.), Handbuch der europäischen Geschichte, Bd. 3, 1971, Nachdruck 1979, S. 536-548 (mit Lit.). – B. Moeller, Deutschland im Zeitalter der Reformation, 1977, S. 172-184. E. W. Z.

Anhang

Verzeichnis der bildenden Künstler

Aldegrever, Heinrich, geb. um 1502 in Paderborn, gest. zwischen 1555 und 1561 in Soest, Maler und Kupferstecher. Tätig in Soest. Seit 1531 eifriger Anhänger der Lehre Luthers.

Altdorfer, Albrecht, geb. um 1480, gest. 1538 in Regensburg. Maler. Hauptmeister der sog. Donauschule. Er gehörte seit 1519 zum Rat der Stadt Regensburg und war mitverantwortlich für den Beschluß von 1533, den katholischen Gottesdienst bei der »Schönen Maria« abzuschaffen. 1526 städtischer Baumeister.

Altdorfer, Erhard, geb. um 1485, gest. 1561 in Schwerin. Zeichner für den Holzschnitt. Bruder des bekannteren Albrecht Altdorfer. Tätig in Regensburg, seit 1522 im Dienste Herzog Heinrichs von Mecklenburg in Schwerin. Arbeitete auch für Auftraggeber in Lübeck.

Amberger, Christoph, geb. um 1505, gest. 1561/62 in Augsburg. Maler. Der prominenteste Augsburger Porträtist seit 1530. Nach der Niederlage der Stadt im Schmalkaldischen Krieg zogen ihn König Ferdinand und das Augsburger Domkapitel zu bedeutenden Aufgaben heran.

Amman, Jost, geb. 1539 in Zürich, gest. 1591 in Nürnberg. Kupferstecher und Zeichner für den Holzschnitt. Schuf seit etwa 1560 in Nürnberg zahlreiche Holzschnittillustrationen.

Asper, Hans, geb. 1499 in Zürich, gest. 1571 ebenda. Maler. Tätig in Zürich. 1545 Ratsmitglied. Infolge von Reformation und Bildersturm war er vorwiegend als Porträtist beschäftigt. Einen hohen dokumentarischen Wert haben seine Bildnisse Zürcher Reformatoren und Theologen.

Baegert, Derick, nachweisbar zwischen 1476 und 1515. Maler. Tätig in Wesel, Kalkar und Liesborn. Ein Hauptmeister der spätgotischen Malerei am Niederrhein.

Baldung, Hans, genannt Grien, geb. 1484/85, gest. 1545 in Straßburg. Maler, Kupferstecher, Zeichner für den Holzschnitt und für Glasgemälde. Schüler und Mitarbeiter Albrecht Dürers in Nürnberg. Seit 1509 in Straßburg ansässig, 1512/17 in Freiburg i. Br.

Barbari, Jacopo de', geb. 1440/50 wohl in Venedig, gest. 1516 in Mecheln. Maler und Kupferstecher. Tätig in Venedig, wo Albrecht Dürer den Künstler kennenlernte. Seit 1500 im Dienst Kaiser Maximilians I. in Nürnberg, 1505/08 an norddeutschen Höfen tätig. 1510 Hofmaler der Margarethe von Österreich, Statthalterin in den Niederlanden.

Beham, Barthel, geb. 1502 in Nürnberg, gest. 1540 auf einer Reise in Italien. Maler, Kupferstecher und Zeichner für den Holzschnitt. Er wurde 1525 wegen atheistischer und anarchistischer Äußerungen aus Nürnberg ausgewiesen, durfte aber noch im selben Jahr zurückkehren. Seit 1527 in München tätig, spätestens seit 1530 in herzoglichen Diensten.

Beham, Sebald, geb. 1500 in Nürnberg, gest. 1550 in Frankfurt a. M. Miniaturmaler, Kupferstecher und Zeichner für den Holzschnitt. Er wurde 1525 wegen atheistischer und anarchistischer Äußerungen aus Nürnberg ausgewiesen, durfte aber noch im selben Jahr zurückkehren. 1530/31 für Kardinal Albrecht von Brandenburg in Mainz oder Aschaffenburg tätig, seit 1532 mit Unterbrechungen in Frankfurt a. M.

Beyer (Peyer), Hans, gest. 1526. Zinngießer. Wird 1490 im Zusammenhang mit der Herstellung einer Monstranz in Neunkirchen am Brand urkundlich erwähnt.

Bornemann, Hinrik (Hinrich), geb. um 1450. Maler in Hamburg. Hauptwerk ist der 1499 vollendete Altarschrein der Lukasbruderschaft in der Hamburger St. Jakobikirche.

Breu, Jörg d. Ä., geb. um 1475, gest. 1537 in Augsburg. Maler, Zeichner für den Holzschnitt und für Glasgemälde. Als Anhänger der Reformation verfocht er den Bildersturm. Er verfaßte eine die Jahre 1512 bis 1537 umspannende Chronik.

Brosamer, Hans, geb. gegen 1500 in Franken (?), gest. 1552 in Frankfurt a. M. (?). Maler, Kupferstecher, Zeichner für den Holzschnitt und Formschneider. Tätig in Erfurt, 1536-1545 im fürstlich fuldischen Dienst, dann wieder in Erfurt. (Freundl. Mitteilung von Ernst Kramer, Fulda). Wohl identisch mit dem Monogrammisten HB, der zwischen 1520 und 1529 eine Reihe von Bildnissen Nürnberger Bürger schuf.

Bruegel, Pieter d. Ä., genannt Bauernbruegel, geb. um 1525/30 wohl in Breda, gest. 1569 in Brüssel. Maler und Zeichner für den Kupferstich. 1551 Meister in Antwerpen, 1552/53 in Italien, seit 1563 in Brüssel. Einer der großen altniederländischen Meister. Seine Werke tragen volkstümlich-didaktischen Charakter.

Bruyn, Barthel d. Ä., geb. 1493 in Wesel oder Köln, gest. 1555 in Köln. Maler. Prominentester Vertreter der Kölner Schule im 16. Jahrhundert. Schuf große Altarwerke und zahlreiche Bildnisse.

Burgkmair, Hans, geb. 1473 in Augsburg, gest. 1531 ebenda. Maler und Zeichner für den Holzschnitt. Hauptmeister der Augsburger Renaissance. Er schuf Wandmalereien für die Fugger, umfangreiche Holzschnittwerke für Kaiser Maximilian I.

Colin, Alexander, geb. 1527 oder 1529 in Mecheln, gest. 1612 in Innsbruck. Flämischer Bildhauer. Schuf seit 1558 den Figurenschmuck am Ott-Heinrich-Bau des Heidelberger Schlosses, seit 1564 Reliefs für das Grabmal Kaiser Maximilians I. in der Innsbrucker Hofkirche.

Cranach, Lukas d. Ä., geb. 1472 in Kronach, gest. 1553 in Weimar. Maler, Kupferstecher und Zeichner für den Holzschnitt. Seit 1504 Hofmaler der Kurfürsten von Sachsen in Wittenberg. 1519 Ratsmitglied, zwischen 1537 und 1540-1544 Bürgermeister. Freund Luthers und Anhänger der Reformation, die er mit seiner Kunst förderte. Besuchte 1550 den Kurfürsten Johann Friedrich in der Augsburger Gefangenschaft und übersiedelte als dessen Hofmaler 1552 nach Weimar.

Cranach, Lukas d. J., geb. 1515 in Wittenberg, gest. 1586 in Weimar. Maler und Zeichner für den Holzschnitt. Schüler und Mitarbeiter seines Vaters Lukas d. Ä., dessen Werkstatt er übernahm. 1565 Bürgermeister in Wittenberg.

Daucher, Hans, geb. um 1486 in Ulm (?), gest. 1538 in Stuttgart. Bildhauer und Medailleur. Tätig in Augsburg, seit 1536 in herzoglich-württembergischem Dienst.

Dürer, Albrecht, geb. 1471 in Nürnberg, gest. 1528 ebenda. Maler, Kupferstecher und Zeichner für den Holzschnitt. Die größte schöpferische Persönlichkeit in der deutschen Kunst. Bereiste Italien und die Niederlande. 1509 Ratsmitglied in Nürnberg. Zu Luther und seiner Lehre bekannte er sich 1520 und 1521 schriftlich. Bedeutendstes Zeugnis seines Verständnisses der Reformation sind die »Vier Apostel« von 1526 (München, Alte Pinakothek).

Epfenhauser, Christoph I, Meister in Augsburg 1518, gest. 1582 ebenda. Goldschmied. 1537 fertigte er im Auftrag der Stadt Augsburg vier Sätze von Abendmahlsgeräten für die jungen evangelischen Gemeinden.

Etzlaub, Erhard, geb. 1462, gest. 1532 in Nürnberg. Kartograph. 1484 Bürger in Nürnberg. Fertigte Verkehrskarten, darunter 1501 die »Romwegkarten«.

Flötner, Peter, geb. um 1485/90 in der Schweiz, gest. 1546 in Nürnberg. Bildschnitzer, Goldschmied, Plakettenkünstler, Zeichner für den Holzschnitt und Formschneider. Seit 1522 in Nürnberg tätig.

Fries, Hans, geb. um 1465 in Freiburg i. Ü., gest. um 1520 vermutlich in Bern. Maler. Bis 1497 in Basel tätig, dann wahrscheinlich in Augsburg und Ulm. Von 1501-1510 Stadtmaler in Freiburg, dann in Bern ansässig. 1508 bestätigte er als Gutachter, daß die Tränen eines Blut weinenden Marienbildes echt seien.

Fries, Lorenz (Laurent), geb. um 1490, gest. um 1532. Arzt, Astronom, Kartograph. Bearbeitete nach Waldseemüllers Tod dessen Werke.

Furtenagel, Laux (Lukas), geb. 1505 in Augsburg, gest. vor 1562 ebenda. Maler und Zeichner für den Holzschnitt. Tätig in Augsburg, nach 1529 in Mitteldeutschland. 1542 und 1546 in Halle bezeugt. Kehrte 1546 nach Augsburg zurück.

Furtmeyr, Berthold, 1470-1501 nachweisbar. Miniaturmaler. Hauptwerk ist das 1481 vollendete Missale für Erzbischof Bernhard von Rohr.

Gebel, Matthes, geb. gegen 1500, gest. 1574 in Nürnberg. Bildschnitzer oder Bildhauer und Medailleur. 1523 Bürger in Nürnberg.

Gertner, Peter, geb. um 1495/1500, gest. nach 1541. Maler. Tätig in Nürnberg, seit etwa 1530 im Dienst des Pfalzgrafen Ottheinrich in Neuburg a. D. Er schuf zahlreiche Bildnisse.

Giulio Romano, eigentlich *Pippi,* geb. 1499 in Rom, gest. 1546 in Mantua. Maler und Baumeister. Schüler und Mitarbeiter Raffaels in Rom. Seit 1524 in Mantua tätig.

Glockendon, Albrecht, 1515 erstmals erwähnt, gest. 1545 in Nürnberg. Miniaturist. Zeichner für den Holzschnitt und Formschneider. Druckte nach Vorlagen oder unter Verwendung von Holzstöcken seines Vaters Georg Glockendon.

Glockendon, Georg (Jörg) d. Ä., gest. 1514. Illuminist, Briefmaler, Zeichner für den Holzschnitt und Formschneider. 1484 Bürger in Nürnberg. Arbeitete auch für den Hof in Wittenberg.

Graf, Urs, geb. gegen 1485 in Solothurn, gest. 1527/28 in Basel (?). Zeichner für den Holzschnitt, auch Kupferstecher und Goldschmied. Seit 1509 in Basel tätig. Er nahm als Söldner an verschiedenen Feldzügen teil, u. a. an den Schlachten von Marignano und Bicocca.

Gripeswold, Jochim, geb. um 1490/95, gest. nach 1561. Goldschmied. 1518 Bürger, 1519 Meister in Lüneburg.

Großschedel, Wolfgang, geb. um 1490, gest. 1562 in Landshut. Plattner. Arbeitete 1517/18 in der Hofplattnerei in Greenwich. 1521 Bürger in Landshut. Eines seiner Hauptwerke ist der Harnisch für König Philipp II. von Spanien, 1551 (Madrid, Armeria).

Grünewald, eigentlich *Mathis Gothart-Neithart,* geb. um 1470/75, gest. 1528 in Halle an der Saale. Maler, der berühmte Schöpfer des Isenheimer Altars. Im Dienst des Kardinals und Kurfürsten Albrecht von Brandenburg in Mainz tätig. Nach dem Bauernkrieg als Lutheraner entlassen. Danach in Frankfurt a. M. und als »Wasserkunstmacher« in Halle tätig.

Hagenauer, Friedrich, geb. gegen 1500 in Straßburg, gest. nach 1546. Bildschnitzer und Medailleur. Tätig u. a. in München (1525/27), Augsburg (1527/32), Straßburg, Baden und Köln.

Hamman, Peter, geb. um 1620/30, gest. 1692. Schreiner, Baumeister und Kartograph. Seit 1613 in Worms nachgewiesen. Nach der Zerstörung der Stadt durch die Franzosen 1689 in Frankfurt a. M. ansässig. Hauptwerk ist die Vogelschau von Worms um 1630 (1690).

Hausbuchmeister, nachweisbar zwischen 1475 und 1490. Maler, Kupferstecher und Zeichner für Glasgemälde. Bedeutender mittelrheinischer Künstler der späten Gotik. Benannt nach dem »Wolfegger Hausbuch«, einer Pergamenthandschrift mit Planetendarstellungen, die eine Fülle sittenbildlicher Beobachtung enthalten.

Hering, Thomas (Doman), geb. um 1505/10 in Augsburg, gest. 1549 in München. Bildhauer. Schüler seines Vaters Loy Hering. Tätig in Augsburg und – seit spätestens 1536 – in München.

Hogenberg, Franz, geb. vor 1540 in Mecheln, gest. angeblich 1590 in Köln. Maler, Verleger, Kupferstecher. Um 1568 Aufenthalt in England und Antwerpen. Sein Name findet sich in den Verzeichnissen der von Herzog Alba Verbannten, die 1567/70 in Köln Zuflucht suchten.

Hogenberg, Nikolaus, geb. gegen 1500 in München, gest. 1539 in Mecheln. Maler und Kupferstecher. Tätig in Mecheln im Dienst der Stadt und der Margarethe von Österreich, Statthalterin in den Niederlanden.

Holbein, Ambrosius, geb. um 1494 in Augsburg, gest. wohl 1519. Maler und Zeichner für den Holzschnitt. Sohn des Malers Hans Holbein d. Ä., Bruder des jüngeren Hans. Seit etwa 1515 in Basel, wo er 1517 zünftig wird und 1518 das Bürgerrecht erwirbt.

Holbein, Hans d. Ä., geb. gegen 1465 in Augsburg, gest. 1524. Maler. Tätig in Augsburg, 1493 in Ulm, ab 1515 am Oberrhein und in der Schweiz. Schuf große Altarwerke. Ein Hauptmeister der Augsburger Malerschule am Übergang von der Spätgotik zur Renaissance.

Holbein, Hans d. J., geb. 1497/98 in Augsburg, gest. 1543 in London. Maler und Zeichner für den Holzschnitt. Seit 1515 in Basel tätig, 1526/28 und seit 1532 dauerhaft in London. Befreundet mit dem Humanisten Erasmus von Rotterdam. 1536 Hofmaler König Heinrichs VIII. von England. Berühmt als Bildnismaler.

Hopfer, Daniel, geb. um 1470 in Kaufbeuren, gest. 1536 in Augsburg. Waffenätzer und Radierer. Tätig in Augsburg. 1534 einer der drei Vertreter des großen Rates bei der Vollzugskommission zur Durchführung der Reformation im Sinne Zwinglis in den Augsburger Kirchen. Förderte die Reformation auch durch flugblattartige Darstellungen.

Huber, Wolf, geb. um 1480/85 in Feldkirch/Vorarlberg, gest. 1553 in Passau. Maler und Zeichner für den Holzschnitt. Seit spätestens 1515 bischöflicher Hofmaler in Passau. Ein Hauptmeister der sog. Donauschule.

Jenichen, Balthasar, gest. vor 1621. Goldschmied, Kupferstecher und Verleger in Nürnberg. Es gibt zahlreiche Porträts von seiner Hand, u. a. 37 berühmte Männer der Reformationszeit.

Kemmer, Hans, geb. um 1495, gest. 1561 in Lübeck. Maler. Von Lukas Cranach d. Ä. beeinflußt. Wurde gegen 1522 in Lübeck ansässig. Nach der Einführung der Reformation war er überwiegend als Porträtist tätig.

Kölderer, Jörg, geb. um 1465/70 in Tirol, gest. 1540 in Innsbruck. Maler, Miniaturist und Architekt. Tätig in Innsbruck. Stand spätestens seit 1497 in den Diensten des Königs, späteren Kaisers Maximilian. Er führte die Aufsicht über die

Mehrzahl von dessen künstlerischen Unternehmungen, lieferte Gesamtentwürfe für die Holzschnittwerke »Ehrenpforte« und »Triumphzug« und für das Innsbrukker Kaisergrabmal.

Kulmbach, Hans Suess von, geb. um 1480 wohl in Kulmbach/Oberfranken, gest. 1522 in Nürnberg. Maler, Zeichner für den Holzschnitt und für Glasgemälde. Schüler und Mitarbeiter Albrecht Dürers. Tätig in Nürnberg und für Auftraggeber in Krakau.

Lautensack, Paul d. Ä., geb. 1478 in Bamberg, gest. 1558 in Nürnberg. Eigentlich Organist. Vom Bamberger Bischof 1506/07 als Maler beschäftigt. 1528 Bürger in Nürnberg. Befaßte sich mit theologischen Spekulationen und wurde aufgrund der Veröffentlichung eines »bildpüchlein« vom Rat als Schwärmer und Sektierer aus der Stadt ausgewiesen, in die er später zurückkehren durfte.

Lemberger, Georg, geb. um 1494 in Landshut, gest. nach 1537 vermutlich in Magdeburg. Maler und Zeichner für den Holzschnitt. 1523 Bürger in Leipzig, das er 1532 als Anhänger der Reformation verlassen mußte, danach in Magdeburg tätig.

Loscher, Sebastian, geb. um 1480/85 in Augsburg, gest. 1548 ebenda. Bildhauer. Beteiligt an mehreren Brunnenbauten der Stadt Augsburg, für die er Bildsäulen lieferte. Arbeitete in Holz und Marmor.

Lucius, Jakob, geb. um 1530 in Siebenbürgen (Kronstadt?), gest. 1597 in Helmstedt. Drucker, Formschneider und Zeichner für den Holzschnitt. 1557 erstmals in Wittenberg nachgewiesen. Übersiedelte 1564 nach Rostock, 1578 nach Helmstedt.

Manuel, Niklaus, genannt Deutsch, geb. um 1484 in Bern, gest. 1530 ebenda. Maler, Zeichner für den Holzschnitt und für Glasgemälde. Tätig in Bern, wo er 1510 Ratsmitglied wurde. Nahm als Söldner an verschiedenen Feldzügen teil. Anhänger der Reformation, die er u. a. durch polemische Fasnachtsspiele förderte. 1523 Landvogt von Erlach. Nach der Einführung der Reformation in Bern 1528 Mitglied der neuen Regierung.

Meckenem, Israhel van, geb. um 1450, gest. 1503 in Bocholt. Kupferstecher und Goldschmied. Seit 1480 in Bocholt tätig. Schuf Kupferstichreproduktionen nach Werken bekannter Meister.

Meister des Angrer-Bildnisses, tätig in Brixen/Südtirol, um 1519/21. Maler. Benannt nach dem Bildnis des Brixener Domherrn Gregor Angrer (Innsbruck, Tiroler Landesmuseum). Der unbekannte Porträtist wurde versuchsweise mit Marx Reichlich identifiziert, der 1494 Bürger in Salzburg wurde, für Auftraggeber in Tirol und Kärnten tätig war und nach 1520 starb.

Meister der Barbara-Legende, tätig zwischen 1470 und 1500 in Brüssel. Maler. Benannt nach einem Altar mit Darstellungen aus dem Leben der hl. Barbara.

Meister von Frankfurt, geb. um 1460. Maler, tätig in Antwerpen. Benannt nach dem um 1505 entstandenen Annen-Altar für die Dominikaner-Kirche in Frankfurt a. M. Er ist vielleicht identisch mit Jan de Vos (1489 Meister, bis 1522 nachweisbar) oder Hendrik de Wueluwe (1483 Meister, gest. 1533).

Meister Franz (Herdegen?), tätig Ende 15. Jh., Nürnberger Goldschmied. Offenbar der ausführende Künstler bei der Herstellung der Monstranz in Neunkirchen am Brand unter Mitarbeit des Hans Beyer.

Meister der Gregorsmessen, um 1525/30 für Kardinal Albrecht von Brandenburg tätiger Maler der Cranach-Schule. Benannt nach zwei Darstellungen der Gregorsmesse mit dem Bildnis des Kardinals, die vermutlich für die 1518 erbaute Stiftskirche in Halle gemalt wurden.

Meister des Hochaltars von St. Jakob in Nürnberg, tätig in der 2. Hälfte des 14. Jh. Maler. Benannt nach dem um 1370 entstandenen Hochaltar der Kirche St. Jakob in Nürnberg.

Meister der Kemptener Kreuzigung, tätig im Allgäu im 3. Viertel des 15. Jh. Maler. Benannt nach einem aus Kempten stammenden Gemälde mit der Kreuzigung Christi (Nürnberg, Germanisches Nationalmuseum).

Meister von Liesborn, tätig zwischen 1460 und 1500 in Westfalen. Maler. Benannt nach dem 1465 geweihten Hochaltar der Benediktinerkirche in Liesborn bei Münster.

Meister der Ursula-Legende, tätig um 1480/90 in Brügge. Maler, Hans Memling nahestehend. Benannt nach zwei Altarflügeln mit Darstellungen aus dem Leben der hl. Ursula (Brügge, Stedelijk Museum voor Schone Kunsten).

Meister des Veldener Hochaltars, tätig in Nürnberg im 3. Viertel des 15. Jh. Maler. Benannt nach zwei Hochaltarflügeln in der Kirche zu Velden a. d. Pegnitz.

Meister des Wolfgang-Altars, tätig um die Mitte des 15. Jh. Maler in Nürnberg. Benannt nach dem um 1460 entstandenen Wolfgang-Altar in St. Lorenz zu Nürnberg.

Merian, Matthäus d. Ä., geb. 1593 in Basel, gest. 1650 in Schwalbach. Kupferstecher und Buchhändler. 1626 Bürger in Frankfurt a. M. Berühmt sind seine topographischen Ansichten.

Mesi, (Musi) Agostino dei, geb. um 1490 in Venedig, gest. nach 1536 in Rom. Kupferstecher. Seit 1516 in Rom, wo er sich Marcantonio Raimondi anschloß. Infolge des Sacco di Roma 1527/30 in Bologna oder Florenz.

Mielich, Hans, geb. 1516 in München, gest. 1573 ebenda. Maler. Um 1536 bei Albrecht Altdorfer in Regensburg. In München auch für den herzoglichen Hof tätig. Der von ihm für die Liebfrauenkirche in Ingolstadt geschaffene Hochaltar ist ein frühes Zeugnis der Gegenreformation.

Mone, Jan, geb. gegen 1500 in Metz, gest. wohl 1548 in Mecheln. Bildhauer. Seit 1524 in Mecheln und beinahe ausschließlich für den habsburgischen Hof tätig. Arbeitete in Marmor und Alabaster.

Monogrammist AA, um 1519 tätiger Maler. Er wird neuerdings mit dem in Wels an der Donau nachgewiesenen Andre Astel identifiziert.

Monogrammist AW, tätig um die Mitte des 16. Jh. Zeichner für den Holzschnitt und/oder Formschneider.

Monogrammist BP, tätig um die Mitte des 17. Jh. Goldschmied.

Monogrammist B V D, tätig in der 2. Hälfte des 16. Jh. in Württemberg. Zeichner für den Holzschnitt und/oder Formschneider. Dasselbe Monogramm findet sich auf einem Flugblatt.

Monogrammist DB, tätig um die Mitte des 16. Jh. Zeichner für den Holzschnitt und/oder Formschneider.

Monogrammist H, tätig um 1524 in Erfurt, Anfang der 30er Jahre in Magdeburg. Zeichner für den Holzschnitt.

Monogrammist HA, tätig um die Mitte des 16. Jh., Maler und Zeichner für den Holzschnitt. Von Lukas Cranach d. Ä. beeinflußt. Schuf Holzschnitte u. a. zu Luthers Kleinem Katechismus von 1544 und 1545 sowie für das Lutherische Gesangbuch von 1545.

Monogrammist HSD, tätig um 1570/80 in Holland. Kupferstecher.

Monogrammist I W, tätig um die Mitte des 16. Jh. Zeichner für den Holzschnitt und/oder Formschneider. Das Monogramm ließ sich bisher nicht überzeugend auflösen.

Monogrammist MS, tätig um 1530/50 vermutlich in Wittenberg. Zeichner für den Holzschnitt und Maler, wohl donauländischer Herkunft.
Monogrammist MZ, um 1500 tätiger süddeutscher (Münchner?) Kupferstecher. Er wird mit Matthäus Zasinger identifiziert.
Monogrammist WS, um 1580 tätiger Kupferstecher, der versuchsweise mit dem um 1587/97 in Nürnberg tätigen Wolfgang Stuber identifiziert wurde.
Müller, Michael, nachweisbar zwischen 1536 und 1574. Hofmaler Landgraf Philipps des Großmütigen von Hessen. Schüler Lukas Cranachs d. Ä.
Negker, Jost de, geb. um 1485 in Antwerpen, gest. 1544 oder bald danach in Augsburg. Formschneider und Verleger. Seit etwa 1508 in Augsburg tätig. Überwachte weitgehend die Ausführung der großen Holzschnittwerke für Kaiser Maximilian I.
Neufarer, Ludwig, geb. um 1505, gest. 1563 in Prag. Medailleur, Münzstempelschneider, Münzwardein und Goldschmied. Tätig in Bayern, Österreich und Prag. Seit 1545 im Dienst König Ferdinands. 1548-1557 in Wien, dann in Prag.
Ostendorfer, Michael, geb. um 1495, gest. 1559 in Regensburg. Maler und Zeichner für den Holzschnitt. Tätig in Regensburg. Ab 1519 als Meister und Maler beim Bau der »Schönen Maria« beschäftigt. Parteigänger der Reformation.
Pencz, Georg, geb. um 1500, gest. 1550 in Breslau oder Leipzig. Maler, Kupferstecher und Zeichner für den Holzschnitt. Er wurde 1525 wegen atheistischer und anarchistischer Äußerungen aus Nürnberg ausgewiesen, durfte aber noch im selben Jahr zurückkehren. 1532 Stadtmaler. 1550 als Hofmaler Albrechts von Preußen nach Königsberg berufen, starb er auf dem Weg dorthin.
Petrarca-Meister, im 1. Drittel des 16. Jh. tätiger Augsburger (?) Zeichner für den Holzschnitt. Benannt nach den Illustrationen zur deutschen Ausgabe von Petrarcas »Von der Artzney bayder Glück«, welche 1532 erschien. Der Künstler wurde zeitweise mit Hans Weiditz identifiziert.
Pfinzing, Paul, geb. 1554 in Nürnberg, gest. 1599 ebenda. 1587 Ratsmitglied und Beamter der Stadt in Kunstsachen. Zeichnete Grundrisse und Pläne, die im sogenannten »Pfinzing-Atlas« zusammengefaßt sind.
Pleydenwurff, Hans, gest. 1472 in Nürnberg. Maler. Ein Hauptmeister der fränkischen Schule im 15. Jahrhundert. Er war zunächst in Bamberg, seit 1457 in Nürnberg tätig.
Pleydenwurff, Wilhelm, gest. 1494 in Nürnberg. Maler und Zeichner für den Holzschnitt. Schüler seines Vaters Hans Pleydenwurff. Zeitweilig als Mitarbeiter seines Stiefvaters Michael Wolgemut in dessen Werkstatt tätig. Beteiligt an den Holzschnitten des »Schatzbehalters« und der Schedelschen Weltchronik.
Porta, Guglielmo della, geb. um 1515 in Porlezza am Luganer See, gest. 1577 in Rom. Bildhauer und Architekt. Seit 1537 in Rom tätig. Arbeitete in Marmor und Bronze.
Predis, Ambrogio de', geb. um 1455, gest. nach 1508. Maler. Er stand in Diensten des Lodovico Sforza gen. il Moro, Herzogs von Mailand. Seit 1494 war er auch für König Maximilian, den späteren Kaiser, tätig.
Ring, tom, Ludger d. J., geb. 1522 in Münster, gest. 1584 in Braunschweig. Lernte bei seinem Vater Ludger tom Ring d. Ä. Verließ Münster wohl aufgrund seines protestantischen Bekenntnisses. 1572 Bürger in Braunschweig.
Sachs, Peter, um 1512/14 nachweisbar. Goldschmied. Tätig in Freiburg i. Br.
Schäufelein, Hans, geb. um 1480/85, gest. um 1538/40 in Nördlingen. Maler und Zeichner für den Holzschnitt. Schüler und Mitarbeiter Albrecht Dürers in Nürnberg. Um 1508/15 in Augsburg tätig, seit 1515 Stadtmaler in Nördlingen. Er war an großen Holzschnittwerken für Kaiser Maximilian I. beteiligt.
Schaffner, Martin, geb. 1477/78 in Ulm, gest. zwischen 1546 und 1549 ebenda. Maler. Der prominenteste Vertreter der Ulmer Schule in der 1. Hälfte des 16. Jahrhunderts. Bei der Abstimmung über den Augsburger Reichstagsabschied 1530 stand er auf seiten der Altgläubigen.
Schenk, Hans, genannt Scheutzlich, geb. um 1500 in Schneeberg i. Sachsen, gest. vor 1572. Bildhauer und Medailleur. Tätig am Hof Herzog Albrechts von Preußen in Königsberg. 1543 Bürger in Berlin. Hofbildhauer des Kurfürsten Joachim II. von Brandenburg.
Schön, Erhard, geb. 1491 oder später in Nürnberg, gest. 1542 ebenda. Zeichner für den Holzschnitt. Tätig in Nürnberg. Viele seiner der protestantischen Sache dienenden Flugblätter tragen Verse von Hans Sachs.
Schongauer, Martin, geb. um 1435 in Kolmar, gest. 1491 in Breisach. Maler und Kupferstecher. Tätig in Kolmar, seit 1489 in Breisach mit Wandmalereien im Münster beschäftigt. Seine Kupferstiche übten den größten Einfluß auf die spätgotischen Künstler Deutschlands aus.
Schwarz, Hans, geb. um 1492 in Augsburg, gest nach 1532. Medailleur und Kleinplastiker. Tätig in Augsburg und Nürnberg (1519/20 und 1523), später vielfach im Ausland.
Sebastiano del Piombo, eigentlich Luciani, geb. um 1485 in Venedig, gest. 1547 in Rom. Maler. Seit 1511 in Rom tätig. Er führt seinen Namen nach dem ihm 1531 verliehenen Amt des päpstlichen Siegelbewahrers.
Seisenegger, Jakob, geb. 1505, gest. 1567 in Linz OÖ. Maler. Seit 1531 in den Diensten König Ferdinands, des späteren Kaisers Ferdinand I. Für die europäische Hofkunst bedeutsam waren seine Bildnisse in ganzer Figur.
Springinklee, Hans, geb. um 1490/95 in Nürnberg, gest. um 1540. Zeichner für den Holzschnitt. Tätig in Nürnberg. Mitarbeiter Dürers an den Holzschnittwerken für Kaiser Maximilian I.
Stoß, Veit, geb. vor 1450 vermutlich in Horb am Neckar, gest. 1533 in Nürnberg. Bildschnitzer und Bildhauer. Einer der großen deutschen Künstler der Spätgotik. Schuf 1477/89 den Hochaltar für die Marienkirche in Krakau. Seit 1426 in Nürnberg tätig, wo u. a. der Engelsgruß für die Lorenzkirche entstand.
Strigel, Bernhard, geb. 1460/61 in Memmingen, gest. 1528 ebenda. Maler. Ein Hauptmeister der schwäbischen Malerschule. Besonders bekannt wurden seine Bildnisse Kaiser Maximilians I. Mitglied des Memminger Rates seit 1517, suchte Strigel in den frühen Jahren der Reformation zwischen den Parteien zu vermitteln. So vertrat er die Sache des Reformators Christoph Schappeler gegenüber dem Bischof von Augsburg 1523 in Dillingen.
Sustris, Lambert, geb. um 1515/20 in Amsterdam, gest. nach 1568 in Padua oder erst 1591 in Venedig. Maler. Tätig in Venedig, später auch in Padua. Schüler und Mitarbeiter Tizians, den er 1548 und 1550 auf die Reichstage nach Augsburg begleitete.
Tizian, eigentlich *Tiziano Vecellio,* geb. um 1487/90 in Pieve di Cadore im Friaul, gest. 1576 in Venedig. Maler. Hauptmeister der Renaissance in Venedig. Seit 1533 Hofmaler Kaiser Karls V. und in dieser Funktion auf den Augsburger Reichstagen von 1547/48 und 1550/51. Damals malte er das Reiterbildnis Karls V. in der

Schlacht von Mühlberg (Madrid, Prado).

Trunck, Lorenz, 1528 Meister in Nürnberg, gest. 1574. Goldschmied.

Türing, Niklas, seit 1488 in Innsbruck nachweisbar, gest. 1517/18 ebenda. Steinmetz. »Seiner Majestät oberster Werkmeister«. An dem für Kaiser Maximilian 1500 geschaffenen Goldenen Dachl in Innsbruck hat er sein Wappen angebracht. Ob die figürliche Plastik von ihm stammt, ist ungewiß.

Vermeyen, Jan Cornelisz, geb. um 1500 in Beverwyk, gest. 1559 in Brüssel. Seit etwa 1525 im Dienst der Stadthalterinnen in den Niederlanden, Margarete und Maria von Österreich, und für Kaiser Karl V. tätig.

Vischer, Peter d. J., geb. 1487 in Nürnberg, gest. 1528 ebenda. Rotschmied, Bronzebildner. Lernte bei seinem Vater Peter Vischer d. Ä. Arbeitete mit seinem Bruder Hermann am Sebaldusgrab (Nürnberg, St. Sebald) und schuf das Grabmal Friedrichs des Weisen in Wittenberg.

Vogtherr, Heinrich, nannte sich auch Heinricus Satrapitanus, geb. 1490 in Dillingen an der Donau, gest. 1556 in Wien. Maler, Zeichner für den Holzschnitt und Formschneider, Radierer, Buchdrucker, geistlicher Dichter und Augenarzt. Tätig in Wimpfen (1522/25), Straßburg und Wien (seit 1550).

Waldseemüller, Martin (Hylacomilus), geb. um 1470 in Rudolfzell, gest. 1518 in St. Dié (Lothringen). Katograph, Reformator. Autor zweier Weltkarten und einer Europakarte.

Weiditz, Christoph I, geb. um 1500 wahrscheinlich in Straßburg oder in Freiburg i. Br., gest. 1559 in Augsburg. Medailleur, Bildschnitzer, Gold- und Silberschmied. Tätig in Straßburg, 1526/29 in Augsburg, seit 1529 im Dienst Kaiser Karls V., seit 1532 ständig in Augsburg.

Weiditz, Hans II, geb. vor 1500 wahrscheinlich in Freiburg i. Br., arbeitete bis 1536. Maler und Zeichner für den Holzschnitt. 1518 in Augsburg, Geselle Burgkmairs. 1522 Meister in Straßburg.

Weinher, Peter d. Ä., geb. in Breslau, gest. 1583 in München. Kupferstecher. Er war seit 1572 als herzoglich bayerischer Münzwardein in München tätig.

Wertinger, Hans, oder Hans Schwab von Wertingen, gen. Schwabmaler, geb. um 1465 vermutlich in Wertingen bei Augsburg, gest. 1533 in Landshut. Maler, auch Zeichner für den Holzschnitt und für Glasgemälde. 1491 Bürger in Landshut. Tätig für den herzoglichen Hof in Landshut und für den Bischof von Freising.

Woensam, Anton, gen. »von Worms«, geb. vor 1500 vermutlich in Worms, gest. 1541 oder kurz vorher. Maler und Zeichner für den Holzschnitt. Seit 1517/18 in Köln tätig.

Wolgemut, Michael, geb. 1434 in Nürnberg, gest. 1519 ebenda. Maler und Zeichner für den Holzschnitt. Ein Hauptmeister der Spätgotik in Nürnberg, Lehrer Albrecht Dürers. Er erhielt Aufträge für gemalte und geschnitzte Altäre, lieferte Zeichnungen für Holzschnitte des »Schatzbehalter« und der Schedelschen Weltchronik.

Zasinger, Matthäus, nachgewiesen in München zwischen 1498 und 1555. Goldschmied und Drucker. Vermutlich identisch mit dem Monogrammisten MZ.

Ziegler, Clemens, nachweisbar zwischen 1480 und 1535. Gärtner und Schriftsteller in Straßburg. Versah seine Schriften mit eigenhändigen Zeichnungen.

Glossar

Ablaß: Nachlaß der zeitlichen Sündenstrafen, die noch abzubüßen sind, nachdem die Schuld bereits vergeben ist. Die spätmittelalterliche Theologie vertrat die Auffassung, daß die überschüssigen Verdienste Christi und der Heiligen den Schatz der Kirche darstellen, aus dem der Papst Gläubigen, die noch Strafen abzubüßen haben, Hilfe zuteil werden lassen kann. Am Ende des Mittelalters wurden auch Ablässe für Fegefeuerstrafen sowie für verstorbene Angehörige im Fegefeuer gewährt, und zwar vorwiegend gegen Geld. Die Ablässe waren eine der wichtigsten Einnahmequellen der spätmittelalterlichen Kirche, aber auch weltlicher Herrscher
Ablaßkommissar: Vom Papst förmlich beauftragter Prediger zur Verkündigung eines Ablasses in einem genau bezeichneten Territorium
Absolution: Lossprechung von Sündenschuld und -strafe im Bußsakrament
Adjuvanten: Erwachsene Mitwirkende in einer Kontorei
Adorant: lat. »Anbetender«. Kniende Gestalt auf Kunstwerken, meist deren Stifter, die den dargestellten heiligen Personen oder Handlungen anbetend beigegeben ist
Agende: Kirchenbuch, das die Ordnungen der Gottesdienste enthält
Agnaten: Verwandte aufgrund einer durch Männer vermittelten Abstammung von einem gemeinsamen Stammvater
Akzise: Indirekte Verbrauchssteuer, in Deutschland seit dem 13. Jh. auf Lebensmittel, Getränke, Vieh und Handelsware erhoben
Allegorese: Allegorische Deutung
Allegorie: Verbildlichung eines abstrakten Begriffs oder Vorgangs, oft in Form einer Personifikation
Allmende: Teil der Gemeindeflur im Gemeineigentum der Dorfgenossen.
Amanuensis: Schreibgehilfe, Sekretär
Anniversarium: Liturgische Gedächtnisfeier anläßlich der Jährung eines Todestages, Begräbnisses oder eines Weiheaktes
Antependium: Stoff-, Holz- oder Metallverkleidung der Altarvorderseite
Antitypus, s. Typologie
Apokalypse: griech. »Offenbarung«. Letztes Buch des Neuen Testaments, die Offenbarung des Johannes (auf Patmos)
Apokryphen: Im protestantischen Sprachgebrauch bestimmte biblische Schriften, die um 200 v. Chr.-200 n. Chr. entstanden sind und von Luther aus dem traditionellen Kanon der Bibel ausgeschieden wurden
Appellation: Im rechtlichen (auch kirchenrechtlichen) Prozeß die Anrufung einer höheren Instanz
Arbitrage: Durch Ausnutzung des Preisunterschieds einer Ware an verschiedenen Orten durch möglichst gleichzeitigen An- und Verkauf erzielter Gewinn
Arrogation: Annahme einer Person, die nicht in väterlicher Gewalt gestanden hat, an Kindes Statt
Askese: griech. »Übung«. Einschränkung der Befriedigung körperlicher Bedürfnisse oder vollständiger Verzicht darauf
Autograph: Vom Verfasser eigenhändig geschriebenes Schriftstück
Bakkalaren: Inhaber des niedersten akademischen Grades, des »Baccalaureus«
Bann, großer und kleiner: Im Kirchenrecht seit dem 13. Jh. Bezeichnung für große bzw. kleine Exkommunikation
Bibelkonkordanz: Verzeichnis der in der Bibel enthaltenen Wörter (Verbalkonkordanz) oder Begriffe und Sachen (Realkonkordanz)
Bibelrevision: Überarbeitung der Bibelübersetzung
Buchführer: Im 15. und 16. Jh. Bezeichnung für Buchhändler
Bulla (Bulle): lat. »Siegel«. Ursprünglich im Mittelalter Bezeichnung für Metallsiegel, wie sie u. a. in der päpstlichen Kanzlei verwendet wurden (Bleisiegel). Seit dem 13. Jh. Bezeichnung für bestimmte päpstliche Urkunden, seit dem 15. Jh. für alle die, die mit Blei gesiegelt wurden
Burse: Im 14.-17. Jh. Bezeichnung für ein Studentenheim bei der Universität
Canticum: Psalmenähnliches biblisches Stück außerhalb der 150 Psalmen
Cantio: Spätmittelalterliches, volkstümliches Lied in Latein oder Deutsch am Rande der Liturgie
Cantus firmus: Melodietragende Hauptstimme in einem mehrstimmigen Tonsatz
Charisma: Die als übernatürlich empfundene oder außerhalb des Gewöhnlichen stehende Qualität oder Ausstrahlung eines Menschen
Codex: Handgeschriebenes Buch
Condottiere: Italienischer Söldnerführer
Confutatio: lat. »Widerlegung«. Kath. Bestreitung der Confessio Augustana von 1530, die im Namen des Kaisers ausging
Dedikation: Widmung, Zueignung
Dekalog: Die Zehn Gebote
Devotio moderna: Im späten Mittelalter in den Niederlanden entstandene, bald weit verbreitete Bewegung zur Reform der Frömmigkeit, die im 15. Jh. auch in Deutschland verbreitet war. Sie erstrebte eine durch Hinwendung zur Erfahrung verinnerlichte Frömmigkeit und erfaßte vor allem Laien. In Brüder- und Schwesternhäusern wurde ein nicht-klösterliches gemeinsames Leben geführt
Diakon: griech. »Diener«. Kirchlicher Amtsträger, der für bestimmte liturgische Dienste ordiniert ist. In der Reformationszeit mancherorts Bezeichnung für den beamteten Armenpfleger, der auch Kranke betreute und die Unterstützungsgelder verwahrte
Diözese: Amtsbezirk eines Bischofs
Diptychon: Zweiteiliges oder zweiflügeliges Altarbild. Ursprünglich zwei mit Scharnieren verbundene, rechteckige Schreibtäfelchen
Dispens: Entbindung von Gesetzen des regionalen oder allgemeinen Kirchenrechts. Der Papst kann von allen kirchlichen Gesetzen dispensieren
Disputation: Streitgespräch zwischen Gelehrten zur Klärung wissenschaftlicher Fragen, gewöhnlich auf der Grundlage von Thesen
Divination: Das Erahnen des Heiligen und Göttlichen
Dogma: Glaubenssatz, der von der Kirche als geoffenbarte und für die Gläubigen verbindliche Glaubenswahrheit formuliert worden ist
Drolerie: Groteske Darstellung von Menschen, Tieren oder Fabelwesen in der bildenden Kunst des Mittelalters, oft von satirisch-moralischer Bedeutung
Drost: Amtmann
Dualismus: Zweiheitslehre. Die Vorstellung einer schroffen Entgegensetzung zweier Weltprinzipien
Elevation: Emporheben der Hostie und des Kelches durch den Geistlichen bei den Einsetzungsworten im eucharistischen Gottesdienst
Epitaph: Gedenkbild für einen Verstorbenen, üblicherweise mit Inschrift
Eschatologie: Lehre von den Letzten Dingen, vom Weltende

Eucharistie: Abendmahl
Exegese: Auslegung (der Bibel)
Exkommunikation, große und kleine: Schwere Kirchenstrafe. Ausschluß aus der sichtbaren Gemeinschaft der Gläubigen. Kleine E.: Ausschluß von den Sakramenten und Amtsenthebung. Große E.: darüberhinaus Ausschluß vom Gottesdienst und vom kirchlichen Begräbnis
Exlibris: Bucheignerzeichen
Explicit: Vermerk am Schluß alter Handschriften und Drucke, der darauf hinweist, daß der Text zu Ende ist; s.a. Incipit
Exsultet (Exultet): Lobpreis der Osterkerze, der in der lat. Liturgie zu Beginn der Osternachtfeier vom Diakon gesungen wird
Faktor: lat. »Macher«. Ein mit der selbständigen Verwaltung einer auswärtigen Handelsniederlassung betrauter Gehilfe
Figuralmusik: Im Gegensatz zur Choralmusik (gregorianischer Choral) die mehrstimmige liturgische Musik des ausgehenden Mittelalters und der Reformationszeit, ausgeführt vom Figuralchor, der meist mit Singstimmen und Instrumenten gemischt besetzten Kantorei
Folio: Großformat von Büchern (Handschriften und Drucken) sowie Einzelblättern (ca. 35 bis 45 cm). Allg. Bezeichnung für »Blatt« bei Zählung der Blätter eines Buches anstatt der Seiten
Gaffel: Gilde, Zunft
Geistliche Jurisdiktion: Leitungsgewalt der Kirche in Bezug auf deren rechtliche Ordnung
Geistlicher Vorbehalt: Bestimmung des Augsburger Religionsfriedens von 1555, daß der Konfessionswechsel eines geistlichen Reichsfürsten den Verlust seiner geistlichen und weltlichen Ämter nach sich ziehen sollte. Die Protestanten stimmten dem G.V. nicht zu, akzeptierten jedoch, daß er als eine in kaiserlicher Vollmacht abgegebene Erklärung König Ferdinands in den Religionsfrieden aufgenommen wurde
Glossen: Bezeichnet schon in der Antike die Erklärung von Worten. Bei der mittelalterlichen Text-, insbesondere Bibelerklärung unterschied man verschiedene Erläuterungen: die kurze Zeilenglosse (Interlinearglosse) diente der paraphrasierenden Erläuterung des Textes, die ausführlichere Randglosse (Marginalglosse), jeweils am Rande oder auf dem unteren Teil der Seite, diente der kurzen Sach- und Begriffserläuterung. In den Scholien zu einzelnen Versen oder Abschnitten wurde die eigentliche (theologische) Kommentierung vorgenommen. Wichtigster Bibelkommentar nach diesem Schema war die Glossa ordinaria, die im 12. Jh. zusammengestellt wurde
Gravamina: lat. »Beschwerden«. Seit der Mitte des 15. Jh. wurden die sogenannten »G. der deutschen Nation wider den römischen Hof« gegen das Besteuerungsverfahren, die Prozeß- und Verwaltungs-Praxis der Kurie vorgebracht. Daneben entstand eine Fülle weiterer G. gegen kirchliche Mißstände, aber auch von Geistlichen gegen Weltliche, namentlich gegen Übergriffe der weltlichen Obrigkeiten in geistlichen Angelegenheiten.
Guardian: Im Franziskanerorden der Obere eines Konventes
Habit: Ordenstracht
Häresie: Der Lehre der Kirche widersprechende Glaubenslehre
Hegemonie: Politische Vormachtstellung eines Staates innerhalb eines größeren Raumes
Heiligtumsbücher (Heiltumsbücher): Verzeichnisse der Reliquien einer Kirche
Heilsspiegel: 1324 in Straßburg entstandene und bis ins 16. Jh. beliebte Schrift, die in Versen und Bildern die Heilsgeschichte darstellt, wobei in den neutestamentlichen Teilen je ein Ereignis von drei alttestamentlichen Vorbildern (Praefigurationen) begleitet wird
Hofweise: Sondertypus des deutschen begleiteten Tenor-Solo-Liedes im späten 15. und in der 1. Hälfte des 16. Jh. mit kompliziertem Text- und Melodieaufbau
Homiletik: Lehre von der Predigt
Horapollon: Verfasser der »Hieroglyphica« (2. oder 4. Jh. n. Chr.), eines Werkes, das Deutungen zu ägypt. Schriftzeichen bot
Horen, s. Stundengebet
Hostie: Bei der Meßfeier gebrauchtes, ungesäuertes, scheibenförmiges Brot
Humanismus: Die im Spätmittelalter zunächst in Italien aufgekommene, im späteren 15. Jh. auch diesseits der Alpen verbreitete geistige Richtung, die sich an der christlichen und heidnischen Antike orientierte und hierdurch eine allgemeine Erneuerung der Wissenschaft und Kunst sowie der sittlichen und religiösen Zustände anstrebte
Hymnus: Lateinisches Strophenlied (seit dem 4. Jh.), vorwiegend im Stundengebet verwendet
Ikonographie: griech. »Bildbeschreibung«. Deutung und Klassifizierung der Inhalte bildlicher Darstellungen und ihrer Elemente
Incipit: lat. »es beginnt«. Anfangsvermerk am Beginn von alten Handschriften und Drucken, der den Text einleitet und den Titel angibt; s.a. Explicit
Indult: Im kath. Kirchenrecht Befreiung von einer Gesetzesbestimmung oder Berechtigung zur Ausübung kirchlicher Handlungen, die an sich einem Ranghöheren zustehen würden
Inkunabeln: Wiegendrucke. Die ältesten gedruckten Bücher oder Einblattdrucke (um 1450-um 1500)
Insignien: Gegenstände, die Macht, Würde oder Stand einer Person oder Institution kennzeichnen
Interdikt: Kirchenstrafe, durch die den Gläubigen bestimmte heilige Handlungen vorenthalten werden, namentlich die Spendung der Sakramente oder überhaupt der Gottesdienst. Als sog. Generalinterdikt über ein ganzes Gebiet – z.B. über eine Pfarrei, eine Stadt, eine Diözese – oder über eine Personengemeinschaft – z.B. über ein geistliches Kollegium oder den Klerus einer Stadt – kann das I. auch Unschuldige treffen.
Interim: Durch Kaiser Karl V. 1548 erlassene vorläufige Ordnung für Lehre, Gottesdienst und Kirchenordnung der Protestanten, das u.a. die Wiedereinführung des römischen Gottesdienstes in bestimmten evangelischen Kirchen verlangte. Das I. sollte bis zur Entscheidung des Glaubensstreits durch ein Konzil gelten, wurde faktisch aber schon durch den Passauer Vertrag 1552 wieder aufgehoben.
Interrogatorium: Bei Inquisitionen und Visitationen verwendeter Fragenkatalog
Interzession: Das Eintreten Christi (und der Heiligen) für die Sünder bei Gott
Kabbala: hebr. »Überlieferung«. Seit dem 13. Jh. Bezeichnung für jüdische Mystik
Kanon der Messe: Eucharistisches Hochgebet, eingeleitet durch das »Te igitur« und beendet mit der Elevation und dem zustimmenden »Amen« der anwesenden Gläubigen
kanonisch: Zum Kanon der hl. Schriften der Bibel gehörend (s.a. Apokryphen); auch: gültig im Sinn des Kirchenrechts
Kantor: Im Mittelalter liturgischer Solist und Leiter der Chorschola, seit der Reformation Musiklehrer an einer städtischen Lateinschule, der mit seinen Schülern (Kantorei) die mehrstimmige liturgische Musik ausführt
Kantorei: Unter der Leitung des Kantors stehender, aus den Schülern einer städtischen Lateinschule und Adjuvanten bestehender Schulchor, der im Gottesdienst die

mehrstimmige Musik singt und den Gemeindegesang anführt

Kanzlei: Schreibstube, Verwaltungsstelle, zentrale Behörde

Kasel: Mantelartiges, beim Gottesdienst vom Priester getragenes Obergewand

Katechismus: Lehrbuch des christlichen Glaubens, vorwiegend in der Form der Erklärung der Hauptstücke: Zehn Gebote, Unservater, Glaubensbekenntnis, Taufe, Abendmahl, Beichte

Katenat: Zur Sicherung vor Diebstahl am Lesepult angekettetes Buch

Kirchenprovinz: Zusammenfassung mehrerer Diözesen zum Amtsbezirk eines Erzbischofs

Kirchenvogt: Adeliger Laie, der die weltlichen Angelegenheiten für eine Kirche oder ein Kloster erledigt

Kollane: Ordensband

Kollekte: Knappes liturgisches Gebet, in der Meßordnung am Anfang des Leseteils; auch: kirchliche Sammlung

Kolophon: griech. »Ende«. Schlußschrift am Ende des Textes alter Handschriften und Drucke, die Angaben über Titel, Verfasser, Schreiber, Drucker sowie über Ort und Zeit der Herstellung enthält

Kolumne: Seitenspalte im Buch

Kolumnentitel: Über oder unter einer Kolumne angebrachte Seitenzahl, oft mit einer kurzen Inhaltsangabe für die betreffende Seite

Komtur: Vorsteher eines Herrschaftsbezirks in einem geistlichen Ritterorden

Konjunktion: Verbindung zweier Planeten

Konkordanz, s. Bibelkonkordanz

Konkordat: Vertrag zur Regelung gemeinsamer Interessen zwischen dem Papst und einem Staat

Konkubinat: Außereheliche Lebensgemeinschaft eines Mannes mit einer Frau

Konsistorium: Versammlung der Kardinäle, in der Regel unter päpstlichem Vorsitz. Im Luthertum: kirchliche Behörde

Kontrafaktur: Lied, das entstanden ist, indem zur Melodie eines bereits vorhandenen Liedes ein neuer Text gemacht wurde, der den ursprünglichen Text abwandelt oder einzelne Aussagen daraus in einem neuen, aber zum alten in einer bestimmten Beziehung stehenden Zusammenhang verwendet

Kontubernium: Hausgemeinschaft, Gesellschaft; Nebenbezeichnung für Burse

Kumulation von Pfründen: Die Häufung von Pfründen in einer Hand

Kuppa: Zur Aufnahme der Flüssigkeit bestimmte Schale des Kelches

Kuriatstimme: Gemeinsame Stimme, die einer Mehrzahl von Stimmberechtigten zusteht und nur einheitlich abgegeben werden kann

Kurrende: Umsingen eines meist aus Kindern und Schülern bestehenden Chores auf Straßen und Plätzen und bei oder in bestimmten Häusern eines Dorfes oder einer Stadt, vorzugsweise in Festzeiten, in der Erwartung, von den Zuhörern kleine Natural- oder Geldgaben zu erhalten

Laudes: lat. »Lobgesänge«. Morgengottesdienst der lat. Liturgie

Legat, der: Päpstlicher Gesandter, im Hinblick auf wichtige Anliegen mit umfassenden Vollmachten ausgestattet

Legenda Aurea: lat. »Goldene Legende«. Von Jacobus da Voragine um 1270 angelegte und bearbeitete Sammlung von biblischen und Heiligenlegenden. Eine der Hauptquellen für die Ikonographie der christlichen Kunst im späten Mittelalter

Leise: Seit dem 11. Jh. bezeugte volkssprachliche Strophe, die in eine Festtags-Sequenz (lateinischer Wechselgesang des Chores zwischen den Lesungen der Messe) eingeschoben wird und rasch große Popularität erreichte, so daß manche dieser Leisen auch sonst vom Volk häufig gesungen wurden. Die Bezeichnung »Leise« stammt von dem regelmäßig diese Strophen abschließenden Kyrieleis-Ruf.

Libertinismus: Im Christentum die Vorstellung, daß der Erlöste nicht an die allgemein anerkannten und mit christlicher Tradition begründeten sittlichen Normen gebunden sei

Mandat: Rechtsverordnung, Erlaß, Auftrag eines Abgeordneten

Matrikel: Amtliches Verzeichnis über Personen oder Einkünfte

Memento mori: lat. »Denke an das Sterben«

Metropolit: Erzbischof

Metrum: Grundordnung der Strophe eines Liedes, welche durch alle Strophen hindurch gleich bleibt

Mette: Gottesdienst des kirchlichen Stundengebetes kurz nach Mitternacht oder in den frühen Morgenstunden

Missale: Liturgisches Buch mit den Gebeten, Lesungen und Gesängen für die Meßfeier

Monstranz: Schaugefäß für die große konsekrierte Hostie, die in einem Aufsatz hinter Glas sichtbar ist

Nimbus: Heiligenschein

Nominalismus: Philosophische Richtung der Scholastik, die den durch Allgemeinbegriffe bezeichneten Seinsbestimmungen die Realität absprach

Nomination: lat. »Nennung«. Vorschlag einer Person für ein (kirchliches) Amt

Obedienz (Oboedienz): lat. »Gehorsam«. Allg. der kanonische oder klösterliche Gehorsam gegenüber Vorgesetzten. Speziell auch Bezeichnung für die Anhängerschaft und den faktischen Machtbereich eines Papstes und Gegenpapstes bei zwiespältiger Wahl

Observanten: Urspr. Zweig des Franziskanerordens, der sich im 14. Jh. von den eingeführten Milderungen der Ordensregel abwandte und diese streng beachten wollte. Im späten Mittelalter gab es O. auch in anderen Orden; sie traten jeweils für die strengere Einhaltung der Ordensregel ein

Octroi (sprich: oktroá): Aufnötigung einer Steuer, Rechtsordnung oder dgl.

Offizial: Vom Bischof mit der Ausübung der richterlichen Gewalt im Bistum betrauter Geistlicher

Offizin: lat. »Werkstätte«. Größerer Druckereibetrieb

Oktav: Bezeichnung für das Kleinformat von Büchern (bis ca. 22,5 cm Höhe). In der Liturgie achttägige Festwoche oder Nachfeier eines Festes am 8. Tag.

Oligarchie: griech. »Herrschaft weniger«. Herrschaftsform, deren Träger nach der Zugehörigkeit zu einer herrschenden Gruppierung – in Städten des Mittelalters z. B. den »Ratsgeschlechtern« – ausgewählt werden

Ordination: Allg. Übertragung geistlicher Rechte. Von der evang. Kirchenleitung vorgenommene gottesdienstliche Handlung, die den Auftrag zur Predigt und Lehre, zur Verwaltung der Sakramente, zur Absolution und Leitung der Gemeinde auf eine Person überträgt, jedoch nicht gleichbedeutend mit der kath. Weihe ist

Paginierung: Seitenzählung

Palliengelder: Bei Übertragung des Palliums als Abzeichens der erzbischöflichen Würde vom Metropoliten an den Papst zu entrichtende Taxe. Ohne das Pallium, eine weißwollene Schmuckbinde mit sechs schwarzen Kreuzen, durften die Metropoliten gewisse Weiherechte nicht ausüben

Pallium, s. Palliengelder

Panegyrikus: Lobrede, urspr. ein Vortrag, der in der Antike bei einer griechischen Festversammlung, der Panegyris, gehalten wurde

Paramente: Liturgische Gewänder und sonstige dem Gottesdienst dienende Textilien

Pasquill: Schmähschrift

Passional: Sammlung von Märtyrer- und

Heiligenlegenden; auch: Darstellung der Leidensgeschichte Christi

Patronat: Inbegriff der Rechte und Pflichten, die dem Stifter einer Kirche, Kapelle oder Pfründe sowie dessen Rechtsnachfolgern hinsichtlich der Besetzung zustehen bzw. obliegen. Das wichtigste Recht des Patrons ist das Präsentationsrecht, d.h. die Befugnis, für die freigewordene Stelle eine geeignete Person verbindlich vorzuschlagen

Pentateuch: Aus den fünf Büchern Mose bestehender erster Teil des Alten Testaments

Perikope: Für die Verlesung im Gottesdienst ausgewählter Bibelabschnitt

Perikopenordnung: Für alle Sonn- und Festtage festgelegte Ordnung der gottesdienstlichen Lesungen

Pfründe: Kirchenamt, das mit Grundstükken, Vermögen oder laufenden Einnahmen verbunden ist, die für den Unterhalt des Amtsinhabers bestimmt sind; s.a. Kumulation

Physiologus: Spätantike Schrift mit allegorisierenden Auslegungen der Eigenschaften von z.T. fabulösen Tieren. Diese Tiersymbolik hatte im Mittelalter große Wirkung auf – vornehmlich religiöse – Dichtung und bildende Kunst

Plenarium: Zusammenstellung aller Lesungen bei der Messe, auch Bezeichnung für die Zusammenstellung aller Texte der Messe (= Missale) z.T. mit beigefügter Erklärung der Messe (Vorläufer der Postille)

Pönitent: Empfänger des Bußsakramentes

Poeta laureatus: lat. »gekrönter Dichter«. Im 14.Jh. neu belebte antike Sitte, hervorragende Dichter feierlich zu bekränzen

Pogrom: russ. »Verwüstung«. Mit Plünderung und Gewalttaten einhergehende Ausschreitungen, vor allem gegen Juden

Postille: Predigtähnliche Erklärung von Schrifttexten oder auch ganzer biblischer Bücher. Die von Luther verfaßten P. wurden zur häuslichen Erbauung gelesen oder dienten Predigern als Muster sowie zum Vorlesen

Prädikant: Prediger

Prädikatur: Pfründe für einen Prediger, im ausgehenden Mittelalter vielfach an städtischen Kirchen eingerichtet

Praefiguration: lat. »Vorverkörperung«. Begebenheiten oder Personen des Alten Testaments, die als Urbilder der Heilsgeschichte, d.h. auf das Neue Testament vorausweisend, angesehen wurden; s.a. Typologie

Predella: Bemalter oder skulpierter sockelartiger Unterbau eines Altares, auch oft als Schrein zur Aufnahme von Reliquien gestaltet

Predigtsumma: Zusammenfassendes Predigtwerk

Primiz: Erste Messe eines neu geweihten Priesters

Primogenitur: lat. »Erstgeburt«. Vorrecht der Erstgeborenen auf alleinige Erb- und Thronfolge bei ungeteilter Herrschaft; s.a. Sekundogenitur

Prodigien: lat. »Wunderzeichen«. Ungewöhnliche Naturereignisse wie Sonnenfinsternisse oder Mißgeburten, die in der Antike als Ausdruck eines gestörten Verhältnisses zu den Göttern angesehen wurden. Im 16.Jh. wurden die Aufzeichnungen antiker P. vielfach wiederentdeckt und als Vorzeichen künftiger Ereignisse neben Wundererscheinungen der eigenen Zeit aus humanistischem Interesse und mit reformatorischem Endzeitbewußtsein interpretiert

Promulgation: Amtliche Verkündigung eines Gesetzes oder Urteils, das damit rechtskräftig wird

Provinzialkonzil: Versammlung aller Bischöfe einer Kirchenprovinz unter dem Vorsitz des Metropoliten

Quart: Bezeichnung für das mittelgroße Buch- bzw. Blattformat (ca. 22,5 × 29 cm)

Quasimodogeniti: lat. »wie neugeborene Kindlein«. Erster Sonntag nach Ostern, sog. »Weißer Sonntag«

Quaternionen: Bildliche oder schriftliche Darstellung des Aufbaus des Heiligen Römischen Reichs Deutscher Nation durch je vier Repräsentanten der Reichsstände

Quattrocento: Italienische Bezeichnung für das 15. Jahrhundert

Quodlibetdisputation: Im Gegensatz zur normalen, thematisch geschlossenen Disputation eine solche, die verschiedene theologische und philosophische Fragen behandelte

Radergeld (Radergulden): Eine nach dem Mainzer Wappenbild, dem Rad, benannte Münze

Reichsstände: Adelige, Prälaten und Städte, die nur die Herrschaft des Kaisers über sich anerkannten und auf den Reichstagen Sitz und Stimme hatten

Religionshoheit: Sorgerecht der Kaiser, Könige und Fürsten für die Kirche ihres Landes, das sich seit der Reformation zum Religionsbestimmungsrecht der Fürsten über ihre Untertanen entwickelte

Reliquien: lat. »Überbleibsel«. Gegenstände oder Teile von ihnen (Partikel), die mit der Passion Christi verbunden waren sowie Überreste von Heiligen oder Dinge aus deren Besitz

Replik: Erwiderung, Entgegnung. In der bildenden Kunst eine vom Künstler selbst hergestellte Kopie seines eigenen Werkes

Reservation: Vorbehalt von Rechten seitens des Papstes oder eines Bischofs

Retabel: Altaraufsatz mit gemalten oder plastischen Darstellungen, die in der Reformationszeit bisweilen durch Schriftzitate ersetzt wurden

Reunion, kirchliche: Wiedervereinigung

Revers: Im Handel: Schriftliche Verpflichtung, etwas Bestimmtes zu tun oder zu unterlassen. Bei Münzen: Rückseite einer Münze oder Medaille

Rödel: Im Mittelalter Verzeichnis von Landgütern oder ländlichen Rechten

Rubrikator: In den mittelalterlichen Schreibstuben beschäftigte Schreiber, die die Handschriften und Frühdrucke mit roten Überschriften, Anfangsbuchstaben oder sonstigen schmückenden Eintragungen versahen

Saigerverfahren: Technik der Metallgewinnung, die auf dem Herausschmelzen eines leichter schmelzbaren Materials aus einem Gemenge beruht

Sakrament: Heilige Handlung, in der Gnade und Heil vermittelt werden. Der Modus der Vermittlung ist zwischen den Konfessionen theologisch umstritten, ebenso die Zahl der Sakramente. Während sich in der mittelalterlichen Kirche seit dem 12.Jh. die Siebenzahl durchsetzte, ließ die Reformation nur Taufe und Abendmahl als Sakramente gelten

Schaube: Vorn offener Überrock mit weiten Ärmeln für Männer, im späten 15.Jh. und in der 1. Hälfte des 16.Jh. gebräuchliche Standestracht vor allem der Gelehrten

Scholastik: Sammelbezeichnung für die hoch- und spätmittelalterliche Theologie und Philosophie. Die Sch. kam im 11.Jh. auf, hatte im 12. und 13.Jh. ihren Höhepunkt und beherrschte die Universitäten bis zum 16.Jh. In der Theologie handelte es sich vor allem um die Aufnahme und systematische Verarbeitung der altkirchlichen Überlieferung, die in verschiedenen Schulrichtungen betrieben wurde

Scholien, s. Glossen

Sekretsiegel: Persönliches Siegel

Sekundogenitur: Nebenlinie eines regierenden Fürstenhauses; auch das Fürstentum selbst, in dem diese Nebenlinie regierte; s.a. Primogenitur

Sentenzenkommentar: Erläuterungen zu den »Sentenzen« des Petrus Lombardus, eines scholastischen Lehrbuchs des 12. Jh.
Septembertestament: Die erste Ausgabe von Luthers Übersetzung des Neuen Testaments, erschienen September 1522
Sermon: Rede, Predigt; bei Luther vielfach volkstümliche Stellungnahme zu aktuellen kirchlichen Fragen
Servitien (Servitiengelder): Im 13. Jh. eingeführte Abgaben an den Papst und die Kardinäle, die bei der Verleihung einer Diözese oder Abtei von Erzbischöfen und Bischöfen aus dem ersten Jahreseinkommen zu zahlen waren. Es handelte sich um ein Drittel dieses Einkommens, das zu gleichen Teilen zwischen Papst und Kardinälen geteilt wurde, darüberhinaus um kleine Summen, die der römischen Kanzlei und den Familiaren des Papstes zugute kamen
Signet: Drucker- oder Verlegerzeichen, Papiersiegel
Spiritualismus: Philosophische Richtung, in der Materie als Erscheinungsform des Geistes begriffen wird. In der Reformationszeit wurden jene Theologen als Spiritualisten bezeichnet, die die unmittelbare Einwirkung des Hl. Geistes zum Maßstab des theologisch und kirchlich Wahren erklärten
Stettmeister (Staettmeister): Bürgermeister (von Straßburg)
Stundengebet: Liturgisches Gebet zu bestimmten Tageszeiten (z. B. Vesper, Mette)
Subsidium charitativum: Abgabe der Geistlichen an den Bischof; auch landesfürstliche Steuer sowie Abgabe der Reichsritter an den Kaiser
Suffraganbischof: Eigentlich Hilfsbischof. Bezeichnung des Bischofs in der Zuordnung zum Erzbischof
Summa: In der Scholastik übliche systematische Zusammenfassung des Wissensstoffs einer Disziplin
Superintendent: lat. »Aufseher«. In der evang. Kirche geistlicher Vorsteher eines Kirchenkreises
Suppedaneum: Stützbrett unter den Füßen des Gekreuzigten
Syllabierschema: Didaktisches Hilfsmittel zum Erlernen des Lesens
Synode: Kirchenversammlung
Terminus post quem: lat. »Grenze, nach der«. Feststehender Zeitpunkt, der die unterste (früheste) Grenze einer möglichen Datierung angibt; Gegensatz: terminus ante quem, gibt die oberste (späteste) Grenze einer möglichen Datierung an
Tiara: Hohe, seit dem Beginn des 14. Jh. mit drei übereinander gesetzten Kronreifen geschmückte, außerliturgische Kopfbedeckung des Papstes
Tonsur: Ausscherung des Haupthaares bei Mönchen und Klerikern
Transfixbrief: Zweite, meist veränderte Ausfertigung einer Urkunde oder Ergänzung zu dieser, die an die Erstfassung angeheftet wurde
Transsubstantiation: Katholische Lehre von der Realpräsenz Jesu Christi in der Eucharistie: Wesensverwandlung von Brot und Wein in den Leib und das Blut Christi beim Abendmahl
Trinität: Dreieinigkeit der göttlichen Personen (Vater, Sohn und Hl. Geist)
Triptychon: Dreiteiliges Tafelbild, häufig als Altarretabel, bestehend aus einem Mittelteil mit zwei beweglichen Flügeln
Trucksystem (sprich: trʌk): Bezahlung der Arbeiter in Waren
Typographie: Künstlerische Gestaltung eines Druckwerks, etwa Wahl von Type, Schriftgrad, Satzspiegel und Titelei
Typologie: Bewertung von Begebenheiten oder Personen des Alten Testaments als heilsgeschichtliche Urbilder (Typen) zu solchen im Neuen Testament (Antitypen). Das Neue Testament wird dabei als Erfüllung des Alten Testaments verstanden; s. a. Praefiguration
Typus, s. Typologie
Vaganten: Mittelalterliche Bezeichnung für Menschen ohne festen Wohnsitz, z. B. fahrende Scholaren und Kleriker
Velum: lat. »Segel«. Tuch zur Berührung oder Verhüllung von liturgischen Gefäßen, Ikonen oder Reliquien. Mit dem Schultervelum verhüllt der Geistliche beim Segen Schulter und Hände
Versikel: Zweiteiliger Psalm- (oder sonstiger Bibel-)Vers
Vesper: Abendliche Gebetsstunde oder Abendgottesdienst. Urspr. die vorletzte der für die Tageseinteilung maßgeblichen kirchlichen Tageszeiten (Horen)
Vidimus: lat. »wir haben gesehen«. Beglaubigungsformel einer Urkundenkopie, die das Original ersetzen oder vervielfältigen soll
Vigilien: Nächtliche Gebete, vor allem von Mönchen praktiziert. Im engeren Sinn auch Vorbereitung auf ein kirchliches Fest, die urspr. in der vorausgehenden Nacht (lat. »vigilia« = Nachtwache) stattfand; der Vigiltag ist der Vortag eines Festes
Visitation: Besuch des aufsichtführenden kirchlichen Amtsträgers (Bischof, Superintendent) in einer Gemeinde. Die durch den Landesherrn angeordnete V. war im 16. Jh. oft der Weg zur Reformation eines Gebietes
Vulgata: In der römisch-kath. Kirche allgemein verbreitete lateinische Übersetzung der Bibel, um 405 von Hieronymus vollendet. Sie wurde erst im Todesjahr Luthers vom Trienter Konzil für verbindlich erklärt, hatte jedoch schon vorher praktisch diese Geltung (von Psalm 9 bis 147 vom hebräischen Text abweichende Zählung, die von den Reformatoren seit Mitte der zwanziger Jahre mehr und mehr zugunsten der hebräischen verlassen wurde)
Wiegendrucke, s. Inkunabeln
Zölibat: Ehelosigkeit der Geistlichen in der römischen Kirche

Abgekürzt zitierte Literatur

Andersson = Chr. D. Andersson, Religiöse Bilder Cranachs im Dienste der Reformation. In: L. W. Spitz u. a. (Hrsgg.), Humanismus und Reformation als kulturelle Kräfte in der deutschen Geschichte, 1981

Anzelewsky = F. Anzelewsky, Albrecht Dürer. Das malerische Werk, 1971

ARG = Archiv für Reformationsgeschichte

AWA = Anzeiger der Akademie der Wissenschaften, Wien

Benzing = J. Benzing, Lutherbibliographie. Verzeichnis der gedruckten Schriften Martin Luthers bis zu dessen Tod, 1966

Birkner = G. Birkner, Zur Chronologie und Abhängigkeit der ältesten Quellen des deutschen evangelischen Kirchenliedes. In: JLH 12, 1968, S. 118-140

Bornkamm = H. Bornkamm, Martin Luther in der Mitte seines Lebens, 1979

Brandi = K. Brandi, Kaiser Karl V. – Werden und Schicksal einer Persönlichkeit und eines Weltreichs, 4 Bde., 1937-1941

Brecht = M. Brecht, Martin Luther. Sein Weg zur Reformation 1483 bis 1521, 1981

Buchner = E. Buchner, Das deutsche Bildnis der Spätgotik und der frühen Dürerzeit, 1953

DKL = Das deutsche Kirchenlied. Kritische Gesamtausgabe der Melodien, hrsg. von K. Ameln, M. Jenny u. W. Lipphardt, Bd. I,1: Verzeichnis der Drucke von den Anfängen bis 1800, 1975

DRTA = Deutsche Reichstagsakten unter Kaiser Karl V., 7 Bde., 2. Aufl. 1962-63

Düfel = H. Düfel, Luthers Stellung zur Marienverehrung, 1968

Ehresmann = D. L. Ehresmann, The Brazen Serpent. A Reformation Motif in the Works of Lucas Cranach the Elder and his Workshop. In: Marsyas 13, 1966/67, S. 32-47

Eichenberger-Wendland = W. Eichenberger u. H. Wendland, Deutsche Bibeln vor Luther, 1977

Epperlein = S. Epperlein, Der Bauer im Bild des Mittelalters, 1975

Friedländer-Rosenberg = M. J. Friedländer u. J. Rosenberg, Die Gemälde von Lucas Cranach, 1932 und 2. Aufl. 1979

Geisberg = M. Geisberg, Der deutsche Einblattholzschnitt in der ersten Hälfte des XVI. Jahrhunderts, 1923-30

Geldner = F. Geldner, Die deutschen Inkunabeldrucker, Bd. I-II, 1968/1970

Goertz = H.-J. Goertz, Radikale Reformatoren, 1978

Grane = L. Grane, Contra Gabrielem. Luthers Auseinandersetzungen mit Gabriel Biel in der Disputatio contra scholasticam theologicam 1517. In: Acta Theologica Danica 4, 1962

Habich = G. Habich, Die deutschen Schaumünzen des XVI. Jahrhunderts, 2 Bde., 1929/1931

Hahn = G. Hahn, Evangelium als literarische Anweisung. Zu Luthers Stellung in der Geschichte des deutschen kirchlichen Liedes, 1981

Heß = W. Heß, Rechnung Legen auf Linien. In: E. Maschke u. J. Sydow (Hrsgg.), Städtisches Haushalts- und Rechnungswesen, 1977, S. 69-82

Hoberg = M. Hoberg, Die Gesangbuchillustration des 16. Jahrhunderts. Ein Beitrag zum Problem Reformation und Kunst, 1933

Hoffmann = K. Hoffmann, Typologie, Exemplarik und reformatorische Bildsatire. In: J. Nolte, H. Tompert u. Chr. Windhorst (Hrsgg.), Spätmittelalter und frühe Neuzeit. Kontinuität und Umbruch. Tübinger Beiträge zur Geschichtsforschung, Bd. 2, 1978

Hollstein = F. W. H. Hollstein, German Engravings, Etchings and Woodcuts, ca. 1400-1700, 28 Bde., 1954-1980

Hubel = A. Hubel, Die Schöne Maria von Regensburg. Wallfahrten – Gnadenbilder – Ikonographie. In: P. Mai (Hrsg.), 850 Jahre Kollegiatstift zu den Heiligen Johannes Baptist und Johannes Evangelista in Regensburg 1127-1977, 1977

Illustrierte Geschichte = A. Laube, M. Steinmetz u. G. Vogler, Illustrierte Geschichte der deutschen frühbürgerlichen Revolution, 1974

Inkunabelkatalog = Inkunabelkatalog des Germ. Nat. Museums Nürnberg, bearb. von B. Hellwig, 1970

Irsigler = F. Irsigler, Frühe Verlagsbeziehungen in der gewerblichen Produktion des westlichen Hanseraumes. In: K. Fritze u. a. (Hrsgg.), Zins – Profit – Ursprüngliche Akkumulation, 1981, S. 175-183

Iserloh = E. Iserloh, Luther zwischen Reform und Reformation, 1979

Jedin = H. Jedin, Geschichte des Konzils von Trient, 4 Bde., 1949 ff.

JHL = Jahrbuch für Liturgie und Hymnologie

Kalkoff = P. Kalkoff, Die Depeschen des Nuntius Aleander vom Wormser Reichstage 1521, 2. Aufl. 1897

Kat. Ausst. Baldung = Kat. Ausst. Hans Baldung Grien, Karlsruhe 1959

Kat. Ausst. Cranach = Kat. Ausst. Lucas Cranach, 2 Bde., Basel 1974/1976

Kat. Ausst. Der Mensch um 1500, Berlin 1977

Kat. Ausst. Dürer = Kat. Ausst. Albrecht Dürer 1471-1971, Nürnberg 1971

Kat. Ausst. Franz von Assisi = Kat. Ausst. 800 Jahre Franz von Assisi, Krems-Stein 1982

Kat. Ausst. Freiheit eines Christenmenschen = Kat. Ausst. Von der Freiheit eines Christenmenschen. Kunstwerke und Dokumente aus dem Jahrhundert der Reformation, Berlin 1967

Kat. Ausst. Maximilian = Kat. Ausst. Maximilian I., Innsbruck 1969

Kat. Ausst. Reformation in Nürnberg, Nürnberg 1979

Kat. Ausst. Spätgotik = Kat. Ausst. Spätgotik am Oberrhein, Karlsruhe 1970

Kat. Ausst. Welt im Umbruch, 3 Bde., Augsburg 1980

Krueger = I. Krueger, Reformationszeitliche Bildpolemik auf rheinischem Steinzeug. In: Bonner Jbb. 179, 1979, S. 259-295

Kulp-Büchner-Fornaçon = J. Kulp, A. Büchner u. S. Fornaçon, Die Lieder unserer Kirche. Eine Handreichung zum Evangelischen Kirchengesangbuch, 1958

LexMA = Lexikon des Mittelalters

Lohse = B. Lohse, Martin Luther. Eine Einführung in sein Leben und sein Werk, 1981

LThK = Lexikon für Theologie und Kirche

Luther (Volz) = D. Martin Luther. Die gantze Heilige Schrift Deudsch, hrsg. von H. Volz, 2 Bde., 1972

Meuche-Neumeister = H. Meuche u. I. Neumeister, Flugblätter der Reformation und des Bauernkrieges. 50 Blätter aus der Sammlung des Schloßmuseums Gotha, 1976

MGG = Musik in Geschichte und Gegenwart

MIÖG = Mitteilungen des Instituts für Österreichische Geschichtsforschung

MVGN = Mitteilungen des Vereins für die Geschichte der Stadt Nürnberg

NDB = Neue Deutsche Biographie

Preuß = H. Preuß, Martin Luther. Der Künstler, 1931

RDK = Reallexikon zur deutschen Kunstgeschichte

Reuter = F. Reuter (Hrsg.), Der Reichstag zu Worms von 1521. Reichspolitik und Luthersache, 1971

Roth = F. Roth, Augsburgs Reformationsgeschichte, 4 Bde., 1901 ff.

Schade = W. Schade, Die Malerfamilie Cranach, 1974

Schramm = A. Schramm, Der Bilderschmuck der Frühdrucke, 23 Bde., 1922-1943

Schreiber = W. L. Schreiber, Handbuch der Holz- und Metallschnitte des XV. Jahrhunderts. Bd. I-VIII, 1926-1930

Scribner = R. W. Scribner, For the Sake of simple folk. Popular propaganda for the German Reformation, 1981

Sehling = E. Sehling (Hrsg.), Evangelische Kirchenordnungen des XVI. Jahrhunderts, bisher 15 Bde., 1902-1977

Specker-Weig = H. E. Specker u. G. Weig (Hrsgg.), Die Einführung der Reformation in Ulm, 1981

Stahl = G. Stahl, die Wallfahrt zur Schönen Maria in Regensburg. Beiträge zur Geschichte des Bistums Regensburg, Bd. 2., 1968

Stange, Gotik = A. Stange, Deutsche Malerei der Gotik, 11 Bde., 1934-1969

Stange, Krit. Verz. = A. Stange, Kritisches Verzeichnis der deutschen Tafelbilder vor Dürer, 3 Bde., 1967-1978

Stirm = M. Stirm, Die Bilderfrage in der Reformation, 1977

Suhling = L. Suhling, Der Seigerhüttenprozeß, 1976

Tappolet = W. Tappolet, Das Marienlob der Reformatoren (Martin Luther, Johannes Calvin, Huldrych Zwingli, Heinrich Bullinger), 1962

TRE = Theologische Realenzyklopädie

Verfasserlexikon = Die deutsche Literatur des Mittelalters. Verfasserlexikon, 2. Aufl., 1978 ff.

WA = Luthers Werke. Weimarer Ausgabe, 1883 ff.

WA Br = Briefwechsel

WA DB = Deutsche Bibel

WA Tr = Tischreden

Westermann, Garkupfer = E. Westermann, Das Eislebener Garkupfer und seine Bedeutung für den europäischen Kupfermarkt 1460-1560, 1971

Westermann, Hans Luther = E. Westermann, Hans Luther und die Hüttenmeister der Grafschaft Mansfeld im 16. Jahrhundert. In: Scripta Mercaturae 2, 1975, S. 53-95

Zoepfl = F. Zoepfl, Das Bistum Augsburg und seine Bischöfe im Reformationsjahrhundert, Bd. 2, 1969

Zschelletzschky = H. Zeschelletzschky, Die »Drei gottlosen Maler« von Nürnberg, Sebald Beham, Barthel Beham und Georg Pencz. Historische Grundlagen und ikonologische Probleme ihrer Graphik zur Reformations- und Bauernkriegszeit, 1975

Allgemeine Abkürzungen

Abb.	Abbildung
Aufl.	Auflage
Ausst.	Ausstellung
bearb.	bearbeitet
Ber.	Bericht
Festschr.	Festschrift
Frhr.	Freiherr
Gesch.	Geschichte
hist.	historisch
Inst.	Institut
Jb.	Jahrbuch
Jh.	Jahrhundert
Kat.	Katalog
Lex.	Lexikon
Mschr.	Maschinenschrift
NF	Neue Folge
Rez.	Rezension
Ver.	Verein
Verz.	Verzeichnis
Zs.	Zeitschrift

Ortsregister

Aachen 11, 12, 24, VII.C
Allstedt IX.B
Altdorf 124
Altenberg 12
Altenstein 260
Amersfoort 93
Annaberg 13
Ansbach 465
Antwerpen 5, 12, 15
Arnstadt 5, 89
Arras 234
Aschaffenburg 464
Augsburg 11, 15, 16, 18, 19, 22, 26, 32, 35, 48, 73, 91, 96, 97, 126, 145, 151, 158, 167, 188, 193, 195, 199, 207, 208, VII, 233, 249, 271, VIII, 302, 304, 308, 315, 327, 352, 357, X. B, 376, 377, 382, 385, 388, 389, 393, 395, 463, 492, 497, 510, 518, 521, 522, 523, 524, 525, 526, 527, 528, 529, 530, 531, 532, 533, 534, 535, 536, 537, 551, 630, 631, 641, 644, 645, 652

Baflo 106
Bamberg 23, 50, 126, 174, 191, 333, 376, 458, 558
Barcelona 114, 266
Basel 6, II. B, 45, 46, 92, 101, 117, 119, 120, 207, 209, 236, VIII, 303, 357, 358, 362, 414, 428, 437, 438, 445, 453, 454, 499, XV. A, 611, 612
Bautzen 418
Bergheim 179
Bern 71, 414, 422, 511
Besançon 623
Bicocca 265
Blaubeuren 175
Böblingen 336, 337
Böckingen 337
Bologna 45, 116, V, 170, 266, 277, 643
Bordeaux 15
Braunschweig 5, 11, 181, XI, 432, 570
Bremen 274, 517
Brescia 144
Breslau 125, 145, 506
Brindisi 257
Brixen 126, 178
Brügge 15
Brüssel XI. A, 392, 610
Budapest 273, 582

Cambrai 266
Cambridge 439
Cannstadt 355
Canterbury 114, 222
Chelsea 120
Chur 178
Coburg 5, 271, 388, 389, 423, 593
Crépy 620

Danzig 4, 114, 638
Detmold 556
Deventer 93
Dillingen 643
Dinkelsbühl 16, 540
Doos 27
Dresden 156, 361
Duisburg 93

Ebernburg 221, 263
Eichstätt 124, 126
Eilenburg 547
Einsiedeln 437
Eisenach II. F, 86, 93
Eisleben I, 1, 2, 193, 597, 600, 601
Eltville 91
Emmerich 93
Erfurt 5, 14, 39, II. F, III, 93, 102, 103, 104, 105, 106, 114, 116, 119, 143, 145, 170, 218, VIII, 335, 387, 401, 591
Eßlingen 36, 359, 576

Ferrara 106, 116
Florenz 22, 24, 106, 112, 116, 223
Frankenhausen 334, 352
Frankfurt a.M. 5, 15, 250, 374, 516, 571, 584
Frankfurt a.d.O. 101
Freiburg i.Br. 67, 68, 101
Freiburg im Uechtland 73, 422
Fulda 221

Genua 22, 266
Glarus 437
Göttingen 70, 201, 202, 508, 519, 565
Goslar 419
Gotha 121, 626, 627
Grafenthal 5
Greifswald 101, 432
Groningen 93, 106
Grünau 165
Güstrow 43
Gurk 151, 178

Hagenau 121, 398, 628
Haiti 112
Halberstadt 196, 383
Hall in Tirol 607
Halle 464, 628
Hamburg 15, 43, 432, 570, 586, 587
Heidelberg 106, 126, 193, VI. B, 213, 263, 430
Heilbronn 97
Heilsbronn 154, 456
Hemmingstedt 177
Herford 93
Herrieden 124
Hildesheim 93, 147, 432
Höxter 91

Ingolstadt 91, 101, 124, V, 170, 336, 455
Innsbruck 156, 162, 173, 249
Isny 414

Jamaica 112
Jerusalem II. B, 170
Jülich 116

Kassel 93
Kaufbeuren 254
Kempten 339
Köln 3, 5, 11, 12, 15, 24, 27, 29, 30, 36, 44, 76, 93, 98, 106, 115, 118, 121, 135, 176, 186, 193, 241, 369, X. B, 378, 379, 441, 559, 640
Königsberg 395, 434
Königshofen 336
Konstanz II. B, 167, 271, 279, 406, 513, 575
Krakau 114
Kreuznach 221
Kuba 112
Kuttenberg 20

Landau 281
Landshut 87, 159
Lavant 125
Leipzig 5, 49, 88, 110, 116, 123, 131, 135, 207, 208, 210, 211, 212, 213, 218, 221, 260, 287, 308, 371, 387, 395, XI. B, 412, 417, 426, 462
Leisnig 564
Leutenberg 5
Lindau 271
Lissabon 15, 113, 346
Löwen 106, 120, 220, 614
London 15, 222, 346
Lucca 27
Ludwigstadt 5
Lübeck 15, 43, 96, 177, 192, 346, X. B, 368, 381, 432, 472, 518, 552, 570, 585
Lüneburg II. F, 75, 550, 649
Lüttich 93, 257
Luzern 428
Lyon 112, 230

Madrid 265
Magdeburg II. F, 86, 93, 145, 196, 274, 606, 648

Mailand 116, 235
Mainz 95, 101, 150, 170, 196, 199, 201, 253, 369, 464, 516
Mansfeld 2, 3, 8, 86, 93
Marburg 93, 193, 269, 270, 572, 595
Marignano 246
Memmingen 271, 329, 339, 520
Michelfeld 319
Minden 578
Möhra I, 1
Mohács 151, 237, 272
Mühlberg 626, 628
Mühlhausen 334
München 71, 73, 135, 158, 161, 426, 467
Münsingen 166
Münster 93, 269, 345, 346, 347, IX. C, 515, 559
Münster-Hiltrup 512

Neapel 235
Neuburg 165, 571
Neunkirchen 64
Niklashausen 322
Nikolsburg 342
Nimbschen 557
Nördlingen 583
Nürnberg 5, 10, 12, 15, 19, 20, 23, 24, 25, 27, 28, 31, 36, 38, 39, 47, 50, 53, 55, 57, 58, 59, 60, 61, 62, 63, 65, 87, 88, 89, 97, 99, 108, 111, 113, 114, 115, 121, 122, 123, 134, 139, 142, 145, 150, 152, 163, 189, 191, 205, 207, 231, 259, 274, VIII, 289, 290, 305, 308, 318, 320, 322, 325, 332, 338, 344, 357, 380, 389, 391, 392, 394, 398, 399, 400, 405, 421, 430, 434, 435, 442, 457, 469, 484, 503, 507, 518, 545, 553, 554, 558, 560, 561, 562, 566, 567, 568, 577, 594, 615
Nymwegen 24

Ofen 114
Oppenheim 259
Orlamünde IX. B

Padua 116, 171
Paris 97, 114, 119, 143, 218, 226, 643
Pavia 116, VII. E, 265
Petershausen b. Konstanz 574
Pforzheim 121
Piben 178
Plankstetten 124

Ravensburg 58
Regensburg II. A, 41, 72, II. G, 78, 79, 80, 81, 82, 83, 84, 85, 163, 185, 238, 254, 277, 342, 396, 443, 539, 613
Rendsburg 184
Reutlingen 238, 239, 576
Riedberg 259
Ripen 177
Rom II. B, 45, 46, 47, II. C, 99, 114, 116, 121, 123, 178, 193, VI, VI. A, 195, VI. C, 223, 227, 228, 249, 253, 262, 265, 278, 281, 295, 617
Rostock 93, 94

Salamanca 119
Salzburg 135, V, V. A, 151, 158, 171
St. Agnetenberg 96
St. Gallen 329
St. Peter im Schwarzwald 343
San Salvador 112
Santiago de Campostela II. B
Schärding 97
Schleitheim 343
Schlettstadt 323
Schmalkalden VII, 274, 275, 433, 440
Schneeberg 494
Schwabach 25
Schwäbisch Gmünd 52
Schwäbisch-Hall 436, 624
Schwarza 5
Schwaz 13, 249
Schwering 155
Siena 169
Sommerfeld 116
Spalt 124, 134
Speyer 40, 121, 126, 263, VII. F, 268, 281, 312, 323, 351, 433
Sponheim 118
Stockholm 345
Stotternheim 14
Straßburg 37, 71, 95, 100, 112, 126, 180, 220, 268, 271, VIII, 278, 280, 284, 285, 314, 342, 343, 345, 356, 357, 358, 359, 366, X. B, 375, 384, 403, 406, 407, 408, XI. B, 414, 415, 416, 426, 439, 440, 441, XIV, 504, 514
Stuttgart 166, 436
Süpplingenburg 203
Szigetvá 273

Thüringen 5
Torgau 302, 422, 427
Treptow an der Rega 425, 432
Trient 178, 228, 617, 618, XV. C, XV. D
Trier 101, 241
Triest 178
Trinidad 112
Tübingen 101, 103, 105, 135, V, 171, 175, 324, 430

Ulm 19, 42, 111, V, 172, 190, 358, 359, 449, 495, 563, 569, 622, 632, 634
Urach 166
Utrecht 93

Venedig 1, 5, 12, 24, 111, 116, 121, 249
Venlo 620
Veurne 77
Viburg 114

Waiblingen 328
Waldshut IX. B, 342
Wartburg 260
Weil der Stadt 436
Weingarten 332, 336
Weinsberg 331, 333
Weißenburg 126
Wels 238
Wemding 125
Wesel 93, 95, 187, 559
Westminster 222
Wien 12, 36, 39, 51, 86, 102, 107, 109, 110, 132, 172, 178, 237, 272, 273, 277, 342, 394, 437, 582, 646, 647
Windesheim 96
Wipfeld 107
Wittenberg 9, 33, II. F, III, 91, 103, 104, 105, 106, 110, 116, IV, IV. A, 127, 129, 130, 131, 132, 134, 136, 137, 138, 140, 141, 142, 146, 148, 149, 153, 159, 204, 206, 207, 221, VI. C, 225, 226, 229, 230, 261, 279, 291, 295, 303, 315, 344, 350, 353, 360, 362, 364, 365, 367, 370, 372, 373, 374, 386, XI, 391, 393 402, 409, 410, 411, 413, 423, 424, 426, 430, 432, 473, 478, 479, 491, 501, 509, 541, 543, 548, 564, 570, 579, 581, 582, 588, 589, 590, 596, 597, 599, 602, 605, 626
Wöhrd 27
Worms 193, 216, 217, 220, 221, VII, 236, VII. C, 251, 252, 253, 254, 255, 256, 258, 262, 263, VII. F, 259, VIII, 278, 280, 302, 357, 366, 623
Würzburg 322, 333
Wurzach 336

Zürich 271, 279, 341, 343, 366, 404, 406, 437, 505, XIV. C, 542, 574
Zwickau 300, 394
Zwolle 93, 96

Personenregister

Aberlin, Joachim 407
Accursius, Bonus 116
Adolf von Anhalt, Bischof von Merseburg 211
Adolf von Schaumburg 640
Aegidius von Rom 98
Aesticampianus, Johannes Rhagius 116
Agricola, Georg 6, 7
Agricola, Johann 398, 402
Agricola, Martin 426
Agricola, Rudolf 106, 116
Agricola, Stephan 270
Ahaus, Heinrich von 95
Alanus 88
Alba, Fernando Alvarez, Herzog von Toledo 625
Albertus Magnus 98
Albrecht IV., Herzog von Bayern 161
Albrecht von Brandenburg, Herzog von Preußen 51, 154, 160, 434, 544
Albrecht von Brandenburg, Kardinal, Erzbischof von Mainz 150, 164, 180, 196, 197, 198, 199, 204, 205, 221, 223, 240, 262, 263, 282, 464, 476
Albrecht VI., Erzherzog von Österreich 101
Albrecht, Graf von Mansfeld 8
Aldegrever, Heinrich 346
Aleander, Hieronymus 228, 257, 258, 262, 280
Alexander VI., Papst 182, 223
Alexander de Villa Dei 88, 90
Altdorfer, Albrecht 78, 80, 83, 185, 487
Altdorfer, Erhard 368
Altenstein, Georg 88
Althamer, Andreas 567
Alveld, Augustinus von 279, 281
Amberger, Christoph 188, 198, 336, 435, 651
Amerbach, Bonifacius 422
Amerbach, Johann 499
Ammann, Jost 37
Amsdorf, Nikolaus von 91
Andreae, Hieronymus 338
Anna von Ungarn 237
Aristophanes 117, 120
Aristoteles 103, 105, 117, IV., 303, 317
Arndes, Dietrich 177, X.B
Arndes, Steffen 381
Arnoldi von Usingen, Bartholomäus 103, 104
Asper, Hans XII, 437, 438
Astel, Andre 238
Auerbach, Johannes von 126
August, Kurfürst von Sachsen 496
Augustinus 97, 103, 105, 125, IV, 133, 134, 143, 499
Aurogallus, Matthäus 370
Aussem, Wynrich von 179

Bader, Johann 281
Badius 218
Baegert, Derick 187
Bämler, Johann 463
Balbus, Hieronymus 107
Baldung, Hans, genannt Grien 217, VIII. A, 280, 414
Bapst, Valentin XI. B, 412
Barbari, Jacopo de' 155
Barnim, Herzog von Pommern 213
Barth, Hans 581
Basilius der Große XII
Baumann, Hans 625
Baventen, Andreas von 550
Behaim, Martin 111, 113
Beham, Barthel 161, 198, 276
Beham, Sebald 158, 272, 273, 289, 290, 304, 315, 316, 318, 326, 369
Beheim, Lorenz 122
Behem, Johan 312
Berg, Johann vom 399
Berger, Thiebolt 416
Berghen, A. van 452
Berlichingen, Götz von 330, 331
Bernhard von Clairvaux 94, 145, 452, 483
Bernhard von Rohr, Erzbischof von Salzburg 468
Berthold von Henneberg, Erzbischof von Mainz 247
Bessarion 116
Beyer (Peyer), Hans 64, 65
Biel, Gabriel 93, 103
Bierbaum, Alexius 553
Billick, Everhard 639
Bischoff, Nikolaus 6, 7
Blarer, Ambrosius 406
Blarer, Thomas 406, 515
Blum, Michael 417
Boccaccio, Giovanni 125
Böhm, Hans 322
Böschenstein, Johann 18
Boethius 102
Boger, Heinrich 91
Bomhower, Jaspar 552
Bonaventura 128, 495, 497
Bonneval, Arnaud de 444
Bora, Katharina von, s. Luther, Katharina
Borcholt, Georg 550
Bornemann, Hinrik 43
Brant, Sebastian 36, 180, XII
Brenz, Johannes 270, XII, 436
Brescia, Bartholomäus von 230
Breu, Jörg 16, 297, 321
Brosamer, Hans 269, 287, 367, 478
Brück, Gregor XII, 429, 433
Bruegel, Pieter 304
Bruining, Engelbert 266
Bruyn, Barthel 639
Bucer, Martin 263, 270, 414, 415, 439, 572, 613
Büring, Anna 587
Bugenhagen, Johann(es) 353, 368, 425, XII, 429, 432, 530, 570, 598
Burgkmair, Hans 73, 107, 109, 151, 195, 232, 236, XII, 489, 492
Burgos, Paulus von 99
Busche, Hermann von dem 279
Butzer, s. Bucer

Caesarius, Johannes 116
Cajetanus, Thomas (eigentl. Thomas de Vio) 123, 213, 224, 225
Calvin, Johannes 408
Cambiensis, Johannes 62
Campeggio, Lorenzo 289, 321
Canisius, Petrus 641, 646, 647
Cão, Diego 113
Capestrano, Johannes von 145
Capito, Wolfgang Fabricius 220, 406, 415, 528, 611, 613
Carraciolo, Marino 257
Caterinas, Ambrosius 303
Cato 88
Celius, Michael XIV. P, 602
Celtis, Konrad 106, 107, 108, 109, 113, 114, 115, 116, 163, XII
Cessolis, Jacobus de (Jacques de Cessoles) 37
Chelidonius 469
Christoph, Herzog von Württemberg 171
Christoph von Stadion, Bischof von Augsburg 523
Chrysoloras, Manuel 116
Cicero 102
Clarenbach, Adolf 559
Clarenbach, Franz 559
Clemens I., Papst 223
Clemens VII., Papst 265, 266, 294, XV. A
Cleve, Joos van 56
Clichtove, Hieronymus 218
Cochläus, Johannes 114, 115, 206, 281, 287, 294, 296, 301
Colin, Alexander 628
Colyns, Janne 77
Comestor, Petrus 445, 495
Copp, Johannes 317
Corvinus, Antonius 556
Coverdale, Miles 431
Cramm, Ascanius von 580

Cranach, Lukas d. Ä. 2, 8, 33, 74, 106, 110, 127, 128, 129, 130, 131, 132, 133, 134, 141, 148, 154, 159, 164, 165, 196, 211, 214, 215, 216, 217, 247, 260, 279, 280, 282, 291, 292, 293, 295, 296, 302, 308, 349, 360, 361, 363, 365, 373, 390, XII, 429, 430, 432, 433, 464, 470, 473, 474, 478, 480, 481, 485, 500, 501, 502, 538, 557, 564, 580, 592, 596, 619
Cranach, Lukas d. J. 306, XII, 471, 475, 477, 481, 491, 494, 496, 603, 606, 608, 609, 650
Cranmer, Thomas, Erzbischof von Canterbury 431
Cratander, Andreas 454
Crotus Rubeanus (eigentl. Johann Jäger) 102, 121, 284
Croy, Wilhelm von 248
Cruciger, Caspar 353, 364, 374, 425, 429, 555, 598
Cruciger, Elisabeth (geb. von Meseritz) 425
Cues, Nikolaus von 124
Cuno, Johannes 116, 117
Cuspinian, Johannes 237, 256, XII
Cyclop (Magister) 148

Dachser, Jakob 407
Dachstein, Wolfgang 406, 408, 422
Dante Alighieri 123
Daripinus, Georgius Sibutus 110, 159
Daucher, Hans 151
Decius, Nikolaus XI
Denck, Hans 340, 357, 358, 366, 369
Deutsch, s. Manuel Deutsch
Deygel, Conrad 64
Diaz, Bartolomeo 112, 113
Diederich, Graf von Manderscheid und Blankenheim 176
Dietenberger, Johann 369
Dietrich, Sixt 426
Dietrich, Veit 388
Dietz, Ludwig 368
Dinteville, Jean de 431
Ditmers, Georg 550
Dodo, Augustinus 499
Doelsch, Johannes 230
Döring, Christian 360, 365, 473, 564, 590, 596
Döring, Matthias 99
Donat(us), Aelius 88, 90
Dorothea, Herzogin von Preußen 544
Dorothea Ursula, Markgräfin von Baden 167
Dorp, Martin van 120
Dresden, Nikolaus von 74
Dürer, Albrecht 23, 33, 67, 78, 81, 108, 113, 150, 153, 156, 163, 164, 198, 219, 229, 231, 235, 279, 282, 291, 319, 338, 360, 380, 410, 430, 431, 435, 465, 469, 471, 489, 494, 549, XV. A, 610
Dukas, Demetrios 116
Duns Scotus, Johannes 98

Eberhard (d. Ä.) im Bart, Graf von Württemberg 166, 175
Eberhard d. J., Graf von Württemberg 166
Eberhard der Milde, Graf von Württemberg 167
Eberlin von Günzburg, Johann VIII. A, 285, 321
Eck, Johannes 206, VI.B, 211, 212, 213, 218, VI.C, 227, 228, 230, 271, 279, 281, 292, 303, 308, 369, 387, 388, 389
Eck, Leonhard von 169, 336
Egenolph, Christian 572
Eitzing, Michael 3
Emser, Hieronymus 91, 230, 279, 281, 283, 361, 369, 387
Englmayr, Elisabeth 443
Epfenhauser Christoph I 551
Erasmus von Rotterdam III, 106, 116, 119, 120, 220, 223, 258, 282, 315, XII, 438, 483, XV.A, 610, 611, 612
Ercole d'Este 106
Erfurt, Hans von 262
Erich I., Herzog von Braunschweig-Calenberg 508
Ernst, Herzog von Braunschweig-Lüneburg 268
Etzlaub, Erhard 114
Exter, Simon von 556

Faber Stapulensis, Jakob 115, 454
Fabri, Heinrich 175
Fabri, Johann (eigentl. Jakob Schmidt) 121, 206, 271, 279, 281, 303
Facetus 88
Fanckel, Servatius 98
Farel, Guillaume 28, 317
Ferdinand I., Kaiser 172, 237, 248, 251, 264, VII.F, 272, 276, 289, 336, 620, 646, 651
Ferdinand II., König von Spanien 267
Ferdinand, König von Aragon 264
Ferrer, Vincentius 69
Feuerbacher, Matern 328
Feyerabend, Sigmund 374
Fink, Heinrich 424
Flötner, Peter 189, 292, 299, 320, 636
Fogler, Johannes 137
Forster, Georg 426
Forster, Johann 429
Fradin, Francois 230
Franck, Sebastian 158, 358
Franz I., König von Frankreich VII.B, 246, 265, 273, 277
Freiermut, Hans Heinrich 279
Friedrich III., Kaiser 56, 152, 178, 183, VII, 233, 234, 239
Friedrich I., der Siegreiche, Kurfürst von der Pfalz 152
Friedrich III., der Weise, Kurfürst von Sachsen 49, III, 101, 105, 107, 110, IV.A, 127, 128, 129, 130, 131, 132, 134, 135, 148, 150, 153, 163, VI.C, 224, 229, 244, 247, 255, 291, 427, 619
Friedrich von Sachsen (Hochmeister des Deutschen Ordens) 154
Fries, Hans 466
Fries, Lorenz 112
Fritz, Joß 33, 323
Froben, Hieronymus 6, 7
Froben, Johann 119, 220, 611, 612
Froschauer, Christoph 271, X.A, 404, 406, 542
Frundsberg, Georg von 265
Fürstenberg, Philipp von 221
Füssli, Hans 315
Fugger (allgemein) 20, 196, 198, 203, 208, VI.C, 248
Fugger, Conrad 26
Fugger, Hans 26
Fugger, Jakob 73, 249, 250
Fulda, Adam von 148, 424
Furtenagel, Lukas 603, 604
Furter, Michael 46, 236
Furtmeyr, Berthold 468

Gagenhart, Peter 113
Gandersheim, s. Roswitha von Gandersheim
Gauricus, Lucas 1
Gaza, Theodoros von 116
Gebel, Matthes 169
Gengenbach, Pamphilus 207, 323
Georg, Fürst von Anhalt 481
Georg, Markgraf von Brandenburg-Ansbach 268
Georg, Graf von Löwenstein 458
Georg der Bärtige, Herzog von Sachsen 14, 211, 213, 218, 255, 361, X.C, 387, 417
Georg III., Schenk von Limpurg, Bischof von Bamberg 60
Gerbel, Nikolaus 123, 284
Gerdes, Heinrich 472
Gerson ben Mose Socino 144
Gerson, Johannes (Jean) 125, 126, 450, 461, 501
Gienger, Georg 172
Giulio Romano 223
Glarean, Heinrich 424
Glockendon, Albrecht 114
Glockendon, Georg (Jörg) 113, 114
Gnidius, Matthias 284
Graf, Urs 71, 227, 279, 451
Graner, Sigmund 443
Granvelle, s. Perrenot
Gratian 45, 230
Gratius, Ortwin 121

Grebel, Konrad 341
Greff, Joachim 423, 486
Gregor der Große, Papst 125
Gregor IX., Papst 45
Greiter, Matthäus 396, 403, 406, 408
Greyß, Wilhelm von 162
Grien, s. Baldung
Grimm, Sigismund (Sigmund) 22, 32, 123, 233
Grimmel (Familie) 486
Gripeswoldt, Jochim 649
Groote, Gert 96
Gropper, Johann 613
Groß, Konrad 89
Großschedel, Wolfgang 160
Grüner, Hans 563
Grünewald, Matthias 152, XIII, 464
Grüninger, Johann(es) 112, 285
Grunenberg, Johann(es) 136, 137, 138, 140, 141, 142, 221, 295, 302
Güldenapf, Wigand 86
Günther, Franz 143
Günzburg, s. Eberlin von Günzburg
Guillermus, Kardinal von Ostia 50
Guldenmund, Hans 320
Gulpen, Matthias von 465
Gutenberg, Johannes 27, 90, 375
Gutknecht, Christoph 545
Gutknecht, Jobst 207, 290, 391, 394, 400, 405, 469, 594
Gydell, Matheus 328

Hadrian VI., Papst 248, 265, XV.A, 614, 615
Hätzer, Ludwig 366, 369
Hagenauer, Friedrich 241, 245, 439, 441
Hales, Alexander von 97
Hamman, Peter 252
Harer, Peter 337
Harsdorfer, Hans 20, 21
Hass, Heinrich 633
Hausbuchmeister 152
Hausmann, Nikolaus 394
Hedio, Caspar 270, 441
Heinrich II., deutscher König 61
Heinrich VIII., König von England 160, 222, 431
Heinrich der Mittlere, Herzog von Braunschweig-Lüneburg 157
Heinrich, d. J. Herzog von Braunschweig-Wolfenbüttel 275
Heinrich V., der Friedfertige, Herzog von Mecklenburg 155
Heinrich, Herzog von Sachsen 211, 371
Henner, Eucharius 281
Herbst, Hans 25
Hergot, Hans 305, 332
Hering, Doman 165
Hermann von Schaumburg, Bischof von Minden 578
Hermann von Wied, Erzbischof von Köln 176, 241
Hess, Johann(es) XII, 506
Hesse, Hans 14
Hessus, Eobanus 206
Heyden, Sebald 399
Hieber, Hans 79
Hieronymus (Kirchenvater) 164, 282, X.A
Hiltner, Johann 185
Himmel, Augustin 138
Hipler, Wendel 331
Hirzlach, Friedrich von 455
Hist, Johann 40
Hist, Konrad 40
Hochstraten, Jakob von 121, 279
Höltzel, Hieronymus 87, 205, 318, 325, 562
Hoemen, Johann von 176
Hoen, Cornelius 526
Höveln, Gotthard van 552
Hoffman, Melchior IX.B, 345
Hofhaimer, Paul 422
Hogenberg, Franz 3
Hogenberg, Nikolaus 266
Hohenleitner Wolfgang 162
Holbein, Ambrosius 92, 428
Holbein, Hans, d. Ä. 73, 453
Holbein, Hans, d. J. 292, 317, 428, XII, 430, 453, 454, 489, 512
Honorius III., Papst 51
Hoogstraeten, Jakob von 71
Hopfer, Daniel 217, 614
Huber, Wolf 265
Hubmaier, Balthasar II.G, 340, 342, 350, 366
Huddaeus, Hermann 578
Huguccio von Pisa 91
Hus, Johannes 74, 259, 302, 311
Hut, Hans IX.B, 344, 351, 352
Huter, Jakob 340
Hutten, Hans von 262
Hutten, Ulrich von 71, 121, 122, 123, 221, VII.D, 262, VIII.A, 279, 284

Ickelsamer, Valentin 529, 591
Innozenz VI., Papst 463
Isabella von Kastilien 267
Isabella von Portugal 267
Isidor von Sevilla 40

Jacob, Cyriakus 571
Jäger, Johann, s. Crotus Rubeanus
Jakob von Savoyen, Graf von Romont 460
Jenichen, Balthasar 359
Jetzer, Hans 71
Joachim I., Kurfürst von Brandenburg 101, 245, 258
Joachim, Graf von Öttingen 48
Joest, Graf zu Holzheim und Schauenberg 176
Johann II., König von Portugal 111, 112, 113
Johann IV., Fürst von Anhalt 481
Johann, der Beständige, Kurfürst von Sachsen 49, 127, 148, 153, 268, 427, 470, 491, 493, 619
Johann, Graf zu Holzheim und Schauenberg 176
Johann IV. Roth, Bischof von Breslau 125
Johann Cicero, Kurfürst von Brandenburg 155
Johann Friedrich, der Großmütige, Kurfürst von Sachsen 134, 429, 432, 433, 482, 619, 625, 626
Jonas, Justus 270, 364, 429, XIV.P, 607
Joppel, Michael 18
Jordan, Peter 369, 371
Josquin des Prés 421
Juan, Infant von Kastilien und Aragon 237
Juana (Johanna die Wahnsinnige, Königin von Kastilien) 237
Jud, Leo (Ludovicus Leopoldi) X.A, 366, 369, 532, 542
Julius II., Papst 105, 151, 195, 200, 223
Julius III., Papst 642, 643
Julius Pflug, Bischof von Naumburg 611

Kaiser, Georg 540
Kantz, G. 333
Karl der Große 231
Karl V., Kaiser II.G, 130, 151, 157, 158, VI.C, 237, 238, VII.B, 248, 250, VII.C, 252, 253, 255, 256, 258, 262, 263, VII.E, 264, 265, 266, 267, VII.F, 271, 276, 277, 289, 524, 525, XV, XV.A, 613, 614, XV.B, 624, 625, 626, 627, 628, 629, 630, 631, 633, 634, XV.D, 650, 651, 652
Karl VIII., König von Frankreich 235
Karl, Herzog von Bourbon 265
Karl der Kühne, Herzog von Burgund 460
Karlstadt, Andreas Bodenstein von 110, 211, 213, 218, 230, 279, 291, 308, 329, IX.B, 341, 394, 508, 509, 511, 527, 591
Kaufmann, Heinz 7
Keller, Michael 535
Kemmer, Hans 472, 518
Kempen, Thomas Hemerken (Malleolus) von 96
Kempff, Pankratius 648
Kettenbach, Heinrich von 291
Khol, Hans 396
Kloedt, Johann 540
Klopriss, Johann 559
Klug, Joseph 409, 410, 413, 570
Klur, Hans 638
Knobloch, Johannes 408
Koberger, Anton 97, 99, 111, 322, X.B, 378, 380, 442
Kölderer, Jörg 162, 235
Köpfel, Wolfgang 366, 403, 407

Kohl, Paul 82
Kolber, Jörg 13
Kolberger, Ruprecht 113
Kolumbus, Christoph 112
Konrad von Thüngen, Bischof von Würzburg 170
Kontoblakas, Andronikos 116
Kotter, Hans 422
Krapf, Georg 455
Krell, Hans 154
Kress, Anton 490
Kress von Kressenstein, Christoph 189
Kriеßstein, Melchior 395
Kröner, Johann 97
Kugelmann, Hans 395
Kulmbach, Hans Suess von 61, 108, 114, 198
Kunigunde von Österreich, Herzogin von Bayern 73
Kymäus, Johann 572

Lässl, Ludwig 13
Lambert von Avignon, Franz 269, 573
Laminit, Anna 73
Landsberg, Martin 49, 110, 131, 207, 462
Lang, Johann 102, 206
Lang, Matthäus, s. Matthäus
Langenmantel, Eitelhans 536
Laskaris, Konstantinos 116
Lautensack, Paul 23
Lauterbach, Anton 296
Leiden, Jan (Bockelson) van 346, 347
Leisentrit, Johann 418
Lemberger, Georg 361, 410
Lemp, Johannes 279, 281, 283
Leo X., Papst 119, VI, 197, 200, 210, 222, VI.C, 223, 227, 228, 246, 257, 265, 283
Leonrodt, Hans von 308
Libianos 120
Linck, Wenzeslaus 545
Listrius, Gerhard 120
Locher, Jakob 81, 108
Lochner, Kunz 651
Löffelholz, Wilhelm 63
Loersfeld, Johannes 401, 591
Loscher, Sebastian 249
Lotter, Melchior d. Ä. 207, 210
Lotter, Melchior d. J. 360, 362, 386, 493
Lotter, Michael 548
Lotzer, Sebastian 329
Lucius, Jakob 481, 482, 483
Luder, Hans I, 1, 2, 6, 7, 14
Luder, Jakob 7
Luder, Margaretha (geb. Lindemann) 1, 14
Ludolf von Sachsen 95, 495
Ludwig XII., König von Frankreich 246
Ludwig II., König von Ungarn 237, 272, 276
Ludwig V., Kurfürst von der Pfalz 243, 263
Ludwig, Herzog von Württemberg 167
Ludwig, Graf von Helfenstein 328, 331, 337
Lufft, Hans 9, 350, 364, 367, 370, 372, 373, 374, 429, 491, 543, 589, 597, 599
Luise von Savoyen 266
Lukas, Jakob 250
Lukian von Samosota 117, 120, 122
Luther, Hans s. Luder
Luther, Katharina (geb. von Bora) 557, 598, 601
Luttich, Hans 7
Lyra, Nikolaus von 99, 102, 381

Major, Georg 429
Maler, Mathes 335, 401
Mangolt, Gregor 404
Mansfeld, Grafen von I, 4, 6, 8, 9, 194, XIV.P, 602
Mansfeld, Wolf I. Graf von 8
Manuel Deutsch, Nikolaus 511
Manutius, Aldus 116
Margarethe von Brandenburg 481
Margarethe von Österreich 237, 248, 266
Maria von Burgund 173, 234, 237
Maria von Österreich 237
Maria von Oettingen 336
Marschalck, Haug 291
Martellus Germanus, Henricus 113
Masuros, Markos 116, 117
Matthäus Lang von Wellenburg, Kardinal, Erzbischof von Salzburg V.A, 151
Matthys, Jan 346
Maximilian I., Kaiser 42, 56, 69, 73, II.G, 105, 107, 108, 109, 110, 121, 150, 151, 153, 159, 162, 163, 168, 173, 178, VII, VII.A, 234, 235, 236, 237, 238, 239, 247, 250, 251, 256, VII.D, 262, 263, 264, 266
Mayer, Johann 195
Mayer, Ottilia 58, 59, 60
Mazochius, Jacobus 228
Meckenem, Israhel van 187
Medici (allgemein) 157
Mehmed II., Sultan 273
Meinhard, Andreas 110
Meister des Angrer-Bildnisses 490
Meister der Barbara-Legende 77
Meister Franz 64, 65
Meister der Gregorsmessen 464, 476
Meister des Hochaltars von St. Jakob in Nürnberg 446
Meister der Kemptener Kreuzigung 486
Meister der Ursula-Legende 488
Meister des Veldener Hochaltars 53
Meister des Wolfgang-Altars 39
Meister von Frankfurt 56
Meister von Liesborn 76
Mela, Pomponius 111, 115
Melanchthon, Philipp 106, 116, 206, VII, 269, 270, 271, 291, 295, 314, 353, 360, 364, 370, 388, 389, XII, 430, 431, 481, 493, 566, 594, 595, 598, 600, 605, 609
Meldeman, Nikolaus 158
Mendel, Konrad 23
Mengot, Friedrich 446
Mentelin, Johann 384, X.B, 375
Merian, Matthäus 203
Meseritz, Elisabeth von, s. Cruciger
Mesi, Agostini dei 257
Metzler, Jörg 331
Meyer, Sebald 644
Meyer, Sebastian 504
Meynberger, Friedrich 103
Mielich, Hans 185
Mies, Johannes von 126
Milis, Johannes 46
Miller, Johann 145
Mösel, Wolfgang 406
Mohnkopf (Druckerei) 96
Mombaer, Jan 93
Mone, Jan 267
Monogrammist A. A. 238
Monogrammist AW 478, 479
Monogrammist BVD 436
Monogrammist CD 383
Monogrammist DB 478
Monogrammist H 309
Monogrammist HA 412
Monogrammist HSD 251
Monogrammist IW 293
Monogrammist M 281
Monogrammist MS 130, 311, 367
Monogrammist MZ 161
Monogrammist WH 124
Monogrammist WS 282
Moritz, Kurfürst von Sachsen 623, 649, 650
Morus, Thomas 120, 222
Moßhauer, Paul 93
Müller, Michael 275
Münster, Sebastian 114
Müntzer, Thomas IX.A, 332, 333, 334, IX.B, 341, 344, 352, 357, XI, 547, 548
Münzer, Hieronymus 111, 113
Murner, Thomas 36, 71, 180, 279, 281, 283, 284, 285, 314, 317
Musäus, Raphael 284
Musuros, Markos 117
Mutian 134
Myconius, Oswald 315, 428

Nadler, Jörg 207, 510
Nechtersheim, Katherina von 76
Negker, Jost de 195
Nesselrode, Wilhelm von 176
Neuber, Ulrich 399
Neufarer, Ludwig 172
Neuneck, Melchior von 38
Neusiedler, Hans 421
Niavis (Schneevogel), Paulus 87

Niklas, Graf von Salm 265
Niklashausen, Pfeifer von, s. Böhm, Hans
Nikolaus V., Papst 178

Ockham, Wilhelm von 98, 103, 104
Oeglin, Erhard 18
Oekolampad, Johann(es) 119, 263, 270, 357, 438, 454, 533
Oeler, Ludwig 403, 406
Oldendorp, Hans von 70
Osiander, Andreas 270, XII, 434, 553, 561, 562, 568, 571, 577
Ostendorfer, Michael 78, 79, 82, 454, 539, 629
Otmar, Johann(es) 103, 107
Otmar, Silvan 382
Ottheinrich, Kurfürst von der Pfalz 165, 571
Otto der Große, Kaiser 231

Pacioli, Luca 19
Pallant, Margarethe von 76
Paltz, Johannes von 49
Pappenheim, Mathäus 336
Paul II., Papst 12, 178
Paul III., Papst XV, 616, 617, 643
Pencz, Georg 290, 306, 312, XII, 434, 503
Peraudi, Raimund 49, 181, 182
Perrenot, Nicolas, Seigneur de Granvelle 524, 622, 623
Petrarca, Francesco 22, 32, 106, 233
Petrarca-Meister 22, 32, 33, 233
Petreius, Johann 19, 421
Petri, Adam 209, 362
Petrus Hispanus 88
Peutinger, Konrad 195, 250, 352
Peypus, Friedrich 122, 558, 566
Pfefferkorn, Johann III, 121
Pfeyll, Hanns 174
Pfinzing, Paul 5
Pflug, Julius, s. Julius
Philipp der Schöne, König von Kastilien 237
Philipp II., König von Spanien 276
Philipp, Landgraf von Hessen VII.F, 268, 269, 270, 271, 274, 275, 353, 354, 572, 573, 595, XV, 613, 628
Philipp, Kurfürst von der Pfalz 152
Philipp, Graf von Virneburg und Neuenahr 176
Piccolomini, Enea Silvio 115
Pico della Mirandola, Giovanni 121
Pinder, Ulrich 280, 489
Piombo, s. Sebastiano
Pirckheimer, Johann 88, 116, 121
Pirckheimer, Willibald 116, 121, 122, 123, 235, 357, 435
Pius IV., Papst 618
Pius V., Papst 614
Plato 317
Plethon, Georgios Gemistos 116
Pleydenwurff, Hans 458
Pleydenwurff, Wilhelm 38, 111, 442, 458
Plinius 113
Podiebrad, Georg 20
Pogwisch, Detlev 177
Poliziano, Angelo 106
Pollio, Symphorian 406
Polo, Marco 113
Porta, Guglielmo della 616
Praetorius, Michael 426
Praun, Hans 19
Praun, Stephan 23
Praun, Stephan II. 424
Praun, Ursula (geb. Ayrer) 424
Predis, Ambrogio de' 234
Prierias, Silvester 208, VI.C, 223, 303
Priscian 90
Prüss, Johann d. J. 71, 314
Pseudo-Bonaventura 495
Ptolemäus, Claudius 111, 112, 113
Pynson, Richard 222

Quentel, Peter 369, X.B
Quentell, Heinrich 44, 378

Rack, s. Aesticampianus
Ramminger, Melchior 149, 200, 315, 327, 492
Raschi Salomo ben Isaak 99
Ratzeberger, Matthias XI.C, 423, XIV.P
Regenfuß, Ottilia, s. Mayer, Ottilia
Regiomontanus, Johannes 12, 113, 115, 116
Reichenau, Wilhelm von 124
Rein, Konrad 89
Reinecke, Hans 9
Reinecke, Peter 7
Reinhart, Symphorian 128, 148
Reinmann, Leonhard 325
Reisch, Gregor 99, 100
Resch, Wolfgang 503
Resinarius, Balthasar 426
Retz, Franz von II.A, 39, 40
Reuchlin, Johannes 71, III, 116, 121, 122, 262, 279, 284, 430
Reusner, Nikolaus 282
Reuter, Hans 331
Reyser, Michael 124
Reyß, Konrad 531
Rhau, Georg XI.C, 425, 426, 479, 602, 605
Rhau-Grunenberg, Johann 207, 225, 226, 588
Rhenanus, Beatus 117
Richard von Greiffenclau, Erzbischof von Trier 242
Richel, Bernhard 445
Riese, Adam 14, 18
Ring, Ludger tom d. J. 578
Ringel, Ludwig 398
Ringmann, Matthias 112
Rode, Hinne 317
Rodt, Adam 201
Rodt (Witwe) 201
Rödinger, Christian 606
Rörer, Georg 370, 373, 374
Rösser, Mathias 540
Rohrbach, Jäcklein 331, 337
Romano, s. Giulio
Roswitha von Gandersheim 163
Rotenhan, Sebastian von 170
Roth, s. Johann IV.
Roth, Matthias 555
Rottmaier, Georg 389
Roxane (Gemahlin des Sultan Suleiman) 273

Sabinus, Georgius 464
Sachs, Hans 37, 279, 294, 296, 300, 304, 305, 306, 307, 312, 316, 318, 320, 405, 503
Sachs, Peter 101
Salminger, Sigmund 407
Sam, Konrad 537
Sapidus, Johannes 423
Sattler, Michael 343
Sayn, Evert von 176
Schäufelein, Hans 308, 489, 583
Schaffner, Martin 42
Schapf, Jörg 97
Schappeler, Christoph 329
Schechinger, Johann 424
Schedel, Hartmann 111, 113, 279, 306, 322, 380, 442
Schenck, Hans (gen. Scheutzlich) 638
Schenck, Wolfgang 104
Scheurl, Christoph 18, 105, 131, 142, 206, 207
Schirlentz, Nickel 509, 541, 579, 582
Schmid, Thomas 304
Schmidt, Jakob, s. Fabri
Schneevogel, s. Niavis
Schobser, Hans (Johann) 71, 91, 385
Schöffer, Johann 199, 201, 253, 516
Schöffer, Peter 366, 425
Schön, Erhard 300, 301, 305, 307, 313, 325, 515
Schön, Friedrich 39
Schönsperger, Johann 382
Schongauer, Martin 33, 279
Schopper, Johann 567
Schott, Johann(es) 100, VIII.A
Schreyer, Sebald 191
Schürer, Matthias (Erben) 342
Schürstab, Dorothea 53, 55
Schultheiß zu Bieringen 331
Schumann, Valentin 207, 208, 287
Schwarz, Hans 170
Schwarz, Ulrich 453

Schwarzenberg, Johann Freiherr von 174, 558
Schweicker, Wolfgang sen. 19
Schwenckfeld, Caspar von 359, 591
Sebastiano del Piombo 223
Seehofer, Arsacius 91
Seisenegger, Jakob 277
Seitz, Peter 491
Selve, Georges de 431
Senfl, Ludwig 423, 426
Seuse, Heinrich 95
Sforza, Bianca Maria 235
Sforza, Lodovico, genannt Il Moro, Herzog von Mailand 235
Sickingen, Franz von 221, 259, 262, 263, 269, VIII.A
Sigmund, Kaiser VII, 231, 259
Sigmund von Tirol, Erzherzog von Österreich 162
Simons, Menno 339
Sixtus IV., Papst 48, 175
Slüters, Conrad 550
Solger, Rudolf 388
Sombreff, Friedrich von 176
Soncino, s. Gerson
Sonnenschein, Hans 518
Sorg, Anton 91, 385, X.B
Sorg, Simprecht 342
Spalatin, Georg 134, 206, 219, 225, 402, 429, 488
Spaun, Claus 92
Spaur, Karl von 162
Spengler, Lazarus 435, 554, 561, 593
Speratus, Paulus 400, 402, 406
Springinklee, Hans 235
Sprung, Peter 67
Stabius, Johannes 113, 235
Stampfer, Jakob 437
Staupitz, Johannes von 104, 105, IV, 133, 135, 500
Steinbach, Wendelin 103
Steiner, Heinrich 304, 393, 497
Stellwagen, Hans 7
Stifel, Michael 280, 285
Stöckel, Wolfgang 207, 213, 361, 387
Stoer, Thomas 307
Stoß, Veit 61
Stotebrügge, Barbara 552
Strigel, Bernhard 237
Stromer, Wolf-Jakob 27
St-Thierry, s. Wilhelm von St-Thierry
Stuber, Wolfgang 282
Stuchs, Lorenz 383
Stürmer, Wolfgang 401
Stürtzel, Konrad 168
Sturm, Jakob 275, XII, 440
Sturm, Kaspar 259
Suleiman, Sultan 272, 273, 620
Susanna von Bayern 165
Sustris, Lambert 641
Sutel, Johann 565

Tetzel, Johannes 49, 203
Teutonicus, Johannes 230
Thomas von Aquin 44, 69, 97, 98, 303
Tizian 277, 623, 630, 651
Trechsel, Caspar 112
Trechsel, Melchior 112
Trithemius, Johannes 118
Trunck, Lorenz 189
Trutfetter, Jodocus 103, 104
Türing, Niklas 173
Tzerstede, Nicolaus von 550

Ulhart, Philipp 527, 528, 529, 530, 531, 532, 533, 534, 535, 536, 537
Ulrich, Herzog von Württemberg 171, 238, 239, 262, 263, 324, 336
Unckel, Bartholomäus von 378
Ursula von Brandenburg 155
Usingen, s. Arnoldi von Usingen
Utz, Peter 424

Valla, Lorenzo 302
Vasco da Gama 112
Vehe, Michael 417, 418
Venroide, Maiss (Thomas) von 24
Vergil 106
Vermeyen, Jan 276
Vespucci, Amerigo 112
Vidoué, Pierre 143
Vischer, Peter 240, 490
Vogt, Johannes 124
Vogtherr, Heinrich 497
Volckamer, Berthold 55
Volland, Ambrosius 171

Wachter, Georg 394, 560
Wagner, Peter 47
Walter, Johann XI.A, 393, XI.C, 425, 426, 427, 548
Walther, Christoph 374
Waldburg, Georg III. Truchseß von 332, 336
Waldburg, Otto Truchseß von 524, 641, 642, 643, 644, 645
Waldmüller, Jörg (gen. Messerschmidt) 414
Waldseemüller, Martin 112, 113
Wann, Paulus 102
Wannenmacher, Johannes 422
Warham, s. William
Waygandt, Friedrich 331
Weiditz, Christoph 171
Weiditz, Hans 248
Weinher, Peter 212
Weiß, Adam 567
Weissenburger, Johann 36, 115
Weller, Matthias 422
Welser, Anton 20, 73, 250
Wenssler, Michael 45
Werner, Johannes 116
Wertinger, Hans 34, 152, 161
Widemar, Nikolaus 547
Wilhelm, Herzog von Bayern 169
Wilhelm d. J., Landgraf von Hessen 182
Wilhelm, Herzog von Jülich-Kleve-Berg 179
Wilhelm von St-Thierry 94
William Warham, Erzbischof von Canterbury 119
Wirsung, Marx 22, 32, 123, 233
Wischeman, Heinrich 202
Withem, Johann von 76
Withem, Maria von 76
Witzendorf, Franz 649
Wladislaw, König von Ungarn und Böhmen 237
Woensam, Anton von Worms 369
Wolf(-gang), Fürst von Anhalt 268
Wolf I. Graf von Mansfeld 8
Wolff, Thomas 453
Wolff von Wolffsthal, Heinrich 69
Wolgemut, Michael 21, 111, 322, 442
Wolrab, Hans 418
Wolrab, Nicolaus 371, 417
Wullenwever, Jürgen 518
Wunderer, Hans 328

Ximenes de Cisneros, Francisco, Kardinal, Erzbischof von Toledo 119
Xylotectus, s. Zimmermann, Johannes

Zahender, Elisabeth 67
Zainer, Günther 35, X.B, 376, 372
Zainer, Johann 495
Zamoriensis, Rodericus 35
Zapolya, Johann 272, 620
Zasinger, Matthäus 161
Zerbolt von Zutphen, Gerhard 93
Zeschau, Wolfgang von 557
Ziegler, Clemens 356
Ziegler, Niklas 258
Zimmermann, Johannes 428
Zimmermann, Michael 646
Zwick, Johannes 406, 415
Zwingli, Huldrych 270, 314, 315, 329, IX.B, 341, 342, 343, 404, 428, 437, 438, XIV, 505, 508, XIV.C

Bildnachweise

Aschaffenburg, Foto Alfen GmbH 476
Berlin, Jörg P. Anders 212, 257, 294, 307, 311, 312, 317, 321, 449, 477, 498, 578
Berlin, Walter Steinkopf 77, 635
Brüssel, Institute Royale du Patrimoine Artistique 237
Donaueschingen, Georg Goerlipp 470
Fribourg, B. Rast 460
Fritzlar, Foto Orendt 66
Goslar, Friedhelm Geyer 412
Köln, Kunsthaus Lempertz 349
Köln, Rheinisches Bildarchiv 54, 76
Leimen, Roland Zachmann 390, 571
London, Courtauld Institute of Art 223
Lüneburg, Pressefoto Makovec 550
Marburg, Bildarchiv Foto Marburg 379
München, Bildarchiv der deutschen Kunst. Fritz Thyssen Stiftung 446
München, Foto R. Nohr 106
München, Dieter Rensing 347
Nürnberg, Hochbauamt der Stadt Nürnberg 61, 63
Regensburg, Foto Wagmüller 539
Salzburg, Oskar Aurather 135
Ulm, Archiv Münsterbauamt 459
Wien, Lichtbildwerkstätte Alpenland 51

Die anderen Reproduktionsvorlagen wurden uns freundlicherweise von den Besitzern der ausgestellten Werke zur Verfügung gestellt.

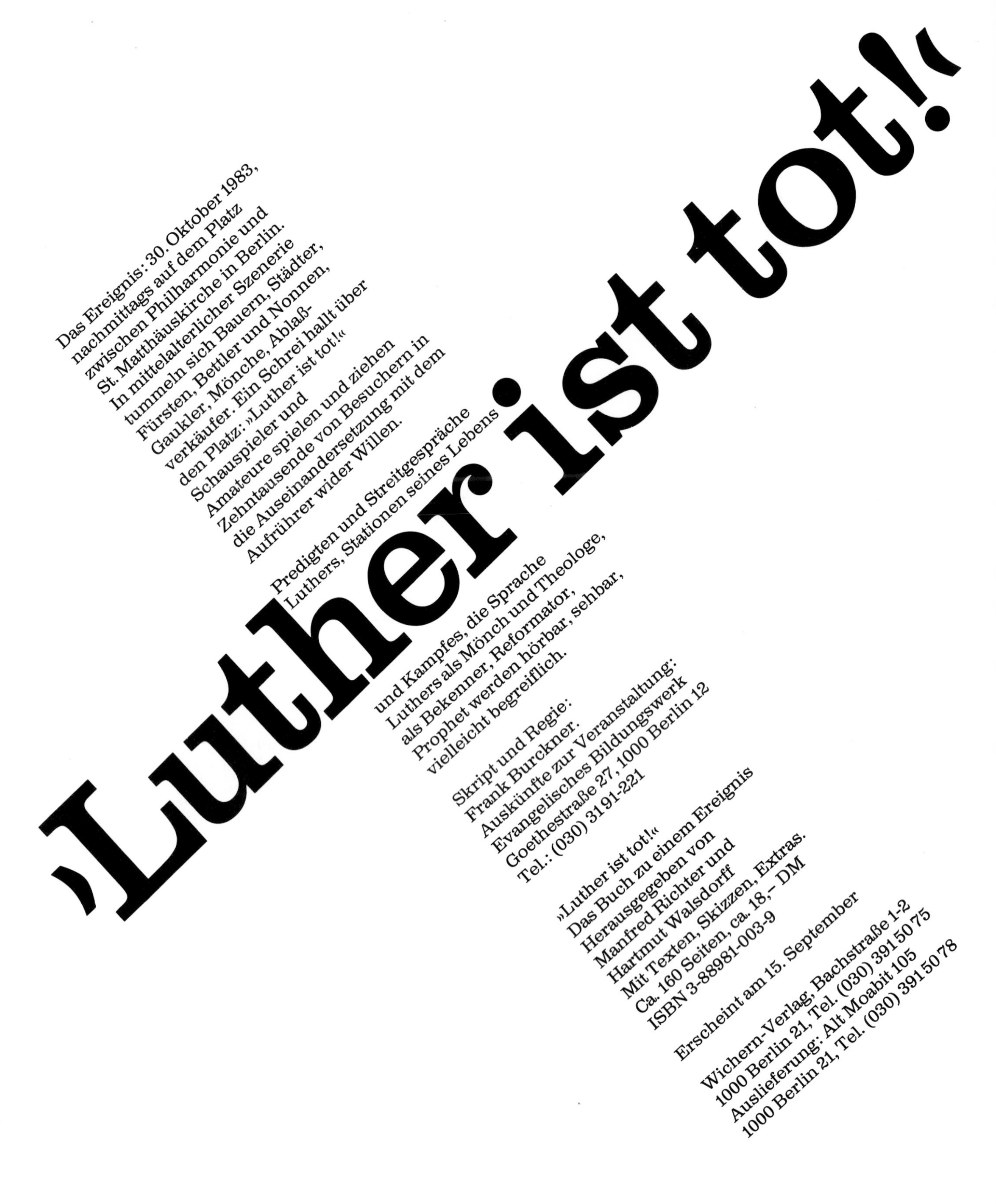
›Luther ist tot!‹
Das Ereignis: 30. Oktober 1983,
nachmittags auf dem Platz
zwischen Philharmonie und
St. Matthäuskirche in Berlin.
In mittelalterlicher Szenerie
tummeln sich Bauern, Städter,
Fürsten, Bettler und Nonnen,
Gaukler, Mönche, Ablaß-
verkäufer. Ein Schrei hallt über
den Platz: »Luther ist tot!«
Schauspieler und
Amateure spielen und ziehen
Zehntausende von Besuchern in
die Auseinandersetzung mit dem
Aufrührer wider Willen.
Predigten und Streitgespräche
Luthers, Stationen seines Lebens
und Kampfes, die Sprache
Luthers als Mönch und Theologe,
als Bekenner, Reformator,
Prophet werden hörbar, sehbar,
vielleicht begreiflich.
Skript und Regie:
Frank Burckner.
Auskünfte zur Veranstaltung:
Evangelisches Bildungswerk
Goethestraße 27, 1000 Berlin 12
Tel.: (030) 3191-221
»Luther ist tot!«
Das Buch zu einem Ereignis
Herausgegeben von
Manfred Richter und
Hartmut Walsdorff
Mit Texten, Skizzen, Extras.
Ca. 160 Seiten, ca. 18,– DM
ISBN 3-88981-003-9
Erscheint am 15. September
Wichern-Verlag, Bachstraße 1-2
1000 Berlin 21, Tel. (030) 391 50 75
Auslieferung: Alt Moabit 105
1000 Berlin 21, Tel. (030) 391 50 78

Frankfurter Allgemeine

ZEITUNG FÜR DEUTSCHLAND

Samstag, 19. März 1983, Nr. 66/11 D

D 2954 A

1,40 DM

Strauß erklärt sich am Montag in München

Union und FDP wollen den Aufschwung nicht durch höhere Belastungen behindern

Der Bundesrat lehnt Verschiebung der Volkszählung

Moskau: Reagan will keine faire Vereinbarung

Entwerteter Widerstand

Samstag, 19. März 1983 / Nummer 66

BILDER UND ZEITEN

Frankfurter Allgemeine Zeitung

Die protestantische Unruhe

Luther und die Bildung der Deutschen · Von Thomas Nipperdey

Kanzel und Katheder

Das Pathos der Innerlichkeit

Intellektuelle Vielfalt

Martin Luther auf der Kanzel. Ausschnitt des Flügelaltars der Stadtkirche von Wittenberg, einem Werk von Lucas Cranach.

Zwei die sich ergänzen...

STABILO BOSS
STABILO BOSS 2

STABILO BOSS

Hebt Wichtiges hervor, spart Zeit und schafft leuchtende Klarheit als echter Partner in Büro, Verwaltung, Betrieb und zu Hause. STABILO BOSS gibt es in 8 Leuchtfarben.

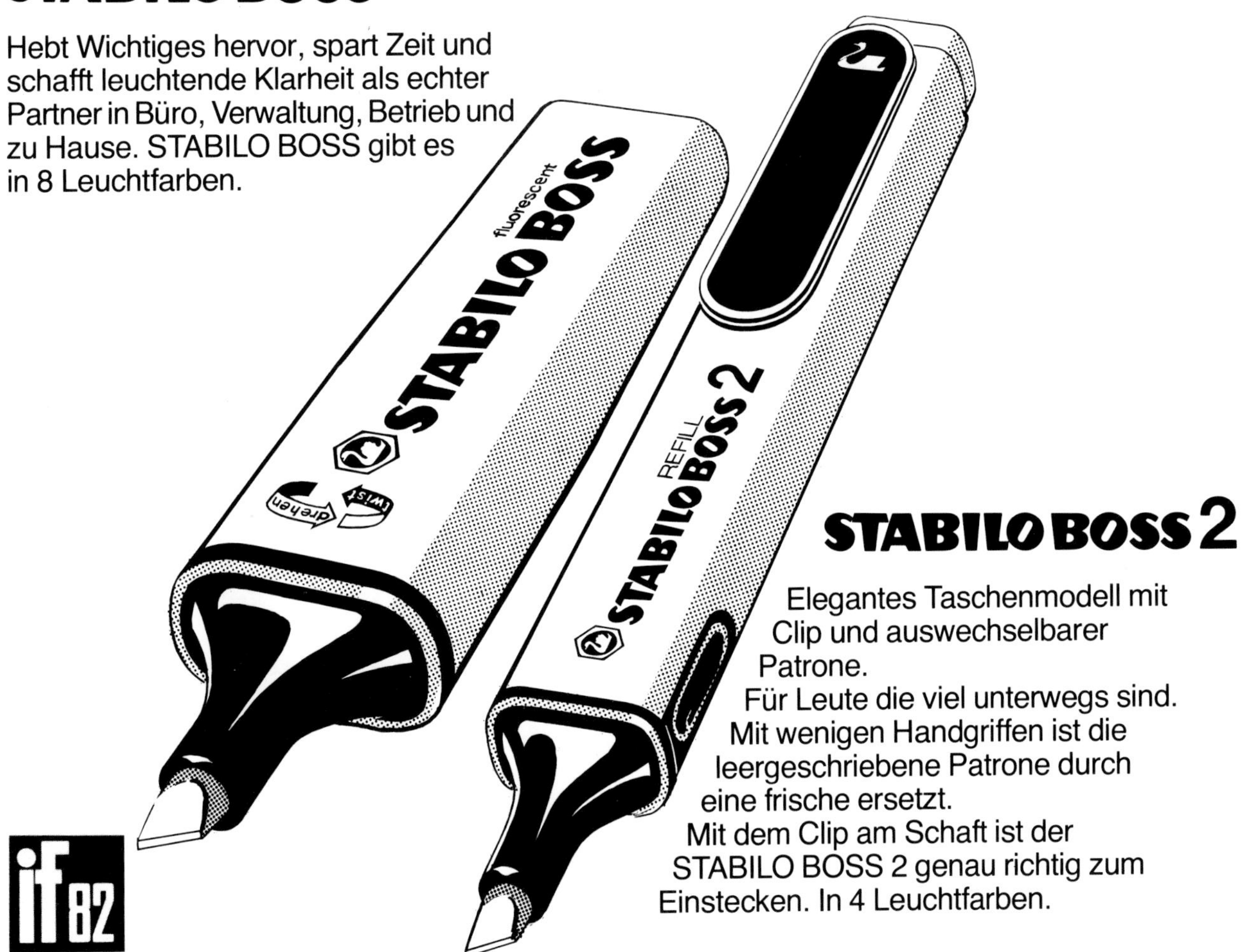

STABILO BOSS 2

Elegantes Taschenmodell mit Clip und auswechselbarer Patrone.
Für Leute die viel unterwegs sind.
Mit wenigen Handgriffen ist die leergeschriebene Patrone durch eine frische ersetzt.
Mit dem Clip am Schaft ist der STABILO BOSS 2 genau richtig zum Einstecken. In 4 Leuchtfarben.

if 82

STABILO BOSS 2 wurde mit dem Prädikat "Die gute Industrieform" 1982 ausgezeichnet.

STABILO BOSS und STABILO BOSS 2 ein ideales Paar von

Erhältlich im Fachhandel.

NÜRNBERG - WIEN - STRASBOURG

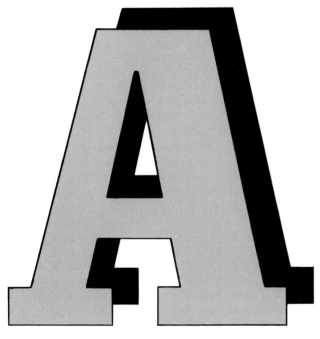

Zeittafel zu Luthers Leben

1483 am 10. November Geburt Martin Luthers in Eisleben
1484 Übersiedlung der Familie Luther nach Mansfeld
1497 Luther ist für ein Jahr Schüler in Magdeburg; anschließend kommt er nach Eisenach
1501 bis 1505 Luther studiert in Erfurt
1505 am 17. Juli Eintritt Luthers in das Schwarze Kloster der Augustiner-Eremiten in Erfurt
1507 Priesterweihe Luthers im Dom zu Erfurt
1508 Luther lehrt in Wittenberg Moralphilosophie
1509 Rückberufung Luthers nach Erfurt. Luther wird Baccalaureus der Theologie und hält Vorlesungen über die »Sentenzen« (Dogmatik) des Petrus Lombardus
1510/1511 Luther reist in Ordensangelegenheiten nach Rom
1511 Luther wird in das Wittenberger Kloster seines Ordens versetzt
1512 Luther wird Doktor der Theologie und Professor für Bibelauslegung (Lectura in Biblia) an der 1502 gegründeten Universität Wittenberg. Von 1513 bis zu seinem Lebensende hält Luther Vorlesungen über Bücher des Alten und Neuen Testaments. Außerdem ist Luther seit 1512 Subprior seines Klosters, seit 1515 auch Distriktsvikar in seinem Orden für Meißen und Thüringen
1517 am 31. Oktober protestiert Luther mit seinen 95 Thesen bei seinen kirchlichen Oberen gegen Ablaßlehre und Ablaßpraxis
1518 vom 12.-14. Oktober Verhör Luthers durch Kardinal Cajetan in Augsburg
1519 im Juni/Juli disputiert Luther mit Eck in Leipzig; Luther bestreitet die Unfehlbarkeit von Papst- und Konzilsentscheidungen
1520 Luther veröffentlicht die drei sog. reformatorischen Hauptschriften »An den christlichen Adel deutscher Nation von des christlichen Standes Besserung«, »Von der babylonischen Gefangenschaft der Kirche« und »Von der Freiheit eines Christenmenschen«
1520 am 10. Dezember verbrennt Luther das Kanonische Recht sowie die Bannandrohungsbulle des Papstes
1521 am 3. Januar wird Luther durch den Papst gebannt
1521 am 17. und 18. April wird Luther vor dem Reichstag zu Worms verhört. Luther lehnt den geforderten Widerruf ab. Am 8. (26.) Mai wird Luther von Kaiser Karl V. geächtet
1521 vom Mai 1521 bis März 1522 ist Luther auf der Wartburg in Sicherheit. Übersetzung des Neuen Testaments
1521/1522 Unruhen in Wittenberg
1522 im März kehrt Luther gegen den Willen des sächsischen Kurfürsten nach Wittenberg zurück
1525 am 13. Juni heiratet Luther – kurz nach der Niederwerfung der Bauernerhebung – Katharina von Bora
1525 Luther veröffentlicht seine Schrift »De servo arbitrio« (Vom unfreien Willen) gegen Erasmus
1525 bis 1529 in dem sog. Abendmahlsstreit kommt es zur Trennung zwischen Luther und Zwingli
1527 bis 1529 Luther wirkt bei der kursächsischen Kirchen- und Schulvisitation mit
1530 während des Reichstages zu Augsburg hält Luther sich auf der Veste Coburg auf
1534 Luther veröffentlicht seine Übersetzung des gesamten Alten und Neuen Testaments
1538 in Blick auf das damals geplante Konzil veröffentlicht Luther seine »Schmalkaldischen Artikel«
1546 am 18. Februar Tod Luthers in Eisleben; Beisetzung am 22. Februar in der Schloßkirche zu Wittenberg.

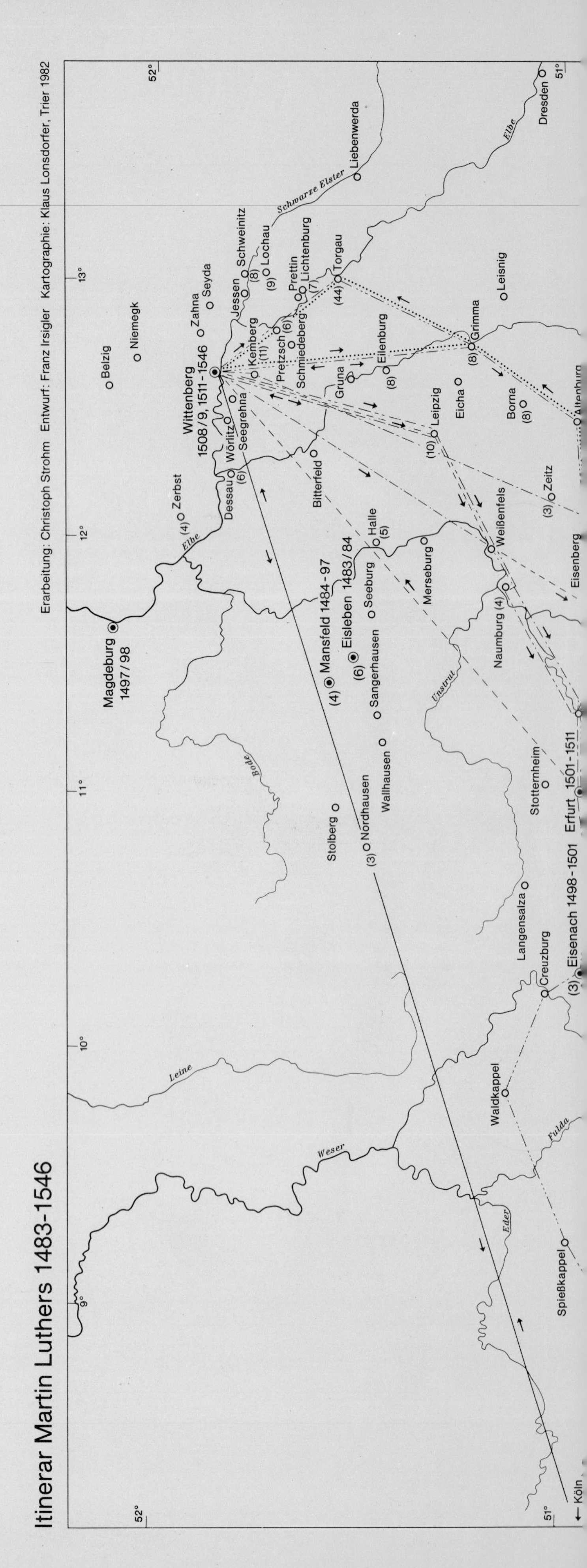